HET BOEK EN DE BROEDERSCHAP

Van Iris Murdoch verscheen eerder
De leertijd

IRIS MURDOCH

HET BOEK EN DE BROEDERSCHAP

Vertaald door Annet Mons

Uitgeverij Aeropagus

2e druk november 2000

© 1987 Iris Murdoch
© 1988 Nederlandse vertaling: Annet Mons
Oorspronkelijke titel: *The Book and The Brotherhood*
Omslagontwerp www.Artgrafica.com
Omslagschilderij: Caspar David Friedrich, 'Zeegezicht in het maanlicht', ca 1835
Alle rechten voorbehouden
ISBN 90-254-1309-9
NUGI 301

Licentie-uitgave van ECI, Vianen

Voor
Diana Avebury

DEEL EEN

MIDZOMER

'David Crimond is hier in een kilt!'

'Grote genade, is Crimond hier? Waar is hij?'

'Daar in die feesttent of kermistent of hoe je het noemen wil. Hij is met Lily Boyne.'

De eerste spreker was Gulliver Ashe, de tweede was Conrad Lomas. Gulliver was een wispelturige, thans werkloze, jonge Engelsman van begin dertig die nadrukkelijk vaag deed over zijn leeftijd. Conrad was een duidelijk jongere jonge Amerikaanse student. Hij was langer dan Gulliver, die altijd als lang werd beschouwd. Gulliver had Conrad nooit eerder ontmoet maar hij had wel van hem gehoord en hij had de opmerking die zoveel opwinding veroorzaakte zowel tegen Conrad als diens partner Tamar Hernshaw gemaakt. De plaats van handeling was het langverbeide dies-bal in Oxford en de tijd was ongeveer elf uur in de avond. Het was midzomer, het was nog niet helemaal donker en dat zou het eigenlijk ook niet worden. Boven de diverse verlichte feesttenten, waaruit diverse soorten muziek stroomden, hing een schemerachtig blauwe hemel waaraan reeds een paar verspreide gele sterren te zien waren. De maan stond nog laag, als een enorme, brokkelige kaas, tussen de bomen aan de overkant van de zijriviertjes van de Cherwell die het eigenlijke terrein van het college begrensden. Tamar en Conrad waren zojuist gearriveerd en hadden nog niet gedanst. Gulliver had hen vrijmoedig aangesproken aangezien hij Tamar kende, al was het dan maar oppervlakkig, en had gehoord wie haar metgezel zou zijn. De aanblik van Tamar wekte bij Gulliver eigenlijk wrevel op, aangezien zíjn partner voor deze avond Tamars moeder Violet had zullen zijn – maar ze had op de valreep afgezegd. Gulliver was niet direct dol op Violet maar hij had ingestemd om haar te vergezellen om Gerard Hernshaw een plezier te doen. Hij deed hem meestal een plezier en gehoorzaamde hem zelfs. Gerard was Tamars oom, of 'oom', aangezien hij niet Violets broer was maar haar neef. Gerard was beduidend ouder dan Gulliver. Gerards zuster Patricia, die Jenkin Riderhood als partner had zullen hebben, was ook al niet op komen dagen, maar zij had hier – in tegenstelling tot Violet die geen reden scheen te hebben – wel een reden voor, aangezien Gerards vader, die langdurig ziek was, plotseling achteruitging. Ofschoon Gulliver zich uiteraard zeer vereerd voelde om te zijn gevraagd, ergerde het hem ook dat Gerard hem aan Violet had gekoppeld, waarmee Gulliver naar de oudere generatie scheen te worden verwezen. Gulliver zou er helemaal geen bezwaar tegen hebben gehad als partner voor Tamar te fungeren, hoewel hij niet bepaald 'gek' op haar

7

was. Hij vond haar te verlegen en te stijf, ze was bleek en mager en wat schoolmeisjesachtig, ze was spichtig en wat verwaarloosd en bezat geen stijl, ze droeg haar korte sluike haar op een kinderachtige manier met een scheiding opzij. Hij vond haar maagdelijk witte jurk niet leuk. Gull, die er niet helemaal zeker van was of hij meisjes hoe dan ook wel leuk vond, gaf de voorkeur aan brutalere exemplaren die de baas over hem konden spelen. In elk geval kwam Tamar niet in aanmerking aangezien het bekend was dat ze met haar nieuwe kennis naar het bal zou gaan, die knappe jonge Amerikaan die ze via haar neef Leonard Fairfax had ontmoet. Gerard geneerde zich voor Violets afvalligheid en had tegen Gulliver gemompeld dat hij 'vast wel een meisje op zou pikken of zo', maar tot dusver leek dit niet erg waarschijnlijk aangezien alle meisjes goed in de gaten werden gehouden door hun kerels. Maar als die kerels later dronken werden, zou de situatie natuurlijk kunnen veranderen. Hij had enige tijd in de warme blauwe schemering rondgedoold in de hoop dat hij een bekende tegen het lijf zou lopen, maar dat van Tamar was het eerste bekende gezicht dat hij zag en bij het zien van haar voelde hij eerder ergernis dan vreugde. Hij was ook een beetje nijdig omdat hij niet, na lang wikken en wegen, zijn blauwe smokingoverhemd met strookjes had aangetrokken, waarmee het grootste gedeelte van de jongere generatie zich bleek te hebben uitgedost, maar zijn conventionele zwart met witte uniform waarvan hij wist dat Gerard, Jenkin en Duncan het ook aan hadden. Gulliver, die zichzelf een knappe man vond, was lang en donker en slank, met sluik, glanzend zwart haar en een smalle, enigszins gekromde neus, waarmee hij zich had verzoend toen iemand het een adelaarsneus had genoemd. Zijn ogen, waarvan hem was verteld dat ze mooi waren, waren van een heel zuiver, smetteloos vloeibaar goudbruin. Hij wilde erg graag dansen en hij zou heel kwaad zijn geweest op Gerard omdat die er zo'n puinhoop van had gemaakt, ware het niet dat Gerard Gullivers – erg dure – kaart had betaald zonder welke hij hier helemaal niet zou zijn geweest. Terwijl deze gedachten door Gullivers hoofd tuimelden was Conrad Lomas er, met een gemompelde verontschuldiging tegen Tamar, als een pijl uit de boog vandoor gegaan in de richting van de feesttent waar David Crimond heette te zijn. Hij rénde met zijn ongewoon lange benen over het gras en verdween, Gulliver en Tamar samen achterlatend. Tamar, die verbaasd was over de snelle manier waarop hij verdween, was haar aanbidder niet onmiddellijk gevolgd. Dit had Gullivers kans moeten zijn en hij vroeg zich inderdaad even af of hij Tamar snel ten dans zou vragen. Hij aarzelde echter, wetend dat hij zich hoogst ongelukkig zou voelen als Tamar weigerde. Evenmin had hij er behoefte aan om later misschien lang met haar 'opgescheept' te moeten zitten. Hij had het eigenlijk, ondanks zijn zorgvuldig gekoesterde grieven, heel leuk gevonden om op eigen houtje wat rond te wandelen en voyeur te spelen. Bovendien had hij juist het idee gekregen om terug te gaan naar de kamer waar Gerard en de oudjes nog steeds champagne zaten te drinken en dan Rose Curtland ten dans te vragen. Uiteraard 'hoorde' Rose bij Gerard, maar Gerard zou er vast geen bezwaar tegen hebben, en de gedachte zijn arm, die dit nooit had durven dromen, rond het middel van Rose Curtland te leggen was beslist heel aantrekkelijk. Het juiste moment voor Tamar ging voorbij en ze maakte aanstalten om weg te gaan.

Gull zei: 'Dat was toch Conrad Lomas, is het niet? Wat bezielde hem opeens?'

Tamar zei: 'Hij schrijft het een of andere proefschrift over het marxisme in Groot-Brittannië.'

'Dan heeft hij zeker alles van Crimond gelezen.'

'Hij is helemaal idoláát van Crimond,' zei Tamar, 'hij heeft alles gelezen wat hij heeft geschreven maar hij heeft hem nog nooit ontmoet. Hij wilde dat ik iemand vond om hem voor te stellen maar ik had daar geen zin in. Ik wist niet dat hij vanavond hier was.'

'Dat wist ik ook niet,' zei Gulliver en voegde eraan toe: 'en zíj ook niet.'

Tamar wuifde even en liep toen in de richting van de tent waarin Conrad was verdwenen. Gulliver besloot toch nog maar niet naar de anderen terug te gaan. Hij wilde nog wat rondlopen. Dit was niet zijn college of universiteit. Hij had zijn titel in Londen gehaald en hoewel hij Oxford en alle gebruiken in Oxford met spottende gereserveerdheid bezag, was hij bereid zich op deze unieke avond over te geven aan de charme van zijn omgeving, met de oude, door schijnwerpers verlichte gebouwen, de lichte verfijnde toren, het intense groen van de met lichtjes behangen bomen, de gestreepte tenten als van een exotisch leger en de rondzwervende menigte kleurige jonge mensen op wie hij, nu hij wat had gedronken, toch eigenlijk niet zo jaloers was. Misschien moest hij nog maar eens gauw iets te drinken hebben. Hij baande zich een weg naar de kloostergangen waar hij whisky kon krijgen. Hij had genoeg van Gerards champagne.

Gullivers aarzeling haar ten dans te vragen was Tamar niet onopgemerkt voorbijgegaan. Ze zou hebben geweigerd, maar nu voelde ze zich gekwetst dat hij haar niet had gevraagd. Ze trok de geborduurde sjaal strak om zich heen, sloeg hem voor haar borst over elkaar en duwde hem hoog in haar nek. Het was een warme, onbewolkte dag geweest en de avond was zoel, maar er stond nu een klein briesje en Tamar voelde zich kleumerig, ze had het altijd gauw koud. Haar witte avondjurk sleepte over het gras waarvan ze dacht dat ze er nu al de dauw op kon voelen. Ze bereikte de tent waar de lichten waren aangedaan omdat de popgroep afnokte om iets te gaan drinken en de dansers stonden verspreid over de houten vloer te praten. Ze kon Conrad nergens vinden maar weldra ontdekte ze een dicht openstaand groepje jongelui, als een zwerm bijen, in een hoek waar een schelle stem met een vaag Schots accent stond te oreren. Tamar mocht Crimond niet, ze was bang voor hem, maar ze had hem slechts zelden ontmoet en sinds de ruzie met Gerard en de anderen nooit meer. Het kwam niet in haar op naar de groep bewonderaars te gaan en zich bij Conrad te voegen. Ze ging even zitten op een stoel langs de rand van de tent en wachtte. Ze zag Lily Boyne, die hier naar verluidt met Crimond was, in haar eentje aan de overkant zitten. Lily had een sandaal uitgetrokken en bekeek deze, rook er nu aan. Tamar, die geen zin had om met Lily te praten, hoopte dat Lily haar niet opmerkte. Uiteraard kende ze Lily Boyne, die een vriendin was, of in ieder geval een soort vriendin, van Rose Curtland en Jean Cambus, maar Lily bezorgde Tamar altijd een ongemakkelijk gevoel, ze maakte haar kriegel. Eigenlijk vond Tamar Lily maar niets en dus dacht ze liever niet over haar na. Toen de luide muziek en de knipperlichten weer aangingen, liep Tamar naar buiten, het donker in. Het diep vibrerende ritme van de muziek maakte haar van streek, ze wilde heel graag dansen.

Tamar was klaar om verliefd te worden. Het is mogelijk om je voor te nemen verliefd te worden. Of misschien bestaat dat voornemen gewoon uit de opgewonden verwachtingen van het moment, dat is uitgesteld teneinde perfect te worden, waarop er een onmiskenbaar wederzijds gebaar wordt gemaakt wanneer ogen en handen elkaar raken en woorden te kort schieten. Aldus, in deze termen, in deze verwachtingsvolle toestand, had Tamar zichzelf toegestaan zich op deze avond te verheugen. Ze had Conrad, die in Cambridge had gezeten en binnenkort weer naar Amerika terugging, pas een paar keer ontmoet, en vooral in gezelschap van anderen. Bij de laatste gelegenheid had hij haar bij het naar huis brengen vurig gekust. Haar neef Leonard Fairfax, die in Amerika kunstgeschiedenis studeerde aan de universiteit van Cornell, had hen via een brief aan elkaar voorgesteld. Tamar had zich zo ver laten gaan dat ze die lange Amerikaanse jongen aardig vond, meer dan aardig zelfs, maar ze had hem nog niets laten blijken. Ze had over hem gedroomd. Tamar was twintig, aan het einde van het tweede jaar waarin ze geschiedenis studeerde in Oxford. Ze was duidelijk volgroeid, maar haar verlegenheid en haar uiterlijk maakten dat anderen, evenals zij zelf trouwens, over haar dachten als jonger, naïef, nog niet volwassen. Ze had twee verhoudingen achter de rug, waarvan de eerste uit begeerte was ontstaan, de tweede uit medelijden, wat ze heel afkeurenswaardig vond. Ze was een puriteins kind en ze was nog nooit verliefd geweest.

Rose Curtland danste met Gerard Hernshaw. Ze waren in de tent waar 'vriendelijke' ouderwetse muziek werd gespeeld: walsen, tango's en slow foxtrots, afgewisseld door eightsome reels, Gay Gordons en onduidelijke jigs waar ieder naar eigen inzicht op kon dansen. Het geluid van de beroemde popgroep was nu in de verte hoorbaar. In nog een andere tent was traditionele jazz, in weer een andere country-muziek. Rose en Gerard, die goede dansers waren, beheersten dit allemaal, maar het was een avond voor nostalgie. Het college-orkest speelde Strauss. Rose legde haar hoofd zacht tegen Gerards zwartbeklede schouder. Ze was lang maar hij was langer. Ze vormden een knap paar. Gerards gezicht, dat als 'ruig' zou kunnen worden beschreven, was door zijn zwager, de kunsthandelaar, beter gekarakteriseerd als 'kubistisch'. Er waren wat sterk dominante vlakken, een vierkant, plat voorhoofd, een neus die in een stomp vlak eindigde in plaats van in een punt. Maar wat misschien een hard geheel van wiskundige vlakken had kunnen worden, werd tot een levendig en harmonieus geheel gevormd door de energie die het uitstraalde, zodat het een ironisch, humoristisch gezicht werd, met een glimlach die dikwijls een zotte en absurde grijns was. Gerards ogen waren metaalachtig blauw, zijn krullende haar was bruin, nu niet meer zo fel kastanjebruin als vroeger maar nog steeds uitbundig en zonder grijs hoewel hij nu over de vijftig was. Het haar van Rose was blond en recht, vol en stond soms pluizig wijduit, als een aureool. Wanneer ze de laatste tijd in de spiegel keek vroeg Rose zich weleens af of die uitbundige lichtbruine lokken niet in één klap in een licht grijs veranderden. Ze had donkerblauwe ogen en een bijzonder mooie wipneus. Ze had haar goede figuur weten te behouden en ze droeg een eenvoudige donkergroene baljurk. Rose had een opvallend kalme manier van doen die sommige mensen irriteerde en anderen op hun gemak stelde. Er lag vaak een vage glimlach op haar gezicht, zoals nu, hoewel haar gemengde gedachten bepaald niet louter gelukkig waren. Dansend met Gerard was ze het toonbeeld van geluk. Als ze nu maar dat gevoel van eeuwigheid kon ervaren in het heden waarover Gerard soms praatte. Ze zou in staat moeten zijn nu gelukkig te zijn, gewoon met Gerards stevige arm om haar middel en met de onopvallende maar autoritaire bewegingen van zijn lichaam waarmee hij haar leidde. Ze had zich op deze avond verheugd vanaf het moment dat Gerard zijn plannen had aangekondigd. Hij was degene die de aanwezigheid van Tamar en Conrad had geregeld. Maar nu ze had wat ze wenste, deed ze met opzet wat afwezig. Ze glimlachte nog eens en zuchtte toen.

'Ik weet waar je aan denkt,' zei Gerard.

'Ja.'

'Aan Sinclair.'

'Ja.'

Rose had op dat moment eigenlijk even niet aan Sinclair gedacht, maar de gedachte aan hem was zo hecht verbonden met de gedachte aan Gerard dat ze geen moeite had om in te stemmen. Sinclair was de lang geleden gestorven broer van Rose, een veelbelovende jongeman. Natuurlijk had ze eerder op die avond al aan hem gedacht toen ze het college binnengingen, waarbij ze zich die zomerdag herinnerde toen ze haar broer was komen opzoeken aan het einde van het eerste jaar en Sinclair tegen haar had gezegd: 'Kijk eens snel, die lange kerel daar, dat is Gerard Hernshaw.' Rose, die jonger was dan Sinclair, had nog op school gezeten. De laatste brieven van Sinclair waren vol geweest van Gerard, die twee jaar verder was. Rose leidde uit die brieven af dat Sinclair verliefd was op Gerard. Pas die dag in Oxford besefte ze dat Gerard evenzeer verliefd was op Sinclair. Dat was best. Maar het was niet zo best dat Rose prompt zelf op Gerard was gevallen en na al die jaren hopeloos, voortdurend verliefd op hem was gebleven. De uitzonderlijke verhouding die ze met Gerard had gehad, nog geen twee jaar na Sinclairs vroege dood, was iets waar ze later nooit meer over spraken, en misschien zelfs wel – zo'n merkwaardige discipline brachten ze op – nooit meer aan terugdachten, zoals een mens herinneringen wil ophalen om ze opnieuw te beleven, op te frissen, aan de lucht bloot te stellen en te veranderen. Het bleef eerder in het verleden liggen als een verzegeld pakket dat ze soms eventjes aanraakten maar nooit, samen of alleen, open zouden maken. Rose had andere minnaars gehad, maar dat waren slechts vluchtige schaduwen, ze had huwelijksaanzoeken gehad, maar die interesseerden haar niet. Terwijl ze nu voelde hoe Gerard zijn hand iets steviger op die van haar drukte, vroeg ze zich af of hij nu dááraan zou denken. Ze keek niet op terwijl ze haar hoofd weghaalde van de plaats waar het een ogenblik tegen zijn schouder had gerust. Nadat Sinclair Oxford had verlaten, hadden Gerard en hij samengewoond, waarbij Gerard als journalist werkte en Sinclair verder ging met zijn studies van de biologie terwijl hij Gerard hielp een links tijdschrift op te zetten. Toen Sinclairs zweefvliegtuig in die heuvels van Sussex was neergestort en na de korte droomachtige episode met Rose gaf Gerard zijn linkse activiteiten op en ging in overheidsdienst. Hij woonde in die tijd samen met diverse mannen, waaronder vrienden uit Oxford, Duncan Cambus, die toen in Londen zat, en Robin Topglass, de geneticus, zoon van de vogelkenner. Robin trouwde later met een Frans-Canadees meisje en vertrok naar Canada, Duncan trouwde met Jean Kowitz, een schoolvriendin van Rose, en ging in de diplomatieke dienst. Marcus Field, waarschijnlijk niet een van Gerards minnaars, werd benedictijner monnik. Gerard had altijd veel hechte vrienden gehad, zoals Jenkin Riderhood, met wie hij geen seksuele relaties onderhield; en in de afgelopen jaren leek hij een rustig leven alleen te zijn gaan leiden. Rose had er uiteraard nooit naar gevraagd. Ze maakte zich feitelijk geen zorgen meer over mannen. Ze was eerder bang voor vrouwen.

De wals was afgelopen en ze bleven samen staan in de ontspannen, wat roerloze houding van mensen die plotseling zijn opgehouden met dansen. Rose zei: 'Ik ben erg blij dat Tamar eindelijk zo'n aardige jongen heeft ontmoet.'

'Ik hoop dat ze hem met beide handen zal beetgrijpen en vasthouden.'

'Ik kan me niet voorstellen dat ze zoiets heftigs zal doen. Dat grijpen zal van hem moeten komen.'

'Ze is zo zachtmoedig,' zei Gerard, 'zo eenvoudig in de beste betekenis van het woord, zo zuiver van hart. Ik hoop dat die jongen beseft wat een opmerkelijk kind ze is.'

'Je bedoelt dat hij haar misschien wat saai vindt? Ze is niet zo'n bijdehante tante.'

'O, hij zou haar heus niet sááí vinden,' zei Gerard, bijna verontwaardigd. Hij voegde eraan toe: 'Het arme kind, altijd op zoek naar een vader.'

'Je bedoelt dat ze misschien liever een oudere man heeft?'

'Zo banaal bedoel ik het nu ook weer niet.'

'Uiteraard zijn we onder de indruk van haar,' zei Rose, 'omdat we haar achtergrond kennen. En ik bedoel: op de goede manier onder de indruk.'

'Ja. Dat ze zo onbeschadigd uit die puinhoop te voorschijn is gekomen.'

'Het onwettige kind van een onwettig kind.'

'Ik vind dat een vreselijke terminologie.'

'Ach, ik denk dat veel mensen nog steeds in zulke termen denken.'

Tamars moeder Violet, die nooit getrouwd was geweest, was het kind van de slechte jongere broer van Gerards vader, Benjamin Hernshaw, eveneens nooit getrouwd, die Violets moeder in de steek had gelaten. Tamar, die naar men zei slechts in leven was gebleven omdat Violet geen abortus kon betalen, was het resultaat van een avontuurtje met een voorbijkomende Scandinaviër dat zo kort was geweest dat Violet, die beweerde zijn naam te zijn vergeten, er niet zeker van was of het een Zweed, een Deen of een Noor was geweest. Aan Tamars verwaarloosde charme, haar vaalgekleurde haar, haar grote treurige ogen viel ook geen aanknopingspunt te vinden. Violet had zelf resoluut de naam Hernshaw aangenomen en die aan Tamar doorgegeven. Violets 'rommelige leven', dat door Patricia, en zelfs Gerard, met de nodige achterdocht werd gevolgd, had voortgeduurd tijdens Tamars jeugd maar zonder vergelijkbare incidenten.

'Violet had een grote aantrekkingskracht op mannen,' zei Rose. 'Dat heeft ze nog steeds.'

Gerard zei hier niets op. Hij keek op zijn horloge. Hij droeg, uiteraard, de zwart met witte uitmonstering waar Gulliver Ashe zo'n hekel aan had, en die hem heel goed stond.

Rose dacht: ik ben nog steeds jaloers op elke vrouw die bij hem in de buurt komt, zelfs op die arme kleine Tamar die ik zo aardig vind! Soms dacht ze: ik heb mijn leven verspild aan deze man, ik heb gewacht hoewel ik wist dat ik tevergeefs wachtte, hij heeft heel veel ontvangen en daar heel weinig voor teruggegeven. Maar dan dacht ze weer: wat ben ik toch ondankbaar, hij heeft me zijn kostbare liefde geschonken, hij houdt van me en heeft me nodig, is dat soms niet genoeg? Zelfs als hij me als een soort ideale zuster beschouwt. Hoe dan ook, nu hij zich terug heeft getrokken uit de overheidsdienst wil hij dingen gaan schrijven, hij zegt dat hij een nieuwe fase in zijn leven wil beginnen, om zichzelf te perfectioneren of zoiets, hij zou plotseling iets heel heel nieuws kunnen gaan doen zoals van vrouwen gaan houden – en mij dan om raad komen vragen! Toen dacht ze: wat een onzin! Ben ik dan soms niet gelukkig genoeg geweest?

'Hoe gaat het met je vader?' vroeg ze.

'Niet zo best. . . maar hij is niet echt stervende. Er is uiteraard geen enkele hoop meer, het is alleen maar de vraag hoe lang het nog zal duren.'

'Wat verdrietig. Patricia dacht niet dat het een crisis was?'

'Nee, hij is er alleen nog wat slechter aan toe en we konden geen verpleegster vinden. Pat is heel lief voor hem, ze is een engel van geduld.'

Rose had Gerards vader de afgelopen jaren weinig gezien, hij had in Bristol gewoond, in het huis in Clifton waar Gerard was geboren. Hij was pas kort geleden, toen hij ziek was geworden, bij Gerard in huis komen wonen, in Londen. Er bestond een band tussen hem en Rose die hen tegelijkertijd wat onzeker maakte. Gerards vader had heel graag gewild dat Gerard met Rose was getrouwd. Net zoals de vader van Rose graag had gewild dat Sinclair met Jean Kowitz was getrouwd. Als Sinclair in leven was gebleven, had hij de titel gekregen. Maar zoals de zaken er nu voorstonden ging deze naar de Curtlands in Yorkshire – achterneven, de grootvaders waren broers geweest – die ook het huis van Rose zouden erven wanneer ze was overleden. We zijn allemaal kinderloos, dacht Rose, al die hoopvolle familieplannen zijn gefrustreerd, we zullen allemaal verdwijnen zonder een spoor na te laten!

'Maar Patricia en Gideon zijn toch zeker niet van plan definitief in die flat op de bovenverdieping, die je voor je vader had gemaakt, te gaan wonen?'

'Nee, maar hun pachttermijn loopt af en ze zijn op zoek naar een ander huis.'

'Ik hoop dat ze dat doen! Wanneer komt Gideon terug uit New York?' Patricia's man, Gideon Fairfax, kunsthandelaar en financieel genie, bracht nu veel tijd in die stad door.

'Volgende week.'

'Je zei dat ze probeerden jou eruit te werken om zelf het hele huis in te pikken!'

'Tja, Pat zegt steeds maar dat ik al die ruimte niet nodig heb!'

Het bestaan van die nieuwe 'flat op de bovenverdieping' had Rose op een idee gebracht. Waarom zou niet uitgerekend zij, en niemand anders, in die flat kunnen gaan wonen? Rose had vele jaren, misschien in een stoffig, verlaten, maar hardnekkig hoekje van haar geest, nog steeds de hoop gekoesterd dat ze 'eens' en 'uiteindelijk' toch met Gerard zou trouwen. Later werd deze hoop nog bescheidener, in de vorm van 'in hetzelfde huis wonen', van bij hem te zijn op een manier zoals ze dat nu, ondanks al hun genegenheid en verbondenheid, beslist niet was.

Ze waren naar de kant van de overvolle dansvloer gegaan en Rose begreep dat Gerard op het punt stond voor te stellen terug te gaan naar 'de kamer', dat wil zeggen naar de vertrekken van professor Levquist, Gerards oude leermeester in de klassieke talen, die Levquist voor dit bal aan Gerard en zijn vrienden had uitgeleend om als basis te dienen. (Levquists familie, van origine Baltische joden met de naam Levin, had de Scandinavische uitgang gekozen als schutkleur.) Om hem nog even tegen te houden zei Rose: 'Heb je al een besluit genomen over het boek?' Ze doelde niet op enig boek dat door Gerard werd geschreven, zoiets bestond er nog helemaal niet, maar op een ander boek.

Gerard fronste bij deze ongewenste vraag. 'Nee.'

De muziek zette weer een wals in. Toen ze de snelle, bekende klanken hoorden glimlachten ze en sloegen hun armen ineen. Even later zwierde Gerard Rose in het rond, verstevigde zijn greep, pakte haar anders beet, schoof met zijn linkerhand over haar arm omhoog en sloeg toen beide armen om haar middel en tilde haar snelle voeten van de vloer.

Even later liepen Rose en Gerard naar de kamer van Levquist, vlak bij de kloostergangen. Rose voelde zich een beetje moe, al wilde ze dat natuurlijk niet toegeven. Ze merkten dat Jenkin Riderhood hen voor was geweest. Jenkin had onmiskenbaar enige tijd zitten drinken en zette nu snel de champagnefles neer. Jenkin, die iets jonger was dan Gerard, was een oude vriend, een van de oude 'groep' met Sinclair, Duncan, Marcus en Robin, die in hun studiejaren hechte vrienden waren geweest. Van de overgeblevenen was Jenkin, althans naar het scheen, het minst succesvol. Duncan Cambus had een voortreffelijke carrière gemaakt, eerst als diplomaat, toen bij Binnenlandse Zaken. Gerard had nog grotere hoogten weten te bereiken, was getipt voor de hoogste positie in zijn departement, toen hij plotseling, kort geleden, voor velen om onverklaarbare redenen, vervroegd met pensioen was gegaan. Robin, die nu was uitgeweken naar Canada en zelden iets van zich liet horen, was een beroemd geneticus. Sinclair had besloten zeebioloog te worden en stond op het punt naar het Scripps Oceanografisch Instituut in Californië te gaan toen zijn zweefvliegtuig neerstortte. Rose was van plan geweest met hem mee te gaan, Gerard zou hen volgen en samen hadden ze Amerika willen ontdekken. Gerard, Duncan en Jenkin hadden in Oxford klassieke letteren en wijsbegeerte gestudeerd en allemaal hun graad gehaald. Rose, die uit een Yorkshire familie stamde, met Anglo-Ierse connecties van moederszijde, had in Edinburgh Engelse literatuur en Frans gestudeerd. Ze had allerlei dingen gedaan maar nooit iets bereikt dat tot een carrière kon leiden, ze gaf Franse les op een meisjesschool, werkte voor een Amerikaanse dierenbeschermingsorganisatie, was 'vrouwenjournalist', probeerde romans te schrijven, keerde terug naar part-time journalistiek en ecologie. Ze verrichtte onbetaald maatschappelijk werk en ging af en toe naar de – Anglicaanse – kerk. Ze ontving een klein jaarinkomen uit een familiefonds waarvan ze het gevoel had dat ze het misschien beter niet had kunnen hebben; dan had ze wellicht meer haar best gedaan. Haar vriendin Jean Kowitz, met wie ze op een Quaker kostschool had gezeten, had in Oxford gestudeerd waar ze via Rose Gerard en de anderen leerde kennen, met inbegrip van Duncan Cambus, met wie ze later trouwde. Jean was een intelligente wetenschapsvrouw die, naar de mening van Rose, 'iets had moeten bereiken' in plaats van alleen maar huisvrouw te zijn. Jean en Duncan hadden geen kinderen. Jenkin Riderhood was leraar en was dat altijd geweest. Hij was nu hoofdleraar geschiedenis op een school in Londen. Hij had nooit naar de functie van directeur gesolliciteerd. Hij was een wat eenzelvige man, die met weinig tevreden was. Hij beheerste diverse talen en nam graag deel aan georganiseerde reizen. Hij heette wat romances – zo werd het omschreven – te hebben gehad met meisjes in Oxford, maar zijn latere seksuele leven stelde niets voor, of was in ieder geval niet waarneembaar.

Jenkin zei: 'Ik ben net eens naar mijn oude kamer gaan kijken. Er zit een student een essay te schrijven. Hij sprak me aan met ''meneer''.'

'Ik ben blij dat hij zulke goede manieren had,' zei Rose, 'dat kun je tegenwoordig niet van iedereen zeggen.'

'Hoe is het buiten?'

'Een jachtgebied in het Oude Egypte,' zei Gerard. 'Hoe staat het met de champagne?'

'D'r is nog zat. En stapels sandwiches.'

Jenkin, die wat verhit was door alle drank, haalde een bord met komkommersandwiches te voorschijn en begon met een servet wat champagne op te dweilen die op de tafel dreef. Hij was gezet, niet lang en leek wat rommelig en bol in zijn oude smoking die voor een aanzienlijk slankere Jenkin was gemaakt. Hij had zijn jongensachtige blik en frisse gelaatskleur echter weten te bewaren en kon beter als mollig worden omschreven. Zijn verschoten, strоachtige haar hing om zijn hoofd en hield een beginnende kale plek aan het oog onttrokken. Hij had blauwgrijze ogen, een samengeknepen, bedachtzame, vaak glimlachende mond en wat lange tanden. Zijn gezicht was nog net niet cherubijns door een tamelijk lange, forse neus die hem een zinnelijk uiterlijk verleende, dat er soms ontroerend, soms sluw uitzag.

'Het spijt me dat Pat niet kon komen,' zei Gerard terwijl hij Rose champagne inschonk. Jenkin had, bij Gideons afwezigheid, Patricia's partner moeten zijn.

'O, geeft niet hoor,' zei Jenkin, 'ik heb het reuze naar mijn zin. Verdraaid! Die stomme sandwiches moeten niet uit elkaar vallen.' De komkommer was op de grond gegleden.

'Zei Violet nog waarom ze niet kwam?' vroeg Rose.

'Nee, maar het zal het oude liedje wel zijn. Ze wil niet zoveel blije, lachende jongemensen zien. Ze wil geen blije, lachende ons zien.'

'Geef haar eens ongelijk,' mompelde Jenkin.

'Ze vond het waarschijnlijk wel leuk dat ze werd gevraagd,' zei Rose. 'Misschien wilde ze niet zien hoe blij Tamar was. Ouders kunnen van hun kinderen houden en er tegelijk jaloers op zijn.' Ze vervolgde: 'We moeten iets aan Violet doen.' Dit werd wel vaker gezegd.

'Ik heb Tamar en Conrad niet gezien, jullie wel?' zei Gerard. 'Ik ben vergeten te zeggen dat ze hier iets konden komen drinken.'

'Ze willen helemaal niet bij ons zijn!' zei Rose.

'Ze zien er zo jong uit, die jongelui, vind je niet?' zei Gerard. 'Ach, la jeunesse, la jeunesse! Al die heldere, gladde, frisse, onbedorven, onontgonnen gezichten!'

'In tegenstelling tot die van ons,' zei Jenkin, 'die zo volgekladderd zijn door hartstocht en haat en drank!'

'Jullie tweeën zien er nog uit als kinderen,' zei Rose, 'in ieder geval Jenkin. Gerard ziet eruit als...' Ze wilde geen belachelijke opmerking maken en liet de zin onafgemaakt.

'We waren tóén kinderen,' zei Gerard.

'Je bedoelt dat we marxisten waren,' zei Jenkin. 'Of we verbeeldden ons dat we platonisten of iets dergelijks waren. Dat denk jij nog steeds.'

'We dachten dat we een werkelijk beschaafde alternatieve maatschappij konden vormen,' zei Gerard, 'we waren vol vertrouwen, we geloofden ergens in.'

'Jenkin gelooft nog steeds,' zei Rose. 'Waar geloof jij in, Jenkin?'

'In de nieuwe theologie!' zei Jenkin prompt.

'Doe niet zo mal!' zei Rose.

'Bedoel je niet het nieuwe marxisme,' zei Gerard, 'dat is toch ongeveer hetzelfde?'

'Nou, als het nieuw genoeg is...'

'Nieuw genoeg om onherkenbaar te zijn!'

'Ik ga nooit naar de kerk,' zei Jenkin, 'maar toch wil ik dat de godsdienst op de een of andere manier blijft bestaan. Er ligt een soort strijdfront, waar godsdienst en marxisme elkaar raken.'

'Niet dat van jou,' zei Gerard, 'ik bedoel niet jouw strijd. Jij wil niet voor Marx vechten! Dat gevecht slaat trouwens nergens op.'

'Nou, waar ligt mijn strijd dan? Ik wil me voor iets wezenlijks inzetten. Maar wat is wezenlijk?'

'Je loopt zulke dingen nu al jaren te beweren,' zei Gerard, 'en je zit nog steeds hier.'

'Jenkin is een romanticus,' zei Rose, 'net als ik. Ik zou wel priester willen worden. Misschien maak ik het nog wel mee dat dat mogelijk is.'

17

'Rose zou een geweldige priesteres zijn!'

'Ik ben er tegen,' zei Gerard. 'En eet niet alle sandwiches op.'

'Ben je het ermee eens een soort volgeling van Plato te worden genoemd?' zei Rose tegen Gerard.

'O, ja!'

'Daar ga je toch over schrijven, nu je met pensioen bent?'

'Je zei toch dat je over Plotinus ging schrijven?' vroeg Jenkin.

'Wie weet.' Gerard wilde hier kennelijk niet over praten, dus lieten de andere twee dit onderwerp rusten.

Rose zette haar glas neer en liep naar het raam. Ze kon de door schijnwerpers verlichte toren zien, de maan die nu hoog en klein aan de hemel stond als een compacte zilveren schijf, de lampjes in de bomen langs de rivier. Haar hart lag zwaar in haar borst, alsof het iets groots was dat ze had ingeslikt en nu weer uit wilde braken. Ze kon plotseling wel huilen van vreugde en angst. De slanke, puntige toren, die fel afstak tegen de donkerblauwe hemel, leek een plaatje uit een getijdenboek. Het deed Rose ook aan iets denken, aan een soort theater dat ze eens, of misschien wel vaker, had gezien, met gebouwen die 's avonds werden verlicht en waarbij bovenmenselijke stemmen hadden geklonken, zoals ze die nu instinctief verwachtte te horen, om haar op langzame, galmende toon een schilderachtig verhaal of een legende te vertellen. *Son et lumière* in Frankrijk, Italië, Spanje. Er kwam een herinnering boven aan iets in Frankrijk, losse flarden poëzie die ze misschien niet eens correct had verstaan. *Les sprits aiment la nuit, qui sait plus qu'une femme donner une âme à toutes choses.* Dat kan niet goed zijn, dacht ze, wat een belachelijk idee trouwens. Uiteraard deed ze dat zelf in zekere zin ook, allerlei dwaze, levenloze dingen een 'ziel' geven, maar dan toch zeker niet op zo'n geëxalteerde manier met een aankondiging door een godenstem bij een magische toren. Bij haar was het meer bijgeloof, of een triest overschot van verspilde liefde. Ze haalde diep adem en draaide zich om, waarna ze tegen de vensterbank leunde en vaag glimlachte.

De twee mannen keken met genegenheid in haar richting, en toen naar elkaar. Misschien wist Gerard in ieder geval iets van haar gevoelens, hij wist het of hij wist het niet. Rose begreep hoe weinig behoefte hij eraan had haar ooit anders dan kalm en beheerst te zien.

Jenkin zei: 'Wat dachten jullie van nog wat champagne? Er ligt hier een schandalig aantal flessen opgeslagen.'

'Waar zitten Jean en Duncan toch, ik dacht dat ze hier zouden zijn,' zei Rose toen de champagnekurk tegen het plafond knalde.

'Ze zijn hier eerder wel geweest,' zei Jenkin, 'maar Jean heeft hem weer meegesleept, ze moest zo nodig dansen.'

'Jean is reuze sportief,' zei Rose. 'Ze kan nog steeds op haar hoofd staan.

Weet je nog hoe ze een keer in een punter op haar hoofd ging staan?'

'Duncan wilde hier blijven om wat te drinken, maar dat mocht niet van Jean.'

'Duncan drinkt te veel,' zei Rose. 'Jean heeft die rode jurk met dat zwarte kant aan, die ik zo leuk vind. Ze lijkt net een zigeunerin.'

'Je ziet er geweldig uit, Rose,' zei Jenkin.

'Ik vind je heel mooi in die jurk,' zei Gerard, 'hij is zo geweldig eenvoudig, ik vind dat mooie donkergroen prachtig, het is net laurier, of maagdenpalm of klimop.'

Rose dacht: het wordt tijd dat Jenkin me ten dans vraagt, hij wil het niet, hij houdt niet van dansen, maar hij moet wel. En Gerard zal met Jean dansen. Daarna zal ik met Duncan dansen. Dat is goed. Ik voel me nu beter. Misschien ben ik een beetje dronken.

'Het wordt tijd dat ik Levquist eens op ga zoeken,' zei Gerard. 'Heb je zin om mee te gaan, Jenkin?'

'Ik ben al geweest.'

'Ben je al geweest?' In Gerards verontwaardigde toon klonk het verre verleden door. Er schoot een vurige steek van tijdloze jaloezie door zijn hart. Het was een oude pijn. Hoe hadden ze allemaal de prijzende woorden van die man begeerd, ver weg in dat korte, gouden deel van hun verleden. Ze hadden zijn lof en zijn liefde begeerd. Gerard was die eens te beurt gevallen. Maar wat hij werkelijk wilde was het meest te worden geprezen en het meest te worden liefgehad. Het was een bittere pil voor hem om nu te moeten bedenken dat Jenkin zijn naaste rivaal was geweest.

Jenkin, die precies wist wat Gerard dacht, begon te lachen. Hij ging abrupt zitten waardoor hij champagne morste.

'Vroeg hij je iets te vertalen?' zei Gerard.

'Ja, de bruut. Hij heeft me op een stuk van Thucydides gezet.'

'Hoe ging het?'

'Ik zei dat ik er geen kop of staart aan kon vinden.'

'Wat zei hij toen?'

'Hij lachte en tikte me op m'n arm.'

'Hij had altijd een zwak voor je.'

'Hij had altijd meer van jou verwacht.'

Gerard bestreed dit niet.

'Het spijt me dat ik niet tegen je heb gezegd dat ik naar Levquist ging,' zei Jenkin, nu ernstig, 'zodat we samen konden gaan. Maar ik wist dat hij die oude truc bij me uit zou halen. Ik vind het niet erg om af te gaan, maar dat doe ik liever niet waar jij bij bent.'

Gerard vond deze verklaring uiterst bevredigend.

'Wat leven jullie mannen toch in het verleden!' zei Rose.

'Nou, jij had het anders net ook over Jean,' zei Jenkin, 'hoe zij in een punter op haar hoofd had gestaan. Dat was op de eerste mei.'

'Was jij er ook bij?' zei Rose. 'Dat was ik vergeten. Gerard was erbij, en Duncan... en... en Sinclair.'

De deur vloog open en Gulliver Ashe kwam luidruchtig binnen.

Gerard zei direct: 'Gull, heb jij Tamar en Conrad gezien? Ik ben helemaal vergeten ze te vertellen dat ze hierboven moesten komen.'

'Ik heb hen gezien,' zei Gulliver. Hij sprak duidelijk maar met de voorzichtige plechtigheid van iemand die dronken is. 'Ik heb hen gezien. En op hetzelfde moment is Conrad er vandoor gegaan en liet haar alleen achter.'

'Heeft hij haar allééén gelaten?' vroeg Rose.

'Ik heb met haar gepraat. Toen ben ik ook weg gegaan. Dat is alles wat ik kan zeggen.'

'Heb je haar allééén gelaten?' zei Gerard, 'hoe kon je dat nu doen? Wat een zeldzame rotstreek! Heb je haar zomaar alleen achtergelaten?'

'Ik neem aan dat haar begeleider niet ver weg was,' zei Gulliver.

'Dan kun je haar beter direct gaan zoeken,' zei Gerard.

'Geef hem eerst iets te drinken,' zei Jenkin en hij hees zich overeind uit zijn stoel. 'Ik denk dat Conrad wel weer is komen opdagen.'

'Ik zal een hartig woordje met hem spreken als dat niet het geval is!'

'Stel je voor, je laat haar toch niet zomaar alleen, al is het maar voor even!'

'Ik denk dat het een roep van de natuur was,' zei Jenkin, 'hij is gewoon even achter de laurier, de maagdenpalm en de klimop gedoken.'

'Het was níet een roep van de natuur,' zei Gulliver. Aan het gedrag van zijn publiek kon hij zien dat ze het grote nieuws nog niet wisten. 'Weten jullie het al? Nou ja, jullie weten het kennelijk nog niet. Crimond is hier.'

'Crimond? Híer?'

'Ja. En hij heeft een kilt aan!'

Gulliver pakte het glas champagne dat Jenkin hem aanbood en ging zitten in de stoel die Jenkin had vrijgemaakt.

Hun verbijstering was groter dan Gull had durven hopen. Ze staarden elkaar ontzet aan, met verstrakte gezichten en verbeten mond. Rose, die zelden haar emoties liet blijken, bloosde nu en bracht haar hand naar haar gezicht. Ze was de eerste die iets zei. 'Hoe dúrft hij hier te komen!'

'Dit is ook zíjn oude college,' zei Jenkin.

'Ja, maar hij moet toch hebben geweten...'

'Dat het ons territorium is?'

'Hij moet hebben geweten dat wij hier allemaal zouden zijn,' zei Rose, 'hij is hier niet zomaar gekomen.'

'Niet noodzakelijkerwijs,' zei Gerard. 'Er is niets om je druk over te maken. Maar we kunnen wel beter Duncan en Jean gaan zoeken. Misschien weten ze het nog niet...'

'Als ze het wel weten zijn ze waarschijnlijk naar huis gegaan!' zei Rose.

'Dat hoop ik toch echt niet,' zei Jenkin. 'Waarom zouden ze? Ze kunnen toch gewoon een eindje bij hem uit de buurt blijven? Allejezus!' verzuchtte hij, 'en ik zat me juist zo te verheugen om de oude club weer eens te zien en me samen met jullie op m'n gemak te bezatten!'

'Ik ga het hun wel vertellen,' zei Gulliver, 'ik heb ze nog niet gezien, maar ik denk dat ik ze wel kan vinden.'

'Nee,' zei Gerard, 'jij blijft hier.'

'Waarom? Sta ik soms onder arrest? Moet ik Tamar dan niet gaan zoeken?'

'Duncan en Jean komen misschien hierheen,' zei Rose, 'kan er soms iemand...?'

'Ja, goed, ga jij Tamar zoeken,' zei Gerard tegen Gulliver. 'Kijk even of alles goed met haar is en als ze alleen is, dans dan met haar. Ik denk dat die jongen wel terug is gekomen. Waarom ging hij er opeens vandoor?'

'Hij moest Crimond aangapen. Ik snap echt niet waarom ze zoveel drukte maken over die man. Ik weet dat jullie met Crimond ruzie hebben gehad over dat boek en zo, en heeft hij ook niet eens achter Jean aangezeten? Waarom maken jullie zo'n heisa over die man?'

'Het was niet zo eenvoudig als je denkt,' zei Gerard.

Jenkin zei tegen Rose: 'Ben je bang dat Duncan dronken wordt en ruzie met hem gaat schoppen?'

'Duncan ís waarschijnlijk al dronken,' zei Rose, 'we moesten maar eens...'

'Je hebt eerder kans dat Crimond ruzie zal maken met Duncan,' zei Gerard.

'O, nee!'

'De meeste mensen haten hun slachtoffers. Maar er zal natuurlijk niets gebeuren.'

'Ik vraag me af met wie hij hier is,' zei Rose.

'Hij is met Lily Boyne,' zei Gulliver.

'Wat merkwaardig!' zei Gerard.

'Heel typerend,' vond Rose.

'Ik weet zeker dat hij hier bij toeval is,' zei Jenkin. 'Zou hij zijn Rode Wachters mee hebben gebracht?'

Gerard keek op zijn horloge. 'Ik vrees dat ik nu echt naar Levquist moet gaan, anders ligt hij al in bed. Gaan jullie met zijn tweeën Jean en Duncan zoeken. Dan kijk ik onderweg ook naar ze uit.'

Ze vertrokken, Gulliver achterlatend. Gull verkeerde in het stadium van dronkenschap waarin het lichaam het laat afweten en onmiskenbare oproepen tot matiging uitzendt. Hij voelde zich een beetje misselijk en een beetje draaierig. Hij had gemerkt dat hij langzamer begon te spreken. Hij had het gevoel dat hij om kon vallen. Hij kon zijn ogen niet scherp stellen. De kamer bewoog wat rukkerig en zond psychedelische lichtflitsen uit, zoals dat bij de popgroep was gedaan. – De bewuste groep was de Waterbirds, aangezien het college er niet in was geslaagd de Treason of the Clerks te contracteren. – Gulliver wilde graag dansen, maar hij wist niet of zijn toestand daarvoor geschikt was. Hij wist uit ervaring dat, als hij lang van deze avond wilde genieten, hij even geen alcohol moest drinken en indien mogelijk iets moest eten. Daarna zou hij Tamar gaan zoeken. Hij was eropuit bij Gerard in de smaak te vallen, of beter gezegd, bang voor de gevolgen van niet bij hem in de smaak te vallen. Toen hij hier naar binnen was gegaan om het nieuws te vertellen had er al een rij voor de soupertent gestaan. Gulliver, die een gloeiende hekel had aan dit soort in de rij staan en die bang was dat hij zonder partner misschien achterdocht wekte, of erger nog, medelijden, had van tevoren goed gegeten in een pub, maar dat leek nu eindeloos lang geleden. Hij liep voorzichtig de kamer door en vond een fles Perrier en nog een bord komkommersandwiches. Hij kon nergens een schoon glas vinden. Hij ging zitten en begon de sandwiches op te eten en het water te drinken, dat bedwelmend naar champagne smaakte. Hij had de grootste moeite zijn ogen open te houden.

De drie vrienden liepen de kloostergang uit, naar het grote gazon waar de feesttenten stonden. Hier gingen ze uit elkaar, Rose ging naar rechts, Jenkin naar links en Gerard rechtdoor naar het achttiende-eeuwse gebouw, eveneens door schijnwerpers verlicht, waar Levquist zijn bibliotheek had. Levquist was met pensioen maar bleef in het college wonen waar hij een speciale grote kamer had om zijn unieke collectie boeken onder te brengen, die na zijn dood uiteraard aan het college werden nagelaten. Hij had in zijn heiligdom ook een divan staan, zodat hij nu en dan, als vannacht, temidden van zijn boeken kon slapen in plaats van huiselijk in zijn andere kamers. Zijn opvolger op de professorale stoel, een van zijn leerlingen, onderhield een onzekere en onderdanige relatie met de oude man. Levquist was inderdaad niet erg toeschietelijk. Dit was een merkwaardig feit, gezien de sterke aantrekkingskracht die hij scheen te hebben op veel van de mensen met wie hij te maken had.

Gerard keek zoekend om zich heen, wierp een blik in de tuin en zocht de rij voor het souper op, zonder enig teken van Jean of Duncan of Tamar of Conrad of Crimond te zien. Het geluid van muziek en stemmen en gelach vormde een dooreengevlochten baldakijn, er hing een geur van bloemen en aarde en water. Het gazon tussen de soupertent en de feesttenten was bezaaid met wisselende groepjes jonge mensen en enkele in omhelzing verstrengelde paren die elkaar kusten. Er zouden er meer komen naarmate de nacht verstreek. Gerard zette zijn voet op de bekende trap en voelde de bekende schok van emotie. Hij klopte op de schemerachtig verlichte deur en hoorde de scherpe, nauwelijks verbale kreet, waarmee Levquist nodigde tot binnenkomen. Hij stapte naar binnen.

De lange kamer, vol vooruitspringende boekenplanken, was donker op één enkele lamp na, aan het andere einde op Levquist's enorme bureau waaraan de oude man met opgetrokken schouders zat, met zijn hoofd naar de deur gedraaid. Naast het bureau stond het grote raam met uitzicht op het hertenpark wijd open. Gerard liep over het donkere, versleten tapijt naar hem toe en zei: 'Hallo, ik ben het.' Hij hield het opzettelijk kort, hij wilde niet al zijn zinnen larderen met 'professor' en kon zich er evenmin toe brengen zijn eigen naam te noemen, hoewel hij terdege besefte dat hij die avond geenszins de enige 'oud-leerling' van Levquist was die langskwam.

'Hernshaw,' zei Levquist terwijl hij zijn kortgeknipte grijze hoofd liet zakken en zijn bril afzette.

Gerard ging in de stoel tegenover hem zitten en strekte zijn benen voorzichtig onder het bureau uit. Zijn hart bonsde wild. Hij was nog steeds bang voor Levquist.

Levquist glimlachte niet, net zo min als Gerard. Levquist friemelde wat aan de dichtstbijzijnde boeken en bladerde in een opengeslagen notitieboekje waarin hij had zitten schrijven. Hij fronste zijn wenkbrauwen. Hij liet het aan Gerard over het gesprek te openen. Gerard staarde naar het grote, prachtige, groteske, joodse hoofd van de grote geleerde. 'Hoe vordert het boek, professor?' Dit was alleen maar een standaard openingszet.

Het bewuste boek was Levquists eindeloze boek over Sophocles. Levquist beschouwde dit niet als een oprechte vraag. Hij antwoordde: 'Langzaam.' En zei toen: 'Heb je nog steeds die baan?'

'Nee, ik ben met pensioen gegaan.'

'Beetje jong om met pensioen te gaan, vind je niet? Zat je aan de top?'

'Nee.'

'Waarom ging je dan met pensioen? Je hebt het slechtste van beide werelden gekregen. Macht, daar draait het toch allemaal om? Wat jij wilde was toch macht, nietwaar?'

'Niet alleen macht. Ik organiseer graag van alles.'

'Van alles organiseren! Je had jezelf moeten organiseren, je had hier moeten blijven om eens echt denkwerk te verrichten.'

Dit was een oude, traditionele liturgie. Levquist, die nauwelijks geloofde dat erg intelligente mensen hun hersens ergens anders konden gebruiken, had gewild dat Gerard in Oxford zou blijven, in All Souls kwam om academicus te worden. Gerard was vastbesloten geweest weg te gaan. Het politieke idealisme, dat de voornaamste reden van zijn vlucht was geweest, verloor snel zijn eenvoud en veel van zijn kracht; en een nederiger, misschien meer rationele wens de maatschappij te dienen door deze iets beter te organiseren had hem later naar een baan bij de overheid gevoerd. Gerard was, zoals hij dat ook van plan was te zijn, getroffen door Levquists vertrouwde geschimp. Soms wenste hij echt dat hij was gebleven, om platonische stromingen door de eeuwen heen op te sporen, een werkelijk geleerde man te worden, een ascreet met recht en reden, een wetenschapsmens. Hij zei zwak: 'Ik hoop nu wat echt denkwerk te kunnen verrichten.'

'Daar is het te laat voor. Hoe gaat het met je vader?'

Levquist vroeg altijd naar Gerards vader, die hij niet meer had gezien sinds Gerards studententijd, maar aan wie hij altijd terugdacht met een soort respect en goedkeuring, iets wat Gerard niet helemaal kon plaatsen. Gerards vader, een advocaat, was bijvoorbeeld bij hun eerste ontmoeting, die Gerard zich met een huivering herinnerde, totaal niet bij machte geweest met Levquist over het Romeinse recht te converseren. Maar toch had deze, naar verhouding gewone, onontwikkelde man, oprecht onbevreesd voor de beroemde leermeester van zijn zoon, of misschien wel juist door deze eenvoudige directheid, zichzelf memorabel gemaakt. In feite respecteerde en waardeerde Gerard zijn vader, hij zag de eenvoud en oprechtheid van zijn karakter, maar was eraan gewend dat deze eigenschappen voor anderen onzichtbaar waren. Zijn vader was niet briljant of erudiet of geestig of bijzonder succesvol, hij kon middelmatig en vervelend lijken, maar toch had Levquist, die middelmatigheid verachtte en halsstarrig weigerde zich te laten vervelen, op slag de beste kwaliteiten van Gerards vader herkend. Of misschien was hij gewoon verbaasd een 'gewoon mens' te ontmoeten die hem niet lichtelijk met ontzag bekeek.

'Hij is erg ziek,' zei Gerard in antwoord op Levquists vraag, 'hij is...' Hij merkte plotseling dat hij het volgende woord niet uit kon brengen.

'Is hij stervende?' vroeg Levquist.

'Ja.'

'Wat droevig. Tja, het is voor ons allemaal slechts een korte wandeling. Maar als het je vader betreft... ja...' Levquists vader en zuster waren in een Duits concentratiekamp gestorven. Hij wendde zijn blik even af en streek met zijn hand over de kortgeknipte, zilverachtige vacht die de schedel van zijn hoofd bedekte.

Gerard zei, om van onderwerp te veranderen: 'Ik hoor dat Jenkin eerder op de avond bij u is geweest.'

Levquist grinnikte. 'Ja, ik heb de jonge Riderhood op bezoek gehad. Hij was volslagen overdonderd door dat stuk Thucydides. Jammer...'

'Bracht hij er niets van terecht?'

'Het is jammer dat hij zijn Grieks zo heeft laten sloffen. Hij beheerst diverse moderne talen. Wat dat ''ervan terecht brengen'' betreft, dat is een belachelijke uitdrukking. Hij geeft toch les, nietwaar? Riderhood hoeft niets

te bereiken. Hij bewandelt de weg, hij existeert waar hij is. Terwijl jij...'
    'Terwijl ik...?'
    'Jij verloor jezelf altijd in arrogante ontevredenheid, tot in je binnenste in vervoering bij de gedachte aan iets hoogs elders. Zo is het steeds gegaan. Je ziet jezelf als een eenzame klimmer, hoger dan de anderen uiteraard, je denkt dat je nog eens buiten jezelf zult treden om de top te bereiken, toch weet je dat je dat niet kunt en omdat je op beide manieren tevreden over jezelf bent bereik je niets. Dit ''denken'' dat jij gaat doen, wat houdt dat in? Ga je je memoires schrijven?'
    'Nee, ik had gedacht misschien iets over filosofie te schrijven.'
    'Filosofie! Leeg denkwerk van domme, verwaande mensen die denken dat ze kunnen verteren zonder te eten! Ze verbeelden zich dat hun ondermaatse gedachten tot diepe conclusies kunnen leiden! Ben je zo weinig ambitieus?' Dit was eveneens een oud conflict. Levquist, hoogleraar in de grote klassieke talen, was ontstemd over de voortdurende verdwijning van zijn beste leerlingen in de handen van de filosofen.
    'Het is heel moeilijk,' zei Gerard geduldig, 'om zelfs maar een klein stukje filosofie te schrijven. Het heeft in ieder geval bewezen nogal invloedrijk leeg denkwerk te zijn! Ik zal me in ieder geval verdiepen in...'
    'Een beetje spelen met grote boeken, ze tot jouw niveau omlaagtrekken en er je eigen gesimplificeerde versie van maken?'
    'Mogelijk,' zei Gerard, niet in het minst uit het veld geslagen. Levquist, die zijn beste leerlingen graag wat tegen de haren in wilde strijken, moest altijd een zekere mate van ongenoegen ventileren wanneer ze verschenen, alsof dit nodig was voordat hij vriendelijk met hen kon praten, zoals hij misschien oprecht wenste te doen, want meestal was er iets vriendelijks wat hij wilde zeggen en in reserve hield.
    'Nou ja. Lees me nu maar iets in het Grieks voor, het soort leeswerk waar jij altijd goed in was.'
    'Wat zal ik voorlezen, meneer?'
    'Wat je maar wilt. Geen Sophocles. Misschien Homerus.'
    Gerard stond op en liep naar de boekenplanken, wetend waar hij moest zoeken en toen hij de boeken aanraakte overviel hem een heftig en kwellend verlangen naar het verleden. Het is voorbij, dacht hij, het verleden, het is onherroepelijk en onomkeerbaar en ver weg, en toch is het hier, waait het je toe als een bries, ik kan het voelen, ik kan het ruiken, en het is zo droevig, zo intens droevig. Door het openstaande raam dreven flarden muziek naar binnen, iets wat hij niet had gemerkt toen hij binnen was gekomen, en de natte donkere geur van de weilanden en de rivier.
    Gerard ging weer aan het bureau zitten en las voor uit de *Ilias*, over hoe de goddelijke paarden van Achilles hadden geweend toen ze de dood van Patroclus vernamen, hoe ze hun hoofden lieten hangen terwijl hete tranen

uit hun ogen op de grond vielen toen ze weenden uit verlangen naar hun wagenmenner en hun prachtige lange manen werden met modder besmeurd en terwijl ze treurden keek Zeus naar hen omlaag en had erbarmen met hen en sprak aldus in zijn hart: ongelukkige dieren, waarom heb ik jullie, leeftijdloos en onsterfelijk als jullie zijn, ten geschenke gegeven aan prins Peleus, een sterveling? Was dat om jullie ook verdriet te laten lijden temidden van ongelukkige mensen? Er bestaat werkelijk niets dat op de aarde leeft en kruipt dat ellendiger is dan de mens.

Toen Levquist zich uitstrekte en het boek van hem overnam ontweken ze elkaars blik en Gerard bedacht, in de snelle zigzagbeweging van zijn gedachten, hoe Achilles, uitzinnig van verdriet, de krijgsgevangen Trojaanse knapen, als angstige reekalveren, naast de brandstapel van zijn vriend had gedood, vervolgens hoe Telemachus de dienstmaagden had opgehangen die hadden geslapen met de vrijers, die nu ook dood waren door de hand van zijn vader, en hoe zij naast elkaar op een rij hingen te stuiptrekken in hun doodsstrijd. Toen bedacht hij hoe Patroclus altijd goed was geweest voor de gevangen genomen vrouwen. Daarna dacht hij weer aan de paarden, die hun brandende tranen plengden en hun prachtige manen in de modder van het slagveld lieten hangen. Al die gedachten gingen in één, misschien twee seconden door hem heen. Toen dacht hij aan Sinclair Curtland.

Levquists gedachten waren via de een of andere geheime kronkel eveneens bij Sinclair beland en hij zei: 'Is de hooggeboren Rose hier?'

'Ja, ze is met me meegekomen.'

'Ik dacht dat ik haar zag toen ik hierheen liep. Wat lijkt ze toch veel op die jongen.'

'Ja.'

Levquist, die over een verbluffend geheugen beschikte, dat heel veel jaren over de generaties van zijn leerlingen heen reikte, zei: 'Ik ben blij dat jullie dat groepje bij elkaar hebben gehouden, zulke vriendschappen, die zijn gevormd in je jonge jaren, zijn heel kostbaar, jij en Riderhood en Topglass en Cambus en Field en... Tja, Topglass en Cambus zijn getrouwd, is het niet...?' Levquist vond het huwelijk maar niets. 'En de arme Field is een soort monnik. Vriendschap, vriendschap, daar hebben ze tegenwoordig geen begrip meer voor, gewoon geen begrip. En wat deze instelling betreft... wist je dat we tegenwoordig ook vróúwen hebben?'

'Ja! Maar u hoeft ze geen college te geven!'

'Nee, godzijdank niet. Maar het bederft de sfeer wel... ik kan je niet zeggen hoe alles eronder te lijden heeft.'

'Ik kan het me voorstellen,' zei Gerard. Hij zou zich net zo hebben gevoeld.

'Nou, die jonge kerels maken tegenwoordig geen vrienden meer. Ze zijn zo oppervlakkig. Ze zitten achter de meisjes aan om met ze naar bed te gaan. 's Avonds, wanneer ze zouden moeten praten en discussiëren met hun vrienden, liggen ze met die meisjes in bed. Het is... heel schokkend.'

Gerard stond dit vreselijke beeld ook voor ogen, de degeneratie, het verval van de oude waarden. Hij moest glimlachen om Levquists verontwaardiging, maar deelde deze toch ook.

'Wat vind jij ervan, Hernshaw, van onze arme planeet? Zal ze blijven bestaan? Ik betwijfel het. Wat ben jij geworden, ben je uiteindelijk toch een stoïcijn? *Nil admirari*, ja?'

'Nee,' zei Gerard, 'ik ben geen stoïcijn. U verweet me dat ik niet ambitieus was. Maar ik ben wel te ambitieus om alleen maar stoïcijns te zijn.'

'Je bedoelt dat je moreel ambitieus bent?'

'Nou... ja.'

'Je bent verpest door het christendom,' zei Levquist. 'Wat jij voor platonisme houdt is de oude, licht-masochistische christelijke illusie. Jouw Plato is verkracht door Augustinus. Je bezit geen harde kern. Riderhood, die jij veracht...'

'Dat doe ik niet,' zei Gerard.

'Riderhood is taaier dan jij, hij is harder. Jouw ''morele ambitie'' of hoe je je egoïstische optimisme ook mag noemen, is gewoon de oude leugen van de christelijke verlossing, dat je je oude ik van je af kunt schudden en een goed mens kunt worden, gewoon door erover na te denken – en als je deze droom zit te dromen heb je het gevoel dat je al veranderd bent en niets meer te doen hebt – en dus ben je gelukkig in je leugen.'

Gerard, die zulke tirades al eerder had gehoord, dacht: wat is hij toch precies, wat slaat hij de spijker weer op zijn kop, hij weet dat ik al die dingen ook heb bedacht. Hij antwoordde luchthartig: 'Nou ja, in ieder geval ben ik gelukkig, is dat dan geen goed ding?'

Levquist staarde hem aan, likte zijn dikke lippen en trok zijn mondhoeken omlaag zodat zijn gezicht een misprijzende blik kreeg.

Gerard zei: 'Goed.'

Levquist ging verder: 'Ik sta dicht bij de dood. Dat is geen schandaal, ouderdom is een welbekend fenomeen. Maar nu is het verschil dat iedereen dicht bij de dood staat!'

Gerard zei: 'Ja.' Hij dacht dat het de ander troost gaf dit te denken.

'Alle gedachten die niet pessimistisch zijn, zijn nu vals.'

'Maar wilt u zeggen dat dit ook altijd het geval is geweest?'

'Ja. Alleen wordt het nu alle denkende mensen opgedrongen, is het de enig mogelijke opvatting. Moed, volharding, oprechtheid, dat zijn de deugden. En dan te bedenken dat wij nota bene de meest ellendige wezens zijn die er tussen hemel en aarde bestaan.'

'Maar dit vrolijkt u wel op, professor!' zei Gerard.

Levquist glimlachte. Zijn donkere, blauw-bruine ogen fonkelden helder tussen de droge, hagedisachtige rimpels en hij schudde zijn overmaatse hoofd en toonde zijn demonische glimlach. 'Jíj bent opgevrolijkt, jij was altijd een optimist, jij denkt altijd dat ze je op het laatste moment nog wel een trireem zullen sturen.'

Gerard stemde in. Dit beeld beviel hem wel.

'Maar nee. De mens blijft altijd sterfelijk, hij denkt bij vlagen en als hij denkt legt hij zijn hand op zijn hart!' Toen hij dit zei bracht Levquist zijn grote, gerimpelde hand naar de bovenste zak van zijn versleten ribfluwelen jasje. Levend temidden van de grootste poëzie van de wereld behield hij een roerende genegenheid voor A.E. Housman.

Er werd op de deur geklopt.

'Daar is iemand anders,' zei Levquist. 'Je moet nu gaan. Groet je vader van me. En groet de hooggeboren Rose van me. Dit was maar een kort gesprek, kom nog eens terug, niet alleen op een dag als vandaag, om deze oude man te bezoeken.'

Gerard stond op. Hij voelde, net als andere keren, een sterke neiging om om het bureau heen te lopen en Levquists handen te grijpen, hem misschien te kussen, misschien zelfs voor hem neer te knielen. Zou de klassieke, onderdanige rite van het omhelzen van knieën hem in staat stellen zo'n gebaar te volbrengen, het tot iets formeels te maken, zonder te worden verworpen als een 'slappe' opwelling van banale emotie? Net als alle andere keren aarzelde hij, bedwong toen die neiging. Wist Levquist van zijn gevoelens, van hun tederheid en kracht? Hij was er niet zeker van. Hij volstond met een buiging.

Levquist gromde een toestemming tot binnenkomen. Toen mompelde hij een naam.

In de deuropening stapte Gerard langs een blozende veertiger. Verteerd door jaloezie, en vol spijt dat hij geen hartelijk vaarwel had kunnen opbrengen, liep hij de trap af.

Tamar zocht Conrad en Conrad liep Tamar te zoeken. Rose en Jenkin zochten Jean en Duncan en Conrad en Tamar. Gull zocht een meisje om mee te dansen.

Tamar was bij de tent weggedwaald, waar Conrad naar toe was gerend om zijn idool te zien, in een vlaag van gepikeerdheid die ze nu bitter betreurde. Ze was bijna direct teruggekomen en liep nu zelfs naar de groep jonge bewonderaars toe, maar ze zag daar geen Conrad. Conrad had niet dichter bij Crimond kunnen komen en was daarom geboeid aan de rand van het groepje blijven staan. Toen hij besefte dat Tamar niet met hem mee was gegaan doorzocht hij de feesttenten en was toen, onzeker over het punt waar ze naar binnen waren gegaan, een cirkelvormige beweging gaan beschrijven rond wat volgens hem de plaats was waar ze uit elkaar waren gegaan. Tamar was toen rechtstreeks naar de volgende feesttent gelopen, waar werd gewalst en waarheen ze op weg waren geweest toen ze Gulliver tegenkwamen. Ze bleef hier even om zich heen staan kijken, zag Rose met Gerard walsen en trok zich snel terug. Ze was dol op haar oom en op Rose, maar heel verlegen in hun bijzijn en ze wilde nu niet worden aangetroffen zonder partner, waarvan ze zichzelf de schuld gaf hem te hebben verloren. Kort nadat Tamar in het donker was verdwenen arriveerde Conrad, om eveneens Rose en Gerard te zien en zich uit dezelfde overwegingen uit de voeten te maken. Tamar was inmiddels naar de kloostergangen gegaan, waar een buffet was dat sandwiches serveerde, en waarvan Conrad had voorgesteld ernaar toe te gaan voordat ze besloten eerst te dansen. Conrad haastte zich terug naar de Waterbirds tent, waar de beroemde popgroep volgens alle berichten op het punt stond weer op te treden. Tamar doorzocht een groep mensen die bij het buffet zaten te drinken en te lachen en liep toen naar de kapel, nog een punt dat Conrad had genoemd om later te bezoeken. Ze liep weer terug door de kloostergangen en naar buiten naar de rivier, juist toen Conrad binnenkwam vanaf de andere kant.

De tijd verstreek, het souper was afgelopen en het bal ging een nieuwe fase in. Het grote grasveld tussen de schitterende gestreepte feesttenten was bedekt met mooie mensen, knappe jongens in strookjesoverhemden, die nu wat openstonden aan de hals, meisjes in glinsterende jurken, zowel sluik als met strookjes, nu aanzienlijk minder schoon, waar hier en daar een los schouderbandje, dat was geknapt bij het dansen van de Gay Gordons, werd uitgebuit door een lachende partner; ingewikkelde kapsels die uren geleden met veel zorg en talloze spelden waren geconstrueerd waren nu omlaag gezakt of uit elkaar gehaald door gretige mannenvingers zodat de lokken over ruggen en schouders golfden. In donkere hoeken waren sommige paartjes bezig elkaar hartstochtelijk te kussen of ze waren omstrengeld in een woordenloze omhelzing, de langverbeide climax van een langverbeide avond. Sommige jurken vertoonden veelzeggende grasvlekken. De met elkaar wedijverende soorten muziek gingen onverflauwd door, waarbij de Waterbirds hees schreeuwden in een werveling van flitsende lichten en elektronisch geweld. Er werd iets minder gedanst in de diverse tenten, maar wel veel wilder.

Tamar was begonnen te huilen en was, in een poging tot bedaren te komen, naar de rivier gelopen en bleef nu op de brug staan. De lichten op de oever bestrooiden het water met serpentines of linten van vrolijkheid die hier en daar even op de oppervlakte schitterden voordat ze plotseling donker werden en naar beneden werden getrokken. Toen ze voorover leunde kon ze, onder het verre gedruis, het voortdurende en in zichzelf gekeerde geluid van de rivier horen. Toen andere mensen de brug opliepen stak zij deze over, maar keerde terug toen ze in het donker de onopvallende gestalten van de veiligheidsmensen zag, die strategisch waren opgesteld teneinde het jaloerse plebs dat geen dure kaartjes had betaald, ervan te weerhouden naar binnen te sluipen op dit schitterende feest. Ze liep over het grasveld naar het 'Nieuwe Gebouw'. Iets eerder was Conrad Jenkin tegen het lijf gelopen. Jenkin, die zag hoe ontdaan de jongeman was, had hem niet berispt, maar toonde zich ontzet dat Conrad, zoals hij bekende, Tamar direct na hun aankomst in de steek had gelaten, nog voordat ze zelfs maar een keer hadden gedanst. Na deze ontmoeting was Conrad nog meer van streek, hij besefte dat zijn miskleun – want hij gaf zichzelf alle schuld – nu Gerard ter ore zou komen en misschien zelfs Crimond. Maar hij voelde zich vooral ongelukkig omdat hij Tamar op zo'n schandalige, onvergefelijke manier had beledigd. En hij had zich er zo op verheugd met haar te dansen, haar te kussen, op wat zo'n prachtige avond had moeten worden, waarnaar zij ook moest hebben uitgekeken. Hij had niet, als Tamar, van tevoren bedacht dat hij verliefd zou worden. Maar nu hij zo koortsachtig van hot naar her rende, warhoofdig op dezelfde plaatsen zocht en andere steeds oversloeg, over het gras snelde en tegen jongemannen met volle glazen opbotste en op jurken van meisjes trapte, gekweld door een voortdurende hoop en een voortdurende teleurstelling, ondervond hij alle kwellingen van een gefrustreerde minnaar. Enige tijd later raapte hij de moed bij elkaar om naar Levquists kamer te gaan waar Jenkin hem had verteld – informatie die Gerard jammer genoeg niet aan Tamar had doorgegeven – dat daar hun 'basis' was, maar toen hij daar arriveerde was er niemand. Hij bleef even in de lege kamer staan, die was bezaaid met flessen en glazen; hij voelde zich te ongelukkig om zich zelfs maar iets in te schenken en toen, omdat wachten nog pijnlijker was dan zoeken, ging hij er weer vandoor. Tamar was uitgeput in een tent gaan zitten, ze boog haar hoofd om haar tranen te verbergen en probeerde haar gezicht wat bij te werken. Ze had haar kasjmieren omslagdoek ergens neergelegd, ze wist niet waar, en ze had het koud. Conrad, die haastig naar binnen keek, zag haar niet.

Inmiddels was Rose Lily Boyne tegen het lijf gelopen. Lily en Rose konden goed met elkaar opschieten, maar er was voorzichtigheid en onbegrip aan weerszijden. Lily dacht dat Rose haar beschouwde als onontwikkeld – wat Rose inderdaad vond – en 'ordinair' – wat Rose niet vond – . Rose dacht niet eens in zulke termen, maar ze nam zoiets wel aan. Ze vreesde dat Lily haar misschien 'bekakt' vond, wat niet het geval was, Rose vond Lily nogal 'druk' en kon niet altijd 'op dezelfde golflengte' reageren. Maar Lily bewonderde Rose omdat ze zo kalm en verstandig en aardig en vriendelijk was, wat Lily niet van al haar kennissen kon zeggen, en Rose bewonderde Lily omdat ze zo flink was, en ze dacht dat ze heel dapper en 'werelds' was in dingen die voor Rose mysterieus en obscuur bleven. Ze kenden elkaar eigenlijk niet erg goed. Lily Boyne was binnen het gezichtsveld van Gerard en zijn vrienden gekomen door Jean Kowitz – dat wil zeggen Jean Cambus, maar haar meisjesnaam bleef haar op de een of andere manier steeds achtervolgen, zoals dat met sommige meisjesnamen het geval is –, ze had Lily een paar jaar geleden ontmoet via de vrouwenbeweging en ze leerde haar beter kennen in een yogaclub waar ze allebei veelvuldig op hun hoofd stonden. Dit was voordat Lily, kortstondig, beroemd was geworden. Lily was, zoals Gulliver eens opmerkte, een van de talloze mensen die gewoon beroemd zijn doordat ze beroemd zijn. Lily was nu een rijke vrouw, of liever gezegd, ze heette een rijke vrouw te zijn. Ze kwam uit een arm en rommelig gezin, begon haar volwassen leven op een polytechnische school, deed wat aan pottenbakken en grafiek, verbeeldde zich een schilderes te zijn, om vervolgens als typiste in haar levensonderhoud te voorzien. Na verloop van tijd, en op een moment van roekeloze wanhoop, trouwde ze met een tengere, berooide student in de letteren, James Farling genaamd. Hoe vaak had ze later die bleke, ongelukkige jongen gezegend omdat hij haar had overgehaald met hem te tróuwen! Ze had uiteraard haar meisjesnaam behouden. Kort na het huwelijk had een reeks onverwachte sterfgevallen in de familie Farling het familiekapitaal, waarvan Lily niets had geweten, bij James terecht doen komen. James was een onwereldse jongen die weinig om geld gaf en in ieder geval, voor de tussenkomst van het lot, nooit aan erfenissen had gedacht. Eenmaal rijk geworden gaf hij er nog steeds niets om en kon er door Lily, die er wel om gaf, op het nippertje van worden weerhouden alles af te staan aan zijn verontwaardigde overgebleven verwanten. Daarna kocht hij, overgehaald door zijn vrouw om geld uit te geven, een motorfiets waarmee hij, op de dag dat hij hem had gekocht, verongelukte. Toen stortte de familie zich op Lily om haar te vernietigen. Lily vocht terug. Haar zaak leek duidelijk maar er waren al handige juristen aan het werk geweest om zwakke punten in James' aanspraken op te sporen. Het werd een *cause célèbre*. Uiteindelijk werd de zaak in der minne geschikt, nadat Lily talloze verworvenheden had afgestaan. Lily kwam er niet geheel zonder kleerscheuren vanaf aangezien ze, in haar woede, enkele regelrechte leugens had verkondigd. Maar ze was gedurende korte tijd een populaire heldin, het 'arme meisje' dat tegen de inhalige rijken moest vechten, de eenzame vrouw die het opnam tegen een cohort mannen. In deze laatste rol had ze de aandacht getrokken van Jean Kowitz, die in die tijd zeer was begaan met allerlei zaken in de vrouwenstrijd. Het leek wel of Jean verliefd op haar was, zo boos en opgewonden deed ze over Lily's zaak. Rose werd er ook bij betrokken en zag Lily vaak, die ook, door Jean, kennismaakte met Gerard en de rest. Toen de strijd was afgelopen en de publiciteit was weggeëbd liet Jean Lily nogal 'zitten'; ze blies hoog van de toren over de leugens die Lily had verteld. Maar Rose bleef aan haar kant staan, gedeeltelijk omdat ze medelijden met haar had. Want Lily's rijkdom brachten haar weinig geluk en werden in ieder geval stelselmatig geplunderd door een stroom gewiekste mannen. Ze had een dure smaak gekregen en verbeeldde zich dat ze roem had verdiend. Ze scheen niet veel vrienden te hebben en weinig idee hoe ze haar leven moest inrichten.

'Rose!' gilde Lily, 'wat een mieterse jurk heb je aan. Wat past'ie goed bij je! Helemaal te gek!'

Ze hadden elkaar vlak bij de Waterbird tent ontmoet en ze moesten hun stem verheffen. Het geluid van schoenen die op de holle, houten vloer stampten, vormde een voortdurende grondbas.

'Je ziet er heel mooi uit,' zei Rose, 'een beetje oosters. Ik vind die broek geweldig.'

Lily, die alleen was, droeg een wijde, oranje zijden broek die bij de enkels door met lovertjes versierde banden bijeen werd gehouden, en een dunne, witte zijden bloes die behangen was met gouden kettingen en was verankerd door een paarse ceintuur waarin ook de doorzichtige, zilveren sjaal was gestopt die haar schouders bedekte. Deze uitrusting was nu wat gaan schuiven, de broek was uit de banden ontsnapt, de bloes uit de ceintuur, de zilveren sjaal hing opzij naar beneden. Lily was kleiner en magerder dan Rose, heel mager zelfs, en ze had een smal, bijna uitgemergeld bleek gezicht en kort, droog, sprieterig blond haar en een lange nek. Een nek kan soms te lang zijn voor een vrouw en van Lily's nek kon gezegd worden dat hij op de grens was van zwaanachtig en grotesk. Ze had de neiging er de nadruk op te leggen door haar hoofd naar voren te steken en voor zich uit te staren als door een oosterse sluier; ze vond dit zelf katachtig, ze zette dan haar 'kattegezicht' op. Haar lippen waren bijzonder dun, een voortdurende bron van ergernis. Haar ogen, als 'van gesmolten suiker', had een van de gewiekste mannen gezegd, waren merkwaardig lichtbruin met een donkere rand en blauwe en bruine strepen die naar de pupil liepen, waardoor ze aan Engelse drop deden denken. Ze had veel make-up op, waar eveneens iets aan moest worden gedaan en ze had haar lippen royaal met zilververf omlijnd. Ze sprak met een lijzig accent uit het noorden van Londen, dat nu was veranderd in een soort Amerikaans.

'Ik was hier met die klootzak van een Crimond,' zei Lily, 'maar hij heeft me laten zitten, het zwijn. Heb jij hem ergens gezien?'

'Nee, het spijt me,' zei Rose. 'Ik vroeg me af of jij Tamar soms had gezien.'

'Dat kleintje, is die hier? Nee, ik heb haar niet gezien. Jezus, wat een lawaai is het hier. Hoe gaat het tegenwoordig met jou?'

'Prima...'

'We moeten elkaar gauw eens zien...'

'Ja, we bellen nog wel.'

Ze gingen uiteen. Tamar, die Rose met Lily zag praten, trok zich terug in de poort die naar de hertenkamp voerde.

Toen Gerard bij Levquist de trap af liep trof hij Jenkin Riderhood, die hem beneden opwachtte.

Toen hij buiten kwam merkte hij dat de nachtelijke hemel, die nooit helemaal donker was geworden, iets lichter was geworden en dit bezorgde hem een triest voorgevoel. Door de intense concentratie van zijn ontmoeting met Levquist had Gerard al het andere volledig vergeten, waar hij was, waarom hij hier was, zelfs de opmerkingen over zijn vader, Sinclair, Rose, leken eerder bij Levquists gedachten te hebben gehoord dan bij die van hem. Nu herinnerde hij zich plotseling het verhaal van Gulliver. Hij zei echter eerst tegen Jenkin: 'Heb je Tamar gevonden?'

'Nee, maar ik heb Conrad wel gezien. Hij was haar kwijtgeraakt en hij liep nog steeds te zoeken!'

'Ik hoop dat je hem een uitbrander hebt gegeven.'

'Dat was niet nodig, hij had het er vreselijk moeilijk mee, de arme jongen.'

'We moeten. . . wat is er, Jenkin?'

'Kom mee. Ik moet je iets laten zien.'

Jenkin greep Gerards hand en begon hem mee te trekken over het vertrapte gras, tussen de groepjes dansers door, die verdwaasd ronddoolden, sommige nog steeds in feeststemming, sommige gelukkiger dan in hun wildste dromen, sommige met nauwelijks verholen verdriet en sommige gewoon dronken, terwijl het nuchtere licht van de nieuwe dag hun gezichten scherper deed uitkomen. Bij het eind van de galerij stond een jongeman over te geven, waarbij zijn partner met haar rug naar hem toe de wacht hield.

Jenkin voerde Gerard naar de 'sentimentele' tent, waar hij met Rose had gedanst en waar nu wildere klanken ten gehore werden gebracht. Er werd een eightsome reel uitgevoerd, maar de dansvloer was leeg en het publiek stond in een dichte kring te kijken naar acht zichtbaar ervaren dansers, waarvan de mannen een kilt droegen, die in het midden optraden. Crimond was een van deze mannen. Het was duidelijk wie, in de roterende bewegingen van de dans, zijn partner was. Jean Cambus had haar lange, rode jurk hoog opgehesen over een riem om haar middel, zodat haar in zwarte kousen gehulde benen zichtbaar werden en haar zwaaiende rok nauwelijks over haar knieën kwam. Haar smalle, havikachtige gezicht, dat meestal zo bleek als ivoor was, was nu rood aangelopen en klam van het zweet en haar donkere, dikke, schouderlange haar sliertte in het rond en plakte op haar voorhoofd. Haar mooie, joodse gezicht, dat meestal heel statig en koel stond, had nu, met haar grotere, donkere, starende ogen, een heftige, wilde, oosterse blik. In de bewegingen van de dans wendde ze haar hoofd niet af, haar kleine voeten in de schoenen met lage hakken schenen door de lucht te schieten, slechts wanneer haar blik die van haar partner ontmoette vlamden haar ogen op, zonder te glimlachen. Haar lippen waren uiteen, haar mond stond zelfs iets open, niet ademloos maar eerder uit een soort begerigheid. Crimond transpireerde niet. Zijn gezicht stond zoals gewoonlijk beheerst, het was bleek, uitdrukkingsloos, zelfs streng, maar zijn enigszins sproetige huid, die gewoonlijk wat vaal leek en flets kon worden genoemd, was nu glanzend en strak. Zijn krullerige, lange haar, dat eens vlammend rood was geweest, plakte nu aan zijn hoofd, zonder rondzwierende lokken. Zijn lichtblauwe ogen volgden zijn partner niet en wanneer hij haar aankeek veranderde zijn koude, zelfs grimmige blik evenmin. Zijn smalle lippen waren naar binnen getrokken en vormden zijn mond tot een rechte, harde lijn. Met zijn opvallend lange, magere neus deed hij Gerard, die stond te kijken, denken aan zo'n lange Griekse *kouros* in het Akropolis museum, alleen zonder die mysterieuze glimlach. Crimond danste goed, niet met overgave, maar met magistrale precisie; hij hield zijn bovenlichaam stijf, zijn schouders goed naar achteren, was zo gespannen als een boog en toch zo veerkrachtig en gewichtloos als een opspringende hond. Zijn schilderachtige kledij was ook ordelijk gebleven, het fraai bewerkte witte overhemd, het nauwsluitende zwartfluwelen jasje met zilveren knopen, de tas die tegen zijn knie slingerde, de dolk met zilveren heft volgens de regels in de sok, de gepoetste schoenen met gespen. Zijn mannelijke metgezellen, allemaal uitstekende dansers, zagen er ook verzorgd uit, maar alleen Crimond had zijn overhemd niet losgeknoopt. De zware, geplooide kilts, die naar alle kanten zwaaiden en wervelden, benadrukten de onverschilligheid van hun eigenaars ten aanzien van de wetten van de zwaartekracht.

Jenkin sloeg Gerard even gade om te zien of zijn vriend voldoende onder de indruk was, en wendde zich toen af om zelf te kijken. Hij mompelde: 'Ik ben blij dat ik dit heb gezien. Hij lijkt net Shiva.'

Gerard zei: 'Hou op. . .' Het nieuwe beeld, dat het zijne verstoorde, was niet slecht gevonden.

De muziek hield plotseling op. De dansers bleven staan, met hun handen in lucht; toen bogen ze ernstig naar elkaar. Het publiek schrok op uit de betovering en lachte, klapte, stampte met de voeten. Het orkest begon onmiddellijk opnieuw, met de zoetige klanken van 'Always', en de dansvloer werd op slag bevolkt met paren. Crimond en Jean, die met neerhangende armen naar elkaar hadden staan kijken, deden een stap naar voren, gleden toen weg om te verdwijnen tussen de andere dansers.

'Welke tartan was dat?' vroeg Jenkin aan Gerard toen ze wegliepen.

'Macpherson.'

'Hoe weet je dat?'

'Hij heeft het me ooit verteld, het was de tartan waarop hij recht had.'

'Ik dacht dat het zomaar een oude was.'

'Hij is heel precies in die dingen. Waar zit Duncan toch?'

'Ik weet het niet. Zodra ik dát zag ben ik weggehold om jou te halen. Ik vond dat je dit niet mocht missen.'

'Aardig van je om je hier los van te rukken,' zei Gerard enigszins scherp.

Jenkin negeerde de scherpe toon. 'Zullen we allebei een andere kant uit gaan om Duncan te zoeken? Ik zie hem hier niet.'

'Het ziet er naar uit dat. . .'

'Dat alles al te ver uit de hand is gelopen.'

'Ik denk niet dat Duncan ons graag tegen zou komen.'

'Vind je niet dat we hem hadden moeten schaduwen of zo? Een oogje op hem hadden moeten houden?'

'Nee.'

Gulliver werd plotseling aangeklampt door een vrouw.

Hij was zich, na alle komkommersandwiches te hebben opgegeten, een stuk beter gaan voelen, helemaal niet dronken meer, en hij kreeg een geweldige zin om te dansen. Hij had wat rondgekeken, niet op zoek naar Tamar – hij was haar volledig vergeten – maar naar een meisje van wie de man heel handig onderuit was gegaan en nu ergens onder een struik zijn roes lag uit te slapen. Het zag er echter naar uit dat de vrouwen hun mannen nog steeds op sleeptouw hadden, ook al konden ze zelf nauwelijks meer op hun benen staan of zagen ze er zelfs ronduit dronken uit. Het viel nu niet meer te ontkennen dat de dageraad aanbrak, dat het licht dat de hele nacht niet echt weg was geweest, zichzelf nu tot daglicht verklaarde. Er waren al een paar afschuwelijke vogels gaan zingen en uit de bossen achter het weiland klonk de roep van een koekoek. In een haastige poging een voortzetting van de nacht te vinden was Gull naar de pop-tent gedreven, waar het, in weerwil van het lichter wordende tentdoek, nog steeds duister scheen temidden van het overdonderende lawaai en de schelle lichtflitsen. De popgroep was vertrokken en hun muziek werd nu via geluidsinstallaties voortgezet. Hier waren de capriolen het wildst, leken meer op acrobatische toeren dan op dansen, terwijl de jongelui werden overvallen door een soort wanhoop toen ze de morgenlucht roken. De mannen hadden hun jasjes uitgetrokken, soms ook hun overhemd, de meisjes hadden hun jurken opgehesen en sluitingen losgemaakt. Na de formele sfeer van eerst leek het nu een merkwaardige verkleedpartij. De paren staarden elkaar verwilderd, met open monden, aan, ze sprongen, hurkten, draaiden, grimasten, wuifden met hun armen, met hun benen, en Gulliver bedacht dat het geheel eerder op een scène uit de *Inferno* van Dante leek dan op de gewijde vreugden van zorgeloze jongelui.

'Hoi, Gull, dans met mij! Ik heb al minstens een uur alleen moeten dansen!' Het was Lily Boyne.

Haar tengere armen werden direct om hem heengeslagen, grepen hem bij zijn middel en ze zwaaiden, of liever gezegd zoemden weg in het centrum van de oorverdovende maalstroom.

Uiteraard kende Gulliver Lily via 'de anderen', maar hij had nooit veel belangstelling voor haar gehad, behalve één keer, heel even, toen hij iemand over haar had horen praten als een 'cocotte'. Hij had haar een zielig wezen gevonden, met opdringerige pretenties die alleen maar gênant waren. Lily leek nu net een kleine, krankzinnige piraat, of scheepsjongen misschien, op een piratenschip in een pantomime. Haar oranje broek was opgerold, een paar magere blote benen onthullend, haar witte bloes hing los, ceintuur, zilveren sjaal, gouden kettingen waren allemaal verdwenen, achtergelaten bij haar avondtasje waarvan Lily geen flauw idee had waar het lag. Haar gezicht, dat rood was van alle inspanningen en eerder drankgebruik, was bedekt met een veelkleurige, vettige laag uitgesmeerde cosmetica waardoor ze een smeltend wassen beeld leek. Haar zilveren lippen waren vergroot tot een groteske clownsmond. Maar toen ze dansten, zonder elkaar aan te raken, nu eens dichtbij dan weer van elkaar vandaan, woest rondsprongen, tegen andere dansers opbotsten zonder er iets van te merken, grijnsden, gloeiden, hijgden, verbonden door hun verwilderde ogen, voelde Gulliver dat hij een perfecte partner had ontdekt. Toen Lily heen en weer zwaaide, pirouettes draaide, op en neer sprong, om hem heen draaide, bezwerend met haar armen gebaarde als een extatische priesteres, leek ze iets te zeggen, in ieder geval ging haar mond open en dicht, maar door alle herrie kon hij er geen woord van verstaan. Hij knikte geschift met zijn hoofd en slaakte in al het lawaai een reeks onzinnige kreten die hij niet eens zelf kon verstaan.

Tamar had Conrad niet kunnen vinden maar ze had Duncan wel gevonden. Duncan was Jean al eerder kwijtgeraakt toen hij nog wat bleef drinken en zij zich in het feestgewoel stortte. Hij werd weldra door een behulpzame ziel, die het beste met hem voor had, op de hoogte gebracht van de aanwezigheid van Crimond. Misschien had dezelfde man Jean al gewaarschuwd; of had Jean het de hele tijd al geweten, vroeg hij zich later af. Na enig zoekwerk was hij, ongezien, getuige van het einde van de eightsome reel waarvan Gerard en Jenkin eveneens getuige waren, om Jean en Crimond na de volgende dans samen te zien verdwijnen. Daarna vertrok hij naar een bar om zo dronken te worden als maar mogelijk was, en om, bijna als troost, zijn verdriet en woede te koesteren, en zijn vrees dat alles helemaal fout zou lopen. In dit stadium wilde hij zijn vrouw niet gaan zoeken; en toen hij, nog later, in de 'ouderwetse' tent Jean met Crimond zag binnenkomen om zich bij de dansers te voegen, bleef hij ineengedoken zitten in de betrekkelijke duisternis achter in de tent waar hij een gekwelde voldoening ontleende aan het onzichtbaar zijn terwijl hij zijn ogen de kost gaf.

Tamar, die nog steeds Conrad liep te zoeken, maar nu heel moe en koud was, en daarbij erg ongelukkig omdat ze haar kasjmieren omslagdoek niet kon vinden, kwam de tent binnen en zag op slag Jean met Crimond dansen. Tamar wist dat er vele jaren geleden 'iets' was geweest tussen Jean en Crimond, maar ze had er nooit over nagedacht en beschouwde het als een afgedane geschiedenis. Wat ze nu zag bezorgde haar gevoelens van verbazing, schrik en daarna iets van angst en jaloers verdriet. Jean was lange tijd een erg belangrijk persoon in Tamars leven geweest; je kon zelfs zeggen dat ze 'gek' was op Jean, bij wie ze in haar puberteit met problemen aan had kunnen kloppen die ze niet met haar moeder had kunnen bespreken, of zelfs niet met Rose of Pat. Ze was eveneens dol op Duncan en ze werd regelmatig op de thee, later op een glaasje, gevraagd. Na enige tijd zag Tamar, toen ze in de tent om zich heen keek, Duncan zitten, met zijn arm op de stoel voor zich en zijn kin op zijn arm, terwijl hij de dansers gespannen gadesloeg. Er liepen wat mensen tussen hen door, de dans was afgelopen en Tamar besloot, geschrokken door wat ze zag, zich terug te trekken. Duncan had haar echter al gezien en wuifde naar haar, gebaarde haar bij hem te komen zitten. Tamar vond dat ze niet zomaar kon verdwijnen en baande zich een weg tussen zittende en staande mensen door, langs omgevallen stoelen en tafels beladen met lege flessen, en ging naast Duncan zitten. Toen ze ging zitten keek ze om naar de dansvloer en zag hoe Jean en Crimond aan de andere kant de tent uitgingen.

Duncan was een kolossale man, van wie werd gezegd dat hij wat 'beerachtig' of soms wat 'leeuwachtig' was; hij was fors en lang met een groot hoofd en een massa heel donker, dik, krullend haar dat tot op zijn nek hing. Zijn brede schouders, die hij vaak wat optrok, suggereerden iets van ingehouden, soms bedreigende kracht. Hij leek niet alleen intelligent, maar ook geweldig. Hij bezat een brede, weifelende, expressieve mond, donkere ogen en een vreemde manier van kijken, aangezien een van zijn ogen bijna geheel zwart was, alsof de pupil uitgevloeid was over de iris. Hij droeg een bril met donker montuur, had een ironische blik en een giechelende lach.

'Hallo, Tamar, heb je het een beetje naar je zin?'

'Ja, dank je. Je hebt Conrad zeker niet gezien, hè, Conrad Lomas? O misschien heb je hem nog niet ontmoet!'

'Toch wel. Ik heb hem bij Gerard ontmoet, hij is een vriend van Leonard, is het niet? Nee, ik heb hem niet gezien. Is hij je aanbidder? Waar is hij gebleven?'

'Ik weet het niet. Het is mijn eigen schuld. Ik heb hem even alleen gelaten.' Ze kneep haar ogen stijf dicht omdat ze het gevoel kreeg dat ze moest huilen.

'Het spijt me, kleine Tamar,' zei Duncan. 'Kom, dan gaan we samen even iets drinken. Dat zal ons allebei goed doen.' Maar hij stond nog niet op, hij verschoof zijn voeten en leunde nog wat meer op de stoel voor hem. Hij was er plotseling niet zeker van of hij wel in staat was overeind te komen. Hij staarde naar Tamar en bedacht hoe zielig mager ze was, alsof ze aan anorexia leed, en hoe ze met dat korte, rechte kapsel en die scheiding opzij net een meisje van veertien leek. De witte baljurk flatteerde haar totaal niet, het leek net een vodderige onderjurk. Ze zag er beter uit wanneer ze haar gewone kleren aan had, een nette blouse en rok.

Tamar keek ongerust naar Duncan. Ze had de situatie overzien en voelde nu hoe hij eronder leed, waardoor ze zich wat geneerde in plaats van medelijden met hem te hebben. Het was eveneens duidelijk dat Duncan erg dronken was, zijn gezicht was rood aangelopen en hij ademde zwaar. Tamar was bang dat hij elk moment plat op de vloer kon vallen en dat ze daar iets aan zou moeten doen.

Op dat moment hees Duncan zich overeind. Hij wankelde even en legde toen zijn hand op Tamars arm, om steun te zoeken. 'Zullen we eens wat te drinken gaan halen?'

Ze gingen op weg naar de uitgang en kwamen daarbij langs de dansvloer. De band speelde: 'Night and Day'.

Duncan zei: 'Night en Day. Ja. Laten we dansen. Jij danst toch wel met mij, hè?'

Hij zwierde haar de dansvloer op, gaf zich plotseling over aan de muziek en merkte dat zijn benen niet langer onwillig waren en als goedgetrainde dieren in staat waren hun vertrouwde nummer op te voeren. Hij danste goed. Tamar liet zich leiden, ze liet het trage, sombere ritme haar lichaam binnendringen. Het was haar eerste dans van die avond. Er kwamen nu echt tranen in haar ogen en ze veegde ze af aan Duncans zwarte jasje.

In de jazz-tent danste Rose met Jenkin. Jenkin was met Gerard teruggelopen naar de kamer van Levquist, waar ze dachten dat Duncan misschien zijn toevlucht had gezocht. 'Hij zal weinig zin hebben ons te zien,' zei Gerard. 'Als hij er wel is, bewijst het dat hij dat toch wel wil,' zei Jenkin. Maar er was niemand in de kamer. Gerard verkoos daar te blijven, gewoon voor het geval dat; terwijl Jenkin, nog steeds vol van het idee als Duncans onzichtbare lijfwacht te fungeren, weer was vertrokken. Kort daarna zag hij Rose en hij voelde zich verplicht haar ten dans te vragen. Ze liepen naar de jazzklanken die het meest dichtbij waren, en Jenkin zwaaide haar plichtsgetrouw in het rond, door de steeds dichter wordende en verder losgeknoopte menigte die, bij het zien van de dageraad, opnieuw de dansvloeren bevolkte. Dansen met Jenkin was een eenvoudige en voorspelbare bezigheid aangezien hij maar één manier van dansen had, wat voor muziek het ook mocht zijn. Hij had haar uiteraard verteld wat Gerard en hij hadden gezien. Hij had zelfs voorgesteld om samen te gaan kijken of dit tafereel werd herhaald.

Maar Rose had dit kennelijk onbehoorlijk gevonden en Jenkin had beteuterd ingezien dat dit inderdaad zo was.

Rose dacht dat ze eerder op de avond misschien te veel emotie voor dit onderwerp aan de dag had gelegd en probeerde dat nu wat te relativeren. 'Ik denk dat Crimond 'm is gesmeerd en Jean en Duncan zijn al zó lang bij elkaar. Het heeft allemaal niets te betekenen. Je kunt alleen beter niet zeggen dat je haar met hém hebt gezien!'

'Natuurlijk doe ik dat niet en natuurlijk heb je gelijk. Maar dat hij het lef had!'

'Wat ga je met dat boek doen?' vroeg Rose om van onderwerp te veranderen, toen Jenkin op haar tenen trapte.

'Wij, Rose. Jij zit ook in het comité.'

'Jawel, maar ik tel niet mee. Gerard en jij moeten zoiets beslissen.'

'We kunnen niets doen,' zei Jenkin. Hij maakte zich zorgen over Duncan die als een zieke, gevaarlijke beer rondzwierf.

Conrad Lomas dook op uit het niets en baande zich een weg over de dansvloer waarbij hij de verdoofde paartjes opzij schoof.

'Waar is Tamar? Hebben jullie haar gezien?'

'Dat horen wij aan jou te vragen!' zei Rose.

Gerard was alleen in Levquists kamer waar de gordijnen nog dicht waren om het licht buiten te sluiten. Hij keek somber naar het chaotische tafereel van vuile glazen en lege flessen die overal rondslingerden, op de schoorsteenmantel, op de stoelen, op de tafels, op de boekenkasten, op de vloer. Hoe kunnen we toch zoveel glazen hebben gebruikt, dacht hij. Maar je raakt natuurlijk steeds vaker je glas kwijt naarmate de avond vordert! En verdomme, er zijn helemaal geen sandwiches meer over, of nog maar eentje en daar zit geen komkommer meer op. Hij at het slappe stukje brood op en schonk zich nog wat champagne in. Het spul hing hem de keel uit maar er was niets anders te drinken. Jenkin had beweerd dat hij een fles whisky in de slaapkamer van Levquist had verstopt 'voor later', maar Gerard bezat niet de fut ernaar te zoeken.

Hij hoopte vurig dat Levquists huisknecht in staat zou zijn de rommel op te ruimen voordat Levquist terugkwam na het ontbijt. Hij moest niet vergeten die man een flinke fooi te geven. Toen bedacht hij met ontzetting dat hij in het vuur van zijn gesprek met Levquist helemaal had vergeten hem te bedanken voor het lenen van zijn kamer, een groot voorrecht aangezien er beslist nog meer oude, beroemde liefhebbers moesten zijn. Hij begon een fraaie, verontschuldigende brief op te stellen. Levquist zou de omissie uiteraard hebben opgemerkt en er waarschijnlijk een kwaadaardig soort genoegen aan hebben ontleend. Vervolgens begon hij na te denken over het interessante feit dat sinds 'die toestand', nu zo lang geleden, Levquist nimmer in gesprekken met Gerard of Jenkin Crimonds naam had genoemd, hoewel hij het meestal wel over de anderen had en Crimond ook een student van hem was geweest en een van de groep. Iemand moest het hem hebben verteld. Gerard vroeg zich toen, niet voor de eerste keer, af of Crimond een soort vriendschap met Levquist onderhield. Misschien was hij wel déze avond nog bij hem op bezoek geweest! Wat vreselijk, wat onverteerbaar was die gedachte: Crimond bij Levquist. Gerard had dezelfde reactie gehad als Rose: hoe durft hij! Waarop Jenkin nuchter had gezegd: waarom niet? Maar om met Jean te dansen... Gerard had met misnoegen opgemerkt hoe die hele episode, als je het zo mocht noemen, Jenkin scheen te hebben opgewonden. Gerard vond het schokkend, walgelijk, onheilspeilend en slecht. Hij vroeg zich af of hij soms dronken was, en vervolgens hoe dronken hij was. De telefoon ging. Hij pakte de hoorn van de haak. 'Hallo.'

'Kan ik de heer Hernshaw spreken, is hij aanwezig?'

'Pat...'

'O, Gerard... Gerard... hij is gestorven...'

Gerard raapte zijn gedachten bijeen. Zijn vader was dood.

'Gerard, ben je er nog?'

'Ja.'

'Hij is dood. We hadden het nog niet verwacht, hè? De dokter had niets gezegd... het gebeurde zomaar... heel... plotseling... hij... en hij was dood...'

'Ben je alleen?'

'Ja natuurlijk! Het is vijf uur in de morgen! Wie dacht je dat ik hier bij me had kunnen hebben?'

'Wanneer is hij gestorven?'

'O... een uur geleden... ik weet het niet precies...'

Gerard dacht: wat deed ik toen? 'En was je bij hem...?'

'Ja! Ik sliep met de deuren open... om een uur of één hoorde ik hem kreunen en ik ging toen naar binnen en hij zat rechtop in bed en... en hij brabbelde met een akelig hoge stem en hij schokte steeds met zijn armen en hij staarde om zich heen en hij wilde me niet aankijken... hij was wit, zo wit als de muur en zijn lippen waren wit... en ik probeerde hem een pil te geven maar... ik probeerde hem te laten liggen, ik wilde dat hij weer ging slapen, ik dacht als hij nou maar een beetje kan rusten, een beetje kan slapen... en toen werd zijn ademhaling zo... zo akelig...'

'O God,' zei Gerard.

'Goed, je wilt het niet horen... ik ben uren bezig geweest om je te pakken te krijgen, vanaf dat moment, de portier heeft allerlei kamers gebeld, ik kreeg alleen maar zuiplappen aan de lijn. Ben jij ook dronken? Het klinkt alsof je het bent.'

'Mogelijk.' Hij dacht: Levquist heeft daar natuurlijk geen telefoon...

maar dat was trouwens eerder... wat was ik eigenlijk aan het doen? Keek ik hoe Crimond danste? Arme Patricia. Hij zei: 'Hou je flink, Pat.'

'Je bent dronken. Natuurlijk houd ik me flink. Ik zal wel moeten! Ik ben alleen maar half gek van verdriet en ellende en schrik en ik sta er helemaal alleen voor...'

'Als ik jou was zou ik maar naar bed gaan.'

'Dat kán ik niet. Hoe snel kun je hier zijn, over een uur?'

'Ik kan het in een uur doen,' zei Gerard, 'of minder, maar ik kan hier niet meteen weg.'

'Waarom dan wel niet?'

'Ik heb hier een heleboel mensen, ik kan ze niet zomaar alleen laten, ik kan niet weggaan zonder iets te zeggen en God mag weten waar ze op dit moment allemaal uithangen.' Hij dacht: ik kan niet weggaan zonder Duncan te hebben gesproken.

'Je vader is dood en jij wil blijven dansen met je dronken vrienden.'

'Ik kom zo gauw mogelijk,' zei Gerard. 'Ik kan alleen niet meteen komen, het spijt me.'

Patricia legde de hoorn neer.

In de stilte die volgde bleef Gerard zitten met gesloten ogen. Toen begon hij te zeggen: 'O mijn God, O mijn God, O mijn God,' en hij verborg zijn gezicht in zijn handen en hijgde en kreunde. Natuurlijk had hij geweten dat dit zou gebeuren, hij had het rustig tegenover Levquist genoemd, maar dít was heel anders dan zijn bange fantasie hem had voorgeschoteld. Hij had geweten wat hij zich niet voor wilde stellen: het feit, het onherroepelijke feit. Liefde, oude liefde, gevoeligheden en dimensies en krachten van liefde die hij was vergeten of nooit had herkend, stormden nu uit alle uithoeken van zijn bestaan op hem af, schroeiend van verdriet, huilend en jammerend om de verschrikkingen van die breuk. Nooit meer met zijn vader kunnen spreken, zijn glimlachende, huiselijke gezicht te zien, blij te zijn om zijn geluk, de troost van zijn liefde te kunnen voelen. Hij voelde spijt, niet omdat hij een slechte zoon was geweest, dat was hij niet, maar omdat hij niet langer een zoon was, en er viel nog zoveel te zeggen. Een plaats, waar hij zichzelf was als op geen enkele andere plaats, was nu van de wereld gevaagd. O mijn vader, o mijn vader, o mijn lieve vader.

Hij hoorde voetstappen op de trap en kwam haastig overeind en veegde over zijn gezicht hoewel er geen tranen op lagen. Hij richtte een kalme blik op de deur. Het was Jenkin.

Gerard besloot snel Jenkin niets over zijn vader te vertellen. Hij zou het hem later wel vertellen, wanneer ze samen naar Londen terugreden. Hij wilde niet beginnen met vertellen om vervolgens te worden onderbroken door een van de anderen. Beter niets te zeggen. Jenkin zou er begrip voor hebben.

Jenkin, die voortdurend Gerards gedachten kon lezen, had gemerkt dat Gerard niet te spreken was over wat hij waarschijnlijk beschouwde als Jenkins opwinding, misschien zelfs leedvermaak, over het kleine drama dat die avond op handen leek te zijn. Hij had ook het gevoel dat Gerard wat laatdunkend deed over Jenkins waardering voor Crimonds zwierige kilt. Jenkin geneerde zich ook wel voor zijn onhandige gedrag tegenover Rose, zijn onvermogen om goed te dansen en de botte manier waarop hij had geweigerd in te gaan op haar vraag. Hij had geen flauw idee hoe dronken hij was. Toen Rose de volgende dans afwees, zeggend dat ze moe was, had Jenkin snel de ronde gedaan, op zoek naar Duncan, maar hij had hem niet gevonden. Hij achtervolgde een in het wit geklede gestalte die op Tamar leek maar die bij zijn nadering verdween. Tamar had tegen deze tijd haar dans met Duncan beëindigd en was door hem weggestuurd met een vaag: 'Nou, stap maar weer eens op en amuseer jezelf.' Ze voelde geen neiging of plicht bij hem te blijven, hij was duidelijk erg dronken en wilde niet dat ze hem in deze toestand bleef zien of hij was gewoon vergeten dat ze geen partner had. Ze begon weer doelloos rond te lopen op opvallende plaatsen, hopend dat ze een bekende tegen zou komen. Wat de omslagdoek betrof had ze alle hoop al opgegeven, misschien had iemand hem gestolen.

Gerard, die voortdurend Jenkins gedachten las, merkte dat zijn vriend iets dwars zat en hij besloot daar haastig iets aan te doen. 'Beste kerel, denk je dat je in staat bent de whisky te vinden die je verstopt schijnt te hebben? Dit spul begint me mijn neus uit te komen.'

Ze liepen naar Levquists keurige, studentachtige slaapkamer met het smalle ijzeren bed en de wastafel met kom, lampetkan en zeepschoteltje en Jenkin begon in Levquists beddegoed te rommelen. De fles whisky werd gevonden, evenals de karaf water die op het nachtkastje klaar stond, omdat er natuurlijk geen badkamer of stromend water was. Gerard trok het bed weer recht. Ze voerden hun trofeeën mee naar de grote kamer en schonken twee champagneglazen vol met whisky.

'Het is buiten al dag, zullen we de gordijnen opendoen?'

'Ik vrees dat het inderdaad al zo ver is,' zei Gerard, 'wat vreselijk!' Hij schoof de gordijnen opzij om het akelig koude zonlicht binnen te laten.

'Ik heb Duncan nergens kunnen vinden, maar ik geloof dat er veel mensen in de hertenkamp lopen.'

'Daar mogen ze helemaal niet komen.'

'Nou, ze zijn er anders wel.'

Ze hoorden zware, onzekere voetstappen op de trap. 'Dat moet Duncan zijn,' zei Jenkin en deed de deur open.

Duncan struikelde naar binnen en liep regelrecht naar een leunstoel waar hij zich met een plof in liet vallen. Hij bleef even wezenloos voor zich uit staren. Toen wreef hij met zijn hand over zijn gezicht zoals Gerard dat eerder had gedaan, fronste zijn wenkbrauwen en vermande zich. Met enige moeite ging hij een beetje rechtop zitten.

'Allemensen, je bent drijfnat!' zei Jenkin.

Dat was waar. Duncans broek en een gedeelte van zijn jasje waren doorweekt met water, en ook heel modderig, en er drupte nu donker, modderig water op het vloerkleed.

Duncan zag dit en zei: 'Jezus, wat zal Levquist hiervan zeggen!'

'Laat dat maar aan mij over,' zei Gerard. Hij haalde twee handdoeken uit de slaapkamer, gaf er een aan Duncan en begon met de andere de plas op het vloerkleed op te dweilen terwijl Duncan zijn kleren bette.

'Ik ben straal bezopen,' zei Duncan. Toen verklaarde hij: 'Ik ben in de rivier gevallen. Krankzinnig!'

'Ik ben ook bezopen,' zei Jenkin meelevend.

'Is dat whisky? Mag ik ook wat?'

Jenkin schonk een beetje whisky in en vulde het glas aan met water. Duncan nam het met onvaste hand van hem over.

Er klonken opnieuw voetstappen op de trap. Het was Rose. Ze kwam binnen en zag Duncan op slag. 'Duncan, lieverd, ben je daar, wat ben ik blij!' Ze wist niet wat ze verder tegen hem moest zeggen en riep toen maar: 'Dus jullie zitten allemaal aan de whisky; nee, ik hoef niets! Wat is die rommel op de vloer?'

'Ik ben in de Cher gevallen,' zei Duncan. 'Stomme ouwe zuiplap die ik ben!'

'Arme lieverd! Gerard, zet die elektrische kachel eens aan. En houd daar mee op, je maakt het alleen maar erger. Geef mij die handdoeken maar. Kijk even of er water is in de lampetkan in de slaapkamer.'

Dat was er. Rose hees haar groene jurk op, zakte op haar knieën en ging behendig aan de gang met kleine beetjes water en voorzichtig gebruik van de handdoek, waarbij ze de moddervlek vermengde met het gelukkig erg donkere en oude tapijt. 'Ik vrees dat we wel een bende maken van Levquists handdoeken, maar de huisknecht zal wel schone geven. Vergeet niet die man een fooi te geven, Gerard.'

Er holde iemand de trap op, struikelend in zijn haast en nu vloog de deur open. Het was Gulliver Ashe. Hij had niet direct in de gaten dat Duncan er zat en riep luidkeels: 'D'r is me dan toch een heisa geweest, ze zeggen dat Crimond iemand in de Cherwell heeft geduwd!' Toen zag hij Duncan en het waterballet en hij sloeg zijn hand voor zijn mond.

'Ga maar weer, Gull, wil je?' zei Gerard.

Gull maakte dat hij wegkwam, de trap af.

Gulliver was Lily Boyne kwijtgeraakt; dat speet hem niets, hij had het leuk gevonden met haar te dansen maar toch speet het hem niet erg aangezien

43

hij tot de conclusie was gekomen dat, hoewel hij de laatste tijd niets had gedronken buiten een glas champagne dat hij op het gras had ontdekt, hij zich opnieuw erg dronken voelde, en ook een beetje misselijk, en ook ontzettend moe. Lily, die zich tijdens het dansen had ontdaan van haar witte blouse, die ze had opgerold en tussen de dansenden weg had geworpen – waar hij door een jongeman werd opgevangen en in beslag genomen – waardoor een maar nauwelijks decent kanten hemdje werd onthuld, had tenslotte verklaard dat zij ook 'afgepeigerd' was, en wilde ergens gaan zitten. Gull was naar buiten gegaan om te gehoorzamen aan de drang van de natuur en toen hij terugkwam bleek ze weg te zijn. Tegen die tijd had hij sommige mensen over Crimond horen praten. Verbannen uit Levquists kamers begon hij nu te dolen, eerst door de kloostergang, waar hij een glas bier wist te bemachtigen, hoewel hij er eigenlijk geen zin in had, en toen naar buiten naar de grote gazons tussen de tenten.

Het was nu helemaal licht geworden, het afschuwelijke, onverhullende, definitieve daglicht was gekomen, dat het betoverde woud en alle sprookjes van de nacht verjoeg en een scène onthulde die meer op een slagveld leek, met vertrapt gras, lege flessen, gebroken glazen, omgevallen stoelen, verdwaalde kledingstukken en alle soorten onsmakelijk menselijk afval. Zelfs de tenten zagen er in dit genadeloze zonlicht smerig en verfomfaaid uit. De merels, lijsters, mezen, zwaluwen, winterkoninkjes, roodborstjes, spreeuwen en talloze andere vogels zongen luidkeels, de duiven koerden en de kauwen krasten en in de grote bomen van de hertenkamp klonk, nu dichterbij, de holle, herhaalde roep van de koekoek. De dansmuziek ging echter onversaagd door en klonk nu ver en onwezenlijk in de meer open ruimte van de hoge, wolkeloos blauwe lucht en omgeven door alle vogelgezang. Er vormde zich een rij voor het ontbijt, maar een aanzienlijk aantal mensen scheen niet op te kunnen houden met dansen, als bezeten door een extase of door een koortsachtig verlangen de betovering te bewaren en alle komende narigheid uit te stellen: spijt, berouw, de vervlogen hoop, de mislukte droom, en alle vervelende problemen van het dagelijks leven. Gull had best zin in een ontbijt, de gedachte aan bacon en eieren was opeens zeldzaam aanlokkelijk, maar hij had weinig zin zelf in de rij te moeten staan en hij voelde een meer dringende en noodzakelijke behoefte te gaan zitten, of nog liever te gaan liggen. Hij besloot even uit te rusten en later wat eetbaars te halen, wanneer het minder druk was. Het bevuilde gras was hier en daar bezaaid met uitgestrekte menselijke gestalten, voornamelijk mannelijke, waarvan sommige diep in slaap waren. Toen hij tussen hen door stapte kwam Gulliver zelfs, al herkende hij hem natuurlijk niet, langs Tamars omslagdoek, die nu een gevlekt, opgerold bundeltje was dat door iemand was gebruikt om een ramp met een fles rode wijn af te handelen. Er hing een lichte nevel over de Cherwell. Hij doolde door de poort naar de hertenkamp. Dit park was, uit ecologische en veiligheids overwegingen, niet toegankelijk voor de feestgangers. Maar nu – waarschijnlijk omdat het bal bijna was afgelopen – waren de met bolhoed getooide bewakers verdwenen en slenterden er paartjes door de bosjes. In de verte, in het mistige groene struikgewas, liepen herten en sprongen konijnen heen en weer. Gulliver wankelde nog wat verder, ademde de heerlijke frisse, naar de rivier geurende morgenlucht in en genoot van het niet-vertrapte gras. Toen ging hij onder een boom zitten en viel in slaap.

Tamar had eindelijk Conrad gevonden. Ze had een poosje op een stoel in een tent gezeten en had zelfs even geslapen. Toen ze naar buiten kwam was de hemel licht en was de zon op. Het licht was vreselijk. De rok van haar witte jurk was op mysterieuze wijze bedekt met grijze vegen. Ze voelde zich afschuwelijk, als een afgrijselijk spook. Ze besloot haar haar te kammen met haar kleine kammetje, maar liet de kam per ongeluk vallen en ze draaide zich niet om om hem op te rapen. Ze liep langzaam, om iets te doen te hebben en omdat ze misschien meer aandacht trok als ze stil bleef staan. Alles om haar heen zag er onwerkelijk en afgrijselijk uit, het gelach en de muziek kwamen in vlagen, als klappen op haar toe en deden haar knipperen en fronsen. Ze liet haar hoofd hangen, ze liet haar mond hangen. Ze kwam bij de pop-tent waar nog steeds ingeblikte muziek werd gedraaid, wilde verder lopen en keek toen naar binnen. In één enkele seconde veranderde de hele wereld. Daar had je hem: Conrad, haar lange jongen, springend, lachend, steeds weer ronddraaiend. Tamar stond op het punt een kreet te slaken en naar hem toe te hollen. Toen zag ze dat hij met Lily Boyne danste.

Tamar draaide zich snel om, hield haar hand voor haar gezicht en begon over het gras te hollen. Ze rende, met opgehesen rok, door de kloostergangen, nam de hoofdpoort en toen naar High Street. De bochtige High was leeg, mooi en plechtig in het rustige, vroege zonlicht. Tamar rende wanhopig, als een vluchteling, de straat op. Tijdens het hollen knapte een bandje van haar sandalen en ze ging haastig, hinkend en huppend verder, langs de stille, indrukwekkende gebouwen die in het koele, vroege zonlicht stralend afstaken tegen de helderblauwe hemel. Ze had het koud maar haar jas, die ze met het oog op de kille ochtenduren mee had genomen, lag in Conrads auto. Gelukkig had ze in die hele nachtmerrie van donkere uren, hoewel ze haar omslagdoek had verloren, in ieder geval niet haar avondtasje ergens laten liggen, met daarin haar cosmetica, geld, sleutels, omdat ze het onbewust steeds om haar pols geslingerd had gehouden. Ze holde verder, met haar vuile rok hoog, met haar verkreukelde jurk, haar verwarde haren, haar ongepoederde gezicht, in de richting van het busstation. De enkele vroege voorbijgangers zagen haar stromende tranen en draaiden zich om om haar na te kijken. Toen ze bij het busstation kwam en in een bus naar Londen

45

stapte, begonnen alle klokken van Oxford zes uur te slaan.

Toen Gulliver was verdwenen keken de vier in de kamer elkaar niet aan. Rose zette de elektrische kachel dicht bij Duncans doorweekte broek, vroeg of het niet te warm was en moest lachen om de wolk stoom die onmiddellijk begon op te stijgen. Duncan antwoordde gepast, zei dat hij bijna droog was, dat ze vooral geen moeite moesten doen, enzovoort. Jenkin en Duncan bleven whisky drinken. Ze waren het erover eens dat het jammer was dat er niets meer te eten was; het werd Gulliver kwalijk genomen dat hij alle sandwiches op had gegeten. Jenkin wenste dat hij wat chocolade had meegenomen, zei dat hij dat van plan was geweest. Gerard en Jenkin bespraken of een van hen erop uit zou gaan om wat ontbijt te regelen en met brood en worstjes terug te komen. Ze vroegen zich af of ze dit nu konden doen zonder in de rij te hoeven staan. Er werd geen besluit genomen. Ze vroegen zich inwendig allemaal af of Jean nog tevoorschijn zou komen en wat ze in vredesnaam moesten doen als ze niet kwam.

Na ongeveer een half uur verscheen Jean Kowitz-Cambus inderdaad. Ze kwam snel en hoorbaar de trap op en ging de kamer binnen met haar jas al aan, over de beroemde rode jurk met zwarte kant die Rose zo had bewonderd. Ze was gekleed voor een snel vertrek en had haar make-up bijgewerkt en haar haar gefatsoeneerd. Haar intens zwarte haar, sluik en glanzend als de veren van een exotische vogel, zo netjes gekamd dat het wel gelakt leek, viel gelijkmatig omlaag langs haar verfijnde, scherpgetekende gezicht. Haar nogal strenge, maar kalme uitdrukking verzachtte gepast bij de begroeting van Rose.

'Jean, lieverd, wat fijn dat je er bent!'

Rose sloeg haar armen om Jean, Jean tikte Rose op de schouder en zei dat de vogels zo mooi zongen. Gerard en Jenkin keken vanaf enige afstand toe. Toen liep Jean naar Duncan, die onderuitgezakt in zijn stoel bleef zitten. Ze zei: 'Hoe is het met deze ouwe? Wat te veel gezopen? Kan iemand 'm overeind helpen?'

Duncan stak zijn handen uit en Jenkin greep één hand en Gerard de andere en samen hesen ze hem overeind.

Jean en Cambus voerden een gesprek. Jean vroeg waar zijn jas was en hij zei dat hij dacht dat hij hem in de auto had laten liggen, maar waar stond de auto? Jean vertelde waar hij was, niet op het parkeerterrein maar in een straat in de buurt. Ze zeiden allebei dat het goed was dat de auto niet op het parkeerterrein stond, Jenkin was het daarmee eens, je kon snel klem komen te staan en jonge mensen waren zo onnadenkend in die dingen. Rose zei luchtig dat ze hoopte dat Jean zou rijden en Jean zei dat ze dat zeker zou doen. Jean kuste Gerard en Jenkin en Rose. Duncan kuste Rose en probeerde met Gerard te kibbelen over zijn bijdrage aan de fooi voor de huisknecht. Rose omhelsde Jean en kuste haar en streelde haar haar. Toen sloeg ze haar armen om Duncan voor een speciale omhelzing. Jean zei tegen Duncan dat hij mee moest komen en ze pakte hem bij de arm. Temidden van allerlei afscheidswoorden en gezwaai vertrokken ze. Hun voetstappen stierven weg op de trap.

Na een gepaste stilte onderdrukte Jenkin een kleine lachbui en ging toen uit het raam staan kijken om zijn gezicht weer in de plooi te krijgen. Rose keek naar Gerard, die zijn wenkbrauwen even fronste en toen zijn blik afwendde.

Gerard, van wie de anderen verwachtten dat hij iets zou zeggen, verklaarde: 'Nou, ik denk dat alles wel goed komt, en dat we er verder niet meer over na hoeven te denken, ik hoop het van ganser harte.'

'Misschien lukt het jou er niet meer over na te denken,' zei Jenkin en hij draaide zich om met een beheerst gezicht, 'maar ik betwijfel of mij dat zal lukken.'

'Gerard is er heel goed in om niet aan dingen te denken wanneer hij niet het gevoel heeft dat hij dat zou moeten doen,' zei Rose.

'Of het gevoel heeft dat hij het niet zou moeten doen,' zei Jenkin.

Gerard zei kortaf: 'Het wordt tijd om op te stappen. Ik zal een envelop achterlaten voor Levquists bediende.'

Rose wenste dat ze met Gerard naar Londen terug zou rijden, maar ze had haar eigen auto meegenomen, deels omdat Gerard had gezegd dat hij Jenkin thuis zou brengen en deels omdat ze in staat wilde zijn vroeger weg te gaan dan de anderen als ze moe was. Ze haalde haar jas die ze in Levquists slaapkamer had gelegd. Ze verrichtten allemaal wat elementair opruimwerk, maar hun hoofd was er niet bij. Ze liepen de trap af, de kloostergang door en werden begroet door het warme zonlicht en het oorverdovende koor van vogels en de luide kreten van de koekoek.

Gulliver had een geweldige droom. Een beeldschoon meisje met grote, vochtige, donkere ogen en lange, dikke wimpers en een vochtige, sensuele mond boog zich over hem heen. Hij voelde haar warme adem, haar zachte lippen raakten zijn wang en vervolgens zijn mond. Hij werd wakker. Hij zag een gezicht vlakbij het zijne en een paar mooie, grote, donkere ogen keken hem aan. Een hert, dat dit zwarte bundeltje opgerold onder een vertrouwde boom had aangetroffen, had er een natte, donkere snoet in geduwd. Gulliver schoot overeind. Het hert deinsde naar achteren, staarde hem nog even aan en draafde toen waardig weg. Gulliver veegde zijn natgelikte gezicht af. Hij ging staan. Hij voelde zich vreselijk, hij zag er vreselijk uit. Hij begon terug te lopen. Hij voelde zich draaierig, er dansten heldere lichtjes om hem heen en aan de randen van zijn gezichtsveld zag hij steeds kleine, zwarte hiërogliefen verschijnen.

Toen hij, in zijn ogen wrijvend, door de poort van het Nieuwe Gebouw op het grote grasveld stapte, bleef hij stokstijf staan. Zijn blik viel op iets vreemds en iets vreselijks, hij kon het niet begrijpen. Ergens, hij kon eerst niet schatten hoe ver weg, want het was zo'n vreemd verschijnsel, zag hij een lange rij mensen, twee lange rijen mensen, de ene boven de andere, die recht tegenover hem waren opgesteld en hem strak aankeken. Hij voelde een hulpeloze paniek, alsof er een natuurwet werd verbroken. Ze stonden daar stil, aandachtig en rechtop en keken hem zwijgend aan. Toen drong het tot hem door wat hij zag. Het was de fotograaf van het bal. Dichterbij, met zijn rug naar hem toe, was de fotograaf bezig zijn toestel in te stellen, dat op een statief was gemonteerd, en hij keek erdoorheen naar de zwijgende rijen die hem aankeken. De dansers stonden nu roerloos, veelal plechtig, velen van hen zagen er net zo vreselijk uit als Gull, met wanordelijke kleren, uitgeputte gezichten, genadeloos blootgesteld aan het wrede daglicht. Door het gezang van de vogels werd het zwijgen van de muziek benadrukt. Gulliver fronste zijn voorhoofd en concentreerde zijn blik op de grote, kijkende menigte, op zoek naar bekende gezichten. Hij zag geen Gerard of Rose of Tamar of Jean of Duncan of Crimond. Maar hij zag Lily wel. Ze stond naast Conrad Lomas, met haar arm om zijn middel. Gulliver begon zich stilletjes uit de voeten te maken, langs de voorkant van het gebouw, in de richting van de parkeerplaats. Hij vroeg zich af of zijn auto klem zou zijn gezet. Dat was inderdaad het geval.

Gerard draaide de sleutel in het slot om en stapte het stille huis binnen. In de auto onderweg naar Londen had hij Jenkin verteld van de dood van zijn vader. Jenkin was geschokt en bedroefd geweest en de spontaniteit van dit verdriet om Gerards vader, die hij vele jaren had gekend, was roerend. Maar na de eerste uitroepen was Jenkin begonnen te denken, zich zorgen te maken over hoe erg Gerard hieronder zou lijden, zich af te vragen of Gerard zich schuldig voelde omdat hij niet op slag het bal had verlaten. Jenkin zei niets over dit alles maar Gerard vermoedde het achter wat onhandige uitdrukkingen van medeleven en hij raakte geïrriteerd. Hij reed tegen de zon in. Hij zei tegen Jenkin dat hij maar moest gaan slapen en Jenkin deed dit gehoorzaam. Hij zette de leuning achterover, vlijde zijn hoofd neer en viel meteen in slaap. De aanwezigheid van zijn slapende vriend was rustgevend, op dat moment viel een slapende Jenkin te verkiezen boven een wakkere Jenkin. Toen ze Londen binnenreden kwamen ze in de ochtendspits terecht en terwijl de auto langzaam verder kroop, langs Uxbridge en Ruislip en Acton, bleef Jenkin slapen, met zijn handen ineengeslagen op zijn buik, zijn verkreukelde overhemd, zijn benen languit, zijn broeksknoop los en zijn mollige gezicht in een uitdrukking van vertrouwenwekkende kalmte. Deze slapende aanwezigheid, die zich overgaf aan zijn bescherming, kalmeerde Gerards bedroefde gedachten, hield ze wat op een afstand en werkte als een zacht verband tegen alle scherpte van het verdriet. Toen ze het kleine rijtjeshuis in Shepherd's Bush bereikten waar Jenkin woonde, maakte Gerard zijn vriend wakker, liep om de auto heen en deed het portier open om hem eruit te trekken, zonder de kleine koffer te vergeten waarin Jenkin, zoals hij zei, een wollen trui had gestopt om aan te trekken als het koud werd, en pantoffels voor het geval zijn voeten waren opgezet van het dansen. De chocolade was achtergebleven. Gerard sloeg de uitnodiging, misschien niet helemaal van ganser harte, af nog binnen te komen voor een kop thee. Ze voelden allebei dat het tijd was om afscheid te nemen, en de deur ging al dicht nog voordat Gerard de auto zelfs maar had gestart. Hij twijfelde er niet aan dat Jenkin naar boven zou gaan om zich uit te kleden, zijn pyjama aan te trekken, de gordijnen dicht te schuiven, in zijn bed te stappen en direct weer in slaap zou vallen. Iets in de ordelijke manier van doen van zijn vriend irriteerde Gerard wel eens.

Nu was hij in zijn eigen huis in Notting Hill, hij stond in de hal en luisterde. Hij riep niet. Hij hoopte dat Patricia sliep. Het huis, een grote, vrijstaande villa van baksteen, was eigendom geweest van de vader van Robin Topglass, de vogelkenner, en daarna van Robin. Robin en Gerard hadden er een poosje samen gewoond. Toen Robin daarna was getrouwd en naar Canada vertrok, verkocht hij het huis aan Gerard. Hij bleef staan in de vertrouwde geur en de vertrouwde stilte van het huis, hij zag en voelde de aanwezigheid van de vertrouwde rustige voorwerpen, de schilderijen van vogels van John Gould die van Robins vader waren geweest, de Victoriaanse smeedijzeren kapstok die ze op een veiling hadden gekocht, het rood met bruine Kazachstan tapijt dat Gerard uit Bristol had meegenomen. Het huis scheen op Gerard te wachten, iets van hem te verwachten, dat hij troost zou schenken, de orde herstellen, de leiding nemen. Toch was het huis ook maar een toeschouwer, het was er helemaal niet echt bij betrokken, het was geen erg oud huis, het was gebouwd in 1890, maar het had al veel dingen gezien. Het had veel meegemaakt en het zou nog meer meemaken. Misschien wachtte het gewoon nieuwsgierig af om te zien wat Gerard zou doen. Gerard hing zijn jas, die hij uit de auto had meegenomen, op de kapstok. Hij trok zijn smokingjasje uit en deed het zwarte vlinderstrikje af. Hij knoopte zijn kraag los en rolde zijn mouwen op. Zijn hart begon opeens hevig te bonzen. Hij trok zijn schoenen uit, nam ze in de hand en begon de trap op te lopen, waarbij hij met lange benen over de krakende traptreden stapte.

Op de overloop zag hij dat de deur van Patricia's kamer dicht was. Hij aarzelde niet maar liep verder en deed de deur van zijn vaders kamer open. De gordijnen waren dicht maar er heerste een heldere schemering in de kamer. De lange, magere gestalte op het bed was helemaal door een laken bedekt. Het was op de een of andere manier schokkend, dat het gezicht ook was bedekt. De sprei en dekens waren verwijderd. Evenals alle parafernalia van het ziek-zijn: de pillen, flesjes, glazen, zelfs zijn vaders bril was verdwenen, zelfs het boek dat hij had gelezen, *Sense and Sensibility*. Gerard zette zijn schoenen neer, liep de kamer door en schoof de gordijnen ver open. Dit gebaar veroorzaakte een vertrouwd metaalachtig geratel dat Gerard, in de stilte van de kamer, deed huiveren, misschien door een onbewuste herinnering van lang geleden, toen hij zelf nog in deze kamer had geslapen. Hij keek naar buiten naar het felle zonlicht dat de achtertuin onthulde, die was omgeven door een donker verweerde, oude bakstenen muur, de vochtige bemoste rotstuin, de schreeuwerige rozenstruiken – Robins keus – die in volle bloei stonden, de noteboom, de talrijke bomen in andere tuinen. Hij draaide zich om en trok snel en voorzichtig, zonder wat eronder lag te beroeren, het laken van het gezicht van zijn vader. De ogen waren gesloten. Dat had hij zich in de auto afgevraagd. Hij schoof een stoel naast het bed en ging zitten. Nog maar net dood, nog maar heel even, maar toch al zo onherroepelijk heengegaan. Hij dacht: eens zal ik er ook zo bij liggen, netjes op mijn rug met mijn ogen dicht en dan zie ik er net zo leeg en zo mager uit, tenzij ik verdrink en nooit wordt teruggevonden, of te pletter sla net als Sinclair. Het gezicht stond niet echt kalm, meer afwezig, geabsorbeerd, het drukte misschien een bedachtzame verbazing uit; dat goede, vriendelijke gezicht, zo ver verwijderd, nu al vreemd, al wasachtig en bleek boven de vage baard, al ingevallen, gelijkend op zijn vaders gezicht en toch ook weer niet, als een kunstwerk, alsof iemand een heel goed maar wat onaandoenlijk beeld had gemaakt. Je kon zien dat de ziel was verdwenen, er zat niemand onder; alleen de verbaasde blik was achtergebleven, als een afscheidsbrief. Hij tilde het laken aan de zijkant op om naar een hand te kijken, maar hij legde het snel weer neer. De hand zag er wat griezelig uit, wat levendiger, met de vertrouwde, magere, sproetige vingers die nu ontspannen waren. De hals was donkerder van kleur, ingevallen, de spieren en pezen waren duidelijk te zien, de huid was strak en niet gerimpeld. De rimpels van het gezicht leken kunstmatige lijnen die in bleke, dikke was waren getrokken. Zijn vaders gezicht, dat zo lang jeugdig was gebleven, was de laatste tijd erg rimpelig geworden, de ogen diep in de magere kassen, de onderste oogleden met de merkwaardige plooi in het midden, waardoor gootjes werden gevormd voor het vocht dat voortdurend uit de ogen liep. Maar ze waren nu droog, het gezicht was droog, de verborgen ogen waren zonder tranen. De dood droogt de tranen van de overledenen. Het dode, droge gezicht zag er ouder uit, het verouderingsproces ging na de grote verandering nog sneller. Het zou nog steeds sneller gaan. Zijn vader zag er streng uit, een strengheid die eerder verborgen was geweest achter de gloed van een stoïcijns humeur dat alle verdere ellende van een dodelijke ziekte tot grapjes vol zelfspot maakte. Zonder de bril met heldere randen en zonder het kunstgebit leek het masker nu oud, de neus was dunner, de kin ingevallen, de hulpeloze mond een eindje open. Zo had hij zich in de dood geschikt, als in een kledingstuk dat hem nu perfect paste.

Gerards gedachten hielden zich bezig met het feit dat Patricia hem had zien sterven. Gerard had mensen gezien die dood waren, maar hij had nog nooit iemand zien sterven. Hij dacht: wanneer het komt, dan gaat het toch wel heel snel. Nou ja, dat schijnt per definitie zo te zijn, maar 'snel' is niet de juiste uitdrukking. Er moet een laatste moment zijn. Wat wij een langzame dood noemen is een langzaam sterven. We stellen ons het einde misschien nog steeds voor als een sprong over een rivier, maar er is geen rivier en er is niemand die springt. Gewoon een laatste moment. Zou je het weten, zou je denken 'nu komt het, in déze minuut'? Een misdadiger die ter dood is veroordeeld weet het. In dat stadium zijn veel van ons ter dood veroordeelde misdadigers. Het was nog maar zo heel kort geleden, sinds gisteren, toen zijn vader hem vrolijk gedag had gezegd toen hij naar het bal ging. 'Vertel me er morgen alles van.' Gerard had niet meer geslapen sinds het moment dat hij zijn vader nog in leven had gezien. Dat leek ook van belang. Voor Patricia moest het plotselinge heengaan wél waarneembaar zijn geweest, het ene moment de worsteling om te communiceren, te helpen, wat praten, wat kalmeren, zeggen 'rust maar wat dan gaat het wel over', en daarna, op het een of andere volgende moment, de uiterste eenzaamheid, het werk is afgelopen, niets meer te doen, alleen. O God. Hoe doe je zoiets, dacht Gerard. Het kan niet moeilijk zijn, iedereen doet het. Het was misschien eerder een soort beweging, een snel afwenden. Ik zal die beweging ook eens maken. Hoe zal ik weten hoe? Wanneer de tijd is gekomen zal ik het weten, mijn lichaam zal het me vertellen, zal het me leren, me dwingen, me over de laatste rand duwen. Is het een prestatie of is het alsof je in slaap valt? Je weet dat het gebeurt maar je weet niet wanneer. Misschien is het op het allerlaatste moment gemakkelijk, op het punt waarop alle sterfgevallen hetzelfde zijn. Maar dat moet ook per definitie waar zijn.

Hier aangekomen dwong Gerard, gewoontegetrouw, zijn gedachten niet stil te staan bij de vraag hoe lang Sinclair had geweten dat hij zou sterven voordat het gebeurde. Daar had hij zich eens het hoofd over gebroken. Zijn gedachten mochten niet daarheen afdwalen. Hij huiverde toen hij naar het dode lichaam keek, dat kortgeleden nog zo levend was geweest, en nu zo afschrikwekkend, zo afschuwelijk weg van de levenden. Hij bedekte het gezicht en stond op en stapte naar achteren in een poging de lange, roerloze gestalte, waarop het laken gebeeldhouwde plooien vormde, te zien als iets algemeens, als een soort monument.

Hij liep naar het raam en keek naar de lichte, langwerpige bladeren van de noteboom die heen en weer bewogen in de wind, doorschijnend in het zonlicht. Ze zagen er uit als boodschappen, een boom vol boodschappen, papieren gebeden die aan de takken waren bevestigd. Hij voelde een stekend, verdrietig medelijden met zijn vader. Het leek absurd medelijden te hebben met iemand die dood was en toch was het ook weer zo vanzelfsprekend. De hulpeloosheid van de doden kan eerst zo ontroerend zijn, eerder deerniswekkend dan tragisch, de machteloosheid, de weerloosheid van die 'krachteloze hoofden'. Arme, arme dode, o arme dode, o mijn arme lieve, lieve dode vader. Nu stroom ik over van liefde, terwijl het te laat is. Ik had vaker naar hem toe moeten gaan, dichtbij, o, als ik hem nu nog even kon zien, al was het maar een minuut, en hem kon omhelzen en vertellen hoeveel ik van hem houd. Hoeveel ik van hem heb gehouden. Hij stelde zich het gezicht van zijn vader voor, zijn liefhebbende ogen, zoals hij ze gisteren had gezien, dat slapeloze gisteren dat vandaag was geworden. Er was nog zoveel te zeggen, hij had nog zoveel moeten zeggen. Hij had met hem over die papegaai moeten praten, maar het was er nooit van gekomen, daarom had hij het van zich afgezet en tegen het einde had hij het een te netelig onderwerp gevonden om een stervende man mee lastig te vallen – maar misschien was dat juist het onderwerp geweest waar die man op had liggen wachten maar zelf niet over had kunnen beginnen. Soms had Gerard het gevoel gehad, wanneer het 'over hem kwam', dat hij er iets goeds over had moeten zeggen, in de trant van dat het er allemaal niet meer toe deed, dat hij het allang was vergeten. Waarom nu alles nog eens oprakelen... je kon het beter laten rusten, de tijd heelt alle wonden. Maar hij had vaker het gevoel gehad dat de tijd niet alle wonden heelde en dat hij het niet was vergeten. Hij had het niet vergeten, hoe had zijn vader het dan wel kunnen vergeten? De papegaai was in huis gekomen toen Gerard elf en Patricia dertien was. Hij was gekomen toen de eigenaars, cliënten van Gerards vader, Engeland overhaast hadden verlaten, met achterlaten van hun zaken, waar Gerards vader orde in moest scheppen, en de vogel, voor wie een huis moest worden gevonden, of een dierenwinkel. Gerard was op slag dol geweest op de vogel. De plotselinge aanwezigheid ervan, met zijn prachtige kleuren, was een wonder dat maakte dat hij elke dag vol vreugde wakker werd. Gerards bezetenheid triomfeerde, niet zonder tegenstand, de vogel bleef. Het was een mannetje dat van zijn vorige eigenaars een zonderlinge, laatdunkende naam had gekregen die Gerard op slag wenste te vergeten. Het dier was een grijze papegaai en Gerard negeerde zijn ware naam en noemde hem 'Grey', een vriendelijke, eenvoudige naam, een kalme, rustige kleur en een open, helder geluid, dat de drager ervan weldra in staat was te reproduceren. Gerards moeder en zijn zuster noemden de papegaai meestal 'Polly', maar Gerard verwierp dit en het werd nooit een echte naam. Gerard zorgde samen met zijn vader voor Grey, die een jonge vogel heette te zijn. Grey straalde van gezondheid en schoonheid en gratie. Zijn intelligente oogjes, omgeven door een ellips van zachte witte huid, waren lichtgeel, zijn onberispelijke veren heel licht, zuiver grijs, en zijn staart en vleugeluiteinden helderrood. Om zijn nek en schouders droeg hij, wat Gerard zag als een soort maliënkolder, een kraag van dichte 'schubben' veertjes, die over zijn bewegelijke lichaam heen en weer gleden, afhankelijk van zijn stemming. De pluizige beenkappen boven zijn klauwen waren van bijna witte dons, en onder zijn vleugels was een intieme zachtheid als donzige wol. Hij kon zuiverder fluiten dan welke fluit ook en dansen terwijl hij floot. Zijn muzikale repertoire bestond aanvankelijk uit 'Pop Goes the Weasel' en een gedeelte van de 'Londonderry Air' en 'Jesu, Joy of Man's Desiring'. Gerard leerde hem weldra 'Three Blind Mice' en 'Greensleeves'. Hij kon een merel en een uil imiteren. Zijn menselijke vocabulaire vorderde langzamer. Hij kon 'Hallo' zeggen en – ongeduldig – 'Ja, ja', en – opgewonden – 'Jippie!' Wat Gerard heel roerend vond, maar ook ergerde van deze kreten uit Grey's verleden, was de manier waarop hij soms met een tedere, wat lijzige vrouwenstem kon zeggen: 'O... schatje... toch'. Misschien was er een vrouw geweest die dol was op Grey en hem nu miste; maar dat was het verleden en Gerard dacht er niet vaak over na, Grey was nu zíjn papegaai. Onder Gerards hoede was Grey echter een eigenzinnige leerling. Hij pikte snel het geluid van de stem van Gerards moeder op, wanneer ze ietwat wanhopig uitriep: 'O, lieve help, lieve hélp!', maar hij weigerde Gerards 'pieces of eight', waarbij hij zijn intelligente, aandachtige hoofd resoluut afwendde, met zijn ogen knipperde alsof hij zich verveelde en hardnekkig weigerde de vage sisklanken uit te spreken. Hij was echter snel bij machte niet alleen zijn eigen naam te zeggen, maar ook iets begrijpelijks op te merken als de interessante zin: 'Grey is grey'.

Grey was aanvankelijk een nieuwtje waarmee de hele familie zich kon amuseren, maar later, toen Gerard en zijn vader de kooi schoonmaakten, het dier eten gaven, hem onderzochten op teken en mijten, zijn kwaaltjes behandelden en hem door de dierenarts na lieten kijken, werd hij meer 'hun' papegaai en minder interessant voor Patricia en Gerards moeder, die weldra niet meer tegen hem spraken en hem vaak negeerden. Zijn kooi verhuisde van de zitkamer naar de studeerkamer van Gerards vader. De intelligentie en de aanwezigheid van Grey waren voor Gerard een voortdurende bron van bevende vreugde, een gevoel dat hij voor zichzelf omschreef als 'ontroering'. De papegaai vormde een wereld waarin het kind genadiglijk mocht leven, het was een medium dat Gerard verbond met de gehele bewuste schepping, hij was een avatar, een incarnatie van de liefde. Gerard wist, hij twijfelde er niet aan, dat Grey begreep hoeveel Gerard van hem hield, en dat hij zijn liefde beantwoordde. De intelligente, onderzoekende, witomrande, gele ogen drukten onbevreesd vertrouwen en liefde uit. De zachte, stevige greep van de kleine, droge klauwen, de lichtheid van het hem toevertrouwde lichaam, het plotselinge rood van de uitgespreide staart, spraken van liefde, zelfs het harde materiaal van de gekromde, zwarte snavel scheen op geheimzinnige wijze met tederheid te zijn uitgerust. Natuurlijk mocht Grey al snel uit zijn kooi, waarbij hij door de kamer vloog of op Gerards hand of schouder zat, met zijn zachte, gevederde hoofd liefkozend tegen zijn wang of heen en weer lopend over zijn schouder, waarbij hij opzij tuurde om hem aan te kunnen kijken. Ze stonden ook vaak oog in oog wanneer Grey, weer in de kooi waarin hij altijd gewillig terugkeerde, op zijn stok heen en weer zwaaide of sprong of danste, of langs de tralies klom, soms ondersteboven, en zo nu en dan ophield om hem aan te kijken of te luisteren of de aandacht te trekken. Hij was zonder meer een aandachtig, intelligent wezen dat op alles reageerde. Grijze papegaaien zijn meestal niet erg groot. Gerard pakte de vogel vaak beet, hij vouwde de vleugels voorzichtig omlaag om het kopje en het kleine, tengere lijf tegen zijn borst te leggen of hem onder zijn overhemd tegen zijn bonzende hart te leggen. Hij streelde de zachte veren, hield zijn handen om de tengere, holle beenderen terwijl de kleine klauwen vol vertrouwen zijn vingers beetgrepen.

De papegaai, die als Gerards huisdier werd beschouwd, begon later verdeeldheid te zaaien binnen de familie. Gerards moeder – haar naam was Annette – was enigszins, en heel begrijpelijk, nijdig om de vogelpoep op het vloerkleed. Patricia en zij begonnen bezwaar te maken tegen het bezittersair van Gerard en, in mindere mate, dat van zijn vader – die Matthew heette – ten aanzien van de vogel en ze raakten geïrriteerd door Gerards voortdurende gepraat over wat Grey nu weer had gepresteerd. Hij bedacht later dat ze waarschijnlijk allebei jaloers waren geweest. Ze hadden in ieder geval nooit voldoende tijd en aandacht op weten te brengen om werkelijk goede vrienden te worden met Grey. Bij het omgaan met een wild wezen is het belangrijk om rustig en voorspelbaar te bewegen, zacht en vriendelijk te spreken, je eerbiedig op te stellen, geduldig, betrouwbaar en oprecht te zijn. Gerard begreep dit alles instinctief. Patricia echter begon de vogel, misschien uit jaloezie en nijd, te plagen, hem te prikken, hem eten te laten zien om het vervolgens weer snel weg te trekken. Gerard werd natuurlijk boos. Patricia zei dat ze alleen maar wat speelde met Polly die tenslotte ook van haar was. Gerard legde zijn zusje, vaak en uitvoerig, uit hoe ze de vogel moest behandelen met wie zij allen het voorrecht hadden onder één dak te mogen wonen. – Hij gebruikte nimmer het woord 'huisdier'. – Patricia bleef het dier plagen wanneer hij er niet bij was, tot Grey op zekere dag een opdringerige vinger beetgreep en erin beet. Er volgde geschreeuw en gehuil. Daarna bleef Patricia bij de papegaai uit de buurt en kwam alle opwinding tot bedaren. Toen werd het tijd voor Gerard om naar een kostschool te gaan. Gerard zei tegen Grey dat hij zich niet ongerust moest maken, dat hij gauw weer terug zou komen, hij nam geëmotioneerd afscheid door zijn gezicht tegen de tralies te drukken terwijl zijn vader hem naar de auto riep. Al zijn brieven stonden vol van Grey, met veel groeten. In de langverbeide vakantie, halverwege het trimester, werd hij door de ouders van een vriendje in de auto naar huis gebracht en hij rende vol verwachting naar binnen, naar de studeerkamer. Grey was er niet. Hij holde naar de zitkamer, naar de keuken. Hij krijste.

Er volgden allerlei verklaringen. Nee, Polly was niet dood, hij was niet ontsnapt, hij was gewoon weggegeven, hij was nu van iemand anders. Hij was naar de allerbeste dierenwinkel in het centrum gebracht, en daar was hij door andere mensen gekocht, heel aardige mensen had de man van de winkel gezegd toen ze hadden opgebeld, nee, hij wist niet wie het waren, ze kwamen toevallig langs, ze hadden Polly in de auto meegenomen. 'Je zult hem nooit meer te zien krijgen!' had Patricia geroepen. Gerards vader had de andere kant uit gekeken en niets gezegd. De verklaringen gingen maar verder. Het was gewoon te lastig geweest om voor het dier te zorgen nu Gerard uit huis was, ze konden die zorg er niet bij hebben, hij was wild en vals geworden, hij had geprobeerd Annette te bijten, ze hadden in een boek gelezen dat het beter was voor de vogel, enzovoort, enzovoort.

Gerard was tien minuten lang hysterisch geweest. Toen zweeg hij. Twee dagen lang zei hij niets tegen zijn familie. Annette wilde met hem naar een psychiater. Daarna deed hij opeens weer heel gewoon en opgewekt tegen iedereen. Over de papegaai werd niets meer gezegd. 'Godzijdank is dat voorbij!' zei Annette. Gerards vader wist wel beter. Hij wist hoe vreselijk, hoe onvergefelijk hij zijn zoon in de steek had gelaten. Hij had toegegeven, hij was bezweken voor het gezeur en gezanik van de vrouwen, hij had omwille van zijn gemoedsrust toegegeven aan hun lawaaierig geruzie, aan hun jaloezie en hun kwaadaardigheid. Hij had – daar twijfelde Gerard niet aan – hun leugens geloofd. Hij begreep het toen de jaren voorbijgingen, hij las dat gebrek aan vergeving soms in de bedachtzame blik van zijn zoon, in de ietwat koele manier van beleefd-doen. Zelfs elk vriendelijk gebaar, zelfs hun wederzijdse liefde behield dat onmiskenbare ijzige randje. Ze spraken er nooit meer over.

Was het waar, dacht Gerard, zou het echt waar kunnen zijn dat hij zijn vader dit 'nooit had vergeven'? Wat 'de vrouwen' betrof kon het hem minder schelen. Hij verwachtte gewoon minder van hen. Zijn liefde voor hen, want hij hield echt van hen, was iets wat minder formeel was, minder een kwestie van absolute waarden, van eer, van verantwoordelijkheid, van oprechtheid. Hij kwam later zelfs zo ver dat hij inzag dat hun houding niet helemaal onredelijk was. De misser van zijn vader, zijn zwakheid, zijn dubbelhartigheid – want het bleek dat deze schandelijke misdaad reeds snel na Gerards vertrek was gepleegd – had Gerard diep gekrenkt. Iets heel volmaakts, iets absoluut veiligs, een grondslag van zijn bestaan was voor eeuwig van de wereld gevaagd, samen met zijn geloof in de goedheid van zijn vader. Even diep, even hardnekkig was Gerards verdriet om zijn onvervangbare vogel-vriend. Gedurende zijn hele jeugd, gedurende zijn hele leven eigenlijk, was hij Grey blijven missen. Mogelijke plannen om iets te doen, naar de dierenwinkel te gaan, vragen te stellen enzovoort, had hij direct van zich afgezet als nutteloos, als oorzaken voor nog meer verdriet. Later, toen Gerard volwassen was, had hij soms bedacht, en dat was een heel treurige en droevige gedachte, hoe Grey waarschijnlijk nog ergens in leven was. Als hij langs een dierenwinkel kwam bleef hij weleens staan om te zien of ze een grijze papegaai hadden en of het Grey was. Hij wist zeker dat hij Grey zou herkennen, en dat Grey hem zou herkennen. Maar hij was ook bang; misschien zou een hereniging, op de een of andere manier ook wel heel akelig kunnen zijn. Eigenlijk was hij er zeker van dat Grey nog leefde. Hij zei tegen zijn ouders of zijn zuster nooit meer iets over de papegaai, en hij zei ook niets tegen zijn latere vrienden; niet tegen Sinclair of Duncan, met wie hij zo'n hechte band had gehad na de dood van Sinclair, niet tegen Robin of Marcus, of Jenkin of Rose; tegen geen van zijn vrienden uitte hij een woord over hem. Slechts één keer, op het San Marco plein in Venetië, lang geleden met Duncan, toen er een duif op zijn hand was neergestreken en hij een uitroep van verdriet had geslaakt, had hij op het punt gestaan het te vertellen en bekende 'heel verdrietige herinneringen' te hebben. O... liefje... toch. Als een gesprek op papegaaien kwam veranderde hij van onderwerp; en hij had nooit meer enige relatie met een dier, geen, kat, geen hond, geen vogel kwam er nog in zijn leven. Een tweede keer was onmogelijk en zou een te pijnlijke herinnering zijn. Hoe kwetsbaar zijn deze vriendelijke wezens die bereid zijn ons leven te delen, hoe afhankelijk zijn ze van ons, hoe kwetsbaar voor onze onwetendheid, onze verwaarlozing, onze fouten, en voor het woordenloze mysterie van hun eigen sterfelijke bestaan.

Hij dacht: ik had tegen mijn vader iets over Grey moeten zeggen, dit onderwerp op de een of andere manier naar voren moeten brengen. Maar wat had ik moeten zeggen, met welke woorden en met welk doel? Ik kon niet gewoon zeggen: 'Ik vergeef je,' of 'Ik heb je al lang geleden vergeven'. Zou dat trouwens waar zijn geweest en zo niet, zou hij het dan niet op slag door hebben gehad? In elk geval zou deze terminologie te plechtig zijn geweest, als een verklaring van schuld. Het was geen last om een stervende man mee op te zadelen. En toch, als er nog maar zo weinig tijd over was, zou het dan niet juist het goede moment zijn geweest om zulke dingen te zeggen? Of waren zulke pogingen slechts mogelijk binnen een formele context, die je maar beter aan priesters over kon laten? Misschien voelde zijn vader zich niet langer schuldig, had hij lang geleden de hele zaak van zich afgezet. Dat was niet waarschijnlijk. Gerard had, dacht hij of verbeeldde hij zich, op veel momenten in zijn leven die bijzondere blik in de vriendelijke, berouwvolle ogen gezien. Aan de andere kant was het eveneens mogelijk dat, terwijl hij zijn verdriet koesterde, zijn vader in de loop der jaren iets van wrok jegens Gerard was gaan voelen, niet alleen om zijn gereserveerde houding maar ook omdat hij op de een of andere manier die hele toestand in de eerste plaats had doen ontstaan door zijn fanatieke gehechtheid aan die ellendige vogel. Wat die gereserveerdheid betrof, die moest niet meer waarneembaar zijn geweest tegen de tijd dat Gerard in Oxford zat; de 'ijzigheid' werd in die tijd onderbroken. De 'vergeving' had lange tijd geduurd en was misschien heel effectief uitgevoerd doordat Gerards genegenheid voor zijn vader altijd, en dat moest zichtbaar zijn geweest, heel oprecht was gebleven, ondanks het inwendige verdriet dat niet langer tot beschuldigingen leidde. Was het feit dat ze er nooit meer over hadden gesproken, dat Gerard er nooit iets over had gezegd aangezien het aan hem was het eerste gebaar te maken, werkelijk zo belangrijk, zo vreselijk? Ja. Maar naarmate de jaren verstreken werd het moeilijker dit onderwerp aan te kaarten zonder een soort voorspelbare schok, zonder het gevaar de zaken alleen maar erger te maken. Het was niet iets wat je nonchalant kon noemen, of gemakkelijk in andere herinneringen kon verweven. Uiteindelijk was het gewoon te laat om nog een gebaar te maken, en gisteren was het net zoveel te laat geweest, bedacht hij, als vandaag. En hij dacht: ik weet zeker dat Grey mijn ouders heeft overleefd, papegaaien leven veel langer dan wij, hij zou mij ook gemakkelijk kunnen overleven, ik hoop dat hij dat zal doen, ik hoop dat hij gelukkig is. Toch is het vreemd dat ik niet weet waar hij is en het is ook vreemd dat ik zoveel emoties heb vergeten maar dat ik dit niet kan vergeten en dat ik nog steeds dezelfde emoties kan oproepen. En dat ik dit juist nu moet voelen, nu mijn vader is gestorven. Hij staarde uit het raam naar de boom vol gebeden, ijle, kortstondige verzoeken aan verre en wrede goden. Toen hij zich weer omdraaide naar het bed voelde hij eindelijk tranen in zijn ogen komen.

Patricia Fairfax deed de deur open. 'Waarom zit je hier?' vroeg ze. Toen zag ze in dat dit een belachelijke vraag was en ze zei: 'Ben je hier al lang? Ik was in slaap gevallen.'

'Niet lang,' zei Gerard en veegde met de achterkant van zijn hand over zijn ogen.

'Ga mee naar beneden. Waarom heb je geen schoenen aan? Daar staan je schoenen. Trek ze aan. Heb je naar hem gekeken?'

'Ja.'

Patricia staarde naar de overdekte gestalte, draaide zich toen om en liep snel de trap af. Gerard volgde haar en deed de deur dicht.

'Wil je wat koffie, iets te eten?'

'Ja, graag.'

'Ik veronderstel dat je de hele nacht op bent gebleven?'

'Ja.'

Ze liepen naar de keuken, Gerard ging aan de geboende houten tafel zitten, Patricia zette het elektrische fornuis aan. Gerard voelde zich nog steeds geïrriteerd door de rustige manier waarop ze de baas was gaan spelen in zijn keuken. Hij had zich gedwongen gevoeld Pat en Gideon uit te nodigen voor wat een korte periode had moeten zijn toen de huur van hun flat onverwachts werd opgezegd, maar nu gedroegen ze zich alsof zij hier de baas waren. Hij voelde zich vreselijk moe. 'Pat, liefje, doe geen moeite voor eieren of zo, geef me alleen maar wat brood.'

'Wil je geen toost?'

'Toost. Ja, nee, doet er niet toe. Heb jij iets gegeten?'

'Ik kan niet eten.'

Gerard geneerde zich dat hij het wel kon. 'Vertel me eens wat er is gebeurd.'

'Gisteravond was alles nog goed met hem.'

'Hij was nog goed toen ik 's middags bij hem wegging, hij leek zich wat beter te voelen.'

'Ik heb hem klaargemaakt voor de nacht en ben naar bed gegaan. Toen hoorde ik hem om een uur of één kreunen en woelen, hij maakte van die rare geluidjes, weet je, net als een onrustige vogel... en ik ben opgestaan en naar hem toegegaan en hij was wakker, maar... hij was erg in de war...'

'IJlde hij?'

'Ja, dat was al eens eerder gebeurd... maar echt, nu... was hij opeens heel ánders...'

'Anders... hoe... denk je dat hij het wíst?'

'Hij was... hij was... doodsbang.'

'O God...' O wat zielig, dacht hij, wat vreselijk, wat heb ik een medelijden met hem, o het medelijden, het verdriet. 'Pat, het spijt me vreselijk dat ik er niet bij was.'

'Je had erbij kunnen zijn als je dat bal niet zo zeldzaam belangrijk had gevonden.'

'Heeft hij pijn gehad?'

'Ik denk het niet. Ik heb hem het bekende spul gegeven. Maar hij had zo'n... zo'n vreselijk dringende blik in zijn ogen, en hij kon gewoon niet stil blijven liggen, alsof zijn hele lichaam hem in de weg zat.'

'Een dringende blik. Zei hij nog iets begrijpelijks?'

'Hij zei een paar keer: "Help me." '

'O... lieve help... Vroeg hij nog naar mij?'

'Nee. Hij had het over oom Ben.' Benjamin Hernshaw was de 'beruchte' jongere broer van Matthew Hernshaw geweest, hij was de vader van Violet, Tamars grootvader.

'Hij heeft altijd veel van Ben gehouden. Heb je Violet gebeld?'

'Nee, natuurlijk niet.'

'Waarom niet?'

'Ik hoefde haar toch zeker niet midden in de nacht te bellen, hè? Ze heeft Papa nooit gemogen, ze heeft geen enkele belangstelling, ze weet dat er niets voor haar in het testament staat.'

'Hoe kan ze dat weten?'

'Omdat ik haar dat heb verteld.'

'Was dat nodig?'

'Ze vroeg me ernaar.'

'We moeten haar iets geven.'

'O, begin daar nu alsjeblieft niet weer over, we hebben al genoeg aan ons hoofd.'

'Papa heeft haar niet genoemd omdat hij veronderstelde dat we voor haar zouden zorgen.'

'Moet je vooral doen, ze is in staat je hand af te bijten, ze haat iedereen!'

'Toch heeft ze van Papa wel geld aangenomen, dat weet ik... we moeten haar vertellen dat hij over Ben heeft gepraat. Wat zei hij over hem?'

'Ik weet het niet, hij mompelde iets van... denk aan Ben, of bedenk dat Ben dit of dat...'

'Nou, zie je nou wel...'

'Hoor eens, Gerry, we moeten besluiten...'

'Pat, wácht... Begreep je dat hij ging... ging sterven?'

'Pas vlak voor het eind... toen was het plotseling... heel duidelijk... alsof hij het zelf had gezegd...'

'Ach... en jij zag hem gaan?'

'Ja. Hij lag daar maar te woelen en te draaien en over Ben te praten. Toen ging hij plotseling rechtop zitten en keek me aan... met die vreselijk verbaasde, bange blik... en hij keek in de kamer om zich heen... en hij zei... hij zei...'

'Wat zei hij?'

'Hij zei langzaam en heel duidelijk: "Het... spijt... me zo". Daarna leunde hij achterover in het kussen, hij viel niet, hij ging gewoon langzaam liggen, alsof hij weer wilde gaan slapen... hij slaakte even een raar geluid, alsof... alsof hij miauwde... en ik zag dat het was afgelopen.'

Gerard wilde vragen wat ze had gezien, hoe ze dit had geweten. Hij voelde dat hij dat later niet meer zou kunnen doen, alles moest nu worden gezegd, maar hij vroeg het niet. Hij zou later wel tijd hebben om over dat zielige 'Het spijt me' na te denken. Hij dacht: op dat moment heeft hij mij gezocht.

Patricia was uiterlijk onbewogen en heel beheerst, haar emotie bleek uit haar aarzelingen en uit de scherpe, ongeduldige toon waarop ze Gerards vragen beantwoordde. Ze zette nu koffie. Ze schoof een la open, haalde er een rood met groen geblokt tafelkleed uit, spreidde het over de tafel en zette toen een bord, kop, schotel neer met een mes, lepels, boter, marmelade, suiker, melk in een blauwe kan, gesneden brood gerangschikt op een schaal. Ze zette de koffiepot op een tegeltje.

'Wil je er warme melk bij?'

'Nee, dank je. Wil jij geen koffie?'

'Nee.'

Ze gaf hem een papieren servet. De papieren servetten vertegenwoordigden haar regime, omdat ze die liever gebruikte dan Gerards linnen servetten. Ze ging tegenover hem zitten en sloot haar ogen.

Er hing een vreselijke sfeer in het huis, het was ontwricht en uitgehold. Nu hij er eindelijk rustig in zat, voelde Gerard hoe zijn lichaam pijn deed van verdriet en angst, van verdriet dat als angst was, een uitgeputte, gedenatureerde sensatie, een verlies van zijn eigen ik. Hij concentreerde zich op Patricia. Hij wist dat het mogelijk was om mensen te waarderen en te bewonderen, te genieten van hun gezelschap en tegelijkertijd een geweldige hekel aan ze te hebben. Het was eveneens mogelijk om geïrriteerd te zijn, boos en verveeld door mensen van wie je houdt. Aldus had hij van zijn moeder en Pat gehouden. Door tijd en gewoonte, gewoon door hen te verdragen, was zijn liefde sterker geworden. Dit vormde ongetwijfeld het bewijs dat 'familie' iets voor hem betekende, of misschien dat hij eraan gewend was geraakt hen te verdragen omwille van zijn vader; hoewel hij ook omwille van zijn vader bezwaar had gehad tegen hun separatisme, hun kleine bondgenootschap tegenover 'de mannen', kritisch, spottend, heimelijk. Hij had hun gelach nooit gemogen, hij was als kind woedend geweest wanneer zijn moeder grappig was ten koste van zijn vader, hij had zich hevig geërgerd aan de nederige manier waarop zijn vader afstand had gedaan van zijn autoriteit en zijn waardigheid. Toch hadden ze in grote lijnen een harmonieuze tijd gehad, afgezien van die ene vreselijke episode en de gevolgen ervan; hij kon niet beweren dat hij een ongelukkige jeugd had gehad. Zijn vader was te oud geweest voor de tweede wereldoorlog, Gerard te jong. Hij was van allemaal blijven houden en veel later, met medelijden, zijn moeder en zuster als gefrustreerde vrouwen gaan zien. Patricia had moedwillig haar opleiding weggegooid en liep nu over van energie waar ze geen raad mee wist. Ze was een liefhebbende en bedrijvige moeder en echtgenote, maar ze verlangde naar iets ondefinieerbaar groters, naar meer status, meer macht. Hij keek nu naar haar, zoals haar gezicht door alle vermoeidheid niet langer gespannen was, misschien sliep ze nog half; ze had haar lippen geopend, haar mond hing in scherpe lijnen omlaag, als een tragisch masker. Ze was een opvallende vrouw, ze had haar te smalle, gladde gezicht van haar moeder geërfd, haar strenge en edele blik en voortdurende frons, een dapper, krachtig gezicht waarvan de eigenaar ongetwijfeld een waardevolle metgezel zou zijn geweest op een onbewoond eiland. De gedachte 'flink te blijven' paste goed bij Patricia, ze had 'pit' en ze was een ondernemend kind geweest. Haar korte blonde haar, dat een beetje grijs begon te worden, regelmatig goed werd geknipt, meestal wat verward zat om door de eigenares weer in model te worden geduwd, zag er nog steeds jeugdig uit en maakte een ruige en jongensachtige indruk. De laatste jaren was ze zwaarder geworden. Zelfs nu in ruststand hield ze haar schouders naar achteren, haar kin omhoog en haar buste naar voren onder een bloemetjesschort dat Gerard nu voor het eerst opmerkte. Gerard was de laatste tijd pas gaan beseffen dat zijn zuster jaloers begon te worden op het slanke figuur en het blijvend knappe gezicht van haar jongere nicht. Patricia was eens wel aardig geweest maar nooit echt mooi; Violet Hernshaws gezicht bezat echter zo'n blijvende structuur die op elk moment, op elke leeftijd bewondering kan wekken. Uiteraard was Pat heel 'succesvol', haar man was rijk, haar zoon 'briljant', terwijl Violet, zoals Pat nu dikwijls meelevend opmerkte, een grote puinhoop van haar leven had gemaakt, en haar charmes haar slechts ongeluk hadden gebracht. Ben had zijn maîtresse en zijn dochtertje in de steek gelaten, hij was een wilde jongen geweest die drugs gebruikte en jong stierf. Matthew, die had geprobeerd hem te 'redden', had veel verdriet gehad om dit falen; misschien voelde hij zich ook wel schuldig. Matthew was sober, gewetensvol, zachtmoedig. Nu was hij ook dood. Gerard merkte dat hij zijn hoofd op de tafel legde. Hij herinnerde zich, zag toen in een droombeeld hoe zijn bezadigde vader, die zelden alcohol aanraakte, hen soms opschrikte met enigszins pikante cabaretliedjes, waarbij zijn ernstige gezicht vertrok tot een krankzinnige uitbundigheid. Ze vonden deze incidentele, malle joligheid wat kinderlijk, roerend en gênant.

'Als ik jou was zou ik maar eens naar bed gaan,' zei Pats stem.

Gerard lichtte zijn hoofd op. Hij had gedroomd over Sinclair en Rose. Hij was jong geweest in de droom. Het duurde een paar seconden eer hij besefte dat hij niet langer jong was en Sinclair dood was. 'Hoe lang heb ik liggen slapen?'

'Een poosje.'

'Ga jij maar naar bed. Ik zal wel dingen regelen. We moeten de begrafenisondernemer bellen...'

'Dat heb ik al gedaan,' zei Patricia, 'en ik heb de dokter gebeld voor de overlijdensakte.'

'Ik bel Violet wel.'

'Dat heb ik ook al gedaan. Zeg, Gerard, we hadden het laatst over het huis in Bristol, waarom ga je daar niet wonen? Je zei dat je zo van dat huis hield. Je hoeft nu niet meer in Londen te wonen.'

Gerard was op slag klaar wakker. Typisch Pat. 'Doe niet zo mal, waarom zou ik in Bristol gaan wonen, ik woon hier!'

'Dit huis is veel te groot voor jou, het past niet bij je, je bent hier toevallig terechtgekomen. Ik heb net naar Gideon gebeld. We willen het van je kopen. Jij vindt Bristol leuk en je bent hard aan verandering toe.'

'O, hou toch op, Pat,' zei Gerard, 'je bent gek. Ik ga naar bed.'

'En dan nog iets, nu Papa er niet meer is wil ik zitting nemen in dat comité.'

'Welk comité?'

'Het boek-comité. Hij zat erin namens de familie. Nu moet ik dat doen.'

'Jij hebt er niets mee te maken.'

'Het is ons geld dat jij besteedt.'

'Nee, dat is het niet.'

'Zo zag Papa het anders wel.'

Gerard liep naar boven naar zijn slaapkamer. De zon scheen fel naar binnen. Hij trok de gordijnen dicht, sloeg het bed open en begon zich uit te kleden. Toen hij in bed lag begon hij terug te denken aan de vreemde gebeurtenissen van die nacht, die nu heel verward, lelijk en sinister leken, met daarbij de woorden van zijn zuster die als een wolk schenen te hangen boven het zware gewicht van dat dode lichaam dat zo stil en zo dichtbij was, met het nietsziende gelaat. O, mijn arme vader, dacht hij en het was alsof zijn vader vreselijke pijn leed, de pijn van de dood zelf. Hij draaide zijn gezicht in het kussen en kreunde en plengde wat tranen van ellende op het kussen.

'En, wat ben je van plan te doen?' zei Duncan Cambus.

'Ik ga,' zei Jean.

'Je gaat naar hem terug.'

'Ja, het spijt me.'

'Had je afgesproken hem te ontmoeten?'

'Nee!'

'Dus jullie hebben dit vannacht besloten?'

'Gisteravond... vannacht... of vanmorgen. We hebben vannacht niet met elkaar gepraat. We hebben geen wóórd gewisseld!' Jean Cambus' ogen werden groot en straalden toen ze dit zei.

'Denk je dat hij je verwacht?'

'Ik denk helemaal niets... ik ga gewoon. Ik moet het doen. Het spijt me heel erg. Nu.'

'Ik ga naar bed,' zei Duncan, 'en ik adviseer je hetzelfde te doen. Ik adviseer je, ik vráág je, niet te gaan. Blijf, wacht, alsjeblieft.'

'Ik moet nu gaan,' zei Jean, 'ik kan niet wachten. Wachten is... onmogelijk... helemaal verkeerd.'

'Een gebrek aan smaak, een kwestie van stijl?'

Dit waren de eerste woorden die door Duncan en zijn vrouw werden gewisseld na hun vertrek uit de kamers van Levquist. De wandeling naar de auto, de rit naar Londen, gedurende welke Duncan voor het grootste gedeelte had geslapen, was zwijgend volbracht. Nu waren ze thuis, terug in de zitkamer van hun flat in Kensington. Bij hun aankomst daar hadden ze allebei de behoefte gehad uit hun verkreukelde avondkleding te stappen en hadden ze in afzonderlijke kamers, haastig, alsof ze zich wapenden voor de strijd, eenvoudiger kleding aangetrokken. Duncan, die in een stoel zat, had zijn klamme en modderige smokingbroek uitgetrokken en een oude ribbelbroek aangedaan, met een wijd, blauw overhemd dat hij niet had dichtgeknoopt en niet in zijn broek had gestopt. Jean, die voor hem stond, had haar zwarte onderjurk en zwarte kousen bedekt met een geel met witte kimono, die stevig om haar middel zat geknoopt. Duncan had niet langer een rood hoofd van de alcohol, maar zijn vermoeide gezicht zag er ontredderd, ontwricht uit; het was een wezenloos massief gezicht, bleek en pafferig, bedekt met zachte, ingetekende rimpels. Hij zat heel stil, keek zijn vrouw aan, leunde enigszins voorover, zijn grote handen bungelden over de armleuningen van de stoel. Hij had zijn gezicht en handen gewassen en zijn tanden gepoetst. Jean had haar uitvoerige make-up afgewassen en haar dikke, donkere haar naar achteren geborsteld, waar het net zo bleef zitten, achterover over de kruin van haar hoofd. Ze was een opvallende schoonheid geweest toen ze, in een ander tijdperk, in dat nu zo verre, zo droomachtige verleden, met Sinclair Curtland had geflirt. Jean had Sinclair gekend, via Rose, toen ze allemaal nog kinderen waren. Hij en zij waren heel 'dik' met elkaar geweest voordat Sinclair naar Oxford ging, en dat was op de een of andere onduidelijke manier ook zo gebleven, ondanks Gerard. Hadden ze zelf ooit serieus nagedacht over dat huwelijk dat iedereen zo graag tot stand wilde brengen? Jeans oudere gezicht was ook mooi, een beetje chagrijniger, maar nog steeds porselein-blank, eigenzinnig en intens, waarbij ze nu veel leek op haar joodse vader, die zo geweldig vroom, zo geweldig succesvol was. Haar moeder, eveneens joods, was een begaafd pianiste geweest. Ze hadden alle feestdagen in acht genomen. Jean gaf niets om deze dingen, niet om de synagoge of om muziek, en evenmin om het zakenleven waar haar vader haar, zijn enige kind, in had willen interesseren. Ze was heel intellectueel geweest. Sommige mensen vroegen zich af waarom ze met Duncan was getrouwd, anderen waarom ze hoe dan ook was getrouwd. Haar ouders hadden veel van haar gehouden, hoewel ze een jongen hadden gewenst. Haar moeder was nu overleden, haar vader deed goede zaken in New York. Hij had gedroomd van een joodse schoonzoon, maar Sinclair was heel bijzonder geweest.

Duncan wreef in zijn ogen, hij merkte dat hij wat wankelde, dat de wens tot slapen zelfs nu allesoverheersend kon zijn. 'Wanneer kom je weer terug?' vroeg hij. Hij had de situatie begrepen, hij bedoelde niet morgen of volgende week. Hij vervolgde: 'Dat is je de vorige keren ook gelukt, terug te komen bedoel ik.'

'Dat zou jij geen tweede keer kunnen hebben,' zei Jean. 'En toch... wie weet wat jij allemaal kunt verdragen. Ik houd van je, maar dit is anders.'

'Kennelijk.'

'Ik zal altijd van je blijven houden... maar dit is... Trouwens, zij zullen het zeker niet kunnen hebben en dat heeft ook effect op jou.'

'Wie bedoel je met "zij"?' vroeg hij, alsof hij dat niet wist.

'Gerard, Jenkin, Rose. Getrouwde mensen zouden geen vrienden moeten hebben. Misschien was alles veel beter tussen ons gegaan als we niet altijd voortdurend in de gaten waren gehouden; o, ze houden ons toch zó in de gaten. En ze zullen jouw kant kiezen, zoals ze dat de vorige keer hebben gedaan. Ze geven nou eenmaal om jou, niet om mij.'

Duncan ging hier niet tegenin. 'Ze zijn niet tegen jou, dat zullen ze ook niet zijn. Rose zeker niet. Je hebt een eeuwig pact met Rose.'

'Je denkt zeker dat vrouwen ook levenslange vriendschappen hebben, ondertekend met bloed. Dat is niet zo.' Toch was het waar dat ze een eeuwig verdrag had met Rose. 'De twee prinsessen' had Sinclair hen genoemd. 'Waarom ben je zo stom geweest je door Crimond in de Cher te laten duwen, waarom heb je dat getoleréérd!'

'Ik had niet veel keus.'

'Doe niet alsof je gek bent!'

'Jean...!'

'Goed, goed. Wat is er gebeurd?'

'Het staat me niet meer zo duidelijk voor de geest,' zei Duncan. 'Ik was er niet op uit. Ik bedoel, ik zocht hem niet. We kwamen elkaar plotseling in het donker tegen. Ik geloof niet dat ik iets zei. Ik denk dat ik hem een mep heb verkocht, of dat probeerde te doen. We stonden vlak bij het water. Hij heeft me erin geduwd.'

'Allemachtig. Dus net... net als die andere keer. Waarom ben je toch zo zwák, waarom kun je nou nooit iets góed doen?'

'Je bedoelt hem vermoorden?' zei Duncan.

'Het lijkt wel of je het leuk vond... natuurlijk weet ik wel dat dat niet het geval is, maar je verprutst ook alles. Heb je hem met je vuist of met je vlakke hand geslagen?'

'Ik kan het me niet herinneren,' zei Duncan. In werkelijkheid kon hij het zich heel goed herinneren; en hij overpeinsde hoe vaak, hoe hij tot in het oneindige die scène opnieuw zou beleven, net als die andere, die *Urszene*. Hij had zich teruggetrokken om zijn behoefte te doen en had toen in het donker tegenover Crimond gestaan. Hij besefte nu pas dat Crimond hem in de gaten moest hebben gehouden, hem was gevolgd en toen de plotselinge ontmoeting tot stand had gebracht. Het was het soort onverwachte ontmoeting waarbij je van schrik in staat bent iets te doen, een uitgestoken hand te grijpen, een onverwachte kus te geven, of een klap. Duncan had zijn rechterhand geheven, waarbij hij besloot, herinnerde hij zich, deze niet tot een vuist te ballen. Hij was van plan geweest Crimond op de zijkant van zijn gezicht te slaan, maar hij had, kennelijk, weer besloten dit niet te doen en had hem een klap op de schouder gegeven, die kennelijk nogal hard was aangekomen, want Crimond was een stap naar achteren getuimeld. Toen had Crimond hem beetgegrepen, hem bij zijn kleren vastgehouden en hem de rand van de rivier op gesmeten. Duncan verloor zijn evenwicht en viel op de oever. Ja, hij herinnerde het zich nog goed. Hij vroeg zich af of, als het andersom was geweest en hij Crimond in de Cherwell had geduwd, Jean nu ook zou willen vertrekken.

'Dus het enige dat je kunt zeggen is dat je moet gaan?'

'Dat kun je ze door de telefoon vertellen.'

'Doe niet zo gemeen en wreed.'

'Het zijn uiteraard ook mijn vrienden. Ik zet alles op het spel.'

'Ik vind dat ook geen leuk idee. Het zou niet eerlijk zijn te zeggen dat je alleen maar smacht naar wat opwinding. Ik geef je de raad je aan te kleden en wat koffie te drinken en tot rust te komen.'

'Ik neem een koffer mee,' zei Jean, 'en ik kom de rest wel een andere keer halen, als jij op kantoor bent. Je kunt naar bed gaan om te slapen, je valt om van de slaap. Wanneer je wakker wordt ben ik weg en kun jij me verwensen.'

'Ik zal je nooit verwensen. Ik vind je alleen maar een geweldige verrader.'

'Ik weet niet wat ik moet zeggen. Ik weet niet wat de toekomst zal brengen, zelfs niet of ik in leven blijf.'

'Wat heeft dat voor de donder te betekenen?'

'Dicht bij Crimond betekent op de een of andere manier ook dicht bij de dood. Ik bedoel daar niets speciaals mee... het is alleen maar gevaar. Hij is niet bang voor de dood, hij is een Kamikaze type, in een oorlog zou hij een V.C. krijgen.'

'Hij bezit pistolen en een uiterst kwalijke fantasie, dat is alles.'

'Nou, jij hebt ook pistolen in je bezit gehad toen je lid was van die club, je verbeeldde je dat je een scherpschutter was. Jij en Crimond liepen in Oxford altijd met pistolen te rommelen. Nee, maar als hij ooit ophield met werken, zou hij heel wanhopig kunnen worden.'

'En zichzelf en jou doden? Je zei dat hij een keer een zelfmoordpact heeft voorgesteld!'

'Niet echt, hij vindt het gewoon leuk om risico's te nemen. Hij is dapper, hij gaat niets uit de weg, hij vertelt de waarheid, hij is de meest oprechte persoon die ik ooit heb ontmoet.'

'Je bedoelt de meest harteloze. Je kunt niet oprecht zijn zonder andere deugden te bezitten.'

'Maar hij bezit andere deugden! Hij is heel toegewijd, hij is een idealist, hij doet veel voor arme mensen en...'

'Hij wil gewoon worden bewonderd door de jeugd! Je weet hoe ik denk over die goeie zorgen van Crimond!'

'Hij is een sterke persoonlijkheid. Jij en ik zijn verbonden door onze zwakheden. Crimond en ik door onze kracht!'

'Volgens mij stelt dat niets voor, allemaal flauw gezwam. Jean, op de dag dat wij trouwden zei je, dit is voor gelúk!'

'Geluk. Dat is een van onze zwakheden.'

'Je zult het dáár zeker niet vinden. Maar denk vooral niet dat het deze keer dood of glorie wordt. Je kiest alleen maar voor een saaie en treurige onderdanigheid bij een gemeen, goedkoop tirannetje.'

'Ach... als je eens wist hoe weinig ik aan mijn leven ben gehecht...'

'Je kletst maar wat en je zegt het alleen maar om ons huwelijk omlaag te halen.'

'Dat doe ik niet,' zei Jean fronsend. Ze leunde tegen de dichte deur en had haar stoffige schoenen, waar ze de hele nacht op had gedanst, uitgeschopt. 'Dat klopt niet. Je had het over geluk... ik probeer je alleen duidelijk te maken hoe weinig dat voor me betekent...'

Duncan kwam een eindje overeind. Hij zei tegen zichzelf: ik probeer haar te laten redetwisten, ik probeer haar nog iets langer hier te houden, alsof ik de beul om een paar minuten extra smeek. Hij dacht: ben ik al zó wanhopig geworden? Ja. Nu lijkt het wel of ik het had verwacht. Maar o, het geluk, het geluk dat zij nu als niets beschouwt. Hij zei: 'Hoor eens, die liefde van jou voor Crimond lijkt me niet erg gefundeerd, bijna als iets krankzinnigs, het heeft helemaal niets met het ware leven te maken. Jullie zijn net twee krankzinnige mensen die naar elkaar verlangen maar niet kunnen communiceren...'

'Krankzinnig, ja,' zei Jean, 'maar... we communiceren zeer zeker.' Haar ogen werden weer groot en ze zuchtte diep, raakte haar borst aan en zwaaide met haar hoofd.

'Lieve schat... toen je er de vorige keer de brui aan gaf was dat niet voor niets.'

'Ik kan me niet meer herinneren waarom dat was, behalve misschien omdat ik van je hield, en ik houd nog steeds van je... maar, nou ja, het is nou eenmaal zo gelopen...'

'Als we maar kinderen hadden gehad, dan zou je wel meer bij de realiteit betrokken zijn gebleven. Ik heb dit alles nooit reëel voor je kunnen maken. Je bent altijd een soort visite gebleven.'

'Hou nu eens op over die kinderen.'

'Ik heb er al in geen jaren meer over gerept.'

'Goed, we hebben nooit echt vadertje en moedertje gespeeld, zoals dat volgens jou zou moeten. Maar ondanks dat hebben we elkaar onvoorwaardelijk liefgehad...'

'Onvoorwaardelijk?'

'Sorry, alles wat ik nu zeg moet wel heel onnozel en stom lijken, maar het komt ook door alle veranderingen, ik kan gewoon niet meer normaal met je spreken. Maar je begrijpt...'

'Je verwacht van mij dat ik jou zo perfect begrijp en zoveel van je houd dat ik het helemaal niet erg vind dat je naar een andere man gaat, en nog wel voor de tweede keer!'

'Het spijt me, lieverd, het spijt me echt. Ik weet dat deze wond niet zal genezen. Maar het kan niet anders. En... dat maakt het ook al niet beter voor jou... het heeft voor mij niets met de toekomst te maken... de toekomst speelt helemaal geen rol, die bestaat gewoon niet.'

'Je laat de toekomst aan mij over, nu je die zo grondig hebt verpest. Maar jij zult je eigen troosteloze, onderworpen toekomst moeten leven, dag na dag en minuut na minuut... afgezien van al het andere ben ik werkelijk verbijsterd door je achterlijke ideeën.' Duncan hees zich nu met enige moeite uit de stoel overeind. 'Alles wat met deze verliefdheid te maken heeft, alles wat ik me voor kan stellen tussen jou en Crimond, vervult me met minachting en afschuw en walging.'

'Het spijt me. Het is vreselijk. Het is een bloedbad, een slachthuis. Het spijt me.' Ze deed de deur open. 'Hoor eens... je moet echt ophouden met drinken… ga nu niet aan de drank, minder een beetje.'

Duncan zei niets, hij liep naar het raam en keerde haar zijn rug toe. Jean keek nog even naar hem, ze keek naar zijn brede rug en zijn opgetrokken schouders en hangende overhemd. Toen ging ze de kamer uit en deed de deur dicht. Ze rende naar haar slaapkamer en begon in wanhopige haast van alles in een koffer te proppen. Ze gleed uit haar kimono en stapte in een rok. Ze maakte haar gezicht zorgvuldig en eenvoudig op. Haar gezicht was bij Duncan heel streng en kalm gebleven, het was een gezicht van 'het kan niet anders'. Nu zag ze in de spiegel een krankzinnig, geschokt en verkrampt gezicht. De hele tijd, tijdens het pakken en aankleden en opmaken, bleef ze beven en trillen; haar onderkaak bewoog krampachtig, er steeg een vaag gekreun op uit haar keel. Ze trok haar jas aan, pakte haar handtas, bleef even stilstaan om haar ademhaling te kalmeren. Toen liep ze naar de voordeur, de flat uit.

Duncan, die naar beneden had gekeken door de bebladerde takken van de grote platanen in het plantsoen op het plein, hoorde de zachte klik van de dichtvallende deur en draaide zich om. Hij zag op het vloerkleed de uitgeschopte, stoffige dansschoentjes en hij raapte ze op. Hij wilde zich er niet tot woede of tranen door laten bewegen en hij liet ze in de prullenbak vallen en liep door naar de slaapkamer. Jean en hij hadden tegenwoordig aparte kamers. Niet dat daar veel betekenis aan moest worden gehecht binnen het bijzondere apparaat van hun huwelijk, hun eenheid, hun liefde, die zo lang had geduurd en zoveel had doorstaan en nu misschien definitief voorbij was. Er was iets kosmisch en onherroepelijks gebeurd, zijn hele lichaam wist het en hij snakte naar adem. Het was weer gebeurd, het onmogelijke, het ongelofelijke was gebeurd, het was wéér gebeurd. Waarom had hij niet gehuild, geschreeuwd, gesmeekt, gekrijst, waarom was hij niet op zijn knieën gevallen en waarom had hij Jean niet bij de keel gegrepen? Hij was ijskoud wanhopig geworden. Alle hoop was uit hem gevaren. Hij had geen enkel moment overwogen dat Jean het misschien mis had, hij was niet op de gedachte gekomen te zeggen: 'Het bestaat alleen maar in je verbeelding, als je daar op komt dagen voelt hij zich alleen maar ontzet en opgelaten.' Hij geloofde volledig dat ze die hele lange nacht geen enkel woord hadden gewisseld. Dat droeg het onmiskenbare stempel van Crimonds manier van doen. Duncan wist gewoon dat Crimond nu verwachtte dat zij kwam, met dezelfde zekerheid als waarmee zij ging.

Hij zocht zijn toevlucht in wanhoop en onherroepelijkheid. Hij kon verdere speculaties niet meer verdragen. Het plotselinge van dit alles was als een sterfgeval. Jeans abrupte verdwijning, de schandalige manier waarop Crimond ten tonele was verschenen, die vreselijke val in de rivier. Het was allemaal één grote kosmische dreun. Wat had Jean het toch mis gehad te

68

denken dat hij de anderen nu zou bellen. Hij had op dit moment het gevoel dat hij, door haar te verliezen, al zijn relaties met de wereld had verspeeld en hij had niet de minste behoefte aan enig menselijk contact. Hij veronderstelde dat hij bij zijn vrienden in diskrediet zou raken, vernederd en onteerd, beschaamd om zijn tweede nederlaag, om het fatale 'gepruts' waar zijn vrouw hem van had beschuldigd. Hij hield nu, in zijn ellende, geen rekening met schaamte of schande. Hij zou haar uiteraard 'terugnemen' als ze kwam, maar ze zou niet komen, ze zou niet terug willen gaan naar wat er van hem was overgebleven na deze breuk. Ze zou moeten veronderstellen dat hij haar haatte. Als Crimond haar de bons gaf, of dat nu morgen of over een paar jaren gebeurde, zou ze alleen wegtrekken om te leven in een vrijheid waarnaar ze misschien al had verlangd in de tijd dat ze zoveel energie had gestopt in dit vertrouwen op Duncan en in haar geloof in hun wederzijdse liefde. Ze zou weggaan en werken en denken, te rade gaan bij haar machtige vader in Amerika, een wereld ontdekken om te veroveren, naar India of naar Afrika gaan, een grote onderneming leiden, elders al die rusteloze kracht gebruiken die ze, als zijn vrouw, aan geluk had verspild. Ja, ze hadden het om het geluk gedaan en misschien had Jean wel gelijk om dat als een zwakheid te beschouwen.

Natuurlijk had ze als Jean Cambus van alles gedaan, maar ze had niet dat ene grootse gedaan waar ze als Jean Kowitz van had gedroomd. Ze was secretaresse geweest van een parlementslid, had in de redactie gezeten van een tijdschrift, in diverse commissies geholpen, een boek over het feminisme geschreven. Als echtgenote van een diplomaat had ze leiding gegeven aan een huis en aan bedienden, met een druk sociaal leven dat eveneens een belangrijke bron van inlichtingen vormde. Ze zou zelf ook een uitstekende diplomaat zijn geweest, en ze had ongetwijfeld bedacht hoe zij, als alles anders was gelopen, nu zelf ambassadeur zou zijn geweest, of minister, of redacteur van *The Times*. Ze moest wel, wat er ook bij Crimond zou gebeuren, staan te trappelen om haar vrijheid te heroveren, dacht hij. Misschien was Crimond slechts een eerste aanzet? Gaf het hem troost als hij zo dacht? Hij kreunde, voelde, rook, alsof het weer boven kwam borrelen, al die oude moordende jaloezie en haat die hij zo diep had weggestopt, een gevaarlijke atoomkop, die heel lang in de donkerste spelonken van zijn geest had gelegen. Het was tóen, in die interim-periode die al deel van de geschiedenis begon te worden, heel gemakkelijk geweest op een luchtige manier over de onwaardigheid van jaloezie te denken, over het zinloze en het onzinnige ervan. In de afgelopen twaalf uur was er een einde gekomen aan een tijdperk dat nu al als vreemd en afgedaan kon worden beschouwd. Jaloezie was nu zijn leermeester en in het licht daarvan zag hij de waarheid, dat Jean van Crimond hield met een extreme liefde, een liefde zo absoluut als de dood en vergeleken waarbij haar vrijheid niets betekende. Ze zou, als hij haar wilde hebben, werkelijk Crimonds slavin zijn; en binnen deze context, binnen dit beeld, had ze niet overdreven door te zeggen dat hij dodelijk gevaarlijk was. Wat was het toch allemaal een onzinnige puinzooi geweest, alles waarvoor hij had geleefd, alles wat hij had gedaan en had gehoopt. Nu kreeg ze een tweede kans aangeboden, en door Crimond zelf. Want Duncan twijfelde er geen moment aan dat Crimond naar het bal was gekomen met het doel haar in te palmen.

Het was allemaal lang geleden begonnen. Jean had ontkend – maar hoe kon hij dat zeker weten, hoe kon zij dat zeker weten? – dat ze toen van Crimond had gehouden, toen ze allemaal nog jong waren geweest, toen Sinclair Curtland degene was die haar naar dansavonden mee had genomen, toen ze allemaal nog zo hoopvol en zo vrij waren geweest. Crimond had natuurlijk wel indruk op haar gemaakt, hij had indruk gemaakt op hen allemaal, op ieder van hen, hij was misschien nog wel meer dan Gerard degene geweest van wie alles werd verwacht. Hoe weinig hadden ze weten te bereiken, zij allemaal, ieder van hen, vergeleken met de wonderen die ze toen hadden gehoopt en bedoeld! Crimond had ook gefaald, of was in ieder geval nog niet geslaagd. Ze hadden, in een bepaalde periode, allemaal te veel over Crimond gepraat, gedeeltelijk omdat hij de enige van hun groep was die het extreem linkse idealisme had weten te bewaren, dat zij eens hadden gedeeld. Er was iets met hen allen gebeurd toen Sinclair verongelukte. Hij was de gouden jongen, de jongste, de lieveling, de grapjas, bemind door Gerard die – aangezien Crimond dat op de een of andere manier duidelijk niet was – de 'leider' was; alleen was er natuurlijk geen echte leider omdat ze allemaal zulke opmerkelijke individuen waren en zichzelf heel wat verbeeldden! Toen Sinclair was gestorven leken ze even wat uit elkaar te vallen, hun meningen veranderden, ze hadden het druk met hun carrière, met reizen, met zoeken naar levensgezellen. Duncan en Robin bleven nog wat in Oxford hangen, maar ze kwamen naar Londen, Robin naar het universiteitsziekenhuis, Duncan naar Buitenlandse Zaken. De tijd ging voorbij en Duncan trouwde met Jean en had het met haar over geluk; hij was zelf zeldzaam gelukkig dat hij deze mooie, bewonderde vrouw had veroverd, die hij in stilte had aanbeden in de jaren dat ze zoveel in het gezelschap van anderen verkeerde. Crimond begon een bekende figuur in de linkse politiek te worden, en beroemd, of berucht, theoreticus, een schrijver van 'controversiële' boeken, een kandidaat voor een parlementszetel. Hij was en bleef het meest beroemde lid van hun oorspronkelijke groep. Crimond ging er prat op dat hij afkomstig was uit een zeer eenvoudig milieu, in een dorpje in Galloway, als zoon van een postbode. Hij zorgde ervoor dat hij niet werd beschouwd als een verwende kamergeleerde. Jean, die er nu een duidelijk meer linkse mening op na hield dan Duncan, was een tijdlang een verwoed aanhangster van Crimond geweest en werd zelfs onderzoeksassistente bij hem. Ze schreef een pamflet over hem en over de positie van de vrouw binnen de vakbeweging. Toen hij – vergeefs – meedong naar een zetel in het parlement, was zij secretaresse van zijn agent. Er moest toen iets zijn begonnen, in die tijd dat Crimond zo belangrijk was, zo beroemd, een ster, de lieveling van de jeugd. Toen ze later terugkwam, na het débâcle, vertelde ze Duncan dat ze in die eerste periode tegen haar gevoelens had gevochten, uiteindelijk was gevlucht uit zijn nabijheid. Ze had beweerd dat ze toen nooit zijn minnares was geweest. En toen waren de tijden weer veranderd. Duncan had de academische wereld vaarwel gezegd en ging in diplomatieke dienst, Robin, die later terugkeerde naar Londen, was in Amerika verbonden aan de John Hopkins universiteit, Gerard zat bij Financiën, Marcus Field zat – na zijn schokkende bekering – op een seminarie, Jenkin was leraar in Wales, Rose was journaliste in York en woonde bij haar familie in het noorden. Minder werd er vernomen van Crimond, hij heette wat te 'kalmeren', werd nog nadenkender en minder extreem, scheen zelfs een universitaire baan te overwegen.

Duncan had in die jonge dagen niet goed op kunnen schieten met Crimond, hij vond hem verwarrend en ergerde zich aan de bewondering van de anderen. Hij onderdrukte zijn afkeer omdat het een vriend van zijn vrienden betrof, en omdat Duncan, zelfs toen al, instinctief nerveus van hem was. Ze waren allebei Schots, maar de Highland-voorouders van Duncan waren lang geleden afgereisd naar Londen. Toen Jean Crimond begon te bewonderen, en zelfs voor hem ging werken, begon Duncan heimelijk een beetje jaloers te worden, maar zonder enig ongepast alarm. Hij was blij toen Crimond uit Londen verdween en in Amerika, en vervolgens in Australië heette te zijn. De tijd verstreek. Duncan werd overgeplaatst naar Madrid, toen naar Genève. Hierna werd hij, met een tijdelijke opdracht, in Dublin gestationeerd, alvorens – zoals hem was beloofd – gepromoveerd te worden naar een felbegeerde en hoge positie in Oost-Europa. Jean was teleurgesteld dat ze naar Ierland werden gestuurd, dat ze als een achterlijk gebied beschouwde, maar ze merkte weldra dat ze Dublin heel gezellig vond; Duncan en Jean begonnen zelfs allebei van het land te houden en gingen daarin zó ver dat ze een toren in het graafschap Wicklow kochten. In die tijd was onroerend goed nog steeds heel goedkoop in Ierland, en de toren – die onder hun aandacht was gebracht door een bevriende schrijver, Dominic Moranty genaamd – was een 'impuls-aankoop' van Jean die hem had ontdekt, er verliefd op was geworden en toen had bedacht dat ze hem net zo goed kon kopen omdat hij spotgoedkoop was. Duncan berispte haar, maar toen hij zag wat ze hadden verworven prees hij haar. De toren, in de prospectus beschreven als 'waarschijnlijk heel oud', was gebouwd met oude stenen die uit één of meerdere andere ruïnes afkomstig waren en hij was ongetwijfeld, zoals diverse bouwkundige onderzoeken suggereerden, in de tweede helft van de negentiende eeuw geconstrueerd. Hij was op een bepaald moment, waarschijnlijk bij de eerste bouw, door middel van een eenvoudige gang van natuursteen en baksteen verbonden met een dichtbijstaand stenen huisje van onbepaalde ouderdom. De houten vloeren en smeedijzeren wenteltrap van de toren verkeerden in goede staat, en beide gebouwen waren voldoende 'gemoderniseerd'. Er was geen elektriciteit – tot Jeans grote vreugde – maar wel een goede afvoer met zinkput en sceptic tank. Een elektrische pomp, die snel te repareren bleek, bracht het water uit de oude put voor hun cottage omhoog. De vorige bewoner, die inmiddels was overleden, heette een 'schilderman' te zijn geweest. Hij had de toren tot voor kort met tussenpozen gebruikt en het interieur was weliswaar eenvoudig en nu ongemeubileerd, maar verkeerde in een redelijke toestand. Er waren open haarden, er was turf te koop in een gemakkelijk bereikbaar dorp en een heleboel gratis hout dat overal rondslingerde. Jean stelde zich een romantisch landelijk leven met open haarden en petroleumlampen voor en ging op stap om geschikt landelijk meubilair te vinden. De toren bood een fraai uitzicht op twee suikerbroodvormige bergen en vanaf de bovenste kamer, de slaapkamer, een glimp van de zee. De woonaccommodatie bestond uit slechts twee verdiepingen maar daarboven verrees een lege koepel die het geheel een imposante hoogte bezorgde. Duncan was opgetogen over dit plekje en daarnaast blij dat Jean dit speeltje bezat om haar aandacht af te leiden van een geplande campagne ten bate van anticonceptie en abortus, die waarschijnlijk in conflict zou komen met de voorrechten van hun diplomatieke positie.

Het was zomer, voor deze keer een droge, warme, Ierse zomer en ze maakten er een gewoonte van hun weekends in de toren door te brengen, waar ze klusten aan alle voorzieningen en soms op stap gingen om op plaatselijke veilingen meubels te kopen. Het was een gelukkige tijd. De toren stond in een eigen miniatuur dal, nu eveneens hun eigendom, en werd omgeven door gras dat door schapen werd kortgehouden. Er liep een beekje en er stond een bosje van populieren en wat verspreide wilde fuchsia's en veronica's. Ze hadden uiteraard al heel wat rondgekeken in dit aardige, kleine land dat ze nauwelijks eerder hadden bezocht, en Jean had reeds besloten dat ze hun eigen gids over Ierland moesten schrijven, omdat alle beschikbare gidsen tot 'hopeloos' werden verklaard. Ze hadden de toren van Joyce en de toren van Yeats bekeken. Nu hadden ze ook een toren die volgens Jean Duncans toren moest worden genoemd. Ze zouden echter niet lang van Duncans toren kunnen genieten. Bij een etentje werd plotseling Crimonds naam genoemd. Er werd gekscherend beweerd dat hij 'de Ierse kwestie even kwam oplossen'. Hij moest een groot stuk over Ierland schrijven en was van plan zich voor de rest van de zomer in Dublin te vestigen. Duncan vergat nooit hoe zijn vrouw, toen ze dit nieuws hoorde, een opgetogen gezicht trok.

Duncan was verbaasd hoe ellendig hij zich op slag voelde, bij de gedachte aan Crimonds aanwezigheid in Dublin. Hij voelde zich net een klein kind omdat al zijn pleziertjes waren gestolen en hij niets meer had om naar uit te kijken. Toen, kort daarna, Crimond arriveerde en zijn intrek nam in een flat in Upper Gardiner Street, voerde Duncan een dappere, bijna overdreven show op van blijdschap over het terugzien van deze oude makker uit zijn studietijd. Hij introduceerde Crimond bij al zijn favoriete Ierse kennissen – waaronder Moranty – en zag hoe hij hartelijk werd begroet en van stond af aan werd bevoorrecht als de meest geliefde vriend van de toch al zo populaire Duncan en Jean. Duncan ervoer zijn diplomatieke opdracht als moeilijk en belastend. De ambassadeur lag in het ziekenhuis. In werkelijkheid had hij alle leiding. De betrekkingen tussen Dublin en Londen, die nooit erg vreedzaam waren geweest, beleefden nu een bijzonder 'delicate' fase. De twee eerste ministers, die iets in hun schild voerden of een 'initiatief' voorbereidden, zoals deze meestal onnozele samenzweringen eufemistisch werden genoemd, werden aangevallen, niet alleen door de oppositiepartijen maar ook door elementen in hun eigen partijen. Duncan moest vaak voor overleg naar Londen. Hij had het bijzonder druk en zou al zijn aandacht bij zijn werk moeten houden in plaats van steeds aan Crimond te moeten denken. Crimond was inmiddels verhuisd naar een flat in Dun Loaghaire, met uitzicht over de baai van Dublin, en had een feestje gegeven waarvoor hij Jean en Duncan uitnodigde en waar Jean, omdat Duncan bezet was, alleen heenging. Hij was al een interessante figuur geworden en scheen erg goed op te kunnen schieten met de Ieren. Zijn politieke standpunten, voorzover ze Ierland betroffen, werden verklaard als 'goed', en het kleine, roddelgrage kliekje intellectuelen in Dublin maakte het Duncan onmogelijk zijn naam niet frequent te horen noemen.

Duncan speelde het allemaal heel vriendelijk en had uiteraard Crimond uitgenodigd voor een zomeravondfeestje in de toren. Crimond was verrukt over hun huis, enthousiast, vol spontaan jongensachtig plezier waarvan Duncan kon zien dat het door de andere gasten op prijs werd gesteld. Jean vertelde van alles over het meubilair, over veranderingen in de keuken, over het planten van allerlei zaken, geen 'tuin' natuurlijk, dat zou hier niet passen, maar mischien een paar struiken en daarnaast wat bestrating. Crimond zat vol ideeën. Duncan hoorde hoe een van de gasten Crimond en Jean uitnodigde een tuincentrum te bezoeken, in de buurt van zijn cottage op het land, waar je oude straatkeien kon kopen, en beelden – ze hadden toch zeker beelden nodig, eentje in ieder geval, om het oog te trekken en iets mysterieus te bieden tussen de populieren? Crimond hield een betoog over beelden. Iedereen werd erg dronken en had een hoop lol. Duncan had de indruk dat Crimond, die zelden dronk en echt geen bourgondische aard had, zich maar een beetje aanstelde. De volgende dag moest Duncan naar

Londen. Toen hij terugkwam vertelde Jean hem dat ze met Crimond naar een tuincentrum was geweest om wat straatstenen te bestellen en wat struik-rozen en een grasmaaier had gekocht. Na die tijd ging Jean in zijn afwezig-heid, en soms niet in zijn afwezigheid, met Crimond op stap, in Crimonds huurauto, voor allerlei uitjes naar beroemde plaatsen. Ze gingen een keer naar Clonmacnoise, dat Duncan nog niet had gezien, en kwamen erg laat thuis. Soms hadden ze andere mensen bij zich – zei Jean – , soms ook niet. Jean en Crimond pakten het idee van de gids voor Ierland op. In deze perio-de verkeerde Jean in een staat van grote opwinding en uitgelatenheid. Dun-can hield haar gezicht voortdurend in de gaten, bestudeerde het met een morbide gespannenheid, en las daarin de vreugde die haar door een andere man werd bezorgd, en ook haar pogingen deze vreugde te verbloemen.

Natuurlijk is Ierland voor de nieuwkomer of de toerist heel aantrekkelijk. Maar het is ook een vreselijk eiland, verdeeld, woedend, vol oude demonen en oude haat. Duncan voelde deze last elke dag bij zijn werk en in toene-mende mate toen zijn medeleven en zijn kennis groeide. Het bleek al snel, en ook dat was tot grote ergernis van Duncan die in staat was buiten zichzelf te raken door alles wat Crimond deed of was, dat Crimond, hoewel hij nau-welijks eerder in Ierland was geweest, veel meer over het eiland wist dan Duncan. Iedereen die zich intens met Ierland bemoeide moest zich intens met de geschiedenis ervan bemoeien. Crimond bleek zo ongeveer alles af te weten van de geschiedenis van Ierland. Duncan merkte hoe hij werd ge-dwongen aan te horen hoe Crimond zijn meningen ventileerde tegenover een aandachtig publiek, over Parnell, Wolf Tone, zelfs Cuchulain. Duncan vond het al even vervelend Crimonds republikeinse politieke opvattingen te moeten vernemen, die hij nog brutaler verkondigde, en zijn denigrerende opmerkingen over de Britse regering, met wat leek een opzettelijk gebrek aan tact in Duncans aanwezigheid. Duncan weigerde zich te laten provoce-ren, hij bekeek, hij bestudeerde het gezicht van zijn vrouw, en luisterde rus-tig als ze Crimonds theorieën over Ierland verkondigde.

Duncan, verteerd door achterdocht en haat, wanhopig door angst en door zijn eigen gebrek aan doortastendheid, werd tot daden gedreven door een toeval, het soort toeval dat zo vaak in zulke situaties een rol speelt. Hij had zich natuurlijk afgevraagd wat Jean en Crimond nog meer samen deden, naast rondrijden in de auto en ruïnes en kastelen bekijken. Op zekere zon-dagmorgen, toen Duncan en Jean het weekend in de toren doorbrachten, was Jean vroeg naar buiten gegaan om te werken aan een plan dat ze had bedacht om het beekje in te dammen en een vijver te maken. Duncan zou haar komen helpen na het ontbijt waarvoor zij straks terug zou komen om het klaar te maken. De zon scheen. Duncan stond bij het raam van hun slaapkamer, de bovenste kamer van de toren, en keek uit over de zijdegroe-ne hellingen van de bergen en de glinsterende driehoek van de blauwe zee.

De hemel was wolkeloos, er zong een leeuwerik, er zong een zwaluw, het beekje murmelde. Wanneer ze in bed lagen zeiden ze nog steeds tegen elkaar: hoor je de beek? Hij zag zijn vrouw daar beneden, met opgerolde broekspijpen, in de beek staan. Ze bukte zich, richtte zich weer op en zwaaide naar hem. Dit was nu het volledige geluk, het geluk waartoe hij zichzelf zo goed in staat wist: maar hij verkeerde in de hel. Hij zwaaide terug. Hij draaide zich om naar de kamer, nog knipperend van het zonlicht en de schittering van de zee, en keek naar het wanordelijke bed waarop ze samen hadden geslapen. Ze hadden de hoop op een kind reeds lang geleden opgegeven. Ze waren bij doktoren geweest die verschillende, nutteloze verklaringen hadden gegeven. Toen zag hij iets aan de zijkant van de rondlopende kamer op de grond liggen, iets kleins of schaduwachtigs dat daar op de planken lag, tegen de muur van donkere, ietwat oneffen stenen. Hij liep ernaar toe en raapte het op. Het was licht en flets en weinig substantieel. Hij sloot zijn hand eromheen, zijn hart begon hevig te bonzen en hij ging moeizaam zitten op het lage bed. Hij voelde hoe het bloed naar zijn gezicht steeg, tot op zijn voorhoofd. Hij opende zijn hand en hield het kleine ding in zijn hand en bekeek het. Het was een bal van iets wat voor pluizige stof had kunnen doorgaan, maar het was, zag hij, wat roodachtig haar zoals een persoon, een man, het van de tanden van een kam zou kunnen plukken, nadat hij zijn haar had gekamd, om het vervolgens op de vloer te laten vallen. Er kwam niemand anders in de toren om schoon te maken, te stoffen of goederen af te leveren of reparaties te verrichten, niemand bezat een sleutel van de toren behalve Jean en hij. Dit was niet Jeans of zijn eigen haar dat hij in zijn hand hield, het was Crimonds rode haar.

Jean riep van beneden dat het ontbijt klaar was. Duncan stopte de bal haar in zijn broekzak, ging naar beneden en luisterde glimlachend naar Jeans plannen voor de vijver. Hij at een gekookt ei en ging naar buiten om haar te helpen wat stenen te verplaatsen en een gat te graven en zag haar blijdschap toen het gat zich met water vulde. Later die morgen kondigde hij aan dat hij die week een paar dagen naar Londen moest. Toen het zover was bracht Jean hem met de auto naar het vliegveld, zoals gebruikelijk. Toen ze was vertrokken kocht hij wat sandwiches en huurde een auto en reed daarmee langs een omweg naar een plek op een heuvel waarvan hij, bij het bestuderen van het landschap, had gezien dat er op de top een bosje met gaspeldoorn was en een met klimop overgroeide omgevallen boom. Vanaf deze bedekte top had hij een uitstekend uitzicht op de toren in het dal beneden. Hij parkeerde de auto, beklom de heuvel tot aan zijn uitkijkpost en kroop achter de boom waar de hoge begroeiing van klimop een scherm had gevlochten, en tuurde tussen de klimopbladeren en door de bloeiende gaspeldoorn. Hij schuifelde wat tot hij met zijn rug tegen de boomstam geleund kon zitten en de toren en het hobbelige pad dat ernaar toe voerde kon overzien. Hij haalde zijn verrekijker uit het foedraal en hing hem om zijn nek en wachtte. Hij voelde een afgrijselijke, kwellende opwinding. Er gebeurde niets, er kwam niemand. De klimop bloeide en zwermen bijen vlogen en liepen over de geelachtige bloemen met hun gevlekte stampers. De donkere, poederachtige geur van de klimop vermengde zich met de kokosgeur van de gaspeldoorn. Het was inmiddels middag geworden. De zon scheen, hij deed zijn jasje uit en transpireerde. Zijn lichaam was zwaar en log, hij was kortademig en hijgde. Weldra begon hij het zo walgelijk te vinden wat hij daar deed, dat hij maakte dat hij wegkwam.

Hij reed de huurauto zuidwaarts over de kustweg tot aan Wicklow en nam daar zijn intrek in een klein hotel. Het hotel had geen bar of restaurant, dus vertrok hij naar de kleine pub ernaast en begon Ierse whisky te drinken. Hij ontdekte de sandwiches die hij, alweer zolang geleden, op het vliegveld had gekocht, at er een op en dronk nog meer whisky. Hij haalde Crimonds haar uit zijn zak en bekeek het. Hij had het uiteraard voor mogelijk gehouden dat er iets ernstigs gaande was; vermoeden is leven, bewijs is dood. Nou ja, dacht hij in een poging deze zekerheid uit te stellen, ik heb nog geen écht bewijs. Jean en Crimond kunnen ook gewoon naar boven zijn gegaan om het uitzicht over de zee te bewonderen. Maar Jean had nooit verteld dat ze met Crimond naar de toren was gegaan. Hij kon niet tot een besluit komen of hij de volgende dag zijn afschuwelijke wacht zou herhalen. Misschien kon hij beter naar Dublin gaan, naar hun flat op Parnell Square. Hij dacht niet dat daar iets kon gebeuren. Als die twee samen waren zou het vast in Crimonds flat zijn; behalve dat die flat, op de bovenverdieping van een rijtjeshuis langs de haven, veel te opvallend was. Nee, als het ergens was dan moest het in de toren zijn. Maar waarom eigenlijk al die moeite, dacht hij, naarmate de avond donkerder werd en de bar voller, waarom al die moeite om narigheid aan te treffen? Binnenkort zitten we weer ergens anders, het is maar tijdelijk, het overkomt iedereen. Maar hij wist: ik moet het zeker weten, als ze dat doen móet ik het weten – en dan kan ik het laten rusten, het opgeven, mijn ogen sluiten. Waarom zou ik me door die twee in het verdriet laten storten? Ik zal nu nog niets tegen Jean zeggen. Ik zal het gewoon negeren.

Hij begon zich zeldzaam zielig en misbruikt te voelen, op een manier die hem wat troost verschafte. Hij zag zichzelf zitten, in elkaar gezakt, een grote, donkere man met een verwarde massa donker, krullend haar en een groot, roodaangelopen gezicht, die bezig was zich stomdronken te hijsen temidden van een stel Ierse kerels – er waren uiteraard geen vrouwen in de bar – die ook allemaal bezig waren zich stomdronken te hijsen. Hij dacht: hún vrouwen bedriegen hen ook, daar is geen twijfel over mogelijk, en zij bedriegen hun vrouwen, dus wat loop ik te zaniken, we zijn gewoon een gemeen zootje stinkende zondaars, zwart als de hel, leugenaars en bedriegers en waarschijnlijk ook nog moordenaars, die als ratten moeten worden uitgeroeid of levend verbrand. En toch zitten we hier met zijn allen te drinken... wat doet het er allemaal toe... ik heb Jean nooit bedrogen, maar heb ik het ook nooit gewild? En misschien doe ik het nu wel, laten we elkaar volkomen vrij, zoals ze dat zo leuk kunnen zeggen. En terwijl hij de zangerige, flemende Ierse stemmen overal om zich heen hoorde, voelde hij hoe de zachte vloeiende geluiden zijn hoofd binnendrongen en hij begon in Ierse idiomen te denken en met een Iers accent tegen zichzelf te praten. Wat kan het mij allemaal schelen als dat lieve vrouwtje van me een stomme rothoer is, wat gaat het mij aan wat die vent met d'r uitspookt, waarom zou ik hem daarvoor willen vermoorden, hij doet toch zeker wat we allemaal doen, smerige beesten die we zijn, ik kan toch veel beter een beetje rustig zitten te drinken en is die whisky niet beter dan God? Er zaten mannen om hem heen, naast hem, ze porden hem in zijn arm en praatten tegen hem en hij praatte ook tegen hen en werd ten slotte afwezig en bedachtzaam en strompelde terug naar het hotel en ging naar bed.

De volgende morgen werd hij heel vroeg wakker en hij voelde zich als een ziek, stervend dier. Hij had pijn in zijn maag en pijn in zijn hoofd en een droge, verschrompelde mond en zijn hele lichaam was zwaar en pijnlijk en stinkend en vadsig. Door de dunne, versleten gordijnen stroomde kil daglicht naar binnen. Hij bleef even liggen, bijna jammerend van zelfmedelijden, met zijn hoofd onder het beddegoed. Toen schoot hij plotseling overeind en stond op, kleedde zich aan zonder zich te wassen, betaalde zijn rekening, zocht zijn auto en vertrok weer naar het noorden. Aan de horizon van de zee stond een koud, wit licht dat omlaag werd gedrukt door een lage hemel van dikke grijze wolken. Voor zich uit zag hij gordijnen van regen omlaag stromen maar toch slaagde de zon er zo nu en dan in om ergens vandaan de grijze wolkenmuur te verlichten, evenals de heldergroene heuvels en de felgekleurde bomen. Aan zijn linkerhand zag hij op de bergen in de verte segmenten van een regenboog verschijnen en weer verdwijnen. Hij reed heel snel. Hij had een geweldige hoofdpijn en een loodzwaar gevoel in zijn middenrif. Aan de bovenkant van zijn gezichtsveld zag hij stipjes en lichtflitsen langsschieten toen hij zijn ogen strak op de onder hem doorschietende weg richtte. Zijn bespiegelingen van de vorige avond, zijn niet zeker weten, zijn waarom wind je je op, zijn laat maar zitten, zijn genadige kameraadschap met andere zondaren, dat was allemaal verdwenen. Zoals hij daar rechtop in zijn auto zat en zijn armzalige lichaam onder controle wist te houden, voelde hij zich een zwarte machine vol wilskracht, een wraakzuchtige machine vol ellende en razernij, die kracht putte uit dat ene voornemen, te vinden en te vernietigen. Hij koesterde niet langer enig matigend gevoel van onzekerheid, geen vleugje twijfel kon hem nog vermurwen. Die onzekerheid was een rusteloze kwelling geweest, maar zekerheid, duidelijkheid, was een hels vuur waar je gillend van wegrende, of in rondholde. Dit alles dacht en voelde hij toen hij zo waanzinnig snel over de natte, glimmende weg reed met ruitenwissers die koortsachtig de nu voortdurende en steeds heviger wordende regen wegzwiepten.

Toen hij van de hoofdweg afdraaide en de weggetjes inreed die naar de toren leidden begon hij zich draaierig te voelen en moest hij de auto stilzetten om snel zijn hoofd op het stuur te laten zakken. Hij dacht dat hij moest overgeven. Hij vroeg zich af of hij nog wel in staat was verder te gaan. De regen werd nu minder, meer een lichte motregen, de wolken hingen hoger, de nog steeds onzichtbare zon produceerde een doordringend, grijsachtig licht waarin het gras van het kleine weiland naast hem felgroen oplichtte. Hij stapte uit de auto en bleef met gebogen hoofd in de regenachtige lucht staan en haalde diep adem door zijn mond. Hij dacht: ik ben gek, ik ben tijdelijk krankzinnig geworden en ik moet mezelf tegen zien te houden. Het was net alsof zijn haat, zonder op te houden haat te zijn, in pure angst was veranderd. Er stond te veel op het spel, er konden vreselijke dingen gebeuren die zijn hele leven konden veranderen, hij kon de wereld vernietigen, hij bezat die kracht nu, de hele wereld te vernietigen. Hij bedacht dit, wetend dat hij nu niet in staat was de motor te stoppen die hem voortdreef. Hij ging rechtop staan en zag ergens dichtbij een stenen muur, en een paard en een koe die hem aankeken. De regen was opgehouden. Het paard was naar de muur toe gelopen. Hij bedacht dat hij een boterham kon eten, hij had er nog een paar over, hij kon naar het paard toe lopen om het te aaien, dat was een verstandig soort uitstel, nietwaar, om gewoon rustig bij het paard en die koe te blijven staan. Hij stapte in de auto en reed weg. Hij zei tegen zichzelf: je zult zien dat er niemand is en dan kan ik naar Dublin rijden, naar onze flat om tot rust te komen en dan zal alles weer gewoon worden en ben ik weer in staat rustig en zonder verdriet na te denken. Hij probeerde zich af te vragen of hij regelrecht naar de toren zou rijden, maar hij merkte dat hij over het landweggetje reed dat achter zijn uitkijkpost op de top van de heuvel langs liep. Hij zette de auto neer en stapte uit en keek op zijn horloge. Het was bijna negen uur. Hij begon, hijgend en puffend van inspanning, de steile, natte grashelling naar de top te beklimmen, waarbij hij zich aan graspollen en struikjes beet moest grijpen om zichzelf omhoog te hijsen. Toen hij de top bereikte deed hij geen enkele poging zich te verbergen maar bleef daar rechtop omlaag staan kijken in het dal. Crimonds auto stond op het pad.

Duncan liep nu langzaam, bijna zwevend als in een droom, over het terrein omlaag, naar de toren. Het kostte hem tien minuten om die te bereiken. Hij hoorde de vogels zingen en zag wat kleine bloemetjes in het gras staan. Onder aan de helling staarden enkele schapen met zwarte snuiten hem verbaasd aan en maakten toen snel dat ze wegkwamen. Vlak boven

Jeans vijver stak hij het beekje over. Toen hij verder liep zag hij plotseling in een visioen of een hallucinatie Crimond voor zich, naakt, lang, blank, mager als een lat, slank als een Atheense jongen, met een lange neus en heldere ogen. De deuren van het huisje en de toren stonden open. In de keuken was niemand te zien. Duncan stapte de toren binnen en begon de wenteltrap te beklimmen. Hij klom resoluut door, zonder haast te hebben, zonder te proberen zijn stappen te dempen. De trap voerde naar een kleine overloop, niet regelrecht naar de slaapkamer. Duncan deed de deur van de slaapkamer open.

Binnen heerste verwarring. Crimond stond in de kamer, niet volledig naakt zoals Duncan hem zich had voorgesteld, en was bezig een overhemd over zijn hoofd te trekken. Jean zat op het bed, in de verste hoek, met de lapjesdeken om zich heen geslagen en keek over haar schouder achterom naar de deur. Duncan herinnerde zich later dat hij zich werkelijk enkele seconden lang had afgevraagd of hij gewoon naar hen moest blijven kijken en iets zou zeggen. Gedurende die seconden was Crimond erin geslaagd zijn overhemd aan te krijgen. Het volgende moment dook Duncan naar voren en viel aan als een groot, wild beest dat zich met zijn hele gewicht op zijn prooi stort om die te verpletteren. Hij raakte Crimond met zijn hele lichaam, sloeg hem achterover en greep hem, knelde hem in zijn woeste, boerachtige armen, voelde de dunne, breekbare botten, rukte aan het overhemd, voelde de gladheid van Crimonds huid en de walgelijke warmte van zijn vlees. Terwijl hij hem vast bleef houden schopte hij woest met zijn gelaarsde voet tegen het slanke, blote been. Jean gilde. Ze wankelde even en toen voelde Duncan een stekende pijn in zijn zij, waar Crimond een arm vrij had gemaakt. Gedurende een enkel moment verslapte zijn greep, hij kreeg Crimonds knie in zijn maag en tuimelde achterover door de deuropening, en ze lieten elkaar los. Jean gilde opnieuw: 'Hou op! Hou op!' Een seconde lang bleef het stil. Toen stortte Duncan, onder het uitstoten van jammerende kreten van woede, zich opnieuw naar voren, graaiend met uitgestrekte handen. Crimond stapte op hem af en stompte met een lange, gestrekte arm Duncan zo hard mogelijk tussen de ogen. Duncan viel achterover en tuimelde de hele wenteltrap af, naar de kamer beneden.

Dit was het gevecht dat zulke lange en vreselijke gevolgen had, en Duncan begreep direct dat het vreselijke ding dat er zou gebeuren hem was overkomen. Hij kon zich later niet voorstellen hoe hij met zijn grote, dikke lichaam naar beneden was gevallen, die hele ijzeren trap af was gerold. Zijn hoofd, zijn schouders, zijn rug, zijn benen sloegen tegen de leuning, tegen de harde, scherpe randen van de treden, hij plofte met een enorme dreun op de vloer en bleef even verbijsterd liggen. Maar zelfs toen hij daar lag, en later dacht dat hij zelfs al toen hij viel, wist hij dat wat er verder ook beschadigd mocht zijn, er iets vreselijks met zijn ogen was gebeurd. De pijn was zeldzaam hevig, maar nog erger dan de pijn was het begrip dat beide waren gewond en dat een van de kostbare oogbollen zelfs was verpletterd. Hij stond langzaam op en vroeg zich af of hij ook ledematen had gebroken. Het centrum van zijn gezichtsveld leek te zijn verdwenen en de periferie zat vol borrelende grijze atomen. Hij strompelde voorzichtig, langzaam de deur uit en over het grasveld naar de heuvel. Hij bleef niet staan om zich af te vragen waarom er niemand achter hem aankwam, om te zien of hij ernstig gewond was. Jean vertelde hem later dat Crimond haar uit alle macht in de kamer had gehouden. De deur was achter hem dichtgesmeten, misschien had niemand hem horen vallen. Nu wilde hij slechts vlug weg om zo gauw mogelijk een ziekenhuis te bereiken. Hij stak het beekje wadend over en kroop de heuvel op waarbij hij zich aan het natte gras vastklampte. Daarna reed hij met de uiterste concentratie zelf terug naar Dublin.

Hij ging eerst naar het Rotunda ziekenhuis waar hij werd doorgestuurd naar een oogkliniek. Toen hij daar eenmaal op een stoel ging zitten werd hij gedurende korte tijd bijna volslagen blind. Hij werd voortgeleid door portiers, door verpleegsters, beantwoordde allerlei vragen, moest plat liggen terwijl er druppels in zijn ogen werden gedaan, er felle lampen op werden gericht en allerlei apparaten erboven werden neergelaten. Hij kreeg te horen dat hij met het ene oog waarschijnlijk weer normaal zou kunnen zien en dat het andere geopereerd moest worden. Voorlopig kon hij beter naar huis gaan en wat rusten, aangezien hij zeker een hersenschudding had. Duncan werd de deur uitgeduwd met in zijn hand een kaartje waarop stond wanneer hij terug werd verwacht en hij merkte dat hij net voldoende kon zien om terug te lopen naar zijn flat in Parnell Square. Voordat hij daar arriveerde was hij tot een belangrijke conclusie gekomen. Niemand mocht weten wat er was gebeurd. Hij had de artsen uiteraard gewoon verteld dat hij was gevallen. Nu was het echter van het grootste belang, indien mogelijk, zowel zijn gewonde toestand als de schande van zijn nederlaag te verbergen. Dat betekende dat hij op slag uit Dublin moest vertrekken, waar iedereen altijd alles te weten kwam. Hij wilde Jean onder geen enkele voorwaarde onder ogen komen en was opgelucht dat hij niets van haar merkte. Hij vroeg zich af of hij ooit weer zou kunnen lezen, zou kunnen werken. Zijn wereld was volledig veranderd; hij had zichzelf, met geweld, veranderd. Hij belde de ambassade om zijn afwezigheid te regelen, hij liet een taxi komen en ging naar het vliegveld. Hij droeg een donkere zonnebril om zijn kneuzingen te verbergen. Hij herinnerde zich dat de huurauto nog in een straat bij het Rotunda stond geparkeerd. Hij stuurde de sleutels naar zijn secretaresse, juffrouw Paget, met de vraag de auto terug te brengen. Hij stapte op het vliegtuig naar Londen en nam een taxi naar het Moorfields oogziekenhuis. Het was een lange dag geweest.

Hun huis in Londen, toen in Putney, was verhuurd, dus ging Duncan naar een hotel. Hij schreef Jean een briefje en gaf haar slechts het adres van zijn club. Hij was druk bezig met zijn fysieke toestand, ging naar het universiteitsziekenhuis voor allerlei onderzoeken. Hij probeerde niet over Jeans antwoord na te denken. Hij kreeg een irritant, ontwijkend briefje met: 'Waarom ben je weggelopen?' Een tijdje later, na zijn tweede oogoperatie, stuurde ze nog een briefje, om te zeggen dat ze bij Crimond woonde. Dit bericht werd bevestigd door een brief van Dominic Moranty die zei dat 'heel Dublin het erover had'. Moranty gaf uitdrukking aan een medeleven waaraan Duncan niet de minste behoefte had en een verontwaardiging omdat 'iedereen' Duncan de schuld gaf omdat hij dit zichzelf op de hals had gehaald met zijn krankzinnige jaloezie. Duncan verbaasde zich niet dat de roddelaars partij kozen voor de verliefden; en hij was opgelucht dat Moranty's tactloze epistel niet repte over het punt dat beslist ieders grootste belangstelling zou hebben gehad als het bekend was geweest. Korte tijd later stuurde Duncan zijn officiële ontslagbrief naar Buitenlandse Zaken. Hij schreef Jean om haar te vertellen dat hij zijn ontslag had genomen en in Londen bleef. Hij voegde er, zonder verdere klachten of liefdevolle opmerkingen aan toe: 'Ik stel voor dat je bij mij terugkomt.' Enige tijd later schreef Jean dat ze het jammer vond dat hij zijn ontslag had genomen, dat ze in Dublin woonde en dat ze zijn instructies betreffende de flat, de auto en 'het onroerend goed' – ze zei niet 'de toren' – op zou volgen. Een PS verklaarde: *Het spijt me erg*. Duncan vroeg zijn advocaat deze brief te bevestigen.

Zoals Duncan het later zag was hij in staat geweest ijskoud door te gaan met deze afschuwelijke toestanden omdat hij werd gedreven door een hevige onrust omdat hij een klus te doen had, hij moest in het Moorfields 'aan de slag'. Later vroeg hij zich af of hij misschien had moeten gillen, beschuldigen en smeken, op zijn minst per brief; in zijn huidige toestand had hij zich niet in levende lijve kunnen vertonen. Later kreeg hij er hevige spijt van dat hij niet op de een of andere manier op listige, hartstochtelijke wijze had geprobeerd zijn vrouw terug te krijgen. De wraakzuchtige haat jegens Crimond, Crimond die hij feitelijk als een moordenaar beschouwde, maakte hem ijskoud jegens Jean. Als hij in staat was geweest op een normale, gezonde manier aan haar te denken, zou hij haar met tranen bevlekte brieven hebben geschreven. Maar nu stond Crimond, in zijn verbeelding en in zijn dromen, als een broodmagere, lange *kouros*, blank en glimmend tussen hen in. Intussen ging het met zijn 'werk' onverwacht goed, het viel beslist niet tegen. Met zijn rechteroog kon hij bijna weer normaal zien en zijn linkeroog was weliswaar wat vreemd gekleurd maar was toch voldoende hersteld om zijn collega te kunnen helpen. Hij had eerder een bril gedragen en met nu aanzienlijk dikkere glazen was hij in staat een normaal leven van wandelen en lezen te aanschouwen en vervolgens eraan deel te nemen. De situatie zou waarschijnlijk nog verder verbeteren en misschien kon hij ook weer auto gaan rijden. 'Je ziet niet alleen met je ogen, je ziet ook met je hersenen,' vertelde zijn opgewekte dokter hem, 'en het is verbluffend hoe geniaal díe alles bij kunnen stellen!' Dezelfde dokter verzekerde hem dat zijn 'rare oog', dat bepaald opviel, er heel 'fascinerend' en zelfs 'zeer aantrekkelijk' uitzag.

Gedurende deze kwellingen was Duncan dodelijk vermoeid geraakt. Hij had zich voorgesteld hoe het was om blind te zijn, hij had aan den lijve ondervonden hoe het was om niet te kunnen lezen. Hij had de donkere schaduw van de dood gevoeld en was vastbesloten geweest zichzelf te doden als hij het vermogen tot lezen niet terug zou krijgen. Nu hij geleidelijk herstelde van de ene verschrikking werd hij gegrepen door de andere. Zijn geest werd sterker, maar daardoor ook gevoeliger voor een ander soort lijden. In gedachten beleefde hij telkens weer die wandeling naar de toren, de scène in de slaapkamer, Crimond met zijn overhemd, Jean die over haar schouder keek, de klap, de val. Hij droomde over Crimond. Hij droomde niet over Jean, behalve misschien als een donkere, modderige massa of een zwarte bal, die in veel dromen voorkwam. Dag en nacht begeerde hij haar, verlangde hij naar haar aanwezigheid, stelde hij zich haar terugkeer voor, hun verzoening, hun geluk. Hij werd gekweld door berouw en hij stelde zich talloze manieren voor waarbij dit allemaal niet had hoeven gebeuren. Hij had eerlijk met Jean moeten praten in plaats van haar te bespioneren, hij had zijn vrouw moeten beschermen en voor haar moeten zorgen in plaats van haar vijand te worden. Hij had geen ontslag moeten nemen maar in Dublin moeten blijven om daar alles onder ogen te zien, met zijn verwondingen en al. Ze had hem beschuldigd van weglopen. Hij was teruggedeinsd voor een situatie waarin hij haar medeleven had kunnen krijgen, hij had te haastig de nederlaag omhelsd in plaats van te streven naar victorie. Nu was het te laat... of was het dat? Hij werd verlamd door zijn haat jegens Crimond... of was het angst?

Duncan had met opzet zijn vrienden niets verteld over zijn terugkeer. In die tijd zaten Gerard, Jenkin en Rose allemaal in Londen, Gerard zat bij Binnenlandse Zaken, Jenkin gaf les aan een polytechnische school, Rose werkte voor een tijdschrift. Het nieuws deed uiteraard snel de ronde, dat Duncan zijn ontslag had genomen, vervolgens dat zijn huwelijk in moeilijkheden verkeerde en toen dat David Crimond de derde partij was. Gerard, die als eerste iets hoorde van een vriend bij Buitenlandse Zaken, belde Jenkin op, daarna Rose, maar geen van beiden wist iets. Rose zei dat ze het vreemd had gevonden dat ze geen antwoord had gekregen op een brief die ze Jean had geschreven, want ze hadden altijd regelmatig gecorrespondeerd. Gerard, die een wat onregelmatiger communicatie met Duncan had gehad bedacht nu eveneens dat hij niets had gehoord. Jenkin schreef bijna nooit ie-

82

mand. Gerard nam het op zich de nu talrijker inlichtingenbronnen te controleren en kwam tot de conclusie dat de geruchten op waarheid berustten. Het was duidelijk geen situatie voor telefoongesprekken. Ze hadden trouwens toch al niet de gewoonte veel over de telefoon te kletsen. Gerard vond dat ze iets moesten doen, een gebaar moesten maken. Na diverse mogelijkheden te hebben geopperd stuurde hij een zeldzaam tactvolle brief naar Duncan in Dublin, waar hij dacht dat zijn vriend nog steeds woonde – zonder zich voor te kunnen stellen dat iemand zo snel zou vertrekken. Rose schreef een, eveneens heel tactvolle, maar erg korte brief naar Jean. Beide brieven 'zeiden niets', wezen er slechts op dat ze iets hadden gehoord en nu ongerust en meelevend waren. Jenkin stuurde Duncan een kaart met: *Het allerbeste. Groeten, Jenkin*. Hij koos de kaart heel zorgvuldig uit – het was een vredig landschap van Samuel Palmer – en sloot hem in een envelop. Deze missieven vonden na verloop van tijd hun weg terug naar Duncans club in Londen, waar hij regelmatig de post ophaalde, zich afvragend wanneer hij weer iets van Jean zou horen. Rose, Gerard en Jenkin stonden intussen voortdurend met elkaar in contact en kwamen in Gerards huis in Notting Hill bijeen om de situatie te bespreken. – Robin Topglass was inmiddels getrouwd en naar Canada gegaan. – Ze hadden unaniem de neiging Crimond de schuld te geven. Toen begonnen ze aantekeningen over hem te vergelijken en herhaalden dat ze zich niet moesten laten leiden door hun afkeer van zijn politieke opvattingen. Ze concludeerden dat zijn extremistische, militante socialisme iets moest zeggen over zijn persoonlijkheid, dat hij een geëxalteerde, onvoorspelbare persoon was. Ze waren het erover eens dat hoewel ze hem in Oxford hadden gewaardeerd en hadden gemogen, ze hem nooit echt hadden leren kennen. Ze maakten zich oprecht zorgen over Jean en Duncan maar speculaties bleven nu eenmaal buitengewoon interessant. Deze gesprekken – waarbij ze elkaar voortdurend voor ogen hielden: 'Uiteraard kennen we de feiten niet!' – bleven onafgerond, maar daaruit dateerde de grondige hekel die Rose aan Crimond kreeg en die later zo belangrijk zou worden. Intussen scheen niemand te weten waar Duncan uithing.

Later, na het gunstige oordeel van het Moorfields ziekenhuis, toen Duncan, die niets meer van Jean had gehoord en haar ook niet had geschreven, oprecht probeerde meer structuur in zijn leven te brengen, merkte hij dat het hem bitter speet dat hij nu zonder werk zat. Op dit punt, niet zozeer uit deze spijt als wel omdat hij vond dat de tijd er rijp voor was, had hij eindelijk een briefje naar Gerard geschreven, gewoon om hem zijn adres te geven en uit te nodigen een glaasje te komen drinken. Duncan had inmiddels zijn bekomst van hotels en had een kleine flat in Chelsea gehuurd, waar hij een waanzinnig eenzaam, incognito bestaan had geleid. Wat er bij deze ontmoeting ter sprake kwam werd later door geen van beiden onthuld. In zekere zin kwam er weinig ter sprake, maar de ontmoeting op zich was heel gedenkwaardig. Duncan gaf Gerard een kort verslag van hetgeen er was gebeurd, waarbij hij het drama in de toren achterwege liet. Volgens dit verslag had Duncan, die geleidelijk was gaan beseffen dat Jean van Crimond hield en dat ze waarschijnlijk minnaars waren, het bewijs in handen gekregen – hij zei niet welk bewijs en Gerard vroeg er ook niet naar – dat ze inderdaad minnaars waren en Duncan had korte tijd later van Jean te horen gekregen dat ze hem wilde verlaten. Daarna had hij, afgezien van een brief dat ze bij Crimond woonde en niet van plan was terug te komen, niets meer van haar gehoord. Gerard wilde uiteraard veel meer weten, maar drong natuurlijk niet aan. Deze gebeurtenis was voor Duncan eveneens belangrijk omdat hij in staat was zijn beschadigde oog 'uit te proberen' op een belangrijke getuige. In feite had Gerard dat vreemde oog niet eens opgemerkt en moest erop gewezen worden door Duncans opmerking over 'wat oogproblemen'. Ze werden samen een beetje dronken en dachten terug, zonder dit te noemen, aan de tijd dat zij minnaars waren geweest, na de dood van Sinclair. Zonder hardop commentaar te geven op Duncans overhaaste ontslagneming, waarvan hij de noodzaak niet inzag, bracht Gerard het punt van een baan te berde. Lesgeven? Nee. De politiek? Beslist niet. Waarom geen regeringsbaan? Duncan riep eerst dat hij was 'uitgerangeerd', dat hij 'alleen nog maar deugde als steuntrekker' enzovoort, tot hij moest erkennen dat het nog niet zo'n gek idee was, er kwamen wel vaker overplaatsingen van de diplomatieke dienst naar Whitehall voor, en hoewel hij ' 'm wat snel was gesmeerd' konden ze misschien toch wat begrip opbrengen. Korte tijd later ging hij in overheidsdienst, weliswaar niet op het departement van zijn keuze, maar wel op een veelbelovende en interessante post.

Het gevecht in de toren had in juni plaatsgevonden. Toen Duncan zijn nieuwe baan had gekregen had hij Jean een brief gestuurd om te zeggen dat hij van haar hield en dat hij hoopte dat ze terug zou komen. Dit was in augustus. Hij kreeg geen antwoord. Hij kreeg nog steeds af en toe een brief van Dominic Moranty, die bevestigde dat Jean en Crimond samenwoonden en geaccepteerd begonnen te worden als gevestigd paar. Duncan had nu nog meer tijd en energie om zich ellendig te voelen. Hij ging nog steeds naar de oogkliniek maar de aanvankelijke vrees voor zijn gezichtsvermogen was nu verdwenen en hij verbeeldde zich ook niet langer dat hij was 'uitgerangeerd'. Hij had Rose en Gerard af weten te houden van, inderdaad vage, plannen om 'er iets aan te doen' – naar Dublin te gaan, Jean vermanend toe te spreken, Crimond op zijn nummer te zetten enzovoort – . Hij gaf zich over aan zijn wanhoop. Aanvankelijk verdrongen vrienden en bekenden zich om hem heen, een bedrogen en in de steek gelaten man is altijd populair, heel voldoening gevend om over na te denken. Hij was Gerard en Rose en Jenkin, die oprecht om hem gaven, heel dankbaar. Maar hij wilde, veel liever dan alle afleidingen die ze voor hem bedachten, alleen zijn met zijn verdriet, zijn ellende, zijn gemis, zelfs zijn jaloezie, zijn obsessieve visioenen van Crimond, zijn berouw en spijt, zijn ziekelijke verlangen naar zijn lieve vrouw. Hij wilde in het reine komen met zijn verdriet, het afschuwelijke verleden steeds weer opnieuw beleven, iedere 'als ik nou maar...' doornemen tot hij al deze dingen had uitgeput en zij hem hadden uitgeput.

En toen, plotseling, in november, kwam Jean terug. Het was een koude avond, het sneeuwde een beetje. Duncan zat, zoals gewoonlijk, met een fles whisky en een boek naast de gaskachel in zijn kleine flat. De bel ging. Het was laat, hij verwachtte geen bezoek. Hij liep de trap af, deed een lamp aan en maakte de voordeur open. Het was Jean. Duncan draaide zich direct om en begon weer naar boven te lopen, naar de openstaande deur van zijn flat. Hij kon zich later nog herinneren hoe de trapleuning had aangevoeld toen hij zich weer omhoog had gehesen. Hij was wat aangekomen, hij was moe, hij was een beetje dronken. Hij hoorde de voordeur dichtgaan en Jeans voetstappen achter zich. Ze liep achter hem aan naar binnen en deed de deur dicht. Ze droeg een zwarte regenjas en een donkergroene mackintosh hoed, die allebei bespikkeld waren met sneeuwvlokjes. Ze zette de hoed af, keek ernaar, veegde de sneeuwvlokjes eraf en liet hem vallen. Daarna liet ze haar jas op de vloer glijden. Ze slaakte een kleine, jammerende zucht, keek snel naar Duncan en wendde toen haar hoofd af en plukte aan de halsopening van haar jurk. Duncan, die naar de haard was gelopen, stond haar met zijn handen in zijn zakken aan te kijken met een rustige, ietwat onderzoekende blik die zijn gevoelens totaal niet verried. Hij was er uiteraard, zodra hij haar zag, van overtuigd geweest dat ze werkelijk terug naar hem kwam. Dit was geen bespreking tijdens een wapenstilstand, het was een overgave. Hij zag een gouden licht voor zijn ogen en zijn hart barstte bijna uit zijn borst. Hij was in staat te huilen van tederheid, te bezwijmen van vreugde; maar wat hem in evenwicht hield en hem de hele schertsvertoning dicteerde, waar hij later met veel voldoening op terugkeek, was een gevoel van triomf. Het was een verrukkelijke en welverdiende beloning. Hij voelde eveneens een plotselinge woede opwellen, alsof hij haar hier en nu door elkaar moest rammelen, haar moest slaan. Gedurende deze enkele seconden was ze aan zijn genade overgeleverd. Dit was de onwaardige gedachte die hem zo kalm en onbewogen deed lijken. Jean onderging, voor zijn ogen, eveneens een soort kalmerende gedaanteverwisseling. Misschien had ze gehoopt op slag te worden verwelkomd en haar tranen te kunnen laten vloeien. Er had iets smekends gelegen in haar eerste blik. Nu fronste ze haar voorhoofd, streek haar haar glad, keek hem weer aan en zei: 'Ik denk dat je een verklaring van me verwacht.'

Duncan zei niets.

'Nou, om kort te gaan, ik ben weg bij Crimond, dat is voorbij en ik zou graag bij jou terug willen komen, als jij dat ook wilt. Zo niet, dan ga ik nu weer weg en regelen we een scheiding of wat je het beste lijkt.'

Jeans gezicht was nog rood van de kou en de plotselinge warmte van de kamer en haar haar was nat, waar de sneeuwvlokjes haar onder haar hoed hadden geraakt. Ze keek omlaag naar haar regenjas die op de grond lag, besefte kennelijk dat het een vergissing was geweest die uit te trekken aangezien ze misschien direct weer zou vertrekken en raapte hem op en begon hem weer aan te trekken.

Duncan had zich inmiddels zo lang moeten beheersen dat hij het heel moeilijk vond om uitdrukking te geven aan zijn gevoelens en de woorden bleven hem in de keel steken bij de gedachte dat hij het nu voor het zeggen had. Hij keek haar aan en zei toen spontaan: 'Wat doe je met die jas? Leg toch neer.'

Jean liet de jas vallen en Duncan stapte naar voren en nam haar in zijn armen.

Aldus eindigde de eerste episode van Jean en Crimond en aldus begon het hernieuwde echtelijke geluk van Jean en Duncan, dat vele jaren duurde tot de gebeurtenissen op het zomerbal, zoals die zijn beschreven.

Het probleem met het boek was een totaal andere zaak die kort kan worden samengevat. Het was een afzonderlijk punt dat zich echter op de een of andere manier in de loop der jaren had verweven met het lot van de vrienden en dat, in ieder gval in emotioneel opzicht, verband ging houden met Crimonds gedrag tegenover Jean en Duncan. Het was allemaal lang geleden begonnen, toen Sinclair nog leefde, en ze merkten later dat dat feit er van grote invloed op was, alsof Sinclairs hand als het ware beschermend uitgestrekt werd boven dit omstreden boekwerk.

Toen ze allemaal nog jong waren, in de twintig, toen Gerard en Sinclair nog samenwoonden en hun kortstondige linkse tijdschrift oprichtten en uitgaven, kregen ze Crimond veel te zien. Crimond, die toen niet erg bekend was, dalfde wat rond in de politiek en was juist uit de communistische partij gezet wegens een dissidente mening. Hij woonde in Bermondsey in wat hij noemde een 'kosthuis', deed opvallend armoedig en zat boordevol revolutionaire deugden. Ze waren allemaal in verschillende mate links. Robin was, hoewel niet voor lange tijd, eveneens lid van de communistische partij, Sinclair bestempelde zichzelf tot trotskist, Duncan en Jenkin waren radicale labour-aanhangers, Gerard was wat Sinclair omschreef als een 'William Morris Merry England Socialist'. Rose – toen pacifiste – en Jean kwamen net van de universiteit. Bij Crimond of in de flat van Gerard en Sinclair werden lange, opwindende en soms felle politieke discussies gevoerd, evenals bij de 'lezingen' die in het buitenhuis van de familie Curtland werden gegeven. Sinclair was erg op Crimond gesteld, maar niet in zo'n mate of op zo'n manier dat dit jaloezie bij Gerard mocht wekken. Ze waren allemaal vrij en edelmoedig en niet jaloers in hun relaties, op een manier die Levquists goedkeuring kon wegdragen en ze merkten dit ook en waren erg tevreden over zichzelf. Ze waren allemaal erg op Crimond gesteld, hoewel hij zelfs toen de persoon was die het minst betrokken was bij de groep. Bovendien, en dat was heel belangrijk, bewonderden en respecteerden ze hem omdat hij meer politiek actief was, meer toegewijd en meer ascetisch dan zijn. Hij was ook meer politiek geschoold en bedreven in het samenvoegen van zijn ideeën tot theorieën. – Hij was een heel begaafde student in de filosofie geweest. – Hij begon de pamfletten te schrijven waar hij later zo befaamd om werd. Hij leidde een karig bestaan op nu en dan wat journalistiek en wat spaargeld dat hij had overgehouden van zijn studiebeurs in Oxford, hij had geen baan en begeerde die ook niet. Hij reisde weinig, op wat regelmatige bezoeken aan zijn vader in Dumfries na. Hij stond erom bekend goed te zijn in het 'rondkomen van bijna niets', hij dronk niet en hij had zolang als zijn vrienden hem kenden dezelfde kleren gedragen. Hij leefde graag samen met heel arme mensen.

Ongeveer in deze tijd, gedurende de opwindende politieke discussies, had Crimong het over een groot quasi-filosofisch boek dat hij van plan was te schrijven waarbij hij soms, op hun aandringen, tegenover Gerard en het gezelschap uitweidde over de lijst van te behandelen onderwerpen. Inmiddels begonnen Crimonds spaargelden op te raken en overwoog hij – zoals hij vertelde toen Gerard hem er nadrukkelijk naar vroeg – part-time werk te zoeken; elk werk, zei hij, zolang als het maar ongeschoold was. Het was duidelijk dat het geen zin had te proberen Crimond over te halen te 'heulen met het establishment' door academicus of regeringsambtenaar te worden. Gerard had een slecht betaalde baan bij de Fabian Society, maar Rose en Sinclair hadden 'geld van zichzelf' en Jean, wier vader bankier was, was rijk. Crimonds situatie werd besproken en men oordeelde het zonde dat hij zijn tijd aan ander werk moest besteden wanneer hij eigenlijk hoorde te denken en te schrijven. 'Hij zou dat boek moeten schrijven!' zei Sinclair en voegde er, half voor de grap, aan toe: 'Volgens mij is het het boek waar deze tijd om zit te springen!' Sinclair was eveneens degene die voorstelde dat ze allemaal mee zouden doen om op een regelmatige basis een bijdrage te leveren om Crimond in staat te stellen zich full-time aan intellectueel werk te wijden. 'Tenslotte,' zei Sinclair, 'zijn schrijvers heel vaak ondersteund door hun vrienden, wat dacht je bijvoorbeeld van Rilke zoals hij in die kastelen woonde en het *Musilgesellschaft* dat Musil ondersteunde?' Het leek waarschijnlijk dat een dergelijk project daadwerkelijk aan Crimond was voorgelegd en meteen vol minachting werd verworpen; er gebeurde in ieder geval niets. Er bleef echter een idee bestaan van iets wat Sinclair betitelde als het *Crimondgesellschaft*, later onder hen kortweg *Gesellschaft* genaamd.

De tijd ging verder. Sinclair was dood. Crimond was lid geworden van de Labour-partij. Hij begon een populaire figuur te worden op de ultra-linkse vleugel en werd als een belangrijke intellectueel beschouwd. Hij werd kandidaat gesteld voor een zetel in het parlement. Duncan zat toen in Londen – na Genève en voor Madrid – en Jean werkte, uiteraard onbetaald, als onderzoeksassistente voor Crimond. Gerard en Rose waren Sinclairs denkbeeldige *Gesellschaft* niet vergeten en Rose huldigde de stelling, zoals later bleek, dat ze door Crimond te helpen min of meer Sinclairs nagedachtenis in ere hielden, omdat hij hem zo had bewonderd. Het feit dat Crimond ultralinks was gebleven terwijl de anderen er nu meer gematigde opvattingen op na hielden was uiteraard niet van belang. In zekere zin, vonden Gerard en Jenkin, voelden ze zich allemaal een beetje schuldig tegenover Crimond, dat wil zeggen tegenover zijn ascetische levenswijze en zijn onvoorwaardelijke toewijding. Na de verkiezingen – het was een hopeloze zetel, hij verwachtte niet te worden gekozen – begon Gerard, hiertoe aangezet door Rose, weer tegen Crimond over het boek waarvan hij eens had gezegd dat hij het zou schrijven. Jean en Duncan zaten inmiddels in Madrid. Crimond, die nu naar een groter, maar niet minder armoedig onderkomen in Camberwell was verhuisd, zei dat hij op het punt stond ermee te beginnen. Hij noemde eveneens – in antwoord op vragen – dat hij een part-time baan als bediende in een linkse boekwinkel had aangenomen. Gerard overlegde met de anderen: Rose, Jenkin, Duncan en Jean. Hij overlegde ook met zijn vader en Jean overlegde met die van haar. Er werd een soort informeel stuk opgesteld, uiteraard geen wettelijk document, waarin het voorgenomen *Gesellschaft* werd omschreven als een groep donateurs die jaarlijks bepaalde sommen gelds bij zouden dragen om Crimond voldoende vrije tijd te verschaffen om zijn boek te kunnen schrijven. Matthew, Gerards vader, deed mee omdat hij in zijn jeugd een vurig socialist was geweest en zich schaamde dat de politiek hem nu verveelde. Jeans vader, Joel Kowitz, die de grootste bijdrage zou leveren, deed mee omdat hij Jean aanbad en alles deed wat zij hem vroeg. De volgende vraag was, zou Crimond het geld accepteren, er ontstond onenigheid, er werd zelfs gewed over de waarschijnlijkheid hiervan. Gerard nodigde, ietwat gespannen, Crimond uit, vertelde hem van het plan en liet het document zien. Crimond zei meteen nee, en vervolgens dat hij erover na zou denken. Er ging nog meer tijd voorbij. Tenslotte stemde Crimond in, hiertoe overgehaald door Gerard en daarna door Jenkin.

Zo ontstond het *Crimondgesellschaft*. Er werd uiteraard geen tijdslimiet genoemd. Het comité, bestaande uit de leden – alleen Joel verscheen nooit ter vergadering – moest beslissen of de bijdragen moesten worden verhoogd – op gelijke voet met de inflatie – of worden bijgesteld – al naar gelang de omstandigheden van de donateur. Daarop volgde een soort stilte. De weldoeners stelden niet graag vragen over het boek omdat ze bang waren ongerust te lijken over hun investering, en Crimond verschafte, na gepaste aanvankelijke dankbaarheid, geen rapporten of verantwoordingen. Ze moesten zelfs tot hun spijt constateren dat hij prompt en bijna volledig alle relaties verbrak met zijn 'donateurs' en slechts via via kwamen ze te weten dat hij door Amerika reisde, en daarna door Australië. – 'Zoiets was nou eenmaal te verwachten,' zei Jenkin begrijpend. – Toen volgde, niet eens zo lang daarna, het drama in Ierland en de voornoemde nasleep ervan, die hen allen, vooral Rose, veel verdriet veroorzaakte, en zelfs woede jegens Crimond. Hierna, en na Jeans terugkeer naar Duncan, leek vriendschap en zelfs contact met de zondaar enige tijd niet meer mogelijk, hoewel de gelden ter ondersteuning van het boek uiteraard als beloofd werden uitgekeerd, op een nog steeds royaal niveau. Rose uitte haar gevoelens, die de anderen niet goed onder woorden durfden te brengen, door op te merken dat Crimond hun hulp nu eigenlijk niet hoorde te accepteren. Maar toch waren ze het erover eens dat ze hun gekwetste gevoelens moesten scheiden van hun belofte en van het bijzondere doel dat terugvoerde op Sinclairs oorspronkelijke idee en zelfs nog verder, tot Sinclairs gevoelens voor Crimond.

Hun loyaliteit jegens Jean en Duncan leek enige tijd elke communicatie met Crimond uit te sluiten, maar naarmate de tijd verstreek vond Gerard het absurd hem zo nadrukkelijk te blijven negeren. Gerard was niet in staat volledig te 'breken' met iemand die hij kende, die hij in dit geval zo lang had gekend; wanneer je ouder wordt is het féit dat je iemand 'je leven lang' hebt gekend heel belangrijk. Hij was bovendien erg geïnteresseerd in Crimond en vond het jammer het contact te verliezen met zo'n bijzondere man. Zo kwam het dat Gerard deze schurk zo nu en dan opzocht, zogenaamd om naar het boek te informeren, hoewel dit onderwerp zelden ter sprake kwam en nooit werd opgedrongen. Jenkin, die volgens Rose al net zo 'slap' was op dit punt, zag Crimond eveneens af en toe, waarbij hij hem in politiek verband op meer vanzelfsprekende wijze ontmoette aangezien Jenkin, in tegenstelling tot Gerard en Duncan, lid was gebleven van de Labour-partij. Crimond was nog steeds lid, hoewel hij met uitzetting werd bedreigd en tenslotte inderdaad uit de partij werd gestoten. Deze tweede uitzetting, die de nodige deining en zelfs een ernstige rel binnen de partij veroorzaakte, heette Crimond veel plezier te doen en vormde zelfs een soort bewijs voor de deugdelijkheid van zijn ideeën. Hij verklaarde, in een speech onbegrijpelijk voor zijn jonge publiek dat Kipling nooit had gelezen, dat hij nu, net als Mowgli, 'alleen in het woud ging jagen'. Als hij kreten had verwacht van 'En wij jagen met u mee'; die kwamen niet; er kwamen echter wel talloze hartelijke uitdrukkingen van medeleven uit vele richtingen. Crimond bleef politiek actief en betrokken, hij sprak op bijeenkomsten, schreef artikelen en publiceerde *ad hoc* pamfletten. Hij leek echter in toenemende mate 'de boot gemist te hebben'. Hij zou, met zijn extreme opvattingen, nimmer in het parlement komen, hij werd niet beschouwd als een academicus, hij bekleedde geen coherente intellectuele positie en hij werd eveneens bekritiseerd wegens zijn gebrek aan enige daadwerkelijke dagelijkse connectie met de praktijk van de strijd van de arbeidersklasse. Hij bezat – zei men – geen enkele status behalve die van fenomeen, en zijn gevolg van ontevreden jongeren was niet groot genoeg om gevaarlijk te zijn. Hij leek inderdaad een eenzame, revolutionaire jager: een beeld dat hem achteraf bekeken, geen recht deed.

Er gingen jaren voorbij waarin Crimond een salaris bleef ontvangen dat hem in staat stelde politieke activiteiten te ontwikkelen waar zijn 'donateurs' het in toenemende mate mee oneens waren, en een boek te schrijven, of voorwenden te schrijven, dat, als het ooit verscheen, een gevaarlijke en verderfelijke invloed moest hebben. Het werd steeds moeilijker dit gewoon te blijven beschouwen als een belofte die moest worden gehouden, en het werd steeds meer een belachelijke, onzinnige, onverdragelijke situatie, waar zo langzamerhand echt eens iets aan moest worden gedaan. Dit was de staat van besluiteloosheid die Crimonds tweede ontvoering van Jean Cambus waarschijnlijk tot een crisis zou brengen.

Rond het tijdstip dat Gerard aan de keukentafel in het huis in Notting Hill in slaap was gevallen en Duncan, in Kensinton, Jeans schoenen in de prullenbak liet vallen, zat Tamar Hernshaw, in Acton, in een staat van ellende en ontzetting tegenover haar moeder Violet. De flat was klein en zeldzaam smerig. Violets slaapkamer, waar het bed nooit werd opgemaakt, puilde uit van de plastic zakken die ze dwangmatig verzamelde. Ze zaten in de keuken. De gootsteen stond vol vuile schalen, de vloer was bezaaid met kranten, de tafel was bedekt met gebruikte borden, melkflessen, sausflesjes, potten mosterd, potten jam, broodkorsten, restjes oude kaas, een lik boter in een vettig papier, een pot thee, inmiddels koud geworden, die was gezet voor Tamar, die hem niet had aangeraakt. De discussie, die nu al enige tijd gaande was, begon zich te herhalen.

'Ik kan geen baan krijgen,' zei Violet, 'je wéét toch dat ik geen baan kan krijgen!'

'Kun je niet...?'

'Kan ik niet wat? Ik kan gewoon niets! Zelfs als ik voor halve dagen een baantje als serveerster kon krijgen... we hebben grote bedragen nodig, niet van die kleine beetjes die ik bij elkaar zou kunnen schrapen met me kapot te werken. Je zegt zelf steeds dat ik niet jong meer ben...'

'Niet waar, ik zei alleen maar...'

'Alles wordt duurder! En jij leeft maar in een droomwereld waarin je niet aan geld denkt. Goed, goed, het is mijn eigen schuld, ik wilde dat je een goede opleiding zou krijgen...'

'Dat weet ik, dat weet ik heus wel en ik ben er heel dankbaar voor, maar...'

'Nou, dan wordt het hoog tijd dat je dat eens laat zien. Alles is omhoog gegaan, alle tarieven, belasting, eten, kleren, de hypotheek... God, de hypotheek, jij hebt geen flauw benul hoeveel dat is. We kunnen ons geen telefoon meer veroorloven, ik laat hem afsluiten. En dat vegetarische eten van jou kost me een fortuin. Jij doet maar alsof alles zich naar jóu moet schikken! Maar ik zit in de schulden, ik zit tot over m'n nek in de schulden en als we er niet gauw iets aan doen raken we de flat ook nog kwijt.'

'Maar ik heb toch een beurs,' zei Tamar, tegen haar tranen vechtend, want ze begon in te zien dat de situatie hopeloos was. 'En je weet dat ik van bijna niets kan rondkomen... ik heb geen kleren nodig en...'

'Je krijgt weer anorexia als je niet uitkijkt, het is niet eerlijk tegenover jou...'

'Ik zal zelf wel uitmaken wat eerlijk is tegenover mij!'

'Nee, dat kun je niet. Je hebt goede jaren gehad op de universiteit, met veel pleziertjes...'

'Kunnen we niets lenen van Gerard... of van Pat en Gideon...'

'Ik ben niet van plan op m'n knieën naar ze toe te kruipen en ik zou het je nooit vergeven als jij dat wel deed! Bezit je dan geen enkele trots, heb je helemaal geen respect voor mij? En wat heeft het voor zin nog meer schulden te maken?'

'Of ik zou van Jean kunnen lenen...'

'Van háár? Dat nooit! Ik vind dat zo'n afschuwelijke vrouw... O, ik weet dat ze jouw idool is, dat je wilde dat zij je moeder was!'

'Hoor eens,' zei Tamar, hoewel ze wist dat hier al helemaal geen sprake van kon zijn, 'ze zijn wel heel rijk, Gideon in ieder geval, en Jean ook; ze zouden ons het geld gewoon géven.'

'Tamar, maak me niet ziek! Je denkt toch zeker niet dat ik het leuk vind om je dit allemaal te vertellen... ik had gehoopt dat het niet nodig zou zijn. Probeer alsjeblieft de realiteit onder ogen te zien, en help mij die onder ogen te zien!'

'Ik kan Oxford nu echt niet opgeven, ik móet die laatste examens nu doen anders is alles weggegooid... het is nu of nooit...'

'Je hebt wel een vreemde opvatting over onderwijs als je je alleen maar druk maakt over een stukje papier dat zegt dat je een examen hebt gehaald. Je zult toch wel iets in die afgelopen twee jaar hebben geleerd, je moet er toch wel íets aan hebben gehad! Het moet nu maar genoeg zijn!'

'Maar ik wil nog verder... als ik goede cijfers haal kan ik nog een beurs krijgen om een doctoraalstudie te doen... ik wil écht studeren, ik wil een wetenschapsmens worden, ik wil schrijven, ik wil lesgeven... ik móet nu doorgaan... later heeft geen enkele zin.'

'Dus je wilt doctor Hernshaw worden, is dat zo?'

'Het hoeft jou echt niets te kosten...'

'Je kost me de hele tijd wel geld, door niets te verdienen! Het geld dat we van oom Matthew hebben gekregen is helemaal op...'

'Ik dacht dat dat was belegd.'

'Belegd! We kunnen ons helemaal geen beleggingen veroorloven! Ik heb het allemaal uit moeten geven... om die dure boeken van je te kopen en die baljurk... en dan heb je nu ook nog je jas verloren en die prachtige omslagdoek die je van iemand had gekregen...'

'Ik had hem van Gerard gekregen...'

'En dan ben je ook nog eens je partner kwijtgeraakt, doe je dan nooit iets goed? In ieder geval kun je nu al die boeken verkopen. Kijk me niet zo aan en probeer niet te zeggen dat ik probeer jouw leven te ruïneren omdat ik dat van mezelf heb geruïneerd, ik weet dat je dat denkt. Ik weet dat zíj dat tegen je hebben gezegd...'

'Nee...!'

'Nou, dan zullen ze het nu wel gaan zeggen.'

'Het is nog maar één jaar. Kunnen we niet één jaartje wachten? Ik moet die examens doen...'

'Je kunt het later weer oppikken, je zou later een avondstudie kunnen doen, dat doen heel veel mensen. Ze zeggen trouwens dat een studie veel meer zin heeft als je volwassen bent.'

'Zo werkt Oxford niet, je kunt niet zomaar gaan en staan wanneer dat jou belieft, je moet stug volhouden, het is daar hoe dan ook al heel moeilijk en de examens zijn ook heel moeilijk, je moet je er volledig voor in kunnen zetten, ik kan nu écht niet weg, het zou álles bederven, ik ben niet klaar, ik heb heel erg hard gewerkt, ik heb het allemaal in me... dat heeft mijn mentor me verteld...'

'Je bedoelt dat je al die feiten zult vergeten? Die kun je zó weer boven halen. Het zal je veel beter afgaan als je een poosje in de echte wereld bent geweest, je zult het trouwens waarschijnlijk allemaal tijdverspilling vinden. Je bent gewoon verblind door Oxford, je denkt dat het allemaal heel indrukwekkend en groots is... maar wat heeft die universitaire opleiding voor dat hele stel gedaan, voor Gerard en zijn dierbare vrienden, behalve er een stelletje harken en snobs van te maken en hen van het gewone leven en de echte mensen af te snijden? Besef je dan niet dat jij ook een snob begint te worden?'

'Als ik verder ga en die graad haal zal ik een beter betaalde baan kunnen krijgen en meer geld verdienen...'

'Tamar, je hebt er niets van begrepen, je hebt niet eens geluisterd! Ik kan je niet langer onderhouden. Ik kan niets meer onderhouden. Ik heb schulden! En als ik die niet betaal, krijg ik de deurwaarder op m'n dak. Ik kan het geld niet verdienen, dat moet jij doen. Zo eenvoudig ligt dat.'

Ze zaten elkaar zwijgend over de tafel heen aan te kijken. Tamar had haastig haar baljurk uitgetrokken en liep nu blootsvoets in een overhemd en een spijkerbroek. De twee vrouwen, want hoewel Tamar nog heel kinderlijk leek was ze toch al een vrouw, vormden een opmerkelijk contrast. Ze waren zo ongelijk dat je bijna zou denken dat Tamar, net als Athene, zonder vrouwelijke tussenkomst uit het hoofd van haar vader was ontsproten: haar verdwenen, onbekende vader die niet eens wist dat ze bestond, en aan wie ze, vooral wanneer ze 's nachts wakker lag, zo vaak en zo hartstochtelijk moest denken. Ze was uiterst mager en had op zestienjarige leeftijd aan anorexia nervosa geleden. Haar smalle gezicht benadrukte haar ogen die groot en droevig waren en wild als van een kind uit de wildernis, zowel heftig als bang, en die van een groenbruine kleur hadden. Haar zachte, sluike haar dat tot even over haar oren reikte en een scheiding opzij had, was van een bijpassend bruine kleur, niet muisachtig, maar eerder een soort afgezwakt en toch levendig houtachtig bruin met iets van groen, de kleur van boomstammen, van essen of kersebomen of oude berken. Haar benen waren lang en dun en omdat ze goedgevormd waren konden ze slank worden genoemd. Haar hals was dun, haar neus was kort, haar handen en voeten waren klein. Van haar jeugdige borsten, die klein en rond waren, had ze niet veel dunk, hoewel enkele opmerkzame lieden daar bepaald anders over hadden gedacht. Haar huid was blank en gaaf, haar wangen vertoonden vage blosjes, haar oogleden waren verfijnd en bijna transparant, evenals haar nek.

Violet was op meer opvallende wijze knap en was, zoals Rose Curtland had opgemerkt, nog steeds een aantrekkelijke vrouw; wat niet zo verbazingwekkend was aangezien ze pas begin veertig was. Ze was langer dan haar dochter, met een iets voller figuur, ze droeg haar kastanjebruine haar – dat nu discreet was gespoeld – in een pony, haar ogen waren opmerkelijk blauw. Ze was bijziend en als ze haar grote, ronde bril opzette – zo zelden mogelijk – kon ze er intelligent en ietwat streng uitzien, als een gehaaide, bazige zakenvrouw. Haar prachtig gevormde mond, die er ook streng kon uitzien, een strenge rozeknop, was de laatste tijd wat gaan hangen. De uitdrukking die op Tamars gezicht droevig was, was bij haar moeder eerder wrokkig, zelfs agressief. Toen ze elkaar nu gespannen aanstaarden was de gelijkenis tussen hen beiden, in de heftige, geconcentreerde uitdrukkingen die vermengd waren met schuldgevoelens en angst en oude familiemisère, op zijn duidelijkst. Violet had meer dan genoeg reden om agressief te zijn. Het lot had haar altijd slecht bedeeld, of liever gezegd, ze was altijd slordig omgesprongen met de enkele goede kaarten die ze in handen had gekregen. Als onwettig kind met een futloze, aan drugs verslaafde en zelden zichtbare vader, had ze beslist een slechte start gehad. Haar moeder had het haar kwalijk genomen dat ze bestond. Violet, die zich deze onheilspellende herhaling zeer wel bewust was, nam het Tamar kwalijk dat ze bestond. Een belangrijk verschil was wel dat terwijl Violet en haar moeder eindeloos en verbitterd hadden geruzied, Tamar en Violet zelden ruzie hadden. Dit was, besefte Violet, geen verdienste van haar, maar kwam voornamelijk doordat Tamar tegen haar moeder 'als een engeltje' was. Deze engelachtigheid was soms een troost, maar vaker een bron van schuldgevoelens die nog bijdroeg aan Violets gevoel onrechtvaardig te zijn behandeld.

Ze was op haar zestiende van school gegaan om bij haar moeder weg te kunnen. Ze verloor het contact met haar moeder en was later blij te horen dat ze was overleden. Na de dood van haar vader deed zijn familie oprechte pogingen haar te helpen, maar ze hield hen op een afstand. Ze werkte als kamermeisje in een hotel, serveerde en volgde een typecursus, werkte als typiste. Toen ze twintig was, was ze mooi en had diverse onbevredigende minnaars gehad. In dit stadium maakte ze enkele ernstige fouten. Ze wees iemand af, die ze als een veelbelovende aanbidder had moeten zien. Misschien, dacht ze later, was ze gewoon niet verliefd geweest en nog te jong om te beseffen dat een eenzaam arm meisje zich niet de luxe van een huwelijk uit liefde kon veroorloven. Haar meest ingrijpende fout was natuurlijk

94

Tamar en die zwervende Scandinaviër. Zoals Violet Tamar herhaaldelijk had uitgelegd, zou ze haar direct hebben 'laten weghalen' als haar moeder op dat cruciale moment genoeg geld had gehad om zoiets te regelen. Dit was nog in die oude tijd toen abortussen illegaal, heimelijk en duur waren en er geen 'baas in eigen buik' bestond. Violet was niet in staat geweest te beslissen over haar eigen buik en Tamar was ongewenst en kreeg dit vaak te voelen. Het verhaal ging dat Violet zelfs geen naam had willen bedenken voor dit onwelkome wurm en haar daarom bij het inschrijven in het geboortenregister een naam had laten geven door de dienstdoende lekepriester, die 'Tamar' voorstelde en zijn secretaresse, die haar eigen naam, 'Majorie', aanbood. Tamar kreeg een fatsoenlijke schoolopleiding op kosten van de staat en bleek heel intelligent en ijverig te zijn. Violet was verheugd toen ze naar Oxford ging, maar ze was wel afgunstig en werd ronduit jaloers toen Tamar mannen begon te ontmoeten waarvan sommigen waarschijnlijk haar minnaars werden. Violet was ook in staat de gehoorzaamheid van haar dochter op prijs te stellen, haar verlangen om te behagen, haar rustige acceptatie van een heel beperkte manier van leven. Er waren diverse sommen geld, in stilte, van oom Matthew aangenomen, maar geld dat door Gerard en Patricia werd aangeboden werd vol minachting van de hand gewezen. Tamar mocht echter wel kerstcadeaus aannemen en de kasjmieren omslagdoek van Gerard was daar een van geweest.

'Ik zou in de grote vakantie een baan kunnen nemen,' zei Tamar.

'Brieven sorteren op het postkantoor? Nee! Je moet fatsoenlijk werk doen, je moet ons uit de schulden halen, je moet ons uit de schulden hóuden, je moet inzien dat jij van nu af aan kostwinner wordt!'

'Maar kunnen we niet éven wachten...'

'Nee, dat kunnen we niet! Ik heb al genoeg voor je gedaan!' zei Violet. Ze keken elkaar even aan, met dezelfde blik van ellende en woede.

Tamar zette een strak gezicht. Ze wist dat het geen zin had te proberen haar moeder het verschil uit te leggen tussen een universitaire opleiding en een bestaan als volwassen student die 's avonds een deeltijdstudie volgt. Dit was het moment om het kostbare geschenk te grijpen. Zoveel had ze al geleerd, meer dan ze ooit had gedroomd toe in staat te zijn en dat was maar het begin van de metamorfose, die nu zo bruut werd afgesneden. Ze begreep dat het verlies onherroepelijk zou zijn, een verlies voor haar hele leven; ze zou een tienderangs substituut krijgen voor het leven waarnaar ze had uitgekeken, waar ze récht op meende te hebben. Ze slikte haar tranen in en probeerde tot zich door te laten dringen dat er echt niets anders opzat dan zich over te geven. Ze wist hoe weinig geld er was en ze geloofde wat Violet had gezegd.

De telefoon ging. Violet liep de kamer uit. Vanaf de plaats waar ze zat begon Tamar lusteloos de vuile borden op te stapelen op het gevlekte kleed

95

en de potten, die nooit van deze akelige tafel verdwenen, tot een ordelijk groepje bijeen te schuiven. Ze dacht even na over het volksgezegde dat een moeder die haar eigen leven had verknoeid ook dat van haar dochter wilde verknoeien. Tamar had al vroeg de duistere verbittering van haar moeder begrepen, ze had gezien hoe het mogelijk was om al je geestkracht, al je energie te verdoen aan wrok, berouw, woede en haat. Ze kon zich voorstellen – want ze had er genoeg over gehoord – hoe haar moeders relatie met háár moeder was geweest en ze had zelfs als kind niet alleen de automatische kracht gevoeld van haar moeders wens om 'het ze betaald te zetten', maar ze had ook in haar eigen hart een donker greintje van die verbitterde woede bespeurd. Ze had gezien hoe een leven kan worden geruïneerd en ze had zich stellig voorgenomen ervoor te zorgen dat zij haar eigen leven niet eveneens in zo'n herhaling te gronde zou richten. Je zou kunnen zeggen dat zij, bij de keuze tussen het worden als een demon of het worden als een heilige, voor het laatste had gekozen. Ze zag in dat haar veiligheid niet in een berekenende vijandigheid lag, of in een uitgekookt egoïsme, maar in een soort oprechte overgave van zichzelf. Dit was haar 'engelachtige' spel dat zoveel irritaties opwekte bij Violet, die dacht dat ze dit 'door had', en dat Gerard Tamar als een soort maagdelijke priesteres deed beschouwen. De gewoonte om gehoorzaam te zijn en nooit van zich af te bijten was niet moeilijk geweest om aan te leren. Pas nu begon de arme Tamar in te zien hoe zeldzaam verdrietig en – naar het scheen – onherroepelijk schadelijk zo'n zelfopoffering kon zijn.

Violet kwam de keuken weer binnen. 'Oom Matthew is overleden.'

'O... wat verdrietig,' zei Tamar. 'O hemel... ik wou dat ik naar hem toe was gegaan... dat wilde ik... maar ik mocht niet van jou...' Ze begon te huilen, niet met de stortvloed van tranen die al op het punt had gestaan los te breken, maar met droevige, schuldbewuste tranen die speciaal bedoeld waren voor oom Matthew, die zo verlegen en zo vriendelijk tegen haar had gedaan en bij wie ze zo zelden op bezoek was geweest omdat haar moeder niet wilde dat zij Bens familie iets verplicht was.

'En als je je mocht afvragen,' zei Violet, 'of hij ons in zijn testament heeft bedacht, dan kan ik je vertellen dat dat niet het geval is.'

Matthew Hernshaw was er door zijn karakteristieke besluiteloosheid niet toe gekomen 'iets te doen' voor Violet en Tamar. Hij kon maar niet besluiten hoeveel hij hen zou nalaten, wetend dat als hij hen niet genoeg naliet Gerard bezwaar zou maken en als hij hen te veel naliet Patricia lastig zou worden. Wat hij wel resoluut besloot was een brief achter te laten, gericht aan zijn beide kinderen, waarin hij hen vroeg voor Bens kleindochter te zorgen. Diverse keren begon hij deze brief op te stellen, maar hij kon maar niet besluiten wat hij precies wilde zeggen. Dit nog steeds niet geformuleerde verzoek was wat hij, zonder succes, tegen Patricia had willen zeggen toen hij stierf. O, had hij toch maar eerder iets gezegd! Dat was Matthew's laatste gedachte.

Tamar, die niet aan het testament van oom Matthew had gedacht, antwoordde: 'Hij dacht zeker dat Gerard en Pat ons wel zouden helpen.'

'Pat zal dat wel uitmaken,' zei Violet. 'Ze zal ons een cheque van vijftig pond sturen. We hebben geen behoefte aan hun krenterige liefdadigheid! Maar Gerard kan misschien wel een baan voor je vinden... dát is het, hij schuift je wel ergens tussen, dat is het minste dat hij kan doen! Dus dat is geregeld! Het is... toch... geregeld, hè?'

Violet staarde naar Tamar, met een gespannen, smekende blik, klaar om in vreugde of in woede uit te barsten. Tamar staarde naar de jampotten en de mosterdvaatjes en wist precies hoe het gezicht van haar moeder moest staan. Ze boog haar hoofd en de stroom tranen barstte los. Violet begon ook te huilen; ze liep om de tafel heen, schoof een stoel naast haar kind en omhelsde haar met opluchting en dankbaarheid.

Ongeveer op dezelfde tijd dat Violet en Tamar in elkaars armen lagen te huilen en Gerard, die was opgehouden met huilen, op bed aan zijn vader en aan Grey lag te denken, en Duncan op zíjn bed lag en probeerde te huilen en daar niet in slaagde, had Jean Kowitz, overmand door heftige gevoelens van vreugde en angst, het huis op de zuidoever bereikt waar Crimond woonde. Zijn adres stond in het telefoonboek. Jean had dit boekwerk echter niet hoeven raadplegen. Ze had regelmatig zijn gangen nagegaan, zonder enige bedoeling hem op te zoeken, om te weten waar hij was om die plek te vermijden... of misschien gewoon om te weten waar hij was.

Het adres bleek te horen bij een armoedig huis van twee onder één kap, met drie verdiepingen en een souterrain. De gevel bestond uit een smerig, afbrokkelend pleisterwerk waar hier en daar in de gaten de bakstenen te zien waren, die eveneens waren beschadigd. De raamkozijnen waren gebarsten en afgebladderd, en op de bovenverdieping was een ruit gebarsten. Het huis zag er, hoewel vuil en verwaarloosd, toch meer solide en imposant uit dan het hol waarin Jean zich had voorgesteld dat Crimond zou wonen. Het huis en de huizen ernaast waren duidelijk in kamers en appartementen verdeeld. Veel huizen hadden een rij namen naast de deur. Crimonds huis had slechts twee namen, die van hem en erboven een min of meer Slavische naam.

De grote, vierkante voordeur, vol barsten en scheuren, die met vier treden omhoog kon worden bereikt, stond op een kier. Jean duwde de deur een eindje open en tuurde in een donkere gang, waar een fiets stond. Er zat een bel naast de voordeur maar daar stonden geen namen bij. Jean drukte op de bel maar er kwam geen geluid. Ze stapte de hal in. Het was er warm en benauwd en de droge buitenlucht drong hier binnen zonder frisheid te geven. De kale, ongeverfde vloerplanken kraakten en galmden. Een paar traptreden voerden naar boven. De deur van de voorkamer stond wijd open en Jean keek naar binnen. Het eerste dat ze zag, uitgespreid over een stoel, was de kilt die Crimond op het bal had gedragen. De muren waren helemaal bedekt met boekenplanken. er stond een televisietoestel. Ze deed een stap terug en inspecteerde de twee andere kamers aan de achterkant, waarvan de ene vol boeken stond, met een smal divanbed en een deur naar de tuin; de andere was een keuken. De tuin was klein, goed verzorgd, Crimond hield van planten. Jean legde haar beide handen op het fietsstuur om ze niet te laten beven. Het metaal, dat grijsachtig glom, was koud en griezelig echt. Ze haalde haar handen weg en warmde ze aan haar bonzende hart. Op de vloer naast de fiets zag ze haar koffer en haar handtas, die ze daar moest hebben neergezet toen ze binnenkwam. Stel dat Crimond er niet was. Stel dat hij gewoon zei dat ze weer weg moest gaan. Stel dat ze die woordenloze tijd dat ze samen hadden gedanst helemaal verkeerd had uitgelegd?

Ze kon geen geluid over haar lippen krijgen. Een glazen deur, die op slot was, sloot de trap naar de eerste verdieping af. Ze beefde en huiverde, haar handen trilden en haar kaken bewogen krampachtig. Onder de trap zag ze een openstaande deur die toegang moest geven tot het souterrain. Langzaam begon ze naar beneden te gaan, waarbij ze haar voeten voorzichtig op de holle treden neerzette. Beneden aangekomen trof ze een dichte deur. Ze raakte hem aan, klopte niet en deed hem toen open.

De kamer in het souterrain was erg groot en besloeg de hele ruimte onder het huis. Het was er tamelijk donker, met één raam dat uitkeek op het zonloze gedeelte onderaan de voorkant van het huis. De houten vloer was kaal, op één hoek na, waar een kleed naast een groot, vierkant divanbed lag. De muren waren kaal, op een schietschijf na, die aan de verste muur tegenover het raam hing. Er stond een grote kast tegen een muur en daarnaast twee lange tafels die met boeken waren bedekt. Dicht bij de schietschijf stond een groot bureau met een brandende lamp erop, waaraan Crimond zat te schrijven, met zijn kleine, randloze bril op zijn neus. Hij richtte zijn hoofd op, zag Jean, zette zijn bril af en wreef in zijn ogen.

Jean begon de kamer over te steken, naar hem toe. Ze had het gevoel alsof ze om zou vallen voor ze hem had bereikt. Ze pakte een stoel die dichtbij stond, schoof deze naar het bureau en ging tegenover Crimond zitten. Toen slaakte ze een vogelachtige kreet.

'Wat is er aan de hand?' zei Crimond.

Jean keek Crimond niet aan, ze was eigenlijk niet in staat om naar wat dan ook te kijken, aangezien de kamer, het vage, bleke raam, de lamp, de deur, het bed met het oude, verkreukelde kleed ernaast, de schietschijf, het witte papier waarop Crimond had zitten schrijven, Crimonds gezicht, Crimonds hand, Crimonds bril, een glas water, de kilt die op de een of andere

manier beneden terecht was gekomen, tot een geheel bijeen werden gevoegd in een soort helder verlicht wiel dat langzaam voor haar ogen begon
te draaien.

Crimond zei verder niets, hij wachtte en keek haar aan, terwijl zij naar
adem hapte, haar hoofd heen en weer schudde en haar ogen open en dicht
deed.

'Wat bedoel je: "Wat is er aan de hand?" ' zei Jean. Ze haalde een paar
keer diep adem en zei toen: 'Heb je nog geslapen?'

'Ja. En jij?'

'Nee.'

'Zou je dan niet liever wat gaan slapen? Er staat boven een divanbed in
de achterkamer. Ik vrees alleen dat het niet is opgemaakt.'

'Dus je verwachtte me niet.'

'Pure slordigheid.'

'Verwachtte je me dan wel?'

'Natuurlijk.'

'Wat zou je gedaan hebben als ik niet was gekomen?'

'Niets.'

Het bleef even stil. Crimond keek haar gespannen aan, een beetje achterdochtig. Jean keek omlaag naar Crimonds voeten, in bruine pantoffels, onder het bureau.

'Dus je bezit een kilt.'

'Ik heb 'm gehuurd. Je kunt een kilt ook huren.'

'Ik zie dat je nog steeds een schietschijf hebt.'

'Het is een symbool.'

'En de pistolen. Je wilt zeker zeggen dat dat ook symbolen zijn.'

'Ja.'

'Heb je dit lang van tevoren gepland?'

'Nee.'

'Hoe ben je aan een kaartje voor het bal gekomen? Alles was uitverkocht.'

'Ik heb Levquist gevraagd.'

'Levquist? Ik dacht dat je jaren geleden ruzie met hem had gehad?'

'Ik schreef hem om het te vragen. Hij stuurde me bij wijze van antwoord
een kaartje met een sarcastische opmerking in het Latijn.'

'Wat zou je hebben gedaan als hij het niet had gestuurd?'

'Niets.'

'Je bedoelt... ach, laat maar zitten. Hoe wist je dat ik op het bal zou
zijn?'

'Dat had Lily Boyne me verteld.'

'Dacht je dat dat een boodschap van mij was?'

'Nee.'

'Dat was het niet.'

'Weet ik.'

'Hoe zit het met Lily Boyne?'

'Hoe bedoel je?'

'Je bent met haar gekomen.'

'Het is de gewoonte met een vrouw naar een bal te gaan.'

'Was dat om je gezicht te redden voor het geval ik je negeerde?'

'Nee.'

'Je wist dat ik je niet zou negeren?'

'Ja.'

'O, Crimond, waarom... waarom... waarom nú?'

'Nou, het heeft gewerkt, nietwaar?'

'Maar hoor eens, wat Lily betreft...'

'Laten we ons tot de hoofdlijnen beperken,' zei Crimond, 'Lily Boyne is niets, ze probeerde zich aan me op te dringen en ik heb haar opgemerkt omdat ze jou kende. Ik mag haar wel.'

'Waarom?'

'Omdat ze niets is. Ze heeft geen enkele dunk van zichzelf.'

'Vind je haar wanhoop amusant?'

'Nee.'

'Goed, laat maar zitten, ik begrijp waarom je haar hebt gebruikt. Wat zat je te schrijven toen ik arriveerde?'

'Een boek waar ik al een hele tijd aan heb gewerkt.'

'Je bedoelt het boek?'

'Een boek, het boek, zo je wilt.'

'Is het bijna klaar?'

'Nee.'

'Wat ga je doen als het af is?'

'Arabisch leren.'

'Kan ik je helpen met je boek, onderzoek doen, net als vroeger?'

'Dat stadium is nu voorbij. Je zou trouwens eens werk voor jezelf moeten doen.'

'Dat heb je al vaker gezegd. Ben je blij me te zien?'

'Ja.'

'Laten we er niet langer omheen draaien. Ik ben weg bij Duncan. Ik ben hier. Ik ben van jou, ik ben voorgoed van jou, als je me wilt. Na vannacht veronderstel ik dat dat het geval is.'

Crimond keek haar bedachtzaam aan. Zijn dunne lippen waren vertrokken tot een rechte streep. Zijn lange, fijne, rode haar was zorgvuldig gekamd. Zijn lichte ogen die zo dikwijls fonkelden of schitterden van gedachten of van sarcasme, waren nu koud en onbeweeglijk, hard als twee matblauwe stenen. 'Je bent bij me weggegaan.'

'Ik weet niet wat er gebeurde,' zei Jean.

'Ik ook niet.'

'Het had niet moeten gebeuren.'

'Maar dat bewees wel iets.'

'Dat is nu niet meer van belang. Het kán niet meer van belang zijn. Als het voor jou wel van belang was geweest zou je niet naar het bal zijn gekomen.'

'O, dat. Het was gewoon een opwelling.'

'O, dat! Crimond, begrijp goed dat ik een man heb verlaten die ik hoogacht en liefheb, en vrienden die me dit nooit zullen vergeven, louter en alleen om me helemaal aan jou te geven. Hierbij geef ik mezelf. Ik houd van je. Jij bent het enige wezen dat ik volledig lief kan hebben met mijn complete ik, met heel mijn hart, mijn verstand en mijn vlees. Jij bent mijn kameraad, mijn perfecte partner, en ik de jouwe. Jij moet dit nu ook ondergaan, net als ik, net als we dat gisteravond allebei ondergingen, zodat we ervan beefden. Het was een wonder dat we elkaar ooit hebben ontmoet. Het is een soort hemels geluk dat we hier bij elkaar zijn. We mogen nooit, nooit meer uit elkaar gaan. We zijn, hierin, noodzakelijke wezens, als goden. Als we elkaar aankijken verifiëren we, wéten we dat onze liefde perfect is, we herkénnen elkaar. Híer, in mijn leven, hier als het moet zijn in mijn dood. Het is leven en dood, alsof ze Israël wilden vernietigen... als ik u vergeet, o Jeruzalem...'

Crimond, die zijn wenkbrauwen had gefronst tijdens deze verklaring, schoof wat op zijn stoel heen en weer, pakte zijn bril en zei: 'Ik ben niet zo dol op die joodse bezweringen... en wij zijn geen goden. We moeten eerst maar eens zien hoe alles uitpakt.'

'Goed, als het niets wordt kunnen we elkaar altijd nog doden, zoals je toen hebt gezegd! Crimond, je hebt een wonder bewerkstelligd: we zijn bij elkaar... vind je dat niet heerlijk? Zeg dat je van me houdt.'

'Ik houd van je, Jean Kowitz. Maar we moeten wel beseffen dat we het vele jaren zonder elkaar hebben kunnen stellen... een lange tijd waarin geen van ons enig signaal heeft gegeven.'

'Ja. Ik weet niet waarom dat was. Misschien was het een straf voor ons falen in het bij elkaar blijven. We moeten een kwelling doorstaan, een soort loutering, om te geloven dat we elkaar weer hadden verdiend. Nu is de juiste tijd aangebroken. We zijn kláár. Ik heb Duncan verlaten...'

'Ja, ja... ik vind het heel jammer voor Duncan. Je had het ook over vrienden die het jou, of mij, nooit zullen vergeven.'

'Ze haten je. Ze zullen je de grond in willen boren. Dat hebben ze eerder ook al willen doen... en nu...'

'Het klinkt alsof je het leuk vindt.'

'Ik trek me gewoon niks van ze aan, vergeleken bij ons bestaan ze niet. Kunnen we niet in Frankrijk gaan wonen? Dat zou ik echt leuk vinden.'

'Nee. Mijn werk is hier. Als je bij me wilt komen zul je moeten doen wat ik wil.'

'Dat zal ik altijd doen,' zei Jean. 'Ik heb elke dag aan je gedacht. Als je ook maar één keer iets van een gebaar had gemaakt... maar ik dacht...'

'Laat maar zitten. Wat je ook gedacht mag hebben, je bent hier. Nu moet ik weer verder met mijn werk. Ik stel voor dat je naar boven gaat om wat te slapen. Heb je gegeten, wil je iets te eten?'

'Nee. Ik heb het gevoel alsof ik nooit meer hoef te eten.'

'Ik kom je later wel halen. Dan kunnen we hier allebei slapen, er is hier plaats voor twee. Daarna bespreken we wel wat we verder gaan doen.'

'Wat bedoel je daarmee?'

'Hoe we samen gaan leven. Hoe alles wat moet zal zijn.'

'Ja. Het móet zijn. Goed. Ik ga nu slapen. Dit is toch echt, hè?'

'Ja. Ga nu.'

'Ik verlang naar je.'

'Ga nu, mijn kleine havik.'

Jean stond gehoorzaam op en liep naar boven. Ze dacht: we hebben elkaar niet eens aangeraakt. Zo moet het ook zijn. Dat is zijn manier van doen. We hebben elkaar nog niet aangeraakt, maar alles wat we zijn is nu tot één substantie samengevallen. Het is als een grote kernfusie, we zíjn elkaar. O, God zij dank. Ze liep de achterkamer in, schoof de gordijnen dicht en schopte haar schoenen uit, waarna ze op de divan kroop en de dekens over haar hoofd trok. Binnen de kortste keren was ze in slaap, waarbij ze langzaam omlaag tuimelde in een donkere wereld van pure vreugde.

DEEL TWEE
MIDWINTER

'Ik dacht dat er nog wat bier was,' zei Jenkin.
'Doe geen moeite, ik heb iets te drinken meegebracht,' zei Gerard.
'Sorry.'
'Dit is al eens eerder gebeurd.'
'Dat dacht ik ook.'
'God, wat is het koud!'
'Ik zal de kachel aandoen.'

Gerard was, na een onverwacht telefoontje, bij Jenkin op bezoek in Jenkins kleine rijtjeshuis aan Goldhawk Road. Jenkin woonde al jaren in dit huis, al vanaf de polytechnische dagen, voor hij weer leraar werd. Jenkins straat was steeds hetzelfde gebleven, vol met wat Jenkin noemde 'gewone jongens'. In aangrenzende wijken waren echter, tot Jenkins afgrijzen, steeds meer mensen uit 'betere milieus' komen wonen. Gerard kwam vaak naar dit huis. Vandaag kwam hij onaangekondigd, niet omdat hem één bijzonder ding bezighield, maar omdat het er juist een heleboel waren.

Het diesbal, met alle verstrekkende gevolgen ervan, was nu vele maanden geleden. Het was een mistige avond, eind oktober. Jenkins huis, dat geen centrale verwarming had, was werkelijk koud; het was een huis dat elk weer binnenliet. Jenkin verwelkomde dat weer zelfs in alle jaargetijden, de aanblik van een dicht raam bezorgde hem een ongemakkelijk gevoel. Wat de temperatuur ook mocht zijn, hij sliep in een onverwarmde slaapkamer waar een frisse wind naar binnen woei. In de winter stond hij zich evenwel een kruik toe. Om zijn vriend een plezier te doen sloot hij nu snel een paar ramen en deed de gaskachel in de kleine woonkamer aan. Jenkin woonde voornamelijk in de keuken en gebruikte zelden zijn 'voorkamer' of 'salon', die hij voor 'netjes' hield. De kamer was, als alles in Jenkins huis, heel netjes en schoon, en tamelijk sober en kaal. Er stonden enkele siervoorwerpen, overwegend door Gerard geschonken, maar de sfeer van de kamer was hiermee in tegenspraak, ze gingen niet op in de rustige, homogene harmonie die Gerard vond dat elke kamer moest bezitten, het bleef een kaal en bij elkaar geraapt geheel. Het verschoten behang, lichtgroen met vage, roodachtige bloemen, werd hier en daar afgewisseld door stukken geel geverfde muur eronder, op de plaatsen waar Jenkin voorzichtig stukken behang had verwijderd die waren gescheurd. Het effect was niet onaardig. Het zeer schone vloerkleed was eveneens versleten, de blauwe en rode bloemen verdwenen in een zachtbruine ondergrond. De groene tegels voor de haard glommen door regelmatig boenen. De stoelen met houten armleuningen die langs de muren waren opgesteld tot er bezoek kwam, hadden een beige, folkloristisch geweven bekleding. De schoorsteenmantel boven de kachel werd verfraaid door een rij porseleinen kopjes, waarvan sommige cadeaus van Gerard waren, en een steen, een grijze steen van het strand met een paarse streep erop, een cadeautje van Rose. Aan dit geheel had Jenkin een groen bekerglas toegevoegd, met daarin een paar takjes met rode bladeren, die hij samen met twee wijnglazen uit de keuken had gehaald. De gashaard snorde. De dikke, donkere velours gordijnen waren dichtgetrokken tegen de mistige schemering. In de hoek brandde een lamp, lang geleden door Gerard cadeau gegeven. Gerard zette de kopjes recht, draaide het grote licht uit en gaf de fles *Beaujolais Nouveau* aan zijn gastheer om hem die open te laten trekken. Jenkin had de gewoonte onbewust allerlei geluidjes te maken wanneer hij zenuwachtig was, wat vaak het geval was. Terwijl hij nu worstelde met de kurketrekker, op zijn vingers gekeken door Gerard, slaakte hij allerlei binnensmondse kreunen om vervolgens, toen hij de wijn in de glazen schonk en de fles op de tegels zette, te gaan neuriën.

Jenkin, hoewel een oude vriend, bleef voor Gerard een weliswaar fasinerend, maar soms toch vermoeiend raadsel. Jenkins huis was overdreven ordelijk, minimaal en slecht afgewerkt en Gerard vond het er dikwijls wat vreugdeloos en een beetje leeg. De enige echte kleur en overdaad in het huis werd verschaft door Jenkins boeken, die boven twee kamers in beslag namen, waar ze de muren volledig bedekten en ook een groot gedeelte van de vloer. Toch wist Jenkin altijd precies waar elk boek lag. Gerard had zijn vriend altijd beschouwd als iemand die in de een of andere radicale, zelfs metafysische betekenis meer solide was dan hijzelf, steviger, echter, meer bij de dingen betrokken, meer helemaal levend. Op dit 'helemaal levend' had Levquist gedoeld toen hij over Jenkin had gezegd: 'Waar hij is, daar *is* hij.' Het was ook paradoxaal – of was het dat niet? – dat Jenkin geen enkel sterk gevoel van individualiteit leek te bezitten en meestal niet in staat was 'zich goed te presenteren'. Terwijl Gerard, die intellectueel veel meer doordacht en samenhangend was, zich bij wijze van tegenstelling heel onbenullig en oppervlakkig kon voelen. Dit contrast bezorgde Gerard soms het gevoel dat hij intelligenter en meer verfijnd was en soms zwakker en minder gewicht in de schaal leggend. In Oxford had Jenkin, zoals Levquist goedkeurend had opgemerkt, filosofie 'eruit gegooid' om verder taalwetenschappen en literatuur te studeren. Als leraar had hij eerst Grieks en Latijn gegeven, later Frans en Spaans. Op de polytechnische school had hij eveneens geschiedenis gedoceerd. Hij was erudiet, maar zonder de wil en de ambitie van een geleerde. Hij kwam uit Birmingham en was daar op het gymnasium geweest. Zijn vader, die kortgeleden was overleden, was klerk in een fabriek geweest en methodistische lekepriester. Zijn moeder, eveneens methodistisch, was al eerder gestorven. Gerard had Jenkin er vaak van beschuldigd in God te geloven, wat Jenkin had ontkend. Desalniettemin was er uit die jeugd iets achtergebleven waar Jenkin in geloofde en wat Gerard ongerust maakte. Jenkin was een serieuze man, waarschijnlijk de meest serieuze man die Gerard kende; maar het viel niet te voorspellen welke vormen die serieusheid nog eens aan zou nemen.

'Gerard, ga alsjeblieft zitten, hou eens op met dat rommelen en ijsberen.'

'Ik houd van lopen.'

'Het is jouw manier van mediteren, maar het moet wel in de open lucht worden gedaan, je zit nog steeds niet in de gevangenis. Bovendien ben ik er nu bij en ik heb last van je.'

'Sorry. Laat die wijn niet koken, hoe vaak moet ik je dat nog vertellen.'

Gerard verwijderde de wijnfles van de tegels en ging tegenover zijn vriend naast de kachel zitten, in een van de hoge, versleten stoelen met houten armleuningen, waarbij hij met zijn voeten een klein Chinees vloerkleedje opschoof, dat hij Jenkin enkele Kerstmissen geleden had gegeven. Jenkin bukte zich en trok het kleed recht.

'Heb je al besloten wat je gaat schrijven?'

'Nee,' zei Gerard en fronste zijn voorhoofd. 'Misschien wel niets.'

'Plato, Plotinus?'

'Ik weet het niet.'

'Je hebt eens gezegd dat je over Dante wilde schrijven.'

'Nee. Waarom schrijf jij niet over Dante?'

'Je hebt vroeger hele stukken Horatius vertaald. Je zou de hele Horatius in Engelse versregels kunnen vertalen.'

'Meen je dat?'

'Ik was dol op je vertalingen. Je wilt niet over je jeugd schrijven?'

'Grote genade, nee!'

'Of over ons in Oxford?'

'Doe niet zo mal, beste kerel!'

'Het zou iets op het gebied van de sociale of politieke geschiedenis kunnen zijn. Wat dacht je van kunst? Ik herinner me nog die monografie die je over Wilson Steer hebt geschreven. Je kon over schilderijen schrijven.'

'Alleen op frivole wijze.'

'Een roman dan, een intellectuele filosofische roman!'

'Romans zijn helemaal uit, voorbij.'

'Waarom ga je niet gewoon een beetje van het leven genieten? Leef in het heden. Wees gelukkig. Dat is een goede bezigheid.'

'O, hou toch op...'

'Echt, geluk is heel belangrijk.'

'Ik ben geen hedonist. En jij ook niet.'

'Ik vraag het me weleens af... Tja, het ziet ernaar uit dat je een boek over filosofie moet schrijven.'

'Zullen we dit onderwerp met rust laten, ja?'

Jenkin wilde niet, juist nu, een diepgaand gesprek met Gerard hebben. Er waren alleen bepaalde zaken die moesten worden besproken zonder, naar hij hoopte, andere bepaalde onderwerpen naar voren te brengen. Hoewel hij Gerard al heel lang en heel goed kende deed hij nog steeds pogingen de gesprekken, die hij met zijn lastige en soms scherpe en overgevoelige vriend had, in een bepaalde richting te sturen. Hoewel hij, net als de anderen, heel benieuwd was 'wat Gerard zou doen', vond hij toch, uit een soort beleefdheid, dat er nu wel genoeg over was gezegd. Als hij doorging zou Gerard gedeprimeerd of humeurig worden. Het was duidelijk een pijnlijk onderwerp. Jenkin wilde Gerard liever iets vertellen over zijn plan met Kerstmis een georganiseerde reis naar Spanje te maken. Gerard zou uiteraard geen zin hebben om mee te gaan want hij was dol op Engelse kerstfeesten. En Jenkin reisde graag alleen. Hij begon: 'Ik heb plannen...'

'Heb jij Crimond de laatste tijd nog gezien?'

Jenkin bloosde. DIt was een van de onderwerpen die hij had willen vermijden. Jenkin had geen absolute bezwaren tegen het vertellen van leugens, maar bij Gerard deed hij dat nooit. Hij zei, naar waarheid: 'Nee, ik heb hem niet meer gesproken, sinds...' Maar hij voelde zich schuldig. Hij keek naar Gerard, die er zo keurig verzorgd en bedaard uitzag met zijn flessegroene jasje, zijn scherp getekende gezicht in het lamplicht terwijl hij naar de vlammen in de gaskachel staarde. Gerard streek zijn dikke, donkere, krullende haar glad en schoof het achter zijn oren. Hij slaakte een bijna onhoorbare zucht. Wat denkt hij? vroeg Jenkin zich af.

Ik vind het vreselijk dat Jenkin Crimond ontmoet, dacht Gerard. Het verzwakt onze positie. Hoewel de hemel mag weten wat onze positie eigenlijk is. Een positie zou een sterk punt zijn van waaruit ze tot daden zouden kunnen overgaan. Maar welke daden konden dat zijn? God, het is allemaal zo vreselijk ingewikkeld en rommelig.

'Uiteraard zullen we Guy Fawkes vieren, net als anders,' zei Jenkin.

'Guy Fawkes. Natuurlijk. Gideon zal vuurwerk af willen steken.'

'En daarna wordt het weer tijd voor de studiedagen en dan is het alweer bijna Kerstmis.' Ik praat alsof ik het tegen een klein kind heb, dacht Jenkin. Rose had, vanaf de tijd dat ze studenten waren, één of twee keer per jaar, met onregelmatige tussenpozen, studiedagen georganiseerd in haar huis op het land. Sinds kort hadden Rose en Gerard deze gewoonte weer nieuw leven ingeblazen, na enige jaren waarin het er niet zoveel van was gekomen.

'O ja... de studiedagen...'

'Nodig je Gulliver ook uit?'

'Ja.' Gerard fronste en Jenkin wendde zijn blik af. Gerard voelde zich tegenover Jenkin schuldig om Gulliver Ashe. Jenkin had zelfs gezegd: 'Leid hem niet om de tuin.' Gerard had waarschijnlijk, ongetwijfeld, Gulliver 'aangemoedigd'. Hij had dit vaag, zonder bepaalde bedoeling gedaan, behalve dat hij er heel mooi uit had gezien toen Gerard zich eenzaam had gevoeld. Er was uiteraard niets gebeurd, behalve dat Gerard 'met hem ingenomen' bleek te zijn, en hem min of meer als zijn oogappel beschouwde. Gerards belangstelling bleek heel kortstondig te zijn, wat ervan overbleef waren Gullivers beschuldigende blikken, en wrokkige houding als van iemand die bepaalde rechten bezat, een vage onbeschaamdheid.

'Gull heeft nog steeds geen baan,' zei Jenkin.

'Dat weet ik.'

Die zomer en herfst hadden veel veranderingen gebracht. Jenkin was naar een zomercursus geweest en had vervolgens een georganiseerde reis naar Zweden gemaakt. Rose had in Yorkshire gelogeerd bij de familie van haar vader en in Ierland bij de familie van haar moeder. Gerard was naar Parijs geweest en vervolgens naar Athene, op bezoek bij een bevriende archeoloog, Peter Manson, die aan de Britse school was verbonden. Tamar had onverwachts haar universitaire studie opgegeven en werkte nu bij een uitgeverij, waar Gerard haar aan een baan had geholpen. Natuurlijk had Gerard Violet financiële hulp aangeboden, hij had het aangeboden namens zijn vader, en Violet had het bot afgewezen. Gerard voelde zich schuldig over Tamar, hij had nu het gevoel dat hij beter had moeten proberen te ontdekken wat er gaande was. Violet zei dat Tamar genoeg had van Oxford, Tamar bevestigde dit en Gerard, die zich ergerde aan Violet, had niet verder aangedrongen. Hij was in die tijd erg ongelukkig en druk geweest, hij had verdriet gehad over zijn vader, moest het huis in Bristol, dat zoveel relikwieën uit zijn jeugd bevatte, ontmantelen en verkopen, hij moest strijd voeren met Pat en Gideon en maakte zich zorgen over Crimond, zorgen over Duncan. Duncan had demonstratief geen vakantie genomen en was de hele zomer blijven werken. Berichten over Jean en Crimond waren schaars. Ze schenen in Crimonds huis in Camberwell te wonen. Men zei dat ze naar een congres in Amsterdam waren geweest.

'Ik hoop dat Duncan naar de studiedagen komt,' zei Gerard. 'Jezus, ik wou dat ik wist wat ik aan hem moest doen.'

'Er valt niets aan te doen,' zei Jenkin. 'We moeten alle voorbestemde zaken zonder klagen hun loop laten krijgen.'

'Doe niet zo krankjorum.'

'Op dit moment, bedoel ik. Duncan is kennelijk niet van plan in te grijpen. En als wij ons ermee gaan bemoeien maken we het misschien alleen maar erger.'

'Ben je soms zelf bang je nek uit te steken?'

'Voor hém ben ik echt niet bang. Natuurlijk niet. Ik bedoel alleen dat we dan misschien een situatie, die wij niet begrijpen, alleen maar nog ingewikkelder maken.'

'Wat begrijpen we dan niet? Ik begrijp het wel. Ik weet alleen niet wat ik eraan moet doen. Of wilde je zeggen dat in deze moderne tijden overspel niet meer belangrijk is?'

'Nee, dat wilde ik niet zeggen.'

'Jean zal eens weer naar Duncan terug moeten gaan... denk ik. Bij die man heeft ze geen leven, hij werkt als een duivel, van 's morgens vroeg tot 's avonds laat, hij is echt krankzinnig... en zij is uiteindelijk toch een mens met principes...'

'Ze houdt van die vent!'

'Onzin, het is gewoon psychologische slavernij, het is een illusie. Hoe eerder ze terugkomt hoe minder schade er wordt aangericht.'

'Jij denkt dat Duncan haar, na zekere tijd, zal verstoten?'

'Hij zou zich uit zelfverdediging gewoon los kunnen maken, zich niets meer van hen aantrekken. Waarom zou hij blijven kijken? Hij drinkt zich wel dood.'

'Vind je dat we hem moeten helpen, desnoods met geweld?'

'Als we nu iets weten te bedenken.'

'Crimond in zijn lurven grijpen en hem eens goed op z'n donder geven? Dat zou alleen maar leuk voor hem zijn, hij zou het slachtoffer spelen om vervolgens op afschuwelijke wijze wraak te nemen.'

'Natuurlijk bedoel ik niet zoiets! Hij zou het trouwens niet leuk vinden en wij zouden het nooit doen.'

'Ik meende het niet echt.'

'Nou, probeer het nu wél echt te menen.'

'We kunnen moeilijk Jean met geweld meesleuren. Je zei gisteravond iets over Tamar, maar ik kon het niet helemaal volgen omdat Rose binnenkwam.'

'Rose is vreselijk boos op Jean.'

'Heeft ze Jean gesproken?'

'Nee, natuurlijk niet!'

'Ik zie niet in waarom niet... wíj moeten Duncan verdedigen...'

'Zij doet wat wij doen.'

'Maar om op Tamar terug te komen... dacht je dat zij iets kon doen om Jean en Duncan weer bij elkaar te brengen?'

'Het is een intuïtie. Tamar is een opmerkelijk persoon.'

'Kan Rose het niet doen?'

'Die is er te veel bij betrokken. Ze haat Crimond. En Jean en zij zijn heel hecht met elkaar verbonden, of waren dat. Jean zou het vreselijk vinden als Rose haar de les kwam lezen.'

'Ik begrijp wat je bedoelt. Tamar kwam vaak bij Jean en Duncan. Ik herinner me dat jij zei dat ze haar eigenlijk moesten adopteren! Maar het lijkt me niet zo'n goed idee, Tamar erbij te betrekken, ze is nog zo jong.'

'Dat is haar paspoort, ze zouden haar niet zo gauw als rechter beschouwen. Ze bezit een bijzondere integriteit. En dat uit zo'n rommelig milieu...'

'Of juist daardoor.'

'Ze heeft de afgrond gezien en is er vandaan gestapt, ze is resoluut de andere kant uitgestapt... heel resoluut!'

'Ze is op zoek naar een vader. Als jij jezelf in die rol ziet...'

'Absoluut niet. Ik wilde juist voorstellen...'

'Belast haar niet teveel. Ze heeft veel achting voor jou. Ze zou het vreselijk vinden als ze niet precies aan al jouw verwachtingen kon voldoen. Ik denk dat ze al genoeg zorgen heeft.'

'Ik denk dat dit net iets is wat ze nodig heeft, een taak, een opdracht, om een afgezant van de goden te zijn.'

'Je ziet haar als een soort maagdelijke priesteres.'

'Ja. Steek je er de draak mee?'

'Van z'n leven niet... zo zie ik haar ook. Maar hoor eens... stel dat iemand zou zeggen dat er zeker tegenwoordig veel vrouwen zijn die hun man in de steek laten voor een ander en dat de meeste omstanders dit niet zo onverdragelijk vinden dat ze er tot elke prijs een halt aan moeten toeroepen. Waarom is dit geval dan anders? Omdat Duncan zoiets als een broer is, of omdat Crimond zo'n misbaksel is, of...?' Jenkin keek Gerard met grote ogen aan, om aan te geven dat hij het voor alle duidelijkheid heel simpel stelde; ze hadden sinds hun achttiende al geredetwist.

'Er is altijd iets met de man, hij trekt het ongeluk naar zich toe.'

'Denk je dat Duncan kan proberen Crimond te vermoorden? Duncan kan zijn ziel in lijdzaamheid bezitten, maar hij kan ook gewelddadig en geëxalteerd zijn.

'Nee, maar hij kan natuurlijk wel opeens een onbedwingbare neiging krijgen om met Crimond te gaan praten, zelfs ruzie met hem te schoppen...'

'En Crimond zou hem dan kunnen doden, uit angst, of uit haat...?'

'Mensen met een slecht geweten haten hun slachtoffers.'

'Of per ongeluk? Denk jij dat het zal eindigen in één enkel gevecht? Of dat Crimond Jean zal vermoorden, of dat ze allebei van de rotsen springen...?'

'Hij is dol op pistolen; weet je nog in Oxford? En Duncan zei dat hij in Ierland lid was van een soort schietvereniging; het is jammer dat hij de oorlog niet mee heeft gemaakt, dan was hij nu dood of een held geweest, dat zou zijn doel zijn geweest...'

'Volgens mij denk jij te hardnekkig dat Crimond slecht is. Hij is gewoon een romanticus.'

'Voor romantici kunnen we begrip opbrengen.'

'Een *âme damnée* dan.'

'Die vergeven we ook. Je hoeft geen smoesjes voor hem te bedenken, Jenkin!'

'Jij wilt Crimond zo slecht mogelijk afschilderen.'

'Hij is dol op drama's en kwellingen en het op de proef stellen van mensen. Het kan hem niets schelen als hij mensen te gronde richt omdat het hem niets kan schelen als hij zichzelf te gronde richt...'

'Hij is een utopisch denker.'

'Precies. Onrealistisch en meedogenloos.'

'Ach, toe nou... Hij bezit moed, hij werkt hard en geeft niets om aardse goederen en hij trekt zich het lot van de verdrukten oprecht aan...'

'Het is een charlatan.'

'Wat is een charlatan? Dat concept heb ik nooit begrepen.'

'Hij geeft niets om verdrukten of sociale gerechtigheid, hij laat zich totaal niet in met de werkelijke strijd van de arbeiders, hij is een theoreticus die vol is van zichzelf, hij verwerkt al die dingen tot een idee, tot een soort hartstochtelijk, abstract web dat hij weeft...'

'Hartstocht, ja. Daar voelt Jean zich door aangetrokken.'

'Ze wordt aangetrokken door het gevaar... door de slachting.'

'Een Helena van Troje-complex?'

'Ze vindt het heerlijk als er om haar steden vallen en mannen sterven.'

'Je bent wel erg onvriendelijk,' zei Jenkin. 'Crimond is een fanaticus, een asceet. Dat is op zich al heel aantrekkelijk...'

'Voor jou misschien. Volgens mij zie jij hem als een soort mysticus.'

'Bedenk wel hoe we hem eens, allemaal, zagen als de moderne mens, de held van onze tijd, we bewonderden hem omdat hij zo gedreven was, we dachten dat hij meer echt was dan wij...'

'Dat heb ik nooit gevonden. Wat ik me wel herinner is dat hij toen iemand zei dat hij een extremist was, antwoordde: "Je moet nou eenmaal de steun van de jeugd hebben." Ik vind zoiets onvergefelijk.'

'Ja,' zei Jenkin, en zuchtte. 'Toch zal ik nooit vergeten hoe ik hem deze zomer heb zien dansen.'

'Als Shiva!'

'Die zijn web van hartstocht weefde!'

'Precies. Die kletskoek van Crimond is gewoon een modieus mengsel, onzinnig maar gevaarlijk... een soort taoïsme met een scheutje Heraclitus en moderne wetenschappen en daar is dan het etiket marxisme opgeplakt. De filosoof als fysicus, als kosmoloog, als theoloog. Plato heeft goed werk verricht toen hij alle flauwekul van vóór Socrates overboord zette.'

'Ja, maar ze zijn terug! Ik weet wat je bedoelt en het bevalt mij ook niks. Maar halen we nu niet twee afzonderlijke problemen door elkaar?'

'Je bedoelt zijn privé-moraal en zijn boek. Maar die kun je niet los van elkaar zien. Crimond is een terrorist.'

'Zo beschouwt Rose hem. Maar hoe dan ook, hij weet heel veel en hij kan wel denken. Dat boek is misschien een stuk beter dan al die flauwe provocatieve onzin die hij bij tijd en wijle ten beste geeft.'

'Heeft hij het je laten zien?'

'Nee, natuurlijk niet!'

'Ben je van plan naar hem toe te gaan?'

'Ik ben niets van plan. Maar we zullen hem toch eens naar dat boek moeten vragen!'

'Ja, ja, ik zal het comité bijeenroepen, we moeten eens met hem praten...'

'We moeten het wel op de juiste manier aanpakken.'

'Ik denk dat we vooral de juiste "toon" aan moeten slaan. Je zegt "naar het boek vragen"... maar we kunnen niet veel anders doen dan in stilte te vloeken dat we ons geld jaar in jaar uit uitgeven aan het propageren van ideeën die we verwerpen!'

'Het is een zotte situatie. Jean zou hem kunnen onderhouden, maar dat wil hij natuurlijk niet... en het verandert niets aan onze verplichting.'

'Ik weet zeker dat hij van Jeans geld geen penny wil aanraken.'

'Is het boek veranderd of zijn wij dat? De broederschap van westerse intellectuelen versus het boek van de geschiedenis.'

'Nu sla je net zulke taal uit als hij. Er bestaat geen boek van de geschiedenis, er bestaat geen geschiedenis in die zin, het is allemaal determinisme en *amor fati*. En als er een boek van de geschiedenis bestaat dan heet het de *Fenomenologie van de menselijke geest* en dat is volstrekt verouderd! Of denk je dat we het echt op hebben gegeven? Toe nou, Jenkin!'

' "Wat wij van nature en op gezag liefhadden, rest slechts weinig kracht, hoewel we met vreugde de Oxford Colleges, Big Ben, en alle vogels in Wicken Fen zouden geven, het bezit geen wens tot leven." '

'Ga nou niet zulke dingen citeren, beste kerel. Zo denk en voel jij niet.'

'Misschien is het niet alleen ons lot maar ook onze waarheid, zwak en onzeker te zijn.'

'Denk je dat we in Alexandrië zitten, in de laatste dagen van Athene!'

'Ik vind dat we in ieder geval niet het recht hebben de vogels in Wicken Fen weg te geven, ze zijn niet van ons. Mag ik nog een glas wijn?'

'Het is je eigen wijn, domkop, ik heb 'm aan jou gegeven!'

Gerard stond op alsof hij weg wilde gaan en Jenkin stond ook op, keek omhoog naar zijn lange vriend en haalde een hand door zijn piekerige, stroachtige haar.

Gerard zei: 'Waarom moet Duncan toch altijd verlíezen, waarom is híj degene die in de rivier valt! Ik vraag me af wat er werkelijk in Ierland is gebeurd...'

'Volgens mij moeten we ons niet te veel afvragen,' zei Jenkin, 'soms proberen we te veel in details over andere mensen na te denken. Het bewustzijn van andere mensen kan heel anders zijn dan dat van ons. Daar kom je vanzelf achter.'

Gerard zuchtte; deze opmerking was maar al te waar, hij had geen idee wat er in Jenkin omging. 'Wat moest jij op die zomercursus, Jenkin, je gaat toch niet religieus worden of zo?'

'Ga zitten.' Ze gingen weer zitten en Jenkin schonk de glazen nog eens in. 'Ik wil gewoon graag weten wat er gaande is.'

'In de bevrijdingstheologie? In Zuid-Amerika?'

'Op deze planeet.'

Ze zwegen even. Jenkin maakte zich klein, hij trok zijn korte benen op waardoor hij bijna eivormig werd. Gerard maakte zich lang, met zijn uitgestrekte benen, zijn afhangende armen, zijn loshangende das, zijn donkere haren alle kanten uit.

'Ik haat God,' zei Gerard.

' "Hij die alleen wijs is wil en wil niet Zeus worden genoemd." Heraclitus was nog niet zo slecht, weet je.'

Gerard lachte. Hij bedacht hoezeer, in de vele jaren die achter hem lagen, hij zichzelf had gedefinieerd door de manier waarop hij anders was dan zijn vrienden. Het waren verschillen die zo klein waren dat ze slechts konden worden opgespoord via voortdurende, voorzichtige gesprekken. Maar toch waren hun levens bij elkaar in zekere zin net zo geweest als hun kinderlijke hoop. Ondanks dat was hij zich echter in toenemende mate bewust van de eenzaamheid van menselijke wezens waar Jenkin op had gedoeld.

'Als hij iets wil of niet wil betekent dit dat hij bestaat.'

'Jij zou eens over Plotinus en Augustinus moeten schrijven, en over wat er met het platonisme is gebeurd.'

'Wel ja! Levquist zei dat ik door het christendom was bedorven!'

'Als jij denkt dat je over een ladder omhoog gaat, dan ga je ook omhoog.'

'En als jij denkt dat je over een ladder gaat, gá je ook omlaag.'

'Dat doen we allemaal, dat is geen verdienste.'

'Jij leeft in het heden. Ik kan het heden nooit vinden.'

'Ik wilde dat ik die metaforen eens van me af kon zetten om echt na te denken.'

'Om te denken waarover?'

'Over welk een arme zondaar ik ben.'

'Dat is een metafoor. Ik haat al die christelijke frasen en schuldbelijdenissen. En toch...'

'Je bent een puritein, Gerard. Je neemt het jezelf kwalijk dat je niet de een of andere vreselijke, ideale, zelfdiscipline bezit!'

'Ik herinner me nog goed dat jij zei dat we allemaal in de illusies van het egoïsme zijn weggezakt, als in een grote, kleverige slagroomtaart!'

'Ja, maar dat kan me niet zo veel schelen. Waarom zou je het gezonde ego vernietigen? Het heeft wel enig nut. Je maakt dat ik honger krijg. Heb je zin om te blijven eten? Dat lijkt me heel gezellig.'

'Nee, dank je. Volgens mij bestaat er een menselijke opdracht. Je denkt dat er een menselijk lot is. Misschien kom je op die manier meer te weten.'

'O, ik weet het niet. Toen jij sprak zag ik de Berlijnse muur voor me. Hij is wit.'

'Ik weet dat hij wit is.'

'Zo denk ik ook over het kwaad. Je moet eraan denken. Misschien wel de hele tijd. Ook in jezelf. Je moet bij jezelf beginnen.'

'Jij haalt de dingen altijd door elkaar,' zei Gerard. 'De Berlijnse muur is niet waar jij bent. Het is waar dat we ons geen deugden kunnen voorstellen die ons eigen niveau ver te boven gaan. Maar je moet proberen na te denken over goed zijn, niet alleen tranen van berouw plengen en dat gedoe over wij arme zondaren en zo. Dat is gewoon zelfbevestiging!'

'Maar je kunt je eigen situatie niet omzeilen door een denkbeeldige sprong in het ideale!'

'Goed, maar het is beter wel een ideaal te hebben dan gewoon maar voort te sjokken en te bedenken dat alle mensen anders zijn!'

'Jij hebt helemaal niemand nodig,' zei Jenkin. Hij zei dit terloops omdat dit abstracte gepraat, dat Gerard zo leuk vond, hem de keel uit ging hangen, en omdat hij wilde dat Gerard zou blijven eten, maar hij wist niet zeker of hij nog iets in huis had boven het niveau van een ovenschotel van macaroni met kaas of viscroquetjes. Misschien was er nog een supermarkt open. Hij zou er trouwens ook wat wijn bij moeten halen. Toen besefte hij hoe vervelend Gerard het zou vinden dat er van hem werd gezegd dat hij niemand nodig had.

'Niemand nodig!' Gerard stond weer op en pakte zijn jas van een stoel.

Jenkin stond berustend op. 'Je blijft niet eten?'

'Nee, dank je. Ik ga proberen het comité bijeen te roepen.'

'Hoe zit het met Pat en Gideon?'

'Ik wil ze niet in het comité hebben, ik heb ze verteld dat dat niet kan. Ze willen toch bijdragen, maar ik heb ze gezegd dat dat niet gaat. Ik heb tegen Gull gezegd dat hij nu ook niet moet betalen, nu hij geen werk heeft. Ik denk dat dit alles uitvoerig moet worden besproken. O, wat een gezanik.'

'Pat en Gideon kunnen niet pro-Crimond zijn.'

'Dat zijn ze ook niet. Ze willen gewoon een vinger in de pap zien te krijgen. Gideon vindt het allemaal reuze grappig.'

'Is hij in Londen?'

'Ja. Hij probeert een Klimt te kopen.'

'Je wilt zeker geen taxi?'

'Nee, ik ga lopen. Ik ben dol op mist. Tot ziens.'

Toen de voordeur achter Gerard dichtviel, keerde Jenkin terug naar de eenzaamheid die hij zozeer op prijs stelde. Hij bleef even tegen de deur geleund staan met een aangenaam gevoel van eenzaamheid. Hij had gewild
dat Gerard bleef. Nu was hij blij dat hij weg was. Jenkin had eens gezegd,
een opmerking die Gerard zich goed herinnerde, dat hij nooit zou trouwen
omdat hij dan 's nachts niet meer alleen kon zijn. Nu moest hij aan het eten
denken, en aan wat er op de radio was – hij had geen televisie – en hij
moest aan Gerard denken, altijd een interessant onderwerp. Daarna moest
het eten – snel – worden klaargemaakt en – langzaam – worden opgegeten. Jenkin vond dat je veel aandacht aan het eten moest besteden wanneer je het opat. Er was ook nog wat wijn om op te drinken. Een radiopraat-
je – mits kort –, wat muziek – mits klassiek en bekend –. Daarna kon
hij wat Spaanse gedichten lezen en de kaart bekijken om na te denken over
zijn uitstapje met Kerstmis.

Hij draaide de gaskachel in de zitkamer uit en nam de wijnfles en de twee
glazen mee naar de keuken, liep terug om het groene bekerglas en het takje
esdoorn op te halen en deed het licht uit. Hij zette het groene glas op de
betegelde plank boven de gootsteen, die hij voor zulke dingen vrijhield.
Toen hij het neerzette zei hij: 'Ziezo!' Jenkin voelde zich gelukkig; maar
er knaagde iets aan zijn geluk. Hij voelde intuïtief dat zijn leven op het
punt stond een wending te nemen op een manier die hij nog niet kon defi-
niëren. De gedachte aan deze onduidelijke verandering was angstaanjagend, maar ook opwindend. Misschien was het alleen maar, hoewel dat ook
veel was, het gevoel dat hij moest ophouden met lesgeven. Zou hij zich dan,
net als Gerard, gaan afvragen wat hij met zijn gedachten moest doen? Nee,
hij zou nooit als Gerard worden, of zulke gedachten koesteren. Hij was zeer
zeker niet van plan zich tot God te bekeren, zoals Gerard was gaan geloven.
Het was alsof zich een grote, witte leegte voor hem opende, niet een doods,
besmeurd wit als dat van de Berlijnse muur, maar een stralende levensruim-
te als een witte wolk, vochtig en warm. Hij begon zich af te vragen wat hij
volgend jaar om deze tijd zou doen. Was het al zó dichtbij, die nieuwe en
andere toekomst? Hij had tegen niemand iets gezegd, zelfs niet tegen Gerard.

Jenkin spreidde een schone krant uit op de houten tafel en dekte met een
bord, vork en mes. Hij schonk het restant van de beaujolais in zijn glas, ging
zitten en nam een slokje. Hij dacht aan Gerard die nu door de mistige, met
lantaarns verlichte straten naar huis liep. Toen stelde hij zich voor hoe hij
daar zelf alleen liep. Hij liep ook graag. Maar terwijl Gerard gehuld in de
grote, donkere cape van zijn gedachten voortstapte, liep Jenkin voort temidden van een grote verzameling of tentoonstelling van kleine gebeurtenissen

of ontmoetingen. Bomen, bijvoorbeeld, een schier eindeloze reeks honden die hem met hun zachte, vriendelijke ogen aandachtig aankeken, afvalbakken die de meest uiteenlopende dingen bevatten die door mensen waren weggegooid en die soms door Jenkin mee naar huis werden genomen, etalages, auto's, dingen in de goot, kleding, mensen met treurige of blije gezichten, huizen met treurige of blije gezichten, ramen in de avondschemering waar door de nog open gordijnen mensen die televisie keken te zien waren. Soms, wanneer hij thuis was, stelde Jenkin zich individuele andere mensen voor, mensen die hij nooit had gezien, dit waren altijd eenzame mensen, een meisje in een zitslaapkamer met haar kat en haar kamerplant, een oudere man die zijn overhemd waste, een man met een tulband die eenzaam over een stoffige weg liep, een man verdwaald in de sneeuw. Soms droomde hij over zulke mensen of was er zelf een van. Eens moest hij zo intens aan een zwerver denken, op een spoorwegemplacement, dat hij laat in de avond nog van huis ging en naar Paddington liep, om te zien of de zwerver er nog was. De zwerver was er niet, maar er was wel een bonte verzameling andere eenzame mensen, die allemaal op Jenkin wachtten.

Jenkin stelde zich nooit verhalen voor die met deze mensen verband hielden. Het waren beelden van individuen wier lot op hun gezicht stond geschreven, op hun kleren, op hun huidige omgeving, en ze waren op deze manier net als de echte mensen die hij op straat ontmoette. Het begrip dat hij had voor zijn weinige vrienden was op dezelfde manier intens en beperkt. Hij was zich intens bewust van de realiteit van Gerard, van Duncan, van Rose, van Graham Willward – een leraar op zijn school – , van Marchment – een sociaal werker, voormalig parlementslid, die Crimond ook kende – ; maar hij had geen behoefte verder over hen na te denken dan de formulering van hypothesen die noodzakelijk waren voor het dagelijkse leven. Het waren geheimzinnige beelden die hij vaak bekeek, raadsels waarover hij soms mediteerde. Hij bezat weinig sociale nieuwsgierigheid en roddelen was hem vreemd, zodat sommige mensen hem wat saai vonden. Hij was een enig kind dat zijn ouders lief had gehad en had geloofd in hun godsdienst en in hun goedheid. Later zette hij zijn christendom moeiteloos overboord. Hij kon niet geloven in een bovennatuurlijk elders of zich een opgestane Heer voorstellen anders dan in smart. Hij kon zich evenmin verenigen met het – zoals hij het zag – quasi-mystieke, pseudo-mystieke, platonische perfectionisme dat Gerards substituut voor een religieus besef was. Toch bewaarde hij, misschien nog uit de voorbeelden die hem in zijn kinderjaren zo dierbaar waren geweest, een soort absolutisme, niet met betrekking tot een speciale menselijke opdracht of bedevaart, maar gewoon wat betreft dingen die je voor vreemden hoorde te doen. De eenvoud van zijn leven, die sommige toeschouwers ascetisch vonden en anderen naïef en kinderachtig, of aanstellerig, was voor hemzelf essentieel; maar hij besefte ook dat het een programma was voor geluk. Jenkin had een hekel aan geknoei, heb-zucht, leugens, machtswellust, alle gewone vormen van zonden, omdat ze verband hielden met geesteshoudingen die hij ongemakkelijk vond, zoals jaloezie, wrok, wroeging of haat. 'Hij is zo door en door gezónd,' had ie-mand eens half spottend over Jenkin gezegd en Jenkin zou begrip hebben gehad voor het element van kritiek dat hierin besloten lag. Hij was teveel op zijn gemak geraakt, te voldaan geworden over zijn eigen manier van le-ven. Gerard was niet tevreden, hij werd voortdurend onrustig gemaakt door het vage ideaal dat ver boven hem zweefde; maar tegelijkertijd werd hij ge-troost, zelfs misleid, door de glimp die hij ervan opving wanneer de wolken rond de top slierden en hij, als met een zwaai van intellectuele liefde, er-naast scheen te zijn, daar boven in die zuivere en stralende regionen, hoog boven zijn eigenlijke ik. Jenkin beschouwde dit bij Gerard als de oude reli-gieuze illusie. Gerard had het altijd over het vernietigen van zijn eigen ego. Jenkin vond die van hemzelf heel aardig, hij had hem nodig, hij maakte zich nooit veel zorgen, hij hoopte het beter te doen, hij rekende erop dat zijn manier van leven hem 'uit de problemen' zou houden. Ik ben een slak, dacht hij soms. Ik beweeg helemaal als ik me al beweeg, ik rek me alleen maar een beetje uit, een klein beetje.

Het was niet zo dat Jenkin in het algemeen het gevoel had dat hij erop-uit moest trekken om de mensheid te dienen. Hij wist dat hij door aan aller-lei jongens talen en een beetje geschiedenis te doceren nuttig werk deed en waarschijnlijk dat waar hij het beste in was. Was het niet gewoon een zelf-voldaan romanticisme, dit idee zijn 'eenvoud' nog verder door te voeren? Hij was toe aan een verandering. Hij had nu een verandering, hij had dit semester studieverlof. Hij werd geacht iets te bestuderen, iets te schrijven. In plaats daarvan koesterde hij deze rusteloosheid. Hij wilde weg om bij die mensen te kunnen zijn aan wie hij zo vaak dacht. Hoe ver weg, zo ver als Paddington, als een zitslaapkamer in Kilburn? Verder dan dat. Zo ver als Limehouse of Stepney of Walworth? Verder dan dat. Maar was het tot dus-ver niet een kwestie van romantiek, escapisme, een hersenschim, plichtsver-zaking, een droom waarin hij zich te goed deed aan het leed van anderen om daar zelf een volledig mens van te worden? Hij wilde immers in de on-ontgonnen gebieden van het menselijk lijden vertoeven, aan de rand van de samenleving, om dáár te wonen, dát zijn thuis te laten zijn? De helden van onze tijd zijn dissidenten, mensen die protesteren, gevangenen alleen in hun cel, anonieme helpers, onbekenden die de waarheid spreken. Hij wist dat hij niet een van hen kon zijn, maar hij wilde op de een of andere manier dichtbij hen zijn. Het belangrijkste was het wegnemen van pijn, wa-ren individuen en hun geschiedenis. Maar wat betekende dat voor hém, met zijn nieuwe heimelijke dromen van vertrekken naar Zuid-Amerika of India? Zelfs zijn bevrijdingstheologie was romantisch, bestond louter uit een popu-

lair beeld van Christus als de redder van de armen, van de in-de-steek-gela-
tenen, van de verdwenen. Hoewel hij zich soms afvroeg of dat toch niet
juist theologie was, niet het geleerde gezwam van ontmythologiserende bis-
schoppen, maar een theologie die was gebroken, verpletterd door de plotseling realiseerbare en gerealiseerde verschrikkingen van deze wereld. Dat zou
het geval kunnen zijn, zelfs wanneer zijn eigen gedachten over een vertrek
niet verder gingen dan het doorbladeren van een vakantiegids, gewoon het
feit op zich dat hij, hoe dan ook, weg wilde. Hij wilde, bijvoorbeeld, weg
van Gerard.

Het behoeft geen betoog dat er geen gewone of voor de hand liggende
redenen waren waarom hij weg zou willen van Gerard. Hij had zijn hele volwassen leven van Gerard gehouden. Ze waren nooit minnaars geweest. Jenkins seksuele aspiraties, die meestal weinig succesvol waren geweest en nu
op de achtergrond begonnen te raken, golden het andere geslacht. Maar een
grote liefde omvat de hele mens en Jenkins band was misschien in de ware
zin platonisch. Gerard was een perfecte oudere broer, een beschermer en
een gids, een lichtend voorbeeld, een volledig betrouwbare, volledig liefhebbende hulpbron; hij was voor Jenkin een uniek mens geweest, van zuiver goud. Was dit misschien juist de reden waarom hij er vandoor wilde
gaan, eruit wilde breken? Om zichzelf in een Gerardloze wereld op de proef
te stellen. Hij werd te knus en te huiselijk in dit kleine onderkomen, met
zijn kleine, vriendelijke dingen. Er werd hem opgedragen ergens anders te
zijn, bij andere mensen, geen vrienden, er zouden geen vrienden meer zijn,
en ook geen andere dingen. Natuurlijk hoefde dat weggaan, dat onmiddellijke weggaan, niet te betekenen dat hij ruzie met Gerard zou maken, maar
hij zou hem in de steek laten, hij zou heel vreemd en ver weg worden zodat
Gerard, als hij er al in voorkwam, slechts een toerist in zijn leven zou worden.
Die breuk, dat breken, was op de een of andere manier essentieel; en op
stille avonden wanneer Jenkin alleen thuis was, naar de radio luisterde en
vroeg naar bed ging, schenen zijn plannen hem niet alleen absurd maar ook
vreselijk toe, als een soort dood, als een groot verlies: zoals Gerard zei dat
de deugd eruit zag als je die van onderaf bekeek. Nou, hij was ook niet op
zoek naar de deugd. Zijn wens was iets wat veel meer weloverwogen was.

Toen Gerard bij Jenkin vertrok en door de mist van Shepherds Bush naar
Notting Hill begon te lopen, gehuld in de grote, donkere cape van zijn gedachten, moest hij onwillekeurig denken aan een verhaal dat iemand hem
eens had verteld over de methode van vissen op een eiland in de Stille Zuid-
zee. De inboorlingen deden het volgende. Ze wierpen vanaf het strand een
enorm rond net in zee. Na verloop van tijd – Gerard kon zich niet herinneren
hoe lang het geheel duurde – werd het gigantische net, met vereende krachten die de medewerking van het hele dorp vergden, weer naar de kust getrok-

ken. Toen de enorme bundel langzaam het land naderde en boven de oppervlakte zichtbaar begon te worden, bleek het net een voorraad grote vissen te bevatten en wat de verteller – die onmiddellijk het zwemmen eraan gaf – 'zeemonsters' noemde. Toen deze dieren merkten dat ze gevangen waren en uit hun element werden verwijderd, begonnen ze wild en woest te spartelen, een maalstroom van angst en geweld, met zwiepende staarten, rollende ogen en klapperende kaken. Ze begonnen elkaar ook aan te vallen, zodat de zee rood kleurde van hun bloed. Toen Gerard dit verhaal later aan Jenkin vertelde gebruikte hij het spontaan als een beeld van de onbewuste geest. Later vroeg hij zich af waarom deze vergelijking zo passend had geleken. Zijn onderbewuste zat toch zeker vol rustige, vredige vissen? Jenkin maakte zich meer zorgen over de arme stervende dieren en bedacht voor de zoveelste keer dat hij eigenlijk vegetariër moest worden. Gerard wist niet goed waarom hij zich dat nu opeens herinnerde. Een gesprek met Jenkin stuurde altijd golven van kracht door Gerards gedachten, meestal goedaardige en plezierige. Vandaag echter hadden die vibraties hem een ongemakkelijk gevoel bezorgd, alsof, hoewel alles als vanouds leek, de golflengte was veranderd. Hij dacht: er is iets mis met Jenkin of misschien is er iets mis met mij. Hij kwam er niet goed uit en bleef zich afvragen of die gevoelens echt met Jenkin te maken hadden of met Crimond. Misschien waren die spartelende monsters als monsters van de jaloezie. Gerard had snel last van jaloezie, een zonde waarmee hij worstelde en die hij goed verborgen hield.

'De regenachtige Pleiaden draaien naar het westen, Orion stort heen, het middernachtelijk uur verstrijkt, en ik lig hier, alleen. De regenachtige Pleiaden draaien naar het westen, en zoeken, de zee voorbij, het hoofd waarvan ik zal dromen, en zal niet dromen van mij.' Dit gedacht van A.E. Housman, een vertaling van het een of andere Griekse geval, werd de laatste tijd dikwijls inwendig opgezegd door Gulliver Ashe, als een soort liturgie, niet precies een gebed. Het schonk hem iets van troost. Niet dat het voor hem enige werkelijke betekenis bezat of van toepassing was. Hij droomde in die tijd niet over enig hoofd in het bijzonder, al dan niet de zee voorbij. Hij lag 's nachts zeker alleen, maar hij had dit nu enige tijd gedaan en was eraan gewend. De lichte droefheid van het gedicht had voor hem een grotere en kosmische betekenis. Gulliver was werkloos. Het had hem enige tijd gekost in te zien dat dit een omstandigheid was die nog wel even kon duren.

Gerard, die voor Tamar een baan had gevonden, had er ook een voor Gulliver weten te vinden, maar Gulliver was hem bijna meteen weer kwijtgeraakt. Gerard had er 'veel begrip voor gehad' en had Gulliver tot twee keer toe uitgenodigd bij hem langs te komen, maar Gull liep met een boog om Gerard heen. Hij begon nu in te zien dat dat vage gevoel van schaamte een van de tekenen van zijn omstandigheden was. Gullivers baan, die vier weken had geduurd, was bij enkele grote drukkers en ontwerpers die zich specialiseerden in kunstboeken, waar Gulliver 'onderzoeksassistent' zou worden. Later vermoedde hij dat dat baantje gewoon was bedacht om Gerard een plezier te doen. Gull was in feite manusje van alles, moest vervolgens invallen voor een afwezige bode en boeken sjouwen. De bode kwam niet terug en Gulliver, die het sjouwen met boeken de keel begon uit te hangen, vroeg om wat onderzoekswerk. Hij kreeg een paar grove opmerkingen te horen en pakte toen maar zijn biezen.

Gulliver had op een Londens college Engels 'gedaan' en was afgestudeerd met goede cijfers en allerlei talenten in wordingstoestand. Als student had hij met veel succes toneel gespeeld en hij overwoog een carrière bij het toneel. Hij wilde ook schrijver worden, een links tijdschrift uitgeven, in de linkse politiek gaan. Hij werd toegelaten tot een toneelschool, waar hij besloot dat hij eigenlijk regisseur of decorbouwer wilde worden. Hij vertrok omdat iemand hem aanbood boeken te recenseren en hij een roman wilde schrijven. De boekrecensies liepen goed, hij maakte de roman af, maar kon geen uitvinder vinden. Hij solliciteerde en kreeg een baan bij de BBC als stagiair van een radioproducer. Hij wilde overstappen naar de televisie maar slaagde daar niet in. Het lukte ook niet om zijn tweede roman uitgegeven te krijgen. Gulliver weet deze mislukking aan tijdgebrek en verliet de BBC om van zijn spaargeld te leven en zich volledig aan het schrijven te wijden. Hij publiceerde wat korte verhalen, waarvan er één tot televisiestuk werd bewerkt. Hij probeerde terug te komen bij de BBC en slaagde daar niet in, maar hij kreeg wel een baan bij een theater workshop. Hij deed wat aan toneelspelen en wat aan regisseren en kreeg zelfs een Equity kaart, maar niets was er blijvend. Hij werd toneelcriticus voor een literair tijdschrift. Op deze manier gingen er jaren voorbij en Gulliver was nu in de dertig. Tot dusver had hij genoten van zijn omzwervingen, hij was ervan overtuigd dat hij altijd 'weer iets nieuws kon aanpakken'. Nu begon alles langzaam maar zeker moeilijker te worden. Hij slaagde er niet in de begeerde baan van redacteur te krijgen, het tijdschrift kon hem niet langer betalen, de theater workshop hield op te bestaan. Er was minder geld voorhanden, er werd overal bezuinigd. Hij schreef nog wat verhalen maar niemand gaf ze uit. Hij bezat de fut niet om weer een roman te proberen. Ten tijde van het midzomerbal was hij enkele maanden werkloos.

Gulliver had zich in de betere jaren van zijn ongelukkige jeugd en in zijn gelukkige studentendagen en daarna gesteund gevoeld door de gedachte dat hij mooi en losbandig was. Als student-toneelspeler en in de eerste jaren na zijn afstuderen was hij opvallend knap geweest, en aantrekkelijk voor beide geslachten. Hij had zich bij beide thuisgevoeld maar had zelf zulke hoge verwachtingen, dat hij er niet in was geslaagd de gewenste geweldige partner te vinden. In zijn losbandige gedaante bezocht hij enige tijd diverse, erkend louche, homobars. Hij droeg zwart leer en een spijkerriem en kettingen en sinistere laarzen. Hij wist zelf niet goed of dat slechts doen alsof was, of dat het een dapper en vernuftig zoeken was naar de realiteit. Er werd altijd veel gepraat over 'identiteit'. Maar wanneer hij naar de homobars ging wist hij niet wat schijn of echt was. Later vroeg hij zich weleens af waarom hij niet was vermoord. Hij vertelde Gerard nooit iets over die periode. Iets anders wat hij Gerard ook nooit had verteld was dat hij in een speciale homobar voor het eerst Gerards naam had horen noemen. Gerard kwam natuurlijk nooit op zulke plaatsen, maar de mensen praatten wel over hem. Hij had Gerard leren kennen door een reddingsoperatie voor een klein avant-garde theater in Fulham; Gerard droeg financieel bij en kwam een paar keer kijken. Het theater overleefde het echter niet lang. Gullivers hart klopte nog steeds wat sneller voor Gerard, maar hij had nooit verwacht op díe manier favoriet te zijn, aangezien het algemeen bekend was dat Gerard er nu niet meer aan deed. Gull voelde zich voldoende vereerd om vriendschap te sluiten met Gerards vrienden en om zich lid te laten maken – op een manier dat Gerard zich schuldig voelde over hem – van het boekcomité. In feite was Gerards aangeboren terughoudendheid dermate dat de 'aanmoediging', die hij zich verbeeldde Gulliver te hebben gegeven, voornamelijk in Gerards gedachten bestond, en voor de buitenwereld nauwelijks waarneembaar was geweest.

Gulliver had naar baan na baan gesolliciteerd, waarbij hij zijn verwachtingen steeds lager had gesteld en zijn trots steeds meer had ingeslikt. Hij solliciteerde bij de BBC, de British Council, de Labourpartij, het plaatselijke stadhuis, de Universiteit van Londen. Hij probeerde een beurs te krijgen om verder te studeren maar dat lukte evenmin. Hij keek natuurlijk ook naar baantjes bij het toneel maar besefte weldra dat dit hopeloos was wanneer goede en ervaren acteurs zonder werk zaten. Hij solliciteerde links en rechts bij de meest uiteenlopende instellingen en bood zichzelf op allerlei manieren aan als leraar of sociaal werker. Hij ontdekte dat hij over veel onvermoede kwaliteiten en hobby's beschikte: hij was heel goed met kinderen, met oude mensen, met geesteszieken, met dieren, hij was heel jong, heel volwassen, heel ervaren, heel veelzijdig, heel leergierig. Hij had geen succes en begreep dat elke baan honderden sollicitanten aantrok. Hij had nog niet gesolliciteerd als portier, ober, ongeschoold arbeider, aangezien hij veronderstelde dat hij toch zou worden afgewezen, bovendien beschouwde hij dit als een wanhopige, misschien wel fatale zet. Hij had nog wat spaargeld, hij bleef hopen; maar hij begon nu de mogelijkheid duideijk onder ogen te zien dat hoewel hij jong en getalenteerd was en een universitaire graad bezat, hij misschien wel nóóit meer een baan zou hebben!

Gulliver had nu al vaak genoeg medelijden gehad met de werklozen en de regering de schuld gegeven. Nu ondervond hij alles aan den lijve. Hij dacht dikwijls wrokkig: het is niet eerlijk, ik ben niet het soort persoon dat werkloos wordt! Bij het ontwaken 's ochtends werd zijn bewustzijn snel verduisterd door de misère van de situatie waarin hij zich bevond. Hij had niet beseft hoe eenzaam hij was, of nu was geworden. Hij was als kind eenzaam geweest, maar toen hij student was had hij zichzelf als gevestigd beschouwd, als geaccepteerd in de maatschappij, voorbestemd om eeuwig door vrienden omringd te zijn. Nu drong het tot hem door dat als je werkloos bent en geen geld hebt, je kunt ophouden een persoon te zijn. Hij besefte hoe 'subjectief' dit was, beïnvloed door het huidige spraakgebruik van goedwillende lieden die zo gretig iets beschreven en beweenden wat ze zelf niet hadden meegemaakt. Het was absurd om je zo beschaamd, zo sjofel, zo nutteloos te voelen. Hij wist alleen dat hij langzaam maar zeker werd vernietigd door een vijandige kracht, dat hij in een afgrond zonk waaruit hij nooit meer omhoog zou kunnen klauteren. Hij stelde zich voor hoe hij over een paar jaar zou zijn, een armoedige figuur die bij zijn vrienden de hand ophield. De bloei had hem verlaten, was slechts voor een kort moment in het vlees volmaakt geweest, hij begon nu rimpelig en smoezelig te worden. Hij haatte de aanblik van jongere mannen, een vreselijk symptoom. Weldra zou hij niet langer in staat zijn de schijn op te houden voor de buitenwereld, iets wat van groot belang was als je een baan wilde bemachtigen. Hij had geen familie om op terug te vallen, hij had zijn vader nauwelijks gekend, hij had een vijandige stiefvader en stiefbroers en -zusjes moeten doorstaan, hij was de buitenstaander, de mislukkeling, zijn moeder keerde zich tegen hem. Hij had hen later met veel genoegen zijn minachting gedemonstreerd en het contact was steeds minder geworden. Hij kon nergens naar toe. Hij zou weldra zijn bescheiden huurwoning op moeten geven. Hij verkocht zijn auto, liet zijn telefoon afsnijden en vermeed zijn literaire vrienden met hun dure lunches. Hij kon niet nog eens Gerards hulp accepteren, en zich evenmin in deze rampzalige staat laten zien. Jenkin stuurde drie ansichtkaarten, maar Gull had nooit veel in Jenkin gezien. Hij koesterde wat romantische gevoelens voor Rose, die hem had opgebeld en, toen zijn telefoon was afgesneden, hem had geschreven of hij een glaasje kwam drinken. Hij weigerde natuurlijk. Hij had haar, anoniem, bloemen gestuurd. Dat vrolijkte hem weer een beetje op.

'En ze had een raar klein ding dat in haar kamer rondrolde, als een balletje. Ze zei dat ik het nooit mocht aanraken. Natuurlijk probeerde ik dat toch te doen, ik wilde het oprapen, maar het rolde altijd weer weg, ergens onder. Ik wist nooit zeker of het levend was of niet.'

'Hoor eens, je grootmoeder was toch geen échte heks, ik bedoel, er bestaan geen echte heksen, alleen maar arme krankzinnige wezens of bedriegers die doen alsof...'

'Ik geloof dat ze vroedvrouw was, of was geweest, misschien niet een offi-ciële, maar ze wist alles over kruiden, ze verzamelde ze als het volle maan was. Als je iemand kwaad wilde doen plukte je de kruiden als het afnemen-de maan was...'

'Volgens mij was ze krankzinnig...'

'Dat was ze niet, en ze was ook geen oplichtster... je begrijpt het niet, hekserij is een oude religie, veel ouder dan het christendom, het heeft met krachten te maken. Ik denk dat ze haar ouders haatte, ze waren lid van de een of andere strenge christelijke sekte, ze háátte het christendom.'

'Nou, dat valt dan psychologisch te verklaren.'

'Wanneer je verklaren zegt bedoel jij er een andere uitleg aan te geven! Ze zei soms dat ze een zigeunerin was, en soms dat ze joods was. De mensen waren bang voor haar, maar ze vroegen haar ook om hulp, ze kon allerlei dingen. Ze was een wichelroedeloopster, en ze kon klopgeesten verjagen, en ze kon het laten regenen door te urineren... en ze voerde natuurlijk abor-tussen uit...'

'Natuurlijk!'

'Ze bezat het boze oog, ze had één vreemd oog, en...'

'Net als Duncan! Ik denk niet dat hij het boze oog bezit... maar ik kan me voorstellen dat hij zou willen dat hij het had, de arme kerel!'

'Ze bezat veel boeken, ik denk dat ze dacht dat ze nog eens iets geweldigs zou ontdekken.'

'Dat doen krankzinnige mensen wel vaker.'

'Goed, dan zijn we allemaal een beetje gek. Waarom denk je dat ze taxusbomen op kerkhoven hebben aangeplant? En het is net als socialisme.'

'Als socialísme?'

'Ja, het is een maatschappij tegen de maatschappij, het is een vorm van protest, het is net als wat Crimond doet, en...'

'O, Lily,' zei Gull, 'haal nou niet alles door elkaar, eerst is het je vreselij-ke grootmoeder, en nu zijn we weer bij Crimond beland!'

'Nou, hij wil ook macht, hij schrijft een magisch boek.'

'Je kent hem toch, hè?'

'Ik heb hem vroeger gekend,' zei Lily voorzichtig. 'We hebben elkaar de laatste tijd niet veel gezien.'

Het was juist bij Lily opgekomen dat het misschien aardig was als Gulliver zou geloven dat ze Crimonds minnares was geweest. Ze had dit nooit bij anderen durven suggereren. Zelfs nu was ze een beetje bang dat Gulliver haar door zou hebben; of erger nog, dat hij het zou geloven en er tegen Cri-mond iets over zou zeggen. Wat had ze precies gezegd? Ze was het alweer vergeten. Dat kwam van de wijn.

Ze hadden een picknicklunch in Lily's flat. Lily's flat, in de buurt van Slo-ane Square, was goed voorzien van grote ramen met banken erlangs en brede Edwardian deuren van teakhout. De erker van haar zitkamer, waar ze aan een ovale tafel zaten te picknicken, keek uit over een straat waar de wind de grote, gele bladeren uit de hoge platanen haalde en ze voorzichtig op de straat legde. Er brandde een vuur in de haard. De kamer was bont gekleurd, volgepropt, bijna opzichtig; Gulliver vond hem sensueel en oosters, en dat had misschien iets te maken met de vreselijke grootmoeder. Misschien was hij het ideale publiek voor die kamer. Gulliver hield van Lily's krankzinnige, gemengde smaak, met het bijna zwarte behang, het moderne groen en ivoor geblokte vloerkleed met de *trompe l'oeil* effecten, als het plaveisel van een exotische binnenplaats, de sofa's waar Lily op rondhing, bedekt met geweven en geborduurde kleden, de kastjes en tafeltjes stonden vol doosjes een beeldjes, dure snuisterijen die Lily in een opwelling in dure winkels had gekocht. Hij vond het prettig dat het hier naar nieuwe dingen rook, zelfs de oude dingen leken hier nieuw.

Ja, ze waren vrienden. Gull had nooit eerder een vriendin gehad. Dit was het enige dat er de laatste tijd was gebeurd en dat niet onheilspellend en vreselijk was, en zelfs hier hing nog een wolk van dubbelzinnigheid boven. Hij kon niet geloven in iets dat binnenkort niet weer zou worden bedorven. Het was niet Gulls idee geweest, maar dat van Lily. Dit feit was al besproken. Aan het eind van de zomer, toen Gerard in Griekenland zat en Rose in Yorkshire, en Gulliver juist begon te wanhopen, had hij een kaartje van Lily gekregen, waarin ze hem uitnodigde voor een lunch in een restaurant in Covent Garden. Hij besloot te weigeren en ging toen toch maar. Ze ontmoetten elkaar nog een paar keer, in restaurants, op Lily's kosten. Gulliver had niet verwacht goed op te kunnen schieten met deze ietwat lachwekkende vrouw, maar dat deed hij wel. Hij had haar enige tijd geleden op een feestje bij Rose ontmoet en nauwelijks aandacht aan haar besteed. Werd hij nu aangetrokken door haar geld? Dit was de eerste keer dat ze, op Gulls suggestie, in haar flat lunchten. Hij begon er genoeg van te krijgen haar steeds te zien betalen en hij was bang dat dit op zou vallen. Gull voelde zich bij Lily op zijn gemak omdat hij niet bang was voor haar oordeel en zich ook weinig aantrok van wat ze van hem zou vinden. Hij genoot van een soort ontspannen gevoel van superioriteit, dat hij waarschijnlijk ontleende aan de mensen bij wie hij haar voor het eerst had ontmoet. Tegelijkertijd voelde hij zich geroepen bij haar de schone schijn op te houden en dat deed hem goed. Bij Lily speelde hij de berooide schrijver, het miskende genie, liet doorschemeren dat hij niet echt geïnteresseerd was in het vinden van een baan, dat hij altijd alleen had willen zijn en eenvoudig had willen leven en schrijven. Hij vertelde haar dat de drop-outs de heiligen van de moderne wereld waren. Lily bewonderde zijn ascetische levenshouding. Er kwam natuurlijk niets romantisch aan te pas. Lily praatte een beetje over gewiekste mannen, Gull vertelde over homobars. Allemaal heel losjes en nonchalant.

Lily was blij dat ze Gulliver had ingepalmd. Ze beschouwde hem een beetje als een verlengstuk van Gerard en een schakel met 'die wereld'. Ze slikte zijn verhaal over 'berooide schrijver', 'drop-out heilige' en wist niet dat hij Rose en haar vrienden niet langer ontmoette. Ze beschouwde Gulliver als een sociale aanwinst of opstapje, maar ze genoot ook van zijn gezelschap en vond het leuk om eens zo'n soort vriend te hebben. Ze waren, vonden ze allebei, mislukkelingen, excentrieke figuren, ongewone mensen. Ze had ervan genoten hem over zijn waardeloze familie te horen praten en hem over háár waardeloze familie te vertellen; hoe haar vader er nog voor haar geboorte vandoor was gegaan, hoe haar moeder, die tot het katholicisme was bekeerd, haar had overgedragen aan haar paranormale grootmoeder, voor wie Lily – hoewel ze nu trots op haar was – toen doodsbang was beweest. Ze belandde na school op een vervolgopleiding waar ze leerde typen en wat aan schilderen en pottenbakken deed. De katholieke moeder stierf aan de drank, de grootmoeder, die van plan was honderdtwintig te worden, stierf onder geheimzinnige omstandigheden, vermoord – beweerde ze – door de vloek van een rivaliserende heks. Lily had met beiden het contact verloren. 'Ik heb nooit van ze gehouden,' zei Lily. 'Zij hebben nooit van mij gehouden. Het was over en weer een fiasco. Pech gehad.'

Ze hadden ham en tong en salami gegeten, en – uit blik – peperonata en artisjokharten en limabonen. Gull en Lily waren allebei dol op eten maar niet op koken. Ze hadden veel goedkope witte wijn gedronken – Lily was niet erg kieskeurig met wijn. – Daarna zou er kaas volgen en chocoladetaartjes met slagroom, daarna Spaanse cognac waaraan Lily de voorkeur gaf boven Franse. Het was stoffig in huis, omdat Lily, die heel achterdochtig was en bang voor dieven, geen werkster in dienst wilde nemen en niet van afstoffen hield, het was er ook rommelig, maar Lily was in andere opzichten heel systematisch, bijna ritueel. De 'picknick' verliep langzaam en ordelijk, de mooie borden en glazen waren zorgvuldig gerangschikt op een tafelkleed dat van een Indiase beddesprei was gemaakt; Lily had op haar polytechnische school nooit echt kunnen schilderen, maar het instinct dat haar daarheen voerde gaf, misschien, blijk van een artistiek temperament. Ze was ook, constateerde Gulliver, uitermate bijgelovig, ze maakte zich voortdurend ongerust over ladders, voortekens van vogels, gekruiste messen, ongunstige data, getallen, standen van de maan. Ze was bang voor zwarte katten en spinnen. Ze geloofde in astrologie en liet diverse keren haar horoscoop trekken, zonder zich op te winden over het feit dat de voorspellingen niet met elkaar in overeenstemming waren. Ze had eveneens wat verwarde ideeën over yoga en zen. Een van de andere raadselen rond Lily was dat ze er opmerkelijk oud of opmerkelijk jong uit kon zien. Wanneer ze er oud uitzag lag er een verbeten masker van onrust op haar gezicht, verduisterde een gerimpelde huid haar lichtbruine ogen, leek haar lange hals mager en pezig, en haar huid vaal en strak, als in een landerige pruil naar haar mond toe getrokken. Op andere momenten was haar gezicht glad en jeugdig en alert, met een stralende blos en een heldere blik, haar slanke figuur gespannen van energie. Lily's kleren varieerden eveneens van pijnlijk netjes tot rommelig en slonzig. Vandaag zag ze er knap en jeugdig uit; ze droeg een strakke, zwarte, corduroy broek, had blote voeten, een blauwe zijden blouse aan en een amberkleurige ketting. Gulliver, die zich voor Lily altijd netjes kleedde, had een beige-grijze trui met rode spikkels aan, over een wit overhemd, zijn beste spijkerbroek en laarzen, en zijn schitterende bruine, zachte, – rendier – leren jasje aan, dat hij nu uit had getrokken omdat het in Lily's flat zo warm was.

Gulliver had Lily's hint over haar relatie met Crimond niet opgepikt, het was zelfs niet tot hem doorgedrongen. Hij had juist in zijn tong gebeten. Hij deed dit de laatste tijd wel vaker. Was dat een teken van iets, een verlies van fysieke coördinatie misschien, een symptoom van een dodelijke ziekte? Hoe ter wereld, nu hij er zo aan moest denken, hield zijn tong het daar uit, met zo'n gevaarlijk leven tussen die twee verpletterende monsters? Hij zei: 'Heb je Jean Cambus nog gezien?'

'Nee, de laatste tijd niet.' Lily wilde niet toegeven dat haar vriendschap met Jean tot het verleden behoorde.

'Wat een toestand,' zei Gulliver. Ze hadden dit natuurlijk reeds besproken. Gulliver had onwillekeurig wel pret als andere mensen ook in de penarie zaten; moet je nagaan, twee keer door dezelfde vent de hoorns opgezet te krijgen! 'Als ik Duncan was zou ik zo ziek zijn van woede en schaamte en haat dat ik mezelf overhoop zou schieten!'

'Waarom zou hij in vredesnaam?' zei Lily. 'Hij zou met een bende Crimond te grazen moeten nemen. Mijn vriendinnen uit de vrouwenbeweging zouden iemand als Crimond vermóórden, zoals ik een keer bij een judodemonstratie heb gezien. Daar liet een vrouw zien wat je moet doen als je wordt aangevallen door een man. Dat is gááf, zeg! Ze had die kerel op de grond, en het was een grote vent hoor, hij lag plat op zijn gezicht en ze draaide zijn arm om en alle vrouwen in de zaal begonnen te gillen: ''Vermoord hem! Vermoord hem!'' Het was geweldig!'

Gulliver huiverde. 'Ik zie Gerard en de anderen niet zo gauw iets gewelddadigs doen. Zij hebben meer de neiging erover na te zitten denken.'

'Dat clubje culturele heren!' zei Lily. 'Dat zit daar maar bij elkaar als een stelletje kleine goden zonder problemen. Zelfs wanneer hun beste vriend in de problemen zit steken ze nog geen vinger uit.'

'Ze kunnen er niets aan veranderen,' zei Gulliver. 'Gerard trekt het zich echt heel erg aan, hij is heel zorgzaam voor anderen.'

'Hij heeft mij te veel poeha,' zei Lily.

Gulliver lachte meelevend. Hij was in een stemming om Gerard een beetje af te vallen. Hij wist dat hij eens ook diep onder de indruk was geweest. Hij had begin vorig jaar wel gedichten van zichzelf voor Gerard gecopieerd. Gerard had er iets aardigs over gezegd maar Gull had ze later in een prullenbak zien liggen.

'En Jenkin Riderhood is een sukkel,' ging Lily verder, 'een kneuterige teddybeer.'

'Het is een zelfingenomen ventje,' zei Gulliver, 'maar hij doet geen vlieg kwaad.' Hij nam zichzelf deze vreselijke uitspraak op slag kwalijk. Hij merkte dat hij net zo gemeen begon te roddelen als Lily en dingen zei die hij niet meende, maar die zij hem op de een of andere manier ontlokte. Ik begin te degenereren, dacht hij, en dat komt doordat ik gedemoraliseerd begin te raken. 'Jij kiest zeker partij voor de vrouwen?'

'Rose Curtland is heel aardig,' gaf Lily toe. 'Ze kan het niet helpen dat ze een beetje deftig is. Maar ze doet zo timide en daar krijg ik de kriebels van, ik kan timide vrouwen niet uitstaan. Die kleine Tamar is nog de beste van het hele stel.'

'Tamar?' zei Gulliver verbaasd. Hij had Lily nog niet eerder over Tamar gehoord.

'Ja,' zei Lily. Ze vervolgde: 'Zij heeft nog weleens aardig tegen me gedaan.' Tamar had een keer haar best gedaan om met Lily te praten en haar gezelschap te houden op een feestje ten huize van de familie Cambus, in vroeger tijden, toen Lily er voor spek en bonen dreigde bij te zitten. Lily had dit nooit vergeten.

Gull was ontroerd. 'Het is een best kind, maar niet bepaald vroegrijp, ze is een en al bescheidenheid.'

'De hemel zij geprezen dat er nog zulke meisjes rondlopen! Ze is zuiver, ze is onschuldig, ze is lief, ze is onbedorven, ze is fris, ze is alles wat ik niet ben. Ik ben sleets en overjarig, ik denk dat ik al zo ben geboren. Ik aanbid dat kind.'

Gulliver was verbaasd over deze kleine uitbarsting. Misschien had hij Tamar wat onderschat, mischien moest hij meer aandacht aan haar besteden? Maar Lily's emotie had eigenlijk alleen met haarzelf te maken en niet met Tamar.

'Zij zal het nog ver brengen,' zei Lily, 'de anderen zijn slap, ze leven in het verleden, in een soort Oxfordse droomwereld. Tamar had gelijk dat ze eruit stapte, ze is dapper, ze is van het soort dat alles overleeft. Je moet tegenwoordig hard zijn om te begrijpen wat er gaande is, laat staan om er iets aan te dóen!'

'Jean is hard,' zei Gulliver, 'ze is ook heel dol op Tamar en Tamar was smoor op haar.'

'Echt?' Lily vroeg zich even af of ze Jean op de een of andere manier, misschien met Tamars hulp, terug zou kunnen krijgen. Maar het had geen zin.

'Ik kan het allemaal niet meer volgen,' zei ze. 'Ik kan niet opschieten met mannen en ik kan ook niet opschieten met vrouwen.'

'Je kunt anders wel met mij opschieten.'

'O, jíj. . .!'

'Wat bedoel je daarmee, o mij?'

'Het idee dat mannen en vrouwen verschillend zijn is in de wereld gebracht door mannen en slavinnen. Dat freudiaanse gedoe, over penisnijd en zo, betekent niets anders dan dat Freud zich superieur voelde. Wij, misbruikte, bevrijde vrouwen kunnen dit het beste beoordelen en weten. Ik weet niet waarom ik ''we'' zeg. Ik ben de enige die het ziet en weet.'

'Dat komt doordat je een heks bent,' zei Gull. 'Ik weet dat je Jean hebt ontmoet in die yoga-klas, waar jullie op je hoofd stonden, maar waar heb je Crimond ontmoet?'

'Crimond? Crimond is zo'n droogstoppel, waarom moeten we het de hele tijd over hem hebben?'

'Hoe kwam het dat je met hem naar dat bal ging?' Gull had deze vraag al eerder willen stellen, maar nu voelde hij zich pas brutaal genoeg.

'O, gewoon toeval, op het laatste moment kon een ander meisje niet, het stelde niets voor. Ik ken hem eigenlijk helemaal niet zo goed. . . maar wie wel.'

Lily was wat zwijgzaam over Crimond, niet dat er iets was 'gebeurd', er viel niets spannends te verbergen, en, hoewel ze het niet erg vond als mensen iets anders vermoedden, het was waar dat ze hem helemaal niet zo goed kende. Wat haar wel dierbaar was, en goed verborgen moest blijven, was eenvoudig de weinig opwindende maar zeer veelbetekende geschiedenis van haar gedachten en gevoelens met betrekking tot deze man. Lily had voor het eerst over Crimond gehoord in de dagen dat hij een beroemde extremist was, een idool van de jeugd, een invloedrijke vriend van vooraanstaande linkse parlementariërs, die volle zalen toesprak en op de televisie verscheen. Toen, in de tijd kort na Jeans terugkeer naar Duncan en vlak voor Lily's huwelijk leerde ze Jean kennen in de yoga-groep. Uiteraard had Jean het nooit over Crimond, maar in de Women's Lib groep, waar Lily toen vaak naar toe ging, werd veel over deze affaire gepraat en hoewel ze geen voorstanders waren van het instituut 'huwelijk', vonden ze Crimond een gemeen mispunt, een pestkop, een mannelijk chauvinistisch zwijn, en politiek niet zuiver op de graad waar het de vrouwenbeweging betrof. Toen Crimond op een vergadering moest spreken in de buurt waar Lily toen woonde, in Camden Town, ging ze erheen om hem eens te zien. Ze was gefascineerd. Het was niet direct verliefdheid, Lily waagde het niet haar obsessie voor Crimond aldus te betitelen. Het was meer alsof ze verslaafd raakte in een situatie waarin dit iets was dat sommige mensen gewoon overkwam en die dit dan accepteerden als hun lot en er het beste van maakten. Dat was ongeveer het beeld, want Lily dacht niet na over details, van de staat van hopeloze berusting waarin ze verkeerde. Ze had zich een tijdje afgevraagd wat ze eraan moest doen. Ze ging naar nog een bijeenkomst en nog een, reisde een keer dwars door Londen en een keer naar Cambridge. Die tweede keer slaagde ze erin zich een weg te banen door een menigte opgewonden studenten, zijn 'rode gardisten', zoals iemand hen noemde, om met hem te kunnen praten. Ze wendde voor een vertegenwoordigster te zijn van de socialistische vrouwen-workshop, een organisatie waar ze wel eens van had gehoord, en ze vroeg of ze een keer met hem mocht komen praten. Hij had op zijn horloge gekeken en gezegd dat ze hem via zijn uitgever kon schrijven en was toen verdwenen. Lily ging langdurig met verlof om zich in die tijd volledig te kunnen concentreren op haar brief aan hem. Maar toen het verlof voortduurde besefte ze dat ze niet kon schrijven, dat ze geen goede brief kon opstellen. Hij zou geen antwoord geven en dat zou zij vreselijk vinden. Zij zocht uit waar hij woonde en ging er op een ochtend heen, misselijk van angst, trof Crimond alleen thuis en bood hem haar diensten aan als zijn woordvoerster, zijn secretaresse, zijn huishoudster, of wat dan ook in zijn leven. Hij vertelde haar dat ze naar de plaatselijke afdeling van de Labour-partij moest gaan, waar ze haar wel werk te doen zouden geven. Toen Lily bijna in tranen wilde vertrekken zei ze in een plotselinge opwelling dat ze – wat toen niet al te erg onwaar was – een vriendin was van Jean Kowitz. Ze had bovendien het lef Jeans voornaam te noemen. Crimond keek haar nu echt aan. Toen zei hij: 'Maak dat je wegkomt.' Lily was teleurgesteld maar ze wist wel dat ze van nu af aan voor hem bestond.

Vervolgens schreef ze hem een zakelijke brief waarin ze zei – en dat was niet waar – dat ze veel typewerk verrichtte voor schrijvers en wetenschapsmensen en dat ze graag alles voor hem zou willen typen. Hier kwam geen antwoord op. Maar toen Lily, na een gepaste tussenruimte, bijtijds naar één van Crimonds bijeenkomsten kwam, zodat ze op de voorste rij kon zitten, herkende hij haar en glimlachte. Daarna schreef ze hem opnieuw om haar 'typediensten' aan te bieden en hem de groeten te doen. Een onpersoonlijke mededeling van het secretariaat vroeg haar een haastklus te doen voor meneer Crimond. Lily nam vrijaf van haar kantoor, werkte zich ongelukkig en bracht het voltooide typewerk persoonlijk weg. Iemand nam het van haar aan en betaalde haar. Crimond was in een glimp door een deuropening te zien en riep 'bedankt'. Ondertussen gaf Lily zich, in het werkelijke leven, over aan de omhelzingen van de lieve, bleke James Farling met wie ze, aangezien ze nog steeds Crimonds slavin was en geen enkele dunk van zichzelf had, in het huwelijk trad. Daarop volgde bijna direct haar staat als weduwe die haar roem en fortuin bracht, of in ieder geval geld – ze kwam er nooit achter hoeveel het precies was – en de twijfelachtige roem van iemand die, niet altijd even vriendelijk, door de pers wordt genoemd. Door al deze gebeurtenissen was ze toch iets zelfverzekerder geworden en ze begon Crimond nu en dan kaarten te sturen, met hartelijke groeten en opmerkingen over haar 'typebureau'. Er verstreek een tijd waarin ze tussen grote gelukzaligheid en diepe neerslachtigheid heen en weer werd geslingerd. Ze begon het gevoel te krijgen dat iedereen 'achter haar geld aanzat', verklaarde dat 'mannen haar de keel uit hingen' en dat ze een 'kluizenares' wilde worden. Ze herinnerde zich haar vriendschap met een schilderes die Angela Parke heette en die ze als studente had gekend, maar ze maakte ruzie met haar omdat ze zich verbeeldde 'kleinerend' te worden behandeld. Ze begon te geloven dat de mensen haar nu als een domme, ordinaire, streberige vrouw zouden zien die dacht dat ze met geld 'overal binnenkwam'. Ze begon in stilte te drinken. Ze maakte zich zorgen over haar geld dat zomaar leek te verdwijnen. Ze had het gevoel dat iedereen op haar neerkeek, ze had geen vrienden en geen eigen wereld.

Lily werd echter in deze periode duidelijk gesteund door haar merkwaardige, eenzijdige relatie met Crimond. Dit was het enige dat zuiver en heel was gebleven. Crimond vervulde, in die tijd, voor haar de rol van God. Dit was een relatie die van haar slechts het beste vroeg en die niet kon worden gedenigreerd. Het was natuurlijk ook een bron van angst, aangezien de macht van dit hoogverheven wezen over haar angstaanjagend was. Haar kaarten werden uiteraard nooit beantwoord, maar er kwam wel meer typewerk en ze slaagde er zelfs in Crimond een enkele keer te ontmoeten en een kort gesprek met hem te voeren. Op zekere, gelukkige dag noemde hij haar 'Lily'. Ze begreep dat ze niet bang hoefde te zijn afgewezen te worden. Crimond, voor wie zo veel robuuste mensen bang waren, kon het zich veroorloven nonchalant vriendelijk te zijn tegen de zwakkeren. Gaandeweg was ze in staat zich duidelijke plannen te vormen voor haar nabije toekomst. Ze deed krampachtige pogingen 'haar geest te verrijken', las een paar semi-intellectuele romans en keek op de televisie naar de 'betere' programma's. Ze volgde zelfs – weliswaar korte tijd – een avondcursus Frans. Ze had het gevoel dat ze echt een beetje begon te veranderen. Eerder in haar leven zou ze niet in staat zijn geweest die vreemde vriendschap te sluiten die ze nu met Gulliver Ashe had. Ondertussen bleef haar relatie met Jeans kennissenkring, waarop ze zozeer had gehoopt, op teleurstellende wijze beneden peil. Jean had haar in feite laten vallen, alleen Rose Curtland hield contact met haar en nodigde haar uit voor enkele bijeenkomsten waar verder niets uit voortkwam.

De goden, die op hun verveelde manier zulke dingen regelen in de bestemming van sterfelijke mensen, hadden beschikt dat zodra Lily, na langdurige en riskante pogingen, eindelijk min of meer een nietige relatie met Crimond had opgebouwd, er een einde kwam aan haar verslaving. Natuurlijk hield ze nog van Crimond en schatte ze hem zeer hoog, maar ze was niet langer de hulpeloze slavin van zijn gedachten. Ze begon nu zelfs in te zien dat hij niet volmaakt was, ze was in staat hem tegenover anderen te bekritiseren, zelfs brutale vragen te stellen over zijn seksleven, waar echter weinig van bekend was. Er verdween veel angst uit haar bestaan en ze voelde zich over de hele linie een stuk beter. In de talloze uren van nadenken die Lily uiteraard aan dit onderwerp had gewijd, had ze met de gedachte gespeeld dat ze 'iets betekende' voor Crimond, vanwege een vermoedelijke connectie met Jean. Ze wist niet goed wat ze van deze hypothese moest denken, ze wist zelfs niet of ze er wel gelukkig mee was. Ze zei nuchter tegen zichzelf dat ze echt niets voor Crimond betekende, dat hij haar terloops tolereerde als een van de talloze andere onbetekenende aanhangers. Maar toch begon ze, haast zonder het tegenover zichzelf te willen bekennen, het idee te ontwikkelen dat Crimond haar op de een of andere manier 'achter de hand hield', niet voor haarzelf natuurlijk, maar als werktuig, als mogelijke verbindingslijn. Lily begon het een leuk idee te vinden zichzelf in dit opzicht als 'stille reserve' te beschouwen, als iemand die voor mogelijk toekomstig gebruik werd bewaard. Het was opnieuw paradoxaal dat toen het moment aanbrak waarop Lily inderdaad een doorslaggevende rol in Crimonds leven kon spelen, zij dit niet inzag en bijna niet meespeelde. Lily had al enige tijd geleden van Rose gehoord dat er in Oxford een bal werd gegeven en dat zij erheen zou gaan, en ze wist zelfs dat Tamar met die Amerikaanse jongen zou gaan. Heel toevallig had ze, heel kort ervoor, één van haar korte ontmoetingen met Crimond, voor wie ze wat dringend typewerk had verricht. Dat typewerk was altijd haastig geschreven, politieke stof, niet voor het boek, waarvan ze uiteraard van het bestaan op de hoogte was, maar dat ze nooit had gezien. Crimond leidde nu een veel eenzamer leven in Camberwell, niet langer bijgestaan door secretaresses, helpers, bewonderaars, rode gardisten. Lily, die na een afspraak kwam, trof Crimond altijd alleen en kreeg de kans voor een klein babbeltje, waarvoor ze altijd iets interessants voorbereidde om te kunnen vertellen. Ze had nooit meer, sinds die ene keer in het begin, Jeans naam durven uiten, maar ze noemde af en toe wel dat ze Rose of Gerard had gezien. Ze dacht dat dit haar aanzien in Crimonds ogen kon verhogen, hoewel ze wist dat de relaties tussen hem en 'de club' nu extreem koel waren. Crimond ging nooit op deze opmerkingen in, maar scheen zich er evenmin aan te ergeren. In haar babbeltje over Rose kwam Lily voor de dag met het nieuws over het bal, dat nu al over een week werd gehouden, zeggend dat 'iedereen erheen ging', waarbij ze de heer en mevrouw Cambus temidden van de anderen noemde. Crimond zei onmíddellijk – de snelheid van dit antwoord verbaasde haar achteraf – : 'Ik denk dat ik ook ga. Heb je zin met me mee te gaan?' Lily bezwijmde bijna van verbazing en vreugde.

Haar vreugde werd echter minder toen ze, bij nader inzien, opeens begreep dat het doel van zijn onderneming precies dat moest zijn wat het later bleek te zijn en dat er eindelijk gebruik van haar werd gemaakt, zoals ze zo lang had gewild, alleen voelde het nu niet zo troostvol aan, als werktuig in een hand te liggen. Ze vroeg zich zelfs af of Crimond soms dacht dat Lily een boodschap van Jean overbracht. Maar onwillekeurig was haar hoop voor die magische avond hoog gespannen. Ze kreeg hem in die tussentijd niet meer te zien; ze ging met de bus naar Oxford, aangezien Crimond haar niet had aangeboden haar op te halen en gewoon had gezegd dat ze elkaar bij de poort van het college zouden treffen. Ze gingen samen naar binnen en liepen naar de dichtstbijzijnde tent waar Crimond met Lily naast zich bleef staan en om zich heen begon te kijken. Op dat moment zag Gulliver Ashe hem. Toevallig werd Crimond op slag herkend door een groepje linkse studenten, waarvan één hem persoonlijk kende, en werd hij omringd. Lily ging een poosje zitten en werd daar door Tamar gezien. Toen de volgende dans begon verspreidde het groepje rond Crimond zich en was Crimond zelf ook verdwenen. Toen Lily hem enige tijd later weer zag danste hij met Jean.

In de dagen en weken na het bal verkeerde Lily in een toestand van shock. Ze hoorde weldra van Rose, bij wie ze expres op bezoek was gegaan, dat Jean opnieuw haar man had verlaten en bij Crimond woonde. Toen ze hier eindeloos over nadacht begon ze te beseffen dat ze hem had verloren. Sommige levende wezens hebben een verdedigingsmechanisme dat, als het gebruikt wordt, hun dood teweeg brengt. Lily had het geweldige moment bereikt waarop ze werkelijk van belang, van doorslaggevend belang was geweest voor Crimond, maar daarmee had ze een einde gemaakt aan hun relatie. Het was onmogelijk, volslagen onmogelijk voor haar om nu nog bij hem in de buurt te komen. Geen typewerk meer, geen kaarten, geen bezoekjes, geen babbeltjes, niets. Zodra ze besefte dat dit zo was, kwam alle oude, dwaze liefde voor hem weer bij haar boven, nu gekleurd door al die ijdele illusies en de bittere herinnering aan hoe blij en trots ze zich had gevoeld toen ze met Crimond over het gras naar de dansvloer was gelopen. Ze dacht dat ze zou sterven van boosheid, van schaamte en van verdriet. Maar toen ze hoorde hoe Rose en andere mensen zeiden dat dit niet blijvend zou zijn, dat Crimond onmogelijk was, dat Jean uiteindelijk weer bij hem weg zou gaan, begon Lily zich te troosten met nieuwe voorstellingen van hoe ze eens zijn oude en lieve vriendin zou zijn, degene die hem niet in de steek liet wanneer alle anderen trouweloos bleken te zijn. Ze onthulde natuurlijk nooit tegenover iemand dat zij Crimond over het bal had verteld; en ze vond het zelfs vreemd opwindend te bedenken dat zíj dit alles teweeg had gebracht. Ze had soms, terwijl ze wachtte en wachtte en geen enkel teken gaf, het gevoel dat ze een soort geheime macht over hem had.

'Het is niet nodig dat je iets speciaals tegen Jean zegt,' zei Gerard tegen Tamar. 'Ga gewoon naar haar toe. Je bent zelf de boodschap.'

Gerard had Tamar en Violet voor een glaasje uitgenodigd, in de veronderstelling dat Violet, die nijdig werd als ze niet werd gevraagd, als gewoonlijk niet zou komen. Ze waren echter allebei op komen dagen. Patricia was toen even langs gekomen en had, gelukkig voor Gerard, Violet mee naar boven getroond om haar de nieuwe inrichting te laten zien die Gideon voor de flat had bedacht. Gerard had Tamar even onder vier ogen.

Ze zaten in de zitkamer van Gerards huis in Notting Hill. De kamer, had Tamar eens gezegd, leek veel op Gerard, somber en ernstig, maar wel heel stijlvol en fraai, in groene en bruine tinten met iets van donkerblauw en wat donkerrood, niets te veel. Het was een grote kamer met een deur naar de tuin. De groene sofa had blauwe kussens, de blauwe gemakkelijke stoelen hadden groene kussens. Op het donkerbruine vloerkleed voor de grote open haard, waarin een bescheiden vuur brandde, lag een Kazachstan tapijt met bruine en rode geometrische figuren. Aan de muur, met lichtbruin gespikkeld behang, hingen Engelse aquarellen. Er stonden enkele tafels met schemerlampen en op de schoorsteenmantel stonden enkele fraaie voorwerpen. Gerard, die niet graag door eventuele wezens uit de tuin werd bekeken, had de donkerbruine velours gordijnen dichtgetrokken zodra het donker was.

Ze stonden bij de haard. Tamar, met een klein glaasje sherry in de hand, droeg als gewoonlijk haar 'uniform', een rok met blouse en jasje. Ze koos kleuren die net als haar eigen kleuren bruin en groen en groenachtig grijs waren. Haar rok en schoenen waren zachtbruin, haar kousen grijs, haar jasje donkergroen, ongeveer dezelfde kleur als Gerards jasje. Haar blouse was wit, met een lichtgroene sjaal erop. Haar muisbruine, boomstambruine haar was netjes gekamd. Haar grote bruingroene ogen keken Gerard aarzelend aan. Hij was niet precies een vaderfiguur. Tamar hield de plaats van haar onbekende vader op vrome wijze leeg. Ze dacht dikwijls aan hem, maar sprak nooit over hem. Het was vreemd te bedenken dat hij niet wist dat zij bestond. Gerard, die ook niet helemaal als oom kon worden aangemerkt, was een zeer geliefd persoon met autoriteit. Vanwege haar moeders antipathie jegens 'hen' – waar Pat en Gideon uiteraard ook bij inbegrepen waren – had Tamar zich, vooral de laatste tijd, een beetje afstandelijk opgesteld tegenover Gerard. Ze hoopte dat hij hier begrip voor zou hebben.

'Denk je dat het echt een goed idee is als ik naar haar toe ga? Is het niet net alsof ik probeer... als een boodschapper van de vijand...?'

'Nee, laat het heel gewoon lijken. Je bent altijd erg op Jean gesteld geweest en zij op jou, jullie zijn altijd veel met elkaar opgetrokken. Als je niet gaat denken ze misschien dat jij haar veroordeelt!'

'Dat zou ik niet willen.'

'Precies.'

'Maar ze weet dat ik Duncan ook spreek. Ik bedoel, ik zal dat niet noemen tenzij ze me ernaar vraagt, en ze zal me er niet naar vragen ook. Ze zal Duncan niet noemen – maar ze weet het wel.'

'Maar dat is ook niet meer dan normaal. Ze verwacht heus niet van je dat je Duncan hebt laten vallen! Ze zijn altijd als ouders voor je geweest.'

'Zeg dat niet, ik heb ouders.'

'Sorry, ik begrijp wat je wilt zeggen, ik hoop dat je begrijpt hoe ik het bedoel. Jean zal niet denken dat jij als spion komt en ze zal zeker niet denken dat Duncan je heeft gestuurd.'

'Maar jij stuurt me wel.'

'Nou, in zekere zin... maar ik heb dit natuurlijk niet met Duncan besproken. Ik wil je alleen aanmoedigen dat te doen wat ik denk dat je zelf ook wilt doen, maar waar je te verlegen voor bent. Tamar, ik vraag je niets anders dan af en toe eens naar die twee toe te gaan, hen afzonderlijk te spreken, zonder verder enig doel in gedachten te hebben.'

'Maar jij hebt wel een doel in gedachten.'

Wat is dit kind toch absoluut, dacht Gerard. 'Ik verberg niets,' zei hij. 'Je weet dat ik wil dat Jean en Duncan weer bij elkaar komen, dat willen we allemaal, en hoe eerder dat gebeurt, hoe minder schade er kan zijn aangericht. Alles wat dat proces kan bespoedigen is goed. Jij bent in ieder geval goed voor hen allebei.'

'Dat weet ik nog niet zo net,' zei Tamar. 'Misschien irriteert het hen wel dat ik absoluut niets met hun problemen te maken heb.'

Ze denkt er te diep over na, dacht Gerard. 'Heb je Duncan de laatste tijd nog gezien?'

'Nee. Ik was een maand geleden bij hem, hij had me op de thee gevraagd, hij zei dat ik gauw weer eens langs moest komen, dat ik gewoon op moest bellen.'

'Maar je bent niet geweest.'

'Ik geloof niet dat hij het echt meende. Hij deed het puur uit beleefdheid, net als me op de thee te vragen. Ik denk dat ik niet goed voor hem ben. Ik ben iets waar hij niet naar wil kijken.'

'Zou hij het gevoel hebben dat je hem terecht wilt wijzen? De jeugd kan de ouderen soms aardig op hun nummer zetten!'

'Nee, hoe zou hij dat nou kunnen denken! Het is alleen zo, dat als je je met het verdriet van iemand anders bemoeit, je net een toeschouwer bent, je hebt er misschien het recht niet toe.'

'Het is maar goed dat we niet allemaal denken dat niemand een ander kan troosten. Je kunt beter aan de andere kant in de fout gaan. We schieten vaker tekort doordat we niet proberen te helpen dan dat we ons opdringen. Ik heb natuurlijk niets tegen hem gezegd...'

'Jullie zijn allemaal zo goed in het niets tegen elkaar zeggen en toch begrepen worden!'

'O, hou toch op, Tamar, ga er gewoon heen, ga naar Duncan, laat je gezicht zien! Hij kan je de deur uitzetten als hij dat wil, hij kent je al vanaf je geboorte. Ga naar hen allebei toe.'

'Goed. Maar...'

'Maar wat?'

'Ik ben bang voor Crimond.'

Gerard dacht: daar moeten we niet verder op ingaan, als we daarover beginnen maakt ze er nog een fobie van. Hij zei: 'Crimond loopt met zijn hoofd in een wolk van theorieën, hij zal je niet eens opmerken. Hij zal trouwens toch aan het werk zijn, je kunt Jean alleen te spreken krijgen.'

Tamar glimlachte vaag en maakte een gebaar van berusting, dat heel typerend voor haar was en dat Gerard vanaf haar prilste jeugd had gezien, door een handpalm geopend op te heffen.

'Je bent een beste meid,' zei hij. 'Maar eet je wel genoeg? Je bent zo akelig mager.'

'Ik eet. Ik ben altijd mager.'

'Heb je nog iets van Conrad gehoord?'

'Nee. Niet meer dan die ene keer, vlak na het bal.' Conrad Lomas had haar een verontschuldigende brief geschreven om te zeggen dat hij op het punt stond naar de States te vertrekken en haar daar verder zou schrijven. Hij zei dat hij de hele avond naar haar had lopen zoeken – hij scheen het haar echt kwalijk te nemen – en dat hij haar jas bij de familie Fairfax had achtergelaten. Ze had niets meer van hem gehoord.

Gerard dacht dat hij het onderwerp Conrad beter met rust kon laten. 'Hoe gaat het met je werk, vind je het nog steeds leuk?'

'Ja, het is heel interessant, ze geven me een manuscript te lezen.' Tamar had Gerard natuurlijk niets verteld over de manier waarop zij onder druk was gezet om Oxford op te geven. Ze had op vage wijze, niet expliciet, gedaan alsof ze instemde met Violets verhaal dat ze 'ermee was gestopt' omdat ze 'er genoeg van had'. Omdat ze zich alle moeilijke vragen wilde besparen had ze snel vriendschap gesloten met berusting en wanhoop. Ze wilde haar moeder niet verraden tegenover hún goedbedoelde bemoeizucht en ze wilde hén geen nutteloze gevechten laten leveren met Violet; dat zou alles alleen maar erger maken.

'Het is een goede uitgeverij,' zei Gerard terwijl hij haar strak aankeek. Hij dacht: ik had vragen moeten stellen, lastig moeten zijn. Ik ben zo geobsedeerd geweest door Crimond en die andere toestand. Ik moet voor Tamar zorgen en haar niet alleen als boodschappenmeisje gebruiken. Ik blijf denken dat ze nog zestien is. Maar ze is een sterke kleine persoonlijkheid. Ze is zeer wel in staat mij te beoordelen. Hij sloeg zijn ogen neer.

Tamar keek op, hield haar heldere ogen op Gerard gericht en greep de schoorsteenmantel beet. Haar kleine vingernagels lagen vlak naast een zwarte zeehond van lavasteen, die daar zijn vaste plek had. Gerard, wiens smaak rustig maar veelzijdig was, had wat Eskimo beeldhouwkunst verzameld. Ze keek naar de zeehond, waar ze dol op was, maar raakte hem niet aan. Hij zat in zo'n elegante houding, met zijn ronde schouders wat opzij gedraaid en zijn kop, als van een hond, geheven. Verre van Gerard te beoordelen, voelde Tamar zuivere liefde voor hem, het soort rustige, vredige vriendschap dat je kunt voelen voor een oude vriend in wie je geen slechtheid kent, slechts bedachtzame goede wil, en bij wie je je in alle stilte op je gemak voelt.

'Ik wil je iets geven,' zei Gerard, en even overwoog hij haar de zwarte Eskimo zeehond te geven. Maar hij wist dat hij daar spijt van zou krijgen. Hij was zelfs te veel aan de zeehond gehecht.

Tamar, die eindelijk blij keek, zei: 'Gerard, zeg, je moet niet denken dat ik een beetje getikt ben, maar... ik zou het leuk vinden, ik zou het héél erg leuk vinden... als ik iets kon drágen... iets wat van jou is geweest... iets wat je misschien toch weg wilt gooien... een handschoen of een sjaal of... iets wat jij ook hebt gedragen, weet je... als een gunst...'

'Om aan je lans te knopen?'

'Ja, ja...'

'Dat is schitterend, ik begrijp precies wat je bedoelt!' Gerard liep naar de hal en kwam direct terug met zijn collegesjaal. 'Hier, mijn oude collegesjaal... dan draag je mijn kleuren!' Hij drapeerde de sjaal om haar hals.

'O... maar kun je hem echt wel missen?'

'Natuurlijk, en ik kan altijd weer een nieuwe halen! Je kunt zien hoe oud deze is.'

'O, ik vind het énig... nu ben ik niet bang meer... dank je wel!'

Ze trok de uiteinden van de sjaal over haar borsten tot aan haar middel, trok eraan en lachte. Gerard lachte ook en bedacht hoe curieus het was dat zij als een jonge ridder ten strijde trok, gehuld in zijn kleuren. Hoe roerend. Wat was ze toch een merkwaardig kind.

De deur ging open en Patricia en Violet kwamen binnen.

Zodra haar moeder de kamer binnenkwam doofde Tamar uit, zoals het licht uitgaat. Ze was volledig uitgeblust. De sprankelende, ondeugende blik, een zeldzame blik voor haar, verdween binnen een seconde, haar gezicht sloeg dicht en het rustige, vrije contact met Gerard werd op slag afgesneden. Tamar, die nu, vond Gerard, een masker droeg dat zo gewoon was dat het nauwelijks nog als zodanig kon worden aangemerkt, zag er gereserveerd, beheerst, gesloten uit. Zonder enige onrust te verraden keek ze ernstig en aandachtig naar haar moeder.

De nichtjes vertoonden enige gelijkenis. Gerards vader en Gerards oom Ben hadden in hun jeugd veel op elkaar geleken, vooral wanneer je de foto's bekeek, die Gerard in het huis in Bristol had aangetroffen toen hij dat uitruimde voordat het werd verkocht. Patricia en Violet leken nu de geest of het aura van deze gelijkenis met zich mee te dragen in een bepaalde strakke manier van kijken, met een strakke mond en een resolute, 'dappere' blik. Alleen had deze alerte blik bij Gerards vader en bij Ben iets geestigs en ironisch gehad, terwijl deze bij hun nakomelingen meer nadrukkelijk en streng was, en in Violets geval agressief. Pat was langer en forser, met een rond gezicht en een grote kin, Violet was slanker en beter gevormd. Ze hadden allebei boven hun neus de verticale rimpels van een voortdurende frons. Ze keken nu allebei beschuldigend naar Gerard en Tamar, die ze ervan verdachten samen iets te hebben bekokstoofd. Gerard keek hen aan en voelde hoe zijn gezicht vertrok van verdriet. Tussen alle oude foto's had hij er een paar gevonden die hij van Grey had gemaakt. Hij had ze natuurlijk direct verscheurd. Wat is het toch treurig dat een mens de neiging heeft snel, uit angst voor verdriet, de herinnering aan een geliefde te vernietigen. Het was ook bij Gerard opgekomen, toen hij de foto's zat te bekijken van Ben, als jongen, als jongeman, dat zijn vader zich waarschijnlijk schuldig had gevoeld over zijn jongere broer, omdat hij niet had geprobeerd hem te redden, hem niet had opgezocht om hem te helpen, omdat hij te gemakkelijk en te snel de gedachte had aanvaard van 'een hopeloze, krankzinnige vent', waarmee Gerard was opgegroeid. Misschien was dat ook iets wat hij met zijn vader had moeten bespreken. Nu dacht Gerard echter aan Grey en aan hoe die één lange vleugel kon uitslaan, bij wijze van groet, met zijn vuurrode staart pronkte en Gerard zo aandachtig en ernstig in de ogen kon kijken.

Gerard voelde Tamars beweging naast zich en begreep dat ze nu alleen maar weg wilde. Ze vond het niet prettig haar moeder tegen andere mensen te horen praten, vooral niet tegen Pat en Gerard.

Violet tuurde bijziend onder haar lange pony vandaan en hield haar grote bril met blauwgerande glazen in de hand toen ze tegen Tamar zei: 'Wat heb je daar om je nek, is dat een sjaal?'

'Ja, het is Gerards collegesjaal, hij heeft 'm net aan mij gegeven.'

'Je kunt toch geen herensjaal dragen.'

'Ja, toch wel! Alle collegesjaals zijn trouwens hetzelfde.'

'Maar jij hebt niet op Gerards college gezeten.. Hij ziet eruit alsof hij nodig in de was moet.'

Tamars gezicht drukte ontzetting uit bij de gedachte aan deze heiligschennende deGerardisatie van haar trofee. Gerard dacht: de hemel mag weten hoe die sjaal nu ruikt, hij is nog nooit gewassen!

'Ik geloof niet dat collegesjaals ooit gewassen worden,' zei Gerard, 'dat zou het patina bederven. Ik denk niet dat deze sjaal gewassen wíl worden.' Ik lijk Jenkin wel, dacht hij. De gedachte aan Jenkin, plotseling bovenop die aan Grey, vrolijkte hem op.

'Dit sentimentele college-gedoe maakt me misselijk,' zei Pat.

'Hoe vond je de nieuwe stoffering?' vroeg Gerard aan Violet.

'Dat moet een fortuin hebben gekost.'

'Het was Gideons idee,' zei Pat. 'Hij is heel goed met kleuren. Er is daar een heleboel ruimte, wanneer we er onze eigen meubels en wat dingen uit Bristol neerzetten zal het heel redelijk worden... en als we het hele huis reorganiseren kunnen we er alles in zetten.'

'Ik wil er niet alles in hebben,' zei Gerard. 'En ik wil dat Gideon van die rotstuin afblijft.'

Tamar stond nog steeds te friemelen. Patricia en Violet duwden hun haar in model en streken hun kleren glad met volmaakt identieke gebaren.

'Pat zegt dat jij naar boven verhuist en zij de rest van het huis mogen hebben,' zei Violet.

'Dat is nieuw voor mij!'

'Het lijkt me heel verstandig. Dit huis is veel te groot voor één persoon. Mijn flat past zo ongeveer in deze kamer. En ik vind dat je wat van die meubels uit Bristol moet verkopen, er zitten heel waardevolle stukken bij. Kijk toch niet steeds zo op je horloge, Tamar, dat is niet beleefd.'

'Ik vind dat we wat van dat meubilair uit Bristol aan Violet moeten geven,' zei Gerard tegen zijn zuster, toen de gasten waren vertrokken. Violet had geweigerd hem een taxi te laten betalen.

'Ze gaf een hint over die flat boven! Er is totaal geen ruimte in dat konijnehok van haar, ze bederft alles, ze laat overal oude kranten en plastic zakken slingeren. We kunnen haar eventueel iets van het keukengerei geven. Maar ze zal het toch niet aannemen. Ze wil gewoon het arme familielid spelen. Ze wil dat wij ons schuldig voelen.'

'Dat lukt haar dan aardig. Ik wou dat we iets voor Tamar konden doen.'

'Dat zeg je elke keer, maar het heeft geen zin, Tamar bezit een zelfvernietigingsdrang. Ze kan zich er zelfs niet toe zetten die flat schoon te maken! Violet is haar eigen puberteit nooit te boven gekomen, ze denkt nog steeds dat ze twintig is en het leven nog voor haar ligt en Tamar nooit is gebeurd. Tamar is nooit helemaal werkelijkheid voor haar geworden, gewoon een lastig, vervelend spookbeeld. Ze heeft gemaakt dat Tamar zich als een spook voelt. Tamar kwijnt weg, op zekere dag is ze zo dun als een speld, de volgende dag is ze verdwenen.'

'Nee...!'

Gideon Fairfax kwam binnen, minzaam, kalm, met krullende haren en rode lippen, en zijn intelligente, gladgeschoren gezicht dat een jeugdige blos vertoonde. Het overhemd dat hij vanavond bij zijn donkere pak droeg was stralend blauwgroen. Hij verfde zijn overhemden zelf. Gerard kwam er nooit achter waarom zijn beleefde, vriendelijke, beschaafde zwager hem zo zeldzaam kon irriteren.

'Is ze verdwenen? Ik heb me schuilgehouden.'

'Ze is weg,' zei Pat. 'Maar toch zou ik best haar figuur willen hebben.'

'Gideon, ik wil dat je van m'n rotstuin afblijft!' zei Gerard.

'Mijn beste Gerard, het belangrijkste bij een rotstuin is dat je hem niet z'n gang kunt laten gaan, dan wordt het allemaal rommelig en grof en Victoriaans en uiteindelijk verdwijnt alles; het is een voortdurende uitdaging. Ik heb alleen maar wat gewied en wat stenen weggehaald en wat nieuwe planten gepoot, het zal volgend jaar beeldschoon worden.'

'Gideon is een kunstenaar,' zei Pat.

'En ik zie dat je al die zaailingen van de es eruit hebt gehaald.'

'Beste kerel, die dingen komen overal op!'

'Ik vind het leuk als ze overal staan.'

Gideon was uiteraard geen kunstenaar, zelfs geen kunsthistoricus, hij was gewoon iemand die ondanks zichzelf altijd geld verdiende. Zijn smaak kwam niet altijd overeen met die van Gerard, maar Gerard moest toegeven dat Gideon, naast begrip voor de markt, echt veel kijk had op schilderijen.

'Hoe maakt Leonard het, op Cornell?' Leonard Fairfax studeerde kunstgeschiedenis in Amerika. Patricia en Gideon hadden zich lang ongerust gemaakt dat Leonard verliefd zou worden op Tamar. Daar was echter niets van gebleken.

'Ik heb hem in New York gezien. Hij is honkbal gaan spelen!'

'Allemensen!'

'Wat jammer dat die jongen van Lomas niets in Tamar zag,' zei Patricia. 'Het lijkt wel of ze helemaal niet geïnteresseerd is in seks. Of misschien is ze wel homoseksueel. Haar hartstocht voor Jean Cambus beviel me niets. Gelukkig zal ze háár nu wel niet meer zien!'

'Heb je die Klimt kunnen bemachtigen?' vroeg Gerard aan Gideon.

'Helaas niet!'

'Heeft Gerard je gestuurd?' vroeg Jean.

Tamar aarzelde.

'Kom, wees alsjeblieft eerlijk tegen me!'

Tamar glimlachte. Ze zei: 'Nou, hij heeft me aangemoedigd. Ik wilde zelf ook komen... maar ik durfde niet goed.'

'Waarom?'

'Ik dacht dat je me misschien niet meer wilde ontmoeten.'

'Waarom zou ik dat niet willen?'

'Omdat je misschien elk contact met ons wilde vermijden.'

'Wat klinkt dat "ons" grappig... dus je rekent jezelf ook als lid van de bende!'

'Nee, niet echt... maar ik dacht dat ik je misschien van streek zou maken...'

'Dat je me in verlegenheid zou brengen, of beschuldigen?'

'Nee, nee...' Tamar bloosde omdat ze iets dergelijks in gedachten had gehad. 'Jean, doe niet zo moeilijk! Je vindt het toch niet erg dat ik gekomen ben, hè?'

'Nee, lieve kind, natuurlijk niet, ik ben alleen nieuwsgierig. Dus jij bent niet de overbrengster van een boodschap van iemand?'

'Echt niet.'

'Waarom wilde Gerard dat jij hierheen ging?'

'Niets speciaals, gewoon om contact te houden.'

'Dus jij moet weer verslag uitbrengen aan Gerard?'

'Dat heeft hij nooit gezegd!' Het was waar dat hij dat niet had gezegd, maar hij wilde natuurlijk wel horen hoe het was geweest. Tamar realiseerde zich dat ze deze vragen had kunnen verwachten... en nu scheelde het niet veel of ze zat te liegen.

Hun ontmoeting was moeizaam geweest. Tamar had, na enig nadenken hoe ze dit het beste aan kon pakken, op zaterdagmiddag om vier uur vanuit een telefooncel in Camberwell gebeld, zeggend dat ze in de buurt was en of ze langs mocht komen. Jean zei ja. Toen Tamar door de voordeur naar binnen was gestapt had ze niet de gebruikelijke kus gekregen, maar slechts een handdruk. Jean was haar voorgegaan naar de achterkamer die vol boekenplanken was, met een divan die tegen de boeken aan was geschoven en een deur naar de tuin. Jean had een ochtendjas aan. De divan was bedekt met een oude, verschoten, katoenen sprei waarop twee mooie jurken lagen. Tamar deed haar jas uit en hield Gerards sjaal om haar nek. De lucht was wat donkerder geworden sinds haar binnenkomst en nu regende het. Buiten was het kleine grasveld bezaaid met bladeren, de gele chrysanten begonnen bruin te worden en hingen slap tegen hun scheefgewaaide stengels. Het was koud in de kamer, verlaten en onbewoond, de vloer galmde, het huis voelde stoffig en klam aan. Tamar vond het een gevoelloos huis en de moed zonk haar in de schoenen.

'Nou, ik zal het je niet aanrekenen,' zei Jean. 'Ik weet dat je een beste meid bent. Ik ben blij je te zien.' Ze vervolgde: 'Voor het geval je je dat mocht afvragen, hij is niet thuis.'

Het bleef even stil. Er waren zoveel dingen die niet konden worden gezegd, er moest goed worden nagedacht. Jean zei: 'God, wat is het donker, ik zal het licht aandoen.' Ze knipte een vage plafonnier aan, die de kamer nog donkerder leek te maken. Ze zaten tegenover elkaar op rechte stoelen, als in een gesprek tussen een maatschappelijk werkster en een cliënte. Tamar staarde omlaag naar de spijkers in de ongeverfde houten planken.

'Hoe gaat het in Oxford?'

Tamar schrok op en zei: 'Ik zit niet meer in Oxford, ik werk voor een uitgever.' Het leek verbazingwekkend dat Jean zo slecht op de hoogte was.

'Maar waarom...?'

'Mijn moeder had schulden.'

'Waarom heb je mij niets gevraagd?'

'Mijn moeder wilde geen geld aannemen.'

'Ik bied het haar niet aan, ik bied het jóu aan! Ben je nou helemaal gek, word je dan nooit volwassen? Ze wil je isoleren, ze wil je ruïneren.'

'Niet waar... ze houdt van me.' Tamar begreep hoe haar moeder zich moest voelen, met in haar hart inderdaad haat, haat jegens Tamar, maar op de een of andere manier ook liefde.

'Ik zal eens met haar praten.'

'Nee, nee, ze is toch al op jou tegen, ze is jaloers omdat ik je graag mag.'

'God, wat kan een mens toch slecht zijn. Ik moet echt iets bedenken.'

Tamar begon onwillekeurig te hopen dat een soort snelle tovenarij alles weer zou herstellen. Waarom kon geld niet alles oplossen? Geld leek hier te stralen van redelijkheid, begrip, gerechtigheid, bijna deugdzaamheid. Maar het was onmogelijk. Tamar kon niet óf haar moeder in de steek laten óf haar redden. Het was net als iets akeligs in een sprookje. Het geld om die schulden te betalen kon alleen van Tamars werk komen. Ander geld was niet goed. Er was hier geen ruimte voor gezond verstand of een redelijk compromis. Tamars leed zou Violet niet dankbaar of blij maken. Maar toch was iets anders ondenkbaar.

'Mijn vader zal wel iets bedenken,' zei Jean. 'Je zult gewoon een paar leugentjes moeten vertellen. Tamar, trek alsjeblieft niet zo'n gezicht, anders geef ik je een draai om je oren!'

'Wat een mooie jurken,' zei Tamar, naar het bed wijzend.

'Goed, goed, begin jij maar over iets anders te praten, maar ik leg me niet neer bij deze weerzinwekkende zelfopoffering. Ik heb deze jurken net gekocht, ik wilde ze juist aanpassen.' Jean sprong op, wierp haar ochtendjas van zich af en vertoonde zichzelf in een korte witte onderjurk en zwarte jarretelles en zwarte kousen. In deze uitmonstering zou ze waarschijnlijk op een versiering van een ouderwetse nachtclub hebben geleken; maar in Tamars ogen leek ze eerder een piraat, een soldaat, een Griekse soldaat, iemand die ten strijde trok, haar kousen werden laarzen, het kant van haar onderjurk de toegestane opsmuk van een uitgelezen regiment. Haar gezicht, dat bleek, bijna wit was met de scherpe contouren van haar kromme neus, leek dat van een jonge commandant, of misschien een sultan, *en profile* geportretteerd door een Indiase miniatuurschilder. Haar blote schouders, haar blote armen, de glimp van haar dijen, waren eveneens wit, de tere, doorschijnende huid was hier en daar licht gemarmerd met kleine, blauwe aderen. Haar donkere haar, dat golvend over haar hoofd viel, lichtte blauwachtig op. Tamar had haar nog nooit zo geweldig gezien, zo jong en sterk, ondanks haar bleke kleur zo stralend van gezondheid. Tamar zuchtte.

Jean stak haar handen omhoog in de mouwen, gleed snel in een jurk en trok hem toen recht om hem te laten bewonderen. Het was een rechte, grijze, vederlichte zijden jurk met een hoge oosterse kraag en een patroon van gentiaanblauwe bladeren. De prachtige jurk, die Jeans slanke figuur scheen te strelen leek Tamar als het uniform van een engel. Ze slaakte een uitroep.

'Ja, hij is mooi, vind je niet? Maar Tamar, je moet je echt eens leren kleden! Ik had daar al veel eerder iets aan moeten doen. Het wordt tijd dat je die stomme meisjesachtige blouses opgeeft, en ook die rokken en die platte schoentjes. Zoek eens een fatsoenlijke jurk waar iets van uitgaat, met een modél en duidelijke kléur, niet altijd dat modderige bruin en bleke groen! Je bent knap en als je je goed kleedt zie je er ook knap uit. Pas deze maar eens aan en kijk dan hoe leuk hij je staat, doe dat alsjeblieft eens, je kunt gewoon je jasje uitdoen.'

Jean had haar zijden jurk uitgetrokken en Tamar deed net haar jasje uit toen Crimond binnenkwam. Het eerste dat Jean tegen hem zei was: 'Jij bent vroeg terug.'

Crimond leek geschrokken, bijna ontzet, over de aanwezigheid van Tamar. Tamar bloosde, pakte haar jasje en dook naar haar jas en haar tas. Jean trok haar ochtendjas aan.

Tamar zei: 'Ik moet nu gaan.'

Jean zei: 'Hè nee, blijf nog even theedrinken.'

'Nee, nee, ik moet nu echt gaan, ik had niet in de gaten dat het al zo laat was.' Ze liep haastig naar de deur die Crimond, met een klein knikje met zijn hoofd, voor haar openhield.

Jean liep met haar naar de voordeur. 'Dank je wel voor je komst, kind, dat moet je vaker doen. We zullen zorgen dat we dat andere punt ook kunnen regelen.' Tamar was nog steeds bezig haar jas aan te trekken. De deur werd pal achter haar dichtgedaan.

Jean liep terug naar de kamer waar Crimond op de divan zat. Hij zei: 'Dat meisje had de sjaal van mijn college om.'

'Ik denk dat hij van Gerard was,' zei Jean en ze keek Crimond achterdochtig aan. Soms was ze een beetje bang voor hem.

'Of van je man. Heeft híj haar gestuurd?'

'Nee, natuurlijk niet! Het was haar eigen initiatief.'

'Daar geloof ik niets van. Of heb jij dit soms bekokstoofd? Je had me niet verteld dat ze zou komen.'

'Ik wist 't ook niet! Ze belde op toen jij weg was en ze zei dat ze hier in de buurt was en of ze even langs mocht komen.'

'Je schrok anders wel, dat ik zo vroeg terug was.'

'Nee...'

'Als ik haar niet had gezien zou jij me dan toch hebben verteld dat ze was geweest?'

'Nou, eh...'

'Vertel me de waarheid, Jean.'

'Ja, ik zou het je wel hebben verteld. Maar ik wist dat je het heel vervelend zou vinden en er veel meer achter zou zoeken. Je moet er echt niets achter zoeken! Het is een lief kind dat geen vlieg kwaad doet, zij zit echt niet in dat clubje. Waarom doe je toch zo achterdochtig, waarom ben je zo onzeker?'

'Onzeker! Je stelt een gevaarlijke vraag. Je zei dat ze terug moest komen en dat jullie dan iets zouden regelen. Wat was dat?'

'Ik wilde haar geld geven, zodat ze in Oxford kan blijven studeren.'

'Je kunt haar een cheque sturen. Ik wil haar hier niet tegenkomen. Je man heeft haar gestuurd als afgezant van de bourgeois moraal. Ze kwam als spion. Heb je haar mee naar beneden genomen?'

'Nee.'

'Heb je haar gekust?'

'Nee.'

'Dat deed je vroeger toch altijd?'

'Alleen maar om sociaal te zijn...'

'Waarom nu niet meer?'

'Omdat we ons allebei niet op ons gemak voelden.'

'Je geneerde je, je bloosde ten overstaan van dat nieuwsgierige juffertje, je voelde je schuldig tegenover haar, daarom hebben ze haar gestuurd. Ze is zeker verliefd op je, hè?'

'Ze heeft een poosje met me gedweept toen ze een jaar of zeventien was...'

'En dan kom ik binnen en jij bent uitgekleed en zij is bezig zich uit te kleden.'

'Doe niet zo idioot! Ik liet haar gewoon een jurk van me passen.'

'Dus jij liet haar jouw jurk bezoedelen met haar babymelk lijf! Begrijp je dan echt niet dat ik dat walgelijk en weerzinwekkend vind?'

'O, hou op, hou alsjeblieft op!'

'Ik wens geen toeschouwers. Je had Lily Boyne hierheen gestuurd om mij te vertellen van het bal. Je hebt met haar over mij gepraat. Je hebt dat meisje uitgenodigd, je hebt waarschijnlijk ook met haar gepraat.'

'Ik heb je toch al verteld dat ik Lily niet had gestuurd! En natuurlijk heb ik niet met Tamar over jou gepraat! Crimond, we moeten elkaar geloven. Keer terug tot de werkelijkheid! Ik geloof elk woord dat je zegt. Ik begin me geen dingen te verbeelden! Als ik je niet kon geloven zou ik gek worden... als we elkaar niet kunnen geloven worden we allebei gek.'

'Als je tegen me liegt vermoord ik je.'

'Ik zal Tamar niet meer ontmoeten. Ik zal tegen mijn vader zeggen dat hij haar een cheque moet sturen. Kom alsjeblieft tot bedaren! Ik kan er echt niet tegen als we op zo'n manier het contact met elkaar verliezen. Het is alsof ik sterf wanneer ik dat contact voor een tweede keer moet verliezen. Ik leef alleen voor jou, ik adem alleen voor jou...'

Crimond keek omlaag naar de vloer, en keek toen weer op. Zijn koude, boze gezicht dat strak schitterde als metaal, zijn dodelijk pijnigende blik, was verdwenen. Zijn dunne lippen waren geopend, zijn mond hing iets omlaag, hij zag er moe en bijna droevig uit. Hij keek haar aan, wendde toen zijn blik af en ademde diep. Jean begreep dat het voorbij was. Ze had voor hem gestaan. Nu kwam ze naast hem op de divan zitten en hij sloeg een arm om haar schouder, een rustige, vermoeide, maar troostvolle arm.

'Jij bent mijn leven en mijn adem,' zei hij. 'Ik geloof wat je zegt. Het was heel onaangenaam dat meisje te zien. Ik houd niet van kleine meisjes.'

'Ik ben blij dat je terug bent gekomen voor het eten. Had je besloten niet naar die vergadering te gaan?'

'Hij werd afgezegd. Ik heb wat noodzakelijke boeken gekocht. Ik heb mijn tijd niet verspild.'

'Wil je met me trouwen?' Af en toe stelde Jean deze vraag. Ze had behoefte aan deze huwelijksband, Crimond niet.

'Waarom doe je toch zo onzeker? Je hebt echt geen garantie nodig.'

'Dat weet ik. Maar ik zou het fijn vinden als we getrouwd waren.'

'Ik zie niet in waarom. Als je wilt scheiden ga dan gerust je gang.'

'Je zei dat je niet wilde dat ik ging scheiden.'

'Ik wil niet dat je die man ontmoet.'

'Dat hoeft ook niet. Mijn vaders advocaat in Londen kan alles doen.'

'Doe wat je niet laten kunt.'

'Zou je dan wel met me trouwen?'

'Jeanie, val me alsjeblieft niet lastig met zoiets!'

'Ik wil dat we in Frankrijk gaan wonen.'

'Mijn werk is hier.'

'Maar je hebt zoveel mensen in Parijs die je vaak moet spreken. Kunnen we geen flat in Parijs nemen?'

'Nee. Dat kunnen we ons niet veroorloven.'

'Maar als je boek klaar is zouden we samen kunnen reizen, Europa door, jij kunt dan lezingen geven, je bent dan beroemd... O, ik zou zo graag samen weg willen gaan, samen weg willen zijn.'

'Eens zullen we samen weggaan... misschien de dood in.'

'En ik wil dat je mijn geld uitgeeft. Ik wil dat je mij ons geld uit laat geven.'

'Laten we daar niet weer over ruziën. Je hebt twee mooie jurken gekocht. Valkje, valkje, je verspilt je hersens. Je moet iets nuttigs te doen vinden.'

'Ik wil jou helpen.'

'Je moet iets van jezelf te doen hebben, sokolnitza. Kom, dan gaan we nu naar beneden.'

Toen Jean op de morgen na het bal naar Crimond was gegaan had ze dit gedaan zonder een duidelijk beeld voor ogen te hebben, buiten dat ze in zijn nabijheid wilde zijn, en zo mogelijk daar voor eeuwig blijven. Wat later had ze voorgesteld hem met zijn werk te helpen, met hem samen te werken zoals ze dat vroeger ook had gedaan. Crimond antwoordde dat hij geen hulp nodig had, ze zou het niet begrijpen, hij moest dan gewoon te veel tijd verspillen met haar uit te leggen wat ze moest doen. Crimond kon niet typen en schreef zijn gedachten met een vulpen neer. – Hij kon zich geen andere manier van serieus denken voorstellen. – Jean stelde hulpvaardig voor te leren tikken, of zelfs een tekstverwerker te gebruiken. Crimond zei dat hij gebruik maakte van een onpersoonlijk, efficiënt typebureau, dat hij het geluid van een typemachine in huis niet uit kon staan en dat hij de gedachte aan een tekstverwerker weerzinwekkend vond. Hij suggereerde haar hoe ze werk kon vinden en verweet haar dat ze haar talenten niet gebruikte. De mogelijkheid van maatschappelijk werk werd besproken, ter tafel gebracht door Jean, die dacht dat Crimond dit een goed idee zou vinden; ze won wat inlichtingen in en besloot dat ze niet geschikt was voor sociaal werk, en Crimond was het ermee eens dat het zonde van haar tijd zou zijn. Hij was er, meer dan zij, van overtuigd dat ze haar academische vaardigheden moest gebruiken, een graad moest halen, een cursus moest volgen, een taal moest leren. Crimond was zelf een groot talenkenner en kon – hoewel hij het niet kon spreken – Frans, Duits, Italiaans, Spaans en Russisch lezen. Hij hield zijn Latijn en Grieks eveneens bij en las veel klassieke poëzie. Jean, in haar wens voor hem van nut te zijn, vroeg zich af of ze Chinees zou leren, maar ze besloten dat het onwaarschijnlijk was dat zo'n studie in de nabije toekomst vruchten af zou werpen. Ze bespraken of ze Grieks zou leren, maar Crimond bleek dit niet zo geslaagd te vinden. Jeans enige bruikbare vreemde taal was Frans. Ze kocht een Duitse grammatica maar kon bij Crimond geen belangstelling wekken voor haar vorderingen. Haar Oxfordgraad in geschiedenis was nu ver weggezakt en ze had niet de minste behoefte historicus of lerares te worden. Ze zou het leuk hebben gevonden Engels te studeren, maar ze stelde dit niet voor omdat ze bang was dat het wat frivool zou lijken. Ze kwam nog wel op de proppen met de gedachte aan een computercursus, maar Crimond hield niet van computers. Hij was er ook vierkant op tegen dat ze iets aan filosofie ging doen. Een andere moeilijkheid was dat hij eigenlijk niet wilde dat ze van huis weg was. Jean bracht haar tijd echter niet in ledigheid door. Ze merkte dat ze, nu ze bij Crimond woonde, steeds verliefder werd. Ze lééfde van de liefde. Wanneer ze alleen was kon ze tijdenlang zitten beven en huiveren bij die gedachte. Ze had nog nooit de aanwezigheid van een ander zo intens beleefd, de volmaakte band met een ander wezen, het intuïtieve absolute van een wederzijdse overgave, de liefde van twee goden. Het wegcijferen van zichzelf, de duizelingwekkende verblinding van de liefdesdaad die zowel een onderdeel als het totaal van hun leven was, resulteerde in een mysterie of een ritueel dat haar voortdurend bijbleef, vol verwachtingen en herinneringen. De stiltes samen, de slaap samen, maakten dat ze huilde van vreugde of inwendig weende van tederheid. Een deel van haar gevoel van geborgenheid sproot voort uit Crimonds absolute zeggenschap in alle zaken. Hij was degene die bepaalde wanneer en hoe ze naar bed gingen. Hoewel hij heel hartstochtelijk was, kon Crimond op sommige punten extreem puriteins doen. Hij sprak niet over seks, gebruikte geen schunnige woorden, en zei trouwens nauwelijks iets. Hij kleedde zich niet uit waar Jean bij was; zij kleedde zich eveneens snel en discreet uit, zodat hij haar zoveel mogelijk helemaal gekleed of helemaal ongekleed zag. – De scène met Tamar had hem boos gemaakt, wist Jean, gedeeltelijk om het verbreken van deze regel. – Hun relatie, of modus vivendi, was heel anders dan indertijd in Ierland. Daar was hun heimelijke liefdesdaad, die zo geweldig had geleken, overschaduwd geweest door angst, niet alleen voor een ontdekking door Duncan, maar ook voor het mogelijke einde van iets wat te toevallig en te mooi leek om blijvend te kunnen zijn. In Ierland waren ze ver van huis, en dat had een soort rusteloze vrijheid teweeg gebracht die toch een smet had geworpen op hun liefde. Achteraf bekeken leek het alsof ze op zoek waren geweest naar het geluk, in ieder geval wat Jean betrof. Nu leefden ze in een extase waarin geluk niet relevant was. Toen ze Crimond een keer had verteld dat ze gelukkig was, had hij verbaasd opgekeken, alsof dat voor hem niet van belang was. Ze dacht: hij bezit het concept van extase maar niet van geluk. Geluk was niet het doel van dít. Wanneer Jean wakker lag terwijl hij sliep, of wachtte tot hij thuiskwam, voelde ze, terwijl ze langzaam en diep ademhaalde, de rust, de kosmische realiteit van deze vreugde die nu geen einde kende. Ze vond dat dit een bezigheid was die de dagen en uren van haar hele leven kon vullen. Ze was wedergeboren, ze was een nieuw mens, met een nieuw lichaam en een nieuwe heldere geest. Nu kon ze de wereld pas goed zien, de schellen waren haar van de ogen gevallen, haar blik was opgeklaard, ze had nimmer zo'n levendige, gekleurde, gedetailleerde wereld gezien, uitgestrekt en compleet als een mythe, maar vol kleine toevalligheden die als goddelijke speeltjes op haar pad waren geplaatst. Ze had de ademhaling ontdekt, de ademhaling zoals heilige mannen die gebruiken, de ademhaling van de planeet, van het heelal, van de beweging van het zijn tot in het Zijn.

Over dát alles bestond geen enkele twijfel. De vraag rijst of en hoe Jean soms ook aan haar man dacht en aan zijn verdriet, en aan haar vrienden die haar als een verrader beschouwden en die ze nu niet kon ontmoeten. Rose had haar niet geschreven; Jean had dit ook niet van haar verwacht. Het was maar beter zo. Zulke gedachten doken wel op, ze schoten snel en zwart voorbij, als zwaluwen in de heldere, zonnige lucht van haar liefde. Ze deed geen moeite deze verwijtende gedachten te onderzoeken of te onderdrukken, ze liet ze voorbij gaan en beschouwde haar zonde min of meer als een objectief gegeven, dat ze kon inpassen in het geheel van haar nieuwe leven, zonder het te verbergen of te laten verdwijnen. Haar plichtsbesef, net als haar hartstocht, gold nu Crimond. Haar grootste verbazing bij Tamars verschijning – ze was bijna vergeten wie Tamar was – gold de schok van het besef dat de twee regionen, die zij zo resoluut had gescheiden, toch contact met elkaar konden maken. Er kon iemand van die kant naar haar toe komen. Gerard, die rekende op zo'n – naar hij hoopte heilzame – schok, had het tot dusver bij het goede eind gehad. De 'maagdelijke priesteres vertoning', waarin hij ook vertrouwen had gehad, was niet geheel zonder effect geweest; toen Jean Tamar had gezien had ze, in ieder geval gedurende enkele seconden, toch het gevoel gehad dat zij er een rommeltje van had gemaakt. Dit gevoel ging echter weer over en Jeans schrik bij Crimonds thuiskomst gold haar onmiddellijke verwachting wat hij zou kunnen zeggen en inderdaad ook zei. Ze dacht uiteraard niet dat Crimond werkelijk dacht dat Tamar iets met Jean had, op welke manier dan ook; maar ze wist hoezeer hij een hekel had aan het gevoel dat zíj hem zouden beoordelen of bespioneren. Zíj moesten als non-existent kunnen worden beschouwd. Het feit bleef echter – en Jean moest vaak nadenken over deze paradox – dat zíj Crimonds salaris betaalden. Crimond weigerde pertinent Jeans geld aan te raken. En dit in weerwil van niet alleen Jeans voortdurende aandringen, maar ook van een bijzondere brief die Jeans vader onlangs aan Crimond had geschreven. Jeans vader, die een orthodox-joodse jeugd in Manchester had gehad en nu in New York woonde, was een moralist, een liberale jood die de feestdagen in acht nam en zijn dochter naar een Quaker school had gestuurd. Hij kon gemengde huwelijken tolereren maar keurde stukgelopen huwelijken af. Aan de andere kant mocht hij Crimond wel, die hij in Dublin had ontmoet in het begin van de Ierse episode. Hij was op de hoogte van Crimonds politieke activiteiten uit de dagen van zijn vroege roem en na die ontmoeting las hij enkele van zijn artikelen en pamfletten. Joel Kowitz, kapitalist en voormalig radicaal met een hang naar het pittoreske, had Duncan Cambus een wat tamme partij gevonden voor zijn geweldige dochter en enige kind. Hij had gehoopt dat Jean met Sinclair Curtland zou trouwen, en was niet geheel ongevoelig voor de titel. Hij had geen bezwaar tegen Sinclairs gebleken homoseksualiteit, die hij beschouwde als een natuurlijke, misschien zelfs noodzakelijke fase in de ontwikkeling van een upper-class Engelsman. Hoewel hij weggelopen vrouwen niet goedkeurde was hij desondanks tevreden over Jeans nieuw keuze, waarvan ze hem onmiddellijk na haar vlucht op de hoogte had gesteld. Joel beschouwde Crimond als een krachtige man met pit, een fascinerende excentriekeling, zoals hij er zelf ook een was. Na enige overwegingen, en na enig afwachten om zich ervan te overtuigen dat Jean zich niet had bedacht, schreef hij Crimond een heel zorgvuldige brief, waarin hij liet doorschemeren dat hij zich neerlegde bij deze situatie en het beste hoopte voor Jeans welzijn en geluk, waartoe, in haar nieuwe omstandigheden, haar financiële middelen in materieel opzicht tot steun konden zijn. Hij hoopte, om kort te gaan, hoewel hij het niet zo plompverloren stelde, dat Crimond bereid was Jeans geld te gebruiken. Jean had uiteraard niet gesuggereerd dat Crimond hier bezwaar tegen kon hebben, maar Joel had Crimonds karakter juist beoordeeld. Crimond liet Jean de brief zien, vroeg haar haar vader ervoor te bedanken en bleef zonder verder commentaar weigeren haar geld aan te raken. Jean kon tussen de regels van haar vaders roerende en ongewone brief doorlezen en zij zag iets anders, iets wat belangrijk was, maar ook tragischer. Joel Kowitz, die bankier was en in wonderen geloofde, had altijd naar een kleinzoon verlangd. Hij veronderstelde dat Duncan, in dit opzicht, degene was die had gefaald en hij hoopte dat Jean, nu ze een andere levensgezel had, op de valreep nog succes zou weten te boeken. Jean, die andere veranderingen in haar leven niet met haar vader had besproken, wist dat er inderdaad een wonder voor nodig zou zijn. Ze bedacht, en dat was ook een donkere plek of een punt van verdriet in haar leven, dat als ze in Ierland bij Crimond was gebleven, ze zijn kind kon hebben gebaard. Crimond had toen heel nadrukkelijk verklaard geen kinderen te willen hebben. Maar een *fait accompli* kon hem van mening hebben doen veranderen. Het zou het voor Jean eveneens onmogelijk hebben gemaakt om terug te gaan naar Duncan.

Het feit bleef in ieder geval dat, afgezien van het kleine bedrag dat Jean van haar eigen middelen besteedde aan kleren en wat kleine extra's in de huishouding, het geld voor hun *ménage* voornamelijk afkomstig was van het *Crimondgesellschaft*. Crimond had nog bescheiden inkomsten uit de journalistiek, maar hij wilde geen les geven of televisiegesprekken voeren, en hij sloeg lucratieve uitnodigingen uit Amerika af. Ze leefden zuinig. Crimond maakte af en toe korte reisjes, alleen, naar congressen, seminars en bijeenkomsten in Parijs, Frankfurt, Bologna. Hij ging ook naar Schotland om zijn vader te bezoeken. Jean had zijn vader graag willen ontmoeten, maar Crimond stond dit niet toe. Hij gaf geld aan zijn vader, en ook aan de halfblinde Poolse dame die in de flat boven hem woonde. Hij gaf Jean huishoudgeld. Ze ontvingen geen gasten en Jean moest hoogstens, een enkele keer, wat blikjes bier binnen brengen wanneer er 'kameraden' op bezoek waren. Crimond dronk zelf niet en Jean was erin geslaagd, dankzij de liefde en de verwijten van haar minnaar, de alcohol op te geven. Crimond scheen veel kennissen te hebben maar geen vrienden. Eén keer verscheen er een groepje uitbundig uitgedoste jongelui en vroeg of een van hen buiten op de stoep een foto mocht maken van Crimond, omringd door de anderen. Crimond stemde minzaam toe en scheen zich zelfs vereerd te voelen; dit ontroerde Jean en maakte haar ook treurig. Hij was nu eenzaam, terwijl hij eens zo'n held van het volk was geweest. De grootste onkostenpost vormde het reizen, dat Crimond zonder problemen kon betalen; er scheen werkelijk geen manier te zijn, bij deze manier van leven, waaraan Jeans kapitaal kon worden besteed en ze moest zich troosten met de gedachte dat haar vader en zij, ongetwijfeld, de belangrijkste donateurs waren van het *Gesellschaft*. Alleen Gerard wist precies hoeveel iedereen gaf. Maar het was bepaald geen opwekkende gedachte dat de 'delinquenten' werden ondersteund door mensen, met inbegrip van haar man, die nu ongetwijfeld redenen hadden voor hun afkeuring. Jean wist uit eerdere discussies dat er geen sprake van was dat het stipendium zou worden ingetrokken. De 'Vrienden van Crimond' hadden afgesproken het boek te financieren tot aan de voltooiing. Ze konden echter, zoals Jean eveneens wist uit deze discussies, rusteloos worden en om rapporten en vooruitzichten gaan vragen, ze konden zelfs vragen de tekst te mogen zien en Crimond op de een of andere manier ter verantwoording roepen. Jean huiverde wanneer ze zich voorstelde hoe zoiets zou zijn.

Jean vroeg Crimond niet naar het boek en over zijn lange uren in de speelkamer vroeg ze slechts: 'Hoe ging het?' Ze keek naar de stapel blocnotes maar ze sloeg ze niet open. Een enkele keer wierp ze een blik op een pagina die open lag op het bureau, maar ze vond het onderwerp duister en Crimonds kriebelige handschrift moeilijk leesbaar. Ze deed boodschappen, ze kookte eten, ze zorgde voor het huis maar deed geen pogingen het gezelliger te maken. Ze gaf het drinken op, maar ze gaf het kopen van kleren niet helemaal op, aangezien dat een natuurlijke behoefte was. Ze was gewend nieuwe jurken te dragen. In het begin 'kleedde' ze zich voor enkele eenzame bezoeken aan het centrum van Londen, naar kunstgalerieën en matinées. Maar ze was bang bekenden tegen het lijf te lopen en deze uitstapjes begonnen weldra nutteloos en ongepast te worden. Ze droeg haar mooie kleren op sommige avonden voor Crimond die, hoewel hij haar verkwistingen afkeurde, deze afleiding wel op prijs stelde. Misschien vond hij dat ze nog iets van haar vroegere pracht mocht behouden; misschien verhoogde het beeld van die pracht zijn gevoel van bezit. Crimond had een auto, een Fiat, die hij zo nu en dan gebruikte als hij naar een vergadering in de Midlands ging. Hij reed nooit naar het centrum van Londen. Jean had kort na haar komst haar eigen auto, een Rover, naar Camberwell overgebracht, maar ze had sindsdien nauwelijks meer gereden. Haar Rover en Crimonds Fiat stonden buiten in de straat, soms dicht bij elkaar, soms verder bij elkaar vandaan, al naar gelang de omzwervingen van de Fiat. Crimond maakte niet langer gebruik van zijn fiets, die in de hal bleef staan. Jean had voorgesteld dat zij ook een fiets zou kopen zodat ze er samen op uit konden trekken, maar dit was geen vruchtbaar idee gebleken. Ze vond het niet erg om geen uitstapjes te hebben en geen kennissen om mee om te gaan, en na een poosje begon de gedachte aan een 'sociaal leven' onmogelijk en weerzinwekkend te worden. Soms ging ze, aangemoedigd door Crimond, theedrinken bij mevrouw Lebowitz, de oude Poolse dame van boven, die voortdurend herinneringen ophaalde aan de opstand in Warschau. Crimond stond vroeg op en werkte de hele dag aan het boek, nam een kop thee – hij dronk nimmer koffie – als ontbijt en sandwiches als lunch. Om een uur of zes, zeven hield hij ermee op en aten ze in de keuken. Daarna keken ze televisie in de voorkamer, naar het nieuws en naar politieke debatten waaraan Crimond heftig mee kon doen, dikwijls voor de grap, maar soms woedend. Op zulke momenten praatten ze over politiek, over boeken, over schilderijen, over hun jeugd, over plaatsen waar ze waren geweest, vooral over steden – Crimond haatte 'het platteland', daar had hij als kind genoeg van gehad – , over Ierland, over de geschiedenis van hun liefde. Ze praatten niet over mensen die ze kenden. Om elf uur dronken ze chocolademelk en aten koekjes en wafeltjes – waar Crimond dol op was – , daarna gingen ze naar bed op het grote divanbed in de speelkamer. Op sommige dagen, hoewel niet vaak, hield Crimond er om drie uur al mee op en brachten ze de middag door met vrijen.

Crimond hield niet van muziek maar hij was dol op literatuur en schilderkunst, waar hij veel van wist. Hij hield vooral veel van poëzie. Al zijn oude studieboeken stonden op de planken in de televisiekamer, die hij bibliotheek noemde, en soms las hij Jean Griekse en Latijnse gedichten voor en vertaalde ze voor haar, soms vergastte hij haar op Dante en op Poesjkin. Jean, die haar meeste Latijn was vergeten en weinig Italiaans kende, laat staan Grieks of Russisch, deed geen pogingen deze opvoeringen te kunnen volgen, maar ze sloeg zijn enthousiasme met veel plezier gade. Hij kon gretig in boekencatalogi bladeren, was opgetogen wanneer ze arriveerden en kocht niet uitsluitend boeken 'voor zijn werk'. Hij had in Oxford veel aan sport gedaan, hij vond een goede conditie belangrijk, hij deed wat gymnastiekoefeningen vóór zijn ontbijt. Zijn enige zichtbare 'hobby' vormden de pistolen, die hij verzamelde en ook kon gebruiken, zoals ze in Ierland had gezien; maar hij deed niet zijn best Jean hiervoor te interesseren. Haar zorgen over de vraag of hij geïrriteerd zou raken door haar voortdurende aanwezigheid verdwenen snel. Hij zei: 'Ik werk veel beter nu jij hier in huis bent.' Een enkele avond vroeg hij haar in de speelkamer te komen zitten lezen of naaien, niet dicht bij hem maar aan de andere kant, waar hij haar kon zien. Ze had gemerkt dat hij het leuk vond haar te zien naaien. Wanneer hij moe was riep hij soms uit: 'Ik heb geen rúst, ik heb geen rúst!' Hij riep Jean dan bij zich en zij streelde zijn hoofd, van zijn voorhoofd naar achteren en omlaag naar zijn nek, of ze streek zijn vale, sproetige gezicht glad, waarbij ze met haar vingers over zijn wangen en zijn gesloten ogen gleed en daarna over zijn lange neus. Vervolgens ging hij weer aan het werk. Zijn ijver was verschrikkelijk. 'We zijn krankzinnige mensen,' zei hij soms, 'het is net als Kafka.'

'Het is net als een gelukkige Kafka,' zei Jean.

Of hij zei: 'Onze liefde is uiterst noodzakelijk en geheel overbodig.' Waarna zij dan antwoordde: 'Ze is noodzakelijk omdat we bewezen hebben dat het niet onmogelijk is.' Waarop hij op zijn beurt weer zei: 'Goed. Dus ze bestaat noodzakelijkerwijs net als God.' Ze was verbaasd, ontroerd en zelfs geschrokken door deze afhankelijkheid van haar. 'Jij bent de enige vrouw die ik ooit heb begeerd of ooit zal begeren.'

Beneden gingen ze op het grote, lage, harde, bijna vierkante bed zitten, waarop een oude, verschoten, groene sprei met geometrische figuren lag, waarvan Crimond vertelde dat hij op de Hebriden was geweven en eens het bed van zijn ouders had bedekt.

'Ik wou dat je niet al die pistolen had. Heb je eigenlijk wel een vergunning?'

'Ssst!'

'Waarom vind je die dingen leuk? Goed, ik weet dat veel mannen graag vuurwapens hebben, maar waarom jij?'

'Ik heb altijd met wapens gespeeld. Op het land hebben de meeste mensen wapens. Ik heb ze als kind veel gezien. Mijn grootvader was drijver.'

'Dat heb je me nooit verteld.'

'Nou, hij deed 't erbij, net als mijn vader in zijn jonge jaren. Ze laadden de jachtgeweren voor de hoge heren en verzamelden de dode vogels. Jij hebt zulke afschuwelijke taferelen waarschijnlijk nooit meegemaakt. Je doet romantisch over vuurwapens omdat ze nooit deel hebben uitgemaakt van jouw leven.'

'Jíj bent romantisch!' Jean besloot Crimond niet te vertellen dat Sinclair haar meer dan eens mee had genomen naar een jachtpartij. Wat was het geheugen toch een vreemd ding. Ze zag Sinclair opeens heel duidelijk voor zich, met zijn blonde haren en zijn korte, rechte neus en zijn heldere, donkerblauwe ogen die zoveel op die van Rose leken, en zijn vrolijke, ondeugende, plagende houding als van een verwend jongetje, die zo heel anders was dan de geduldige, ingetogen blik van Rose. Hij hield een jachtgeweer in zijn handen toen hij, in Jeans herinneringsbeeld, zich naar haar omdraaide. Zijn kniebroek was bedekt met verdorde blaadjes van de koningsvaren. Jean vond het vreselijk, ze vond het vreselijk die vogels te zien vallen. Rose vond het ook vreselijk. 'Denk je dat je je eens zult moeten verdedigen?'

'Ik denk 't niet,' zei Crimond, haar vraag serieus opvattend. 'Het is gewoon een kwestie van precisie, ik houd van precisie.'

'O, ik weet dat je er goed in bent, ik weet het nog van Oxford en uit Ierland. Je zei dat die schietschijf een symbool was; je hebt niet meer geschoten sinds ik hier ben.'

'Ik weet dat jij het niet leuk vindt. Ik ga trouwens de meeste wapens toch wegdoen.'

'Maar niet allemaal?'

'Ik wil in staat zijn mezelf te doden als dat nodig mocht zijn.'

'Geen slaappillen? Jij doet het zeker liever op een meer stijlvolle wijze.'

'En een meer zekere.'

'Ik krijg soms het gevoel dat je zou willen dat het oorlog was.'

'Dat denk ik niet, het zou me storen in mijn werk.'

'Volgens mij zou jij het best goed vinden als De Bom viel, om al die ouwe troep uit het verleden in één klap kwijt te zijn, samen met al die kitsch en die schijnheiligheid waar jij zo'n hekel aan hebt!'

'We staan bol van de valse ethiek en innerlijkheid en authenticiteit en verlept christendom...'

'Ja, maar er moet toch ethiek bestaan! Je bent tenslotte een puritein, je verafschuwt pornografie en promiscue gedrag en...'

'Het is de laatste orgie, de laatste stelling van het zogenaamde vleesgeworden individu, die is weggeslonken tot een klein laagje egoïsme, zelfs het concept stinkt. Het is het einde van een beschaving die zich verkneukelt over persoonlijke avonturen.'

'Crimond! Je bent zelf een persoon en een avonturier. Je vindt het heerlijk een vleesgeworden individu te zijn! Of laat je jezelf buiten schot omdat je een filosoof bent en het allemaal kunt zíen... of omdat jij het ook niet kunt helpen dat je een produkt bent van een corrupt tijdperk? En je zegt ''laatste'', maar wat komt daarna? We moeten er zélf iets aan doen, we kunnen niet op bommen of God rekenen! Soms denk ik dat je zelfs seks zou willen haten, maar dat kun je niet, je bent ook gewoon maar een verwarde zoon van een postbode uit Galloway!'

Crimond, die haar hand had vastgehouden, liet deze nu los. Hun knieën raakten elkaar niet. Buiten het bed was Crimond niet erg kusserig of knuffelig. Hij besteedde de elektriciteit van zijn hartstocht niet aan voortdurend contact. Soms leek hij Jean bijna formeel te behandelen. Slechts een enkele keer wenkte hij haar dichterbij te komen, om zijn hand vast te houden of zijn haar of gezicht zacht te strelen.

Crimond negeerde Jeans ongebruikelijke uitbarsting en ging op haar laatste opmerking in: 'Ik wilde je juist vertellen dat ik volgende week naar Schotland moet gaan.'

'Hoe is het met hem?'

'Net als anders. Maar ik moet er wel heen.'

Jean wist dat Crimond zich voortdurend zorgen maakte over zijn vader, die nu bedlegerig was en zijn verstand begon te verliezen. Crimond wilde er niet met haar over praten. Ze werd licht in haar hoofd, bijna moe, van haar verlangen naar hem en naar de vreugde van de komende bevrediging. Ze probeerde niet zijn hand weer te pakken.

Crimond keerde weer terug tot het eigenlijke gesprek en zei: 'Misschien. Het individu kan het egoïsme niet overwinnen, daar kan slechts de maatschappij naar streven. Ik heb me altijd, met uitzondering van één geweldig voorbeeld, gedegradeerd gevoeld door seks.'

'Toen je zei dat het nodig maar onmogelijk was, bedoelde je toen omdat het een wonder is?'

'We... alleen omdat... Laten we ophouden met dit gepraat.'

'Ik wou dat je me wat meer vertelde over je ideeën.'

'Mijn ideeën leven slechts in geschreven woorden. Kom, Jeanie, mijn koningin, mijn valk, mijn lieve godin, mijn enige liefste, kom bij me, kom naar bed, o mijn lieveling, mijn eten, mijn adem, mijn leven, mijn liefste schat, mijn laatste rustplaats...'

Elke vorm van lijden waaronder Gerard af en toe dacht dat Duncan gebukt moest gaan, was minder dan de werkelijkheid ervan. Duncans vermogen de schone schijn op te houden, flink te doen en kalm te blijven bracht zijn vrienden enigszins op een dwaalspoor, hoewel ze, naar ze dachten, het ergste vreesden. Duncan ging naar kantoor, verrichtte zijn taken even verdienstelijk als altijd, glimlachte naar zijn collega's, maakte grapjes en babbelde, terwijl er binnenin zijn hoofd een zwarte machine koortsachtig doordraaide. Duisternis, dat was wat hij onderging, een gevoel van duisternis over alles, een zwarte sluier over de lamp, zwart stof op de meubels, zwarte vlekken op zijn handen, en een zwarte, kankerachtige steen in zijn maag. Hij wist niet zeker of hij die duisternis beter als één groot geheel van dodelijk verdriet kon ondergaan of dat hij het moest ontleden in samenhangende onderdelen die hij afzonderlijk kon doornemen. Hij zette niet met opzet alle hoop van zich af; er was gewoon, hoe je het ook bekeek, niets meer om op te hopen. Hij dacht dikwijls aan zelfmoord en soms maakten die gedachten het verdriet iets minder. Het was mogelijk een einde te maken aan dit kwellende bewustzijn.

Zijn vrienden konden hem, en hij begreep dat ze dit terdege beseften, niet helpen bij zijn verdriet, ze maakten alles, als dit al mogelijk was, nog erger met hun hardnekkige belangstelling en bezorgdheid, hun vermijden van pijnlijke onderwerpen, samen met hun onuitgesproken verontwaardiging omwille van hem. Ze wilden dat hij vocht; of liever gezegd, ze wilden iets dóen, waarvoor ze zijn steun of goedkeuring nodig hadden. Het beleefde, onverschillige stilzwijgen van zijn collega's op kantoor irriteerde hem minder. Gerard en Rose bleven hem uitnodigen voor de lunch, voor het diner, voor een glaasje, een theater, hoewel hij hardnekkig en formeel bedankte. Rose belde hem met zorgvuldig getimede tussenpozen op en vroeg of ze even langs kon komen. Soms zei hij ja, om niet al te flauw te doen, en dan kwam ze met een bos bloemen, bleef een glaasje drinken, praatte met hem over oppervlakkige zaken – het nieuws, een film, een boek, haar nieuwe jurk – en keek hem aan met haar vriendelijke, innemende, liefhebbende ogen, op een manier die maakte dat hij het liefst was gaan gillen. Ze had hem onlangs eveneens herinnerd aan twee komende gebeurtenissen waarbij zijn aanwezigheid traditioneel was, het Guy Fawkes feest bij Gerard thuis en de studiedagen op Boyars, het buitenhuis van Rose. Duncan had, om haar op te laten houden met praten over feestjes die hij zo vaak met Jean had meegemaakt, gezegd dat hij zou komen. Gerard, die het kennelijk als zijn plicht beschouwde zich op te dringen bij zijn treurende vriend, verscheen vaker ten tonele, waarbij hij zijn komst op diverse avonden aankondigde, vlak na Duncans thuiskomst van kantoor, waarbij hij een uur bleef, maar nooit voor het eten, waarvoor Duncan hem nooit uitnodigde. Gerard praatte ook over oppervlakkige zaken, het nieuws, de politiek van de regering, dingen op kantoor, maar hij deed af en toe ook pogingen tot een gesprek die door Duncan werden genegeerd, over 'de situatie'. Jenkin kwam niet. Hij stuurde één brief waarin hij hem het allerbeste wenste en zei dat hij, zoals Duncan wist, het bijzonder op prijs zou stellen Duncan te ontmoeten, als Duncan daar ooit behoefte aan mocht hebben, óf in zijn huis óf in Duncans flat. Daarna stuurde hij hem enkele ansichtkaarten, gekocht in het British Museum, met meestal klassieke Griekse onderwerpen, waarbij hij vaag een mogelijke ontmoeting voorstelde. Duncan gaf geen antwoord maar hij bewaarde de kaarten.

De meeste avonden was Duncan alleen, aangezien hij geen bezoek om zich heen wenste, en bracht de tijd door met het drinken van whisky. Hij had de werkster haar congé gegeven en liet de flat vervallen tot een bende waar hij slechts nu en dan iets aan deed ter wille van Rose en voor het geval ze zou aandringen er zelf iets aan te mogen doen. Hij had gepoogd de flat te ontdoen van alle sporen van Jeans aanwezigheid. Kort na haar afvalligheid was Jean overdag teruggekomen om haar juwelen, een berg kleren en cosmetica, wat boeken, wat voorwerpen uit haar jeugd mee te nemen; maar er was veel van haar achtergebleven. Duncan gaf haar resterende kleren aan een liefdadigheidswinkel, vernielde of verbrandde een aantal andere zaken, en stopte wat boeken en schilderijen in zijn kleine studeerkamer en deed de deur op slot. De plaatsen waar deze dingen waren geweest bleven echter maar al te zichtbaar. Hij gaf ook het porselein weg dat zij had gekocht en dat ze samen hadden gebruikt, en haalde in plaats daarvan het Edwardian porselein te voorschijn dat van zijn moeder was geweest en dat Jean had veroordeeld als 'kneuterig'. Hij lunchte in de kantine op kantoor en maakte 's avonds thuis zelf iets te eten, waarna hij televisie keek en dronk. Hij zocht alle programma's af op rampen, aardbevingen, ongelukken met kerncentrales, overstromingen, hongersnoden, moorden, ontvoeringen, martelingen. Hij keek naar thrillers, vooral gewelddadige. Hij vermeed álles wat met romantiek of met dieren te maken had. Hij had altijd genoten van concerten en opera's, maar nu haatte hij klassieke muziek, zelfs enkele maten deden hem al vloeken en naar de knop grijpen. Bedtijd was iets vreselijks. Hij nam uiteraard slaappillen en niet altijd met succes. Het wordt ons verteld dat we naar ons graf moeten gaan alsof we naar bed gaan. Duncan ging naar bed als naar een graf, maar dan wel een waarin hij actief, worstelend, stikkend rondwoelde.

Er bestaan vormen van obsessie waarin het, naar het schijnt, mogelijk is voortdurend aan dat ene ding te denken. Duncans obsessie was heel groot en liet hem ruimte alle facetten ervan te blijven bekijken. Hij nam de hele geschiedenis van Jeans relatie met Crimond door, en begon met te proberen zich te herinneren wanneer en hoe ze elkaar in Oxford hadden ontmoet. Had Jean Crimond ontmoet vóór ze Duncan leerde kennen? Hij had de indruk – al dan niet terecht – dat Jean en Crimond in Oxford geen bijzondere aandacht aan elkaar hadden besteed. Jean had toen hevig geflirt met Sinclair, die verliefd was op Gerard; terwijl Duncan, toen al verliefd op Jean, zijn wanhopige liefde probeerde te smoren door haar als Sinclairs vrouw te zien. Maar zou ze toen de intelligente en knappe Crimond niet op hebben gemerkt? Later was er zeker iets ontstaan, toen Crimond beroemd werd en Jean zijn onderzoeksassistente was. Was Jean toen al Crimonds minnares geweest? Dit was giftig voedsel uit veel denken. Daarna zaten ze in het buitenland en was Crimond op zijn retour. Duncan haalde zich die avond voor de geest toen Jean, bij het bericht dat Crimond naar Dublin zou komen, haar vreugde niet had kunnen verbergen. En dan was er nog, op een andere avond, opnieuw in gezelschap, die intense blik geweest, die manier van stáren tussen hen. Vervolgens had hij hen uitgezwaaid toen ze samen in Crimonds auto vertrokken om Ierland te verkennen. Wanneer wist hij het zeker? O, die zekerheid, de zekerheid die zo vaak zwak weg was geduwd, maar steeds terugkwam en heviger werd. Daarna, die vreselijk levendige herinnering, de pluk haar en Jean die van beneden riep, een beeld dat dagelijks op een afgrijselijke manier werd vernieuwd waarna Duncan zijn eigen haar kamde dat nu overvloedig uitviel, de pluk haren uit de kam trok en in de prullenbak liet vallen. Allejezus, Crimond die vredig zijn haar kamde wanneer hij met Jean had liggen rollebollen! Het ogenschijnlijke vertrek en de laatste kus, de Judaskus die hij Jean gaf voordat hij naar het vliegveld vertrok. Het verblijf bij de zondaren in de hel in de Wicklow bar. Het paard en de koe en het schaap met het zwarte gezicht en de bloemetjes. De klim, de afdaling, het gevecht... Het gevecht in slow motion en hoewel hij voortdurend aan de klap dacht, als in een droom, kon hij de fysieke pijn niet ontlopen, was het ergste van deze gebeurtenis toch de vernedering en de schande. Duncan was eens een ervaren vechter geweest, een worstelaar... maar bij die vent had hij er gewoon niets van terechtgebracht. Was het beter geweest als hij Crimond ernstig had verwond? Had hij Crimond direct te schande moeten maken, hem moeten brandmerken als een melaatse? Had hij, toen of later, Jean moeten dwingen hem elk detail te vertellen, van elke keer dat ze naar bed waren geweest, alles, in plaats van alles op zijn beloop te laten, 'begrip te tonen', te vergeven? Hij had Crimond laten lopen omdat hij zich ongerust maakte over zijn gezichtsvermogen en geen behoefte had publieke opschudding te verwekken met verhalen over hoe hij zichzelf de hoorns op had laten zetten. Hij had het Jean vergeven omdat hij zo blij was haar terug te hebben, omdat hij dánkbaar was. Hij had Crimond moeten vernietigen en haar moeten straffen. Hij was week en zacht geweest, hij had zijn verdiende loon gekregen, hij had het allemaal aan zichzelf te danken. Dit waren de gedachten die, los van enige hanteerbare realiteit, naar de krankzinnigheid voerden.

Duncan begon een steeds grotere hekel aan zijn eigen lichaam te krijgen, hij haatte de bolle, logge massa die hij moeizaam mee moest slepen. Zelfs nu kwam hij nog aan. Hij was eens een grote, stevig gebouwde man geweest, een indrukwekkende gestalte met brede schouders en een groot, ontzagwekkend hoofd, een beer, een stier, een leeuw. Nu was hij gewoon een vadsige vent met een opgeblazen gezicht als een overmaatse baby, zijn neus was dikker, zijn neusgaten waren groter en er groeide haar uit, hij was eens knap geweest, hij was lelijk geworden, de lelijke, oude, bedrogen echtgenoot, een traditionele figuur voor grapjes. Hij benijdde Gerard om zijn goede figuur en zijn onverflauwde idealisme, hij benijdde Jenkin om zijn eenvoudige, omgecompliceerde, onschuldige leven. Hij zag steeds weer in zijn dromen Crimonds slanke, lange gestalte, wit als marmer, zijn trotse gezicht, zijn lange neus en fonkelende ogen. Hoe kon zo'n sierlijke, krachtige gestalte niet worden verkozen boven zijn logge lichaam? In zijn zelfhaat vond Duncan slechts één ding om medelijden mee te hebben, zijn beschadigde oog, zijn arme oog met die vreemde zwarte vlek. Zijn droefenis hierom, als gold het een klein, hulpeloos wezen dat in zijn leven was gekomen en verzorgd moest worden, leek soms een zekere troost te bieden, wanneer hij naar zijn grote hoofd in de spiegel staarde, zijn donkergerande bril opzette en probeerde zich het ondoorgrondelijke, geestige, vriendelijke gezicht, dat hij eens had gehad, voor de geest te halen.

Seks met Jean was nimmer volmaakt geweest, maar het was een levend gegeven geweest, voortdurend en noodzakelijk. Ze hadden samen geleefd als twee goede dieren, hun fysieke contacten waren instinctief geweest, met veel aanraken, strelen, liefkozen. De afwezigheid van dit *dimidium animae* liet bij hem een afgrijselijk pijnlijke wond achter, waar bloed en pus uitliep.

Soms wenste hij dat zijn liefde voor Jean kon worden opgegeten door haat en schaamte, kon worden verpletterd en in kleine stukjes vermalen. In zijn extreme kwellingen was het niet Crimond maar Jean die hij dood wenste, niet bij wijze van wraak, maar gewoon, als een injectie met morfine, bij wijze van directe pijnstilling. Maar zulke pijnstillers bestonden er niet, de Jean die hem kwelde zou eeuwig blijven bestaan; en hoe meedogenloos en systematisch hij ook mocht proberen alle banden door te snijden, die hem met haar verbonden, toch bleef hij lijden op een manier die hem bijna deed hijgen en loeien als een gewonde stier.

Op een late zondagmiddag in oktober stond hij zich te scheren – hij moest zich twee keer per dag scheren – en zijn wangen te bekijken, die rood waren van het drinken en overdekt waren met kleine, gesprongen adertjes, en hij dacht na over Tamar Hernshaw die zichzelf die avond voor een glaasje had uitgenodigd. Duncan had geen zin Tamar te ontmoeten, maar hij was niet in staat geweest haar telefoontje af te schepen, dat hem bij verrassing op kantoor had bereikt, en hij had ondanks zichzelf gezegd dat hij het heel leuk zou vinden. In tegenstelling tot wat door Gerard en de anderen werd geloofd, hadden Jean en Duncan Tamar nooit als een soort dochter beschouwd. Zo'n relatie zou voor hen beiden te pijnlijk zijn geweest, zou hen teveel hebben doen denken aan hun echte kind dat nooit was gekomen. Ze waren echter wel allebei dol op Tamar, ze gaven veel om haar en hadden medelijden met haar. Jean was geroerd geweest dat Tamar zo gek op haar was met een bijna lichamelijke warmte die op moederlijkheid leek. Vroeger was Tamar vaak thee komen drinken met Jean en was dan gebleven tot Duncan thuiskwam. Duncan voelde zich niet erg op zijn gemak bij kinderen en had dat probleem opgelost door Tamar te behandelen als een volwassene, zelfs toen ze nog een klein kind was, en ernstig met haar te praten als met iemand van dezelfde intelligentie. Voor deze gang van zaken, die opmerkelijk goed had uitgepakt, was Tamar in stilte zeer erkentelijk.

'Dit is Jean, zoals ze was toen ik haar voor het eerst ontmoette.'

'Maar ze is nog niets veranderd,' zei Tamar, 'ze is heel knap!'

Het was niet Tamars idee geweest oude foto's te bekijken. Duncan, die al een beetje dronken was toen zij arriveerde, had fotoalbums tevoorschijn gehaald om zich over te geven aan een orgie van herinneringen. Hij zat naast haar op de sofa en ze was bang dat hij elk moment in tranen zou uitbarsten. Ze zaten voor de elektrische kachel die Duncan voor de open haard had gezet waarin Jean altijd hout had gestookt. Het was donker in de kamer, op één lamp na. Dit bespaarde Duncan de moeite van het opruimen.

'Dat is Sinclair, die er zo kwajongensachtig uitziet. Hij had het erg met zichzelf getroffen, die jongen. Daar heb je Gerard, heel deftig.'

Tamar keek ernstig naar Sinclair die jong was gestorven, slechts iets ouder dan zij was.

'Die donkere, forse kerel die eruit ziet als een rugbyspeler, dat ben ik.'

'Heb je rugby gespeeld?'

'Nee.'

'Wie is dat meisje?'

'Dat is Rose, ze is veranderd, ze heeft op die foto een timide meisjesachtige blik. Daar heb je Robin Topglass, die zo nodig gek moest doen. Dat vreemde schepsel dat daar naar hen kijkt en net een dwerg lijkt is Jenkin. Dat is Marcus Field, hij is later monnik geworden. Die joodse vent met dat wapperende haar is professor Levquist. Ik was vergeten dat hij er in die tijd nog zo jong uitzag.'

'Wie is die komiek daar?'

'Dat is Jeans vader. Hij heeft me nooit gemogen. Maar je zult hem wel eens hebben gezien, is het niet? Hij ziet er nu anders uit. Daar spelen we cricket op Boyars.'

'Maar Rose is daar aan slag!'

'Ja, ze was er heel goed in. Ze speelden cricket op haar school. Jean beschouwde het als een grote grap. Je kunt Jean nog net in de verte zien, bij de long-stop. Gerard was verdraaid goed in cricket, hij kwam bijna in het Oxford team. Sinclair had dat ook gekund, maar hij deed nooit iets serieus. Hij speelde heel stijlvol. Daar heb je Boyars weer, wij met z'n allen en drie dienstmeisjes en twee tuinlieden, op de stoep.'

'Dat is verleden tijd! Rose doet 't nu allemaal met die ene oude vrouw die daar woont.'

'Dat knappe meisje vooraan is die oude vrouw. Die hond is van Sinclair. Hij heette Regent. Ik heb niet meer aan die hond gedacht sinds...'

Dit was één van de momenten waarop Tamar bang was dat Duncan zou beginnen te huilen. Ze wenste dat hij stopte met het ophalen van herinneringen. Bij elke nieuwe bladzijde was ze bang dat het gezicht van Crimond zou opduiken. Ze had zich niet ongerust hoeven maken. Duncan had lang geleden alle sporen van Crimond uit het album verwijderd: Crimond met een squashracket, Crimond met een tennisracket, Crimond met een geweer, Crimond met zijn arm om Jenkin, Crimond in een punter, Crimond in een witte lange broek, in avondkleding, in wambuis en kuitbroek – in een stuk van Shakespeare – met in zijn handen het ene uiteinde van een spandoek waarop *Handen af van de Sovjet-Unie* – Robin hield het andere uiteinde vast – , Crimond glimlachend, lachend, grapjes maken, ruziënd, orerend, met een waanzinnige, zonderlinge, edele, bedachtzame, ernstige blik. Die kerel was overal, zoals dit onweerlegbare bewijs aantoonde, hij had zich bemoeid met al hun doen en laten, met al hun gedachten en plannen, met alle vrolijkheid en al het idealisme van hun jeugd.

'Wat zijn die meisjes allemaal knap,' zei Tamar, 'en wat zien ze er mooi uit.'

'Dat was op een tuinfeest. Ja, de meisjes waren knap in die tijd. Dat is de zuster van Marcus Field. Dat is een meisje dat Tessa zus of zo heette, ze was een vriendin van Jean, ze is omgekomen bij een brand. *Jeunes filles en fleurs*. Net als jij nu,' voegde hij er beleefd aan toe.

Tamar zag geen enkel verband tussen die lange, elegante vrouwen en zichzelf. Ze had medelijden met die Tessa zus of zo die bij die brand was omgekomen. Ze voelde dat al die mensen in Oxford echt hadden bestaan, terwijl zij maar half bestond. Diep in Tamars geest stond gegrift, als een tekst om over te mediteren, Violets bewering – die tegenover iedereen werd herhaald – dat als zij genoeg geld had gehad voor een abortus, Tamar nooit zou zijn gebeurd. Dit half-niets dat Tamar als een bron van wrok had kunnen beschouwen, koesterde ze eerder als een soort bewijs van bijzonderheid; ze was vaderloos, moederloos, onnatuurlijk ontvangen, een zwerver uit een onbekend land. Dit was wat Gerard zag – en Tamar wist dit – als haar onbevlekte maagd image, iets goeds alsof net als bij Cordelia de waarheid omtrent haar persoon niet van belang was. Tamar wist niet zeker of het echt goed was, maar ze hoopte vurig die mening nimmer teleur te stellen.

'Heb jij het leuk gevonden in Oxford?' vroeg Duncan toen hij, tot Tamars opluchting, de albums dichtsloeg. Hij vond kennelijk dat hij meer persoonlijke aandacht aan zijn gast moest besteden.

'O ja, ik vond het werk heerlijk. Ik heb echter niet zoveel mensen leren kennen, ik had niet zoveel vrienden als jij en...'

'Nou ja... iedereen beleeft Oxford weer anders. Heb je wel minnaars gehad?'

Tamar bloosde hevig en schoof een eindje bij Duncan vandaan terwijl ze haar rok over haar slanke benen omlaag trok. Ze had bij haar komst zijn sterke whiskykegel geroken en ze vond zijn massieve lichaam van dichtbij weerzinwekkend. Ze was verbaasd door zijn vraag, die hij in een normale gemoedsstemming vast niet zou hebben gesteld. Ze gaf echter braaf antwoord. 'Ja, ik heb twee... eh, nogal korte... verhoudingen gehad. Ik mocht die jongens graag, ze waren heel aardig, maar ik geloof niet dat we echt van elkaar hielden... we wilden die ervaring gewoon hebben gehad.'

'Om 't een keertje gedaan te hebben! Wat een manier om er tegenaan te kijken! Waarom hebben jullie het dan vaker dan één keer gedaan?'

'Ik weet 't niet, het gebeurde gewoon... ik wilde het meemaken, het zeker weten... en ze waren heel aardig, het was heel plezierig... maar ze bleven niet en dat wilde ik eigenlijk ook niet.'

'Dat klinkt allemaal nogal tam! Wat wilde je zo zeker weten?'

Tamar werd plotseling onzeker, in ieder geval werd ze onzeker hoe ze zich moest uitdrukken. Ze had geweten, en zeker geweten, dat ze geen maagd wilde blijven, letterlijk een maagd te moeten blijven leek haar een onzinnige last, een onnodige bron van onrust en spanning. Het leek haar beslist beter zoiets af te handelen onder omstandigheden waarin, zoals ze terecht had gezien, niemand zich gekwetst zou voelen. Die twee, niet opwindende maar ook niet onplezierige, ervaringen met die aardige jongens hadden haar datgene onthuld wat ze wilde weten, 'hoe het was', terwijl ze volkomen vrij werd gelaten om het, tenzij er zich iets echt serieus voor mocht doen, weer te kunnen vergeten. Tot dusver had ze niets serieus gevonden, hoewel ze even het idee had gehad dat het er met Conrad Lomas misschien van kon komen. Ze vatte deze gedachten samen en zei tegen Duncan: 'Ik wilde het beleven met iemand die ik aardig vond en voor wie ik respect had zonder me vast te moeten leggen. Ik wilde niets bindends.'

'Je bent me een kouwe, Tamar.'

Het was de dag na Tamars bezoek aan Jean. Natuurlijk was Tamar niet van plan met Duncan over Jean te praten, daar kon geen sprake van zijn, en hij had niet geaarzeld bij haar foto's in de albums. Gerard had gezegd dat ze niets bijzonders hoefde te zeggen maar dat ze er gewoon even moest zijn. Tamar dacht niet dat haar aanwezigheid daar enig nut had gehad voor Jean, en ze verwachtte evenmin dat het iets voor Duncan zou doen. Ze was hier uitsluitend om Gerard te gehoorzamen, en vervolgens rapport aan hem uit te brengen, iets waarvan ze vond dat ze het niet kon doen voordat ze hen allebei had gezien. Jean had haar gezegd dat ze terug moest komen, maar Tamar vroeg zich af of een volgend bezoek wel verstandig of gewenst zou zijn. Er was geen twijfel mogelijk geweest aan Crimonds ongenoegen, zelfs afkeer. In de trein terug naar Acton had Tamar zitten huilen. Ze had ook, als een felle elektrische schok die door haar lichaam ging, gevoeld hoe hevig de emotionele spanning was tussen Jean en Crimond. Ze had in de trein zitten huilen van schrik en van angst, maar ook van opwinding. Over díe ervaring zou ze Gerard niets vertellen.

'Ik denk dat ik maar eens naar huis ga,' zei Tamar, 'mijn moeder zal...'

'O, ga nog niet,' zei Duncan die, hoewel hij 's avonds meestal alleen was, nu zijn drinkpartner niet graag zag vertrekken, 'neem nog een glaasje. Kijk nou toch, je hebt dát glas nog niet eens leeg.'

'Ik voel me nu al draaierig. O, lieve help!'

Tamar had haar glas op de vloer gezet en toen ze het nu wilde pakken had ze haar voet verschoven en het glas omgeschopt. De zoete sherry die ze had gevraagd, lag nu in een lange tong van donkere vloeistof op het lichte vloerkleed. 'O,' riep Tamar uit, 'kijk nou eens wat ik heb gedaan, wat vreselijk. Het spijt me geweldig, ik zal even een vaatdoek uit de keuken halen...'

'O, doe geen moeite, alsjeblieft, ik...' Duncan hees zich overeind om haar te volgen. Hij wilde niet dat ze de keuken zou zien.

Tamar was er als eerste en deed het licht aan. De keuken bood inderdaad een afgrijselijke aanblik. Vuile borden, beschimmelde steelpannetjes, stonden schots en scheef niet alleen op het aanrecht en in de gootsteen maar ook op de vloer. Lege whiskyflessen en wijnflessen, sommige rechtop, sommige niet, hadden daar lang genoeg rondgeslingerd om een dikke laag vettig stof te vergaren. De vloer was glibberig van de eierdoppen, rottende groenten, beschimmeld brood. De afvalbak puilde uit van de lege blikjes en kledderige verpakkingen. Tamar dacht op slag: ik moet dit allemaal opruimen voordat ik wegga! Iets in de relatie met haar moeder maakte het voor Tamar onmogelijk om de flat in Acton schoon te maken of op te ruimen. Maar hier kreeg ze een hevige aandrang wonderen te verrichten, alles mooi te maken, alles in orde te brengen, om in ieder geval dát voor Duncan te kunnen doen, met wie ze zo'n intens medelijden had. Maar eerst moest ze die akelige sherryvlek wegpoetsen. De kast waarin ze wist dat doeken en dweilen moesten zijn was onder een plank waarop allerlei spullen door elkaar stonden. Om bij de handgreep van de kast te komen moest ze snel een vieze karaf opzij zetten, toen een pakje instant soep, daarna een half-leeg blikje bonen, vervolgens een theemuts... Het was al te laat, toen ze de theemuts greep, om nog iets te doen aan het feit dat de theepot erin zat. De theepot vloog al door de lucht. Tamar slaakte een gil en greep ernaar. Maar hij viel te pletter aan haar voeten, en strooide scherven gekleurd porselein en resten bruine thee en theebladeren rond tussen de lege flessen. Tamar barstte in tranen uit.

Duncan hoorde de klap en bereikte de deur om de theepot van zijn moeder in gruzelementen te zien liggen, luid beweend door Tamar. De theepot was een oude vriendin van hem.

Het geweld, het feit dat de theepot was gebroken, leek een klap die op hem persoonlijk was gericht. Het verbrijzelde ding was iets vreselijks, als het vermoorde lichaam van een geliefd dier. Het volgende moment werd het opeens iets vreselijks wat hij had gedaan, als zijn eigen walgelijke ellende die naar buiten kwam alsof zijn gekwelde lichaam het had uitgebraakt. Hij keek omlaag en zag hel en verdoemenis. Hij hoorde zichzelf zeggen: 'Verdomme.' Hij onderging, als in een mystiek visioen, de eindeloze waardeloosheid van de hele schepping, met alle wreedheid en pijn, de zinloosheid van zijn leven, zijn schande, zijn nederlaag, zijn veroordeling, zijn dood door marteling.

Tamar zag zijn ontzetting en hoorde het woord dat hij uitte en ze verdubbelde haar gejammer. Zij voelde eveneens een schok van wanhoop en ellende, maar voor haar werd deze afgezwakt door een helderder en duidelijker omschreven gevoel van spijt om de arme theepot en medelijden en liefde voor Duncan.

'Hou op, Tamar! Het geeft echt niet, kom hier vandaan.'

Hoofdschuddend en huilend slaagde Tamar er nu in de kast open te krijgen en ze haalde er een doek uit die ze natmaakte onder de kraan, en holde toen terug naar de zitkamer waar Duncan nog een lamp aandeed. Ze knielde neer om de gemorste sherry op te dweilen, terwijl haar tranen op het kleed druppelden, ze probeerde de randen van de vlek te laten verdwijnen in het patroon van het vloerkleed en wrong de doek uit om dat gedeelte met water te betten. Ze liep langs Duncan de deur door, rende terug naar de keuken en begon haastig de resten van de gebroken theepot op te rapen, waarbij ze de theebladeren opraapte met haar vingers en de thee opweilde. Daarna liet ze, kijkend door een waas van tranen, heet water in de gootsteen lopen en ging de vuile borden met een afwaskwast te lijf.

'Ik zei hou óp!' Duncan draaide de kraan dicht, pakte de afwaskwast af, greep Tamars hand beet en voerde haar terug naar de zitkamer. Ze gingen weer op de sofa zitten. Duncan bood Tamar een grote, witte zakdoek aan. Haar tranen werden minder. De verschrikkingen verbleekten. Ze keken elkaar aan.

Tamar zag, als eerder, zijn forse lichaam, zijn roodaangelopen, logge, gerimpelde gezicht, maar ze zag in dezelfde oogopslag zijn grote dierehoofd met wapperende manen, zijn grote neusgaten als van een paard, zijn droevige melancholie van een beest dat eens een prins is geweest en nu hij zijn bril had afgezet zag ze ook de verontschuldigende maar aandachtige en humoristische blik in zijn donkere ogen.

Ze zei: 'Ik vind dat vreemde gevlekte oog van jou heel mooi, heb je dat altijd al gehad?'

'Ja. Dat kleed ziet er nu weer goed uit. Maar je kousen zitten onder de theevlekken.'

Tamar lachte en trok haar rok recht. Nu het grote licht aan was zag ze pas hoe desolaat de kamer was. De schilderijen waren van de muren gehaald, de boekenkast was leeg, de schoorsteenmantel was kaal, de fauteuils, die tegen de muur waren geschoven, waren bedekt met kranten en rondslingerende kleren. Alles zat onder het stof. Tamar herkende het beeld van een triest bestaan, zoals dat bij haar thuis ook bestond.

Duncan zag haar blik en zei: 'Je kunt nu maar beter gaan, Tamar, dit is geen plaats voor een blanke vrouw.'

'Maar ik wil afwassen en de keuken opruimen.'

'Nee. Bedankt voor je komst. Ga je ook met Guy Fawkes naar Gerard? Misschien zie ik je daar nog wel. Maak je alsjeblieft geen zorgen over die theepot.'

Opnieuw moest Tamar de hele weg naar huis huilen, maar dit waren andere tranen.

'Wie was Guy Fawkes eigenlijk?' zei Lily Boyne.

Het was de avond van het Guy Fawkes feestje bij Gerard en iedereen, met uitzondering van Gideon, scheen nerveus of chagrijnig te zijn.

'Hij heeft geprobeerd de parlementsgebouwen op te blazen,' zei Gulliver.

'Dat weet ik, suffie, maar wie was hij en waarom wilde hij die parlementsgebouwen opblazen?'

Gulliver, die al geïrriteerd was omdat hij vijf minuten geleden was gearriveerd en niets te drinken had gehad, en nu nog meer geïrriteerd begon te worden omdat hem een vermoeiende vraag werd gesteld waarop hij slechts vaag het antwoord kende, antwoordde: 'Hij was katholiek.'

'Nou en, wat mankeert daaraan?'

'Er mochten geen katholieken zijn, of ze mochten in ieder geval niet laten merken dat ze er waren.'

'Waarom?'

'O, Lily... weet je niets van geschiedenis! Engeland was protestants sinds Hendrik de Achtste. Fawkes en zijn kornuiten waren het er niet mee eens. Ze probeerden Jacobus de Eerste in de lucht te laten vliegen toen hij het parlement opende.'

'Dat klinkt als een dappere man die opkwam voor zijn idealen, een soort vrijheidsstrijder.'

'Hij was meer een soort louche schurk, misschien was hij dubbelagent of een agent-provocateur. De mensen denken nu dat er nooit een samenzwering is geweest, dat het waarschijnlijk allemaal in scène is gezet om de katholieken in diskrediet te brengen.'

'O. Bedoel je dat er helemaal geen buskruit aan te pas kwam?'

'Ik weet 't niet! Ik vermoed dat ze wel net moesten doen of ze iets hadden ontdekt! Daarna hebben ze een heleboel katholieken opgehangen en Guy Fawkes ook.'

'Ik dacht dat ze hem hadden verbrand.'

'Wij verbranden hem. Zij hebben hem opgehangen.'

'Maar waarom, als hij het allemaal op hun verzoek had gedaan?'

'Ik denk dat hij te veel wist. Iemand had beloofd hem weer vrij te laten, maar deed het toch niet, of kon het niet.'

'Ik vind het toch zielig voor hem,' zei Lily, 'hij protesteerde tegen misstanden.'

'Hij was een terrorist. Je kunt het niet goedkeuren dat het parlement wordt opgeblazen.'

'Het werd in die tijd niet democratisch gekozen,' zei Lily, 'het was gewoon een stelletje bazige lieden bij elkaar. Ik heb nooit begrepen of Guy Fawkes dag bestaat omdat we Guy Fawkes haten of omdat we hem bewonderen. Hij is toch een soort volksheld geworden.'

'Ik denk dat veel mensen van explosies houden.'

'Je bedoelt dat we in ons hart allemaal terroristen zijn? Ik denk dat dat eens zal worden ingezien en dat Guy Fawkes dan in de ban zal worden gedaan en ondergronds moet gaan.'

Ze waren allebei, afzonderlijk, tamelijk vroeg gearriveerd en stonden nu in de onhandige, eenzame houding van te vroege gasten naast de open haard in Gerards zitkamer die uitsluitend door kaarsen werd verlicht. Het was traditie dat er, behalve in de keuken, alleen kaarslicht was toegestaan op de avond van Guy Fawkes. Gulliver was nijdig dat Lily was uitgenodigd, hoewel hij ook nijdig was omdát hij daar nijdig om was. Gulliver had dit feest nu enkele achtereenvolgende jaren meegemaakt. Lily was nooit eerder uitgenodigd. Vorig jaar was het heel select geweest. Gull ergerde zich nu, terwijl hij Lily in het kaarslicht wat beter bekeek, ook aan haar bizarre verschijning. Hij maakte zich zorgen over de mogelijkheid dat Gerard Lily had uitgenodigd omdat hij dacht dat Gulliver haar aardig vond. Aan de andere kant, als ze hier toch moest zijn, dan wilde hij graag dat ze goed overkwam. Niet wetend wat voor feest het precies was, en denkend dat het een soort carnaval zou zijn, had Lily eerder op de avond enige tijd besteed aan het beschilderen van haar gezicht met rode en gele strepen. Vlak voor ze van huis ging was de moed haar echter in de schoenen gezonken en had ze haastig de strepen weggepoetst, waardoor er nu allerlei vlekken en vegen te zien waren onder de poeder die ze haastig had opgebracht. Gulliver zelf had, vertrouwend op het kaarslicht, discreet wat make-up gebruikt.

Lily herinnerde zich een keer in haar jeugd toen ze een grote, echt uitziende pop op een brandstapel verbrand had zien worden. De kinderen lachten toen de pop door de hitte op en neer sprong en zelfs zijn logge handen in de lucht had geheven. Lily had een afschuw en een ontzetting en een verscheurend medelijden gevoeld, evenals een woede die ze, aangezien ze hem niet direct op iemand anders kon botvieren, op zichzelf had gericht. Ze beet in haar handen en rukte aan haar haar. Ze voelde die oude emotie nu weer even en hief één hand naar haar haar en de andere naar haar hart.

Rose kwam binnen met een dienblad met glazen en een kan die ze met een bons en rinkelend op de tafel zette. Ze deed een lamp aan. Zij was eveneens geïrriteerd dat Gerard Lily had uitgenodigd. Ze voelde deze belachelijke, onwaardige irritatie zelfs al mocht ze Lily graag en nodigde ze haar op haar eigen feestjes ook uit. Rose was moe. Ze was de hele dag druk bezig geweest sandwiches en canapés met gerookte zalm te maken en winkels af te sjouwen voor kaas en het soort cakejes waar Gerard zo dol op was. Het was niet direct een buffet, meer een soort theemiddagje, zoals Jenkin het gekscherend noemde. Hij was ook degene die het vuurwerk kocht en organiseerde, dat Gerard betaalde. Jenkin was nu in de tuin met Gerard en Gideon bezig om palen op te richten voor de raderen met vuurwerk, en flessen in de grond te graven om de staarten van de vuurpijlen in te steken. Gelukkig regende het niet. Rose was ook boos op Patricia, die Gulliver en Lily had verwelkomd alsof het haar eigen huis was. Rose had haar jas boven, op Gerards bed, gelegd zoals ze dat altijd deed, maar ze merkte dat Patricia hem had overgebracht naar een garderobe beneden, waar de gasten werd verteld dat ze hun spullen achter konden laten. Toen Rose verder met haar keurig ingepakte etenswaren de keuken binnen was gestapt had ze Patricia aangetroffen, die daar de scepter zwaaide en uitdrukking gaf aan haar verbazing over de hoeveelheid eten die Rose mee had gebracht terwijl zij, Patricia, al een terrine had gemaakt, en een rundvlees met nier pastei, een groentencurry, een ratatouille, diverse salades en een sherry trifle. Rose zei niet dat Patricia zo langzamerhand toch moest weten dat Gerard, die het vreselijk vond om met een bord en een mes en een vork in zijn handen te moeten staan, of voorzichtig op een stoel te moeten zitten met een bord op zijn knieën, zijn gasten deze onwaardigheid wilde besparen en op zo'n feestje slechts voedsel tolereerde dat uit het vuistje kon worden gegeten. Ze protesteerde zelfs niet toen ze zag hoe Patricia haar sandwiches achter in de koelkast schoof. Misschien had Rose van tevoren met Patricia overleg moeten plegen over het eten. Maar Patricia en Gideon werden weliswaar altijd uitgenodigd voor dit feest maar ze kwamen niet vaak, en Rose was nog niet gewend aan de gedachte dat ze nu in Gerards huis woonden en van plan waren het middelpunt van die avond te vormen. Violet werd ook altijd uitgenodigd en soms kwam ze echt en dat was een andere ongewisse omstandigheid. Rose was ook ongerust of Duncan zou komen opdagen en of hij, als hij kwam, zich schandelijk zou gaan bedrinken. De algemene gedachte was dat Duncan niet zou komen. Rose identificeerde zich erg met het verdriet van Duncan en begreep dit waarschijnlijk zelfs beter dan Gerard. Ze was ook verdrietig en bezorgd over Jean en wilde haar graag schrijven, maar ze vond dat ze dit niet kon doen zonder Gerard erin te kennen, waar ze weinig zin in had. Gerard had Rose veelbetekenend verteld dat Tamar zowel Jean als Duncan had gesproken en verslag aan hem had uitgebracht, hoewel hij niet zei wat zij hem had verteld. Rose deelde Gerards mening over Tamar als alwetend en hoogheilig niet, en ze vond zijn idee niet zo best, vooral omdat ze bang was dat Tamar het zich allemaal te sterk zou hebben aangetrokken. Als Tamar erg van streek was geweest had ze dit vast niet aan Gerard verteld. Rose besloot later zelf een babbeltje met Tamar te maken.

Rose droeg een opmerkelijk eenvoudige jurk, een soort soepele beige jurk met een bruine leren riem, die ze zeer geschikt vond voor deze gelegenheid waarbij, besefte ze nu, Jean en zij vaak de enige vrouwen waren geweest. Patricia droeg een ruisende zwarte avondrok met een gestreepte blouse. Lily was gekleed in een volumineus geplooide jurk van lichtblauwe crêpe, die op Griekse wijze over een lage, onzichtbare riem was gehesen en donkerrode suède laarzen onthulde. Rose, die nu het merkwaardig gevlekte, gemarmerde gezicht van Lily zag, draaide de lamp die ze aan had gedaan weer uit. Ze schonk twee glazen in met het mengsel uit de kan. Deze werden gretig geaccepteerd. 'Het is bowl.'

'Gevaarlijk spul,' zei Lily, 'het is altijd sterker dan je denkt!'

'Dat zeggen mensen altijd van bowl,' zei Rose, en ze begreep direct dat ze grof was geweest. Ze probeerde iets vriendelijks te bedenken om te zeggen, maar dat lukte niet en ze werd nijdig op zichzelf en op Lily.

De bel ging en Rose hoorde Patricia naar de deur gaan om Tamar te verwelkomen. Rose schonk zichzelf een glas bowl in, die inderdaad sterker was dan het leek, en dronk het snel op. Ze was bang dat Gerard zou willen dat ze Gulliver en Lily ook op Boyars uit zou nodigen voor de studiedagen, en dat zij hier niet onder uit zou kunnen. Gulliver was weliswaar op Guy Fawkes uitgenodigd maar hij was nog nooit op Boyars geweest.

Lily zei dat ze de hemel dankte dat het niet regende.

Tamar kwam binnen. Ze droeg deze keer niet haar bekende rok en jasje uniform, maar had zich gewaagd aan een bruine wollen jurk met een geborduurde kraag. Een dichtbijzijnde kaars onhulde haar doorschijnend blanke wangen die een blosje hadden van de kou, en haar keurig gekamde zijdeachtige blonde haar dat op één lengte was afgeknipt en met een ronde haarspeld bijeen werd gehouden. Ze hield de warme hand van Rose even in haar kleine koude handen en kuste Rose. Na een korte aarzeling kuste ze Lily ook. Lily mocht Tamar wel maar ze wist niet of Tamar haar mocht. Tamar glimlachte naar Gulliver en ze maakten vage gebaren naar elkaar. Ze bedankte voor de bowl, zei dat ze zelf iets fris uit de keuken zou halen, en verdween.

Ondertussen waren Gerard en Gideon uit de tuin binnengekomen en lieten Jenkin, de enthousiasteling, achter om de laatste puntjes op de i te zetten, wat inhield het verwijderen van alle uitwendige obstakels van het grasveld. Ze kwamen binnen, niet door de deuren van de zitkamer, die nog steeds dicht waren, met de gordijnen ervoor, maar door een gang die langs de keuken naar de eetkamer en de hal liep. In de eetkamer was de lange tafel, die tegen de muur was geschoven, met een groen lakens kleed bedekt en vervolgens met een wit damasten tafelkleed, al in beslag genomen door borden, bestek, wijnglazen, geopende wijnflessen, slabakken, de canapés met gerookte zalm van Rose die te voorschijn hadden mogen komen, brood, boter, biscuits, de terrine en de ratatouille, en ook nog een schaal met ham en tong die Patricia er op het laatste moment in een opwelling aan toe had gevoegd. De rundvlees en nier pastei, de curry en de aardappelen zouden warm binnen worden gebracht. De trifle stond nog in de koelkast. De sandwiches van Rose mochten niet te voorschijn komen. Het lot van de cakejes was nog onzeker. Gerard die, te laat echter, van Patricia's plannen op de hoogte was gesteld, overzag dit uitvoerige feestmaal met ontzetting. De gebruikelijke opstelling was dat er de hele avond hapjes klaarstonden die iedereen naar believen uit het vuistje kon nuttigen. Deze pretentieuze schotels suggereerden echter een bepaalde etenstijd, een rij, gasten die onhandig met volgeschepte borden stonden of zaten te eten, een tafereel dat hij veráfschuwde. Patricia kwam binnen met een slaatje dat ze die middag had gemaakt.

Het was tamelijk donker in de eetkamer die uitkeek op de met struiken begroeide voortuin, met zijn twee essen, en de straat. De zware groene gordijnen waren dichtgetrokken, de muren, die donkerbruin en donkeroker gestreept waren en weloverwogen – volgens Gerards opvattingen, want hij hield niet van een rommelig geheel – waren volgehangen met negentiende-eeuwse Japanse schilderijen, vage verfijnde afbeeldingen met enkele lijnen en kleurentoetsen, van vogels, honden, insecten, bomen, kikkers, schildpadden, apen, tengere meisjes, nonchalante mannen, bergen, rivieren, de maan. Gideon had er bewondering voor, hoewel het niet zijn smaak was. Hij bezag het grootste deel van Gerards middelmatige collectie met minachting. Hij keek nu naar een libel op een waterbies en zei: 'Ja, dat is heel leuk. Maar waarom probeer je niet eens wat echt goede schilderijen te verzamelen? Ik zou je erbij kunnen adviseren.'

'Ik heb niet de minste behoefte allerlei dure smaken te ontwikkelen en zo iemand te worden die alleen maar de beste wijn kan drinken! Ik vind grootse kunst in een museum of galerie heel mooi. Maar ik hoef het niet in m'n huis!'

'Ik heb het niet over grote kunst, maar je zou toch een beetje hoger kunnen mikken! Ik moet je bekennen dat ik je vootliefde voor Engelse aquarellen niet deel. Zou je geen Wilson Steer willen hebben? Daar was je vroeger nogal dol op. Ik kan eens voor je uitkijken... maar hij zou natuurlijk niet goedkoop zijn. Of een Vuillard. Vuillard is op het ogenblik de vent die je moet kopen, hij is nog steeds spotgoedkoop.'

'Veel te goed voor mij.'

'Chagall, Morisot?'

'Nee, dank je.'

'Dat behang is mooi. Die Longhis van ons zou er mooi op staan, en de kleine Watteau.'

'Hoor eens, Gideon,' zei Gerard, 'dit is mijn huis, ik wil het niet opsplitsen. Je zoekt zelf maar een huis om in te wonen. Je bent niet armlastig. Jullie hebben hier al veel te lang gezeten.'

'Dat is duidelijke taal. Goed, Gerard, we willen niet dat jij het huis opsplitst, we willen het hele huis.'

Patricia kwam weer binnen met een kan bowl in haar handen en toen ze Gideons woorden hoorde, zei ze: 'Ja, Gerry, dat ben je aan je familie verplicht.'

'Ik heb geen familie,' zei Gerard.

Patricia negeerde deze kwalijke grap. 'Leonard zal binnenkort wel gaan trouwen, ik bedoel niet dat hij al iemand op 't oog heeft, maar hij is van plan te trouwen. Dit huis is uniek, het is iets heel bijzonders in dit deel van Londen. We hebben altijd al in Notting Hill willen wonen. Het heeft die grote tuin met bomen, en boven zijn er zulke mooie kamers, én de zolder nog, het is echt een familiehuis. Vind je het niet onredelijk om in je eentje zoveel ruimte in beslag te nemen?'

'Nee.'

'Trouwens, Tamar zegt dat ze geen Perrier wil, ze wil sinaasappellimonade, ik vraag me af of er nog iets in de kast staat?'

'Ik beschouw jullie tweeën als onderhuurders, behalve dat ik de rekeningen betaal.'

'Ik zal je wel een cheque geven, beste kerel.'

'Doe niet zo zot.'

Tamar verscheen in de deuropening. 'Hoor eens, doe alsjeblíeft geen moeite, Perrier is ook prima, ik hoef geen sinaasappelsap... Hallo Gerard, hallo Gideon.'

'Tamar!' zei Gideon. Hij liep naar haar toe en kuste haar.

Patricia zei: 'Hij is echt gek op haar, hè liefje?'

Gerard, die zulke grapjes van getrouwde mensen niet op prijs kon stellen, concentreerde zich op Tamar. Hij dacht: ze is als fris water, frisse lucht, vers brood. Hij zei niets maar glimlachte en zij glimlachte terug.

'Kijk eens, hier is de sinas, dus neem die nou maar,' zei Patricia die in de kast had gezocht. 'Ik denk dat Duncan de hele avond whisky wil drinken. Ik zal wat whisky en gin klaarzetten, voor het geval iemand erom vraagt, maar dring het ze niet op.'

Jenkin maakte van de gelegenheid gebruik om nog wat langer in de tuin te blijven. Er lag wat rijp op het gras en hij voelde het aangename gekraak onder zijn voeten. Hij had het lekker warm met zijn dikke jas, wollen muts en handschoenen, hij genoot van de koude lucht, snuffelde eraan en hief zijn gezicht ernaar. De twee zware smeedijzeren stoelen waren weggehaald en met hulp van Gerard en Gideon aan het eind van de tuin onder de noteboom gezet, de grote bloembakken waren uit het midden van het terras verwijderd, de flessen voor de vuurpijlen stonden op hun plaats, de palen voor de vuurwerkwielen waren in de grond geslagen, het vuurwerk was uitgezocht en klaargezet in de gang naast de keuken, met de sterretjes, de zaklantaarns. Jenkin ademde puffend uit en bekeek een pluim in het vage licht dat langs de zijkant van het huis van de straatlantaarns kwam, en ook uit Gerards slaapkamer, waar het licht brandde en de gordijnen nog niet dicht waren gedaan. Adem, ziel, leven, onze ademtochten zijn geteld. Hij ademde diep, voelde de koude in de warme holten van zijn lichaam binnendringen en genoot van dat heerlijke, nooit teleurstellende gevoel van alleen zijn. Hij richtte zijn hoofd op, als een dier dat, op een verlaten berghelling, een eenzame kreet wilde slaken, geen droevige kreet, maar ook niet zonder een droevige ondertoon of echo, gewoon een diepe, onweerstaanbare kreet van het zijn. Dus slaakte hij in stilte zijn geluidloze kreet, naar de kille avondlucht en naar de sterren.

Het was nog vroeg maar het was al enige tijd donker geweest en in alle Londense tuinen om hem heen werd nu vuurwerk afgestoken. De warme gloed van de vreugdevuren kon hier en daar worden gezien, een enkele hoog-opschietende vlam, en plotselinge gouden lichtjes die de bakstenen gevels van huizen onthulden, en de takken, sommige kaal, sommige wintergroen, van bomen in de verte. Er klonken korte zoevende en suizende en ploffende geluiden, kleine felle knallen en het opvallende sissende geluid van om-hoogschietende vuurpijlen en hun zuchtende of knetterende plof hoog in de lucht en de korte glorie van uiteenspattende of langzaam neerdalende sterren. Jenkin was dol op vuurpijlen. Gerard nodigde altijd, uit beleefd-heid, de buren uit voor zijn Guy Fawkes feestje, maar ze kwamen nooit. De buren aan de ene kant vonden vuurwerk kinderachtig en die aan de andere kant, die kinderen hadden, begonnen vroeger op de avond aan hun eigen feest. Dit feestje begon nu zijn einde te naderen, de vuurpijlen waren be-wonderd met alle rituele kreten van 'aaah!' en 'oooh!' en er klonk nu wat gemompel en gepraat aan de andere kant van de muur. Jenkin merkte dat er naar hem werd gekeken. Er was een rij gezichten, kindergezichten, boven de muur verschenen. Jenkin keek naar de hoofdjes en zei: 'Hallo'. De kin-deren keken hem zwijgend aan. Toen verdwenen ze plotseling allemaal te-gelijk en er klonk enig gesmoord gelach van de andere kant. Jenkin was nooit echt aan kinderen gewend geraakt. Dat was misschien een van de ge-heimen – en het was een geheim – van zijn succes als leraar. Hij had be-grip voor de vreselijke problemen waar kinderen gebukt onder kunnen gaan, hij begreep hun angsten. Op school genoot hij een gemakkelijke, be-nijdenswaardige, bijna absolute autoriteit die een geschenk van de natuur leek, en die heel overredend, magisch, zelden dwingend was. Maar hij was niet romantisch of sentimenteel of kameraadschappelijk, hij beschouwde kinderen als een ander ras, dat vooringenomen, vijandig en vaak onbegrij-pelijk was. Zijn leerlingen vormden een stelletje individuen waarmee zijn betrekkingen nauwlettend beroepsmatig bleven. Een opmerkzame toe-schouwer – zijn vriend Marchment – zei eens tegen hem: 'Jenkin, je houdt helemaal niet van kinderen!' Hij hield wel van kinderen, maar niet in de algemene en conventionele betekenis. Die rij hoofden, die door een vreemd lichteffect rood leken, als een vreemde groep eilandbewoners of be-schilderde inboorlingen, maakte hem zenuwachtig, gaf hem een gevoel van onzekerheid en deed hem de kwetsbaarheid van zijn huidige gemoedstoestand inzien. Hij voelde zich alsof hij een nederlaag had geleden. Was dit misschien zijn laatte Guy Fawkes feest?

'Maar Violet toch, je ziet er vanavond echt fantastisch uit!' zei Gideon. 'Vinden jullie niet?'

Violet bloosde zowaar en friemelde als een verlegen schoolmeisje, zoals Patricia later opmerkte. Ze had in ieder geval haar best gedaan. Ze had de blauwe bril weggelaten; later bleek dat ze zichzelf op contactlenzen had getrakteerd. Ze had ook, met hulp van een kapper, haar haar wat joliger gemaakt, met een minder strenge, rechte pony. Ze droeg een heel eenvoudige, goedzittende, lichtblauwe cocktailjurk met wat glittertjes rond de hals.

'Je ziet er heel fraai uit,' zei Patricia. 'Maar de lovertjes daar bovenaan kunnen echt niet, ik denk dat je die er beter af kunt halen. Ik zou het heel fijn vinden als je ons wilt komen helpen, net als vroeger, en Gideon heeft echt een secretaresse nodig, nietwaar, lieverd? Iedereen heeft er behoefte aan ergens nodig te zijn...'

'We hadden je niet verwacht,' zei Gideon, minzaam glimlachend.

'Ik verwachtte haar wel,' zei Gerard, 'kom eens iets drinken, ik zal iets bijzonders voor je mixen.'

Violet liep achter Gerard aan naar de eetkamer en Gerard deed snel de deur dicht. Hij zei: 'Violet, we willen echt heel graag dat jij nog eens nadenkt over dat geld.'

'Wie is ''we''?' zei Violet en trok diepe rimpels over haar voorhoofd en langs haar mondhoeken.

'Pat en ik en Rose.'

'Wat heeft Rose hiermee te maken?'

'Ze is het helemaal met ons eens.'

'Het gaat Rose geen steek aan.'

'Goed, maar hoor eens, Violet, wees eens redelijk, doe eens vríendelijk tegen ons. Vader heeft in zijn testament gezegd dat hij erop vertrouwde dat wij voor jullie zouden zorgen. Je moet ons zijn wensen uit laten voeren... anders worden wij gedwongen een belofte niet na te komen.'

'Hij heeft dat helemaal niet in zijn testament gezegd, hij heeft me niet eens genoemd.'

'Hoe kom je daarbij?'

'Dat heeft Pat me verteld. Niet alleen geen geld, hij heeft ons niet eens genoemd.'

Verdomme, dacht Gerard. Wat moet ik nu zeggen? 'Violet, mijn vader wilde dat wij jullie zouden helpen, hij heeft aangenomen dat we dat zouden doen.'

'Als hij echt wilde dat ik na zijn dood werd ''geholpen'', zou hij dat wel hebben geregeld! Bovendien wil ik helemaal geen ''hulp''!' Violets gezicht leek nu dat van een demonische kat en drukte ook een soort vals leedvermaak uit. 'Pat wil dat ik haar dienstmeid word, dat heb je net kunnen horen, ze heeft me een bazige brief geschreven en jij staat me een beetje voor te liegen over het testament van oom Matthew. Ik mag dan arm zijn en familie van jullie, maar ik ben niet van plan het behoeftige familielid te spelen om Pat en jou een plezier te doen!'

'Nou, we willen in ieder geval Tamar helpen. Ze moet echt terug naar Oxford.'

'O, ik weet wel dat het allemaal is bekokstoofd om haar te helpen, niet míj! Niemand interesseert zich voor míj! Tamar heeft het uitstekend naar haar zin, ze heeft een goede baan. Misschien had ze later wel geen baan kunnen krijgen, het wordt elk jaar moeilijker, ze beseft dat ze heeft geboft!'

'We zullen Tamar helpen.'

'Je weet heel goed dat ze het niet zal accepteren, je doet het alleen maar om je eigen geweten gerust te stellen! Het zou psychologisch rampzalig voor haar zijn. Kun je haar niet eens met rust laten? Jij denkt dat ze een soort stevige, vlijtige boerendochter is. Maar dat is ze niet, ze is een heel onstabiele, neurotische persoon. Ze kan het tempo in Oxford niet bijhouden, ze was anders afgeknapt. Waarom denken jullie toch dat jullie geliefde Oxford zo'n fantastische plaats is voor een meisje? Je weet dat Tamar het er nooit leuk heeft gevonden, ze is gewoon ziek geworden van al het werken! Tamar heeft een rustig en ordelijk leven nodig, en een vaste baan. Ze is, de hemel zij dank, geen intellectueel!'

Gulliver stak zijn hoofd om de deur, zag Gerard en Violet, zei 'Sorry!' en verdween.

'Waarom kun jij niet gelukkig zijn,' zei Gerard. 'Het lijkt wel of je dat niet wilt.'

'Dat is mijn zaak. O, jullie begrijpen ook níets!'

Gerard schonk een glas bowl in en gaf dat aan Violet. 'Het spijt me. Je moet niet boos zijn op Pat, ze bedoelt 't goed. We hebben het er later nog weleens over.'

'Je zei dat je iets speciaals voor me zou mixen!'

Gerard pakte een fles gin uit de kast en deed er een flinke scheut van in Violets glas.

'Dacht je echt dat ik dát opdrink?' Ze nam het glas echter mee en verdween glimlachend.

Rose had haar sandwiches uit de koelkast gered en naar de zitkamer gebracht, waar Gulliver had verklaard dat hij honger had. De sandwiches waren nu koud en klef, maar Gulliver en Lily aten ze toch op. Vervolgens haalde Rose haar canapés uit de eetkamer, die juist door Gerard en Violet was verlaten. De formule was altijd geweest dat de mensen de hele avond konden eten en drinken en rondlopen zoals ze dat zelf wilden. Nu moest Patricia er zo nodig een hele toestand van maken door iedereen op te jutten een bord op te scheppen. Dit leidde ook tot de vraag wanneer precies het vuurwerk moest beginnen.

'Wat is er toch met Tamar?' zei Patricia, die binnenkwam en vol afkeuring constateerde dat de snelle, ongeregelde consumptie van voedsel nog steeds doorging. 'Ze kan maar niet stil blijven zitten, ze heeft gewoon geen rust in haar lijf, ze sluipt hier rond als een kat. Ik vermoed dat ze een *tête-à-tête* zoekt met Gerard.'

'Ze is alleen maar verlegen,' zei Rose, 'ze plaatst zichzelf volledig op de achtergrond.'

'Volgens mij wil ze zich helemaal niet wegcijferen, ze springt hier rond als een vlo in een theater! Dat komt zeker door de aanwezigheid van d'r mammie.'

'Violet ziet er beeldschoon uit. Dat lukt nog steeds, wanneer ze een beetje haar best doet.'

'Meestal loopt ze er liever bij als een wilde heks. Maar vanavond is ze op de "ik trek me van de hele wereld niets aan" toer. Ze kan met zichzelf alle kanten uit, ze is echt beter aangepast dan wij, ze lijdt er heus niet onder. Ik heb nog nooit zoveel vuurwerk gezien, de gang staat er vol mee. Het zijn net kinderen, die mannen van ons, vind je niet?'

Rose was niet zo dol op dat 'mannen van ons'.

Jenkin kwam uit de tuin, hij stapte door de tuindeuren naar binnen en baande zich een weg door de gordijnen.

'Is Duncan nog gekomen?'

'Nee, maar Violet wel.'

'Duncan komt vast niet,' zei Rose.

Maar juist op dat moment ging de bel van de voordeur.

Patricia's politiek van mes en vork pakte inderdaad zo uit als Rose had verwacht. De stamgasten, afgericht door Gerard, hadden bezwaar tegen deze vernieuwing, ze negeerden de opstelling met pastei en curry en trifle en aten de sandwiches en canapés op, om daarna, vol minachting voor borden en eetgerei, hun eigen sandwiches te maken door bolletjes open te breken en vol te proppen met blaadjes sla en plakken ham en tomaat die later op het vloerkleed vielen. Gerards kleine cakejes, die in de provisiekamer werden ontdekt, vonden ook gretig aftrek, evenals de kaas die Rose had meegenomen. Een enkele gast probeerde nog uit beleefdheid – Jenkin – of uit oprechte belangstelling voor de rundvlees met niertjes pastei – Gulliver – of omdat het geheel een eigen idee was – Patricia – toch een plekje te vinden om op te zitten en aan te eten teneinde ongemakkelijk voor te wenden dat dit een normale maaltijd was, terwijl de anderen rondwandelden. Patricia moest tot haar ergernis en woede constateren dat Gideon overliep naar de wandelaars. Er werd nu bordeaux geschonken en de bowl was nog steeds verkrijgbaar. De gin en whisky werden aan het begin van de avond nog niet gevraagd, zelfs niet door Duncan die als laatste was gearriveerd en zijn vrienden liet schrikken door om Perrier te vragen, vervolgens bowl te drinken en in een later stadium pas whisky. Tegen die tijd waren Gulliver en Lily ook aan de whisky. Lily, die eerder het met gin aangevulde glas had gevonden dat Violet had laten staan en dat zij toen had opgedronken, was nu zichtbaar aangeschoten. Tamar veroorzaakte enige opschudding door niet te willen eten; tenslotte accepteerde ze een bordje trifle, dat de volgende morgen, onaangeroerd, op een vensterbank achter een gordijn werd aangetroffen. Ze verdween ook enige tijd uit het zicht en werd door Rose boven teruggevonden in Gerards slaapkamer, waar ze in het donker bij het raam zat om, zei ze, naar de kinderen van de buren te kijken, die in hun nachtkleding door de tuin renden. Tegen de tijd dat de koffie werd geserveerd begon het al heel laat te worden en de avond liep gevaar te mislukken door wat Gerard hardnekkig 'die schijnvertoning van een etentje' noemde. Het bleek dat niemand de leiding had. Gerard had nadrukkelijk alle verantwoordelijkheden als gastheer opgegeven, Rose die normaliter de tijd in de gaten hield had zich nu teruggetrokken in de positie van toeschouwer. Jenkin liep wat dromerig rond, bijna somber, en was misschien al aardig dronken van de koppige bordeaux. Gideon liep zich als gewoonlijk kwajongensachtig te amuseren en liep glimlachend rond, wachtend op de dingen die zouden komen. Violet liep ook te glimlachen, ze dronk heel weinig, viste met haar vingers stukjes nier uit de pastei en lepelde wat trifle in haar mond, waarna ze de lepel weer in de schaal zette. Patricia stond al in de keuken af te wassen.

'Wat doen we eigenlijk met het vuurwerk?' zei Jenkin, plotseling opschrikkend uit zijn overpeinzingen.

'Het is te laat voor het vuurwerk,' zei Gerard, 'dan maken we de kinderen van hiernaast wakker.'

'Volgens Tamar hollen ze allemaal in hun pyjama door de tuin,' zei Rose.

'Nou, we kunnen ook een paar vuurpijlen afsteken, we hebben geen tijd meer om alles te doen, iedereen wil naar huis!'

Gulliver besefte dat hij spoedig gevaarlijk dronken kon zijn en had al aangekondigd dat hij wilde vertrekken, vergetend dat het afsteken van vuurwerk het doel van de avond was.

'Waar zit Tamar toch?' zei Jenkin.

'Die helpt Pat in de keuken met afwassen!' zei Rose.

'Waar is Duncan?' zei Gerard.

'Die zit whisky te drinken in je studeerkamer.'

'Ik had eigenlijk gehoopt dat Tamar hem vanavond een beetje op sleeptouw zou nemen,' zei Gerard, 'maar ze doet zo teruggetrokken.'

'Misschien wil ze jou nog onder vier ogen spreken!' zei Rose.

'In ieder geval is Duncan met Perrier begonnen. Denk je dat dat Tamars goede invloed was?'

'Hoor eens, we moeten echt vuurwerk hebben,' zei Jenkin, 'ik begin wel en dan stuur jij gewoon iedereen naar buiten. Vergeet de zaklantaarns en de sterretjes niet.'

Jenkin, die bang was dat Gerard zijn programma de mist in liet gaan, had al een paar Gouden Regens afgestoken en verscheidene Romeinse Kaarsen en een Pauwen Fontein voordat het hele gezelschap, met dikke jassen aan, naar buiten was gewandeld of gestruikeld. Iedereen kreeg een zaklantaarn, een pakje sterretjes en een doos lucifers. De sterretjes waren bedoeld om het publiek ook mee te laten doen en voor wat extra licht te zorgen in de pauzes tussen de 'stukken'. Enkele gasten lieten hun sterretjes echter in het gras vallen – Gull en Lily – of stopten ze afwezig in hun zak – Duncan – of waren te verwaand – Pat en Violet – of te verlegen – Tamar – om ze aan te steken. Rose en Gerard staken hun sterretjes heel plichtsgetrouw aan, Gideon deed dit met veel grappen en grollen, en ze zwaaiden ermee in het rond, waarbij ze de ietwat verdwaasde gezichten van hun medegasten in het helderwitte licht van de sissende vonken zetten. Als om hen aan te moedigen werd er in sommige tuinen nog steeds vuurwerk afgestoken door kinderen die laat naar bed gingen of volwassenen die er niet genoeg van konden krijgen. Toen Rose op een donker moment omhoog keek zag ze voor de ramen van de bovenverdieping van het huis van de buren de gezichten van kinderen die naar buiten keken. Ze stak nog een sterretje aan en hield dat vlak bij haar gezicht om zich te laten zien, en wuifde naar de kinderen. Verblind door de gloed kon ze niet zien of ze terugzwaaiden. Gerard was nooit bevriend geraakt met deze kinderen en Rose kende ze verder niet.

Jenkin was nu in het voorlaatste stadium gekomen, en dat waren de vuurwerkraderen. De vuurpijlen kwamen het laatst. Hij had drie grote wielen op drie palen getimmerd, die achterin de tuin in de buurt van de noteboom waren neergezet, met de hoogste paal in het midden. Toen hij met zijn zaklantaarn de drie constructies controleerde werden de anderen, die eerst hadden gepraat of zelfs kreten hadden geslaakt uit bewondering voor de andere stukken, nu stil en was het even volmaakt donker in de tuin. Er ging even enkele zaklantaarns aan, die voeten verlichtten, waarvan sommige verstandig waren ingepakt en andere niet, en stukken vertrapt, bevroren gras. De lucht was nu heel koud, de neuzen voelden bevroren aan, en wie geen handschoenen aan had stopte zijn handen diep in de zakken. Gulliver smachtte naar iets te drinken en leunde op Lily's schouder.

Plotseling, bijna tegelijk, kwamen de vuurwerkraderen tot leven, ze draaiden eerst heel langzaam en kregen toen meer snelheid tot ze grote, verblindende cirkels van vuur vormden, die met een hels lawaai brandend rondvlogen. Iedereen slaakte een gepaste kreet en de aanblik en het geluid was niet alleen indrukwekkend maar ook angstaanjagend. Niemand verroerde zich, iedereen stond gespannen, met open mond naar de drie grote vurige cirkels te kijken.

Lily, die al enige tijd wat zwijgzaam deed omdat ze op een rustige manier dronken was, zei plotseling, vlak bij Gullivers oor: 'Waarom noemen ze die dingen "catharine wheels"?'

Gulliver schrok op uit zijn eigen beschonken meditatie en antwoordde: 'De heilige Catharina werd gefolterd op een rad.'

'Wat?'

'De heilige Catharina werd op een rad gebonden, gemarteld en ter dood gebracht.'

'Hoezo op een rad, wat deden ze met haar?'

'Ik weet 't niet,' zei Gulliver, geïrriteerd door deze onzinnige en op de een of andere manier wat ongepaste storing. 'Ik geloof dat het over spijkers werd gerold, of zo.'

Lily dacht even na. Daarna draaide ze zich om en liep weer naar het huis, Gulliver, die nu geen steun meer bij haar kon zoeken, ging abrupt op het gras zitten.

De raderen begonnen eindelijk, tot teleurstelling van de gespannen toeschouwers, langzamer te draaien en doofden toen geleidelijk na elkaar uit, door een laatste uitbarsting van rondspattende vonken bleven ze nog heel even draaien, vaag nagloeiend, en doofden toen geheel uit. Er klonk een algemene zucht.

Showman Jenkin, vastbesloten zijn publiek niet kwijt te raken, schoot onmiddellijk de eerste vuurpijl af.

Gerard, die Lily weg had zien glippen en niet meer terug had zien komen, besloot dat hij naar binnen moest gaan om te zien of alles goed met haar was. Hij liep zachtjes weg toen de anderen omhoog keken naar een langstrekkende melkweg van verschillend gekleurde sterren.

Toen Lily het toneel had verlaten was ze moeizaam binnengekomen via de deuren van de zitkamer, waarbij ze op de tast langs de zware gordijnen moest, die haar dreigden te verstikken. Ze worstelde in paniek, in het donker, raakte haar richtingsgevoel kwijt en probeerde het midden of het einde te vinden van de zware, logge gordijnen. Eindelijk had ze zich de met kaarsen verlichte kamer binnen geworsteld en ze liep snel verder, om zo ver mogelijk bij de tuin vandaan te komen. Ze ging naar de wc en toen ze het licht aandeed zag ze voor het eerst haar gevlekte gezicht in de spiegel. Ze zocht haar toevlucht in de eetkamer en ging naast het wiebelige lage tafeltje zitten waarop zij en Gulliver hun borden hadden gezet toen ze hadden gedineerd of gesoupeerd of hoe je het moest noemen. Alcohol is in staat de donkere poorten van het onderbewuste te openen en via deze opening werd Lily, in de naam van de heilige Catharina, bedolven onder allerlei spookachtige herinneringen aan haar katholieke moeder, die sterk de neiging had gehad voor van alles en nog wat de hulp van diverse heiligen in te roepen. Lily dacht vaak aan haar grootmoeder, maar heel zelden aan haar moeder. Onder invloed van al deze beschuldigende herinneringen kreeg ze nu vreselijke schuldgevoelens en berouw. Haar moeder had in de hel geloofd. Waarom had Lily haar arme moeder in de steek gelaten, die dronken en alleen was gestorven, vol angst voor het eeuwige vuur? Waarom leefde haar moeder niet meer, zodat Lily naar haar toe kon hollen om haar te troosten? Vermengd met al deze gedachten aan het lijden van haar moeder kwamen bij Lily nu allerlei afgrijselijk vrome plaatjes uit haar jeugd boven, van Sint Sebastiaan, doorzeefd met pijlen, Sint Laurens, die op een rooster werd gebraden. En natuurlijk Jezus, langzaam doodgemarteld door kruisiging. Opeens bedacht Lily dat de drie palen van de vuurwerkwielen veel op de drie kruizen op Golgotha hadden geleken. Ze barstte in tranen uit. Gerard kwam binnen.

De vuurpijlen gingen nu snel achter elkaar omhoog, ze stegen heel plotseling op, heel heftig, heel gevaarlijk, met een sissend, fluitend geluid, ze doorkliefden de zwarte lucht, hoog boven iedereen en daarna volgde de ontplooiing met een geweldig gevoel van opluchting, naar een soort vredige of gelukkige of glorieuze dood, een explosie van gouden kogels of een fontein van rafelige sterren, als de zelfopofferende zegening van een amoureuze godheid. In andere tuinen schoten eveneens vuurpijlen omhoog, snel, snel, alsof dit feest van toegestane zotheid zijn einde naderde en alles onder dwang nu heel snel moest gebeuren. De lucht was vol ontploffingen. Rose dacht: het klinkt alsof het oorlog is. Om haar ogen even rust te geven keek ze niet naar omhoog en zag toen bij het licht van een lucifer Jenkins opgetogen, verheerlijke gezicht, met geopende lippen en grote ogen van opwinding. Wat viert hij hier eigenlijk, vroeg ze zich af, welke godheid, welk visioen, welke geheime gouden wens? Een waterval van bijzonder lang nagloeiende sterren toonde haar de omhoog kijkende andere gezichten, dat van Gideon schaterend van de lach, dat van Pat bezadigd tevreden, dat van Gulliver kinderlijk opgetogen. Duncan keek melancholiek maar kalm, met zijn grote hoofd achterover en zijn donkere haren op de kraag van zijn jas. Het gezicht van Violet deed Rose schrikken, het straalde een heftige emotie uit, vol vastberadenheid of wanhoop of haat. Tamar, die vlak achter haar stond, was niet zichtbaar. Op dat moment merkte Rose dat Gerard en Lily ontbraken.

'Ik wou dat ik dood was,' verklaarde Lily. 'Ik deug nergens voor. Ik ben bedorven, ik ben slecht.'

Gerard, die naast haar aan de tafel zat, zei: 'Hou op, Lily, ik wil niet dat je zulke onware dingen zegt in dit huis!'

'Mijn accountant zegt dat mijn geld bijna op is.'

'Dat kan ik me niet voorstellen, het zal wel ergens in geïnvesteerd zijn.'

'Ik weet 't niet, ik weet niet eens wat investeren is. O, ik ben zo ongelukkig en ik kán gewoon niet gelukkig zijn.'

'Natuurlijk kun je dat wel, ik wéét dat je het kunt. Je kunt andere mensen helpen.'

'Ik haat andere mensen, ik haat mezelf, ik kan niemand vertrouwen, niemand geeft om mij . . .'

'O, hou op! Natuurlijk geven de mensen wel om je; ik geef bijvoorbeeld om je. Als je je zorgen maakt over geld of over wat dan ook, kun je altijd naar mij komen.'

'Echt waar?' zei Lily verbaasd. Ze droogde haar tranen met de zachte, wijde mouw van haar jurk, waarvan op de voorkant vlekken van rode wijn zaten. Ze keek Gerard aan met een dronken gezicht waarop een onmetelijke opluchting te lezen stond en ze zei plotseling: 'Ik heb deze schilderijen altijd al willen bekijken, maar ik ben daar nooit aan toe gekomen, ze zien er zo mooi uit.'

'We kunnen ze nu wel bekijken,' zei Gerard. Ze stonden op en hij stak een kaars aan. 'Daar heb je een vlinder, dat is een slak, daar vliegt een kever, dat is een kikker, de Japanners houden van kikkers, daar heb je een meisje dat haar haar wast . . .'

Het lawaai buiten werd steeds heviger. Gideon gilde het uit van plezier, Violets ogen straalden, haar mond hing open, Patricia's handen gingen naar haar gezicht. Waarom maken ze toch zulke vreselijke geluiden, dacht Rose. Vind ik ze eigenlijk wel aardig? Misschien. O, waar is Gerard? Ze zag Gulliver zich omdraaien en met lange stappen naar het huis glijden.

Gulliver deed de deur van de eetkamer open en zag Gerard een kaars omhoog houden naast een schilderij dat Lily bekeek. Gulliver voelde een ongemakkelijke pijn in zijn middenrif, het was een gevoel dat hij lange tijd niet had gekend. Hij herkende het als jaloezie. Maar waarom, voor wie, om wie, om wat? Hij deed de deur weer dicht.

Er schoot opeens een hele zwerm vuurpijlen tegelijk de lucht in. Daarna klonk er van heel dichtbij een lange reeks oorverdovende ontploffingen, veel luider dan alles wat ze tot nu toe hadden gehoord. Patricia gilde: 'Dat is geen vuurwerk, dat kán niet, het moeten bommen zijn, het zijn terroristen!'

'Nee!' riep Jenkin opgetogen, 'dat is het feest van de Franse ambassade!'

Rose was naar binnen gegaan. Ze liep naar de eetkamer en deed het licht aan.

Toen het licht van de vuurpijlen uitdoofde en de echo van de explosies ook wegstierf, liep Duncan naar Tamar en stak zijn hand voorzichtig zijwaarts naar haar uit en haar kleine hand greep de zijne even beet.

'Jenkin heeft die bloemen niet gestuurd,' zei Rose, 'ik heb het hem gevraagd... en ik weet zeker dat het Duncan niet is geweest.'

'Ik ben blij dat Duncan toch is gekomen; daar heeft Tamar voor gezorgd. Ze dacht dat haar bezoek aan hem geen succes was geweest, maar kennelijk was het dat toch wel!'

De gasten waren vertrokken, Patricia en Gideon hadden zich teruggetrokken, Rose en Gerard zaten in de zitkamer bij de gloeiende resten van het haardvuur, met een glas whisky-soda. De kaarsen, die Rose zorgvuldig in de kandelaars had gezet, waren keurig opgebrand en uitgedoofd. De elektrische lampen deden de kamer er nu helder en rustig uitzien.

'Heb jij nog met Duncan gepraat?' vroeg Rose.

'Nauwelijks. Hij heeft me maar één ding verteld. Hij zei dat Tamar een theepot had gebroken!'

'Je bedoelt toen ze bij hem op bezoek was? Warm? Vol met thee?'

'Ik dacht het niet, het gebeurde toen ze probeerde zijn keuken op te ruimen, ze stootte hem van een plank. Duncan scheen het niet erg te vinden, hij vond het een grote grap, hij lag compleet slap van de lach toen hij het me vertelde!'

'Hysterie, drank. Het is vast niet zo grappig geweest voor de arme Tamar die alleen maar probeerde te helpen. Ik heb zo'n idee hoe die keuken van Duncan eruitziet, zeker net zoals die van Violet! Ik neem aan dat hij niets heeft gezegd over Jean en Crimond.'

'Nee. Ik denk dat hij er wel met me over zal praten, maar nu nog niet.'

'Wat gaan we aan Crimond doen, ik bedoel wat betreft het boek?'

'O, ik weet het niet!' zei Gerard ongeduldig. Hij had het gevoel dat 'de anderen' hem steeds in de richting van een soort confrontatie met Crimond wilden sturen alsof hij hem op zijn nummer moest zetten. Daar had hij een gloeiende hekel aan. Aan de andere kant wilde hij ook niet dat anderen met Crimond begonnen te rommelen, als iemand Crimond aanpakte moest hij dat zijn. Maar hij had een zeldzame hekel aan dit vooruitzicht.

Rose, die zijn gedachten kon volgen, zei: 'Er hoeft geen ruzie van te komen! We kunnen toch gewoon vragen om een verslag over hoe alles vordert! Hij heeft al die tijd geld van ons gehad en hij heeft niet één kaartje gestuurd met bedankt, boek schiet op! Bovendien wordt het toch tijd dat we het comité weer eens bij elkaar roepen.'

'Ja, ja. Dat zal ik doen. Weet je, Gulliver heeft nog stééds geen baan gevonden.'

'Ik geloof dat Gulliver vanavond make-up op had.'

'Rose, ik ben moe en jij bent moe. Maak dat je wegkomt.'

Rose voelde zich een beetje dronken en had weinig zin naar huis te gaan. Ze was die avond geschrokken van zichzelf, ze was hevig ongerust over haar belachelijke en onwaardige gevoelens van jaloezie om Lily en Tamar. Moet ik al sip doen als hij zelfs maar naar een andere vrouw kijkt; voel ik me dan zó onzeker? Ja. Na al die jaren heb ik geen enkele verdediging, ik kan op slag worden gebroken. Er is niets dat hem bindt aan de relatie die we nu hebben, hij beseft nauwelijks dat het een status quo is die kan veranderen, hij beschouwt het eigenlijk helemaal niet als welke status dan ook! Ik denk dat het mooi is dat hij me zo als vanzelfsprekend beschouwt, dacht ze, maar dat betekent ook dat ik totaal geen rechten heb. Réchten? Dus ze dacht nu echt aan rechten! Ze kon zich levendig voorstellen hoe Gerards reactie op zulke taal zou zijn! Maar ik moet met hem praten, dacht ze, ik moet het hem vertellen, ik moet, o, het klinkt zo zwak en zo suf, ik moet hem vragen mij gerust te stellen. Maar hoe moet ik dat brengen en wat zal hij zeggen? Ik moet open en oprecht zijn. Maar wat wil ik eigenlijk? Wat ik nu wil is niet naar huis gaan, maar in Gerards bed stappen en tot in het oneindige bij hem blijven liggen. Kan ik hem zoiets vertellen? Zou hij het weten?

'Bel maar geen taxi,' zei ze, 'ik vind er wel eentje aan het eind van de straat. Je hoeft niet mee te lopen.'

'Natuurlijk loop ik wel met je mee! Waar heeft Pat verdorie mijn jas gelaten?'

Buiten op straat, toen de taxi stopte en de deur open werd gehouden, kuste Gerard Rose op haar lippen zoals hij vaker deed en zij sloeg haar armen om zijn nek, zoals zij wel vaker deed.

Tamar vertrok die avond vroeg van kantoor. Ze was gewend geraakt aan het kantoor, hoewel de bedrijfsleider haar 'Totsy' noemde en een vrouwelijke collega haar de les had gelezen op het punt van kleding. De ongetrouwde jongemannen vonden haar aardig en plaagden haar maar maakten geen avances. Ze had een afspraak met Duncan. Hij had haar een briefje gestuurd om te vragen of ze nog eens kwam en zij had toen opgebeld en een afspraak gemaakt.

In de situatie waarin Gerard haar had doen belanden voelde Tamar zich in de rol van een slavinnetje dat, zonder een speciale band met één van hen te hebben, de held en heldin bij elkaar moet brengen. Zij zou hierbij onopgemerkt en onbeloond blijven, ze was slechts een werktuig. Wanneer ze er later op terugblikte besefte ze dat ze nooit geloofd had dat zij op enige manier in staat was iets bij te dragen aan die verzoening, maar dat ze gewoon geloof had gehad in Gerards geloof en dat ze het leuk vond – er zat dus toch iets leuks bij – om hiervoor uitgekozen te zijn. Maar nu was er iets gebeurd wat complicaties veroorzaakte. Ze wist niet zeker wanneer het was gebeurd: misschien toen Duncan 'Hou op!' had geroepen en haar bij de hand mee terug had genomen naar de bank, of kort daarna, toen ze elkaar op de bank aan hadden zitten kijken, of mogelijk later die avond toen ze thuis in haar slaapkamer aan Duncan lag te denken, en aan zijn grote hoofd en zijn lange haar en zijn zachtmoedige, ondoorgrondelijke, intelligente blik. Ze wilde beslist niet beweren dat ze verliefd op hem was geworden, dat was door het verschil in leeftijd en door zijn status in haar leven volslagen onmogelijk. Maar haar gevoelens van meeleven, haar wens te helpen en te genezen, werden steeds sterker, ze dacht meer aan hem en ze herkende bepaalde gevoelens van seksuele aard. Tamar vond dit niet zo'n probleem. Niemand wist iets van deze, uiteindelijk milde en onschuldige, toestand en niemand zou er ooit iets van weten. Ze had vroeger wel vaker zulke vage gevoelens gehad, in even ondoenlijke situaties, voor een leraar op school, voor Leonard Fairfax, voor Jean, zelfs voor Gerard, en wist dat die dingen onschuldig waren, konden worden onderdrukt en verborgen, en tenslotte over zouden gaan. Ze had zich op die Guy Fawkes avond opeens onrustig gevoeld, ze had zich afgevraagd of hij zou komen en toen hij kwam had ze zowel blijdschap als een soort angst gevoeld die haar ertoe had gedreven hem te vermijden, 'als een kat door het huis te sluipen,' zoals Patricia het had uitgedrukt. Toen hij, tegen het eind, in het donker haar hand had gepakt en erin had geknepen had Tamar een golf van vreugde gevoeld. Ze wisselden geen woord met elkaar en vertrokken even later afzonderlijk. Wanneer ze later op dit incident terugkeek voelde ze zich geroerd door, zoals zij het zag, zijn wens om haar gerust te stellen. Ze had besloten niet naar hem toe te gaan tenzij ze nadrukkelijk werd uitgenodigd. Toen de uitnodiging kwam was ze blij, maar ze vroeg zich toch af of deze niet plichtmatig was gekomen, uit een soort noodzakelijk geworden beleefdheid.

In de tussentijd was Tamar nog iets anders overkomen: ze had een grote cheque ontvangen van Joel Kowitz in New York, die afkomstig was, zei hij, hoewel hij hem zelf had getekend, van het Joodse Onderwijs Fonds. Tamar begreep dat ze die cheque aan Jean te danken had en ze geloofde niet in het Onderwijs Fonds. Ze maakte de envelop aan het ontbijt open, gadegeslagen, als altijd wanneer ze brieven openmaakte, door haar moeder. Violet griste de cheque weg en zou hem hebben verscheurd, maar Tamar griste hem terug en beloofde dat ze hem naar Joel zou retourneren, wat ze toch al gedaan zou hebben. Toen ze hem op de post had gedaan, met een keurige, dankbare brief, vroeg ze zich onwillekeurig af waarom ze die cheque niet gewoon bij haar bank had geïncasseerd en maling had gehad aan haar moeder. Maar dat kon ze natuurlijk niet doen. Ze dacht na over de redenen en vroeg zich af of het de goede waren. Toen Tamar had besloten dat ze Oxford zou opgeven had ze dat beschouwd als een opdracht, als een plicht, als iets onvermijdelijks. Het zou haar te moeilijk zijn gevallen wanneer ze had kunnen bedenken dat het misschien niet écht nodig was geweest. Violet had haar alle gegevens over hun financiële positie voorgelegd en Tamar had deze bestudeerd. Het zag er bijzonder ernstig uit. Violet kon geen werk krijgen, oom Matthew was dood, Tamars baan was dringend nodig om de bank gerust te stellen. Tamar begreep waarom haar moeder geen hulp wilde aannemen. Ze kon evenmin Violets kreet: 'Ik heb al genoeg voor je gedaan!' van zich afzetten. Het was een kwestie van eer.

Duncans flat zag er deze keer heel anders uit. In de zitkamer waren drie lampen aan en in de haard brandde een vuur. De kamer was, hoewel nog steeds stoffig, nu opgeruimd en sommige opengeslagen boeken hadden hun weg weer naar de planken weten te vinden. De keuken, die Duncan aan Tamar had laten zien zodra ze was gearriveerd, was een stuk schoner en netter, hoewel Duncan niet in staat was geweest iets te doen aan de nu onontkoombare chaos.

Tamar had de grote, witte zakdoek, die ze de vorige keer mee had genomen, gewassen en gestreken teruggegeven, en had de opwelling bedwongen hem te houden. Ze zaten nu op de sofa die voor de haard was geschoven, Tamar zat met haar voeten onder zich opgetrokken, waarbij één slanke enkel en een schoen met een gesp van onder haar jurk zichtbaar was, en Duncan had haar een brief te lezen gegeven, afkomstig van de advocaat van Jean, die Duncans medewerking verlangde bij het regelen van een echtscheiding.

Tamar had de afgelopen nacht een vreemde, levendige droom gehad. Ze droomde dat ze was verdwaald in een enorm cirkelvormig hotel, 'zo hoog als de toren van Babel', en haar kamer niet meer kon vinden, of zich niet meer wist te herinneren op welke verdieping deze lag. Ze bleef wanhopig en bang de trappen op en af hollen, door cirkelvormige gangen en staarde naar nummers en probeerde dichte deuren open te maken. Tenslotte vond ze een deur die de goede leek te zijn en deed hem open. Achter de deur bevond zich een kleine badkamer. Liggend in het bad, dat droog was, zag ze een vrouw in een lange, rode jurk met een zwart gazen masker voor haar gezicht. Naast het bad zat een vrouw met bruin haar en een bril, gekleed als een verpleegster, die Tamar zwijgend en vijandig aanstaarde. Tamar begreep direct dat de vrouw in het bad, die bewusteloos of misschien wel dood was, het slachtoffer was van een vreselijke besmettelijke ziekte, waarvan het bestaan door de hoteldirecteur in de doofpot moest worden gestopt. Toen ze vol ontzetting terug wilde deinzen zag ze opeens een lange, witte gestalte achter zich staan, een man met blond, bijna wit haar en heel lichtblauwe ogen. Tamar dacht: dat is een dokter, dan is hij mijn váder, en het is een IJslander! Het volgende moment liep de lange gestalte weg en legde op rituele wijze de palm van zijn hand tegen de muur van de gang. De muur gleed opzij en onthulde wat Tamar herkende als het interieur van een grote kluis.

Haar vader liep de kluis in, de muur gleed weer terug en Tamar sloeg er te-vergeefs met haar handen op. In een poging deze droom te interpreteren besloot Tamar dat die verpleegster natuurlijk Violet was, en de vrouw in het bad was Jean, zoals ze op het bal in rood en zwart gekleed was geweest. Dit waren twee sinistere beelden vol afschuwelijke en onwerkelijke gegevens. Haar vader was anders; hij verscheen zelden in Tamars dromen en wanneer hij dat deed ging er iets helders en zekers van hem uit, een soort onschuld, alsof het niet zozeer een misleidend voortbrengsel van het onderbewuste was, maar een periodiek bezoek van een andere planeet. Hij was altijd lang – hoewel tot nu toe nooit afkomstig van IJsland – en hij maakte al.ijd een minzame, hoewel ontwijkende indruk. De herinnering aan deze droom kwam plotseling, uiterst levendig, weer bij Tamar boven toen zij naast Dun-can op de sofa zat en de gedenkwaardige brief las. Ze dacht: misschien is hij inderdaad een IJslander, een idee dat nog niet eerder in haar op was ge-komen. Hij had op een dokter geleken, naast een stervende, misschien do-de, patiënt. Tamar dacht toen: misschien is hij dood. In de droom was hij een stalen kist binnen gegaan en de deur was dichtgevallen. Ze had weleens de mogelijkheid overdacht, maar nooit met zo'n intense emotie, dat hij misschien al dood was. Ze had zo graag willen geloven dat hij nog in leven was en nog steeds ergens aanwezig. Misschien was hij wel afscheid van haar komen nemen. Dat vreemde gebaar waarmee hij zijn handpalm op de muur had gelegd had iets geheimzinnig definitiefs. Nu dacht ze: hij is dóód, en haar hand die de brief vasthield beefde, en met haar andere hand raakte ze Duncans mouw aan en ze richtte haar bezorgde gezicht op hem.

Duncan nam de brief van haar over en legde hem op de vloer. Hij had hem die ochtend ontvangen. Hij had uiteraard geweten dat zoiets tot de mogelijkheden behoorde maar hij had het niet echt verwacht. Hij had inge-zien dat hij het niet kon opbrengen naar kantoor te gaan en had de dag thuis doorgebracht in een poging, zoals hij het zei, zijn gedachten eens op een rijtje te zetten. Hij bleef herhalen, zoals hij dat eerder ook had gedaan: ik moet dit overleven, ik laat me niet door die twee de dood in jagen. Maar nu begon het beeld van Crimond, dat hem op de een of andere manier had beschermd tegen de volle kracht van zijn verdriet omdat het hem woedend maakte, te verbleken; en hij zag slechts Jean, Jean die weg was, Jean, zijn lieve Jean, die ijskoud het wettelijke en absolute einde van haar verbintenis met hem wilde effectueren. Tegelijkertijd scheen er een vleugje warmte, dat niets wist van de dood van de liefde, van haar naar hem toe te zweven, waar-door allerlei kleine, onschuldige verwachtingen en herinneringen in hem werden gewekt, zoals de manier waarop ze naar hem toe holde als hij 's avonds thuiskwam en haar armen om hem heen sloeg, hoe ze elkaar ver-telden hoe hun dag was geweest. Ze waren gelukkig geweest! Hij bleef pro-beren het 'onder ogen te zien', het 'nu eindelijk tot zich door te laten dringen', het als 'waar' te beschouwen. Hoe moest dat gebeuren? Hij zag nu in hoezeer hij was blijven hopen, zelfs toen hij had gedacht dat hij alle hoop had later varen. Hij zou die brief van de advocaat moeten beantwoorden, hij zou allerlei verklaringen op moeten stellen, in walgelijke regelingen toe moeten stemmen, teneinde Jean te helpen hem nooit meer te moeten zien of aan hem te moeten denken. Hij dacht: ik zal het voor haar doen en daarna dood ik mezelf. Over Crimond dacht hij niet langer na. Het feit van het onherroepelijke verlies, dat nu als een zwarte rots voor hem opdoemde, elimineerde Crimond, zoals het weldra Duncan zou elimineren.

Duncan had op het Guy Fawkes feestje Tamars hand gegrepen uit een gevoel van dankbaarheid en omdat hij haar gerust wilde stellen over die theepot. Het gevoel van haar warme hand in zijn koude hand – geen van beiden droeg handschoenen, maar Tamars hand had in haar zak gezeten – bezorgde hem een onverwachte schok en bracht hem in herinnering hoe ze samen op de bank hadden gezeten en elkaar aan hadden gekeken na de ramp met de theepot. Hij had haar gevraagd nog eens te komen omdat hij nu had besloten haar te vragen of ze Jean had gezien. Hij had haar ook uitgenodigd omdat ze onschuldig was en hij haar medeleven kon verdragen en omdat haar bezoek een aansporing was om de flat op te ruimen. Door de komst van de brief was hij Tamar even vergeten en dacht pas weer aan haar vlak voor haar komst.

Tamar was nog steeds wat versuft door de plotselinge herinnering aan haar droom en ze moest haar uiterste best doen zich te concentreren op wat ze in de brief had gelezen. 'Denk je dat ze het meent, dat ze dit echt door wil zetten? Misschien...'

'Ja,' zei Duncan, 'ze zal het doorzetten, Tamar, ik ben een krankzinnige man, ik ben krankzinnig, ik ben gevaarlijk, kwel me niet.'

'O, als je eens wist hoe graag ik je wil helpen, ik zou alles doen om alles weer goed te kunnen maken...'

'Dat kun je niet. Alles zou goed zijn als Jean weer terug was, net als vroeger, en dat kan niet, dat kan nooit, nooit meer... dit is het einde.'

'Het is niet het einde, je zult verder leven, de mensen houden van je...'

'Dat is een fictie,' zei Duncan en nam nog een slok whisky. Tamar was aan haar tweede glas sherry bezig. 'Ik kan nu in dit vreselijke licht een heleboel dingen zien. Ik betwijfel het of Jean ooit echt van me heeft gehouden, ik betwijfel het of er ooit iemand echt van me heeft gehouden. Het is in ieder geval duidelijk dat nu niemand meer bij me in de buurt komt. O, ze hebben wel belangstelling, hoor, sommigen zijn zelfs vriendelijk, maar niemand hóudt van me. Dus hou me niet voor de gek met die lege, afgezaagde clichés.'

'Je moet niet zulke nare en onware dingen zeggen! Misschien helpt de liefde van andere mensen je niet, maar hij bestaat wel. Je zegt dat ze niet bij je in de buurt komen. Goed, maar ik ben er nu toch, ik ben wel bij je in de buurt en ík houd van je!'

'Nee, Tamar, alsjeblieft...'

'Ik hóud van je!' Terwijl ze dit zei draaide Tamar zich naar hem toe en strekte haar armen naar hem uit, schoof haar handen om Duncans dikke stierenek en duwde ze onder de zware, koele massa van zijn donkere haar. Volledig verrast sloeg Duncan zijn arm om haar schouder en Tamar knielde en schoof naar hem toe, en draaide zich toen om, nog steeds met haar handen ineengeslagen onder zijn haar, zodat ze op zijn knie kwam zitten. Ze hapten allebei naar lucht. Tamar bleef moeizaam in deze houding zitten, met haar hoofd tegen de ruige tweed van de kraag van zijn jasje. Toen deed iets in hun houding hen opeens opschrikken, misschien wel het vage gevoel van haar als kind en hij als vader, en ze schoot terug, wierp zich als een geschrokken dier in de verste hoek van de sofa, waar ze met gloeiende wangen naar Duncan staarde en een hand op haar bonzende hart legde.

Ze zei: 'Het spijt me. Ik vond alleen... ik houd echt van je en andere mensen houden ook van je en dat wilde ik je vertellen.'

'Tamar, kom terug,' zei Duncan, 'kom hier.' Hij had zijn bril afgezet.

Die bevelende toon was nieuw en Tamar onderging dit nieuwe en begreep de betekenis ervan zelfs al zag ze pas later de ogenschijnlijk onvermijdelijke stadia van hun bewegingen in, die elkaar opvolgden als in een vreemd spel. Ze kwam op haar knieën overeind, en ging toen weer naast hem zitten, met opgetrokken benen net als eerder, en haar hand op haar enkel. Ze legde haar hoofd tegen zijn meest dichtbijzijnde schouder en legde een arm achter hem op de sofa. Hij sloeg nu beide armen om haar heen, schoof haar in een gemakkelijker positie, pakte haar onhandig uitgestoken arm en ondersteunde haar min of meer, half-knielend met haar gezicht in zijn haar en haar mond tegen zijn warme nek. Ze bleven even in deze houding liggen, met twee snelkloppende harten die heftig tegen elkaar bonsden. Toen vonden ze met gesloten ogen elkaars lippen en ze kusten elkaar twee keer voorzichtig. Daarna trok Duncan haar omhoog, waardoor ze tegen de zijkant van de sofa leunde en hij trok zijn benen op zodat ze, opnieuw onhandig, half leunend naast elkaar lagen, met hun gezichten naar elkaar toe.

'Ik houd van je, Duncan,' zei Tamar. 'Ik houd van je. Het spijt me. Wees alsjeblieft niet boos op me.'

'Ik ben niet boos op je, hoe zou ik dat kunnen zijn. O, Tamar, als je eens wist hoe vreselijk ik me voel.'

'Ik wil je echt graag helpen, maar ik kan het niet, ik wéét dat ik het niet kan en ik had niet moeten komen maar ik wilde zo graag zeggen dat ik van je houd. O, je moet je niet vreselijk voelen...'

'Trek dat wollen ding eens uit, ik wil mijn armen fatsoenlijk om je heen kunnen slaan.'

Tamar glipte uit haar vest dat op de grond viel en Duncans armen kwamen om haar heen en de knopen van zijn jasje prikten in haar borsten. Even later had hij ook zijn jasje uitgedaan en drukte haar tegen zijn brede borst die uit zijn overhemd leek te barsten, terwijl hij met één hand de knopen van haar blouse losmaakte. Er steeg een grote hitte uit Duncans lichaam op, zodat Tamar, die er tegenaan werd gedrukt, zich bijna voelde verschroeien. Haar liefde en haar medelijden voor hem vermengden zich tot een snelle, duizelingwekkende fysieke vreugde van overgave toen ze zich stevig in zijn armen genomen voelde worden, met zijn enigszins ruwe wang die langs de hare schuurde en zijn grote, warme hand op haar hals.

Na enige tijd ging Duncan rechtop zitten en trok haar met zich mee. 'Dit is absurd, er is helemaal geen ruimte voor ons op deze bank, vind je het erg als we even op mijn bed gaan liggen? Ik wil je alleen maar omhelzen en door je getroost worden. Ik ben juist degene die moet zeggen: wees niet boos!'

Tamar hield haar handen om zijn nek geslagen en ze hing aan zijn nek toen hij, niet wachtend op een antwoord, overeind kwam, zich bukte en haar in zijn armen nam. Tamar was nooit eerder door een man gedragen. Hij zei: 'Wat ben je toch licht, je weegt werkelijk niets.' Hij droeg haar naar de logeerkamer, die Duncan in gebruik had genomen na het vertrek van Jean, en legde haar neer op het bed. Hij maakte haar schoenen los en deed ze uit, nam haar warme voeten even in zijn handen, trok toen zijn eigen schoenen uit en maakte de knopen van zijn overhemd los. Hij ging naast haar liggen en maakte de resterende knopen van haar blouse los. Tamar lag op haar rug. Duncan lag met zijn grote, zware, donkere hoofd tussen haar borsten. Hij zei, met zijn vochtige adem gesmoord tegen haar arm: 'Vergeef me.'

'Ik houd van je,' zei Tamar, 'ik houd echt van je. Ik heb al van je gehouden sinds... sinds die theepot...' Ze had willen zeggen 'sinds het bal', want ze begreep nu dat ze zelfs toen al bereid was geweest Duncan die hele voorraad liefde te schenken die ze gereed had gehouden voor iemand anders. Maar omdat ze hem niet aan het bal wilde herinneren zei ze: 'Sinds altijd.'

Duncan kuste haar borsten en mompelde met zijn natte mond tegen haar gladde huid: 'Die goeie ouwe theepot.' Daarna zei hij: 'Vind je het erg als we ons nog een beetje meer uitkleden?' Ze kleedden zich nog wat meer uit, snel, maar niet helemaal, ze wierpen hun kledingstukken van zich af en klampten zich aan elkaar vast, waarbij de ene warme huid de warmte van de andere zocht.

'Je bent toch niet boos op me, hè? Nee, je bent vast niet boos. Je bent een engel. Jij bent het enige in deze wereld dat niet uit slechtheid en duisternis en hel is gemaakt. Je bent bezig me te rédden, het is een wonder, ik had het niet kunnen geloven, jij hebt me weer tot leven gewekt, ik ben weer terug op de wereld, ik kan me voorstellen dat ik niet sterf van verdriet, ik kan me voorstellen dat ik wil leven. Ik voel weer iets: liefde, dankbaarheid, verbazing. Begrijp je dat?'

'Ja, maar het is maar voor even,' zei ze. 'Ik bedoel met ons is het maar voor even. Ik ben heel blij en heel dankbaar... ik wil alles wel voor je doen, alles, zodat jij kunt leven en gelukkig kunt zijn. Dit moment zal voorbijgaan. Maar jij moet verder gaan en dingen voelen en weten dat het niet alleen maar treurnis en ellende is en dat je niet zult sterven van verdriet.'

Duncan zweeg. Toen zei hij: 'Ik houd van je, kindje, ik ben je heel dankbaar... ik had dit niet verwacht...'

'Jij bent dankbaar en ik ben blij, ik ben heel blij. Dit zal overgaan. Jean zal terugkomen, ik weet zeker dat ze terug zal komen. Dat is wat ik bovenal voor jou wens, daarom ben ik gekomen, daar ben ik voor...'

Duncan kneep stevig in haar ene hand. Daarna bracht hij haar hand naar zijn gezicht en kuste hem en legde hem tegen zijn wang. Even later zei hij: 'Mag ik even? Als jij nu opzij rolt kan ik de sprei en de dekens eraf halen. Ik wil dat we nog dichter bij elkaar zijn. Wees maar niet bang, ik kan geen kinderen maken, ik kan nu waarschijnlijk helemaal niets bij je maken, ik wil je alleen maar in mijn armen kunnen nemen. O, neem me niet kwalijk, Tamar, help me, help me, help me...'

Gerard had een papegaai gevonden. Hij stond in een dierenwinkel in de Gloucester Road. Hij leek veel op Grey, maar het was Grey beslist niet. Gerard, die er langs was gekomen, stond buiten voor de winkel en de papegaai zat in zijn kooi in de etalage. Ze keken elkaar aan. De papegaai was verlegen, toen gereserveerd, daarna ernstig en begreep heel goed dat hij van dichtbij werd bekeken. Hij bleef aandachtig staan, met zijn kop opzij, één voet geheven. Gerard glimlachte niet. Hij keek naar de papegaai met een tedere, melancholieke blik, een eerbiedige, nederige blik, alsof de papegaai een soort kleine god was, terwijl hij tegelijkertijd wilde zeggen: 'Het spijt me, o, het spijt me,' alsof hij het tegen een zielig, onschuldig slachtoffer had. Hij mompelde zelfs halfluid: 'Het spijt me,' waarmee hij waarschijnlijk bedoelde dat het hem speet dat de papegaai gevangen zat in een kooi in Londen, en niet kon rondfladderen in de hoge bomen van de regenwouden van Centraal Afrika, waar grijze papegaaien vandaan komen.

Het was een erg koude middag en er viel een beetje sneeuw in kleine vlokjes tussen Gerard en de papegaai. De sneeuw viel langzaam, als een zichtbare stilte, alsof hij deel uitmaakte van het ritueel, door een plek te scheppen waarin Gerard en de vogel samen alleen waren. Gerards overpeinzingen en gevoelens breidden zich om hem uit tot een stille denkruimte waarin hij niet langer het verkeer hoorde of zich bewust was van de voorbijgangers. Hij dacht aan zijn vader, hoe hij dood op bed had gelegen, met zijn wasbleke, vervreemde gezicht, zijn smalle neus en ingezonken kin en pathetische open mond, zijn arme, verslagen, dode vader, wiens beeld nu voor eeuwig met de geest van de grijze papegaai was verbonden. Misschien, het was zelfs heel waarschijnlijk, was Grey nog in leven terwijl zijn vader al dood was, Gerard wilde dit vertellen, had op de een of andere manier het gevoel dat hij het vertelde, aan de papegaai in de winkel. De kooi was erg hoog opgehangen, zodat de papegaai en Gerard oog in oog stonden. Er waren geen andere dieren in de etalage. Het medelijden en de liefde die Gerard voor de papegaai voelde, de tedere, droevige schuldgevoelens, leken veel op de gevoelens die hij had gehad toen hij over zijn vader had nagedacht, over de dingen die hij had moeten zeggen en de genegenheid waaraan hij openlijk uitdrukking had moeten geven. Weten de doden hoe lief we hen hebben gehad, wisten ze het, want nu weten ze niets meer? Toen Gerard deze gedachten dacht, merkte hij dat hij instinctief zijn handen bewogen had, hen naar de kooi had opgeheven. Hij herkende de beweging als een afspiegeling van het gebaar dat hij zo vaak had gemaakt om de deur van Grey's kooi open te maken, zijn hand erin te steken en te zien hoe de vogel op zijn vingers klom, te voelen hoe de koele, bepluimde poten hem vastgrepen, en daarna het kleine, o zo lichte, bijna gewichtloze levende wezen uit de kooi te tillen om hem tegen zich aan te wiegen terwijl hij de zachte veren streelde. Bij deze herinnering kwamen er tranen in Gerards ogen.

En het was alsof de papegaai tegenover hem dit begreep, en medelijden en verdriet voelde, terwijl hij, als een hechte maar rustige vriend, afstandelijk bleef, alles overzag maar zich niet mee liet slepen in de donkere poel van verdriet. De vogel sprong nu heen en weer, ritmisch van de ene voet op de andere, precies zoals Grey dat altijd deed; vervolgens staakte hij zijn dans en spreidde zijn vleugels om een plotselinge waaier van grijze en rode veren te onthullen. Deze beweging moest wel een gebaar van hartelijkheid zijn. Toen gingen de vleugels weer dicht en werden omslachtig rechtgeduwd en gladgestreken. De papegaai staarde Gerard aandachtig aan met zijn verstandige gele ogen die in een ellips van wit vel zaten. Het dier staarde hem resoluut, doelbewust aan, als om zijn aandacht vast te houden en hun telepatische communicatie te behouden. Toen boog hij voorover, greep de tralies van de kooi met zijn sterke, zwarte snavel beet, draaide ondersteboven en begon langzaam zijn kooi rond te klauteren, waarbij hij voortdurend zijn hoofd draaide, als om Gerard steeds aan te blijven kijken. Dit was precies wat Grey altijd deed. Toen hij de papegaai moeizaam ondersteboven zag klimmen moest Gerard, ondanks de herinnering, glimlachen, om daarna weer ernstig en droevig te worden.

Hij speelde even met de vreselijk verleidelijke gedachte, die hij daarna weer verwierp, de winkel in te gaan, de papegaai te kopen, de zware kooi voorzichtig naar buiten te dragen, met een taxi naar huis te gaan, de kooi op een stevige tafel in de zitkamer te zetten en de deur van de kooi open te doen, want tenslotte waren de papegaai en hij al vrienden... Het was onmogelijk. Pas later besefte hij dat zijn zuster in het huis was, waarheen hij de papegaai uit zijn dromen terug wilde brengen. Hij legde zijn hand tegen het glas, in de buurt van de ondersteboven hangende kop en drukte hard tegen het glas om, in de vorm van een gefrustreerde liefkozing, een soort zegen over te brengen. Toen wendde hij zijn blik snel af en liep de straat in waar de sneeuw juist zichtbaar begon te worden op het plaveisel.

Gerard ging naar de veelbesproken en dikwijls uitgestelde vergadering van het *Gesellschaft*, waar ze moesten besluiten 'wat er moest worden gedaan' aan Crimond en het boek. De vergadering zou, heel ongebruikelijk, plaats vinden in de flat van Rose in Kensington. Zulke vergaderingen werden normaliter in Gerards huis gehouden, maar de aanwezigheid van Patricia en Gideon maakte dit nu onmogelijk. Gerard had geweigerd met zijn zuster in te gaan op de vraag of zij en Gideon lid zouden worden van de groep, om Matthew te vervangen. Hij zei dat hij dit punt op de volgende vergadering zou bespreken. Hij had weinig zin, misschien niet om erg duidelijke of goede redenen, om die twee erbij te halen, hoewel hun financiële bijdrage uiteraard welkom zou zijn. Gerard voelde zich wat nerveus en geïrriteerd over de vergadering. Hij had de vervelende taak gehad Duncan op te bellen om zeker te weten of hij er niet bij wilde zijn. Duncan wilde er inderdaad niet bij zijn, maar zei dat hij uiteraard wel zijn bijdrage zou blijven storten. Er was een pijnlijke stilte gevallen, waarna Gerard zei dat hij Duncan hoopte te zien op het studieweekend en Duncan zei 'misschien' en had opgehangen, waardoor hij Gerard het gevoel had gegeven dat hij tekort was geschoten en onvriendelijk was geweest. Vanzelfsprekend nodigde hij Duncan vaak in zijn eigen huis uit, maar Duncan kwam nooit, misschien vanwege Pat en Gideon, die hij niet mocht, misschien omdat hij Gerards gezelschap nu pijnlijk vond.

Het comité dat kleiner was geworden door de afwezigheid van Duncan en Jean, en – zoals Gerard nu overpeinsde – fundamenteel was veranderd door het wegvallen van Gerards vader, zou bij deze gelegenheid bestaan uit Gerard, Jenkin, Rose en Gulliver Ashe. De aanwezigheid van Matthew had emotionele uitbarstingen weten te voorkomen, bijvoorbeeld van Rose en Gulliver, die elders op meer informele wijze uiting gaven aan hun verontwaardiging, en had bijgedragen aan de houding van een rustig afwachtend *laisser-faire* waarvan Gerard een voorstander was. Matthew vertegenwoordigde de traditie, het leven-en-laten-leven; hij hield slechts de hoofdlijnen in de gaten. Hij weigerde het nut in te zien van het maken van toestanden of ergens zwaar aan te tillen. Hoewel Gerard de leiding had, en die hád hij ook, had zijn vader, die door iedereen met respect werd bejegend, meestal de stemming bepaald. Nu, dacht hij, wordt het menens. Rose en Gull wilden allebei, om verschillende redenen, bloed zien, ze zochten een schermutseling, een opheldering, een directe confrontatie. Wat waren ze allemaal geobsedeerd geraakt door dat boek! Wanneer het uiteindelijk verscheen zou het waarschijnlijk van gering belang blijken, een blindganger. Een mogelijke tactiek, die Gerard meer dan eens had overwogen, was Jenkin als afgezant te sturen. Jenkin kwam Crimond nog weleens tegen bij vergaderingen en besprekingen. Jenkin gaf deze 'waarnemingen' altijd heel plichtsgetrouw aan hem door en Gerard vroeg nimmer om details. Hij wist dat het contact oppervlakkig was, maar toch vond hij het vervelend; en hij wilde Jenkin nu niet officieel naar Crimond sturen daar zo'n ontmoeting een band tussen hen kon scheppen of versterken. Hij wilde deze zaak in eigen hand houden. Rose zou dat ook willen; ja, Rose wilde beslist dat hij Crimond aanpakte. Moest hij zichzelf dan beschouwen als ten strijde trekkend met de gunst van Rose aan zijn lans? Dit beeld deed hem aan Tamar denken. Dat was in ieder geval iets dat hij goed had gedaan. Duncan was naar het vuurwerkfeest gekomen en zou, dacht hij, ook naar het studieweekend komen. Dat was Tamars werk geweest; goed voor Duncan en ook goed voor Tamar. Duncan, die zich te zeer beschaamd en te verslagen voelde om oprecht met Gerard te praten, zou misschien enige opluchting vinden in een gesprek, waarover dan ook, met Tamar die hij niet als rechter zou beschouwen; en Tamar, die zichtbaar ongelukkig was, zou wat worden opgevrolijkt door de gedachte dat men haar vertrouwde. Het vooruitzicht van zijn eigen expeditie naar vijandelijk gebied beviel Gerard niets. Waar hij het meest bang voor was, was een knetterende ruzie, waarna, als hij zich onbeheerst of onredelijk had gedragen, hij zich beschaamd en vernederd zou voelen, en verbonden met Crimond door de banden van wrok en besluiteloosheid en een hevige ergernis. Als er echt een ruzie kwam zou Gerard zich geroepen voelen, zo was zijn karakter nu eenmaal, te proberen weer vrede te sluiten: onderhandelingen die hem waarschijnlijk in nog rommeliger en betreurenswaardiger situaties deden verzeilen. Gerard had een hekel aan geknoei en aan het gevoel dat hij zich misschien slecht had gedragen. Bovendien wilde hij niet te veel aan Crimond hoeven denken. Hij had zelf een heel ander probleem aan zijn hoofd waar hij eens rustig over moest nadenken en in verband waarmee hij misschien weldra tot actie moest overgaan.

'Het spijt me als ik mezelf blijf herhalen,' zei Gulliver, 'maar ik begrijp niet waarom we jaar in jaar uit geld blijven weggooien om een boek te steunen waar we het volledig mee oneens zijn, waar we niet eens naar mogen kijken, dat hij misschien zelf al jaren geleden heeft opgegeven, dat misschien niet eens ooit heeft bestaan!'
'Toe nou,' zei Jenkin, 'natuurlijk bestaat het, Crimond is geen oplichter, Gerard heeft er wel iets van gezien...'

'Honderd jaar geleden!' zei Rose.

'Het punt is,' zei Gerard, 'dat we Crimond niet zomaar kunnen laten zitten. We hebben gezegd dat we hem zouden ondersteunen en dat was een belofte.'

'Het punt is,' zei Rose, 'dat het niet het boek is dat we zeiden te zullen steunen. Ik denk dat het dat nooit is geweest. Crimond heeft ons misleid. Crimond is niet de man die we dachten dat hij was. Hij gelooft in geweld en hij gelooft in leugens. Hij zegt in één van zijn pamfletten dat de waarheid er soms uitziet als een leugen... en dat we ziek zijn van de ethiek, dat ethiek een ziekte is die we kwijt moeten raken!'

'Rose, hij bedoelde de bourgeois ethiek!' zei Gerard.

'Hij zei ethiek. En hij bewondert T.E. Lawrence.'

'Dat doe ik ook,' zei Gerard.

'Hij steunt terroristen.'

'Het is moeilijk om een definitie te geven van terroristen,' zei Jenkin, 'we waren het er vroeger over eens dat geweld soms gerechtvaardigd is...'

'Daar hebben we het al uitvoerig over gehad!' zei Gulliver.

'Je hoeft hem niet te verdedigen,' zei Rose, 'ik ben niet van plan te helpen een boek te financieren dat terrorisme goedpraat. Daar worden wij dan later allemaal op aangekeken, de mensen zouden denken dat hij onze opvattingen weergeeft.'

'Ik geloof niet dat Crimond bedoelde...' zei Jenkin.

'Hoe kunnen wij weten wat hij bedoelde?' zei Gulliver, 'hij zegt het allemaal zo verhuld. Rose heeft gelijk, hij kan niet onderscheiden wat waar is of vals.'

'Dat is oude troep,' zei Gerard, wijzend naar wat pamfletten die Gulliver had ontdekt en mee had genomen als 'bewijs'.

'Het was een fase die hij door heeft gemaakt...' zei Jenkin.

'Hoe weten we dat?' zei Gulliver tegen Jenkin. 'Wat hij nu denkt is misschien nog gekker. En waarom weten we niet wat hij nu denkt? Omdat hij alleen aan ingewijden iets laat zien! Je denkt zeker dat hij een soort heilige heremiet is! Natúúrlijk maakt hij deel uit van een bijzonder goed georganiseerde ondergrondse beweging!'

'Het is waar dat hij dingen schrijft die binnenskamers circuleren,' zei Jenkin. 'Hij publiceert niet meer op de gewone manier. Ik heb kortgeleden iets van iemand mogen zien...'

'En was dat net zo verderfelijk als dit hier?' zei Rose.

'Ik weet niet of verderfelijk het juiste woord is, het was in ieder geval niet minder extreem... maar het bevatte wel enkele diepe ideeën. Rose, hij is een dénker, de activisten beschuldigen hem ervan dat hij niets om de arbeidersklasse geeft!'

'Goed, goed, zijn ideeën bevallen ons niet!' zei Gulliver. 'Natuurlijk is hij geen stalinist; hij maakt deel uit van de een of andere krankzinnige trots-kistisch-anarchistische groepering, verpletter alles is hun credo, elk soort van chaos is een vorm van revolutie!'

Ze hadden nu al bijna een uur zitten ruziën. Gerard vond die hele ruzie bijzonder vervelend. Rose en Gulliver waren allebei opvallend venijnig, ze leken te worden verteerd door een persoonlijke haat voor Crimond. Gulliver had een hekel aan Crimond omdat – zoals Gull Gerard had verteld – Crimond hem eens schandalig had bejegend op een openbare bijeenkomst. Maar hij verafschuwde eveneens wat hij hield voor Crimonds opvattingen en hij sprak uit het diepst van zijn hart om op te komen voor zijn politieke overtuiging. Gulliver woelde met zijn hand door zijn donkere, glanzende haar en zette grote, bruine ogen op en opende de neusvleugels van zijn ade-laarsneus, waardoor hij er geestdriftig, aanzienlijk jonger en interessanter uitzag. Op een bepaald moment glimlachte Gerard naar hem en ontving een dankbare blik uit die bruine ogen. Gerard voelde zich daarna schuldig en dacht: ik moet die jongen helpen, neemt hij het mij kwalijk, ik hoop van niet. De emoties van Rose – die een kleur had van verontwaardiging – schreef Gerard niet alleen toe aan te sterke politieke principes, vooral be-treffende geheime genootschappen en terrorisme, maar ook aan haar idee, dat ze hem vaak had toevertrouwd maar waarop hij nimmer commentaar had gegeven, dat Crimond Gerards vijand was en hem eens schade zou kun-nen berokkenen. Verder speelden de diepe gevoelens van Rose jegens Jean nog een rol. Rose was boos op, en bang voor, haar levenslange vriendin en gaf Crimond de schuld van deze vervelende gevoelens. Gerard had deze zaak ook niet met haar besproken. Is Crimond mijn vijand? vroeg Gerard zich af. Het was een onplezierig idee. Gerard had zich tijdens de woorden-wisseling ook boos gemaakt over Jenkins kalme vastbeslotenheid op te ko-men voor Crimond. Het was lang geleden dat Gerard met Jenkin een diep-gaande discussie over politiek had gehad. Hij had altijd aangenomen dat hun opvattingen op dit punt min of meer overeenkwamen. Stel dat hij nu tot de ontdekking moest komen dat ze een werkelijk ernstig en onrustba-rend verschil van inzicht hadden? Deze mogelijkheid van een vernietigende breuk werd in zijn gedachten onmiddellijk getransformeerd tot het beeld van Jenkin die min of meer overliep naar Crimond. Maar zoiets was, zoiets moest ondenkbaar zijn. Gerard maakte zich op dat moment vooral boos over de agressieve atmosfeer waarin hij zich liet opjutten om die schurk 'eens goed de waarheid te zeggen'.

Ze zaten aan de ronde rozehouten tafel in Rose' flat die uitkeek op een kleine, vierkante tuin die door een hek werd omsloten. Voordat Rose de gor-dijnen dicht had getrokken waren de verlichte ramen van de huizen aan de overkant als gouden vierkantjes tussen de kale takken van de bomen te zien geweest. Het sneeuwde nog steeds licht. Het was vijf uur geweest en in de zitkamer waren de lampen aan. Het was warm in de flat en hun jassen en paraplu's, die nu ontdooid en droog waren, lagen op een stapel op de antieke kist in de hal. Het was een gezellige flat, maar wel een beetje rommelig, met een samengeraapte verzameling van voorwerpen die uit Ierland, uit het huis van haar grootmoeder van moederskant waren gekomen. Het 'mooie spul', het Waterford glaswerk, het Georgian zilver, de schilderijen van Lavery en Organ, had Rose na de dood van Sinclair aan haar nicht en neef in Yorkshire gegeven. In die tijd had ze het gevoel gehad dat ze zelf ook dood was en had ze alles weg willen doen wat eigenlijk in het huis van haar broer had moeten staan en van zijn kinderen had moeten zijn. Ze had zich van al die geniepige kleine herinneringen willen ontdoen, van alle vreselijke details, om slechts één groot, alles omvattend verdriet over te houden. Dat was geweest nog voor ze, op wonderbaarlijke wijze, bij Gerard in bed was beland. We leden toen aan een shock, dacht ze, we waren gebroken en volledig van slag, we waren half van hout, als marionetten die niet helemaal in echte mensen waren veranderd. Het was of het niet echt was geweest en hij, dacht ze, was het waarschijnlijk snel vergeten, net als een droom. Ze vroeg zich zelfs af of hij het zich ooit herinnerde. Als het, dát, maar eerder was gebeurd... maar dat kon niet... of later... maar dat was niet het geval. Het duurde enkele jaren voor Rose werkelijk iets voor zichzelf wilde aanschaffen, al waren het maar kleren. Het resterende meubilair, voornamelijk uit Ierland waar ze nu geen naaste familie meer had, was weliswaar aardig maar verwaarloosd, het was niet compleet, het was kapot, versleten, gevlekt of zelfs gebroken. Het mahonie buffet zat onder de krassen, de Davenport miste een poot, op het blad van de rozehouten tafel zaten kringen van wijnglazen, de kist uit de tijd van Jakobus II, die in de hal stond en waarop de natte jassen zich koesterden in de warmte van de centrale verwarming, was een zijpaneel kwijtgeraakt dat was vervangen door een stuk triplex. Rose was eens van plan geweest de badkamer op te laten knappen en de gordijnen te laten stomen. Ze was van plan geweest het meubilair te laten opknappen, maar ze bleef het voor zich uit schuiven, omdat haar leven altijd zo provisorisch leek, een leven van wachten, niet blijvend zoals dat van andere mensen. Nu was het waarschijnlijk te laat om er nog iets aan te doen. Neville en Gillian, de kinderen van haar neef en nicht, de erfgenamen, spraken er soms hun afkeuring over uit dat ze de tafel niet liet politoeren en de kast niet liet restaureren. De jonge mensen gaven veel om deze dingen. Eens zou het allemaal hun eigendom zijn.

'Ik vraag me af of hij misschien krankzinnig is,' zei Rose.

'Natuurlijk niet,' zei Jenkin, 'als we geobsedeerd raken door zijn *Schrecklichkeit* en hem gewoon gek noemen denken we niet meer na over wat hij zegt...'

'Hij staat in deze wereld aan de kant van het kwaad,' zei Rose. 'Het is een dwingeland en ik heb een hekel aan zulke lieden. Hij is gevaarlijk en hij is in staat iemand te vermoorden.'

'Rose, kalmeer toch wat. We waren eens allemaal marxisten...'

'En wat dan nog, Gerard... en ik was 't niet! Hij is een samenzweerder. Ik geloof er niks van dat hij een eenzame denker is, of dat hij bij het een of andere geschifte clubje hoort... volgens mij is hij een doorgewinterde, stiekeme communist.'

'Ik wil hem niet blindelings verdedigen,' zei Jenkin, 'ik weet gewoon niet precies wat hij denkt en vindt, als ik het wel wist was ik het er misschien volslagen mee oneens, maar we moeten er wel achter zien te komen. Hij is over alles na blijven denken en wij niet, dat moeten we hem nageven...'

'Dat is een zeldzaam stom argument...!'

'Hou je mond, Gull, laat me uitspreken. Crimond heeft gewerkt, hij heeft geprobeerd iets op te zetten. Hij gelooft, of geloofde, dat hij een soort synthese kon bereiken...'

'Precies het boek waar deze tijd op zit te wachten!'

'En in die tijd hebben we hem er niet om uitgelachen!'

'Zo'n boek komt er toch nooit,' zei Gulliver.

'Goed, als we dat nu vinden moeten we ons ook eens afvragen waarom! We zijn sinds die tijd veel vertrouwen kwijtgeraakt. Onze helden, dissidenten die tirannen bestrijden en in gevangenissen sterven, worden door de geschiedenis in staat gesteld strijders voor waarheid en recht te zijn. Dat zijn wij niet... ik bedoel nog afgezien van het feit dat wij niet zo dapper zijn, worden we in dit land ook niet vervolgd om onze overtuigingen. Het minste dat we kunnen doen is te proberen na te denken over onze maatschappij en over wat ermee zal gebeuren.'

Gerard mompelde: 'Ja, maar...'

'Crimond zegt dat dit het einde wordt van onze maatschappij,' zei Rose. 'Hij zei dat hij "die wereld" wilde vernietigen, waarmee hij bedoelde ónze wereld.'

'Ik zie niet in waarom wij geen helden kunnen zijn,' zei Gull, 'behalve natuurlijk dat we een stelletje lafbekken zijn.'

'Ik denk dat Crimond een eenzaam mens is die zijn eigen weg kiest,' ging Jenkin verder, 'volgens mij is hij een romanticus, een idealist.'

'Utopisch marxisme voert regelrecht naar de meest weerzinwekkende vormen van onderdrukking!' zei Gull. 'Het meest belangrijke feit van ons tijdperk is de slechtheid van Hitler en Stalin. We moeten ons geen zand in de ogen laten strooien door mooie praatjes dat het communisme eigenlijk een prima systeem is, als het maar goed wordt uitgevoerd!'

'Je moet niet boos op me worden,' zei Jenkin. 'Ik wilde juist zeggen dat Crimonds vorm van marxisme utilitaristisch is, hij is zeer begaan met onderdrukking en armoede en onrecht. Het is net als met de katholieke kerk in

Zuid-Amerika. Plotseling beginnen de mensen in te zien dat niets van belang is, behalve menselijke ellende.'

'Hij wil onze democratie te gronde richten en een éénpartijstelsel invoeren,' zei Rose, 'dat lijkt me niet de meest aangewezen weg om onrecht te bestrijden!'

'Rose heeft gelijk,' zei Gulliver. 'Democratie betekent dat je onenigheid en onvolmaaktheid en stompzinnig individualisme moet accepteren. Crimond voelt niets voor het individu, hij haat een gewoon mens van vlees en bloed, hij is een puritein, hij is totaal niet romantisch, hij is iets nieuws en iets vreselijks. Hij prijst horrorfilms omdat die aantonen dat er achter de knusse, bourgeois maatschappij iets gewelddadigs en weerzinwekkends en vreselijks schuilgaat, dat véél echter is!'

'Ik denk dat het tijd wordt dat we deze bijeenkomst schorsen,' zei Gerard. 'We hebben nu genoeg gepraat, iedereen heeft zijn mening een paar keer kunnen geven...' Jenkin keek ontzet, Rose alsof ze elk moment in tranen kon uitbarsten.

'We moeten dit eens duidelijk met hem uitpraten,' zei Gulliver, 'in ieder geval een van ons. Maar ik alsjeblieft niet.'

'En ik ook niet,' zei Jenkin.

'Dat moet Gerard natuurlijk doen,' vond Rose.

'Goed, ik ga wel naar hem toe,' zei Gerard, 'dan hebben we in ieder geval een besluit genomen.'

'Wie wil er een glas sherry?' vroeg Rose.

Ze stonden allemaal op. Jenkin zei dat hij meteen weg moest. Hij keek naar Gerard en er ging een telepathische boodschap tussen hen heen en weer om duidelijk te maken dat geen van beiden boos was op de ander. Gulliver, die minder telepathisch was aangelegd en opgewonden en tevreden over zichzelf was, bleef nog wat plakken en accepteerde een tweede glas sherry.

'Misschien kunnen we Crimond geld geven om in Australië te gaan wonen!'

'Arme Australiërs!' zei Rose.

'Ik wou dat het zo eenvoudig lag,' zei Gerard.

'Trouwens,' zei Gull, 'Lily Boyne zei dat ze graag lid zou willen worden van onze kleine *cosa nostra*. Ze is bepaald niet op haar achterhoofd gevallen, weet je, en ze heeft een goede kijk op de dingen. Ik had het al eerder willen noemen maar ik was het vergeten.'

'Ik zou anders denken dat de juiste kijk op dingen haar hier vandaan zou houden!' zei Rose.

'Nou ja, je begrijpt wel wat ik bedoel. Ik geef gewoon maar door wat zij heeft gezegd.'

'Laat alsjeblieft zitten,' zei Gerard. 'Ik heb nog vergeten te noemen dat

Pat en Gideon ook een handje willen helpen.'

'Het is geen geschikt moment voor nieuwe leden,' zei Rose, 'we moeten eerst zelf weten waar we aan toe zijn.' Ze keek op haar horloge en Gulliver zei even later dat hij moest gaan. 'Gulliver, Gerard zegt dat jij ook op de studiedagen kunt komen, daar ben ik blij om, ik heb Lily ook uitgenodigd. Laat ons weten met welke trein je komt, dan kunnen we je van het station halen. O, en breng je schaatsen mee.'

'Mijn scháátsen?'

'Ja, met een beetje geluk ligt er ijs op de uiterwaarden!'

Toen Gulliver was vertrokken gingen ze aan weerszijden van de elektrische kachel zitten, die voor de open haard stond.

'Wat vreemd dat Lily mee wil doen,' zei Gerard.

'Ze wil ook bij de familie horen,' zei Rose.

'Vormen we een familie? Tja, we moeten ook voor haar zorgen.'

'Gull wond zich behoorlijk op. Het is een aardige jongen.'

'Ja, en heel knap om te zien.'

'Gerard, als je Crimond ziet, wees dan voorzichtig.'

'Natuurlijk ben ik voorzichtig. Maar hoe koel ik ook mag zijn, ik wed dat hij nog koeler zal zijn! Maar Rose toch, je huilt!'

Gerard stond op, schoof zijn stoel naast die van haar en sloeg een arm om haar schouders. Haar gezicht gloeide en haar natte wang voelde warm aan. Toen hij haar hoofd op zijn schouder legde en haar koele haar tegen zijn kin voelde dacht hij aan de grijze papegaai die nu in zijn kooi in slaap zou zijn.

'Heb je goed geslapen?'

'Ja, en jij?'

'Ja, uitstekend.'

Duncan zei: 'Waarom vragen mensen toch altijd of andere mensen goed hebben geslapen als ze gewoon bedoelen óf ze geslapen hebben? Je kunt aan één stuk door slapen en toch een vreselijke nacht hebben. Er bestaat goede slaap en slechte slaap.'

'Bedoel je dromen?' vroeg Rose, die bij de deur stond.

'Ik bedoel slaap.'

Niemand voelde zich geroepen dit onderwerp verder uit te diepen of te informeren wat voor slaap Duncan had genoten.

De eerste twee sprekers waren Gull en Lily en het tijdstip was het ontbijt op zaterdagmorgen, het eerste ontbijt van de gasten op het Boyars studieweekend, en voor Lily en Gull, die hier nooit eerder waren geweest, was het hun eerste Boyars ontbijt, en hun eerste echte blik op hun omgeving, zowel binnen als buiten, aangezien ze, net als de anderen, de vorige avond, in het donker, voor het diner waren gearriveerd.

Rose was die dag natuurlijk al eerder gekomen, maar niet omdat ze nog dingen moest regelen want haar oude bediende Anoesjka, het 'jonge meisje' op de foto die Duncan Tamar had laten zien, had als gewoonlijk alles perfect in orde gemaakt. Deze bediende, de dochter van een tuinman, heette eigenlijk 'Annie', maar Sinclair had die naam op liefhebbende wijze verbasterd toen hij als kind had getracht zijn betovergrootvader te evenaren met het doormaken van een Russische fase. Dit was dezelfde voorvader die, om niet geheel duidelijke redenen, de naam 'Boyars' had bedacht. Waarom niet 'Tsaren' had Sinclair geklaagd. Rose dacht dat de naam aan Tolstoi was ontleend via *Où sont les Boyars?*. Rose kwam gewoon wat eerder om de lucht in te ademen, wat rond te kijken, haar Boyars persoonlijkheid aan te nemen, en zich zoals altijd af te vragen waarom ze hier niet vaker kwam.

Gull en Lily waren samen met de trein gekomen, Tamar met een andere trein en ze werden allemaal door Rose van het station gehaald. Duncan was zelf met de auto gekomen, Gerard had Jenkin als gewoonlijk meegenomen. Patricia en Gideon, die schenen te denken dat ze overal op elk moment welkom waren, hadden tot ieders opluchting aangekondigd dat het tijd werd om weer eens naar Venetië te gaan. Eigenlijk kwamen ze, om redenen die niemand verder wenste te onderzoeken, zelden bij Rose op bezoek.

Gulliver was als eerste beneden gekomen voor het ontbijt en had een gekookt ei gegeten. Duncan had gebakken eieren en bacon gegeten, die hij van een réchaud op het buffet pakte. Gulliver geneerde zich nu dat hij Anoesjka had lastig gevallen voor een gekookt ei. Hij bedacht nu dat hij liever ook gebakken eieren met bacon had gehad. Maar hij droeg wel zijn donkerblauwe Finse zeiljopper met de dubbele rij knopen en voelde zich goed.

Gerard had wat bacon met gebakken brood gegeten. Jenkin stond bij het buffet en schepte zich eieren, bacon, worst, gebakken brood en gegrilde tomaten op. Vroeger waren er ook niertjes geweest, en kedgeree. Lily had wat toost gegeten met zelfgemaakte kruisbessenjam. Tamar had wat in een stukje toost zitten prikken en was snel verdwenen. Iedereen had koffie gedronken behalve Lily, die om thee had gevraagd. Rose, die altijd vroeg opstond en nooit ontbeet, had thee gedronken met Anoesjka en had wat rondgelopen zonder bij haar gasten te komen zitten. Ze had de nieuwkomers wegwijs gemaakt in het huis en hen gewezen op de diverse wandelingen die er konden worden gemaakt. Er waren veel plaatsen om te gaan zitten lezen of studeren. Zo was er de zitkamer, en de eetkamer die leuke banken bij het raam had, de biljartkamer − sorry, geen biljart want er zat mot in het laken − waar je platen kon draaien, de bibliotheek uiteraard − pak gerust een boek uit de kast − en de studeerkamer − Rose zou deze niet gebruiken − . Wat wandelingen betrof konden ze zich het beste aan de wegen en paden houden, er hing een ingelijste landkaart in de studeerkamer. Er was een wandeling naar de rivier, een wandeling naar de kerk, een wandeling naar het bos, hoewel het pad erdoorheen nogal overwoekerd was, de wandeling naar de Romeinse weg en daar overheen, en natuurlijk de wandeling naar het dorp dat Foxpath heette. Ja, er was, zoals Gull had geïnformeerd een pub in het dorp, The Pike geheten. Met 'Pike' werd uiteraard snoek bedoeld en niet het wapen; een warhoofdige pub-bezoeker die er de boerenopstand wilde herdenken, werd dan ook snel op zijn nummer gezet.

Natuurlijk hadden de gasten boeken meegebracht, hoewel niet iedereen bereid was zijn of haar keus te noemen of te bespreken. Duncan had twee dikke regeringspublicaties meegebracht, Gulliver had de gedichten van Lowell en Berryman meegenomen en had gezworen tijdens zijn verblijf wat poëzie te schrijven, Lily had een reisboek over Thailand meegenomen, Gerard had Horatius' *Odes* meegebracht en een deel van Plotinus in de uitgave van Loeb, Rose had *Daniel Deronda* meegebracht en Jenkin het *Oxford Book of Spanish Verse* en een boek van een jezuïet, getiteld *Socialism and the New Theology*. − Hij hield dit laatste werk wel buiten Gerards gezichtsveld. − Tamar had kennelijk geen boek meegenomen maar was naar de bibliotheek verdwenen om iets te zoeken. De 'vaste klanten' misten de aanwezigheid van Jean, die met haar komische opmerkingen en rusteloze gepraat altijd voor enige opwinding had gezorgd in iets wat anders misschien toch een saaie boel had dreigen te worden. Rose verwachtte dat Gull en Lily zich zouden vervelen.

Sinds ze op waren gestaan was het gaan sneeuwen, eerst met kleine, aarzelende vlokjes, maar nu met grotere. Het landschap, dat al eerder een klein beetje sneeuw had gehad, was nu helemaal wit. Rose had de nieuwkomers gewaarschuwd laarzen en warme truien mee te brengen, om zo nodig zowel in huis als buiten te kunnen dragen. Er was weliswaar centrale verwarming aanwezig, en de hele dag brandden de open haarden in alle 'ontvangstruimten' en 's avonds in de slaapkamers, maar Boyars was – zoals Rose zelfgenoegzaam zei – geen warm huis.

'Ligt er ijs op de uiterwaarden?' vroeg Gerard.

'Ik dacht van wel,' zei Rose, 'het moet wel. Ik zal er vanmorgen even gaan kijken.'

Gerard en Rose, die goed konden schaatsen, bewaarden hun schaatsen op Boyars. Ze hadden een hekel aan de ongezellige en lawaaierige sfeer van overdekte ijsbanen. Jenkin kon niet schaatsen maar vond het wel leuk om naar de anderen te kijken. Duncan kon niet schaatsen en vond het niet leuk om naar anderen te kijken die, beweerde hij, zich altijd uit liepen te sloven, en dat sloeg ook op Jean, die goed kon schaatsen. Tamar kon ook schaatsen maar had vergeten haar schaatsen mee te nemen. Rose dacht dat er nog een oud paar van Anoesjka moest zijn, dat haar misschien paste. – Anoesjka had vroeger prachtig kunnen schaatsen maar was er nu mee gestopt. – Lily zei dat ze vroeger een beetje had geschaatst en het spannend vond het weer eens te proberen. Gulliver beweerde dat hij kon schaatsen. Hij onthulde echter niet, zelfs niet aan Lily, dat hij juist voor deze gelegenheid een paar had gekocht, het eerste dat hij ooit had bezeten. Hij was de vorige dag druk bezig geweest wat modder over de glimmende laarzen te smeren, om ze niet zo nieuw te laten glimmen. Het was een dwaze en dure aankoop geweest. Hij was er nog steeds niet in geslaagd een baan te vinden.

'Zeg Rose,' zei Jenkin, 'er loopt een lieveheersbeestje over het dressoir. Wat doen we ermee, op die planten zetten? Zal ik 'm vangen?'

'Dat doe ik wel,' zei Rose. 'Ik breng hem naar de stal. Ze kruipen in de spleten in het hout en dan vliegen ze in het voorjaar weer uit. Het is verbluffend hoe taai die insecten zijn.'

'Die overleven de bom nog,' zei Jenkin. 'Een hele troost om dat te weten.'

Rose pakte een wijnglas uit de kast en ving het lieveheersbeestje.

Een witte kat met grijsbruine vlekken kwam met geheven staart de kamer in en werd door Lily aangehaald. 'Rose, hoe heet die poes van je?'

'Mousebrook,' zei Rose. Eigenlijk heette de kat voluit Mousebrook the Mauve Cat, maar Rose was niet zo dik met Lily bevriend dat ze zich geroepen voelde dit te vertellen.

'Wat een grappige naam!'

'Dat wordt vanmiddag schaatsen, denk je niet?' zei Gerard.

'Ja,' zei Rose. 'Vanmorgen moeten jullie werken. Kijk toch eens naar die sneeuw! Nog even en de stenen vriezen uit de grond.'

Wat bedoelt ze daar in hemelsnaam mee, dacht Lily terwijl ze worstelde met de tegenstribbelende Mousebrook.

Na het ontbijt, toen de anderen nog zaten te kibbelen over het programma van die dag, verdween Duncan snel naar zijn slaapkamer. Hij had zijn bed al opgemaakt. Anoesjka maakte geen bedden op, zoals Rose hen altijd in herinnering bracht. Gisteravond, bij het licht van de open haard, had de kamer heel knus geleken. Nu was de haard uit en was het koud in de kamer en er hing een grijs licht doordat het voortdurend sneeuwde. Duncan sliep niet in de kamer die hij altijd met Jean had gedeeld. Rose had hem, uit tactvolle overwegingen, verhuisd naar een kleinere kamer aan de achterkant van het huis waar, zei ze, het uitzicht veel beter was. Het uitzicht was in ieder geval anders, maar Duncan was nijdig dat hij een kleine kamer had gekregen zonder een aangrenzende badkamer. Hij keek naar het uitzicht door de irritant kleine ruitjes van de gothische ramen die kenmerkend waren voor dit gedeelte van het huis. Hij kon meevoelen met Rose' overgrootvader die de voorkant van het huis had veranderd – of 'verpest' – door de pseudo-gothische stijl te wijzigen in stevig Edwardian en er een lompe maar zeer nuttige vleugel aan te bouwen. Hij deed het raam open om beter te kunnen zien, maar deed het haastig dicht toen de ijskoude wind naar binnen blies, met een enkele sneeuwvlok. Zijn kamer keek uit over de achtertuin met het gazon, de coniferen en talloze heesters, de met rozen overgroeide muren van de groentetuin, een stukje bos, het vriendelijke glooiende heuvellandschap van het Engelse land, een verre boerderij en de Romeinse weg, een kilometer lang, kaarsrecht gedeelte van een beroemde Romeinse heerweg die hier de heuvels en dalen doorsneed, als een soort herkenningspunt. De Romeinse weg was nu geen hoofdweg meer. De hoofdweg, geen snelweg maar wel een belangrijke verbinding, lag op aanzienlijke afstand van de voorkant van het huis, aan de andere kant van de rivier.

Duncan, die even afgeleid was geweest door het gezelschap, richtte zich nu weer op zijn verdriet. Hij had te zwaar ontbeten en voelde zich misselijk. Zijn hele bestaan was ziek, ziek, ziek. Hij had de vorige avond aangekondigd dat hij zondag al vroeg weg moest om een vergadering voor te bereiden. Hij was aanvankelijk van plan geweest helemaal niet te komen, maar had besloten dat hij toch maar van de partij moest zijn omdat het anders de indruk kon wekken dat hij Tamar vermeed. Nu scheen hem dat een belachelijke reden toe. Waarom zou iemand denken dat hij Tamar vermeed, welke reden zouden zij zich daarvoor van hem kunnen voorstellen? Hij voelde zich schuldig over wat er die avond zo kort, zo snel was gebeurd. Hij kon zich nu niet goed meer voorstellen wat voor gemoedstoestand, welke plotseling wanhopige behoefte aan troost hem ertoe had gedreven dat meisje, dat kínd, in zijn armen te nemen. Het leek hem nu dat het geen begeerte was geweest, het was gewoon een onweerstaanbare behoefte geweest aan liefde, aan de liefde van een vrouw, aan de armen van een vrouw en haar te horen zeggen, zoals zíj had gezegd: 'Ik houd van je, ik zal altijd van je blijven houden.' Het was alsof Tamar had gezegd: 'Ik zal je beschermen, ik zal je helpen, ik zal je verdriet wegnemen, ik zal je uit deze wereld wegvoeren, ik zal je onzichtbaar maken en voor altijd veilig laten zijn.' Misschien had ze zoiets ook wel gezegd. Ik was die avond erg dronken, zei Duncan bij zichzelf. Ik moet wel vreselijk dronken zijn geweest om me zo te gedragen. Was ik weerzinwekkend, schofterig, afgrijselijk? Dat scheen ze tóen niet te vinden, ze deed alsof ze hoe dan ook van me hield. Maar wat vond ze er later van? Duncan vond het niet zo geslaagd te moeten geloven dat ze hem nu als een dronken schoft zag. Maar hij wilde ook niet moeten geloven dat ze echt van hem hield. Wat zou dat betekenen? Wat kon daar van komen? Welke woorden moest hij gebruiken, welke woorden zou hij ooit kunnen gebruiken om Tamar te zeggen dat hij dankbaar was, maar dat het echt een opwelling van dat moment was geweest en dat hij haar liefde nimmer kon beantwoorden? Waren dat nu zijn gevoelens voor Tamar, voor de kleine, onschuldige Tamar met haar schoolmeisjeshaar en haar slanke benen? Hij dacht: ze moet begrijpen, ze moet weten dat het een vergissing was. Ik verkeerde in een toestand van shock, ik had net die brief van de advocaat gehad, ik hoop dat ze dat heeft begrepen. O God, waarom heb ik zo stom gedaan, waarom heb ik dit ook nog eens gedaan! Ik kan zo niet langer met mezelf blijven leven. Natuurlijk was het haar schuld, zij begon, ik zou zoiets nooit uit mezelf hebben gedaan! Wat een brutale meid, wat een geboren verleidster, wat een vreselijke pech; en wat ben ik toch een verdomde idiote stommeling.

Duncan was nog steeds de klap van de brief van de advocaat niet te boven, maar hij was wel in gaan zien dat deze brief geen doodvonnis was, dat hij zijn laatste hoop nog niet hoefde te laten varen. Dat was gedeeltelijk het resultaat van een gesprek met Gerard dat plaats had gevonden op de dag na Tamars bezoek. Duncan liet Gerard de brief zien en ze bespraken hem. Het was een opluchting om eens met Gerard te kunnen praten – want Duncan had de laatste tijd niet staan trappelen om zijn vrienden op te zoeken – hoewel Gerards levendige en opgewekte manier van doen hem ook wel irriteerde. Gerard was dol op het opsommen van pro's en contra's. Hij beschouwde zichzelf nog steeds als de leider, de genezer, degene die nooit problemen had, degene die jong was gebleven; terwijl Duncan zwaar, log, verkreukeld en oud was geworden. Zelfs zijn haar, hoewel het dik, donker en krullend was lag als een zware pruik op zijn hoofd, terwijl dat van Gerard krulde en glansde als van een jongen. Dit waren natuurlijk belachelijke gedachten, net zo belachelijk als een nieuw gevoel van jaloezie jegens Jenkin, alsof Jenkin, die altijd in de buurt was, het in toenemende mate voor Duncan moeilijk maakte om vrijelijk met Gerard te kunnen praten zoals hij dat vroeger had gedaan. Het feit dat ze eens een hechte band hadden gehad bleef echter een eeuwige garantie. Gerard had de gedachte geopperd, of liever gezegd aan Duncan ontlokt, dat de brief van de advocaat niets definitiefs hoefde te betekenen. Het kon zelfs een manier van uitproberen zijn, die Crimond Jean had opgedragen als een soort routine. Duncan moest er niet al te zwaar aan tillen. Aldus geïnspireerd had Duncan de advocaat geantwoord dat hij verbaasd was over die brief, dat hij geen scheiding wenste, dat hij zijn vrouw liefhad en verlangde en verwachtte dat ze binnen afzienbare tijd naar hem terug zou keren. Sindsdien was er niets meer vernomen. Gerard zei dat dat een goed teken was.

Maar wat had hij aan goede voortekens en hoop wanneer alles corrupt en slecht was, wanneer je was veranderd in zo'n verslagen en verachtelijk en laag wezen? Hoe kon een zo vernederd persoon weer in zijn eergevoel worden hersteld, het respect worden verleend dat deel uitmaakte van de liefde, zelfs worden vergeven dat hij zich zo ver heeft laten gaan? Het had geen zin een beroep te doen op gerechtigheid. Hoe zou Jean ooit terug willen komen? Als Crimond haar de bons gaf zou ze regelrecht naar Joel gaan, ze was werkelijk tot alles in staat. Jean was dapper, ze was heel anders dan Duncan, ze zou met ontblote borst de kanonnen tegemoet gaan, zij zou nooit met hangende pootjes terugkeren, ze zou iets nieuws en verbazingwekkends gaan doen. Ze was nog jong. Crimond was ook jong. Duncan droomde 's nachts, en later in toenemende mate ook overdag, over dat verre verleden waarin de mythe van zijn nederlaag, zijn val, voor eens en voor altijd was vastgelegd, over de klap, de trap en Jeans stem die van beneden riep, heel liefjes, heel vals, terwijl hij daar stond met die pluis haar van Crimond: Crimond, lang, mager, wit, naakt, met lichte ogen, met stralenden ogen, zoals hij daar naar believen rondliep in Duncans slapende en wakende fantasie. Hij was net zo geobsedeerd door Crimond als door Jean, en was net zo vreselijk met hem verbonden.

Hij had geen contact gehad met Tamar, en ook niets van haar gehoord, in de nu lange tussentijd. Hij had overwogen haar een vage brief te sturen, maar brieven zijn gevaarlijk. Je kon maar beter niets zeggen. Ze zouden allebei niets zeggen, niets doen, zo zou het zijn, zodat de daad op zich gaandeweg ongedaan werd gemaakt, werd opgelost door de tijd. Goddank kon hij op Tamars stilzwijgen rekenen. De gedachte dat Gerard dáár achter zou komen... Duncan was niet van plan er ooit iets over te zeggen. Hij had niemand iets verteld van zijn oog. Maar dat gedoe met Tamar kon hij beter vergeten.

Hij had als zijn 'studiemateriaal' een regeringswitboek meegenomen en nog een uitgave van de staatsdrukkerij over het belastingstelsel, maar hij was niet van plan deze in te kijken. Om echt te lezen had hij heimelijk twee thrillers meegebracht, die hij natuurlijk niet mee naar beneden kon nemen. Hij verslond tegenwoordig steeds meer thrillers. Hij ging op zijn bed zitten en sloeg een boek open, stond weer op en deed zijn winterjas aan, en ging vervolgens weer zitten. Het verlangen naar zijn vrouw trok door hem heen, schokte hem, in de vorm van verdriet en woede. Hij zou binnenkort zijn ontslag nemen, hij zou een kluizenaar worden, verdwijnen, misschien wel zichzelf doden. Hij zou iets vreselijks doen. Hij zou Crimond vermoorden. Hij moest wel.

Rose Curtland stond voor haar raam naar de sneeuw te kijken die langzaam, dicht en regelmatig in grote vlokken viel, in rechte lijnen aangezien de wind was gaan liggen, als een gordijn, als een rooster voor het raam, fascinerend, duizelingwekkend, langzaam maar zeker het landschap bedekkend. Rose had een wollen omslagdoek om haar schouders. Het was koud en ongezellig in huis, door een nieuw en vreemd soort ongezelligheid. Misschien was dit het einde van een tijdperk. Misschien zouden ze nooit meer allemaal tegelijk in dit huis zijn, zoals ze dat in het verleden zo vaak waren geweest. Iedereen scheen wat ongemakkelijk, lichtgeraakt, nerveus te zijn; iedereen, dat wil zeggen behalve Gerard die altijd kalm was, of leek, en de situatie volledig meester bleef. Duncan was, uiteraard, arme Duncan, heel ongelukkig en asociaal, een beetje agressief. Tamar scheen ziek te zijn, ze had bij het diner en bij het ontbijt bijna niets gegeten en had toegegeven dat ze hoofdpijn had. Jenkin, altijd een probleem door zijn neiging te verdwijnen, had zich bijzonder onzichtbaar gemaakt door er direct na het diner vandoor te gaan, hoewel iedereen werd geacht in de zitkamer bij de haard te zitten en whisky te drinken. Anoesjka, die reumatisch was en van Rose geen hout mocht sjouwen, was boos omdat Rose haar had berispt omdat ze Gulliver had gevraagd het hout te dragen in plaats van het aan Rose te vragen, die dit zelf zou hebben gedaan. Zelfs Mousebrook the Mauve Cat had zijn gebruikelijke winterplaats, uitgestrekt op de bakstenen achter het grote gietijzeren fornuis, verlaten en deed geprikkeld en chagrijnig en was plotseling weggesprongen om er vandoor te gaan toen Rose hem op had willen pakken. Mousebrook werd als mauve beschreven omdat zijn bruingrijze vlekken wat mauve-achtig leken, en dit ook hadden geleken toen Rose hem op een avond, acht jaar geleden, voor het eerst had gezien toen Anoesjka hem als zwerfkat uit de regen binnen had gehaald. De naam Mousebrook, ogenschijnlijk uit de lucht gegrepen, paste goed bij hem.

Rose had zelf de grote hoekslaapkamer in gebruik, naast het torentje in het 'gotische' deel van het huis. Ze hield van deze kamer met de mooie, puntige, hoge ramen, met uitzicht op de tuin en het torentje met de Frans aandoende koepel die met leien was gedekt. Ze verafschuwde het filistijnse gedrag van haar overgrootvader die, nadat zíjn vader 'het grote huis' had verkocht, dit mooie buiten zo ongevoelig had verbouwd en vergroot, zodat de elegante schoonheid ervan nog slechts op foto's bestond. Sinclair had weleens over een restauratie gesproken. Vanuit de twee grootste ramen van haar kamer had Rose hetzelfde uitzicht als uit de kamer van Duncan, over de tuin naar de Romeinse weg. De torenkamer, die in haar slaapkamer uitkwam en die ze als badkamer en kleedkamer gebruikte, gaf uitzicht naar drie kanten, naar de achterkant, de zijkant en de voorkant. Aan de zijkant, achter het stallenblok en de boomgaard, was tussen de glooiende akkers een stukje van het dorp Foxpath te zien, terwijl dichter bij de rivier, en ongeveer een kilometer van het dorp, de kerk stond, waarvan de lichtgrijze toren tussen de besneeuwde bomen verrees. Op zondag trok er nog steeds een kleine gemeente ter kerke, Rose ging eveneens wanneer ze op het land was, meestal in het gezelschap van gasten, die uit beleefdheid en nieuwsgierigheid meegingen. Het uitzicht naar de voorkant, dat het beste was vanuit de grote voorste slaapkamers achter de Edwardian gevel, liet het gazon zien, de fraaie ijzeren hekken, een stenen muur langs het landweggetje, de akkers, de uiterwaarden en de bochten van de rivier waar grote knotwilgen langs stonden. Het uitzicht aan de andere kant van het huis, dat was overdekt met Edwardian 'verschrikkingen', was naar het bos en liet eveneens, als een rechte lijn door de verre heuvels, de voortzetting van de Romeinse weg zien. Er was aan die kant één mooie slaapkamer, die Rose aan Gulliver had gegeven. De twee beste slaapkamers aan de voorkant werden, als altijd, in beslag genomen door Gerard en Jenkin, Lily zat in de kamer aan de kant van het dorp, die meestal door Duncan en Jean was gebruikt. Rose dacht dat Duncan zich hier nog eens extra ongelukkig zou hebben gevoeld en bovendien moest Lily, als nieuwe gast en vrouw, toch een mooie kamer hebben. Tussen de kamer van Rose en Duncan bleef nog een klein kamertje ongebruikt. Tamar had de bovenste torenkamer, boven Rose' kleedkamer, die ze al sinds haar kinderjaren gebruikte bij haar bezoeken aan Boyars. Anoesjka had een aparte flat voor zichzelf op de benedenverdieping, achter de keuken.

De studiedagen, die twee of drie keer per jaar werden gehouden, hadden oorspronkelijk een week geduurd en duurden nu meestal drie dagen. Ze waren aanvankelijk ontworpen voor de universiteitsvakanties, buiten de zomerreizen en de kerstdagen, als de groep andere verplichtingen kon hebben. Rose bracht de kerstdagen altijd in Yorkshire door, in het huis van haar nicht en neef Reeve en Laura Curtland, de ouders van Neville en Gillian. Ze voelde zich verplicht deze gewoonte vast te houden, het was de enige keer dat ze regelmatig het restant van haar familie zag, hoewel ze op andere momenten ook weleens een bezoekje aflegde. Rose kon niet erg goed overweg met Laura Curtland, een ietwat chagrijnige *malade imaginaire*, en aangezien Reeve een soort kluizenaar was geworden en Laura steeds meer een – zoals Rose het zag – invalide aanstelster werd, kwamen ze zelden naar Londen. Rose, die altijd had gedacht dat haar nicht en neef haar als 'anders' beschouwden, merkte nu dat ze haar als een excentrieke oude vrijster zagen en medelijden met haar hadden; maar als puntje bij paaltje kwam genoot ze toch wel van deze kerstfeesten en was ze erg gesteld op haar familieleden die haar in ieder geval haar eigen leven leven lieten leiden. Neville en Gillian, die nu op waren gegroeid en naar de universiteit gingen, Gillian in Leeds en Neville in St.Andrews, hadden het over een flat in Londen; dus zouden ze meer in haar leven komen, verwachtten op Boyars uitgenodigd te worden, misschien zelfs het huis te mogen lenen, en over de hele linie bazig tegen haar te doen met de naïeve onbeschaamdheid van de jeugd. Rose schrok ervan hoe hevig dit vooruitzicht haar deprimeerde; ze was niet gewend zichzelf te beschouwen als afgesneden van de jeugd en ze was zeer gesteld op dit levendige tweetal. Gerard had de kerstdagen altijd doorgebracht met zijn vader en zijn zuster en Gideon, en tot voor kort Leonard, in het huis in Bristol, en er was nimmer voorgesteld Rose eens bij dit familiefeest uit te nodigen. Jean en Duncan ontvluchtten de Engelse feestdagen en verdwenen meestal naar Frankrijk. Violet en Tamar sloegen alle uitnodigingen af en vierden hun eigen Kerstmis, die door hen altijd als 'rustig' werd omschreven en door anderen grondeloos saai werd verondersteld te zijn. De plannen voor dit jaar waren nog vaag, maar nu Matthew was overleden en Pat en Gideon geen aanstalten maakten naar elders te vertrekken, vermoedde Gerard dat het drietal, met Leonard als hij zich verwaardigde op te komen dagen, de feestdagen in Notting Hill door zou brengen. Hij zou, ongetwijfeld, minstens voor Eerste Kerstdag Duncan uitnodigen, en uiteraard Jenkin. De kerstfeesten van Jenkin waren omgeven door geheimzinnigheid. Rose dacht dat hij ergens ging 'helpen' in de een of andere liefdadigheidsinstelling in East End, en zich daarna bedronk met een aantal andere leraren. Hij vertelde niemand ooit, zelfs Gerard niet, precies wat hij deed. Rose wenste dat zij ook in Londen kon zijn, maar ze kon niet zomaar, zonder iets te zeggen en zonder een teken van Gerard, haar familie 'teleurstellen', als dat het goede woord was.

Rose wendde zich af van het raam en van de duizelig makende sneeuw, naar haar mooie slaapkamer, die er in dit sneeuwlicht zo koel en helder uitzag. De kamer was nauwelijks veranderd sinds haar ouders er hadden geslapen en Rose het bovenste torenkamertje had gehad. Rose kwam nu minder vaak naar Boyars; het huis begon haar te ontglippen. Anoesjka voelde dit en de kat voelde het ook. Ze was zich de laatste tijd, voor het eerst, 's nachts bang gaan voelen, bang niet alleen door de stilte van het platteland, maar ook door de stilte van het huis zelf. Ze was begonnen na te denken over later. Als ze nu maar iemand van zichzelf had gehad om Boyars aan na te laten. Als ze het naliet aan Gerard zou hij het nalaten of teruggeven, aan haar familie, als ze het naliet aan Jenkin... tja, wat zou Jenkin doen, het verkopen om de armen te helpen waarschijnlijk. Het had geen zin het na te laten aan de arme Duncan, of aan Jean die bulkend rijk was en geen kinderen had... of aan Tamar die ongetwijfeld een rampzalig huwelijk zou sluiten.

Tja, waarom Tamar eigenlijk niet? Wat zouden Neville en Gillian boos zijn!
Tamar zou zich schuldig voelen en het weggeven, het zou haar tot last zijn,
ze zou er geen geluk mee hebben. Wat waren ze toch allemaal afschuwelijk
kinderloos. Maar stel dat Tamar een zoon kreeg... Wat een dwaze, zelfs
pathetische gedachten, gekooide gedachten, lage gedachten, zo ver verwijderd van die gelukkige, vrije, naar het leek deugdzame dagen, toen Sinclair
in Oxford zat en Gerard en Jenkin en Duncan en Robin en Marcus, die ze
zich nu nog maar vaag herinnerde, naar dit huis waren gekomen en echt
hadden gewérkt en gediscussieerd. Dat was nog voor Jeans huwelijk en Rose
was het enige meisje geweest. Het had allemaal van Sinclair afgehangen, als
hij maar was blijven leven... Maar dit waren nare dromen, een voortdurend
op hol slaan van haar gedachten, waarin ze Sinclair steeds gelukkig en blij
zag. Hij had ook een slecht huwelijk kunnen sluiten, zijn studie op hebben
gegeven, het laatste restant van het familiekapitaal erdoor hebben gejaagd
en aan de drank zijn geraakt; maar wat deed dat ertoe, zolang hij maar hier
was was geweest? Vreemd, dacht ze, ze zijn allemaal omgekomen bij ongelukken, mijn Ierse grootvader is bij de jacht gedood, mijn Yorkshire grootvader viel van een berg, mijn vader stierf bij een autobotsing vlak na de
dood van Sinclair, als ik met Gerard was getrouwd en een zoon had gekregen, had die waarschijnlijk mijn hart getekend met angst en pijn voordat
ook hij verbrandde of verdronk.

'Wanneer ga je met Crimond praten?' vroeg Jenkin.
  'Volgende week donderdag.'
  'O. Dus je hebt het geregeld, je hebt hem opgebeld?'
  'Ja.'
  'Heb je dat aan de anderen verteld?'
  'Nee.'
  'Waar?'
  'Bij mij thuis.'
  'Een thuiswedstrijd dus?'
  'Ik kan mezelf niet bij hem uitnodigen!'
  'Jammer. Ik had wel eens willen weten hoe het er bij hem uitziet.'
  'Ben je er dan nog nooit geweest?'
  'Nee. Hoor eens, Gerard, ik zit niet op Crimonds lip! We lopen elkaar
hoogstens bij een vergadering wel eens tegen het lijf.
  'Goed, goed,' zei Gerard kribbig, 'het gaat me ook niets aan!'
  'Maar je wilt het weten!'
  Het was iets later in de ochtend en het sneeuwde niet langer. Ze waren
in Jenkins kamer en stonden op het punt te gaan wandelen. Gerard was
klaar, Jenkin was bezig zijn laarzen aan te trekken. Gerard wilde zo snel mo-
gelijk weg om niet door Gull te worden gezien, die misschien met hen mee

wilde. Hij was van plan via de 'bijgebouwen'' door een zijdeur naar buiten te glippen, maar was bang dat Jenkin hier bezwaar tegen zou hebben omdat het 'achterbaks' was. Hoewel Gullivers slaapkamer aan die kant lag, was Gulliver voor het laatst opgekruld naast de haard in de zitkamer gesignaleerd. Dit waren laaghartige overwegingen, maar Gerard wilde graag even alleen met Jenkin praten.

'Op welke tijd van de dag?' vroeg Jenkin, 'ik stel me zoiets altijd graag voor.'

''s ochtends om tien uur. En schiet een beetje op. We gaan door de zijdeur naar buiten, naar het bos.'

'Ik dacht dat we naar het dorp gingen, ik wil iets drinken in The Pike.'

'O, jij ook altijd! Ik begrijp die voorliefde voor pubs van jou niet.'

'Het zijn universele plaatsen, net als kerken, gewijde plaatsen voor de hele mensheid, en elke pub is weer anders. Ze zullen bovendien de kerstversiering al op hebben gehangen. Waar is mijn muts nou weer? Goed, ik ben klaar.'

Jenkin liep achter Gerard de trap af en toen naar buiten, niet via de keuken, maar langs de wapenkamer – geen geweren – en de schoenpoetskamer – oude laarzen – en het washok – moderne technologie – en toen naar buiten op de ongerepte sneeuw van de kleine binnenplaats. Gerard deed de deur zachtjes dicht en stapte stevig door, met Jenkin op zijn hielen. De koude, schone lucht deed hen naar adem happen. Ze kwamen langs lage, verwaarloosde bijgebouwen, die eruit zagen als een verlaten dorp, waar overal ijspegels hingen die zwijgend door Jenkin werden aangewezen en ze liepen daarna verder langs de buitenkant van de hoge, bruinbebladerde beukenhaag die het gazon aan de achterkant omzoomde. Links van hen, op een kleine verhoging, zo'n anderhalve kilometer verderop, was het bos en voor hen uit was, achter de bomen van de tuin, een uitzicht over open, lege, met sneeuw bedekte heuvels. Er stond geen wind. Het was heel stil. De stilte daalde ook op hen neer en ze zeiden niets.

De lucht was zwaar bewolkt, hing laag over het landschap en was geelachtig van kleur. De sneeuw dichterbij, op de bladeren van de heg en op de coniferen en op de hulstbomen met hun rode bessen, was fonkelend wit in contrast met al het donkergroen en bruin, maar verder weg op de hellingen van de heuvels leek het glad en geelbruin. De koude lucht hing roerloos, in de tuin was het volmaakt stil, op het knerpen van hun laarzen op de pasgevallen sneeuw na, die hier en daar al afdrukken vertoonde van de rechte of bochtige sporen van vossen en de verdwaalde hiëroglifen van diverse vogels. Ze liepen verder, nu achter het huis langs, voorbij de kruidachtige border, waarin de planten, die nu knus onder de grond bleven, op bergjes sneeuw leken, en vandaar naar de border met heesters. Hier vormden de dikke hulst en de coniferen een dak van sneeuw en was de aarde plotseling bruin, bedekt met dennenaalden, zacht en ogenschijnlijk warm onder de voeten. De stilte was er nog intenser. Hierachter voerde een pad naar de stallen, door de boomgaard en verder via een overstap in de muur naar een voetpad dat tussen de akkers door in de richting van het dorp kronkelde.

Intussen was Rose haar kamer uitgekomen, ze had 'zich vermand', had Anoesjka eraan herinnerd haar speciale zachte toffees te maken, waar Jenkin zo dol op was, had haar laarzen aangedaan en haar jas en bonthoed en was naar de stallen gegaan met een mand waarin het gevangen genomen lieveheersbeestje zat. Terwijl ze liep, mompelde ze 'Ranter and Ringwood, Bellman and True', een oude toverformule van Sinclair, die haar zenuwen altijd wist te kalmeren en haar humeur te verbeteren. Ze klom de door houtworm aangevreten trap naar de grote zolder op, liet het lieveheersbeestje los, dat zo pienter was direct in een spleet in het hout weg te kruipen en maakte de vierkante zolderdeur los, die uitzicht gaf over het landschap in de richting van de Romeinse weg.

Ze knielde in de opening en overzag de gele lucht en het roerloze witte landschap dat geen tekenen vertoonde van enige menselijke aanwezigheid, er was niets te zien achter de vruchtbomen, behalve akkers en heuvels, en nog meer heuvels in de verte. In het vroege voorjaar liet Rose het luik open zodat de zwaluwen de hele zomer lang als zwarte pijlen in en uit konden schieten. Ze was hier gekomen om appels te halen. Op de vloer van de zolder, op veilige afstand van de gaten tussen de wegrottende vloerplanken, lag een zee van Cox's Orange Pippins. De roodgroene appels, die kortgeleden door Sheppey, de loodgieter, en zijn forsgebouwde zoon waren geplukt, en voorzichtig waren neergelegd zodat ze elkaar niet raakten, verspreidden een lichte, frisse geur. Deze Engelse appels, die zo gekoesterd waren door de voorouders van Rose, hadden haar altijd zulke goede appels toegeschenen, onschuldige appels, mythologische appels, appels van de deugd, vol zoetheid van het goede. Ze konden bewaard worden tot april, zelfs tot mei, waarbij ze geleidelijk gerimpeld en goudkleurig werden, en steeds kleiner en zoeter. Rose vond deze laatste incarnatie de beste, maar haar vader had ze liever direct opgegeten.

Aan het andere eind van de zolder lag een voorraad van iets heel anders: gladde stenen uit de zee in allerlei maten en kleuren, overdekt met lijnen en krabbels van naturalistische abstracte kunst, met krullen, kruizen, rasters, vegen, vlekken, wit op zwart, blauw op bruin, rood op paars, zuiver wit, zuiver zwart, meestal eivormig maar soms bijna bolvormig, allemaal verzameld door Sinclair, die elke steen persoonlijk had gekend en sommige zelfs een naam had gegeven. Toen hij er niet meer was waren de stenen zorgvuldig, maar zonder enige logische volgorde, in de kleine slaapkamer naast die van Rose neergelegd; en van daar waren ze door Neville en Gillian, die toen vijftien en zestien jaar waren, verhuisd naar de stallen, om de kamer vrij te maken voor een schoolvriendje, toen hun ouders Boyars hadden geleend voor een 'huiselijk feestje' toen Rose afwezig was. Daarna leende Rose Boyars nooit meer uit aan de Yorkshire Curtlands, of nodigde hen daar zelfs maar uit, behalve in termen van een 'open invitatie' waar ze zelden gebruik van maakten. Ze bedwong haar woede; maar ze bracht de stenen niet terug naar huis. Af en toe ging ze bij ze op bezoek en heel zelden koos ze er een uit om mee terug te nemen naar Londen. Soms gaf ze er een aan Gerard. Ze had er een aan Jenkin gegeven.

Ze hoorde een vaag geluid en twee gestalten, donker afstekend tegen de sneeuw, liepen haar beweginglose beeld binnen: Gerard en Jenkin. Gerard bewoog zich ritmisch, met lange stappen, Jenkin liep gehaast naast hem. Ze praatten niet. Rose, die als een gespannen toekijkend dier neerknielde, zag door de wolk van haar eigen adem heen hoe het tweetal uit de boomgaard kwam, via de overstap over de muur heen klom en toen over het voetpad verder ging. Ze bleef hen niet nakijken tot ze uit het zicht waren verdwenen.

'Waar ga je over praten?' zei Jenkin, ten slotte de besneeuwde stilte verbrekend.

Ze hadden het voetpad verlaten, dat hen, zoals Gerard zwijgend had besloten, te snel naar het dorp zou brengen, en liepen nu over de Romeinse weg. Ze liepen midden op de weg, waar geen auto overheen was gekomen sinds de sneeuw was gevallen. Ver voor hen uit en ver achter hen strekte de weg zich uit, wit en leeg.

'We zullen niet praten,' zei Gerard.

'Hoe bedoel je?'

'Ik ben van plan hem alleen te vragen iets over het boek te vertellen.'

'Te zeggen wat erin staat, wanneer het klaar is?'

'Als hij dat wil. Ik zal hem zeker niet dwingen.'

'Als jij hem niet in een gesprek betrekt zegt hij niets!'

'Dat zal hij zelf uit moeten maken. Ik ben niet van plan een lang gesprek aan te gaan met die vent.'

'Dat is niet wat de anderen willen,' zei Jenkin.

'Wat is niet wat de anderen willen?'

'Rose en Gulliver, die willen iets concreets, iets waar we wat aan hebben, ze willen iets tastbaars.'

'En jij?'

'Ik wil... contact.'

'Tussen Crimond en mij?'

'Tussen Crimond en ons.'

Ze liepen verder, meer in harmonie met het ritme van hun gesprek, Gerard iets langzamer, Jenkin met grotere stappen, ze ademden de zuivere, bitterkoude, windstille lucht in en voelden zich warm in hun dikke winterjassen. Jenkins grote ijsmuts kwam tot ver over zijn oren. Gerard was blootshoofds. De besneeuwde velden lagen stil en verlaten om hen heen, en het sneeuwlicht was geler en dichter, donker, alsof de dag al donker begon te worden voor het invallen van de nacht.

'We hebben niets tegen hem in te brengen,' zei Gerard.

'Dus je doet dit alleen maar om hen een plezier te doen?'

'Ja.'

'Dat zullen ze niet leuk vinden.'

'Wel verdomme,' zei Gerard, 'wat willen jullie dan dat ik doe? We mogen Crimond niet, en zijn boek evenmin, maar we zitten nu eenmaal met alletwee opgescheept. We kunnen het beter gewoon vergeten en doorgaan met andere dingen.'

'Betalen en niet nadenken.'

'Ja. Vind jij ook niet?'

'Jenkin zweeg even. Hij zei: 'Hij wérkt wel, weet je. Hij heeft heel veel gelezen en heel veel nagedacht.'

'Hij heeft veel gelezen en zichzelf een doodlopende steeg in gedacht. Hij had vroeger nog wat zinnige volgelingen, maar nu weet hij alleen nog maar wat warhoofden en pubers te boeien. Jenkin, je weet waar Crimond in gelooft en dat staat volslagen haaks op waar wij in geloven. Je verwacht toch zeker niet van me dat ik hem een beetje ga aanmoedigen, hè?'

Jenkin gaf hier geen antwoord op. Hij zei: 'Maar dan kan een mens er nog wel belangstelling voor hebben, al was het maar voor het fenomeen. Er bestaat tegenwoordig zo weinig respect voor scholing...'

'Je bedoelt dat mijnwerkers geen Marx meer lezen!'

'Ontwikkelde mensen, intellectuelen, zijn hun vertrouwen kwijtgeraakt, hun vorm van protest is een beetje esoterisch te zitten doen. En aan de andere kant wordt de boel kapotgegooid. Er gaapt een groot gat waar theorieën moeten zijn, waar het denkwerk moet worden verricht.'

'Ik weet 't nog niet zo zeker,' zei Gerard, 'goed, misschien hebben we een nieuw filosofisch genie nodig... maar tot die tijd zijn we misschien beter af zonder theorieën, vooral van dat soort. Ieder stuk onbenul dat op wil vallen en tegen dingen wil trappen die hij niet begrijpt is ''tegen de bourgeoise''. In zulke tijden is alleen pragmatisme eerlijk. Wat zij opportunisme noemen. Crimonds materiaal deugt niet, zijn hele achtergrond is waardeloos. Hij las *State and Revolution* op een nog licht beïnvloedbare leeftijd en viel toen voor de Frankfurter Schule. Het is alleen maar voor de opwinding. Het is allemaal ouwe koek, al die mensen leven nog in de jaren dertig, het is niet níeuw, het zijn alleen maar oude emoties die als denkwerk worden gepresenteerd. Ze hebben het Sovjet-socialisme gezien maar ze kunnen de gedachte maar niet van zich afzetten dat er íets moois moet zijn verstopt in die oude verpakking.'

'Hoe het ook zij,' zei Jenkin, 'het marxisme is niet verdwenen. En je moet toegeven dat er ook wat goeds in die verpakking zat, waar we graag iets van hebben overgenomen.'

'Marx heeft onze blik op de geschiedenis veranderd, maar alleen als één manier van de vele om iets te bekijken. Jenkin, word wakker, je loopt te drómen! Het marxisme beweert dat het een wetenschap is, zelfs Marx dacht dat ten slotte, al die pathetische simplificaties die in dat walgelijke jargon worden uitgedrukt moeten voor fundamentele realiteitsprincipes doorgaan! Goed, het topkader ziet hier wel doorheen, maar dat bewijst slechts dat marxisten geen naïeve dwazen of cynische leugenaars zijn!'

'Nou ja, maar. . . als het zichzelf nu eens kon bevrijden om een moraalfilosofie te worden!'

'Dat is al geprobeerd en óf het is dezelfde ouwe koek, óf een weerlegging van het marxisme!'

'Goed, goed. Ik kan me geen voorstelling maken van Crimonds boek, ik moet zeggen dat ik nieuwsgierig ben. In ieder geval probeert hij alles samen te voegen. Ik zie hem als een soort religieuze figuur, iemand die op een keerpunt staat, die een soort algehele omwenteling verwacht.'

'Het spijt me jou al die flauwekul te horen romantiseren!'

'Hoop is iets, misschien wel een deugd. Ik denk dat elk tijdperk denkt dat het aan de rand van de afgrond verkeert. . . je moet naar buiten denken, vooruit, in het donker.'

'Maar alleen zo ver als je kunt zíen. Daarna wordt het fantasie. We kunnen ons de toekomst niet voorstellen. Het marxisme is aantrekkelijk omdat het pretendeert dit wel te kunnen.'

'En dan besluiten we dus maar dat de toekomst haar eigen boontjes moet doppen, wij hebben al genoeg gedaan, we moeten gewoon aardig zijn voor onze vrienden en zelf plezier maken.'

'Jenkin, je maakt me misselijk! Jij was degene die zei dat het niet ons lot maar onze plicht is machteloos te zijn!'

'Dat heb ik niet helemaal zo gezegd, maar laat maar zitten. Misschien heb je wel gelijk. . . maar soms kan een mens zo rusteloos worden.'

'En wordt jouw rusteloosheid gekalmeerd door de gedachte dat er nog iemand is, die in een systeem gelooft en alle oude illusies heeft?'

'Misschien is onterechte morele hartstocht wel beter dan een verwarde onverschilligheid.'

'Dat is de val waar alle liberalen in zijn getrapt. Ben je werkelijk zo'n slome, hulpeloze pessimist?'

'Er zal veel denkwerk vernietigd worden, het móet vernietigd worden, God bijvoorbeeld. . .'

'Alsof dat van belang is!'

'Ik denk dat het van belang is wat er met de godsdienst gebeurt, ik bedoel natuurlijk niet met het geloof in bovennatuurlijke zaken. Maar we moeten toch enig idee hebben van een diepe morele structuur.'

'Het marxisme ontkent dat!'

'De mensen hebben het altijd over "demythologiseren", maar Zuid-Amerika en het Afrikaanse christendom zullen daar niets van heel laten.'

'Zolang ze Plato en Shakespeare maar wel heel laten.'

'O, vast wel. Of ze gaan eveneens naar de catacomben, net als God en de Heilige Graal! Misschien is dat niet belangrijk. Misschien is niets van belang buiten het voeden van hongerige mensen.'

'Nou, dat is bepaald niet hoe Crimond erover denkt; hij heeft alle politieke actie opgegeven, hij is alleen maar geïnteresseerd in zijn eigen gedachten, hij is niet echt begaan met menselijke ellende.'

'Ja, maar...'

'Je begint me boos te maken.'

'Sorry, ik denk alleen maar aan jouw ontmoeting met hem. Het probleem met die man is dat hij een puritein is, hij is een fanaticus, zijn voorouders waren Schotse calvinisten, hij heeft zo'n enorm zondebesef en doodsverlangen, hij gelooft in de hel maar hij is een perfectionist, een utopist, hij gelooft in een krachtdadige bekering, hij denkt dat de goede maatschappij heel dichtbij is, heel goed mogelijk is, als alle atomen maar een klein beetje willen verschuiven, alle moleculen iets zouden veranderen, een heel klein beetje maar... misschien zal dit ooit gebeuren, misschien ook niet, alles is in verandering, heel ingrijpend en vreselijk, als nimmer tevoren, en misschien ligt de hel vóór ons, maar hij denkt dat het zijn taak is te zeggen dat het mogelijk is om alles te accepteren en bijna alles op te offeren en van dat nieuwe op de een of andere manier iets goeds te maken, en dat is...'

'Jenkin, hou op!' zei Gerard. 'Hou alsjeblieft op.'

Ze liepen zwijgend verder en nu de woorden wegbleven kregen ze oog voor hun omgeving, voor de hagen die dik onder de sneeuw zaten, de bruine pluizen van de clematis die hier en daar nog te zien waren, de rechte weg als een witte rivier, die zich voor hen uitstrekte, omlaag en omhoog ging, het bovenste laagje van de sneeuw was nu bros en bevroren, de sneeuw eronder was zacht en wollig toen ze hun voetafdrukken achterlieten. Het licht begon nu te veranderen, het werd witter, lichter, bijna nevelig. De lucht was egaal grijswit, zonder enige zon, maar met een intense zachte gloed, alsof er onzichtbare sneeuwdeeltjes in de ruimte hingen. Toen verscheen er ver voor hen uit op de weg iets zwarts, een auto. Ze keken er verbaasd naar. Hij dook omlaag en verdween uit het zicht om, even later, dichterbij weer te voorschijn te komen; hij reed heel langzaam tot ze het zachte, eentonige geluid hoorden van de zwarte wielen in de sneeuw. Ze gingen aan de kant staan. Toen ze hen passeerden zwaaiden de mensen in de auto en zij zwaaiden terug.

Het dorpje Foxpath, dat vanaf de weg niet zichtbaar was, werd bereikt via een landweggetje dat was omzoomd door enorme taxusbomen. Van sommige takken van die bomen was het dikke pak sneeuw afgegleden zodat de donkere, glanzende, puntige blaadjes te zien waren, evenals de rode wasachtige besjes.

'The Pike zal nu wel open zijn,' zei Jenkin ten slotte.

'Ja.'

'Je moet niet boos zijn, Gerard.'

'Dat ben ik ook niet, beste kerel, ik bedacht alleen maar hoe verschillend wij de wereld bezien.'

'Eerlijk gezegd geloof ik niet dat ik nog iets van politiek begrijp, ik heb alleen maar behoefte aan een paar goede simplificaties. Het utilitarisme is de enige filosofie die overeind blijft.'

'Er bestaan geen goede simplificaties. Al dat gedoe over het voeden van de hongerigen is godsdienst. Oké, het is wel goed om het te doen. Maar als idee is het gewoon een beetje oude christelijke romantiek. Jij denkt dat je een heel eind komt met zo'n idee.'

Jenkins lange neus was rood van de kou en zijn ogen traanden. Hij had zijn wollen muts over zijn oren getrokken en liep met aapachtig opgetrokken schouders.

'Loop toch niet zo snel, Gerard. Ik ben gewoon een praktisch mens, jij bent hier degene die hier religieus is. Ja, inderdaad kijken wij anders tegen het leven aan. Ik zie het als een reis over een donkere, mistige weg, samen met een heel stel andere kerels. Jij ziet het als een eenzame beklimming van een berg, je gelooft niet dat je de top zult halen, maar dat gevoel heb je omdat je kunt denken dat je het al hebt gedaan. Dat is het idee dat jou steeds drijft!'

Gerard wierp een zijdelingse blik op zijn vriend om te laten merken dat hij zowel de aanval als de ontwapende toon ervan had ingezien. 'Ik geloof niet dat je veel meer kunt zien dan vanaf de plaats waar je staat, maar daarboven ziet het er nogal doods uit.'

'Dat noem ik nou de romantische mythe.'

'Ik geloof in goedheid, jij gelooft in gerechtigheid. Maar we geloven geen van beiden in een ideale maatschappij.'

'Nee... maar ik heb wel het gevoel dat ik in een maatschappij leef, en jij hebt dat niet... ik denk dat je er niet eens oog voor hebt.'

Hun landweggetje was inmiddels uitgekomen op de weg die naar het dorp liep, de sneeuw was hier platgetrapt, er waren auto's langsgekomen, er klonk geblaf van honden, dat echode in de sneeuw, en de hoge kreten van kinderen die op een heuvel sleetje reden, op een paar honder meter afstand. Hier vandaan was de kerk, achter het dorp, goed te zien, zoals hij daar op een kleine verhoging stond, niet afgeschermd door bomen. Weldra liepen ze op vertrapte paadjes tussen de huizen, waarvan de daken met leien of met riet zwaar waren van de dikke laag sneeuw, met ijspegels langs de randen; op de muren van lichte, rechthoekige stenen, glinsterde de rijp. Van alle kanten klonk: 'Goedemorgen,' en: 'Koud, vindt u niet!' In de droge, windstille koude en het helder wordende witte licht hing een sfeer van opwinding en kameraadschap. Gerard had Rose' kennissen in Foxpath nooit echt leren kennen. Zo was er bijvoorbeeld een oude juffrouw Margoly over wie Rose het wel eens had en langs de haag van wier tuin ze nu liepen, en een familie Scropton, met hun aardige vierkante huisje dat op enige afstand van de weg stond. Verder was er het huis van Tallcott, de dokter, die 'goed maar wel een beetje kortaf' was, het nieuwe huis van de plaatselijke aannemer, het huisje van Sheppey, de loodgieter, het huisje van de naaister, het huisje waar Anoesjka was geboren en waar haar nichtjes nog steeds woonden. De grote vijver was bevroren, er schaatsen twee mensen op, anderen liepen voorzichtig en triomfantelijk over het ijs, samen met wat verbaasde eenden en ganzen. Er zweefden nu enkele sneeuwvlokjes door de lucht, alsof ze nog niet zeker wisten of ze wel wilden vallen. Eindelijk zagen ze het uithangbord van The Pike, met een fraaie afbeelding van een indrukwekkende snoek met scherpe tanden temidden van pittoreske lisdodden, roerloos in de koude vrieslucht hangen. *Real Ale*. Ze knoopten hun jassen los, trokken hun handschoenen uit en stapten de warme, volle bar binnen.

Het was er heel donker, na het verblindend witte landschap buiten, en het rook er naar warme natte wol, natte kleren, natte vloerbedekking. Ja, dacht Gerard temidden van al het oorverdovende gepraat, terwijl hij vergeefs om zich heen keek naar een plekje om te gaan zitten, terwijl Jenkin een praatje aan de tap maakte, dit vindt híj leuk en ik niet! Hoe lang moeten we hier blijven! Hij heeft pinten bier besteld. We komen te laat voor de lunch.

Hij voelde zich plotseling vermoeid toen hij zijn jas uittrok en de rijp van zijn wimpers veegde en de sneeuwvlokken uit zijn krullende haar schudde. Hij wreef over zijn koude neus, die nu in de warmte begon te druppelen. Hij trok zijn trui glad en schoof zijn kraag en zijn stropdas recht.

Hij hoeft zich helemaal geen zorgen te maken over goed of slecht, dacht Gerard, hij leeft een eenvoudig leven zonder enige verleiding of wrok, hij leeft in beschaafde eenvoud, het enige dat hij ziet is een grote massa onderdrukten... en hij heeft natuurlijk gelijk wat betreft de berg en hoe je jezelf voor de gek houdt door in je idealen te duiken. We hebben hier wel eerder over gepraat maar nooit op zo'n scherpe manier. Goddank vraagt hij me niet langer wat ik ga schrijven. Misschien schrijf ik wel over Plotinus, dacht hij, een rustig beschouwend boek over Augustinus en Plotinus met wat waarnemingen over deze tijd; hun tijd was eigenlijk net zoiets als die van ons. Wat lijkt het allemaal subliem wanneer je terugkijkt, het moment dat Plato's geschriften werden gekoppeld aan de God van de psalmen. Maar wat moet het een gevaarlijke warboel zijn geweest, filosofie versus magie, net als nu. Alleen hebben wij nu geen genie om de weg te wijzen naar een nieuwe manier van denken over het goede en de ziel.

Jenkin draaide zich om en keek naar Gerard en glimlachte. Hij wees omhoog. Gerard keek omhoog. De kerstversieringen waren al aangebracht, de glinsterende rode en zilveren slingers hingen kriskras langs het plafond, met de fonkelende sterren van glitters en de bungelende engeltjes. Hij keek weer naar Jenkin en naar zijn wijzende vinger. Misschien schrijf ik dat boek nog wel eens, dacht Gerard; maar eerst is er iets met Jenkin Riderhood waar ik een besluit over moet nemen, iets wat moet worden uitgezocht, en iets aan gedaan moet worden. O God, het is zo'n vreselijk risico... het lijkt wel of zijn leven op het spel staat, of dat van mij.

De uiterwaarden waren volgelopen met water en nu prachtig bevroren. Het land, dat eigendom was van Rose en aan een bevriende boer werd verhuurd, was eens gemeenschappelijk land geweest en werd heimelijk nog door het dorp als zodanig beschouwd. Rose gaf niets om haar visrechten, dit tot grote ontzetting van Reeve en Neville. De grillige Engelse winters zorgden niet vaak voor betrouwbare ijsvlakten, en dus waren de inwoners van Foxpath niet gewend veel te schaatsen en gaven er verder de voorkeur aan hun beste kunnen op de vijver in het dorp te demonstreren. Enkelen van hen echter bewogen zich als kleine stipjes over de met sneeuw bedekte ijszee van de uiterwaarden toen Rose en haar groepje naderden.

Het was na de lunch. Die lunch, die weliswaar was aangekondigd als 'licht en eenvoudig', was toch tamelijk stevig geweest, met diverse soorten koud vlees, warme aardappelen, salades, daarna tipsycake, vervolgens kaas en vergezeld door een bordeaux, waarvan iedereen zei dat ze er 'voorzichtig aan' mee moesten doen, maar dit voor het grootste gedeelte niet deden. Ze waren het erover eens dat, als ze nog wilden schaatsen, ze dit direct moesten doen omdat anders iedereen een middagdutje ging doen en het bovendien tegen half vijf al donker werd. Duncan, die de meeste bordeaux had gedronken, had zijn bedoeling aangekondigd deze direct weg te slapen, dus bestond het groepje uit Rose, Gerard, Jenkin, Tamar, Gulliver en Lily. Tamar en Jenkin konden niet schaatsen maar gingen voor de gezelligheid toch mee. Rose was blij dat Tamar, die geweigerd had de aangeboden schaatsen zelfs maar te passen, toch mee was gekomen. Ze was bang dat het meisje, dat bij de lunch heel weinig had gegeten, de middag alleen door wenste te brengen. Ze had 'beslag gelegd' op de bibliotheek, waar de anderen haar zoveel mogelijk met rust lieten en ze had zitten lezen of gedaan alsof ze las

– dit was de indruk die Rose ervan had – in *The Tale of Genji*, dat Rose haar enige tijd geleden had aanbevolen. Rose was van plan om eens een 'goed gesprek' te hebben met Tamar die er nog gereserveerder en treuriger uitzag dan anders.

Het had nog een beetje gesneeuwd, waardoor de eerdere sporen van mens en dier waren toegedekt. De lucht bleef windstil en ademloos rustig, er hing een soort magische stilte die de mensen hun stemmen deed dempen. Het middaglicht begon al te veranderen, de witte lucht verdonkerde tot een rood-achtige gloed. De uitgestrekte uiterwaarden waren overwegend wit maar van dichterbij gezien, was het glanzende ijs onder de sneeuw grijszwart, waar sporen van schaatsers getrokken waren. De Boyars-groep vormde een kleurig geheel. Rose en Lily hadden veel werk gemaakt van hun uiterlijk. Ze droegen allebei een bontmuts, Rose een bruine, Lily een zwarte. Rose droeg een lang donkergroen jack van zware tweed, een dikke bruine coltrui met een grijze zijden sjaal om haar hals, een kniebroek en dikke sokken. Lily had een strakke witte coltrui aan met een rode trui met V-hals erover-heen en een zwarte wollen broek die in rode sokken was gestopt. Toen ze de veelgedragen kniebroek van Rose zag had ze opgemerkt dat je net zo goed je lange broek in je sokken kon stoppen en dat dat veel gemakkelijker was. – Ze had onmiddellijk spijt van deze opmerking. – Beide vrouwen hadden, zoals ze hadden aangekondigd, hun dikste wollen hemden aan, Rose twee, Lily één. Lily had het koud. Ze had te veel waarde gehecht aan de opmerking van Rose dat ze het warm zouden krijgen van het schaatsen. Gerard, die het onzin vond om je op te winden over kleren, had zich non-chalant verstandig gekleed, met een donkergroene kasjmieren coltrui over een wit overhemd, een donkerblauwe sjaal van heel lichte wol, een lange zeiljopper van handgeweven tweed en een zwartblauwe corduroy broek. Jenkin droeg zijn gewone winterpak met een dikke trui, een zware overjas en zijn gestreepte wollen muts. Tamar had eveneens een dikke winterjas over haar trui en beenwarmers over haar broek en ze had haar hoofd en een groot gedeelte van haar gezicht bedekt met een beigekleurige sjaal. Gulliver had, na lang wikken en wegen, een lichtbruine corduroy broek aangedaan, zijn beste en langste trui, blauw met het aardbeienpatroon en zijn korte groene loden jas. Hij voelde zich propperig en toch koud. Gerard en hij wa-ren blootshoofds. Gulliver, die het beneden zijn waardigheid had gevonden iets warms op zijn hoofd te zetten, benijdde Jenkin nu om zijn malle wollen muts. Gerard en Lily en Rose droegen mooie hoge leren laarzen. Tamar en Jenkin hadden stevige wandelschoenen aan. Gulliver droeg rubberlaarzen.

Gull was in een onrustige en gespannen stemming. Hij had tijdens de lunch in zijn tong gebeten en die deed nog steeds pijn. Hij had, om te be-ginnen en naar het bleek volledig onterecht gedacht dat hij op Boyars was uitgenodigd als onderdeel van een soort test. Hij werd bekeken met het oog op iets. Hij moest aan iemand worden 'getoond', worden voorgesteld aan een belangwekkend personage, een theaterdirecteur of impressario of minister van kunst, op wie hij indruk moest maken en die hem vervolgens een baan aan zou bieden. Of misschien was de familie van Rose er wel, die met de titel, en dan kon hij daar geweldig goed mee opschieten, om ten slotte te trouwen met het nichtje Gillian die hij door Rose had horen beschrijven als een knap en intelligent meisje. Hij had het gevoel dat hij op het punt stond een geheel nieuwe persoon te ontmoeten, mannelijk of vrouwelijk, net hoe het uitkwam, die zijn leven volledig zou veranderen. Of misschien, en dat was een heel andersoortige gedachte, had Gerard een ernstig persoonlijk probleem, misschien wel een vreselijk geheim, dat hij niemand anders had onthuld en had hij besloten dat Gull de enige persoon was die hij werkelijk in vertrouwen kon nemen; en hij stelde zich al voor hoe, laat in de avond, Gerard met verwilderde ogen zijn kamer binnenkwam om alles te vertellen en Gulliver te smeken een gevaarlijke en zeer belangrijke missie te volbrengen. 'Ik vertrek vannacht nog!' zei Gulliver in dit scenario meteen. Toen hij ontdekte dat Lily ook was uitgenodigd voelde hij even iets van teleurstelling, alsof het feit dat zij ook was uitgenodigd afbreuk deed aan de hele gebeurtenis. Toen hij, nog later, ontdekte dat er helemaal geen vreemden bij zouden zijn, alleen het bekende kleine clubje, voelde hij zich nog meer gefopt, hoewel hij zich troostte met de gedachte dat het een compliment was om aldus als 'een van de familie' te worden behandeld. Lily's aanwezigheid bleek eveneens, na de eerste teleurstelling, een opluchting en een genoegen te zijn, aangezien ze direct met elkaar optrokken, elkaar steunden, hun aantekeningen met elkaar vergeleken, en in de hoek zaten te giechelen. 'Wij zijn hier de kinderen,' zei Lily, 'en zij zijn de volwassenen! Wat een grap!'

Gulliver was niet onbekend met weekends in landhuizen. In zijn scuesvolle theatertijd was hij hier en daar uitgenodigd en hij beschouwde zichzelf als een wereldwijze jongeman die zich in gezelschap bepaald niet verlegen opstelde. Hij hoopte wel, nu hij die oude verwachtingen en wrokgevoelens had verwerkt, evenals de recentere fantasieën, dat hij op zijn minst iets meer contact zou krijgen met Gerard, dat hij nu werd beschouwd als een eerlijke, permanente vriend. Hij wilde bij Gerard in de gunst komen en zich niet dwaas aanstellen. De gedachte hier niet voor vol te worden aangezien baarde hem hevig zorgen. Hij was nog steeds een beetje bang voor Rose maar bewonderde haar en vond haar aantrekkelijk, en was blij dat zij hem aardig scheen te vinden. Hij herinnerde zich de avond van het bal, toen hij zo graag met haar had willen dansen maar niet de moed had gehad haar te vragen. Duncan bekeek hij vol ontzag, met enige angst voor Duncans dierlijke persoonlijkheid, zijn stierachtige, beerachtige uiterlijk, zijn totemachtige kracht, zijn vermogen met één klap van zijn poot te doden. Hij had graag vrienden willen worden met deze minotaurus, maar Duncan bleef weliswaar beleefd doch afstandelijk, en Gulliver vond enige wraakzuchtige troost in de gedachte dat die arme oude Duncan zich toch maar mooi door David Crimond de hoorns op had laten zetten en zich in de Cherwell had laten duwen. Hij kon niet veel hoogte krijgen van Jenkin, hoewel hij besefte dat enige jaloezie in die richting hem niet vreemd was. Jenkin deed heel vriendelijk tegen hem, maar hij bleef een vriendelijke tuinkabouter. Hij had medelijden met Tamar, van wie hij had gehoord dat ze veel problemen moest hebben, maar zij deed heel koel tegen hem en hij deed geen pogingen haar te benaderen.

En nu, met deze vervloekte schaatspartij, had hij zichzelf in een onmogelijke positie gemanoeuvreerd. Waarom had hij in hemelsnaam beweerd dat hij kòn schaatsen terwijl hij in werkelijkheid allerbelabberdst schaatste? Waarom had hij van die walgelijk dure schaatsen gekocht – terwijl hij voor de helft van het geld zulke schaatsen als die van Gerard had kunnen kopen – die hij nu onhandig bij zich had in een plastic zak, die zichtbaar onder het gewicht begon te scheuren, terwijl hij die afgrijselijke glibberige ijsvlakte steeds dichter naderde, als de plaats des oordeels? Hij had helemaal niet hoeven zeggen dat hij wel eens had geschaatst. Hij had zonder enige schande als toeschouwer mee kunnen gaan, net als Tamar en Jenkin. Hij had gewoon mee willen doen, hij had kinderlijk 'ik ook' geroepen, hij had te veel bordeaux gedronken en te veel tipsycake gegeten, hij had niet beseft wat voor figuur hij zou slaan. Schaatsen is een meedogenloze sport. Je kunt het nog maken om een middelmatige tennisser te zijn of een bescheiden cricketspeler, maar schaatsen is als ballet, als het niet heel goed is, is het vreselijk. Gerard en Rose waren, vermoedde hij, heel goed. Lily had weliswaar gezegd dat ze 'een beetje' kon schaatsen en het 'in geen eeuwen had gedaan', maar ze scheen het niet erg te vinden een beginneling te zijn. Het probleem was dat ze, op grond van vage opmerkingen die Gulliver had gemaakt, was gaan geloven dat hij eigenlijk een expert was die alleen maar bescheiden deed! Ze dacht dat hij haar zou steunen, haar zou helpen de slag te pakken te krijgen. Hij zou, ook tegenover haar, op een ongelofelijke manier afgaan. Die morgen, toen de situatie volledig tot hem door begon te dringen, had hij overwogen met opzet een verstuikte enkel op te lopen, maar het ontbrak hem aan de wilskracht zoiets te doen en nu was het te laat. Die verstuikte enkel zou vanzelf op het ijs komen!

Rose ging hen voor vanaf het pad, waar de bevroren aarde aan weerszijden tot kleine stijve golfjes omhoog was geduwd, over het hardbevroren gras dat zichtbaar werd onder hun voetstappen, rond de hoek van de 'ijsbaan' naar een plek waar, een eindje boven het niveau van het ijs een omgehakte boomstam, die er misschien lang geleden speciaal voor dat doel was neergelegd, als zitplaats fungeerde. Ze had, naast haar schaatsen, een cassettespe-

ler bij zich, voor het geval, zoals ze het uitdrukte, er iemand wilde dansen.
– Dansen!! Stel je voor!! dacht Gulliver. – De schaatsers gingen ziten,
trokken hun schoeisel uit en begonnen hun schaatsen aan te doen, terwijl
Jenkin en Tamar verder liepen, over het hoger gelegen gedeelte, in de richting van de rivier. Gulliver voelde, en voelde dat iedereen het voelde, een
soort bevende opwinding, een huivering van verwachting, bijna als seksuele
begeerte, toen ze zich zo transformeerden, als in een vreemde gedaanteve-
wisseling, van langzaam lopende dieren in snel glijdende. Het was drie uur,
de zon zou kort na vier uur ondergaan en de hemel, waarvan de koepel zich
samentrok, werd rood en gloeide donker op. De sneeuw was roze, de gestalten van de enkele schaatsers op het ijs zwart. De stemmen klonken vreemd,
ver weg en toch dichtbij.

'Wie is die oude dame in het zwart, die daar schaatst?' vroeg Lily, die
geen haast scheen te hebben met de metamorfose. 'Ze lijkt wel gek om met
zo'n lange rok aan te schaatsen.'
'Dat is geen dame, dat is de dominee!' zei Gerard, in wie de koude en het
licht en het vooruitzicht van snelheid een ongewone joligheid teweeg had
gebracht.

'Dat is onze plaatselijke predikant,' zei Rose, 'Angus McAlister, of father
McAlister zoals hij zich graag laat noemen. Hij is hier nog heel nieuw. Hij
draagt zijn soutane altijd! Weet je nog van vorig jaar, Gerard?'

'Hij wil gewoon een beetje opvallen!' zei Gerard. 'Moet je zien hoe sierlijk hij met zijn rok zwaait! En nu legt hij zijn handen op zijn rug net als
op dat schilderij van Raeburn!'

'Hij is een beetje getikt,' zei Rose. 'Hij gebruikt het oude gebedenboek
nog en wil ''father'' heten, hij neemt zelfs de biecht af! . . . maar hij is ook
heel protestants hoor! Als je morgen mee naar de kerk gaat kun je hem horen preken.'

'Dat lijkt me leuk,' zei Lily weifelend, terwijl ze met haar koude, gehand-
schoende handen aan haar veters prutste.

Rose was als eerste op het ijs. Ze huppelde het hellinkje af en ging er heel
sierlijk en heel vlug vandoor, waarbij ze snelle bogen in het besneeuwde oppervlak beschreef, wat rondcirkelde en toen terugkwam om Gerard te roepen en haar hand naar hem uit te steken. Gerard kwam wat onhandiger omlaag, sprong toen op het ijs en racete naar haar toe. Ze hielden elkaars handen even vast, zwierden elkaar rond en schoten toen weg in verschillende
richtingen, waarbij Gerard naar de andere kant van de uiterwaarden ging
en Rose een praatje ging maken met de berokte priester die zijn snelheid
wat verhoogde en naast haar kwam schaatsen.

Net waar ik al bang voor was, dacht Gulliver, het zijn verdorie allemaal
experts! Ik mag blij zijn als ik op de been blijf. Het lijkt me het beste als
Lily en ik een beetje aan deze kant blijven rondkrabbelen, gewoon om te

doen alsof, terwijl zij dan in de verte voorbijschieten, en daarna snel deze spullen weer afdoen en naar Jenkin en Tamar bij de rivier gaan kijken. Ik kan mijn gezicht nog redden als ze me maar op de schaats hebben gezien. Ze hebben het zo geweldig met zichzelf getroffen dat ze niet de minste behoefte hebben mijn prestaties gade te slaan. Of wel soms? Bovendien ben ik toch onzichtbaar als het donker wordt. Als die lieve oude Lily me nu maar niet omver trekt!

Het begon al donkerder te worden maar het rode avondlicht werd heel intens, waardoor alles even veel levendiger leek. De donkere gestalten van de schaatsers leken op het ijs aan het werk te zijn, ze maakten het door hun heen en weer gaande bewegingen meer zichtbaar door met hun scherpe voeten in de nog ongerepte sneeuw te snijden. De meeste dorpsbewoners, die een grotere afstand naar huis moesten lopen, waren nu vertrokken, de zoevende priester was verdwenen. Gull probeerde zijn verkrampte voet in de schoen van zijn schaats te wurmen. Zijn voet, die stijf was van de kou en in een onmogelijke positie zat, probeerde wanhopig door te stoten in de ruimte die nu werd geblokkeerd door de lip van de schoen. Hij had zijn handschoenen uitgedaan en zijn handen waren bevroren.

'Gerard en ik zijn vanmorgen naar het dorp gelopen,' zei Jenkin tegen Tamar, 'en de dorpsvijver was bevroren... nou ja, natuurlijk was hij bevroren... en de eenden en de ganzen liepen over het ijs. Ze zagen er heel ontroerend, heel onhandig en verbaasd en boos uit! Je kon zien hoe zwaar die ganzen waren, ze waren ook heel agressief, ze wilden helemaal niet opzij gaan, de schaatsers moesten steeds voor ze uitwijken. Ze moeten het wel het toppunt van ellende hebben gevonden, hun vijver opeens zonder water en mensen die erop heen en weer schieten! We zijn naar The Pike gewest. Ze hebben de kerstversiering al opgehangen. Ik ben altijd dol op deze tijd voor Kerstmis, jij niet? Als iedereen zijn kerstboom neerzet en zo'n krans op z'n deur hangt. Wanneer zetten jullie de kerstboom?'

'Wij zetten geen kerstboom.'

'Nou, ik ook niet ... maar ik hang wel wat oude snuisterijen op. The Pike is een gezellige tent, vind je niet?'

'Ik houd niet van pubs.'

'Je zou het eens moeten proberen. Het is heus niet eng, hoor.'

'Ik vind het ook niet eng.'

'Zie je hoe rood die lucht is geworden, en alles is zo roerloos en stil, het lijkt wel betoverd. Nu we de anderen achter ons hebben gelaten kunnen we ons in Siberië wanen! Wist je wel dat we onderweg niet één zangvogel hebben gezien? Ik denk dat ze zich allemaal in de dichtste struiken hebben verstopt, met hun veren wijd uitgezet. Ik begrijp werkelijk niet hoe ze met dit weer in leven blijven.'

'Dat doen ze ook niet, er gaan er veel dood.'

Ze hadden over het gras gelopen waarvan de langste sprieten hier en daar boven de sneeuw uitstaken, als kleine groene linten die gearceerd waren door de rijp.

Jenkin had zijn uiterste best gedaan een gesprek op gang te brengen, probeerde Tamars aandacht te wekken, wees haar op dingen, op de sporen van dieren, op de volmaakte vorm van een kale eik, een klein hulstboompje met rode besjes in de haag langs de uiterwaarden. Nu waren ze bij de rivier aangekomen en keken zwijgend omlaag naar de stijf bevroren vormen van geknakte winterplanten die verrezen uit de dikke rand ijs langs de oevers. In het midden stroomde de rivier heftig, zwijgend, snel, gezwollen door andere sneeuw, een zwart monster tussen de randen met ijs en sneeuw.

Tamar keek omlaag, ze liet haar hoofd hangen, frunnikte aan de knoop in haar sjaal en trok toen de sjaal nog verder over haar voorhoofd.

Jenkin had Tamar gadegeslagen vanaf haar komst op Boyars. Hij was op de hoogte van haar problemen en hij voelde nu heel duidelijk hoe treurig ze was, hoe ongenaakbaar afstandelijk en hij wenste dat hij 'iets voor haar kon doen'. Hij had haar haar hele leven gekend, maar nooit erg goed, hij had nimmer gefigureerd als de 'leuke oom Jenkin', of als iemand die haar steun en toeverlaat was. Jenkin had ondanks al zijn leraarstalenten bij Tamar als kind of als volwassene, nooit een gemakkelijke en gezaghebbende relatie kunnen bereiken zoals Gerard die met haar had.

Terwijl Jenkin zich afvroeg welk onderwerp van gesprek hij nu weer moest aansnijden, zei Tamar: 'Denk jij dat Jean terug zal komen bij Duncan?'

Hij zei direct: 'Ja natuurlijk. Maak je dáár alsjeblieft geen zorgen over.'

'Heeft hij de laatste tijd nog iets van haar gehoord?'

'Nou... hij heeft een brief van haar advocaat gehad, maar hij heeft teruggeschreven dat hij van haar hield en verwachtte dat ze terug zou komen, en sindsdien heeft hij niets meer vernomen en dat lijkt me een goed teken. Dat andere kan echt niet blijvend zijn... dat was het die eerste keer niet en dat zal het nu ook niet zijn. Ze komt wel terug!' Jenkin wist niet zeker of hij er zelf wel zo zeker van was, maar hij wilde Tamar geruststellen.

'Het is heel jammer dat ze nooit kinderen hebben gehad,' zei ze, nog steeds naar de rivier kijkend, 'maar misschien hadden ze dat wel nooit gewild, niet iedereen wil kinderen.'

'Duncan in ieder geval wel, hij verlangde erg naar een kind. Van Jean weet ik het niet zeker.'

'O, kijk eens... is dat een dode kat?'

Er dreef iets bultigs en gestreepts en donkers op de krachtige stroming van de rivier mee. Het was een dode kat. 'Nee, nee,' zei Jenkin, 'het is een plukje riet. Kom mee, dan gaan we terug. Kijk eens, het begint alweer te sneeuwen.'

Lily had de schoenen van haar schaatsen dichtgeregen maar bleef als verlamd zitten, met haar blik op de verre capriolen van Rose en Gerard. 'Kom mee,' zei Gulliver, 'of zie je 't toch niet zitten? Geeft niet, ik probeer het ook maar even. Duim voor me.'

Hij kwam overeind en balanceerde op de belachelijk smalle ijzers van de schaatsen, die meteen in het besneeuwde gras wegzakten. Met wijd gespreide armen om zichzelf in evenwicht te houden liep hij stapje voor stapje langs de helling omlaag. Helaas was er niets waar hij zich aan vast kon houden, geen enkele vriendelijke boom die een stevige tak uitstak. Bij de rand stak hij één voet voorwaarts op het ijs. De voet keurde het harde, gladde, vreemde oppervlak af, weigerde zich resoluut neer te zetten zoals een voet dat hoorde te doen en bleef ongemakkelijk wiebelen en glijden. Gulliver trok de voet terug. Als hij maar even op het ijs kon staan kon hij zich misschien op een redelijk schaatsachtige manier verplaatsen. Tenslotte kón hij schaatsen, dat wil zeggen, hij had zich eens over korte afstanden in opgerichte houding op schaatsen over ijsbanen uit zijn jeugd weten te bewegen. Hij schoof nog iets verder naar voren zodat beide schaatsen steun vonden in de rand van het ijs, dat helemaal niet netjes en glad was, maar een rommelig gebied van aarde en gras, bedenkt met een bros mengsel van ijs en sneeuw. Hier zette hij opnieuw een voet naar voren op het gladdere ijs. Maar de andere voet, die zijn gewicht even alleen moest dragen, was een paar centimeter dieper weggezakt in de grond. Het probleem deze voet weg te trekken terwijl hij balanceerde op de voorste voet, leek onoplosbaar. In stille wanhoop, met uitgestrekte armen, staarde Gulliver voor zich uit in de rode schemering. Hij dacht: ik kan niet vooruit, ik kan niet achteruit, ik moet gaan zitten. Gelukkig zijn Rose en Gerard niet in de buurt. Ik kan ze niet eens zien. Op dat moment verscheen er een hand die zijn uitgestrekte hand beetpakte. Lily had zich kennelijk achter hem aan naar beneden gewaagd.

Gulliver greep de helpende hand en slaagde er op wonderbaarlijke wijze in zijn andere voet op het ijs te krijgen, terwijl een groot gedeelte van zijn gewicht op Lily's hand rustte, en nu op haar arm die eveneens naast hem was verschenen. Hij stond! Hij liet Lily los en begon op het ijs te lopen, niet glijdend maar lopend, wiebelend als op stelten. Maar hoe zette je nu vaart? Zijn benen boden weerstand aan het verlangen van zijn enkels zachtjes om te vallen, zijn dure schaatsen met hoge schoenen hielden hem stijf rechtop, zijn maag, zijn middenrif, zijn hangende armen zochten intens naar een bepaalde ritmische beweging, een buigen en zwaaien, een verdeling van het gewicht zodat de voeten, die uiteindelijk gewend waren om benen te bewegen op *terra firma*, onder deze vreemde en kunstmatige omstandigheden hun harmonieuze samenwerking voort konden zetten. Gulliver boog iets voorover, schoof een schaats naar voren, en toen deze een eindje gleed en zijn gewicht overnam volgde de andere met een instinctief herinnerde beweging. Hij stond nog steeds overeind! Hij kon het! Hij schaatste!

Op dat moment verscheen er iemand naast hem en zei: 'Goed zo!' Het was Lily. Ze haalde hem in. Zij schaatste ook. Maar wat nog meer was, en Gulliver constateerde dit op slag, ze kon niet alleen schaatsen, maar ze kon ook héél góéd schaatsen! Lily was nu voor hem en schaatste achteruit. In de rode schemering zag hij haar gezicht onder de zwarte bontmuts, met rode wangen en neus, stralend van triomfantelijke vreugde. Ze draaide een kleine cirkel, toen een grotere, en ging er toen met een armzwaai over het ijs vandoor, met een verbazingwekkende snelheid. Gulliver ging abrupt zitten.

Rose en Gerard, die samen hand in hand aan de andere kant hadden geschaatst, waar nog enkele dorpsbewoners schaatsten, voornamelijk jonge jongens, keerden weer terug naar het midden toen ze Lily zagen. Ze hoorden haar voor ze haar zagen omdat Lily, nu ze was losgelaten in een element dat volmaakt bij haar paste, een luide kreet slaakte toen haar snelheid toenam, zoals een roofvogel een kreet kan slaken, of Japanse meesters dit bij vechtsporten doen. Lily had als kind met een groepje van haar school leren schaatsen op de ijsbaan in Queensway. De anderen stopten ermee, zij ging door, ze had, zei haar leraar, een natuurlijk talent, ze leerde dansen, ze leerde springen, ze won een wedstrijd. Gedurende korte tijd leek het schaatsen een manier om de wereld te veroveren; maar toch geloofde ze er nooit echt in, de glamourvolle beslotenheid van de ijsbaan was een droompaleis dat ze altijd met een neerslachtig gevoel verliet, een geheime kunstmatige plek die door haar het contrast haar ware bestaan nog vreselijker deed lijken. Het bracht haar geen sociaal leven en ze miste de wilskracht en het zelfvertrouwen om de uitdaging aan te nemen en nog beter te worden. Dus verloor dit streven zijn aantrekkingskracht temidden van alle toestanden en problemen van haar studentenleven, en toen het geld kwam en zij zoveel weelde kende en zo weinig benul had van de waarde van de dingen, kwam het niet in haar op terug te keren tot wat nu een fase uit haar meisjesjaren leek. Haar aarzeling aan de rand van de uiterwaarden sproot voort uit alle herinneringen aan vroeger. Haar handen bleven stil liggen op de veters van haar schaatsen en net als Gull wist ze opeens niet zeker of het haar wel zou lukken. Uiteraard kon ze nog steeds schaatsen, maar kon ze ook nog góéd schaatsen? De wilde kreet gaf uitdrukking aan haar gevoelens over de onmiddellijke ontdekking dat haar talent haar niet in de steek had gelaten.

Vlak voordat Lily verscheen, snel als een pijl uit de boog of als een aankondigende engel midden op het ijs, had Rose Gerard voorgesteld dat ze nu misschien, aangezien bijna iedereen was vertrokken, wat walsmuziek op konden zetten, zoals ze altijd deden, jaren en jaren hadden gedaan als het ijs hard was. Ze dansten allebei goed, maar ze waren zo tactvol hier niet mee op te scheppen tegenover de andere mensen op het ijs. Nu ze echter de uiterwaarden bijna voor zichzelf hadden konden ze de plotselinge toverkracht oproepen van muziek in het winterse landschap. Gerard en Rose waren eveneens uit tactische overwegingen op enige afstand gebleven van Gull en Lily, om niet het risico te lopen getuige te moeten zijn van hun misschien matige prestaties. Maar nu flitste Lily Boyne opeens langs hen heen, keerde met hoge snelheid terug, zwaaide met één been terwijl ze op één voet ronddraaide, sprong hoog in de lucht en landde op de punten van haar schaatsen; ze scheen niet op het oppervlak van het ijs te bewegen, maar erboven. Gerard riep uit: 'Lily, Lily, je bent een stér!'

Rose zag haar acrobatische toeren en nam toen snel een besluit. Ze zei tegen Gerard: 'Dans jij met Lily.' Daarna schoot ze op haar eigen topsnelheid in de richting van het basiskamp. Enkele momenten later deed de muziek van Strauss de hele omgeving veranderen.

Gulliver was nog niet opgestaan na zijn plotselinge neerdalen, hij had niet de minste behoefte zijn herwonnen vaardigheden nog verder te onderzoeken. Zonder zich te schamen en zonder gezien te worden kroop hij over het ijs terug naar zijn beginpunt, kroop de helling op en hees zich op de boomstam. Met een zucht van opluchting maakte hij zijn schaatsen los en bevrijdde zijn afgeknelde voeten en pijnlijke enkels. Hij was aan de voorkant overdekt met modder en sneeuw, en zijn lichtbruine corduroy broek was vies en nat. Hij merkte dat hij een handschoen had verloren. Die was waarschijnlijk uitgeschoten toen Lily zijn hand had gegrepen. Hij dacht dat hij hem een eindje verderop op het ijs kon zien liggen. Hij zat van een afstand Lily's capriolen te bewonderen. Toen dook Rose opeens op, ze sprong op haar schaatsen als een geit tegen de oever omhoog en zette de cassettespeler aan. Op hetzelfde moment kwamen Jenkin en Tamar uit de schemering tevoorschijn.

Gerard en Lily waren nu dichterbij, ze hadden om elkaar heen gedraaid en gepraat; hun stemmen klonken helder en dun in de steeds kouder wordende lucht en toen de muziek begon werden ze magnetisch naar elkaar toe getrokken. Een onweerstaanbare golf van vreugde voegde hen samen, Gerards arm ging om Lily's middel, haar hand greep zijn schouder met onverwachte kracht. Lily kon beter dansen dan Gerard, maar zoals een middelmatige tennisspeler opeens een stuk beter wordt wanneer hij tegen een goede partner speelt, zo werd Gerard nu geïnspireerd en met subtiele duwtjes van haar handen en lichaam, geleid door Lily danste hij beter dan hij ooit had gedaan.

Het viertal op de oever, Gull zittend, de anderen staand, keek gespannen toe. Tamars sjaal was op haar schouders gezakt en Jenkin die haar zonder zijn hoofd te bewegen vanuit zijn ooghoeken gadesloeg, zag even later een

traan over haar wang rollen. Gulliver, verbijsterd door alle snel elkaar opvol-
gende gebeurtenissen, staarde naar deze verbazingwekkende vertoning die
steeds dichter bij hen kwam. Hij werd zich bewust van een vreemd gevoel
in zijn middenrif, een elektrische storing, een pijn, een mengeling van ver-
rukking en verdriet. De sierlijke, krachtige, bitterzoete muziek vormde een
geheel met de donker wordende hemel, de verblekende gloed van de schemering, de intense koude, de bleke gloed van de sneeuw en het grote lege
landschap om hen heen, dat weldra geheel donker zou zijn.

De dans duurde niet lang. Te midden van applaus en gelach kwamen Gerard en Lily tegen de oever omhooggeklommen. Lily wierp Gull zijn handschoen toe, die ze sierlijk had opgeraapt, toen ze naar de kant gleed. Rose
deelde zaklantaarns uit en al pratend vertrokken ze over het voetpad terug
naar huis. Het was weer begonnen te sneeuwen en de witte, zwevende vlokken waren duidelijk zichtbaar in het licht van de zaklantaarns.

'Jij hebt die arme, oude Rose eens goed jaloers kunnen maken, zeg,' zei
Gulliver tegen Lily.

'Je bent grof,' zei Lily, 'dat is je grootste probleem, je grove manier van
doen.'

Het was na het diner. De schaatsgroep was moe, koud en opgewonden
thuisgekomen, om daar te merken dat in de zitkamer, voor de hoog opvlammende open haard, de thee klaarstond, met sandwiches en scones,
pruimentaart en zelfgemaakte jam en dikke room, en twee grote potten
thee en melk en suiker, aangezien Anoesjka het licht van de terugkerende
zaklantaarns al uit de verte had gezien. Ze waren langer weggeweest dan ze
hadden verwacht en niet iedereen had zin om thee te drinken. Sommigen
waren liever in bad gegaan of hadden iets anders gedronken, maar uit beleefdheid jegens Anoesjka dronk iedereen thee. En toen ze eenmaal al dat
heerlijks zagen staan stortten de meeste schaatsers, onder goed bedoelde
waarschuwingen hun eetlust voor het diner niet te bederven, zich op de scones die met zwarte bessenjam en room verrukkelijk smaakten. Duncan verscheen weer op het toneel, hij zag er slaperig en warm uit, informeerde naar
hun belevenissen en at bijna alle sandwiches op. Gerard en Jenkin treuzel-
den nog bij de scones. Gulliver nam een stuk pruimentaart mee naar boven,
om later op te eten. Na een bad, een dutje en iets te drinken was het diner,
dat laat werd opgediend, beslist geen teleurstelling, want het bestond uit
linzensoep, roastbeef en Yorkshire pudding en kruisbessentaart met room.
Iedereen at geweldig, behalve Tamar. Daarna gingen ze allemaal, behalve
Tamar, die zei dat ze moe was, naar de salon om daar koffie te drinken en
cherry brandy en wat van die hemelse toffees te eten – volgens iedereen
opmerkelijk lekker – die Anoesjka voor Jenkin had gemaakt. Rose trok zich
al vroeg terug, eerst om bij Tamar langs te gaan en toen naar haar eigen ka-

mer. Gull en Lily zaten geweldig te geeuwen en verklaarden dat ze naar bed gingen en verzamelden zich *chez* Lily. Duncan en Jenkin en Gerard bleven in de zitkamer, met de whiskyfles.

Gulliver had spijt van zijn opmerking, hij verbaasde zich er zelfs over. Hij was dronken, dat was het probleem. De kou, de vermoeienissen, alle gebeurtenissen, de emoties, het warme bad, al dat eten, al die drank, hadden hem in een toestand van labiele opwinding gebracht die voortdurend drinken absoluut nodig maakte. Het bleek dat zowel Lily als hij een fles whisky mee hadden gebracht, gewoon voor het geval dát, dus was er niets dat hen beiden ervan weerhield zich tegoed te doen, en Lily was inmiddels ook behoorlijk dronken. De afschuwelijke opmerking, terecht bekritiseerd door Lily, was op de een of andere manier het resultaat geweest van Gullivers pogingen weer orde te scheppen in zijn verwarde gemoedsgesteldheid, ontstaan door Lily's capriolen die wel als Lily's triomf konden worden beschreven. Hij had weinig problemen met het begin, toen hij zo hulpeloos was geweest en zij zo briljant, hij had geen wrok gevoeld toen zij daar als een gevleugelde godin voortsnelde terwijl hij tegen de oever omhoog kroop en zijn broek verpestte. Hij had zich gemakkelijk geïdentificeerd met haar glorie, op een manier van: één nul voor onze partij! Het dansen was een andere zaak. De steek die hij daarbij had gevoeld kon eenvoudigweg worden thuisgebracht als jaloezie; het was dezelfde pijn die hij had gevoeld op de avond van Guy Fawkes, toen hij de deur van de eetkamer had opengedaan. Maar hij vroeg zich nu, net als toen, af over wíe hij zo bezitterig deed. Of was het alleen maar een algeheel gevoel van buitengesloten te zijn, genegeerd, in de steek gelaten, vergeten en volmaakt nutteloos te zijn? Zijn opmerking over Rose was eruit geschoten als een poging, begreep hij nu, om zijn eigen gevoelens van ongemak te verminderen door die aan iemand anders toe te schrijven.

'Ja,' zei Gulliver nederig en schonk zich nog eens in van Lily's whisky.

Ze zaten in Lily's slaapkamer, in fauteuils die ze tot voor het hoog opvlammende vuur hadden geschoven, waarop Gulliver juist nog wat extra stukken hout, uit de mand die ernaast stond, had gegooid. Er brandden diverse lampen in de kamer die werd gedomineerd door het enorme tweepersoonsbed met het oude, bewerkte hoofdeinde van donker eiken. Het behang, blauw met een streepjespatroon, was verbleekt tot vaag donkergrijs, en het meubilair, dat in het niet viel bij het bed, was schamel en versleten. Een eiken kist die onder een hangende spiegel stond deed dienst als toilettafel, een buffet zonder deuren was nu een boekenkast, een kleine achthoekige tafel bij het raam bevatte nog meer boeken, romans van Lawrence en Virginia Woolf, die Rose voor Lily had uitgezocht, met Lily's boek over Thailand dat nog niet open was geweest. Een kleine, groene sofa die was bekleed met versleten velours met een bloemetjesmotief, nam de ruimte tussen de ramen in beslag. Er hingen diverse aquarellen die het landgoed in Yorkshire afbeeldden, evenals het 'grote oude huis' dat de betovergrootvader van Rose had verkocht. Boven de haard hing een groot, modern, abstract schilderij met rood en oranje en zwart, dat Gerard eens van Gideon voor Rose had gekocht toen Rose, hiertoe overgehaald door Jean, het op een tentoonstelling had bewonderd. Later werd het een geliefd schilderij van Jean en Duncan en werd het in hun kamer gehangen en 'hun' schilderij genoemd.

'Ga jij morgen naar de kerk?' zei Lily. 'Moeten we dat?'

'Ik weet het niet,' zei Gulliver, 'ik hoop van niet.'

'Jij bent hier al eerder geweest, dacht ik?'

'Nee.'

'Ik had de indruk dat je er al eerder was geweest. Je wist me er zoveel van te vertellen.'

'Ik deed maar een beetje alsof. Ik ben niet alleen grof, ik ben ook niet eerlijk.'

'Laten we niet naar de kerk gaan. Ik ga veel liever naar de pub. Jenkin heeft gezegd dat er een in het dorp is.'

'Die gaat pas om twaalf uur open.'

'O ja. Zondag.'

'Misschien kunnen we een eindje gaan wandelen.'

'Als we niet ingesneeuwd raken. Zou het niet leuk zijn als we hier helemaal afgesneden raken van de buitenwereld, net als mensen in een detectiveverhaal!'

'Dat vind ik niet.'

'Ik vraag me af of het nog steeds sneeuwt, laten we eens kijken.'

Ze liepen naar een raam, trokken de zware velours gordijnen opzij en schoven het raam omhoog. Geen kleine, gotische raampjes aan deze kant. Er schoof een muur van ijskoude lucht de kamer in. 'Doe het licht eens uit,' zei Lily.

Ze stonden in het donker en leunden uit het raam. Het sneeuwde niet meer. Een enkel lichtje in de verte, een vage gele stip, liet zien tot waar het dorp liep. Het witte landschap was onzichtbaar. Maar boven hen was het wolkendek gedeeltelijk opgerold zodat ze sterren konden zien, één ster ervan was bijzonder helder, en daaromheen en erachter was een warrige massa van andere sterren, een pluizige massa sterren die, in het zenith, de zwarte hemelkoepel bijna volledig bedekte; en toen ze in deze nevel van goudstof keken viel er een ster snel omlaag en verdween, daarna viel er nog een ster. 'Hemeltjelief,' zei Lily zacht. 'Ik heb nog nooit eerder een vallende ster gezien, en nu heb ik er zomaar twee gezien.'

Na een poosje stapten ze terug, deden het raam weer dicht en schoven het gordijn ervoor. Gull deed de lichten weer aan en ze keken naar elkaar.

Gulliver, die gelukkig van tevoren van Gerard had gehoord dat hij geen smoking mee hoefde te brengen – wat weer een ander probleem zou hebben opgeroepen –, droeg zijn beste donkere pak, witte overhemd en sober gespikkelde das. Hij was niet zo dronken geweest dat hij zijn sluike, glanzende haar niet meer zorgvuldig kon kammen toen hij de trap op liep. Dit sluike haar verleende hem een enigszins sinister uiterlijk – wat hij wel leuk vond – maar hem – en dat besefte hij niet – ook ouder maakte. Hij zag er mager, ingevallen, grauw, hongerig en moe uit, als een bijrol in een toneelstuk, waarin hij een weinig succesvolle advocaat of kwaadwillende priester moest spelen. Alleen zijn bruine ogen – als een vijver met donker maar geurig water, had iemand in een homobar eens tegen hem gezegd – behielden een jongensachtige uitdrukking van onzekerheid en angst. Lily die bij het diner een lange, strakzittende jurk bedekt met groene lovertjes had gedragen, waarvan iedereen beleefd had gezegd dat ze er net een zeemeermin in leek, had zich nu verkleed – zonder zich er iets van aan te trekken dat Gull haar even in haar onderjurk zag, in een prachtige donkerblauw met witte ochtendjas. Lily zag er moe uit en ook een beetje humeurig. Over haar ene oog hing een huidplooi van vlekkerige, hagedisachtige huid. Ze bevochtigde haar dunne, zilverkleurige lippen en schudde haar dunne, bleke, droge haar wat los. – Gulls haar zou er ook beter uit hebben gezien als hij het af en toe wat opschudde in plaats van het plat te kammen. – Ze liepen weer naar hun stoelen bij de haard.

'Geloof jij in vliegende schotels,' zei Lily, 'denk jij dat er mensen uit andere sterrenstelsels hierheen komen om ons te bekijken?'

'Nee.'

'Ik wel. Het is heel goed mogelijk. Er zijn miljoenen planeten die op die van ons lijken. Ze willen natuurlijk niet dat wij hen zien. Misschien schrijven ze wel boeken over ons.'

'Goed, misschien bestaan ze wel en kunnen wij ze niet zien, misschien zitten ze wel hier, in deze kamer. Het punt is dat het geen verschil maakt.'

'Hoe kun je dat weten? Hoe kun je weten hoe anders alles zou zijn als ze er niet waren?'

'Het zou allemaal beter kunnen zijn. Het kan niet veel slechter. Dus kan het ze niet veel schelen. Als ze klaar zijn met hun boeken vegen ze ons gewoon weg en dat is dan mooi opgeruimd.'

'Uiteraard komt er een keer een einde aan het heelal. Dus wat maakt het uit, als er toch een einde aan komt? Wat heeft het allemaal voor zin? Ik vraag me af of het hier spookt, ik moet Rose er eens naar vragen. Volgens mij zitten hier aardstralen.'

'Hoe kom je daar zo bij?'

'Ik voel het. Romeinse heerbanen lopen vaak in dezelfde richting als aardstralen. Wat is jouw mening over aardstralen?'

'Volgens mij zijn het dingen die nergens op slaan, net als vliegende schotels.'

'Het zijn elektrische stromen, weet je, en die kun je vinden met wichel-
roedelopen, op de plaats waar ondergrondse wateraderen elkaar kruisen. En
het zijn ook concentraties van denkenergie, waar menselijke wezens zijn geweest, al die voortmarcherende legioenen, al die emoties!'
'Als die legioenen zoveel energie hebben opgewekt is het geen wonder
dat die aardstralen langs de weg lopen.'
'O, maar het is ook kosmische energie, net als in cirkels van stenen. Door
Stonehenge lopen ook aardstralen. Zijn er hier in de buurt ook Stenen? Ze
houden allemaal verband met elkaar, weet je.'
'Ik geloof dat er zoiets in het bos staat.'
'Dan moet ik erheen om hem te bekijken, als hij geladen is met energie
weet ik dat meteen. Mijn grootmoeder zei altijd...'
'Lily, dit is allemaal onzin, het is lariekoek.'
'Jíj praat lariekoek, jij wilt geen bewijzen zien, jij denkt dat je alles beter
weet! Zeg, vind je dat ik nog even bij Tamar moet kijken? Ze eet haast niets
en ze is zo bleek als was.'
'Ze is altijd bleek en eet altijd weinig, en volgens mij slaapt ze nu. Neem
nog een beetje whisky.'
'Arme Tamar, arme, arme, kleine Tamar...'
'Lily...'
'Rose heeft zo'n kalm, glad gezicht en ze is veel ouder dan ik. Mijn ge-
zicht ziet eruit alsof het is gebombardeerd. Weet je, ze hebben het op Cri-
mond voorzien, volgens mij gaan ze hem d'r van langs geven.'
'Wie?'
'Zij, die kleine godheden, die wijsneuzen, die betweters. Ik heb ze er na
het eten over horen praten. God, ik geloof dat ik dronken ben, ik zie dub-
bel of misschien zijn het de Marsmannetjes.'
'Lily, beste meid, wil je alsjeblieft ophouden met dat gedaas?'
'Ik sta aan Crimonds kant, ik weet dat jullie hem haten, maar ik haat hem
niet...'
'Lily, wil je alsjeblieft even gaan staan.'
Ze gingen allebei voor de haard staan en Gulliver sloeg zijn armen om
haar middel en trok haar tegen zich aan. Hij voelde haar magere, harde,
breekbare, broze lichaam tegen zich aan en toen plotseling haar hartslag.
'Kom, laten we daar samen gaan zitten.'
Ze liepen naar de kleine, groene sofa en Lily ging op Gullivers knieën zitten en begroef haar gezicht in de schouder van zijn beste pak en smeerde
die vol make-up.
'Weet je, ik kan het je maar beter eerlijk vertellen, mijn geld raakt op,
dat heeft de accountant me verteld, God mag weten waar het allemaal is
gebleven, de mensen geven alleen maar om mijn geld, ik ben zelf niets, ik
ben maar een lege huls, ik ben als een vertrapte slak...'

'Lily, hou op! Zeg, kan ik hier vannacht niet blijven?'
'Je weet niet hoe erg het is om mij te zijn...'
'Kan ik blijven...?'
'O, als je daar zin in hebt, d'r is plaats zat; mij best hoor, maar ik denk niet dat je er veel aan zult hebben.' Ze begon te huilen.

Tamar werd nu oplettend gadegeslagen door Rose die op de rand van haar bed zat. Rose had Tamar wat chocolademelk gebracht, die Anoesjka speciaal voor haar had gemaakt, en waarvan Rose wist dat Tamar er veel van hield, maar Tamar had er maar weinig van gedronken. Rose had ook wat aspirine en slaappillen meegebracht, die waren geweigerd. Tamar had beleefd volgehouden dat het heel goed met haar ging, dat er niets aan de hand was, ze had echt heel veel gegeten, ze had nooit veel trek, ze had de vorige nacht uitstekend geslapen en ze zou vannacht ook wel goed slapen. Ze genoot van *The Tale of Genji*, het lag op haar nachtkastje en ze was van plan er nog een beetje in te lezen voor ze ging slapen. Toen was ze plotseling begonnen te huilen. De tranen waren kort, als het automatisch open en dichtgaan van een grote sluisdeur, grote tranen die een halve minuut lang overdadig stroomden en toen ophielden. Rose probeerde haar hand te pakken, de hand waarmee ze de tranen had weggeveegd, maar ze stopte hem onder het beddegoed. Zoals ze daar rechtop in het ronde kamertje in bed zat, met haar gestreepte pyjama en haar smalle betraande gezicht, leek ze net een klein jongetje. Rose dacht: ze is ziek, misschien wordt ze wel depressief, ik moet met Violet praten, maar wat heeft het voor zin met Violet te praten, o God, als ik dit kind nou maar eens vast kon houden, haar ontvoeren, haar meenemen, en haar hóúden! Misschien had ik dat al jaren geleden moeten doen. Maar Violet is zo'n fel mens, ze is zo onbuigzaam.
'Tamar, je bent ziek. Je moet echt naar dokter Tallcot gaan, de dokter hier in het dorp.'
'Een dokter... nee!' Tamar keek heel geschrokken.
'Je moeder hoeft het niet te weten... Nou ja, ga anders even naar je eigen dokter. Violet zal wel weer zeggen dat hij niet deugt, maar...'
'Ik ben niet ziek, ik voel me prima, ik wil alleen met rust gelaten worden, alsjeblieft, Rose, wees niet boos op me...'
'Lieverd, natuurlijk ben ik dat niet!' Rose knielde voor Tamars bed en pakte de kleine, magere hand, die weer boven de dekens uit was gekomen en kuste deze.
'Ga je nu echt slapen, of kan ik nog iets voor je doen, iets voor je halen?'
'Nee, nee, ik voel me uitstekend, ik denk dat ik nu ga slapen, ik ga niet meer in *Genji* lezen, ik geloof dat je bezoek me goed heeft gedaan, maak je over mij echt geen zorgen, het is níets, dat beloof ik je, níets.'
Daar moest Rose zich tevreden mee stellen. Ze ging de kamer uit en bleef

buiten even wachten. Tamars licht ging uit.

Rose liep naar beneden naar haar eigen slaapkamer. Deze kamer deed haar altijd denken aan haar moeder, die zo mooi was geweest, het iedereen zo graag naar de zin had gemaakt, die zich zo verloren had gevoeld toen haar zoon en haar man zo snel na elkaar waren verdwenen; die zo onder de duim had gezeten van haar man en onder die van Sinclair, later die van Rose en later zelfs onder die van Reeve. Rose miste haar moeder nog steeds en zocht haar voortdurend om zich heen. Ze herinnerde zich hoe ze eens woedend was geworden toen iemand, een vriend van Reeve, had gezegd dat hun moeder 'niets uitvoerde'. Haar moeder was niet iemand die niets uitvoerde, ze was altijd bezig, hoewel niet altijd met dingen die andere mensen belangrijk vonden. In haar tijd werden de bloemen altijd prachtig geschikt. Rose en Anoesjka misten dat talent. De kamer waarin Rose niets had veranderd, was langzamerhand versleten en verschoten terwijl hij ongeveer hetzelfde was gebleven: de ouderwetse toilettafel met het glazen bovenblad, dat vroeger altijd bestoft was door de gezichtspoeder van haar moeder, de grote garderobekast, die dateerde uit de tijd dat haar vader en moeder het tweepersoonsbed hadden gebruikt... wat leek dat nu allemaal ver weg, als in een andere eeuw... de versleten fauteuils die niet geschikt waren voor de logeerkamers, het Axminster karpet met vage bloemen, het roze en wit gestreepte behang, waarvan het roze bijna onzichtbaar was, het afbladderende behang, de spookachtige rechthoeken van verdwenen schilderijen. De wandkleden met bijbelse taferelen, die van haar moeders moeder waren geweest, zelf een ervaren borduurster.

Rose ging in een stoel zitten en dacht na over Tamar. Toen dacht ze aan Jean. Al die gedachten bevatten verdriet, angst, medelijden. Ze overwoog weer naar beneden te gaan en zich bij de anderen te voegen, maar Gerard en Jenkin en Duncan zouden waarschijnlijk in het een of andere theoretische debat zijn verwikkeld en ze had weinig behoefte Lily en Gull bezig te houden, die bovendien al op het punt hadden gestaan om naar bed te gaan. Ze kon maar beter naar bed gaan om de stille onschuld van de slaap te zoeken en de dwaze opwinding van de droom. De goede slaap, als de dood. Ze zag *Daniel Derunda* op het nachtkastje liggen, onder de met roze franje afgezette lampekap. Ze kon het niet lezen. Ze dacht: misschien ben ik wel aan het eind van het lezen gekomen. *J'ai lu tous les livres.* Ze kende al haar favorieten uit het hoofd. Geen enkele roman kon haar nog boeien, met dat heerlijke gevoel van ontvluchten en schuilen. Ze wilde geen biografieën lezen, of de goed geïnformeerde politieke boeken die Gerard soms aanraadde. Tegenwoordig leest niemand meer boeken met fantasieverhalen, had een vriend van Reeve tegen haar gezegd – Tony Reckitt, een boer, de man die had beweerd dat haar moeder 'niets uitvoerde' – , ze willen allemaal feiten. Rose had niet genoeg aan feiten, maar de andere dingen waren ook verdwenen. Begon ze, net als deze eeuw, ongeletterd te worden?

Buiten in de besneeuwde duisternis blafte een vos. Even hield Rose het geluid voor het geblaf van een hond, tot ze het rare geluid van een vos herkende. Geen enkele hond uit het dorp zou trouwens hier in de buurt komen, tenzij hij was verdwaald. Een blaffende hond op het land deed haar altijd aan Sinclairs hond, Regent, denken. Hij was kort na de dood van Sinclair verdwenen. Lange tijd had Rose verwacht dat hij terug zou komen, aan de deur zou krabbelen, op Boyars of in Londen. Zelfs nu verwachtte ze hem nog, een spookhond, die terugkwam om zijn meester te zoeken. Toen ze de vos weer hoorde blaffen, wild, krankzinnig, treurig, wanhopig, huiverde ze. Daarna begon ze echt bang te worden.

Ze dacht: word ik nu eindelijk echt oud? Ik moet een betere greep op mezelf zien te krijgen, op mijn leven. Het heeft allemaal met Gerard te maken, dit zinloze gevoel, deze angst. Rose had verdriet, ontzetting gevoeld toen ze Gerard en Lily op het ijs had zien dansen. Die onverwachte zaken, die diefstal, had haar bijna doen huilen en gillen. Ze zou die momenten nooit vergeten, en evenmin die geheel nieuwe en bijzonder intense gevoelens van jaloezie, zelfs van woede, die ze had ondergaan door de triomf van Lily Boyne. Ze had Lily na afloop gefeliciteerd, haar arm over haar schouders gelegd, gelachen en naar Gerard geglimlacht toen hij vol vreugde een kreet had geslaakt. Het was een onheilspellend voorteken, een waarschuwende pijl. Maar waar was ze eigenlijk bang voor, dacht ze echt dat Gerard verliefd zou worden op Lily? Het is weer het oude liedje, dacht ze, hetzelfde oude probleem. Er waren heel goede mannen met wie ik getrouwd kon zijn, van wie ik hield, maar ik was niet verliefd, mijn hart was voor levenslang gevangen. Ik ben een dwaas, het is slécht om zo stom te zijn.

Als om de angst van zich af te zetten, de eenzaamheid die de kreet van de vos uit de duisternis naar haar had overgebracht, begon ze de liefdespijn te voelen en te verwelkomen, die vreselijke begeerte, het verlangen naar Gerard dat haar soms kon overvallen, dat ze zo intens had gevoeld toen ze op het bal bij het raam van Levquists kamer had gestaan en de toren badend in het licht had gezien. Soms leek het wel of Gerard haar broer was geworden, Sinclairs plaats had ingenomen. Voelde hij dit ook, had hij dat gevreesde woord eens uitgesproken en, ziende hoe ze ineenkromp, het daarna nooit meer herhaald? Misschien was het een gevoel van bloedverwantschap, dat maakte dat hij zich altijd zo rustig en tevreden voelde in haar bijzijn, in hun intieme maar tevens passieloze, bijna zindelijke relatie. God, wat zou ik graag alles eens omver willen gooien, dacht ze soms, en dan gillend naar hem toerennen. Wat zou hij ontstemd zijn over zo'n 'vertoning', zoals ze het hem in gedachten al hoorde noemen, en hoe vriendelijk zou hij het haar weer vergeven! Haar protest was hopeloos, hoe vindingrijk ze ook mocht zijn, ze kon er niets aan veranderen. Het was nu te laat om hem nog kinderen te baren. Rose wendde haar gedachten af van zulke voor de hand liggende dingen. Maar waarom dacht ze hier eigenlijk aan? Een huwelijk met Gerard had nooit tot de mogelijkheden behoord, ze kon hem zelfs niet ervan beschuldigen haar te hebben 'verleid'. Die vreemde episode na Sinclairs dood was meer een soort heilige ritus geweest, iets zonder verdere consequenties, iets wat in een religieus stilzwijgen moest worden gehuld. Ze herinnerde zich iets wat ze Jenkin eens over Gerard had horen zeggen: 'Wat je bij hem vooral niet moet vergeten is dat hij in wezen een beetje getikt is!' Ze was daar toen boos om geweest; later had ze zich ermee getroost.

Maar ik moet iets doen, dacht Rose, die nu was opgestaan en heen en weer liep om haar verdriet te kunnen vergeten. Ik moet hem nu spreken, vanavond nog, ik móet hem spreken. Ik ga straks naar beneden en als hij op zijn kamer is, zelfs als hij naar bed is, klop ik toch op zijn deur, om eens goed te praten. Nu ik me zo vreemd voel zal ik de moed op weten te brengen. Ik zal eerlijk en oprecht zijn, er moet een manier zijn om hem dit te zeggen zonder hem af te schrikken. Het komt erop aan dat er een pact tussen ons moet zijn, ik moet zeker van hem kunnen zijn. Moet ik soms de rest van mijn leven in een voortdurende staat van onrust naar Gerard blijven kijken? Maar hoe zou dit eigenlijk onder woorden moeten worden gebracht? Wees alleen van mij en ga niet weg. Leef met me, woon bij me, laat me je elke dag mogen zien, laat mij het meest dichtbij zijn, laat mij het meest geliefd zijn. Beloof me nooit te zullen trouwen. Tenzij je met mij trouwt. Dit waren natuurlijk belachelijke, zelfs immorele eisen. Ik wil gewoon een verzekering van hem, dacht ze, iets om me aan vast te klampen, om zulke angsten weg te kunnen nemen. Ik moet nu echt naar hem toe, als ik hem eenmaal zie zal ik de juiste woorden wel weten te vinden.

Rose liep naar de spiegel boven de toilettafel en keek naar haar kalme, onbewogen gezicht en haar grote, open ogen die Marcus Field eens haar 'onbevreesde ogen' had genoemd. Ze deed wat poeder op haar neus en kamde haar haar, haar blonde haar dat nu in een flets goudgrijs begon te veranderen. Ze schudde de rok van haar lange jurk uit. Toen ging ze de kamer uit en liep snel en zacht de trap af. De lichten waren nog aan. Ze luisterde in de hal. Stilte. Ze liep de zitkamer in. Alle lampen brandden maar de kamer was leeg, het meubilair stond schots en scheef, met overal glazen en koffiekoppen, het vuur brandde nog vrolijk, naast het rooster lag een lege whiskyfles. Rose zette het scherm voor de haard, deed de lege fles in een prullemand, liet de kopjes en glazen voor wat ze waren, deed de lichten in de kamer en de hal uit en zweefde de trap weer op over de overloop. Ze zag het licht onder Gerards deur door. Ze bleef staan, ze sloop verder en luisterde. Niets te horen. Ze tikte op de deur en hoorde Gerard zeggen: 'Binnen.'

Jenkin en Duncan zaten op Gerards bed, terwijl Gerard, op één knie in zijn koffer rommelde. Ze sprongen alledrie overeind. 'Rose, lieverd,' riep

Gerard, 'een engel die ons te hulp komt! Ik dacht dat ik nog wat whisky mee had genomen maar ik kan hem nergens vinden! Wees een lieve engel en duik ergens een fles voor ons op, wil je?'

Gullivers gedicht van Housman over 'het hoofd waarvan ik zal dromen, en zal niet dromen van mij' was die nacht heel toepasselijk geweest voor Rose, aangezien Gerard, die nu alleen was, zeker niet aan haar dacht maar aan Jenkin.

Jenkin en Duncan waren vertrokken en Gerard zat op zijn bed. Hij was tamelijk dronken en dat was voor hem heel ongewoon. Duncan was nog meer dronken geweest maar hij was eraan gewend en had de hele dag al veel gedronken. Hij had tijdens een opgewonden discussie nog volmaakt helder kunnen spreken, maar was niet meer in staat geweest recht te lopen en was vertrokken met één arm om Jenkins nek. Jenkin, die minstens net zoveel als Gerard moest hebben gedronken, was heel wakker en fris gebleven en zijn jongensachtige gezicht was niet zo rood aangelopen als dat van Duncan en, in mindere mate, dat van Gerard. Ze hadden ruzie zitten maken, niet over persoonlijke zaken natuurlijk, maar over de oorzaken van het verbluffende succes van het christendom in de vierde eeuw. Ik hoop dat we niet teveel hebben gekibbeld, dacht Gerard en raakte een beetje beschaamd zijn gloeiende wangen aan.

Gerard had de vorige nacht van zijn vader gedroomd. Zijn vader, gezeten achter een bureau waar Gerard vóór stond, droeg aan zijn rechterhand een grote, zwarte, leren handschoen zoals valkeniers die gebruiken om de valk op plaats te laten nemen. Het woord 'riempjes' kwam in Gerards gedachten en hij vroeg zich af waar de riempjes zouden zijn. Zijn vader staarde hem veelbetekenend aan, stak toen zijn hand in de la van het bureau en haalde er iets uit wat in een krant was gewikkeld, hij gaf het aan Gerard met de woorden: 'Hij is dood.' Gerard dacht, vol ontzetting: dat betekent dat de vógel dood is. Hij begon aan de krant te peuteren en maakte hem open. Erin zat geen dode vogel maar een levend konijntje. Hij stopte het konijntje in zijn jas, waar het dier zich nestelde en hem warm maakte. Toen hij opkeek zag hij dat zijn vader zijn behandschoende hand veelbetekenend naar hem uitstak. Gerard trok de handschoen eraf. . . en zag toen met ontzetting dat de hand van zijn vader hevig bloedde, de hand was feitelijk gevíld! Op dat moment begreep Gerard ook dat hij het mis had met dat konijntje, dat het niet leefde maar dood was. Hij werd angstig en verward wakker. Hij dacht aan Grey, hoe die zijn vleugels open en dicht kon slaan en hem met zijn wijze, zachte, vrolijke oogjes aankeek en al zijn kinderlijke gevoelens van 'waar zou hij nu zijn' kwamen met een tijdloos verdriet bij hem terug. Hij herinnerde zich hoe zijn vader vlak voor zijn dood soms even heel bang en droevig kon kijken. Zijn vader was bang geweest voor de dood. Gerard had, toen hij elf was, gedaan alsof hij dood was. Nu was het net alsof de dood zich uitstrekte en hem met een donkere, behandschoende vinger aanraakte. Er waren afscheiden, er waren eindes, er waren kostbare dingen die voor eeuwig verdwenen.

Hij had er zich erg op verheugd zich gelukkig te voelen op Boyars. Dit 'verheugen' als op een 'tractatie' had hem doen beseffen hoe vaak hij de laatste tijd niet gelukkig was geweest. Was hij soms gewend geraakt aan het gelukkig-zijn, had hij het te zeer als vanzelfsprekend beschouwd, als iets gewoons, als iets wat hem rechtmatig toekwam? Natuurlijk treurde hij nog steeds om zijn vader. Dat was een richting waarin hij voortdurend met een afwezigheid werd geconfronteerd. Hij miste iets in deze wereld: de onvoorwaardelijke liefde van zijn vader. Zijn vader was nu bij hem aanwezig als een grauw verdriet. Toen Gerard 's ochtends in het donker lag – het was bijna zeven uur maar nog aardedonker – begon hij over Crimond te denken, alsof Crimond ook deel had uitgemaakt van die droom. Hij kon zich niet herinneren ooit over Crimond gedroomd te hebben en hij hoopte niet dat hij dat nu begon te doen. Hij was in ieder geval nerveus over die ontmoeting. Hij was bang, hoewel hij dit niet aan de anderen toe wilde geven, dat Crimond op de een of andere manier 'vervelend' kon worden. Het vooruitzicht van die ontmoeting deed hem in ieder geval beseffen hoe weinig hij echt van Crimond wist, het was alsof het een bespreking met een vreemdeling was. Jarenlang hadden ze elkaar gewoon gemeden, als de twee ijsberen. – Dit was een verhaal van Sinclair, dat legendarisch was geworden, over iemand op de Noordpool die twee ijsberen langzaam naar elkaar toe zag lopen, vanuit tegenovergestelde richtingen, op een enorme ijsvlakte. Toen ze dichterbij kwamen gingen ze allebei een eindje opzij, negeerden elkaar en waggelden verder. – Maar Gerard dacht niet dat er iets was dat hij niet aan zou kunnen, en hij zou ervoor zorgen dat de bespreking gepast kort en onbeslist zou zijn.

Nu hij daar alleen op zijn bed zat na een avond vol dronkenschap, voelde Gerard zich eerst wel ongemakkelijk tegenover Duncan. Hij had op Boyars, van dichtbij, gezien in welke vreselijke geestestoestand Duncan verkeerde, hij had de chaos van verdriet geroken. Maar hij had, sinds het korte en zakelijke gesprek over de echtscheidingsbrief, geen pogingen aangewend een intiem gesprek uit te lokken of op gang te brengen. Zou Duncan, hoewel hij dit niet liet merken, misschien wachten tot hij initiatieven nam? De meeste toeschouwers, met inbegrip van Duncans collega's en Gerards ex-collega's die het hele verhaal kenden, schenen te verwachten dat Jean berouwvol terug zou keren om Duncan weer gelukkig te maken. Gerard, die zich zelden met roddelen inliet, zelfs niet tegenover zichzelf, had niet zulke gedetailleerde verwachtingen, hetzij gruwelijk, hetzij rooskleurig, betreffende de toekomst van zijn onfortuinlijke vriend. Hij nam evenmin voetstoots aan dat Jean terug zou komen of dat Duncan beter af zou zijn als ze dat deed. Was Duncan ooit gelukkig geweest sinds de Ierse toestand? Ik zou echt niet weten wat ik hem moet adviseren, dacht Gerard, maar misschien is het tijd om weer eens te praten. Daar moet ik echt aan denken. Maar nu vertrekt hij verdorie morgenochtend al. Ik zal in Londen bij hem langsgaan. Nu hij wat nuchterder op die avond terugkeek drong het tot Gerard door dat Duncan waarschijnlijk bezwaar had gehad tegen de aanwezigheid van Jenkin en op telepathische wijze had geprobeerd duidelijk te maken dat hij alleen wilde zijn met Gerard, terwijl Jenkin, die deze boodschap opving, direct had verklaard dat hij moe was en naar bed wilde gaan, maar was weerhouden door Gerard die wilde dat Duncan vertrok zodat hij met Jenkin kon praten.

Gerards gedachten over Jenkin, die al enige tijd in een bepaalde richting gingen, begonnen nu een crisis te naderen. De oorzaken van deze gemoedstoestand waren duister. Het had misschien te maken met de dood van zijn vader, met een plotseling tekort aan mensen die onvoorwaardelijk van hem hielden, een voorgevoel van eenzaamheid wanneer er geen plaatsen meer waren waar iedereen danste van vreugde als hij kwam. Een meer rationele verklaring vormde Gerards angst dat Jenkin van plan was weg te gaan. Bij het diner had Jenkin aangekondigd, met een in Gerards ogen geforceerde terloopsheid, dat hij van plan was de kerstdagen buiten Engeland door te brengen. Besefte hij niet dat, voor de eerste keer sinds vele jaren, Gerard met Kerstmis in Londen zou zijn? Gerard vermoedde en voelde bij zijn vriend een zekere rusteloosheid, alsof Jenkin over Gerards schouder naar iets keek dat veel verder weg was. Uiteraard had Jenkin tegen Gerard niets gezegd over algemene vertrekplannen, en Gerard had er uit angst ook niet naar gevraagd. Maar zijn belangstelling voor 'nieuwe theologie', die verhalen over 'de armen', de Portugese grammatica waren Gerard niet ontgaan. Hij dacht in flitsen dingen als: Jenkin zal mij verlaten, hij gaat weg, hij gaat naar Zuid-Amerika of naar Afrika, en dan wordt hij vermoord. Maar hij mág niet weggaan, dacht Gerard, als hij dat doet ga ik met hem mee. Ik kan niet zonder Jenkin! In zo'n gemoedstoestand verkeerde hij. Hoe noemde je zo'n gemoedstoestand?

Wat mankeert me toch, dacht Gerard, ik heb het warm en koud tegelijk, ik huiver, mijn handen beven. Ik heb mijn vader eigenlijk nooit verteld hoeveel ik van hem hield. Als Jenkin doodging wou ik dat ik 't hem wel had verteld. Misschien is het allemaal heel eenvoudig. Ik ken Jenkin nu al meer dan dertig jaar, waarom opeens al deze gevoelens? Ik houd van die man, maar is er iets speciaals, iets bijzonders dat ik zou moeten doen? Ik besef dat Jenkin me vreselijk veel verdriet zou doen als we ruzie maakten, als hij zomaar wegging, als hij doodging. Zoveel macht bezit hij over me. Gerard vroeg zich nu opeens af: ben ik eigenlijk verliefd geworden op mijn oude vriend, gebeuren zulke dingen? Misschien barst de liefde opeens los na een sterfgeval, misschien gaat het vanzelf voorbij. Maar ik moet hem geborgenheid geven, ik moet hem veilig bewonderen, ik moet hem hier houden, ik moet hem niet weg laten gaan. Hoe kan ik zeker weten dat hij niet weg zal gaan? Ik moet hem gewoon vertellen dat ik hem nodig heb, ik moet een pact met hem sluiten, hij moet me beloven bij me te blijven. Ik moet hem vaker kunnen zien, veel vaker, nu ik dit gevoel over hem heb, of inzie dat ik het altijd heb gehad, alleen is het nu urgent. Is dit nu oud worden, besef ik nu pas dat tijd en dood reële zaken zijn? Ik voel me niet oud, deze vreemde emotie maakt dat ik me jong voel. Grote hemel, dacht Gerard, ben ik echt verliefd?

Ik moet dronken zijn, dacht hij, ik ben dronken. Ik denk niet dat ik morgen andere gevoelens zal hebben, maar ik zal wel iets meer gezond verstand hebben. Hoe moet ik zoiets ooit tegen die goeie ouwe Jenkin zeggen? Hij denkt vast dat ik niet goed snik ben, hij zal zich vreselijk opgelaten voelen, hij vindt het misschien wel weerzinwekkend. Hij zou zulke gevoelens natuurlijk allemaal vóór zich houden, maar ik zou het toch weten, ik zou toch zien dat hij boos of nijdig is. Het kan onze vriendschap schaden, of er op zijn minst een schaduw op werpen, en dan zou ik denken dat hij me ontliep en dat zou ik vreselijk vinden. Stel dat hij onvriendelijk tegen me zou doen. Het is een afschuwelijk risico. Ik heb nu vele jaren alleen gewoond... en hij heeft ook alleen gewoond, misschien wel altijd. Het is verbazingwekkend dat ik hem helemaal niet zo goed ken, we zijn nooit zo intiem geweest, ik weet gewoon niet hoe hij zou reageren. Misschien is het maar beter om niets te zeggen.

Iedereen ging naar de kerk, behalve Gulliver en Lily en Duncan. Duncan was zelfs al weg, hij was vertrokken na een heel vroeg ontbijt. Niemand zag hem weggaan behalve Rose. Bij het zondagse onbijt had Rose haar vrienden verteld, zoals ze dit altijd deed, dat uiteraard niemand zich verplicht hoefde te voelen om naar de kerk te gaan. Zij ging met Anoesjka omdat dit deel uitmaakte van haar leven op het land, maar niemand hoefde mee te gaan. Gerard en Jenkin zeiden, als altijd, dat ze met haar meeingen en Tamar zei dat ze ook zou gaan. Gull en Lily zeiden dat ze naar het bos wilden wandelen en daarna over de Romeinse weg naar het dorp om The Pike eens te inspecteren. Ze spraken af elkaar later allemaal in de pub te treffen.

Gull en Lily waren in een wat giechelige bui. De afgelopen nacht was totaal niet geweest wat Gull had gehoopt en verwacht. Ze lagen nog maar nauwelijks in bed of ze waren, na een begin van een voorspel, allebei in een diepe slaap gevallen om nog maar net op tijd wakker te worden voor het ontbijt. Lily had dit uitermate komisch gevonden. Gulliver had zich aanvankelijk wat onzeker en onnozel gevoeld, maar had toen maar besloten het eveneens grappig te vinden. Hij had in ieder geval het idee dat hij een beslissende stap had gezet en aangezien Lily er zo ontspannen, zelfs nonchalant, over deed gaf hem dit wat tijd om erachter te komen wat hij eigenlijk precies had gedaan.

Vandaag scheen de zon, de hemel was blauw, bijna wolkeloos. De kamers waren gevuld met licht. Iedereen keek naar buiten en slaakte uitroepen van verbazing, wees elkaar op de fonkelende sneeuwkristallen en de smeltende ijspegels. Er werd gesproken over een sneeuwpop. De gazons waren nu kriskras bedekt met menselijke sporen en Gulliver en Jenkin waren kort na het ontbijt naar buiten gegaan om door de tuin te wandelen en sneeuwballen naar elkaar te gooien. Rose had al een rondleiding verzorgd naar het keukenraam waarvandaan een zwerm koperwieken te zien was, dikke, ronde vogels die groter waren dan lijsters, met rode borsten en gestreepte halzen en kleine, boosaardige koppen en scherpe, onderzoekende snavels, die zich koortsachtig tegoed deden aan de bessen van de cotone-aster.

Iedereen scheen in een soort vage, rusteloze stemming te zijn. Tamar, die een donkerbruine fluwelen zondagse jurk aan had, zat in de vensterbanknis in de bibliotheek met *Genji* op haar knie naar haar slanke benen in bruine kousen te staren en stond zo nu en dan op om de rijen boeken te bekijken. Gerard was naar de biljartkamer gegaan, waar het door de motten aangetaste biljart met een canvas kleed was bedekt en hij had de eerste symfonie van Mahler op de grammofoon gelegd. Hij hield van de melancholieke treurige klanken van het tweede deel. Dit geluid, ook al zette hij het zacht, drong vaag door tot de zitkamer waar Lily op de sofa, met haar schoenen uit, patience zat te spelen. Gulliver, die in de tuin natte voeten had opgelopen, was naar zijn kamer gegaan om droge sokken en schoenen aan te doen en zichzelf in de spiegel te bekijken. Hij had een wijde, donkergrijze trui met kabels aan en een grijs met donkerblauw gestreept overhemd met een hoge kraag en een donkermauve das en een broek met kleine grijs met zwarte ruitjes. De mauve stropdas had een onopvallend motief in roze. Hij besloot dat, aangezien hij niet naar de kerk ging, alles er goed uitzag. Hij veegde zijn haar glad en zette zijn zwaarmoedige gezicht op. Jenkin, die voor de kerkgang zijn beste pak had aangetrokken, was bij Tamar in de bibliotheek gaan zitten voor het geval dat ze met hem wilde praten, wat ze niet deed. Hij sloeg zijn *Oxford Book of Spanish Verse* open en las een sonnet opgedragen '*to Christ Crucified*' dat hij mooi vond. Hij keek naar Tamar die zich ergerde aan zijn onderzoekende blik. Toen ze haar boek met een klap dichtsloeg maakte hij haastig dat hij wegkwam. Hij liep naar boven en deed zijn winterjas en zijn laarzen aan. Hij wilde graag even alleen in de sneeuw wandelen en had besloten ertussenuit te knijpen. Gerard luisterde nu naar iets van Haydn. Jenkin zei tegen Rose, die in de keuken met Anoesjka bezig was een taart te maken, dat hij een eindje ging wandelen en hen in de kerk zou treffen. Hij vertrok door de voordeur. Gerard kwam

236

te voorschijn en was nijdig toen hij merkte dat Jenkin was verdwenen. Rose zei dat ze over drie kwartier naar de kerk vertrokken. Gull was in de zitkamer om Lily eraan te herinneren dat ze nog naar bos wilde gaan om naar Stenen te gaan kijken, maar ze zei dat ze van mening was veranderd en bij het vuur wilde blijven. Gerard ging Tamar zoeken en nam haar mee om naar de koperwieken te kijken, die zij nog niet had gezien, maar ze hadden alle bessen opgegeten en waren verder getrokken.

'U, God, loven wij, U, o Heer, belijden wij.
U, Eeuwige Vader brengt het ganse aardrijk hulde.
U loven al de Engelen, al de hemelen en alle machten.
U roepen de Cherubijnen en Seraphijnen onophoudelijk toe:
Heilig, Heilig, Heilig, de Heer, God der Heerscharen...'

Rose en haar logé's zaten op zulke zondagen meestal in de tweede bank, die door de dorpsbewoners werd vrijgelaten als het bekend was dat Rose 'gezelschap had'. Vandaag zaten ze in deze volgorde: Gerard, dan Rose, daarna Anoesjka, Tamar en tenslotte Jenkin, die het eerst was gekomen. De kerk werd, voor een landelijk kerkje dat buiten het dorp lag, redelijk goed bezocht; dat wil zeggen, er waren, met inbegrip van het contingent van Rose, zo'n twintig mensen aanwezig. Bij avonddiensten in de zomer, wanneer het een plezierige wandeling was, waren het er meestal meer. Een bibberig harmonium begeleidde de gezangen. Er was geen koor. De kerk, uit de dertiende eeuw, had niets bijzonders maar was nog wel betrekkelijk authentiek gebleven, op het verwijderen van de lichtbeuk en enkele niet nader gespecifieerde 'herdenkingstekens' na, wat zo'n honderd jaar geleden was gebeurd. Het grote 'decorated' oostraam waardoor nu het sneeuw- en zonlicht naar binnen viel, had kleurloos glas, de andere ramen hadden glas-in-lood raampjes met groen en roze glas, de gekanteelde toren, zonder ramen, met zes klokken, stond aan de westzijde. Het interieur, zonder transepten, portalen, pilaren of zijkapellen, leek het meest op dat van een grote, hoge, vervallen, witgekalkte kamer. Het was er nu heel koud, ondanks de drie grote oliekachels. Er hingen enkele bijzonder mooie herdenkingspanelen, er stond een eenvoudig, solide Normandisch doopvont, en een lage, stenen kansel, die wat raar, plat, tegen de muur stond, alsof de een of andere duivel er half in was geslaagd het de kerk uit te werken. De voorste banken waren zeventiende-eeuws met fraai houtsnijwerk op de koppen, in allerlei bladerstijlen. Deze banken bevatten eveneens, in tegenstelling tot de Edwardian banken erachter, die nu zelden werden gebruikt, prachtige knielkussens die door oudere dames uit het dorp waren geborduurd. Rose verbaasde zich dat deze prachtige exemplaren nog niet waren gestolen aangezien de kerk, overeenkomstig de ideeën van father McAlister, nooit op slot was. Misschien hadden mensen die zo ontaard waren om uit een kerk te stelen geen enkel

gevoel voor schoonheid. Aan de muren van het koor waren twee stenen engelen te zien, die misschien deel uitmaakten van een reddingsbrigade die
moest voorkomen dat de duivel de preekstoel weghaalde. Deze engelen waren, oorspronkelijk, geverfd, en waren in controversiële kleuren overgeverfd
door de voorganger van father McAlister. Er was een muurschildering geweest in het schip, maar daarvan resteerden slechts wat vage schaduwen, die
misschien een wederopstanding voorstelden, met mensen die uit graven
klommen. Hiernaast, duidelijker zichtbaar maar even oud, stond de boodschap: *Bidt en u zal gegeven worden; zoekt en gij zult vinden; klopt en u
zal open gedaan worden.* Mattheus 7:7. Dit was eveneens verfraaid door de
aanmatigende verfkwast van de vorige predikant, tot grote verontwaardiging van de plaatselijke bevolking, met inbegrip van Rose, die vond dat zulke dingen het recht moesten hebben in vrede weg te kunnen rotten.

Father McAlister was de twee treden naar de kleine kansel opgegaan en
stond nu met zijn rug naar de muur en keek de kleine gemeente aan, die
hem beleefd terug aankeek terwijl er met ijskoude voeten werd geschuifeld
en stukken sneeuw op de vloer vielen. De dominee was een lange man, maar
door de kou stond hij nu wat ineengedoken in zijn toga, met zijn handen
onzichtbaar en zijn hoofd ingetrokken tussen zijn schouders. Hij had een
opvallend hoofd, groot, met weerbarstig grijsbruin haar dat op indrukwekkende wijze vanaf zijn voorhoofd omhooggolfde, een trots gevormde mond
en donkere, dwingende ogen die nu waren gericht op het groepje in de bank
van Rose. Gerard, die aan Jenkin had zitten denken en niet had geluisterd,
begon op te letten toen de nadrukkelijke woorden zijn oren troffen. 'Hij
die een hoge blik en een trots hart heeft zal Ik niet gedogen! Alzo spreekt
de Heer onze God. En wat zegt God nog meer? O luister. Hij zegt dat Hij
hén nabij is die lijden aan een gebroken hart, en Hij redt hen die berouw
tonen, de offergaven van God zijn een gebroken geest... een gebroken en
berouwvol hart, o God, zult Gij niet verwerpen. Gezegd zijn zij die treuren want zij zullen getroost worden, gezegd zijn de zachtmoedigen want
zij zullen de aarde beërven. De genade van God, geliefde broeders en
zusters, wordt neergestort over de nederigen, de gekwetsten en de be-
schaamden, maar op hen die trots zijn zal Gods vervloeking neerdalen en
hen doen verzinken. God verwerpt trots en vervloekt deze... de trots van
deze eeuw van wrede machten, van de macht van machines, de macht van
materiële bezittingen, de macht van de onderdrukkers die overal om ons
heen zijn... de trots van hen die rijkdommen bezitten, de trots van hen
die denken dat opleiding en intelligentie hen op een hoge top hebben geplaatst. Hoe betreurenswaardig zijn zij misleid en hoe groot zal hun val zijn!
De Heer is niet bij hen, de Heer is bij de armen, de gebrokenen wier berouwvolle tranen erkennen dat zij niets zijn. Jazeker, de zonde eist straf, de
zonde is zelf reeds een straf, maar in onze angst en onze schaamte is de ge-

nade werkzaam. Voor het aangezicht van God verschrompelen onze zielen als nachtvlinders in een vlam, maar godvrezendheid is het begin van wijsheid, en van zondebesef en dat alleen, geliefde broeders en zusters, kan onze verblinde ogen openen en onze zwarte harten zuiveren. De zonde besmeurt het heldere beeld van God, zodat de zondaar misschien denkt dat hij God niet kent, dat God misschien zelfs niet bestaat. Maar ook al volhardt ge in uw zonde, en u roept de naam des Heren aan, dan zal Hij waarlijk komen. Hij zal waarlijk komen! In naam van God de Vader, God de Zoon, en God de Heilige Geest. Onze lofbetuigingen gelden U en Uw macht en majesteit en kracht, tot in alle eeuwigheid. Amen.'

'Denk je dat hij dit voor ons had bedoeld?' zei Rose na afloop buiten.

'Ja!' zei Jenkin.

'Zijn veronderstellingen, zelfs als die terecht waren, waren bijzonder onbeschaamd,' zei Gerard.

'Hij is hier niet geliefd?' vroeg Jenkin.

'Toch wel, hij is heel populair! Vorige zomer liepen de mensen uit de naburige gemeenten hierheen om hem te horen!'

'Masochisme is altijd een charmant trekje geweest van het christendom,' zei Gerard.

'Hij lijkt me geen erg belezen man,' zei Rose, 'maar hij is heel welbespraakt en oprecht. Ik dacht eerst dat hij een bombastische brulboei was. Het is in ieder geval weer eens wat anders dan dominee Amhurst!'

'Ik heb ervan genoten!' zei Jenkin. 'Jij, Tamar?'

Ze hadden *For those in peril on the sea* gezongen, waarvan Rose altijd tranen in haar ogen kreeg, en na afloop had Rose met juffrouw Margoly gepraat, en met Julia Scropton die op het harmonium speelde, en met Mavis, het nichtje van Anoesjka dat harmonium speelde, en met Sheppey die maandag naar de afvoer zou komen kijken. De dominee was niet meer teruggekomen.

Het exterieur van de kerk was even weinig pretentieus als het interieur, slechts versierd door enkele draagstenen die als groteske koppen waren uitgehouwen, maar de ligging was heel aantrekkelijk, op een kleine verhoging met sierlijke berkebomen en een kerkhof met prachtig gegraveerde grafstenen, die dateerden van de zeventiende tot de negentiende eeuw, met weinig veranderingen in stijl. De pastorie was afgebroken en dominee McAlister woonde in een klein, modern huis in het dorp.

De kerkgangers hadden afgesproken dat ze op de terugweg via het dorp zouden gaan om daar Gull en Lily in The Pike te ontmoeten en zelfs iets te drinken aangezien de lunch koud zou zijn en net zo laat als zij dit wensten. De gemeenteleden, die Rose allemaal kende, ploeterden terug naar het dorp, maar het clubje van Rose bleef nog even achter om te genieten van het uitzicht over de oudere dorpshuizen, een gedeelte van de Romeinse weg, de daken van Boyars die boven de bomen van de tuin uit te zien waren, en verderweg en hogerop het bos dat met sneeuw was bedekt. De jassen, die in de kerk voorzichtig waren uitgedaan, waren nu weer haastig aangetrokken, samen met handschoenen en sjaals en – met uitzondering van Gerard – hoofddeksels. Tamar had een klein, strakzittend vilten hoedje op. Ze gaf geen antwoord op de vraag van Jenkin, ze had hem misschien niet gehoord. De zon scheen nog steeds en hun voetstappen, die kraakten op het bevroren oppervlak van de sneeuw, maakten een aangenaam knerpend geluid toen ze nu verder liepen, Rose voorop, arm in arm met Anoesjka, Gerard en Jenkin erachter, met Tamar tussen hen in.

Ze hadden een klein eindje gelopen toen er achter hen een geluid klonk alsof iemand holde. Het was father McAlister. Ze bleven allemaal staan.

De priester had zijn kerkkleding afgelegd en een winterjas aangetrokken. Toen hij naar hen toe holde hield hij zijn soutane met één hand omhoog. Hij had een zwarte baret op zijn hoofd, stevig omlaag getrokken tot aan zijn oren. Hij zag er jonger uit, rood van de kou en ietwat ongeschoren. toen hij bij hen was gekomen bleef hij staan en stak zijn blote handen naar weerszijden uit, in een gebaar dat zowel een verontschuldiging als een zegen kon betekenen. Hij sprak Rose aan op een resolute, gezaghebbende toon, met een vaag Schots accent. 'Juffrouw Curtland, vergeef me. . . maar kunt u me voorstellen aan deze jongedame?' Zonder haar aan te kijken wees hij naar Tamar.

Rose zei verbaasd: 'Ja natuurlijk. Juffrouw Hernshaw. Tamar, father McAlister.'

De priester vervolgde, nog steeds zonder Tamar aan te kijken: 'Heeft u er bezwaar tegen als ik een paar minuten met juffrouw Hernshaw zou praten. . . als ze daar tenminste toe bereid is?'

Rose was verstoord over deze plotselinge bemoeizucht en wilde Tamar beschermen. 'Nou, we wilden juist naar onze vrienden toe gaan. . .'

Tamar zei vlug: 'Ik ga wel even mee. Ik ben vóór de lunch terug, wacht maar niet op me. . . ik blijf niet lang weg.' Ze draaide zich om en begon terug te lopen naar de kerk. De priester volgde haar.

'Wel nou nog mooier!' zei Rose.

'Wat heeft dat allemaal te betekenen? Wat een brutaliteit! Wat kan hij van haar willen?'

'Hij heeft haar gezicht gezien,' zei Jenkin. 'Hij denkt dat ze een groot verdriet heeft.'

'Dat gaat hem niets aan! Hij maakt haar alleen maar overstuur!' Rose was verontwaardigd en boos. Ze had begrepen dat Tamar iets mankeerde, ze had geprobeerd haar te helpen. Nu had die bemoeizieke priester haar zomaar op sleeptouw genomen.

'Ik blijf hier wachten,' zei Rose.

'Je kunt haar beter zelf terug laten komen,' opperde Jenkin.

Na enige aarzeling liepen ze verder naar het dorp. Zodra ze dichterbij waren zagen ze Lily en Gull naar buiten komen, hen tegemoet, glibberend op de aangestampte sneeuw.

Tamar liep als eerst de kerk in en ging zitten waar ze tijdens de dienst had gezeten en father McAlister kwam naast haar zitten en keek haar aan. Hij zette zijn baret af en deed zijn jas uit.

'Wil jij je jas niet uitdoen?'

Tamar deed haar jas niet uit maar maakte wel de knopen los en zette haar kleine, blauwe, vilten hoedje af en keek father McAlister aan met haar wilde bruingroene ogen. Ze rolde haar hoedje op en stopte het in haar zak. Daarna haalde ze beide handen door haar rechte, korte, zijdeachtige haar en veegde het uit haar gezicht. 'Wat is er?'

'Er is hier verder niemand aanwezig,' zei de priester. 'We zijn helemaal alleen. Met uitzondering van de goddelijke aanwezigheid.'

'Wat wilde u tegen me zeggen?'

'Je hebt verdriet. Je ziet eruit alsof je rouwt. Heb je een dierbaar iemand moeten verliezen?'

'Nee.'

'Wat is er dan aan de hand?'

'Waarom zou ik dat in hemelsnaam aan u moeten vertellen?'

'Ik ben een dienaar van God. Door met mij te praten, praat je met God.'

'Ik geloof niet in God,' zei Tamar.

'Laten we ons niet bekommeren om woorden,' zei father McAlister, 'we zijn in de aanwezigheid van dat wat heilig is, van de gekruisigde Heer, van de opgestane Heer. Christus redt... dat is de realiteit in ons leven. Heb je als kind Jezus leren kennen?'

'Nee. Alleen... nou ja... op school... maar, nee...'

'Ben je gedoopt, heb je belijdenis gedaan?'

'Nee, mijn moeder hield niet van zulke dingen, ze was het er niet mee eens. Ik begrijp echt niet waarom...'

'Ik ben niets, kindlief, ik ben slechts een bediende, een instrument, een slaaf. En toch ook weer wel iets, een transportmiddel van liefde. Je hebt liefde nodig. Geloof doet er niet toe. Je behoefte is slechts van belang. Wat was nog alweer je voornaam, ik heb het niet goed verstaan toen juffrouw Curtland die noemde.'

'Tamar.'

'Aha, een bijbelse naam.'

'Ik ben naar een rivier genoemd.' Dat was een idee dat een van haar eerste onderwijzers Tamar had bijgebracht.

'Ik wil dat je, wát je problemen ook zijn, je tot Jezus richt, tot de levende

Christus, die voor ons reëler is dan God, ons meer nabij is dan God, ons nog meer nabij dan wij zelf...'

'Dank u,' zei Tamar, 'ik weet dat u het goed bedoelt en ik dank u voor uw vriendelijkheid. Ik hoor wat u zegt. Nu moet ik gaan.'

Ze wilde opstaan maar father McAlister had plotseling haar pols stevig beetgegrepen en hield haar op haar plaats. 'Ik wil dat je weet dat je een Heiland hebt voor wie níets onmogelijk is! Je hebt liefde nodig. Misschien heb je vergeving nodig. Je hebt genezing nodig. Richt je tot de grenzeloze, volmaakte liefde die alle wonden geneest en alle zonden vergeeft. Kniel, Tamar.'

Tamar liet zich op haar knieën glijden, op één van de prachtig geborduurde knielkussens die Rose zo mooi had gevonden. Zodra ze de hand van de geestelijke had gevoeld, die haar zo stevig vasthield, had ze tranen in haar ogen gekregen. Nu begonnen ze over haar wangen omlaag te stromen en ze snikte.

Father McAlister liet haar los, viel op zijn knieën naast haar en begon te bidden, omhoogkijkend in het witte licht. 'O Heer Jezus Christus, heer en koning, genadige rechter, schenker van vrede die de wereld niet kan schenken, die het verborgen hart geneest en de zonden wegneemt van hen die zich met oprecht berouw tot U richten, die vermoeid en gebroken aan Uw gezegende voeten neervallen...' Hij zweeg abrupt en het bleef stil, op Tamars snikken na. Ze verborg haar gezicht in haar handen en de tranen stroomden door haar vingers en over haar smalle polsen en op haar jas. Hij zei tegen haar, op samenzweerderstoon: 'Kom... vertel me maar alles.'

Nog steeds huilend begon ze met hangend hoofd te vertellen. Een van de dingen die Tamar in de zonverlichte, sneeuwverlichte kerk aan de priester vertelde was dat ze zwanger was.

'Hoe gaat het met je vader?' vroeg Crimond.

'Hij is dood,' zei Gerard.

'O, wat triest dat te horen, mijn deelneming.'

'Hij is in juni gestorven. Hij had al enige tijd kanker. Hoe gaat het met jouw vader?'

'Die houdt stug vol. Hij is ouder dan jouw vader als ik het me goed herinner. Hij heeft een hartkwaal.'

'Wat akelig...'

'Ik herinner me je vader nog wel, we hebben elkaar in Oxford ontmoet, en later nog eens in Londen. Hij was heel vriendelijk tegen me.'

Gerard kon zich niet herinneren dat Crimond zijn vader had ontmoet, maar kennelijk was dit het geval geweest.

Crimond was achter Gerard aan naar de eetkamer gelopen. Het was donderdagmorgen om tien uur en Crimond was stipt op tijd gearriveerd om desgewenst een 'uitleg' te geven. Het was een donkere dag en de sneeuw was uit Londen verdwenen.

Gerard was de vorige avond boos geweest toen hij terugkwam uit de London Library om tot de ontdekking te komen dat Gideon en Patricia, juist terug uit Venetië, kerstversieringen hadden opgehangen en waren begonnen met de eetkamer. De twee lampen die hij had aangedaan vulden de kamer met weerspiegelde lichtpuntjes op de glinsterende rode slingers en op de glimmende rode en groene hulsttakken die achter de Japanse schilderijen waren gestoken. Patricia had hem gevraagd uit Boyars wat hulst mee te nemen, maar hij had dit vergeten en had toen bij Harrods maar wat gekocht. Hij had terloops genoemd, om problemen te voorkomen wanneer ze er later achter kwamen, dat Crimond iets zakelijks met hem moest bespreken en dat ze alleen gelaten wilden worden. Natuurlijk waren Pat en Gideon een en al belangstelling maar ze hadden gelukkig geen vage voornemens geuit hen gezelschap te houden. Rose had uiteraard absurd zenuwachtig gedaan over deze ontmoeting, met als gevolg dat Gerard ook zenuwachtig werd. Hij had haar verteld dat hij Crimond ongeveer een uur zou geven, dat het gesprek, dat heel eenvoudig zou zijn, binnen die tijd afgelopen moest zijn en ja, goed, na elf uur mocht ze hem bellen als ze dat wilde, Gerard had zich voorgenomen alles zo oppervlakkig mogelijk te houden. Crimond zou begrijpen wat hen dwarszat. Gerard wilde geen directe confrontatie, hij wilde gewoon een paar beleefde vragen stellen en zou met de meest vage antwoorden genoegen nemen. Hij zou, zoals Jenkin het had uitgedrukt, 'voor de vorm' alles doornemen.

De komst van Crimond had hem meer uit zijn evenwicht gebracht dan hij had verwacht. Ze hadden in de hal enkele opmerkingen over het weer gewisseld terwijl Crimond zijn sjaal af had gedaan en zijn jas uit. Ze hadden in de eetkamer staan praten over het probleem je auto te parkeren. Vervolgens had Crimond, na een korte stilte, naar Gerards vader geïnformeerd.

Het was verscheidene jaren geleden dat zij elkaar voor het laatst hadden ontmoet. Gerard had zich zorgvuldig geschoren en zijn flessegroene jasje aan gedaan en zijn haar gekamd en zich afgevraagd of hij ouder leek en hij had besloten dat hij niet ouder leek. Crimond, vond hij, zag er wel wat ouder uit. De stralende, dansende gestalte van het midzomerbal, die Jenkin had vergeleken met Shiva, leek nu iets anders, iets wat in een visioen was gezien, een manifestatie van de essentie van Crimond. De persoon die nu in het gedempte licht van de eetkamer voor Gerard stond zag er moe en armoedig uit, alsof hij een moeilijke tijd achter de rug had gehad. De blos, misschien zelfs de sproeten, waren uit het bleke gezicht verdwenen. Toch was hij nog heel slank en recht, zijn lange haar was nog steeds rood en krullend, zijn gezicht glad, op de rimpeltjes rond de ogen na. Die ogen waren, ondanks de beleefde opmerkingen, hard en achterdochtig. Hij zag er netjes en gladgeschoren uit, hij had een das om maar zijn jasje en overhemd waren versleten, het overhemd was rafelig, het jasje had, reeds lang geleden, lappen op de ellebogen gekregen.

'Ga toch zitten,' zei Gerard en wees naar een stoel. Hij had van tevoren besloten waar ieder van hen zou zitten. Ze gingen zitten.

'Ik herinner me die schilderen nog van je flat in Chelsea,' zei Crimond. Dit was de flat die Gerard met Sinclair had gedeeld. Hij vervolgde: 'En ik geloof ook in die andere flat...'

'Ja. Ik had er toen ook al een paar. Sindsdien is er nog wat bijgekomen.'

Crimond haalde een notitieblok en een pen uit zijn zak en legde deze naast zich op de tafel. Daarna keek hij Gerard vragend aan. Dit had een moment voor een glimlach kunnen zijn, maar geen van beiden glimlachte. Crimonds lange neus ging even omhoog. Gerard voelde zich opgelaten en ongemakkelijk. Hij zei: 'Het is heel vriendelijk van je hier te komen.'

'Het is vriendelijk van jou mij uit te nodigen.'

'Zoals ik al in mijn brief zei, gaat het gewoon om het boek.'

'Ja.'

'Hoe gaat het daarmee?'

'Goed.'

'Is het klaar?'

'Nee.'

'Je schrijft er nog steeds aan?'

'Uiteraard.'

'Het was alleen dat... tja, we vonden, sommigen van ons vonden, dat we eens een verslag wilden krijgen over hoe het boek zich ontwikkelde, wat het ongeveer gaat worden...'

Crimond trok een wenkbrauw op. 'Het gaat over politiek. Het is nog steeds hetzelfde boek.'

'Ja, maar. . . wat voor politiek? Ik bedoel, je was vroeger nogal extreem, en. . . vooral omdat je er al zo lang aan werkt. . . vroegen we ons af of. . . dachten we dat het misschien iets meer beschouwend zou kunnen zijn en minder. . . opruiend. . .'

'O ja,' zei Crimond effen, alsof Gerard zijn eigen vraag had beantwoord. 'Het is geen revolutionair boek?'

'Ja natuurlijk.'

'Ik bedoel, je propageert geweld en. . . ?'

'Hoor eens,' zei Crimond, 'wie zijn ''we''? Je zegt ''we vonden'' en ''we dachten''.'

'Ik bedoel het comité.'

'Wie zitten er nu in het comité?'

'Nou, ik dus en Jenkin en Rose en Gulliver Ashe. Mijn vader zit er niet meer in, uiteraard.'

'Waarom Gulliver Ashe?'

'We hebben hem erbij gekozen.'

'Daar hebben jullie me niets van verteld.'

'Het spijt me,' zei Gerard. 'Misschien hadden we je dat moeten vertellen, maar het leek gewoon niet nodig. . .'

'Juist ja. Hoor eens, Hernshaw, geeft het geld problemen? Is het dat jullie niet langer willen bijdragen?'

'Nee,' zei Gerard, 'het gaat niet om het geld.'

'Misschien vinden jullie allemaal dat ik nú niet meer door jullie gesteund hoef te worden?'

Gerard moest dit even tot zich door laten dringen, om in te zien wat Crimond bedoelde, zo ver was het uit zijn gedachten geweest. 'Nee, dat vinden we niet!'

'Ik neem van niemand anders dan jullie geld aan.' Crimonds bleke gezicht bloosde even en hij legde een hand tegen zijn gezicht.

Gerard wilde Jeans naam niet noemen, maar hij wilde Crimond ervan overtuigen dat niemand van hen had overwogen dat Crimond nu rijk zou zijn! 'Natuurlijk. We hebben geen moment. . . dát hebben we echt niet. . .'

'Dus het gaat om jullie eigen geld, waarom ook niet. . . jullie vinden dat jullie het niet langer kunnen opbrengen?'

'Nee, dat kunnen we wel, we zullen. . .'

'Maar wat is er dán aan de hand?'

'Crimond, denk eens na. . . je zit nu al jaren en jaren aan dit boek te schrijven en wij hebben geen flauw idee wat erin staat! Wij zijn er in zekere zin verantwoordelijk voor, wij zullen er op worden aangekeken alsof we min of meer opdracht tot dit boek hebben gegeven en alsof we het ermee eens zijn.'

'Jullie hebben er géén opdracht toe gegeven.'

'Goed, goed, maar weet je...'

'Misschien hadden jullie dit eerder moeten bedenken.'

'Tja, we denken er in ieder geval nu aan.'

'Ik begrijp niet wat je met deze ondervraging denkt te bereiken,' zei Crimond bedachtzaam. 'Jullie wilden dit boek financieren... goed, het duurt wat lang. Je zegt dat het geld geen probleem is. Ik begrijp niet wat je verder over het boek te zeggen kunt hebben, behalve dat jullie het er oneens mee zullen zijn, of het gewoon slecht vinden. Dacht je misschien dat ik het ga veranderen om jou en Rose en Jenkin een plezier te doen?'

'Nee...!'

'Je zegt dat je wilt weten wat erin staat, maar het heeft geen enkele zin voor mij om te proberen jou dit nu uit te leggen, er staat gewoon heel veel in.'

Allemachtig, dacht Gerard, ik laat me gewoon met een kluitje in het riet sturen! Het was natuurlijk een bezopen idee dit gesprek met hem te willen, daar heeft-ie gelijk in. Ik moet een manier vinden om op een fatsoenlijke manier een punt te zetten achter deze belachelijke bespreking.

'We willen ons er niet mee bemoeien, Crimond.'

'Ik ben blij dat te horen.'

'We willen ons alleen...'

'Gerust laten stellen?'

'We nemen aan... en ik zou dat graag aan de anderen willen kunnen vertellen... we nemen aan dat dit waarschijnlijk... nou ja, dat dit zeer zeker... om het even bot te stellen... een soort filosofisch werk is en niet een oproep tot de strijd! Ik bedoel, het is toch niet zoiets als dat roemruchte pamflet over het eeuwigdurende conflict?'

Crimond keek Gerard bedachtzaam, met gefronste wenkbrauwen, aan. 'Dat was een korte verklaring.'

'Dat pamflet, ja... maar ik stel me voor dat de boodschap van het boek anders is... ik bedoel, je politieke standpunten waren in die dagen nogal extreem en rechtlijnig... we waren vroeger allemaal extreem en rechtlijnig... misschien zijn wij iets eerder veranderd dan jij... maar nu...'

'Maar nu vind je dat mijn politieke opvattingen ongeveer dezelfde moeten zijn als die van jou en Jenkin en Rose?'

'Ik bedoel niet precies! Ik bedoel op essentiële punten.'

'Noem eens een essentieel punt.'

'Nou, geloof jij in de parlementaire democratie?'

'Nee.'

'Wat vind je van het terrorisme?'

Crimond bleef hem aanstaren. Toen zij hij: 'Mijn beste Hernshaw, als we een discussie moeten voeren kan ik niet op deze manier verdergaan.'

'Misschien hoeven we niet verder te gaan,' zei Gerard. 'Je zegt dat je niet in democratie gelooft en je geeft geen antwoord op de vraag over het terrorisme. Dat is voldoende om duidelijk te maken...'

'Dat je je niet gerust kunt laten stellen.'

'Hoor eens, het spijt me dat ik je gevraagd heb om hiervoor te komen. Uiteraard valt er niets te redetwisten. We hebben gezegd dat we je zouden steunen en dat blijven we doen, en je hebt gelijk met ons erop te wijzen dat we nu niet mogen klagen! Ik zal je niet langer ophouden. Het spijt me reusachtig.'

Gerard maakte aanstalten om op te staan maar toen Crimond zich niet verroerde ging hij ook weer zitten. Crimond zei: 'Je wilt weten waar het boek over gaat. Ik ben bereid daar iets over te zeggen, waarom niet. We kunnen erover discussiëren.'

Gerard aarzelde, hij had een redelijk, vreedzaam, gezichtsreddend einde voor deze ongemakkelijke scène opgesteld. Wilde hij echt met Crimond praten? 'Ja, goed.'

Crimond leunde achterover. 'Nou, begin jij maar, stel vragen, steek van wal.'

'Je zei dat je niet in de parlementaire democratie geloofde. Waarom niet?'

Crimond had zijn notitieblok opengeslagen en boog zich voorover. Na een korte aarzeling zei hij: 'Dat is niet de juiste vraag. Ik kan die nu niet beantwoorden, later misschien wel. Daar is meer achtergrond voor nodig. Probeer het nog eens.'

'Ben je lid van een politieke partij?'

'Nee.'

'Van enige sekte, actiegroep, geheim genootschap, militaire beweging, dat soort dingen?'

'Als het geheim was zou ik je dat waarschijnlijk niet vertellen... maar nee, ik ben geen lid van zo'n groepering.'

'Je bent een eenling?'

'Ja... nu wel.'

'Ben je wel ergens lid van geweest...? Waarom ben je weggegaan?'

'Om het boek. Ik wilde mijn tijd niet verdoen met redetwisten met mensen die níets begrepen.'

Gerard begon zich te ontspannen. Hij dacht: het is toch wél in orde, het is echt een filosofisch boek, het is een ongevaarlijk theoretisch werk. We hebben een hoop lawaai om niets gemaakt. 'Dus het is een theoretisch boek?'

'Natuurlijk.'

'Zou jij jezelf nog steeds een marxist willen noemen?'

'Ja. Maar dat zegt tegenwoordig niet meer zoveel.'

'Ben je een revisionist?'

'Ik ben geen stalinist, als je dat met die vraag bedoelt. Ik ben ook geen leninist. Ik houd niet van de term revisionist. Ik zit op de marxistische lijn.'

'Wie volg je daarin?'

'Vólgen?'

'Nou ja, wiens ideeën bespreek je in dat boek, wie hang je aan?'

'Niemand.'

'Je bedoelt dat het op zichzelf staat, is het een soort overzicht van de verschillende ideeën? Ik ben blij te horen dat. . .'

'Elk boek over politiek noemt ideeën uit het verleden, Hegel, Marx en Lenin noemen voorbije ideeën.'

'Jij zou het een politiek boek willen noemen?'

'Ja, natuurlijk!'

'Maar wiens politieke opvattingen dan?'

'Míjn politieke opvattingen!'

'Je bedoelt dat het een oorspronkelijk werk is over politieke filosofie?'

'Het is een oorspronkelijk werk,' zei Crimond geërgerd. 'Dacht je soms dat ik me jarenlang kapot zat te werken om een beetje over de gedachten van anderen te zitten zeuren? Hierin staan mijn gedachten, mijn analyses, mijn voorspellingen, mijn programma!'

'Dus het is geen filosofisch boek?'

'Wat hanteer jij toch een akelige categorieën! Het is filosofie, als je dat wilt. . . maar wat houdt dat in. . . het is een manier van dénken, en het is een actieprogramma. Dáár draait het allemaal om.'

'Dus het is een soort heel lang pamflet?'

'Nee. Het is geen lange simplificatie. Het gaat over alles.'

'Alles?'

'Alles, behalve Aristoteles. Ik beschouw hem als een weinig geslaagde tussentijd, die nu gelukkig voorbij is.'

'Daar zijn we het dan over eens.' Gerard glimlachte zwak, maar Crimond staarde nu woest naar het tafelblad waarop hij aandachtig met zijn vingernagel begon te krassen. Gerard besloot er niets van te zeggen. 'Maar, Crimond, als jij je, zoals je zegt, zo hebt afgesneden van de gewone, alledaagse praktijk van de politiek en een eenling bent geworden, hoe kan je het dan over een actieprogramma hebben? Je beweert dat je een marxist bent, dus je weet dat het bedrijven van politiek moeizaam werk is, dat je er voortdurend middenin moet zitten, duwend en trekkend om alles gedaan te krijgen. Of dacht je dat je een revolutie kunt bewerkstelligen door een theorie te verkondigen?'

Crimond staakte zijn gekras en staarde Gerard aan, met zijn blauwe ogen wijdopen en zijn magere mond naar voren gestoken. Zijn lange neus, zijn hele gezicht, wees heftig naar Gerard. Misschien is hij echt een beetje gek, overwoog Gerard, ik heb daar nog nooit eerder serieus aan gedacht. Toen Crimond geen antwoord gaf op zijn vraag ging Gerard verder, rustig en geduldig sprekend: 'Een beschouwelijk boek kan heel waardevol zijn en veel meer bereiken. Dus als wat jij je 'programma' noemt in ideeën is verpakt, dan is dat zoveel te beter.'

'Hernshaw,' zei Crimond, 'ik ben niet, zoals jij schijnt te denken, gek, ik lijd niet aan grootheidswaanzin...'

'Zo bedoel ik het niet!'

'Ik geloof alleen toevallig wel dat ik bezig ben een héél belangrijk boek te schrijven!'

De deur van de eetkamer ging abrupt open en Patricia stak haar hoofd om de hoek en kwam toen binnen. 'Hallo, willen jullie allebei soms koffie?'

'Nee, dank je,' zei Gerard, en toen tegen Crimond: 'Jij wel?' Nee? Pat je herinnert je Crimond nog wel, volgens mij hebben jullie elkaar eeuwen geleden ontmoet. Mijn zuster Patricia.'

Crimond, die was opgestaan en haar blijkbaar niet herkende, boog even.

'Of thee, of sherry? Of wat koekjes?'

'Nee. Pat, liefje, laat ons even alleen!'

De deur ging dicht. Crimond ging weer zitten. Gerard vroeg zich af hoe hij de draad weer op moest pakken, toen Crimond, die weer bezig was de tafel te inspecteren, zijn hoofd oprichtte, door zijn rode haar woelde en zei: 'Ik heb begrepen dat jij met pensioen bent, wat ga je nu doen?'

'Schrijven,' zei Gerard, geïrriteerd door Crimonds bruuske toon.

'Waarover?'

'Plotinus.'

'Waarom? Je bent geen historicus en je kunt jezelf toch moeilijk een filosoof noemen. Je bent waarschijnlijk al jaren geleden opgehouden met denken. Wat je als ambtenaar deed was niet denken, je kon dat werk zo ongeveer slapend verrichten. Denken is een worsteling, een zielestrijd. Jouw boek over Plotinus zal uiteindelijk een artikel over porfier worden.'

'We zullen zien,' zei Gerard, vastbesloten zich te blijven beheersen. Gingen ze nu toch nog ruzie krijgen?'

'Geloof je in God?'

'Natuurlijk niet!' zei Gerard.

'Toch doe je dat wel, hoor. Je hebt je je hele leven al superieur gevoeld. Je denkt dat je bent gered door het Idee van het Goede, alleen maar doordat je ervan weet. Deze planeet kan in vlammen opgaan maar jij en je vrienden voelen je veilig. Je hecht veel te veel waarde aan vriendschap.'

'Als we hier een wedstrijd beginnen in het elkaar uitschelden, kunnen we beter ophouden. Ik wilde een indruk van jou en je boek hebben, en die heb ik gekregen.'

'Jij hebt nooit echt ergens om gegeven, behalve om die papegaai.'

Gerard was verbijsterd. 'Hoe wist jij in vredesnaam...?'

'Hij heette Grey. Je hebt me over hem verteld, toen we van een lezing terugwandelden en naar de Botanische Tuin gingen en naar de kassen. Weet je nog wel?'

Gerard wist het niet meer. 'Nee.' Hij was verbaasd en boos. 'Ik heb het niemand ooit verteld. En ik kan me zeker niet herinneren dat ik jou ooit iets heb verteld.'

'Nou, je hebt 't wel gedaan. Het spijt me, word alsjeblieft niet boos. En wat ik net zei was maar onzin, gewoon nijd. Ik wil echt met je praten. Onze tweede innings zullen we maar zeggen, om Raffles terminologie te gebruiken.'

'Ik zie geen enkele overeenkomst,' zei Gerard, tot zichzelf komend. 'We hebben nooit een eerste innings gehad. Maar ga verder.'

'Dat ben je ook vergeten. Een tweede innings wordt altijd door anderen gespeeld. Maar dat doet er niet toe. Een ander probleem met jou is dat je bang bent voor technologie.'

'Misschien heb jij geen bezwaar tegen een wereld zonder boeken?'

'Dat is onvermijdelijk, dus moet het worden begrepen, het moet worden omhelsd, zelfs liefgehad.'

'Dus je bent wel een historische materialist! Wat gebeurt er dan met jóuw boek?'

'Dat zal verdwijnen met de rest. Plato, Shakespeare, Hegel, ze zullen allemaal branden en ik zal ook branden. Maar vóór die tijd zal mijn boek een bepaalde invloed hebben, dat is het punt, daar heb ik al die jaren naar gestreefd, naar dat kleine beetje invloed. Dát is de moeite waard en dat is het enige dat nu de moeite waard is, naar de toekomst kijken en er iets van proberen te maken. Hoor eens, Gerard, ik waan mezelf geen God, geen Hegel, ik waan me zelfs geen Feuerbach...'

'Goed, goed.'

'Ik hou me alleen bij het nú, ik doe wat er nú moet worden gedaan, ik lééf de geschiedenis van onze tijd, waarvan jij en je vrienden je niet eens bewust schijnen te zijn...'

'Goed, maar wat moet er nu gebeuren? Wat moet er gebeuren met armoede en honger en onrecht? Wat dacht je van de praktische politiek en maatschappelijk werk?'

'Je moet me niet verkeerd begrijpen...'

'En zit alsjeblieft niet zo op dat tafelblad te krassen.'

'Sorry. Natuurlijk moeten we iets doen aan armoede en onrecht. Mensen als jij geven geld aan liefdadigheidsinstellingen en laten het daarbij. Wat maatschappelijk werk betreft, daar heb jij je nooit mee ingelaten, dat is iets wat andere, inferieure, mensen doen. Je moet heel radicaal over zulke problemen nadenken...'

'Jij gelooft in revolutie, in een gewelddadige revolutie?'

'Alle revoluties zijn gewelddadig, met of zonder barricaden. Er zal een revolutie komen, dus moeten we over een revolutie nadenken.'

'Misschien hebben we nu het stadium bereikt waarin jij me kunt vertellen waarom je niet in een parlementaire democratie gelooft?'

'Dat is nogal duidelijk. Als gezagsvorm zal het niet kunnen voortbestaan. In de volgende eeuw zal de wereld meer op Afrika lijken dan op Europa. We zullen de moed moeten opbrengen te proberen de hele geschiedenis te begrijpen en eerlijke voorspellingen te doen. Daarom is het marxisme de enige filosofie in de wereld van vandaag.'

'Maar er bestaat niet zoiets als geschiedenis! Jouw theorie is gebaseerd op een misvatting. Waar het op neerkomt is dat je alles moet afbreken en dan maar moet hopen dat er automatische iets goeds uit voortkomt! Jij combineert irrationeel pessimisme met irrationeel optimisme! Jij voorziet de meest vreselijke dingen, maar je denkt ook dat je de toekomst kunt begrijpen en kunt beheersen en kunt liefhebben! Het marxisme heeft altijd haar extreem onwaarschijnlijke hypotheses weten te redden door geloof in een utopische afloop. En dan verwijt jij me dat ik in God geloof!'

'Ja. Onvoorwaardelijk pessimisme en onvoorwaardelijk optimisme zijn allebei noodzakelijk.'

'Is dat nou wat ze noemen dialectisch denken?'

'Jij bent altijd zo bang geweest onzin uit te slaan dat je nooit een echte filosoof zult worden. Ik ben geen utopist, ik denk niet dat de staat zal verdwijnen of dat de verdeling van het werk zal ophouden of de vervreemding zal verdwijnen. Ik denk evenmin dat we een klasseloze maatschappij zullen hebben, met werk voor iedereen, of een wereld zonder honger, binnen een afzienbare toekomst. We zullen eerst een niemandsland, een wildernis krijgen. Uiteraard vind ik dat onze maatschappij, onze zogenaamde tolerante maatschappij, tot in de kern verrot is... deze maatschappij is onderdrukkend en corrupt en onrechtvaardig, hij is materialistisch en meedogenloos en immoreel, en slap, verrot door pornografie en kitsch. Dat vind jij ook. Maar jij denkt dat op de een of andere manier alle leuke dingen bewaard zullen blijven en alle vervelende dingen minder vervelend zullen worden. Dat bevalt me niets, we zullen door het vuur moeten, in een onderdrukkende samenleving is alleen geweld eerlijk. De mensen leven nu maar half, in de toekomst zullen ze marionetten zijn. Zelfs als we onszelf niet opblazen zal de toekomst, naar jouw leuke maatstaven, vreselijk zijn. Er zal een crisis komen op het gebied van gezag, van souvereiniteit, de technologie zal overheersen omdat ze móet overheersen. De geschiedenis ligt niet ver achter je, alles gebeurt heel snel, we moeten hollen om op dezelfde plaats te blijven, laat staan dat we een stap vooruit kunnen zetten om te zien waar we zijn. We moeten alles opnieuw overdenken...'

'Wacht even,' zei Gerard. Hij voelde hoe zijn hart heviger begon te bonzen, hij had het warm en deed zijn jasje uit. 'Je zegt dat de mensen als marionetten zullen zijn en de technologie zal overheersen, maar of jij je nu een
marxist noemt of niet, jij zult toch zeker tégen zo'n samenleving werken,
niet ervoor? Goed, het heden is onvolmaakt en de toekomst ziet er grimmig
uit, maar dan moeten we juist vasthouden aan wat goed is, we moeten vasthouden aan onze waarden en proberen de storm te trotseren. Je zegt dat we
alles opnieuw moeten bezien, maar in het licht van wat? We moeten prag-
matisch en hoopvol blijven en niet verliefd raken op de wanhoop! We kunnen de toekomst niet kennen, Marx kon de toekomst niet voorspellen, en
dan keek hij nog naar een veel stabielere toekomst dan wij nu doen. We
moeten opkomen voor het individu...'

'Welk individu?'

'Hou nou eens op,' zei Gerard.

'Het burgerlijke individu zal deze tornado niet overleven, hij is al uiteengevallen, verpieterd, hij weet dat hij een fictie is. Ik ben niet verliefd op de
wanhoop, ik streef naar een rechtvaardige samenleving die nu nog niet
bestaat. Maar je kunt je geen enkel beeld vormen van die samenleving voordat déze in elkaar is gestort.'

'Jij ziet jezelf zeker als volkscommissaris in een wereldstaat vol marionetten die niet kunnen lezen of schrijven! De elite zou boeken hebben, de rest
kijkt televisie!'

'Wij zullen dat niet meemaken, wij zijn maar uitschot, we hebben zelfs
geen zweepslagen verdiend, natuurlijk hebben we het moeilijk, we beleven
ons eigen verval, het enige dat wij kunnen doen...'

'In de hal begon de telefoon te rinkelen. Patricia deed de deur open. 'Het
is Rose, ze vraagt naar jou.'

'O, verdórie,' zei Gerard en liep naar buiten terwijl hij de deur achter
zich dicht deed.

De stem van Rose klonk ongerust en verontschuldigend. 'O, Gerard...
is alles goed met je?'

'Ja natuurlijk!'

'Het spijt me vreselijk dat ik niet eerder heb gebeld, ik ben niet thuis...
ik heb een vreemde ochtend gehad, maar dat vertel ik je later wel. Ik had
je eerder willen bellen maar ik kon geen telefooncel vinden. Hoe is het gegaan?'

'Hoe is wát gegaan?'

'Je gesprek met Crimond!'

'Daar ben ik nog mee bezig.'

'Kun je hem niet kwijtraken? Is het...?'

'Rose, wil je op een later moment terugbellen? Sorry, ik moet nu echt
gaan.' Hij legde de telefoon neer en liep haastig terug naar de eetkamer.

Crimond was opgestaan en bekeek een schilderij dat een geisha in een boot voorstelde.

'Ga nog niet weg, David. Ga toch zitten.'

Crimond zag er wat meer ontspannen uit. Enigszins opgeleefd door de discussie zag hij er nu wat jonger en minder vermoeid uit. 'Dacht Rose dat ik je iets had misdaan?'

'Ze was ongerust!'

'Ik heb denk ik een intellectuele wond toegebracht.'

'Nog niet!'

'Ik moet zo langzamerhand eens gaan...'

'Ga zitten.'

Ze gingen zitten. Het bleef even stil.

'Je zei dat alles wat wíj kunnen doen...'

'Ja,' zei Crimond, 'wij moeten het lijden gaan begrijpen, we moeten er uitdrukking aan geven, het zien, het ademen...'

' "Want wij weten dat de ganse schepping in al haar delen zucht en in barensnood is... tot nu!" '

'Ja...'

'Je denkt niet dat je het lijden kunt afschaffen!'

'Je moet eens diep nadenken over de veronderstellingen die aan die opmerking ten grondslag liggen!'

'Goed, niet alles dan... maar wel het meeste?'

'Het meeste, veel... we moeten aan de hele geschiedenis denken, aan alle mensen die tenonder zijn gegaan en vertrapt, en moeten die zien als onderdeel van wat er nu gebeurt, overal waar mensen worden vertrapt of angst of honger kennen...'

'Dat is een gemakzuchtige theorie,' zei Gerard. 'En wat het marxisme betreft, het maakt ze misschien niet hongerig maar het maakt ze zeer zeker wel bang!'

'Dat is een goedkoop standpunt. We moeten verder kijken en meer hoop hebben. Goed denken is moeilijk in een verkeerde wereld. We moeten denken in termen van een geheel nieuwe mens, een nieuw bewustzijn, een nieuw vermogen tot gelúk, een soort geluk waarvan het menselijk ras nog niet heeft gedroomd. Het individu dat jij zo hoog waardeert, en dat in jou het beste is gepersonifieerd, is slechts een invalide, een half mens, nou ja, eens was hij een halve, nu is hij slechts een jammerlijk restje... en dan heeft hij nog geluk gehad. Er bestaan immense bronnen van energie die nog volledig ongebruikt zijn...'

'Jouw theorie is lichtelijk schizofreen! Je hebt het over een gezagscrisis en over mensen die marionetten zijn en door het vuur gaan, en het volgende moment is het allemaal spirituele energie en nieuwe mensen met een nieuw geluk... Maar wat gebeurt er in de tussentijd? Jouw ideeën leiden regelrecht naar de tirannie, en je denkt dat jij de ideale maatschappij erachter kunt zien! Je zei dat je geen utopist was...'

'De utopische impuls is van wezenlijk belang, je moet geloof houden in de gedachte dat een goede samenleving mogelijk is...'

'Er bestaat geen goede samenleving,' zei Gerard, 'niet zoals jij denkt, de samenleving zal nooit volmaakt zijn, we kunnen hoogstens hopen op een beschaafde samenleving, het beste dat we kunnen bereiken is wat we nu hebben bereikt, mensenrechten, de rechten van het individu, en we kunnen proberen de technologie te gebruiken om alle mensen eten te geven. Natuurlijk kunnen er dingen verbeteren, er kan meer rechtvaardigheid en minder honger zijn, maar elke radicale verandering zal het alleen maar slechter maken... en door jouw dromen zullen we alleen maar verliezen wat we hebben...'

'Meen je serieus,' zei Crimond, 'dat je je geen sociaal systeem kunt voorstellen dat beter is dan de westelijke parlementaire democratie?'

'Nee dat kan ik niet. Maar er kunnen natuurlijk wel...'

'Ja, ja, kleine verbeteringen, zoals je zegt.'

'Grote verbeteringen. En natuurlijk kunnen totalitaire systemen mensen in leven houden die onder vrijheid van honger om zouden komen, maar dat is een ander punt. Een vrije samenleving...'

'Ik denk dat jij niet weet wat vrijheid betekent. Jij denkt dat het gewoon wat economisch gepruts is plus individuele mensenrechten. Maar je kunt geen vrijheid hebben wanneer alle sociale relaties niet deugen, onjuist, irrationeel zijn... wanneer het lichaam van jouw samenleving ziek is, misvormd is... moeten we schoon schip maken...'

'Een democratie kan zichzelf veranderen...'

'Zie jij deze burgerlijke democratie zichzelf al veranderen? Kom nou! We moeten het allemaal zien, Gerard, we moeten het allemaal meemaken, we moeten er allemaal onder lijden, we moeten zien hoe ontwricht alles is. Jij beschouwt jezelf als een ruimdenkende pluralist... maar je hebt een heel eenvoudige, beknopte levensfilosofie, je scheert alles over één kam, je gooit alles op één hoop, er zijn gewoon wat sussende ideeën die je van het denken afleiden! Maar we moeten denken... en dat is heel pijnlijk, de filosofie is heel moeizaam, het is tegennatuurlijk, het doet pijn, je moet er een slag naar slaan en dat betekent dat je het ook mis kunt hebben, dingen niet goed met elkaar in verband kunt brengen en niet mag doen alsof alles klopt wanneer dat niet het geval is... en dingen die niet passen toch vast blijven houden, ze volledig en duidelijk benoemd in hun staat van bijna-passen... o God, het is heel moeilijk...'

'Je bedoelt je boek...' zei Gerard. Hij had op het punt gestaan boos te worden en hij moest zich inhouden. De terugkeer naar het boek was een vluchtroute geweest.

'O... het boek...' zei Crimond. Hij stond op en begon zich in de ogen te wrijven. 'Ja, het is vreselijk... je hebt je laatste beetje moed nodig om tot de best mogelijke formulering te komen van... o...'

'Ik verheug me erop het te kunnen lezen,' zei Gerard, die ook opstond. Hij voelde zich uitgeput. 'Eén ding dat me toch nog bezighoudt is de vraag waarom jij al die onzin marxisme noemt. Ik weet natuurlijk wel dat de vroege utopische ideeën van Marx weer helemaal in de mode zijn... Maar waarom stop je jezelf in die conceptuele kooi?'

'De kooi... ja... de kooi... maar het is niet die kooi... het is niet zoals jij denkt. Tja... eh... ik zou je zo graag willen overtuigen. Ik zou je veel kunnen leren. Ik heb tegenwoordig niet veel mensen om tegen te praten. Je bent natuurlijk niet ideaal, omdat je zo weinig weet. Maar ik vind dat ik gemakkelijk met je praat... misschien wel om historische redenen.'

'Ik vraag me af of je niet eens met het comité zou willen praten?' Dit idee was juist bij Gerard opgekomen.

'Zouden ze luisteren? Nee... het is geen goed idee. Ik vind het niet erg om met jou te praten, maar...'

'Denk er nog eens over. Dank je wel voor je komst.'

Ze liepen de hal in en Crimond trok zijn jas aan en deed zijn sjaal om. Hij haalde een opgerolde pet uit zijn jaszak en hield die in zijn hand. Ze stonden wat verlegen bij elkaar, alsof ze elkaar een hand wilden geven. Gerard deed de deur open, waarop Patricia, tijdens hun gesprek een krans met hulst had bevestigd. Crimond stapte snel weg en keek niet om. Gerard deed de deur dicht en leunde ertegen.

De 'vreemde ochtend' die Rose over de telefoon tegen Gerard had genoemd had ze bij Jean doorgebracht. In haar toenemende ongerustheid merkte Rose dat haar gevoelens pijnlijk verward waren. Ze wilde Jean niet schrijven omdat Crimond die brief kon lezen en Jean daar min of meer de schuld van kon geven. Ze wilde niet zomaar 'even langskomen' waardoor ze een ontmoeting met Crimond riskeerde; het leek evenmin zinnig om op te bellen want zelfs als Jean opnam kon ze nauwelijks met Rose praten als Crimond in de buurt was, en als ze alleen was wilde ze misschien ook niet praten, kon ze zelfs abrupt de telefoon neerleggen waardoor Rose nog meer van streek zou raken. Rose wilde Jean niet dwingen plotseling te moeten kiezen tussen grof doen tegen Rose of niet loyaal zijn tegen Crimond. Misschien maakte dit elke toenadering wel onmogelijk. Nog afgezien van deze meer technische problemen piekerde Rose ook over haar eigen daden en motieven. Elke communicatie met Jean kon moeilijkheden geven in die hoek. Crimond was duidelijk achterdochtig, bezitterig, mogelijk zelfs gewelddadig. Rose zou worden aangezien voor een afgezant van Gerard, of misschien van Duncan. Het was zo'n delicaat punt. Moest Rose zich soms neerleggen bij de gedachte dat ze Jean niet kon ontmoeten en niets van haar zou weten? Maar Rose wilde niet niets weten. Was dit uit bezorgdheid over Jeans welzijn of uit nieuwsgierigheid? Rose wilde heel graag met Jean praten om erachter te komen wat er nu eigenlijk aan de hand was. Ze wilde Jean zíen, ze wilde de vrouw bekijken die nu bij Crimond hoorde. Ze wilde inside information om aan Gerard door te geven. Ze wilde weten hoe groot de kans was dat Jean terug zou gaan naar Duncan, en ze wilde er ook achter komen of er een manier was waarop ze Jean kon helpen. Samen met Gerard had ze wat mogelijke situaties bedacht, zelf had ze waarschijnlijk elke mogelijke situatie bedacht. Jean had misschien hulp van buitenaf nodig om te kunnen ontsnappen, of om op zijn minst resoluut genoeg te zijn om te besluiten te ontsnappen. Ze had vast en zeker een signaal van haar vrienden nodig, een bewijs van voortdurende liefde, ze moest misschien gewoon horen dat Duncan nog steeds hoopte dat ze terug zou komen. Als het tegendeel het geval was en ze niet zulke hulp en steun nodig had, was dat ook van belang. Rose en Gerard moesten dan beslissen wat ze tegen Duncan zouden zeggen, zo ze al iets zouden zeggen. Natuurlijk wilde Rose ook informeren omdat ze informatie wilde, het was allemaal zo interessánt. Wat haar tenslotte deed besluiten een initiatief te nemen was echter gewoon haar wens om Jean weer te zien, haar in haar armen te nemen en haar te kussen.

Deze mogelijkheid deed zich voor zodra Rose wist dat Crimond op een bepaalde dag op een bepaald tijdstip bij Gerard zou zijn. Rose maakte het plan vroeg naar het zuiden van Londen te rijden, een telefooncel in de buurt van Crimonds huis te zoeken en, als ze zeker wist dat Crimond moest zijn vertrokken, Jean te bellen en te zeggen dat ze hier in de buurt was en dat ze even langs wilde komen. Het plan werkte. Jean zei kortaf: 'Ja,' en een paar minuten later was Rose bij haar in huis.

Ze zaten nu beneden in wat Crimond de Speelkamer noemde, Rose zat op haar jas, die ze uit had laten glijden, op het bed en Jean tegenover haar op een stoel die ze bij het bureau vandaan had geschoven. Hun ontmoeting bij de deur was emotioneel maar niet overdreven geweest. Ze hadden elkaar bij de armen gepakt en zich toen weer snel afgewend, zonder omhelzing.

De Speelkamer was schemerig; er brandden twee schemerlampen, de ene op het bureau, de andere op een stapel boeken op een tafeltje. Het was koud in de kamer en het rook er naar petroleum. Jean was magerder en ze zag er moe uit. Ze leek geen make-up op te hebben en ze was gekleed in een donkerblauwe wollen jurk en een bruin vest en ze had juist haar schort afgedaan. Ondanks alles zag ze er toch goed uit, en knap, haar haar was wat wilder, wat langer, minder netjes, haar ogen stonden trots. Ze had wat Rose eens had genoemd haar joodse heldhaftige blik. Toen Rose haar nu zag voelde ze zich bijna bang, hulpeloos, in staat om in huilen uit te barsten en tegelijkertijd ook bang dat Jean plotseling boze, heftige, woeste tranen kon plengen. Het was tot nu toe moeilijk gebleken een gesprek te voeren.

'Met die sneeuw heb ik op Boyars gezeten. De uiterwaarden waren bevroren.'

'Hebben jullie geschaatst?'

'Ja. Lily Boyne was er ook bij. Ze kan heel goed schaatsen. Dat was een grote verrassing.'

'Ik begrijp niet waarom je dat verbaast.'

'Nee... misschien niet... maar ik had het gewoon niet achter haar gezocht.'

'Hoe gaat het met Tamar?'

'Niet goed. Ze eet weinig en ziet er ongelukkig uit.'

'Kun jij er niets aan doen?'

'Ik doe m'n best. Ik geloof dat ze ook bij jou is geweest?'

'Ik dacht dat jij dat had geregeld.'

'Nou, eh... vind je 't leuk als ze nog eens komt?'

'Nee.'

'Ze is dol op je. Vindt hij het niet goed als jij bezoek krijgt?'

'Waarom ben je eigenlijk gekomen?' vroeg Jean.

'Om jou weer eens te zien. En te vragen of ik iets voor je kan doen.'

'Er is niets.'

Na een korte stilte vroeg Rose: 'Komt hij direct terug als hij daar weggaat?'

'Wie komt direct terug als hij waar weggaat?'

'Komt Crimond direct terug als hij bij Gerard weggaat?'

'Is hij bij Gerard?'

'Ja! Wist je dat niet?'

'Hij zegt niet altijd wat hij gaat doen,' zei Jean, 'ik vraag er niet naar. Ik weet niet of hij direct terugkomt.'

'Je schijnt niet veel over hem te weten.'

'Ik weet niet alles van hem.'

Jean zat, met haar handen op haar knieën, naar Rose te kijken en wachtte op de volgende vraag, als betrof het een ondervraging.

'Schiet Crimond weleens op die schietschijf?'

'Vroeger wel.'

'Ik herinner me dat hij een goed schutter was, hij heeft enkele prijzen gewonnen. Ik hoop niet dat hij zich voorbereidt op een revolutie.'

'Ik denk dat hij het alleen maar voor de lol doet.'

'Wat doe jij?'

'Hoe bedoel je?'

'Ik bedoel, wat doen jullie allebei, wat doe je de hele dag, blijven jullie hier, gaan jullie op reis, krijgen jullie bezoek, gaan jullie bij andere mensen op bezoek, ga je naar concerten, ben je gelukkig?'

'We zijn meestal hier,' zei Jean, 'we krijgen af en toe mensen op bezoek, maar niet vaak.'

'Praten jullie veel over zijn werk?'

'We bespreken allerlei dingen, maar als je het boek bedoelt, nee, dat niet.'

'Het boek bestaat echt?'

'Natuurlijk. Het ligt daar. Je mag er wel even in kijken, als je dat wilt.'

Rose keek naar het bureau, waar de lamp een aantal verschillend gekleurde blocnotes bescheen, waarvan er een open lag, Ze voelde een bijgelovige weerzin om naar het boek te kijken. 'Nee, dank je...'

'Je denkt dat ik ongelukkig ben, misschien hoop je wel dat ik ongelukkig ben?'

Nee,' zei Rose, 'ik dacht alleen dat je je misschien zou vervelen.' Ze begon het gevoel te krijgen dat ze in hun slaap spraken, dat ze geen enkel contact hadden, dat ze hun kostbare tijd verspilden. Jean fronste haar wenkbrauwen en de atmosfeer werd wat meer gespannen, meer alert. Rose ging verder, in deze nieuwe spanning en gevoel van intimiteit, met iets te zeggen dat ze zich had voorgenomen te zeggen, vond dat ze moest zeggen, zelfs had gerepeteerd. 'Duncan houdt van je. Hij wil graag dat je terugkomt. We houden allemaal van je, we missen je. Ik wou dat je terugkwam.'

Jean scheen na te denken over deze woorden maar ze antwoordde slechts: 'Het spijt me dat ik jullie moet teleurstellen, ik verveel me niet en ik ben niet ongelukkig. Ik ben nooit eerder in mijn leven zo compleet gelukkig geweest. Als je een boodschap mee terug moet nemen, dan heb je die hier.'

'Je bent de vorige keer ook weer weggegaan bij Crimond, daar moeten toch redenen voor zijn geweest.'

'Ik beleef nu het soort geluk waarvan ik denk dat jij het nooit hebt gekend of er zelfs maar van hebt gedroomd.'

'Ben je dan je liefde voor Duncan vergeten? Je hield altijd van hem, je houdt toch zeker nog van hem?'

'De vorige keer was anders. Ik was toen nog niet in staat mijn oude ik volledig te vergeten, mezelf volledig te veranderen. Ik ben daar inmiddels naar toegegroeid. Het is een vereniging met het absolute. Als je kunt zien wat volmaakt is, valt het onvolmaakte weg, het verschrompelt. Nu is het van aangezicht tot aangezicht, en niet als in een donkere spiegel. Je kunt het niet in twijfel trekken, je kunt het niet weerstaan.'

'En kennelijk kun je het niet verklaren.'

'Je kunt het niet verklaren.'

'Neem me niet kwalijk,' zei Rose, 'ik wilde zo graag met je praten, en er is zo weinig tijd, ik zeg veel dingen op een onhandige manier. Ik moet gaan voordat Crimond terugkomt. Gerard zei dat hij hem een uur zou geven...'

'Hem een uur géven!'

'Ik weet niet hoe lang hij erover doet om naar huis te komen, als hij direct terugkomt... weet je, ik probeer dat te zeggen wat belangrijk is, wat voor mij belangrijk is; God mag weten wanneer ik je weer zal zien. Je weet dat ik van je houd, we zijn altijd vriendinnen geweest en ik moet zeggen wat ik op m'n hart heb. Volgens mij leef jij in een illusie. Het is allemaal zo eenzijdig, zo oneerlijk. Je weet niet waar hij naartoe gaat en wat hij doet, jij hebt hem je hele leven afgestaan, je hebt je vrienden en je eigen wereld opgegeven en je ontmoet zijn vrienden niet en je woont niet in zijn wereld. Hij deelt zijn dingen niet met jou. Je deelt niet eens in zijn boek. Voorzover ik het zie heb je nu geen enkele relatie, behalve met hem, een seksuele relatie die een onderdeel is van zijn leven en voor jou je hele leven! Het spijt me... als ik wrede, emotionele dingen zeg is dat omdat ik boos ben in je eigen belang...'

'O, dat moet je niet zijn, dat moet je niet zijn,' zei Jean die deze tirade met een vermoeide en afwezig-onverschillige houding had aangehoord. Ze zuchtte en stond weer op en ging achter een stoel staan en wipte deze een eindje naar zich toe. 'Wil je een kopje koffie? Ik vrees dat er geen alcohol in huis is.'

'Natuurlijk wil ik geen koffie!' zei Rose, geïrriteerd. 'O, Jean...'

'Ik ontken onze liefde niet,' zei Jean, 'ónze liefde, ik bedoel, tussen jou en mij, ik twijfel er niet aan dat die zal blijven bestaan, zelfs als we elkaar nooit meer zouden zien, wat natuurlijk niet het geval zal zijn, het is iets unieks en uniek duurzaams. Maar je moet leren inzien dat we in twee volstrekt verschillende werelden wonen. Jij vertrouwt op continuïteit, je leeft dankzij een bepaalde, rustige, naadloze orde in je leven, dat past bij je, jij leeft en gedijt erop, terwijl het mij gaandeweg heeft verstikt.' Ze liet de stoel met een plof terugvallen.

'Nou ja, als het alleen maar behoefte aan verandering is... Als je gekozen hebt voor discontinuïteit houdt dat in dat je niet helemaal gelooft in Crimonds liefde, dat je jullie toekomst samen niet voor kunt stellen, dat je je onzeker voelt.'

'Ik ben de enige vrouw die hij ooit lief heeft gehad of lief kan hebben. Ik geloof in zijn liefde en onze toekomst is samen, wat er ook gebeuren mag. Maar we kunnen natuurlijk niet, in tegenstelling tot jou, voorzien wat er zal gebeuren. Er heerst veel onzekerheid, niet in onze liefde, maar in de wereld. Crimond is dapper en hij heeft mij dapper gemaakt. Jij leeft in het oude, droomachtige geheel waarin iedereen aardig en betrouwbaar en goed is, en elk jaar hetzelfde patroon heeft. Ik heb die plaats verlaten, ik ben buiten bij hem, in de gevaarlijke, ongewisse, echte wereld; de liefde is gevaarlijk, onvoorwaardelijk en gevaarlijk, je leeft met de dood... en als je zó leeft, leef je pas echt. Jij beseft niet hoe het is om zo hevig van iemand te houden en zo hevig te worden liefgehad, hoe het je hele bestaan tot de rand toe kan vullen en hoe het alles wat je doet of denkt of aanraakt in een ander, heerlijker licht stelt, hoe het de wereld oneindig maakt en vol licht... jij weet helemaal niets over seks en de manier waarop je daarmee kunt leven en het inademen, hoe het iets totaals wordt, iets wat overal is, in alle dingen, en hoe het een god van je kan maken! Wanneer dat gebeurt maak je je geen zorgen over rechten of aandelen of die kleine, onnozele berekeningen die bij dat oude, kleine, bekrompen, egoïstische leven horen. Je eigen ik wordt weggevaagd. Jij hebt die ervaring nooit gehad, jij bent nooit aanbeden door liefde, jij bent een rustig meisje, eigenlijk heel puriteins, in het diepst van je hart denk je dat seks verkeerd is. Waarom ben je nooit getrouwd? Waarom heb je je in zo'n hopeloze situatie met Gerard laten vastroesten? Waarom ben je niet met een van de anderen getrouwd? Met Marcus Field, bijvoorbeeld, die was stapelgek op je...'

'O ja? Nooit iets van gemerkt.'

'Hij dacht dat Gerard recht op je had, hij dacht dat Gerard met je zou trouwen. Je had kinderen kunnen hebben...'

'Hou alsjeblieft op!' zei Rose. 'Je bent gewoon... gewoon hopeloos romántisch! Heb je ooit serieus overwogen met Sinclair te trouwen?'

'Ja. Maar... ik weet niet wat ik zou hebben gedaan... zelfs als hij het had gewild...'

'Als je met hem was getrouwd zou hij nog in leven zijn geweest.'

'Omdat ik hem zou hebben laten ophouden met zweefvliegen?'

'Omdat de aaneenschakeling van toevalligheden dan anders was geweest.'

'Die aaneenschakeling van toevalligheden kon ook door andere omstandigheden worden gewijzigd.'

'Dat weet ik.'

Rose besefte dat ze op het punt stond in tranen uit te barsten en ze wendde haar blik af om door de kamer te kijken, naar de andere kant waar de schietschijf in het vage licht op een mandala leek. Ze had het koud en deed haar jas aan. Ze leunde een beetje achterover en voelde de ruwe, prikkerige stof van de oude deken onder haar handen. Ze dacht: als ik weg ben strijkt Jean die sprei weer glad. Ik vraag me of af ze Crimond zal vertellen dat ik hier ben geweest. Ik moet nu gaan, ik móet gaan voordat hij terugkomt. Ik heb Jean verloren, we hebben elkaar verloren, ik het het allemaal verkeerd gezegd. Ik zal er nog veel, heel veel spijt van krijgen.

'Ik moet gaan, lieverd.'

'Ja. Ik zal je even uitlaten. Wil je niet iets van het boek zien? Kom.'

Rose rommelde wat met haar sjaal en handschoenen en liep achter Jean aan. Haar gelaarsde voeten galmden over de kale vloer, Jeans dunne schoentjes waren geluidloos.

Het boek lag open onder de lamp, de rechterpagina was beschreven met Crimonds kleine, nauwelijks leesbare handschrift, de linkerpagina was blanco, op een enkele zin of vraagteken na. Jean sloeg de bladzijden terug, liet andere pagina's zien, de tekst werd hier en daar afgewisseld met hoofdletters en stukken die met rood waren geschreven; daarna legde ze het boek weer terug zoals het er had gelegen toen Crimond die ochtend was opgehouden met schrijven. Het was alsof haar een heilig manuscript werd getoond of een zeldzaam kunstwerk, iets wat mocht worden bewonderd maar niet echt, door niet-ingewijden, mocht worden bekeken. Jean wees toen naar de stapels blocnotes naast het bureau, die de tot dusver voltooide delen van het werk bevatten. Rose, die het niet had willen zien, voelde nu geen enkele vijandigheid, ze kreeg geen aandrang alles aan stukken te scheuren. Wat haar wel trof, tot haar verbazing, was de manier waarop het werk op zichzelf stond, waarop het gezaghebbend aanwezig was, in al zijn grootsheid. Ze begreep dat ze iets moest zeggen en merkte op: 'Wat een enorme klus.'

'Ja.'

'Wanneer zal het af zijn.'

'Ik weet het niet.'

Ze liepen naar boven, naar de hal, en bleven bij de dichte deur staan om elkaar aan te kijken. Rose liet haar tranen nu de vrije loop en ze omhelsden elkaar en sloten hun ogen.

'Waarom heb je me niet verteld dat je een afspraak had met Gerard?' zei Jean.

Ze zaten op de divan in de speelkamer, Jean had de plek gladgestreken waar Rose had gezeten. Crimond had zijn winterjas nog aan.

'Ik had het je verteld als je me had gevraagd waar ik heen ging. Ik zou het je nu in ieder geval hebben verteld. Dat is niet belangrijk. Ik was er van tevoren wat geïrriteerd over, ik wilde er niet over praten.'

'Liep het een beetje naar wens?'

'Niet erg.'

'Als hij grof was hoop ik dat je hem hebt verteld dat hij naar de pomp kon lopen.'

'O, hij was niet grof. Ik was wat dwaas. Ik heb al een poos niet meer met anderen over die dingen gesproken. Ik heb te veel gezegd en ik was onsamenhangend.'

'Rose zei dat hij had besloten je een uur te geven.'

'Ik had besloten hem een half uur te geven. Maar toen ik hem zag...'

'Toen je hem zag...?'

'Nou, ik ken hem al langer dan dat ik jou ken. Het was geen goede discussie, ik vrees dat hij een slechte indruk heeft gekregen...'

'Hij zal nog eens opkijken!'

'O... eens... En jij, mijn koningin en keizerin, mijn kleine valk, vertel mij eens, waarom kwam lady Rose Curtland bij jou op bezoek?'

'Nieuwsgierigheid,' zei Jean, 'en om me te vertellen dat Duncan nog steeds van me houdt.'

'Zo, zo. En nu ga jij naar hem terug?'

'Crimond, doe me geen pijn.'

'Rose heeft je boos gemaakt.'

'O, dat kan best, en Gerard heeft jou boos gemaakt! Ze maakte me gewoon een beetje nijdig, dat is alles. Dacht je dat ze me onzeker had gemaakt?'

'Dat dacht ik inderdaad.'

'Je blijft me voortdurend kwellen. Waarom doe je dat? Geloof je nog steeds niet...'

'O, ik geloof niets... we hadden het over gevoelens. Als je de meest kostbare diamant ter wereld in je zak had, zou jij dan ook niet bang zijn die te verliezen, zou jij ook niet steeds je hand in je zak steken om te voelen of hij er nog was?'

'Ja. Dat gevoel ken ik maar al te goed. Maar ik blijf jou niet achtervolgen met mijn vreselijke angst.'

'Ik vertel je over mijn angst zodat je me meteen gerust kunt stellen. Jeannie, mijn leven berust op jouw liefde, je moet elke seconde mijn angst wegnemen, mijn bewustzijn hangt van jou af, ik adem jouw adem...'

'O, mijn liefste... trots, roos, prins, held van me, hogepriester.'

'Vertel me iets wat Rose Curtland tegen je heeft gezegd, iets over ons, ze moet iets over ons hebben gezegd, iets om jou over te halen terug te gaan.'

'O, ze heeft alleen maar idiote dingen gezegd.'

'Zoals wat?'

'Ze zei dat ze dacht dat ik me misschien verveelde.'

'En doe je dat?'

'Ze zei dat ik niet veel over jou scheen te weten.'

'Hou kwam ze daar zo bij?'

'Door het feit dat ik niet wist dat jij naar Gerard was.'

'Heb je tegen haar gezegd dat ik het niet tegen jou had gezegd?'

'Het schoot er per ongeluk uit. Het spijt me. En toen ze vroeg of jij er bezwaar tegen had dat zij hier kwam, zei ik dat ik dat niet wist. Ik denk dat ik dat beter niet had kunnen zeggen.'

'Het geeft niet. Je hebt niets te verbergen. Ik zou boos worden als ik dacht dat je tegen haar had gelogen. Maar wat je ook zegt, ze zal altijd denken dat we ongelukkig zijn, en hopen dat het slecht met ons af zal lopen. Maar verveel je je?'

'Crimond, hou toch eens op! Wat dacht je van de lunch? Ik heb die groentesoep die jij zo lekker vindt en ik kook voor vanavond een stoofpot.'

'Je kookt voor vanavond een stoofpot. Dat klinkt als het ware leven. Soms denk ik dat wij maar een beetje doen alsof.'

'Als wat?'

'Als het ware leven.'

'Crimond,' zei Jean, 'mijn liefste, soms word jij bezield door een duivel die ons wil ondermijnen. Je zegt zulke destructieve dingen dat het wel lijkt alsof je echt alles wilt vernietigen. Je loochent onze realiteit en je doet het willens en wetens.'

'O Jeannie, ik ben zo moe, zo moe, ik kan niet rusten, ik kan niet rusten...'

Jean sloeg haar armen om hem heen, over zijn schouders en zijn winterjas, en legde zijn hoofd op haar schouder en streelde het haar op zijn kruin en daar vandaan omlaag naar de nek onder zijn kraag en ze keek over zijn hoofd door de kille kamer naar de openstaande deur. Zijn hoofd was koud. 'Je werkt te hard,' zei ze, 'ik weet dat je dat moet. Ik wou dat ik je kon laten ontspannen. Ik wil dat zo vaak. Je moet me leren hoe ik dat kan doen. Ik weet dat we in bed uitrusten. Maar verder ontspan je je nooit... en ik ook niet.'

Crimond lichtte zijn hoofd op en zette zijn lippen zachtjes op haar wang. 'Wat doen mensen die zich wel kunnen ontspannen, engel van vrede van me?'

'Ik wilde dat ik een vredesengel was.'

'Dat ben je, jij bent mijn vrede, ik ken geen andere.'

'Mensen die zich kunnen ontspannen lezen boeken en maken wandelingen en schikken bloemen en wieden hun tuin en wassen hun auto en luisteren naar muziek en organiseren hun bezittingen en nodigen vrienden uit voor informele etentjes en voeren allerlei gesprekken.'

'Wij lezen in ieder geval boeken.'

'Jij leest boeken voor je werk, en poëzie. Ik kan op dit moment niet lezen. Maar dat komt wel weer.'

'Misschien heeft je vriendin Rose gelijk. Ze wil dat wij falen. Ze is geen echte vriendin van je. Ze is jaloers, als de meeste vrouwen.'

'En irrationeel, zeker? Jij wilt de wereld bevrijden maar in je hart denk je nog steeds dat vrouwen inferieure wezens zijn, jij denkt dat ze niet helemaal echt zijn.'

'Alle mannen denken dat,' zei Crimond en hij hief zijn hoofd op en duwde haar een eindje opzij. 'En de meeste vrouwen ook. Waarom zou je het ontkennen, vrouwen zijn anders, hun hersens zijn anders, ze zijn zwakker, vrouwen huilen en mannen doen dat niet, dat symboliseert het.'

'Heb jij nooit gehuild?'

'Niet dat ik weet.'

'Misschien doe je dat nog eens. Op het punt van gelijke rechten voor vrouwen deug jij niet. Misschien zal de islam de wereld nog eens overheersen.'

'Het is een mogelijkheid die ik heb overwogen.'

'Dus je vindt míj irrationeel en inferieur en onecht?'

'Jou niet, lief kleintje. Je bent geen vrouw. Je bent een verdwaalde geest. We komen allebei ergens anders vandaan, wij zijn hier bezoekers, vreemdelingen en door een gelukkig toeval hebben we elkaar ontdekt.'

'Geen wonder dat we vinden dat ieder ander die we kennen maar half levend is.'

'Je moet iets te doen vinden, iets te studeren, je verspilt je talenten.'

'Ik zal iets vinden, echt waar, maak je daar maar geen zorgen over!'

'Soms denk ik dat je je wel moet vervelen, Rose heeft misschien gelijk. Jij hebt zoveel op moeten geven, al je vrienden, je sociale leven...'

'Wat ik heb opgegeven is voor mij van geen enkele waarde. Jij hebt je eenzaamheid opgegeven. Ik vraag me weleens af of je daar geen spijt van hebt?'

'Nee, nee, mijn hart en mijn ziel... het heeft zo moeten zijn. Je zult me toch niet verlaten, valkje van me?'

'Hoe zou ik jou kunnen verlaten, ik bén jou, ik kan mezelf niet losrukken van mijn eigen ledematen.'

'Weet je, we lezen wel, echt waar. Misschien gaan we ook nog eens wandelen. Ja, ja, als we uiteen moeten worden gereten zullen we samen uiteen worden gereten.'

'Als je maar meer rust zou kennen in mijn nabijheid. Je zei dat ik jouw vrede was. Maar je deinst altijd opzij alsof je een elektrische schok hebt gekregen.'

'Dan zal ik nooit vrede kennen bij jou,' zei Crimond, 'als vrede rust is. Ik bedoelde iets anders.' Hij trok zijn jas uit en ging, op enige afstand van haar, voorover zitten met zijn hoofd in zijn handen. 'Je bent mijn zwakheid, mijn zwakke punt, dat maakt deel uit van onze onmogelijkheid.'

Jean zat als verstijfd, bang, zoals ze wel vaker was. Na een poosje zei ze zacht, langzaam: 'Als het boek af is kunnen we misschien een beetje reizen. Ik zou graag eens met jou naar Frankrijk of Italië willen gaan. Je hebt het altijd over de belangrijkheid van Europa. Je kunt dan mensen bezoeken en met hen praten.'

'Als het boek af is zal ik ophouden te bestaan, net als jij.'

'Soms sla je echt onzin uit, opzettelijke, vermoeiende onzin.'

'Misschien komt het boek wel nooit af.'

'Natuurlijk wel, en dan schrijf je er nog een.'

'Liefje van me, kun jij je voorstellen dat we samen oud worden?'

'Jij wordt nooit oud,' zei ze. Kon hij, haar Crimond, ooit oud worden?

Toen zei ze: 'Ik houd van je... wat er ook mag gebeuren, we zijn bij elkaar. O Crimond, kwel me niet met zulk gepraat...'

'Ik word dan kaal, jouw mooie haar zal slap en grijs worden, we zullen hulpeloos en kreupel zijn. We zullen elkaar bang aankijken terwijl we steeds minder worden. Ik wil niet aan je gewend raken, Jeanie liefste, waarom zouden wij, uitgerekend wíj die lange, dodelijke last van ouderdom en aftakeling moeten dragen, wij die hier de levende goden zijn? Ik kan jou niet achterlaten en jij kunt mij evenmin achterlaten. We kunnen veel beter onze liefde in de dood beleven.' Toen hij dit zei wreef hij met zijn handen over zijn gezicht en over zijn ogen en door zijn haar. 'O, ik ben zo moe, zo moe... mijn géést is zo moe...'

Jean werd bang. Hij had al vaker zo gepraat. 'Ja, ja, natuurlijk ben je moe, je moet echt eens ophouden met werken, ontspan je toch eens, al is het maar voor een dag.'

'Ik kan me niet ontspannen, je begrijpt het niet, je misleidt me, je luistert niet naar mijn wóórden. Het spijt me, soms voel ik me als een mes dat op je hart is gericht.'

'Ik luister echt wel, ik begrijp het echt wel, je vraagt je af wat je zult doen wanneer het boek af is, je denkt dat je dan saai en gewoon zult worden, het boek heeft je al zoveel jaren in een staat van opwinding gehouden, ik heb je zien beven van emotie terwijl je schreef...'

'Je denkt dat dat iets verklaart, je denkt dat dat iets wég kan verklaren. Nee, nee, er bestaat geen weg, het gaat dieper dan dat, het is jou en mij, wij worden verpletterd door onze onmogelijkheid...'

'Crimond, we máken dat het mogelijk is, we maken het elke dag weer opnieuwe mogelijk...'

'Elke dag weer is een illusie, het is allemaal nu...'

'Wil je me doden?'

'Alleen wanneer ik mezelf dood. Jeanie, ik houd van je, jij houdt van mij, daar gaat het om. De volmaaktheid van onze liefde is nu, nú zijn we absolutisten, we zijn goden, later zijn we alleen maar minder.'

'Crimond, liefste, je weet dat ik altijd zal doen wat jij van me vraagt, wat je ook van me vraagt, ik ben van jou, ik ben jou, ik zal gaan waar jij gaat. Hier is mijn leven, hier is mijn dood. Maar...'

'Maar je vindt dat we eerst moeten lunchen!'

'Maar het boek is nog niet af, en als het af is komt er weer een boek... Bovendien...'

'Bovendien?'

'Bovendien wil ik weer met je dansen.'

'Misschien dansen we nog eens samen, eens, aan het eind van de wereld.'

'En dan zul je leren huilen, aan het eind van de wereld. Maak me alsjeblieft niet bang door zulke krankzinnige dingen te zeggen. Ik weet dat je de eeuwigheid wenst, maar we kunnen de eeuwigheid maken wanneer we dat willen. Daar gaat het tenslotte in de liefde om. Kom...'

'Nee, ik kan niet eten, ik kan niet werken...'

'Kom in bed.'

'O mijn Jeanie, mijn koningin, als dat nu eens het enige was...'

'Dat kind gaat dood,' zei Violet Hernshaw tegen Gideon Fairfax. 'Ze is vast-besloten dood te gaan. Ze gaat dood aan een verterende ziekte, aan een ge-heimzinnig virus, aan tuberculose, depressie, uithongering...'

'Kunnen we haar niet tegenhouden?' zei Gideon, achterover leunend in zijn stoel.

'Wie is we?'

'Jij en ik. Laten we de hoofden eens bij elkaar steken.'

'Nee.'

'Je wilt haar niet tegenhouden, het kan je niets schelen als ze sterft; wíl je soms dat ze doodgaat?'

'Wat jij zegt heeft niets te betekenen, het is een ordinair psychologisch cliché, je weet niets over echte ellende en leven met de dood. Je weet niet eens dat de dood bestaat.'

'Dat kan wel waar zijn,' gaf Gideon toe, 'maar objectief bekeken, als ik dat zo mag stellen, lijkt het wel alsof je niet wilt dat Tamar zal slagen, zelfs alsof je liever zou hebben dat ze niet bestond. Zou het je echt niets kunnen schelen als ze zelfmoord pleegde? Maar net wat je zegt, het is een cliché.'

'Zij pleegt heus geen zelfmoord. Ze is iemand die alles overleeft. Jullie denken allemaal dat ze een zuivere maagd is, een kwetsbare bloem. Nou, ze kan echt wel tegen een stootje. Waarom heb je niet van tevoren gezegd dat je kwam?'

'Je hebt geen telefoon meer.'

'Die kan ik me niet meer veroorloven. Je deed het met opzet. Je had me kunnen schrijven.'

'Zover kan ik niet vooruit kijken. Ik ben druk bezig met de verfilming van een toneelstuk.'

'Je was zeker bang dat een brief een bewijs kon vormen.'

'Een bewijs van wat? Van mijn belangstelling voor Tamar, mijn be-langstelling voor jou?'

'Je kwam voor haar.'

'En voor jou, voor jou als deel van haar, voor jou als jezelf.'

'Je hebt medelijden met me, je vindt me zielig, je veracht me...'

'Wat spring je toch van de hak op de tak! Vroeger zagen we Tamar rede-lijk vaak, nu slaat ze alle uitnodigingen af, ik denk dat dat komt door jou. Heb je er bezwaar tegen als ik binnenkort eens ernstig met haar praat?'

'Daar heb ik zeer zeker bezwaar tegen.'

'Ik ben dol op dat kind, net als Pat, en Leonard...'

'Pat was altijd als de dood dat Leonard met Tamar zou willen trouwen. Maak je maar geen zorgen! Mijn familie zal die van jou heus wel met rust laten, hoor!'

'Eigenlijk kwam ik hier om te zeggen dat Patricia en ik Tamar graag wil-den adopteren.'

'Je bedoelt wettelijk?'

'Indien mogelijk. In elk geval *de facto.*'

'Jullie willen macht over haar. Dat is zeker Pats idee, om haar van Leonard af te houden.'

'Je bent altijd al achterdochtig geweest, maar dit is je reinste paranoia. Dat is één punt, die adoptie; ik breng de mogelijkheden gewoon even in kaart. Op kortere termijn willen we geld beschikbaar stellen om Tamar weer naar Oxford te laten gaan. Ik weet dat je ''nee'' hebt gezegd tegen Rose en Gerard, maar ik wil je duidelijk maken dat wij een ander geval zijn, en ik zeker.'

'Tamar is het enige dat ik heb en dan willen jullie haar afpakken.'

'Jij hebt geen opleiding gehad, dus dan hoeft Tamar het zeker ook niet?'

'Ik neem geen geld aan van andere mensen.'

'Je leeft liever van Tamars inkomen.'

'Ik heb jaren en jaren geploeterd om dat kind groot te brengen! Waarom moet ik daar eeuwig mee doorgaan? Ze is jong, ze heeft een goede baan, het is niet meer dan eerlijk dat zij nu verdient. Je kijkt op me neer omdat ik geen opleiding heb. Maar als ik een baan kon krijgen zou ik ook geld verdienen.'

'Ik wilde je er juist een aanbieden.'

'Om een beetje te ''helpen'', als ''huishoudster'' van Patricia. Nee, dank je!'

'Je kunt me op kantoor helpen. Ik dacht dat Pat je zoiets had gezegd met Guy Fawkes. In alle ernst, Violet, kijk eens naar deze flat, kijk eens naar jezelf, kijk eens naar de hele situatie. Tamar en jij zijn net twee zieke dieren in een smerige stal, je vraagt je elke dag af, of ze nog in leven zullen zijn. Ik wil niet toe moeten zien hoe jullie jezelf te gronde richten met afgunst en wrok en chronisch verdriet en gebrek aan liefde. Je bent intelligent, je ziet er goed uit, als je je haar maar eens kamde, je zou ook wat make-up kunnen gebruiken, je bent nog jong. Mijn bedrijf gaat uitbreiden, ik wil een galerie in Cork Street openen, en een chic kantoor met ficusplanten en allerlei slimme machines en ik wil daar iemand hebben die ik kan vertrouwen. Jij kunt dat werk leren, een gedeelte ervan in ieder geval, het is helemaal niet zo geheimzinnig. Het is het soort werk dat Patricia nooit zou kunnen en ze zou er ook een hekel aan hebben. Maar jíj lijkt me er geknipt voor, en dan heb je iets interessants te doen in plaats van hier weg te kwijnen en dood te gaan van verveling. Wil je je hersens dan niet gebruiken, iets doen met alle intelligentie die je nu verspilt aan het eindeloos opstapelen van je wrok? Tamar en jij kunnen ook bij ons in huis komen wonen, dan vormen we gewoon één groot gezin, voorlopig tenminste, je kunt de flat krijgen die wij nu hebben. Dit huis valt niet meer te redden.'

'Wat ben je van plan met Gerard te doen?'

'O, die werken we er wel uit. Ik wil dat huis. Als dat niet lukt kopen we gewoon een ander huis, een groter.'

'Ik dacht dat Patricia wilde dat ik zou schoonmaken en koken, net als eerst.'

'Dat was maar een noodmaatregel. Wat ik nu voorstel is iets heel nieuws. Ik wil Tamar en jou transformeren. Ik wil jullie door elkaar schudden en schoonmaken en afstoffen en prachtige kleuren geven in vrolijke tinten. Je ziet er zo slonzig uit, je hebt geen gevoel voor kleuren. Misschien ga ik wel iets doen op het gebied van kleding ontwerpen, in ieder geval stoffen drukken. Violet, ik mééń het!'

'Nee, je meent het niet,' zei Violet.

Gideon had onverwacht om elf uur in de morgen voor haar neus gestaan. Hij was binnengekomen door de deur die niet op slot was en hij trof Violet in haar keukentje aan, terwijl ze boven de ontbijttafel de krant zat te lezen. In de gootsteen stond een stapel vieze borden. Het buffet lag bedolven onder een bonte mengeling van voorwerpen, plastic zakken, flessen, slierten touw, steelpannen met smerige restjes rommel, ongeopende enveloppen met rekeningen, een beschimmeld brood, een gloeilamp, een half-afgekloven appel. Toen Gideon dit conglomeraat vanuit zijn ooghoeken bekeek vond hij dat het op een abstract expressionistisch schilderij leek dat hij zojuist had gekocht. Violet had haar bril afgezet toen hij binnenkwam. Ze was niet op zijn komst voorbereid en zag er vreselijk uit. Haar bruine haar was vettig en piekerig en moest nodig geknipt worden, haar gezicht glom, haar slobberige vest zat binnenstebuiten, haar trui was te strak en te kort, en haar rok hing scheef en was niet goed gesloten. Ze droeg bedsokken. Ze zat in elkaar gedoken en keek hem woedend aan, met twee diepe rimpels boven haar neus en half dichtgeknepen ogen. De dure contactlenzen waren een mislukking gebleken. Ze vond kennelijk dat als ze onvoorbereid werd aangetroffen ze er ook zo vreselijk mogelijk uit moest zien.

Gideon geurde naar aftershave en zat op het puntje van de stoel tegenover haar, waarop hij haastig een schone plastic zak van het buffet had neergelegd. Hij probeerde de stoel iets voorover te laten wippen. De poten kwamen moeizaam, met een licht smakkend geluid, los van de kleverige substantie die op de vloer lag. Gideon droeg een donkerblauw pak met een rozerood overhemd en een lichtgele das met blauwe motieven. Zijn krullende haar, donkerder en krulliger dan dat van Gerard, glansde van gezondheid, zijn mollige rode lippen waren vochtig, zijn ronde wangen bloosden, ze hadden genoten van de koude lucht.

'Je vindt Tamar zo volmaakt,' zei Violet, 'dat vindt iedereen. Waarom maak je dan zo'n drukte over haar?'

'Ze is té volmaakt. Ik heb maar steeds het gevoel dat ze in gevaar is. Ik hoorde van iemand die ook bij die uitgeverij werkt dat ze er werkelijk ziek uitziet. Je zei zelf al dat ze stervende was.'

'Ze is de laatste tijd volslagen onmogelijk. Ze wil niet met me praten, het is net alsof ik een spook in huis heb.'

'Heeft ze enig sociaal leven, zijn er tekenen van vriendjes?'

'Nee. Maar dat zou ze me ook niet zeggen. Ze gaat 's avonds weg. Maar ik denk dat ze dan straat in straat uit loopt. Alles om maar weg te zijn van mij en de televisie!'

'Echt, Violet, wil je mij niet laten helpen? Je hebt van Matthew ook geld aangenomen?'

'Hoe wist je dat? Dat was iets anders, het was geld dat hij zijn broer schuldig was, het was trouwens toch niet veel.'

'Goed, en je wilt niets met Rose en Gerard te maken hebben, maar ik ben anders, zij praten maar wat, ik dóe liever iets. Ik kan effectievere hulp geven, ik kan de zaak laten draaien. Bovendien... ben ik anders omdat ik het ben.'

'Ik ben vergeten wie je bent.'

'Weet je 't niet meer: "Hallo swinger?" '

'Nee.'

Waarschijnlijk was Violets meest vreselijke geheim dat ze Gideon had gekend toen ze allebei nog heel jong waren, nauwelijks twintig, voor hij Patricia ontmoette; Violet had hen zelfs aan elkaar voorgesteld. Gideon, toen een verlegen, magere joodse jongen die geschiedenis studeerde aan een Londens college, had weinig indruk gemaakt. Gideons vader – een vluchteling die de naam Fairfax had aangenomen, uit een Gilbert & Sullivan opera – had een uitdragerij op New King's Road. Violet was verliefd geweest op een muziekstudent die een popgroep begon. Tegen de tijd dat ze bereid was belangstelling te tonen voor Gideon, had Patricia zich hem al toegeëigend. Het idee dat Gideon een beetje 'gek' op haar was, en na niet welkom te zijn gebleken zijn attenties op haar niet had gericht, bleef Violet altijd bij, als een donker goudklompje dat, naarmate ze ouder werd, steeds groter werd. Jarenlang had ze zich afgevraagd of Gideon ooit iets tegen Pat had gezegd over die vage afgang, maar ze vermoedde van niet. Gideon en zij spraken er nooit meer over, maar, naarmate Gideon voortschreed van arme student naar geldmagnaat, leek hun wederzijdse bewustzijn van dit 'iets' meer substantieel te worden, zonder ooit iets meer te worden.

'Je wilt ons helemaal niet helpen,' zei Violet, 'het is alleen maar een uiting van jouw grootheidswaanzin, je bent in alles zo geweldig succesvol en je succes lijkt hier nog groter, door alle tegenstellingen. We moeten zeker aan jouw zegekar worden gebonden. Wij moeten van jou omhoog kijken en zingen, maar dat kunnen we niet. Sommige mensen beschikken over stromen van geluk, anderen over een zwarte rivier. We behoren tot die andere soort.'

'De wereld van de gelukkigen is niet de wereld van de ongelukkigen, zoals Gerard vaak een of andere filosoof citeert. Maar wat die filosoof niet besefte was dat de gelukkigen de ongelukkigen soms kunnen ontvoeren, om hen vervolgens spartelend en schreeuwend naar de wereld van geluk te brengen. Dat kun je met geld bereiken, Violet, daar dient het geld voor.'

'Jij houdt van geld, jij houdt van macht, dat is alles. Je bent een zeldzaam egoïstisch persoon.'

'Dat kan best zijn, maar wil je me dan helemaal geen goedwillende motieven toeschrijven? Je weet hoe dol ik ben op Tamar.'

'O Tamar, Tamar. Volgens mij ben je gewoon verliefd op haar, je vindt haar fysiek aantrekkelijk, je wilt haar suikeroompje spelen, en God mag weten wat nog meer...'

'O, hou alsjeblieft op. Toe nou, Violet, richt je hoofd eens op, ja, kijk voor de verandering eens naar de hemel en naar de zonneschijn. Ik haat dat beeld van hoe jij achter die kar aan zou draven. Ik wil jou en Tamar ín dat rijtuig. Wat doen jullie met Kerstmis?'

'Wij blijven thuis, net als anders.'

'Ik zal niet proberen me voor te stellen hoe vreselijk dat moet zijn. Hoor eens... we hoeven nu niet meer met Kerstmis in Bristol te zitten, nu die goeie ouwe Matthew is overleden kunnen we doen wat we willen. Waarom gaan Tamar en jij niet met ons mee? We kunnen een huis in Italië huren. Tamar is nog nooit in Italië geweest. Dat kan heel gezellig worden. Weiger niet, alsjeblieft.'

'Dit is jouw idee en niet dat van Pat, en het is ook een dwaas en brutaal idee. Wij willen ons niet door Pat en jou laten koeieneren, we hebben geen enkele zin de nederige en dankbare arme familieleden te spelen! Tamar zou trouwens toch niet mee willen komen, ze wil tegenwoordig nergens naartoe.'

'Het is toevallig ook Pats idee! Ik zou het nooit alleen voorstellen!'

'Je wilt je geluk met de armen delen. Nou, de armen hebben er niet de minste behoefte aan. Ik vind Pats vriendelijkheid heel vernederend. De vorige keer behandelde ze me echt als een bediende. Tamar vond dat ook heel naar. Pat wil me daar alleen maar hebben als zichtbaar bewijs voor hoe gelukkig en fortuinlijk zij wel is! Wanneer je het echt moeilijk hebt is medelijden wel het laatste waar je behoefte aan hebt. Ik kan met mijn eigen misère leven als de mensen me maar eens met rust lieten!'

'Al jouw misère heb je aan jezelf te danken,' zei Gideon, 'en je bent heel onrechtvaardig. Je wordt niet behandeld als een bediende. Je maakt elke soort edelmoedigheid of vriendelijkheid onmogelijk, en je doet dit voor Tamar, alsof ze net zo gemeen en achterdochtig en vol walgelijke haatgevoelens is als jij.'

'Je veracht me,' zei Violet, 'je behandelt me als oud vuil en je schijnt te denken dat je daar het recht toe hebt, je zou tegen niemand anders zo'n toon aan durven slaan.'

'Nee, dat zou ik niet en misschien heb ik daar wel het recht toe.'

'Je kunt hier als toerist zien hoe afgrijselijk het hier is en hoe afgrijselijk ik ben zodat je terug kunt gaan om het aan Pat te vertellen!'

Op dat moment verscheen Tamar in de keukendeur. Tamar zag er inderdaad uit als een spook; ze was geen doorzichtige geestverschijning maar meer iets stokachtigs, iets wat een bezemsteel of een wegwijzer kon zijn maar dit duidelijk en angstaanjagend niet was. Ze had een lange, bruine winterjas aan en een grote, bruine baret op die over haar oren omlaag was getrokken en haar een griezelig bleek dier deed lijken, ietwat zielig en ietwat onaangenaam. Alleen haar grote, dierachtige ogen, die vijandig de keuken in staarden, gaven blijk van enige bezieling. Gideon, die haar enige tijd niet had gezien, was op slag diep geschokt, als bij de aanblik van een onnatuurlijke mentaalfysieke degeneratie, of zelfs metamorfose.

Hij zei onmiddellijk: 'O, Tamar, wat een geluk dat ik je nog tref! Ik zei net tegen je moeder dat het zo leuk zou zijn als jullie met Kerstmis met ons mee naar Italië gingen, we huren daar een huis...'

Violet zei: 'Wat doe je hier op deze tijd van de dag, heb je je congé gekregen?'

'Ik heb een middagje vrijgenomen,' zei Tamar.

'Tamar, wat vind je ervan, Kerstmis in Italië?' riep Gideon, opspringend toen Tamar zich om wilde draaien.

'Nee, dank je.' Tamar verdween en sloeg de keukendeur achter zich dicht.

'Zie je nou wel?' zei Violet.

Toen hij door de koude, donkere, mistige Londense ochtend naar zijn auto terugliep moest Gideon voortdurend terugdenken aan het raadsel van Violet en Tamar. Hoe was het mogelijk dat mensen niet gelukkig wilden zijn? Zoiets was volstrekt tegennatuurlijk. Naar Gideons idee streefden alle menselijke wezens instinctief en vindingrijk naar de vruchten van het geluk, waarbij ze alle takken doorzochten en zo nodig aan de boom schudden. Hij dacht erover na, maar wilde er ook weer niet te diep over nadenken. Hij zou het natuurlijk een andere keer nog eens proberen. Hij had een beetje overdreven door te zeggen dat het Italiaanse plan ook een idee van Pat was geweest. Hij had – zoals Violet later had vermoed – nooit met Pat, of met iemand anders, gesproken over die tijd – maar was er echt zo'n tijd geweest? – dat hij de twintig jaar oude Violet aantrekkelijk had gevonden. Hij wilde niets aan die kleine eigenaardigheid toevoegen, maar hij wilde het ook niet van zich afzetten. Het zat hem niet dwars, soms vond hij het eigenlijk wel grappig. Hij hield van zijn vrouw, en hij had bij haar het gelukkige leven gevonden waarvan hij de mogelijkheid had aangevoeld toen hij haar voor het eerst had ontmoet: die twee hadden een hechtere relatie dan veel buitenstaanders dachten. Pat wilde dit zielige stel zeker ook helpen, hoewel haar motieven misschien anders waren dan die van hem. Hier wilde hij eveneens niet te lang over nadenken. Gideon zag Tamar als een engel van volmaaktheid, en zeker als een 'braaf oppassend meisje' en hij begreep instinctief hoe dit uiterlijk, dat gedeeltelijk echt was, voortsproot uit haar vastbeslotenheid zich niet door haar moeder te gronde laten richten. Violet had haar een doorzetster genoemd, een taaie. Maar omdat Tamar zo'n vreugdeloze indruk maakte kon Gideon er niet echt in geloven, hij zag wat Gerard niet zag, dat ze op het punt stond 'af te knappen'. Misschien begon dat proces nu zichtbaar te worden. Hij vond haar fysiek echt aantrekkelijk en wilde, op een geenszins duistere of onfatsoenlijke manier, haar ontvoeren en transformeren, haar kleden, haar meenemen naar Parijs, Rome, Athene, een auto voor haar kopen en een rijke, succesvolle, knappe, deugdzame, jonge echtgenoot voor haar vinden. Hij had Violet ook willen ontvoeren om haar tot leven te schudden, maar dat was een meer complexe wens, die waarschijnlijk vruchteloos was en zelfs onvoorzichtig of gevaarlijk. Hij herinnerde zich de dagen dat zij een 'swinger' was en hij een – malle bijnaam die hij zich niet wenste te herinneren – , zonder enige diepe emotie maar met een soort loyaliteit, hij werd geroerd door deze herinnering en door haar, als een bestendig element in zijn leven; en hij had medelijden met haar, hoewel dit een gevoel was waar hij een hekel aan had, en dat hij voortdurend tot iets anders wilde ombuigen, misschien wel tot de zelfvoldaanheid en machtsgevoelens waarvan ze hem beschuldigde. Toen hij verder liep zette hij het probleem van zich af, hij zou er later nog wel eens over nadenken. Hij dacht nu aan zijn vader van wie hij veel hield maar met wie hij, op een moeilijk te doorgronden manier, nooit echt goed overweg had gekund – zoals hij bijvoorbeeld met Pat overweg kon – . Natuurlijk was zijn vader blij dat zijn zoon rijk was, en blij – moest blij zijn – dat hij nu werd omringd door alles wat er op deze wereld voor geld te koop was. Maar hij had gewild dat zijn enige zoon, zijn enige kind, dokter zou worden en hij sprak nog steeds nostalgisch over de oude harde tijd in New King's Road. Wederzijdse liefde – want dit was wederzijds – houdt niet automatisch wederzijds begrip in. De hemel zij dank kon Leonard heel goed met zijn grootvader overweg, zoals hij dat ook met zijn grootmoeder had gekund, die nu reeds lang overleden was. Zij was eveneens een weerbarstig persoon geweest. Ze hadden allebei natuurlijk een vreselijke jeugd gehad. Gideon liet nu met gemak zijn voorouders en hun jeugdjaren los en begon te denken aan wat tekeningen van Beckmann waarvan hij dacht dat hij ze voor een redelijke prijs kon bemachtigen. Daarna, toen hij naar zijn prachtige auto liep, dacht hij, veel dieper en vager, na over zichzelf en begon te glimlachen.

Tamar had een halve dag vrijgenomen om bij Lily Boyne op bezoek te gaan.

In haar eenzame strijd leek Lily de enige persoon die de praktische hulp kon verschaffen die Tamar nu op zijn minst dringend moest overwegen.

Toen Tamar, alleen in haar slaapkamertje, na een bezoek aan de drogist zonder enige twijfel had vastgesteld dat ze Duncans kind verwachtte, dacht ze dat ze gek zou worden, ze dacht dat ze zichzelf moest doden, de gedachte dit te doen was werkelijk de enige barrière tegen krankzinnigheid. In haar schaarse, schuchtere *amours* was Tamar altijd wat bang geweest voor een zwangerschap, deze angst was één van de belangrijkste redenen voor haar aarzeling, om niet te zeggen weerzin, ten aanzien van de lichamelijke liefde. Ze was getuige geweest van de armzalige, ellendige dilemma's van haar medestudentes; en een of andere instinctieve, puriteinse levenshouding, die voortsproot uit haar neiging zich af te zetten tegen haar moeder, maakte haar kieskeurig over alles wat in de verte met zedeloos gedrag te maken had en bezorgde haar een diepe en niet alleen voorzichtige afschuw van de gedachte aan buitenechtelijke kinderen. Ze had zich gelukkig gevoeld zonder allerlei 'verhoudingen' en ze wist zeker dat ze nooit echt van iemand had gehouden. Over de keren dat ze zich in bed had laten krijgen had ze schuldgevoelens en spijt. Ze was totaal niet verdacht geweest op haar plotseling intense gevoelens voor Duncan, ze had zich tegen zulke ontwikkelingen beschermd gewaand door het feit dat hij zoveel ouder was. Ze had hem altijd als een oudere vriend beschouwd, een vaderlijke figuur, hij kwam na Gerard op de tweede plaats. Toen Tamar merkte dat ze verliefd begon te worden op Duncan was ze verbaasd geweest, en ook wat van haar stuk gebracht alsof het iets griezeligs en iets ergs was, maar daarna had ze het toch leuk gevonden, was ze er zelfs blij mee geweest. Hét, of iets wat er erg veel op leek, was haar tenslotte toch overkomen, maar – en was dit niet, voor háár, het moeilijke punt? – wel op de meest onmogelijke en uitzichtloze manier. Verliefd worden: zo volmaakt in de macht van een ander zijn, al je vrijheid, je hele bestaan, weg laten nemen om door een ander te worden beheerst. En juist omdat het een volledig geblokkeerde weg was – zag Tamar later in – gaf ze zich, als betoverd, over aan deze nieuwe sensatie als aan een heerlijk, louterend droevig lot. Dit had ze, weliswaar kort maar met een zorgeloze intensiteit, gevoeld voordat ze de liefde bedreven. Hij mocht het, natuurlijk nóóit te weten komen. Ze zou hem dienen en helpen, hem op de een of andere manier – ze wist nog niet hoe, maar misschien was dit ook voorbestemd – herenigen met zijn vrouw; daarna zou zij zich terugtrekken met haar heimelijke verdriet, dat na verloop van tijd zou veranderen in een bron van onbezoedelde vreugde.

Na het vrijen veranderde Tamars gemoedstoestand, die helder en overzichtelijk was geweest zelfs min of meer vredig, in een donker slagveld van tegenstrijdige gevoelens. Dat ze nu met dit grote, vriendelijke dier dat ze liefhad naar bed was geweest, hem in haar armen had geknuffeld en hem op deze manier had getroost, veroorzaakte ondanks alles een krankzinnige vreugde die voortsproot uit haar liefde, en deze nog toe deed nemen. Maar deze vreselijke liefde was nu ten ondergang gedoemd en slecht. Tegelijkertijd merkte ze dat ze zelf probeerde haar droom verder te laten bestaan, om 'alles goed te maken', voor hém, en voor haar. Was er niet toch nog een manier, was er niet altijd een manier, om onschuldig en onzelfzuchtig te zijn? Kennelijk niet, aangezien ze met haar weloverwogen handeling onherroepelijke schade had aangericht, enorme schade die consequenties voor haarzelf en voor anderen zou hebben. Ze had de oorspronkelijke en onschuldige Duncan verloren, die ze zo terughoudend en stilzwijgend lief had gehad, ze had hem voor altijd opgegeven in ruil voor het kortstondige genoegen hem te kunnen vertellen dat ze van hem hield. Maar aan de andere kant, hoe had ze hem af moeten wijzen toen hij haar smeekte hem lief te hebben? Hij had kunnen denken dat ze egoïstisch en laf en koud was, dat haar liefde niets meer dan een leugen was, hij zou zich afgewezen hebben gevoeld, hij zou het haar nooit vergeven hebben en zij zou het zichzelf evenmin ooit vergeven hebben. Soms dacht ze, of kwam ze in de verleiding te denken, aangezien ze dat idee als een troost beschouwde, dat de enorme 'schade' en alle daaraan verbonden consequenties iets was wat alleen op haar van toepassing was en Duncan of Jean niet raakte. Was het niet de schade aan haar gevoel voor zelfrespect, was het niet juist dát, het bederven van haar rol, dat haar zo beangstigde? Wat die grotere consequenties ook mochten blijken te zijn, er waren nu kwalijker en onaangenamere zaken die haar onmiddellijke aandacht opeisten. Ze moest zich voor kunnen stellen wat Duncans gevoelens waren om dienovereenkomstig te handelen. Ze vermoedde dat hij die episode nu betreurde, dat hij alles zo snel mogelijk wilde vergeten en een einde maken aan mogelijk absurde ideeën die ze naar aanleiding daarvan mocht koesteren. Hij had tenslotte andere problemen aan zijn hoofd en vond waarschijnlijk dat hij haar 'kinderlijke' beloften niet al te serieus moest nemen. Hij zou op haar 'gezonde verstand' rekenen. Later zou alles heel onbetekenend lijken. Er zou geen dreigende nasleep volgen, zijn gevoelens zouden vriendelijk blijven, zelfs hartelijk, zelfs dankbaar; voorlopig zou hij zich op een afstand houden. Op zekere dag, wanneer Jean weer thuis was, zou hij het haar vertellen en zouden ze er samen om glimlachen. Of zou hij het Jean wel vertellen? Tamar vond het vreselijk zich zoiets af te moeten vragen, en probeerde zichzelf te dwingen hiermee op te houden. Ze was volledig van plan zich in te zetten voor dit pijnlijke verwijderingsproces. Zo ver was ze, na de daad en voor de vreselijke ontdekking. Tamar had Duncan volledig vertrouwd toen hij zei dat hij geen kinderen kon krijgen, er was geen sprake geweest van 'voorzorgsmaatregelen'. Ze weigerde de bewijzen van de natuur te geloven en had die zwangerschapstest voornamelijk als een daad van bijgeloof gezien.

Nu drongen de gevolgen van haar toestand volledig tot haar door. Het kind was een onmogelijkheid, een gruwel; maar toch was het een kínd, een levend wezen met, als het bleef leven, een toekomst die zich eindeloos uitstrekte: het kind van Duncan Cambus, háár kind. Ze had vaak horen zeggen dat 'ze' kinderen hadden gewild. Ze had ook horen zeggen dat Jean zeker weer naar huis zou komen. Ze had de dodelijke ellende op Duncans gezicht gelezen. Ze had zich zijn vreugde voorgesteld als zijn vrouw weer terugkwam. Duncan had een kind gewild. Nou, nu had hij een kind.

Het vreselijke gegeven van het leven van dit kind nam haar dusdanig in beslag dat het bijna alle gedachten verdrong, alsof het kind reeds nu een gezaghebbende aanwezigheid was, een prins – want Tamar was er zeker van dat het mannelijk was – die zijn gebied opeiste en zijn rechten deed gelden. Dit volledig opgaan, dit gevoel van een wonderbaarlijk ander wezen, zo'n bron van vreugde voor een ware moeder, was hier een kwelling. Hoe kon Tamar laten weten dat ze Duncans kind verwachtte, een onthulling die bijna zeker Jeans terugkeer zou verhinderen en zelfs als Jean toch terug mocht komen, dat huwelijk voor eeuwig zou verduisteren? Maar hoe moest Tamar zich ertoe zetten het kind te vernietigen, het wonderkind van Duncan Cambus en Tamar Hernshaw, háár kind? Maakte niet louter de aanwezigheid van dit wezen dat al het andere onbeduidend leek? Was ze gedoemd haar kind te verwensen, het te haten, om Duncan, om Jean, omdat het haar ontbrak aan speciale moed die haar situatie vereiste? Was het mogelijk het kind te verbergen, en te doen alsof het van iemand anders was, hem te laten adopteren? Ze wist dat als hij bleef leven zij zichzelf er nooit toe kon brengen hem te laten gaan. Als ze het nou maar gewoon als een zaak van Duncans recht kon beschouwen, en naar hem toe kon hollen om te zeggen: 'Hier is je zoon.' Zou hij blij zijn; of ontzet? Misschien had hij eens naar een kind verlangd maar nu niet, en niet dát kind. Ze dacht: ik heb gedaan wat mijn moeder heeft gedaan, ik heb m'n leven geruïneerd! Ik heb een kind van een man met wie het nooit iets kan worden. O, als ik maar kon verdwijnen, het kind meenemen, iemand anders worden en nooit meer iets van me laten horen! Ik kan geen risico's nemen met zo'n toekomst, ik kan er niet over dénken, ik heb meer tijd nodig, maar de klok tikt door.

Zou het allemaal hoe dan ook toch eens uitkomen en kon ze het maar niet beter gelijk opbiechten? Ze had het al aan één persoon verteld, aan de priester, father McAlister, die haar had verteld dat ze het kind moest houden en op God moest vertrouwen. Tamar wist zeker dat father McAlister het aan niemand zou vertellen. Maar het feit op zich, dat ze het hem had verteld, toonde aan dat ze in staat was erover te praten en dit misschien weer zou doen. Ze had hem uiteraard geen details verteld en had hem, met betrekking tot de essentie van de zaak, om de tuin geleid, zodat zijn advies weinig betekenis voor haar kon hebben. Ze had gezegd dat ze niet wist wat ze het beste kon doen, maar ze had het probleem niet nader uitgelegd. Ze had geweigerd over de vader te praten, zeggend dat hij een student was. De priester had begrepen, en had ook gezegd dat ze iets essentieels voor hem verborgen hield, maar hij had eraan toegevoegd dat hoe de situatie ook mocht zijn, zijn advies juist was. Hij wilde haar nog eens spreken, en was bereid naar Londen te komen, maar Tamar had, vol ontzetting, geweigerd en was gevlucht. Het uitstorten van haar hart deed haar geen goed, het was opnieuw iets wat ze betreurde en vreesde.

En nu had ze weer een dwaasheid begaan, ze had het aan Lily Boyne verteld. Hier had ze nu ook al spijt van. Ze begreep waarom ze het had gedaan, ze had het gedaan om tijd te winnen, of liever gezegd om de tijd te bedríegen. Ze had bedacht dat, terwijl ze liep te overwegen wat ze moest doen, ze in ieder geval wat details te weten moest komen over de diverse mogelijkheden. Ze wilde weten waar en hoe je een gegarandeerd anonieme abortus kon ondergaan en hoeveel dat zou kosten. Abortus was uiteraard legaal, ze kon het bij de nationale gezondheidsdienst laten doen, er waren talloze bureaus die haar raad konden geven, maar deze openlijke handelingen zouden bijna zeker tot ontdekking leiden. Het verhaal dat ze, niet zonder details, bij Lily ophing was omzichtig onjuist – ze leerde snel hoe ze moest liegen –, over een vriendje uit Oxford dat plotseling voor één nacht van onvoorzichtigheid was langsgekomen. Tamar zat er niet ver naast toen ze veronderstelde dat Lily 'er alles vanaf wist'. Lily had zelf een abortus ondergaan, vertelde ze Tamar, dus ze wist precies hoe het arme kind zich moest voelen. Ze wist er de juiste plek voor en bood zelfs aan het voor haar te betalen, een aanbod dat Tamar afsloeg. Ze zwoer zelfs dat ze het nooit en te nimmer aan iemand zou vertellen. Toen Tamar bij haar wegging, zeggend dat ze er eens over zou nadenken, begreep ze dat ze door met Lily over een abortus te praten, feitelijk al een besluit had genomen. Was dit wat ze zelf wilde, het gevoel dat de teerling reeds was geworpen? Was het echt waar, na alles wat ze tegen zichzelf had gezegd, dat ze haar kind háátte? Vandaag ging ze terug om weer met Lily te praten, alsof dit een waardevolle en nuttige manier was geworden om de tijd door te brengen.

Lily lag lui op haar sofa die ze had opgesierd met een rood-zwart gestreept laken en bijpassende kussens van Liberty's. Ze had een dunne, groene, wollen hemdjurk aan over een witte, zijden bloese. Ze had een nieuw soort olie in haar haar en haar gezicht, zonder make-up, stond sereen. Het was erg warm in de flat. De gordijnen waren dichtgetrokken om de mist buiten te sluiten en alle lampen brandden, hoewel het pas drie uur in de middag was. Tamar had de flat van haar moeder weer snel verlaten, ze was alleen naar huis gekomen om een extra trui op te halen en ze had weinig zin zich door

Gideon op te laten houden. Ze bracht de resterende tijd vóór haar afspraak door met het lopen door de straten, zoals haar moeder terecht had vermoed dat ze 's avonds deed. In een café bestelde ze een sandwich maar was niet in staat die op te eten. Zij en het kind liepen en liepen. Zij en het kind gingen met de lift naar Lily's flat.

Tamar had een stoel naast Lily geschoven en zat met haar handen op haar knieën naar de grond te staren. Ze voelde zich zo smerig, zo schuldig, zo ellendig, zo volledig verscheurd door het besluit dat ze nu scheen te nemen, op pijnlijke wijze bewust wat dat stukje extra wezen in haar binnenste, dat ze het gevoel had niets uit te kunnen brengen. Maar ze sprak wel, met een dode stem, een stem als van een lijk, ze stelde vragen en zei de dingen die nodig waren.

Lily keek naar Tamar, ze zag hoe ellendig ze eraan toe was en ze had innig medelijden met haar. Tegelijkertijd voelde Lily zich ook wat uitgelaten, het was een kolfje naar haar hand, ze voelde zich opeens heel machtig. Ze dacht: uit die hele verhipte verzameling wijsneuzen heeft Tamar zich tot mij gewend! Uiteraard zoekt een vrouw in zulke gevallen in eerste instantie haar heil bij een andere vrouw, en Lily kreeg een warm gevoel over deze daad van vrouwelijke solidariteit. Ze had ook, het kon niet anders, een beetje het gevoel van: wat kunnen hoge mensen toch diep vallen! Het feit dat die geweldige, volmaakte Tamar zo in de penarie zat maakte dat Lily haar eigen problemen wat filosofischer bekeek. Ze voelde zich ook erg belangrijk dat haar zo'n geheim werd toevertrouwd, en ze was blij dat ze als zo vertrouwenwekkend, zelfs wijs, werd beschouwd. Ze dacht: Tamar had ook naar Rose kunnen gaan, maar Rose zou hevig geschokt zijn geweest, Rose zou vast niet hebben geweten waar ze haar naartoe had moeten sturen en ze zou haar waarschijnlijk verteld hebben dat ellendige wurm te houden! Ze kon in elk geval nauwelijks verwachten dat Rose niets tegen Gerard zou zeggen en juist daar wil ze haar image mooi houden! Arm kind!

De plaats die Lily haar aanraadde was een privé-kliniek in Birmingham – Angela Parke was daar in vergelijkbare omstandigheden terechtgekomen. Tamar scheen te denken dat alles wat zich in Londen afspeelde hén automatisch ter ore kwam.

'Het doet geen pijn, weet je, en het gaat heel snel. Het is verstandig dat je zo snel in actie bent gekomen. Je voelt er helemaal niets van. Ze willen je daar een paar dagen houden zodat je wat bij kunt komen. Daarna ben je zo vrij als een vogeltje in de lucht. Ik zie aan je dat je je nu vreselijk voelt, je vindt het heel moeilijk. Maar ik kan je verzekeren dat dit de moeilijkste tijd is. Je zult je heel anders voelen als alles achter de rug is, dan ben je zo zeldzaam ópgelucht, dan loop je te dansen en te zingen! Beschouw het maar als een ziekte die wordt genezen, beschouw het als een gezwel dat je kwijt moet. Abortus stelt níets voor, het is gewoon een methode van geboortenbeperking. Til er nou maar niet zo zwaar aan. Het overkomt iedereen wel eens... nou ja, de meeste vrouwen.'

'Zal ik mijn naam op moeten geven?'

'Tjà, sommige meisjes geven een valse naam op, maar dat is riskant en de dokters hebben er een hekel aan. Je kunt beter je eigen naam opgeven... heb je nog meer voornamen, buiten die rare?'

'Ja, Majorie.'

'Majorie, wat merkwaardig, dat past helemaal niet bij jou! Ik vind je gewone naam eigenlijk heel leuk. Je kunt Majorie Hernshaw zijn, dat klinkt heel gewoon. Ik vraag me af of je misschien kunt doen alsof je getrouwd bent, dat je het niet tegen je man wil zeggen, dat zou mensen op een vals spoor brengen! Nee, toch maar niet. Je laat trouwens helemaal geen sporen na. Wees maar niet ongerust! Ik zal er natuurlijk met geen woord over reppen. Het zal allemaal in het verleden verdwijnen, als rook worden opgeblazen, en jij voelt je weer schoon en gezond en vrij!'

'Maar vond jij het niet...' zei Tamar. Ze kon niet verdergaan. Ze moest niet denken aan baby's die met chirurgisch afval werden weggegooid, die stierven als vissen op het droge, als kleine visjes op een witte krijtrots. Nijdig veegde ze de tranen uit haar ogen, ze had hier geen recht op tranen. Ze staarde omlaag naar de groene en ivoren vierkanten op het vloerkleed, die heen en weer dansten. Ze voelde zich draaierig worden.

'Nee, dat vond ik niet,' zei Lily resoluut. Ze was niet van plan zich door Tamars tranen te laten ontroeren, of aan haar eigen episode te worden herinnerd als iets anders dan een goede oplossing voor een probleem. 'En dat zul jij ook niet vinden, als het eenmaal achter de rug is! Zal ik voor je opbellen?'

'Nee!'

'Ze kunnen het misschien niet meteen doen, weet je, en tijd is wel belangrijk.'

'Nee. Lily, hoor eens, je was de vorige keer zo lief om aan te bieden dat jij het wel wilde betalen...'

'Dat zal ik ook doen, echt waar...'

'Dat wil ik niet, maar als ik in geval van nood iets van je zou mogen lenen...'

Toen Tamar over alles had nagedacht was ze ontzet geweest over de enorme hoeveelheid geld die ze moest opbrengen, en waarvan ze geen idee had hoe ze dat uit haar spaargeld moest persen. Ze gaf het grootste deel van haar salaris aan haar moeder.

'Ja, natuurlijk!' Ik veronderstel dat híj er geen bezwaar tegen heeft? Niet dat dat er iets toe doet, het is nou eenmaal jouw probleem.'

'Nee, hij heeft er geen bezwaar tegen.'

'Waarom kan hij het niet betalen?'

'Hij heeft geen geld.'

'Hij zegt dat hij geen geld heeft!'

'Hij is nu trouwens alweer verdwenen.'

'Stomme kerels, doen alles om je te grijpen, nemen geen maatregelen en als er dan wat van komt smeren ze 'm! Volgens mij heb je het hem niet eens verteld. Je moet wel gelijk aan de pil, hoor. Nou, wanneer gaat het gebeuren? Je hebt immers je besluit al genomen, hè?'

'Nee, nog niet...'

'Tamar, liefje, doe niet zo stóm, doe niet zo sentiméntéél, denk eens ná! Geen enkele man wil een meisje met een onwettig kind, ze beschouwen het als een smet op hun mannelijkheid om een meisje te nemen dat een kind heeft van een ander. Met een kind aan je rokken kun je het wel vergeten, als je ooit nog wil trouwen, zelfs een verhouding zit er nauwelijks meer in. Die kerels zijn er totaal niet van gediend dat het een of andere lieve schatje opeens een deur open kan doen! Bovendien, wat dacht je van je eigen toekomst, van je baan; wat zal je moeder er wel van zeggen? Wil je Violet vragen voor dat wurm te zorgen terwijl jij naar je werk gaat? Of geef je je werk eraan en ga je thuis op een uitkering zitten? Stel je eens voor hoe het jaar in jaar uit zal gaan! Het arme schaap zal een hopeloos leven krijgen, het juiste recept voor ellende voor twee! Hij zal de pest hebben aan zijn school, hij zal de pest hebben aan de andere kinderen, ze zullen hem voortdurend treiteren, jij zult worden getreiterd. Zo gaat dat nog steeds, weet je, in deze, ha, ha, tolerante maatschappij! En mocht je er toch nog in slagen te trouwen en andere kinderen te krijgen, dan blijft dát kind altijd een buitenbeentje. Stel het je in hemelsnaam allemaal eens voor! En denk niet dat het een goed idee is alles op z'n beloop te laten en het kind te krijgen en te zien hoe je je dan voelt, of te denken dat het gemakkelijk is om het te laten adopteren! Als het er eenmaal is, zal het allemaal honderd keer zo moeilijk zijn, nog afgezien van het feit dat een zwangerschap vreselijk kan zijn. Wil je het echt met je mee moeten slepen om allerlei formulieren te ondertekenen terwijl de tranen over je gezicht stromen? Dan heb je de nadelen van beide mogelijkheden omdat iedereen het zou weten! Nu hoeft niemand er iets van te weten! In Godsnaam, heb het lef om het nu te laten doen. Ben ik duidelijk?'

'Ja.'

'Wanneer wil je dan, suffie, zal ik opbellen?'

'Nee.'

De bel van de deur beneden rinkelde en Lily liet zich met een geërgerde grom van de sofa glijden en liep naar de intercom. 'Wie is daar?' Ze legde haar hand op de luidspreker. 'Het is Gulliver. Zal ik zeggen dat hij op moet hoepelen?'

'Nee, nee, ik wilde nu toch gaan, ik moet echt weg.'

'Oké, kom maar boven,' riep ze in de spreekbuis en keek toen weer naar Tamar. 'Hoor eens, kindlief, je moet echt morgen terugkomen om me te vertellen dat je ermee doorgaat. Dat doe je toch, hè?'

'Goed,' zei Tamar.

'Kom morgenochtend om elf uur.'

'Ja. Dank je.'

'Wacht en maak even een praatje met Gull, hij mag je graag, hij zal er niets van denken, als hij dat toch mocht doen zal ik wel een kletsverhaal ophangen, daar ben ik goed in.' Ze liep naar de deur om Gulliver open te doen. 'Gull, Tamar is hier, ze wilde net weggaan.'

Tamar had haar jas al aan en trok haar bruine baret diep over haar voorhoofd. 'Hallo Gull, ik moet rennen. Bedankt Lily.'

'Tot morgen, liefje.'

Tamar maakte dat ze wegkwam.

'Wat is er met haar aan de hand?' zei Gulliver. 'Ze heeft gehuild. Wat heb je met haar gedaan?'

'Ik heb haar alleen maar geholpen.'

'Wat was er loos?'

'Alleen maar problemen met een vriendje. Ik heb wat wijze adviezen gegeven.'

'Wat nemen meisjes het toch altijd voor elkaar op,' zei Gulliver vertederd. 'Ben je blij me te zien?'

'Ja. Ik heb aan je gedacht. Je ruikt naar de kou en de mist, dat is een lekkere geur.'

'Het is buiten aardedonker.'

'Nou, het is ook al bijna avond. Ik vind Londen 's winters heerlijk, als het overdag bijna niet licht wordt. Waar zijn die bakkebaarden die je me beloofd had te laten staan?'

'Ik kan in twee dagen geen bakkebaarden kweken!'

Gull, die zijn winterjas op de grond had gegooid, droeg een lichtgrijs pak met een donkergroen vest en een wit overhemd met een oranje-gele das. Hij wreef over zijn wangen waar de beloofde aanwassen nog niet meer dan stoppeltjes waren. Hij keek naar Lily, die zijn jas had opgeraapt, hij nam haar van top tot teen op, van haar merkwaardig sluike haar tot haar kleine voeten met korte tenen. Hij vond dat ze er tegenwoordig vaak wat jonger uitzag, en niet meer zo 'opgetut' was. Haar zachte stem en heldere lach, die hem eens hadden geërgerd, klonken hem nu sexy in de oren. Haar afzakkende sokken en beenwarmers leken eveneens sexy. Die beste Lily was geen toonbeeld van schoonheid, maar ze was beschikbaar en niemand anders was dat, en hij was heel goed met haar op kunnen gaan schieten, en hij was in gaan zien dat hij zelden echt goed met anderen overweg kon. Zijn mening over haar was natuurlijk aanzienlijk gestegen na de schaatsscène, die hij dikwijls in zijn dromen voor zich zag. De afgelopen nacht had hij gedroomd dat hij met Lily in een paleis in Japan had gedanst. Nou ja, ze hadden ook een keer samen gedanst, op het midzomerbal, maar hij moest zeldzaam dronken zijn geweest en kon zich er nauwelijks iets van herinneren.'

'We moeten eens samen gaan dansen,' zei Lily en wierp zijn jas over een stoel.

'Je kunt gedachtenlezen. Als ik nu maar eens een baan kon vinden.'

'Je kunt niet alles uitstellen tot daarna. Ik heb een man in mijn leven nodig...'

'Nou, ik ben toch in je leven...'

'Ga niet weg, alsjeblieft.'

'Maar ik ben nérgens goed in.'

'Laten we in een hotel gaan slapen. Ik ben dol op hotels. Misschien gaat het in een hotel wel beter, dat is veel dramatischer!'

'Als het met alcohol niet lukt, helpen dramatische toestanden evenmin. Wat heb je met je haar gedaan?'

'Wat doet seks er trouwens toe? Het is alleen maar wat techniek. Liefde is veel belangrijker.'

Gulliver liep naar Lily en nam haar in zijn armen. Hij had dit nooit eerder gedaan. Hij was blij over zijn succes, dit te presteren. Ze was heel licht. Hij hield haar even vast, liet haar toen langzaam zakken en drukte haar tegen zich aan. Ze bloosde door zijn manier van doen en haar lichtbruine ogen schitterden van de lach.

'Als we nu eens gingen trouwen,' zei Gull, 'als ik een baan heb?'

'Doe niet zo mál!'

Het volgende moment zei ze: 'O Gull, soms voel ik me zó ongelukkig, er zijn zulke vréselijke dingen in deze wereld!' En ze begon te huilen, ze vergoot bittere tranen voor alle leed op deze wereld, om Tamar en om de verdwenen kinderen, en om haar eigen onvermogen om lief te hebben en lief te worden gehad.

Gerard, Rose, Jenkin en Gulliver zaten rond het ene einde van de tafel in de eetkamer in Gerards huis. Crimond had juist zijn plaats aan het andere einde ingenomen. Het was elf uur in de morgen. Het was opgehouden met regenen, maar de hemel bleef bleek en bewolkt en er stond een oostenwind. Het was kil in de kamer, aangezien Gerards opvattingen over centrale verwarmingen – dat wil zeggen naar Fairfax maatstaven – nogal Spartaans waren. Tot Gerards verbazing had Crimond kort na hun gesprek opgebeld om voor te stellen dat het misschien een goed idee was als hij het hele *Gesellschaft* zou ontmoeten teneinde zijn ideeën wat toe te lichten, aangezien hij zich afvroeg of ze misschien een verkeerde indruk van zijn boek hadden. Gerard was aangenaam verrast door dit blijk van redelijkheid en hij verheugde zich erop een evenwichtiger relaas te vernemen, nu Crimond de tijd had gehad alles te overdenken. De anderen waren eveneens verbaasd, Rose een beetje nerveus, allemaal erg nieuwsgierig.

Gerard zei: 'Ik weet zeker dat we het allemaal bijzonder op prijs stellen dat Crimond hierheen is gekomen om ons over zijn boek te vertellen.' Na deze inleiding keek hij Crimond uitnodigend aan.

Er viel een pijnlijke stilte. Crimond bleef Gerard aankijken. Rose en Gulliver staarden naar de tafel. Jenkin keek ongerust naar Gerard. Gerard keek Crimond aan met een verwachtingsvolle blik die langzaam verdween.

Tenslotte zei Gerard: 'Nou...'

Op hetzelfde moment zei Crimond: 'Ik heb niets bijzonders te zeggen. Ik begreep dat het comité me vragen te stellen had. Maar als er geen vragen zijn...'

'Het spijt me,' zei Gerard, 'als je liever vragen beantwoordt, doen we het op die manier. Wil iemand van wal steken?'

Hij keek om zich heen naar de anderen. Rose en Gulliver bleven naar de tafel staren. Jenkin keek, bijtend op zijn lip, naar Crimond. De stilte duurde voort en Crimond sloeg demonstratief het blocnote dicht, dat hij voor zich open had liggen, en verschoof zijn stoel een eindje.

Ten slotte zei Jenkin: 'Ik vraag me af of je ons je ideeën kunt geven over een hervorming van de vakbeweging.'

'Je bedoelt hoe de vakbewegingen meer macht kunnen krijgen?'

'Ik bedoel hoe ze democratischer kunnen worden en...'

'Democratischer?!' zei Crimond, Jenkin aanstarend alsof hij een onbegrijpelijke uitdrukking had gebezigd.

'Het stakingsrecht is natuurlijk fundamenteel...'

'Ik houd me niet bezig,' zei Crimond, 'met afgezaagde details over onderhandelingsmethoden. De vakbewegingen vormen uiteraard één van de sterkste machten in de revolutionaire strijd...'

'Wat is die "revolutionaire strijd"?' zei Rose, die een kleur had gekregen toen ze zich klaarmaakte om iets te zeggen.

'De strijd voor de revolutie,' zei Crimond ongeduldig.

'Welke revolutie?' zei Rose.

'Revolutie,' zei Crimond, 'is een marxistisch concept...'

'Dat weten wij ook wel!' zei Gulliver.

'Dat streeft naar een totale omwenteling van onze sociale structuren, waarvoor in eerste instantie een machtsverschuiving noodzakelijk is, van de ene klasse naar de andere...'

'Je plaatste een vraagteken bij het woord "democratisch",' zei Rose, 'kun je ons ook zeggen waarom?' Rose had haar haar laten knippen en haar wilde manen, die in het lamplicht opvallend blond leken, waren nu uitgedund en ingekort, zodat haar voorhoofd te zien was, wat haar een strengere en

meer soldateske blik verleende. Ze wierp, terwijl ze sprak, met haar donkerblauwe ogen een snelle blik op Crimond en hervatte daarna haar inspectie
van het tafelblad waarop ze de vage krassen ontdekte die Crimonds vingernagels de vorige keer hadden achtergelaten.

'Het is een verouderd en versleten concept,' zei Crimond, 'en in dit stadium uiterst misleidend en verwarrend...'

'Dus jij gelooft niet in parlementaire democratie?' zei Gulliver.

Crimond negeerde Gull en bleef Rose aankijken terwijl hij verder ging:
'Wat jij democratie noemt is een rigide, inefficiënte, onrechtvaardige en
zonder meer achterhaalde manier van leven, die in stand wordt gehouden
door een patroon van geweld dat jij kennelijk onzichtbaar vindt...'

'Jij geeft de voorkeur aan een efficiënt één-partij-stelsel, onder een regime dat door één enkele revolutionaire groep is opgelegd?' zei Rose.

'De formulering van je vraag verraadt bepaalde veronderstellingen,' zei
Crimond terwijl hij zich, misschien uit beleefdheid, een uiterst vaag glim-
lachje veroorloofde. 'Ons huidige regime is "opgelegd", onze oude liberale
opvatting van "eensgezindheid" is versleten, we wéten dat de enorme on-
rechtvaardigheid en het lafhartige gerommel dat we overal in deze samenleving zien niet te veranderen valt. De democratische staat kan niet regeren,
de mensen zijn in de straten te vinden... zie je de toekomst dan niet in
de straten van onze grote steden? Het idee van een democratische parlementaire partijenregering vormt nu een barrière die moet worden afgebroken.
Het veranderingsproces zelf brengt nieuwe sociale structuren tot stand die
na verloop van tijd gestalte zullen geven aan een meer positieve en effectieve
vorm van regeren bij overeenstemming. Of je dit nu wel of niet een één-partijregering noemt is een vraag die verouderd zal zijn wanneer deze transformatie heeft plaatsgevonden. En intussen... zullen wij beter op de toekomst
voorbereid zijn als we inzien hoe vreselijk, hoe ten ondergang gedoemd, het
heden is, hoezeer de mensen lijden en haten, en hoe vreselijk en hoe volledig de komende wraak zal zijn...'

'Dus jij stemt in met terrorisme?' vroeg Gulliver.

'Ik vind dat zo'n beladen woord,' zei Crimond fronsend. 'Onze manier
van leven berust op geweld en lokt het uit. Je moet alle dingen op hun meri-
tes bekijken. Zij die het afkeuren kan het meestal niets schelen.'

'Nou, het woord op zich bevalt me niets,' zei Gulliver, 'je draait steeds
om de hete brij heen en je beledigt ons door te zeggen dat het ons niets
kan schelen!'

'O, ik vind jullie allemaal vreselijk aardige mensen,' zei Crimond, waarbij hij niet naar Gull maar naar Gerard keek, 'die denken dat het mooie
weer jullie tijd nog wel zal uitduren. Volgens mij hebben jullie het mis.'

Gerard gebruikte een kalme, bedachtzame toon om de verhitte gemoede-
ren wat te kalmeren. 'Maar jouw soort "transformatie" is al eens eerder ge-

probeerd, hij leidt tot tirannie, tot opstellingen die véél meer rigide en onrechtvaardig en onwerkbaar zijn! Wij zijn onvolmaakt, maar we vormen een vrije, open en tolerante samenleving die wordt geregeerd door democratische processen en wetten, we hoeven onszelf niet te vernietigen om veranderingen tot stand te brengen, we veranderen voortdurend, en meestal ten goede, als je het vergelijkt met vijftig jaar geleden! Moeten we dit nu allemaal overboord zetten in ruil voor het een of andere hersenschimmige, hypothetische utopia dat na een gewelddadige revolutie door enkele activisten wordt opgezet? Je zei dat je geen contact had met de arbeidersbeweging, je had het net over ''afgezaagde details'' die je niet interesseerden, volgens mij ben jij een eenzame theoreticus, met interessante ideeën, die echter niets te maken hebben met de werkelijke machtsproblemen of met hoe een samenleving werkelijk kan veranderen...'

'Ik geloof er niets van dat hij het contact is kwijtgeraakt,' zei Gulliver, 'en ik geloof ook niet dat hij eenzaam is. Hij wil gewoon deze maatschappij vernietigen. Dat is het enige dat zulke lieden kunnen, en dat is heel werkelijk.'

'Jouw hele beeld van de westerse beschaving is een ''theorie'',' zei Crimond tegen Gerard. 'Jullie hele mooie leven houdt armoede en onrecht in stand, achter jullie geciviliseerde relaties gaan een hel van ellende en geweld schuil. Wat gebeurt er met dissidenten als ze naar het westen komen? Ze krijgen spijt, ze verpieteren, ze vinden het allemaal vreselijk weerzinwekkend, want zíj kunnen het zíen. Er bestaat zoiets als de loop der historie, ik bedoel niet alleen een concept dat door Hegel of Marx of voor mijn part Herodotus is uitgevonden, ik bedoel een diepgaand, sterk, niet aflatend proces van sociale veranderingen. Dát is iets wat jullie domweg weigeren in te zien. Jullie denken dat de werkelijkheid uiteindelijk goed is en omdat jullie denken dat jullie ook goed zijn voel je je veilig. Jullie vinden jezelf heel geweldig omdat jullie Engelsen zijn. Jullie leven op boeken en gesprekken en wederzijdse bewondering en drank... jullie zijn allemaal alcoholisten... en jullie sentimentele opvattingen over deugdzaamheid. Jullie bezitten geen energie, jullie zijn lui. De echte helden van onze tijd zijn zij die zo dapper zijn om de oude dromerige, egoïstische, zelfvoldane ethiek te laten varen, evenals de oude imperialistische, moralistische persoon die heer en meester was over alles wat zijn oog aanschouwde! We zullen bijvoorbeeld moeten leren hoe we met machines moeten leven, moeten dénken hoe we met machines moeten leven, met computers, met informatica, met de moderne natuurkunde... het oude, zelfvoldane, liberale individu is nu al verloren, hij is een schertsvertoning, hij heeft afgedaan, hij kan geen vaste waarden vaststellen...'

'O, hou op!' riep Rose. Ze beefde van woede. 'Je hebt je ziel verkocht aan...'

'Ja, ik heb 'm verkocht,' zei Crimond, 'en ik ben trots dat ik hem heb verkocht, wat is het nut van een ziel, dat vergulde idool van egoïsme! Ik heb hem verkocht en ik ga iets doen met de macht die ik ervoor in de plaats heb gekregen. Dat is de essentie van de nieuwe wereld en de nieuwe mens. Jullie aanbidden jullie zielen, want dat is jullie eigen ik. Vraag je eens af met wie je je identificeert, dat zegt alles over je plaats en je klasse. De mensen van deze planeet zijn niet als jullie, zíj moeten worden gediend, zíj moeten worden gered, de hongerige schapen kijken op en worden niet gevoed...'

'Jij vergiftigt ze!' zei Gulliver.

'Jouw ''mensen'' zijn abstracties,' zei Rose, 'zij zijn slechts een vaag idee dat jouw gevoel van macht voedt, jouw marxisme is oud en versleten, dát heeft afgedaan! Je bent geen nieuw soort mens, je bent gewoon een ouderwetse brutale maniak die denkt dat hij een supermens is! Je zegt dat het individu niet bestaat... maar hoe zit het dan met de mensen in Afrika, die van de honger omkomen...?'

'Jouw ethiek is sentiment,' zei Crimond, 'ik zeg niet dat het waardeloos is, maar het is voornamelijk een zaak van het sussen van je geweten. Jullie zijn erg begaan met ecologie en het redden van dieren, jullie verafschuwen hongersnoden en jullie sturen een cheque, jullie verafschuwen geweld en vergeten het daarna weer een poosje, jullie willen niet naar de werkelijke redenen kijken van wat er fout is met deze wereld. Waarom kunnen we deze planeet niet te eten geven, waarom zijn bijna alle menselijke wezens slechts flarden van wat ze konden zijn? Er is een enorm menselijk potentieel, een hoger, fijner, sterker menselijk bewustzijn, een heel avontuur van onze soort dat nog moet beginnen! En uiteraard moeten er problemen worden opgelost, waarvan jullie geen idee hebben, laat staan er een oplossing voor kunnen bedenken!'

'Dit gaat me te ver,' zei Rose, 'nu zeg je dingen om ons te beledigen!'

'Jullie zijn ook niet erg beleefd tegen mij, als het puntje bij het paaltje komt. Jullie hebben me gevraagd hier te komen. Jullie weten niet hoe je me van repliek kunt dienen, jullie weten zelfs geen intelligent gesprek over mijn ideeën te voeren en dus worden jullie boos!'

'Je zei dat we zo trots zijn dat we Engelsen zijn,' zei Gull. 'Je hebt kennelijk last van een minderwaardigheidscomplex omdat jij van Schotse origine bent, en dan nog niet eens een Highlander! Ik vind je ideeën vreselijk.'

'Nou, ik vind die van jou vreselijk,' zei Crimond, 'en jij schijnt overal een hekel aan te hebben sinds je je jongensachtige charmes hebt verloren.'

'Crimond...!' zei Gerard.

Rose zei: 'Ik heb een hekel aan dwingelanden, en jij bent er een!'

Crimond zei: 'Jullie zijn allemaal jaloers op mij omdat ik kan denken, ik kan werken, ik me kan concentreren, ik kan schrijven. Het enige dat jullie kunnen is briesen van verontwaardiging.'

Jenkin, die enige tijd omlaag had zitten kijken naar een briefje dat Gull hem had gegeven en waar 'Akelige gemene CHARLATAN' op stond, zei: 'Hoor eens David, dit heeft geen zin.'

Crimond zei: 'Wat heeft geen zin? Elkaar over en weer uitschelden? Daar ben ik het helemaal mee eens. Ik wilde juist gaan.'

'Nee, ik bedoel je hele positie. Er ligt daar ergens een grote leugen.'

'O, dat zal best. Maar in jullie wereld bestaat geen harde buitenkant. Om dingen te verschuiven moet je wat overdrijven!'

'Je hebt kennelijk besloten je boek niet af te maken, omdat je weet dat er niets van deugt en je bang bent het te laten zien!' zei Gulliver.

'De enige van jullie die nog een knip voor de neus waard is, is Jenkin,' zei Crimond en hij stond op, 'en hij is een dwaas. Trouwens, ik kan jullie nu beter maar meteen vertellen dat ik klaar ben met het boek, dus jullie hoeven geen geld meer te betalen als jullie je daar zorgen over maken.'

Crimond was vertrokken. Rose was in tranen. Gerard had sherry binnengebracht, waarvan Gulliver zich royaal inschonk. Jenkin stond uit het raam naar de geelachtige nevel buiten te kijken.

'Over de harde waarheid gesproken!' zei Gull, die zich schaamde omdat hij zijn zelfbeheersing had verloren, en boos was omdat hij zich door Crimond uit zijn tent had laten lokken. De sherry maakte hem minder beschaamd en bozer.

Gerard, die had lopen ijsberen, zat nu naast Rose die naar neus en mond in een zakdoek had begraven. Rose was boos op Gerard. Ze kwam weer te voorschijn en viel tegen hem uit: 'Waarom heb je dit laten gebeuren, waarom heb je hen tegen elkaar laten schreeuwen?'

'Jij hebt ook geschreeuwd,' zei Gulliver.

'Crimond heeft niet geschreeuwd,' zei Gerard, 'dat heeft hij ons laten doen! Het maakt uiteraard niets uit, maar hij heeft deze ronde gewonnen.'

'Volgens mij heeft hij niet gewonnen,' zei Gulliver, 'ik wou dat ik hem de straat op had geschopt. Maar stel je eens voor dat het boek af is! Zou het echt waar zijn?'

'Natuurlijk is het waar, als hij dat zegt. Ik moet Duncan opbellen om het hem te vertellen.'

'Waarom is hij dan hierheen gekomen?' zei Rose. 'Dat moet hij gewoon hebben gedaan om ons aan te vallen. Wat zeldzaam gemeen! En geen woord van dank.'

'Volgens mij is hij echt gekomen om te proberen het boek toe te lichten. We hadden bij het begin minder agressief moeten zijn. Je hebt gelijk, Rose, het is mijn schuld, ik had de zaak in de hand moeten houden, ik had van tevoren moeten bedenken wat we moesten zeggen, we hadden het van tevoren moeten bespreken.'

'Waarom zouden we...' zei Gull.

'Maar Gerard, je hebt dat gesprek met hem gehad, je wist wat hij ongeveer zou gaan zeggen. Waarom heb je ons er allemaal bij gehaald zodat hij modder naar ons kon gooien?'

'Wat hij vandaag zei was een karikatuur van wat hij tegen mij heeft gezegd. Het is in zekere zin heel grappig.'

'Ik zie er de lol niet van in.'

'Hij voerde gewoon een act op, hij wilde ons op de kast krijgen, de stuipen op het lijf jagen.'

'Nou, hij heeft me niet de stuipen op het lijf gejaagd, hij heeft me alleen erg nijdig gemaakt,' zei Rose en snoot haar neus. 'En wij van onze kant hebben onze mening bepaald niet onder stoelen of banken gestoken. Volgens mij was hij dodelijk ernstig. Ik vraag me af of hij soms krankzinnig is. Er zit iets heel griezeligs aan hem.'

'Hij is zeker een fanaticus,' zei Gerard. 'Zijn voorouders waren calvinisten. Hij gelooft in wonderen.'

'Dus calvinisten geloven in wonderen?' zei Gull.

'Ja. En in krachtdadige bekering.'

'Hij heeft een afschuwelijk soort doodsverlangen,' zei Rose. 'Volgens mij is hij moordzuchtig, is hij harteloos, hij is in staat iemand te doden, hij denkt dat mensen niet echt zijn.'

'Hij zei tegen mij dat de mensen marionetten zijn of zullen worden.'

'Zie je nou wel.'

'Wat denk jij ervan, Jenkin?' zei Gerard tegen Jenkins rug.

Jenkin wendde zich af van het raam en ging naast Rose zitten. 'Rose, lieverd, doe niet zo verdrietig. Natuurlijk meent hij het, maar Gerard heeft gelijk, hij speelde komedie om ons te laten schrikken!'

'Nou, wat vind jíj dan?' zei Rose nijdig.

'Ik verlang ernaar dat boek te zien.'

'Maar als het allemaal van die kletskoek is...'

'O, het zal geen kletskoek zijn, het zal heel diep gaan... maar ik wilde dat ík het uit had kunnen leggen.'

'Waarom heb je dat dan niet gedaan?' zei Gerard. 'Als je maar even de moeite had genomen iets eerder aan het gesprek deel te nemen...!'

'Ik wist niet goed hoe ik het moest brengen, en jullie waren allemaal zo spraakzaam... ik wou dat ik... precies kon zien hoe... zijn hele betoog... is gebaseerd op een misvatting...'

'Je zei een leugen,' zei Gerard.

'Ja... eh... een leugen... dat kan gewoon niet... maar toch kan hij gelijk hebben, in die zin dat...'

'Dat wat?'

'Dat je soms moet overdrijven.'

Ze vertrokken achter elkaar, Jenkin als eerste, hoewel Gerard probeerde hem te laten blijven, daarna Gulliver die – hoewel hij dit natuurlijk niet zei – bij Lily ging lunchen om haar alles te vertellen wat er was gebeurd, daarna Rose die wilde dat Gerard bij haar kwam lunchen, maar hij sloeg dit af. Toen hij ze allemaal een redelijke voorsprong had gegeven verliet Gerard zelf eveneens het huis. Patricia en Gideon waren in Parijs voor de Signorelli tentoonstelling, dus Gerard hoefde hen niet te ontvluchten, maar hij wilde buiten zijn en wandelen, in een pub zitten en een sandwich eten, om alles eens goed te overdenken.

Hij liep door de kille mist, blies zijn vochtige adem naar buiten, voelde hoe de koude buitenlucht hem bij de keel greep. Hij was nijdig op zichzelf, dat hij deze bespreking niet beter in de hand had gehouden, maar hij voelde ook een vreemde opgetogenheid. Dus het boek was af; hij verlangde ernaar het te kunnen lezen, maar hij vreesde dit ook. Wat vreesde hij... dat het erg slecht zou zijn, of dat het heel goed zou zijn? Hij merkte dat hij het jammer vond dat het boek af was, alsof dit het einde betekende van een tijdperk, het wegvallen van een spanning die het leven een extra dimensie had gegeven. Wat een onzin. En, vandaag, wat een rethoriek en demagogie, en, wanneer je er goed over nadacht, wat een kinderachtige opschepperij! Maar toch een heel wonderlijk mens; was het eigenlijk wel zo verbazingwekkend dat Jean Kowitz de slavin was van deze man? Het flitste door Gerards hoofd dat Crimond een wisselkind was, een slechte, vernietigende geest, die net als de komeet van Halley eens in de zoveel jaren deze aarde bezocht, misschien elke honderd jaar, misschien elke duizend jaar, hij was geen grote geest, ongetwijfeld maar een kleine, één uit velen, maar een demon, die zich meedogenloos op een vrouw stortte die hij geschikt achtte als zijn partner, en – zo ging Gerards fantasie verder – haar bij zijn vertrek doodde, of bij het wegvallen van zijn macht gewoon haar dood bewerkstelligde waarna hij verdween in een rookpluim of in een revolverschot. Een demon die, wie weet, in staat was te communiceren met andere, hogere, sterkere machten.

In een portiek stonden kinderen kerstliedjes te zingen. De nevel ging over in een zwaarder, dikker, geel licht dat nu voort zou duren tot het donker was. Gerard voelde zich vol energie. Was het mogelijk dat hij het eigenlijk leuk had gevonden door Crimond te worden aangeklaagd?

Violet doorzocht haar flat diverse keren voor ze Gerards nummer draaide om te zeggen dat haar dochter krankzinnig was geworden en nu was verdwenen. De loop der gebeurtenissen was als volgt. Violet had uiteraard, zoals ze Gideon vertelde, reeds enige tijd gemerkt hoe Tamar niet at, in een gespannen toestand verkeerde en misschien regelrecht op een depressie afkoerste. Haar gevoelens over deze stand van zaken, hoewel lang niet zo harteloos als ze tegen Gideon had voorgewend, waren zeer zeker gemengd. Gedeeltelijk was ze blij haar dochter ongelukkig te zien, op dezelfde manier waarop ze zich zou hebben geërgerd als haar dochter wel gelukkig was geweest. Er bestond bij haar deze manier van denken, alsof het terecht was als Tamar in de put zat en onterecht als Tamar blij was. Maar Violet was evenmin ongevoelig voor de opmerking van Gideon dat het haar schuld was dat Tamar in een depressie was beland, misschien zelfs zelfmoord pleegde. Ze wilde nergens de schuld van krijgen. Ze wilde het slachtoffer zijn, niet de dader. Dat Violet niet geloofde dat Tamars verdriet zo hevig was sproot misschien voort uit een ander gedeelte van Violets geest dat Tamar als haar bezit beschouwde, als haar produkt, als haar eigen dochter. Als iemand volhield – zoals Gideon dat bijvoorbeeld deed – dat Violet ondanks alles oprecht van Tamar hield, had hij gedeeltelijk de waarheid verteld. Violet voelde echt veel genegenheid jegens haar dochter, en dit hielp haar te geloven dat er niet echt iets ernstigs aan de hand was, dat Tamar gewoon een bepaalde fase doormaakte, of zich aanstelde.

Tamars kennelijke aandoening kwam tot een soort crisis toen ze Violet aankondigde dat ze een paar dagen wegging. Waarheen? Dat kon ze niet zeggen. Waarom? Haar werkgevers wilden dat ze wat praktijkervaring opdeed met de vertegenwoordigers die de boekwinkels bezochten. Ze zou samen met de anderen, die alles regelden, in hotels logeren, ze wist niet waar. Nee ze hoefde die hotels niet te betalen. Daarom bleef ze een paar dagen weg. Violet geloofde niets van dit verhaal, dat ze, toen Tamar vertrok, uitprobeerde met een anoniem telefoontje naar de uitgeverij, waar men haar vertelde dat juffrouw Hernshaw ziek was en thuis bleef. Violet dacht hierover na en besloot dat Tamar er met een jongeman vandoor was. Deze gedachte maakte Violet bijzonder onrustig, ze durfde er zelfs nauwelijks bij stil te staan en ze troostte zichzelf door zich wijs te maken dat Tamar weer gauw terug zou komen, even somber en passief gehoorzaam als altijd. Pas in de tijd na Tamars terugkeer raakte Violet ervan overtuigd dat haar dochter gek was geworden, niet een klein beetje gek, maar echt stapelgek.

Tamar kwam 's middags thuis, ze zei niets tegen haar moeder, gaf geen antwoord op haar vragen en keek haar zelfs niet aan. Ze liep regelrecht naar haar slaapkamer, deed haar jas en schoenen uit en ging op het bed liggen huilen en kreunen en in zichzelf mompelen, ze wierp zich van haar ene zij op haar andere en slaakte allerlei hysterische kreten. Toen Violet haar een kopje koffie en een boterham bracht weigerde ze die zo heftig dat alles op de grond viel. Ze rukte aan de lakens en stopte ze in haar mond. Zo lag ze de hele dag, tot in de nacht, te huilen en te kermen en ze lag nog steeds te jammeren toen Violet – die van uitputting toch nog een poosje in slaap was gevallen – 's ochtends wakker werd. Alleen al de kracht en de energie van Tamars verdriet maakten dat het krankzinnig leek, een menselijk wezen moest immer wel waanzinnig zijn om voortdurend zulke vreselijke kreten te kunnen slaken; er bestaat zoiets als de kracht van een krankzinnige en in Violets ogen was dit het. Ze ging naar buiten om de dokter te bellen. Toen ze terugkwam was Tamar verdwenen.

Gerards nummer nam niet op. Gerard was naar het British Museum, Gideon was in zijn nieuwe galerie, Patricia was op stap om Egyptische katoenen lakens te kopen in de uitverkoop bij Harrods. Violet belde toen naar Rose. Rose was thuis, en was voldoende onder de indruk en verschrikt. Nee, Tamar was niet bij haar en ze had geen idee waar ze kon zijn. Aangezien Violet in een telefooncel stond zei Rose dat zij de zoekpogingen per telefoon voort zou zetten, Violet kon naar huis gaan om af te wachten en moest zich niet ongerust maken, Tamar zou heus wel snel terugkomen. Rose belde Jenkin die eveneens schrok, maar niet wist waar het verdwenen kind kon zijn. Nee, hij dacht niet dat ze de politie al moesten waarschuwen. Rose zei dat ze hem terug zou bellen als ze nieuws had. Daarna belde ze Duncan die eveneens geagiteerd en verbaasd klonk, maar haar niet verder kon helpen. Hij vroeg Rose hem vooral op te bellen als Tamar boven water kwam, hij dacht dat Violet waarschijnlijk weer neurotisch en irrationeel deed, zoals te doen gebruikelijk. Daarna draaide Rose opnieuw Gerards nummer, tevergeefs, en Gullivers nummer, maar Gulliver was op pad om te solliciteren. Vervolgens belde ze Lily.

Lily nam op, vroeg Rose even aan de lijn te blijven en fluisterde toen in de telefoon dat ja, Tamar bij haar was, dat alles in orde was, maar of er alsjeblíeft níemand langs wilde komen. Daarna hing Lily abrupt op. Rose belde Jenkin en Duncan. Jenkin zei dat hij een taxi zou nemen om Violet op de hoogte te stellen dat Tamar terecht was. Rose zei dat ze naar Lily ging.

Bij Lily belde ze aan en noemde haar naam. Na een poosje kwam Lily naar beneden naar de voordeur, deed die op een kier open en zei op vijandige toon: 'Ja?' In antwoord op de ongeruste vragen van Rose ze ze dat Tamar het écht goed maakte, dat ze níet ziek was, dat ze nu sliep en of ze hen alsjeblíeft met rust wilde laten, sorry. De deur ging dicht en Rose ging verbaasd en ongerust naar huis, waar ze Gerard probeerde te bellen, die nog steeds weg was.

Tamar was natuurlijk niet 'in orde' en kon bijna worden beschreven als krankzinnig. De operatie was verricht, het ongelegen embryo was verdwenen. Maar het gevoel van opluchting en bevrijding, dat haar door Lily was voorspeld, was niet gekomen. Tamar ging als een slaapwandelaar de kliniek in, ze liep er als een robot met glazige ogen rond. Ze kwam er volledig bij haar positieven, vol van besef van de rauwe werkelijkheid, weer uit. Ze zag nu, nú het zo vreselijk, absoluut te laat was, dat ze een afschuwelijke misdaad had begaan, tegen Duncan, tegen zichzelf, tegen het hulpeloze, volledig gevormde, geheel aanwezige menselijke wezen dat ze willens en wetens had vernietigd. Ze had zichzelf veroordeeld tot een leven vol bitter berouw en leugens. Ze was veroordeeld elke dag en elk uur van de rest van haar leven aan dat verloren kind te denken, het kind, dát kind, dat unieke, kostbare, vermoorde kind zou deel uitmaken van elk beeld dat ze zich ooit van deze wereld kon vormen, en ze zou dit afgrijselijke geheim voor eeuwig voor zich moeten houden, tot ze oud was, alleen zou zij nooit oud worden, ze zou sterven van verdriet. Waarom had ze het gedaan, waarom had ze zo overhaast besloten tot deze daad, waarom had ze ernaar verlangd dat het voorbij was, verlangd naar de opluchting, alsof er ooit zo'n opluchting kon zijn, zonder het afschuwelijke ervan in te zien, nu het kind dood was, net zo dood en gevoelloos en meegevoerd als de verdronken kat die ze in de rivier bij Boyars had gezien, als een voorteken van de dood? In de kliniek had ze gehuild maar nog niet gegild en ze hadden haar slaappillen gegeven en ze had geslapen en gedroomd van het kind, dat nu in elke droom zou zijn, een sinistere, wraakzuchtige aanklager die al het andere in een nachtmerrie veranderde. Nu leek de slaap onmogelijk, behalve als een afschuwelijke, korte tussenpauze vol kwellende fantasieën. Als ze 's nachts wakker lag verbeeldde ze zich dat ze een kind kon horen huilen. Ze moest er bewust onder lijden, draaiend en wringend als een gekruisigde. De priester had gezegd dat ze treurde... ja, ze had getreurd om het schepsel dat ze ging doden.

De aanblik van haar moeder vervulde haar met minachting. Haar moeder had haar willen doden, Tamar was door gebrek aan geld en niet gebrek aan wilskracht ter wereld gekomen. Als Lily er maar niet was geweest, Lily met haar geld en haar wereldse wijsheden en haar valse, verlokkende troost. Tamar had langer na kunnen denken over de daad die nu met zo'n afschuwelijk gemak uit de toekomst in het verleden gleed. Tamar walgde van Lily, ze walgde van Gerard, die haar naar Duncan had gestuurd als een lam naar de slachter, hij had haar gedachteloos gestuurd, haar gebruikt voor zijn eigen doeleinden, om zijn eigen geweten te sussen, om zijn eigen macht te demonstreren, waardoor zij in dodelijk gevaar was gekomen. Ze verachtte Rose en Jenkin en het hele weerzinwekkende stelletje zelfvoldane lieden, die 'het beste met iedereen voor hadden', die niets zagen en niets begrepen, pijnloos glimlachend door het leven gingen, een en al zelfgenoegzaamheid. Ze verachtte Duncan die haar willens en wetens, zorgeloos, omwille van een onnozel beetje troost, een klein beetje seks, haar het dodelijke virus had bezorgd dat haar leven tot een levende dood zou maken. Haar jeugd was niet alleen verduisterd en kapot, hij was voorbij. Nu zou haar gezicht gaan rimpelen, haar ledematen zouden pijn doen en verstijven, ze zou mank lopen, ze zou ineenkrimpen, ze zou oud worden, zo vreselijk was de ziekte waarmee hij haar had besmet. En toch – en dit was eveneens een oorzaak van kwellingen – kon Tamar niet walgen van Duncan, ze hield van Duncan, en ze herinnerde zich met akelige helderheid dat geëxalteerde gevoel van zuiver deugdzaam lijden dat ze zo kort geleden had ondergaan toen ze zo gemakkelijk, zo heerlijk, op Duncan verliefd was geraakt, toen ze een zuiver egoïstische liefde had gevoeld die voor eeuwig een geheim moest blijven. O, als ze maar dát verdriet, dát lijden, dát geheim weer terug kon krijgen, want zo'n verdriet was een vreugde en zo'n geheim een veilig toevluchtsoord. Nu had ze een geheim dat haar verteerde, haar uitholde, waarover ze zich jammerend heenboog als over een zwarte last. Nou, ze zou wel spoedig dood moeten gaan, niemand kon zo'n verdriet volhouden, ze zou van honger omkomen, of in haar lege schoot een gezwel vormen dat haar zou vernietigen.

Tamar besefte terdege dat ze bij het kiezen van haar raadgever in feite haar weg had gekozen. Ze had wíllen horen wat Lily haar had verteld, en ze had het op precies die toon willen horen, die toon van wereldse opgewektheid die deze hele daad als een luchthartige, oppervlakkige zaak deed lijken, gewoon een manier van geboortenbeperking, iets was 'iedereen wel eens overkwam'. Versuft, in slaap gesust door valse beloftes, en omdat ze niet in staat was geweest dit vreselijke dilemma onder ogen te zien, die vreselijke besluiteloosheid, had ze niet de moed opgebracht te wachten en na te denken, had ze Duncans kind vermoord, zijn eigen kind, het kind dat hij had gewild en waarnaar hij zijn hele leven had verlangd. Ze had het gedaan, leek het wel, voor Duncan, voor Jean, voor een slecht, ten ondergang gedoemd huwelijk, en om niet te schande te worden gemaakt in de ogen van mensen als Gerard en Rose, die nu niets meer voor haar betekenden, ze had het voor níets gedaan. Oneindig veel belangrijker, kostbaarder, meer levenbrengend en levenreddend, leek het nu, was het wezen van dat wonderbaarlijke kind, een zegen, een van God gezonden geschenk, aan Duncan, aan haarzelf, misschien zelfs aan Jean. Maar Jean was niet meer van belang, ze haatte Jean ook. Ze bedacht hoe gemakkelijk ze die storm kon hebben getrotseerd, zij en het kind samen in de boot, zoals ze hen duidelijk voor zich zag, moedig dobberend op de golven. Zij en het kind, zoals ze samen aan een gelukkig, vrij, góed leven begonnen. Uiteindelijk zou iedereen hen hebben geholpen, iedereen zou heel vriendelijk zijn geweest. Maar het kind was dood, of erger nog, het was veranderd in een slechte, dodelijke demon, zwart van wrok en woede, het leefde voort als een afschuwelijk, smerig spook, dat zijn moordlustige moeder moest straffen, dat dodelijk zou zijn voor elk ander kind dat hem eens uit die vervloekte schoot opvolgde en in leven bleef. Tamars voorstellingsvermogen van díe haat, díe vervloeking, was een van de meest vreselijke onderdelen van haar toekomstige bestaan, zoals ze het voor zich uitgestrekt zag. Ze had het goede kind gedood, het echte kind, en ze had een gemeen, slecht ding geschapen, ontstaan uit haar eigen slechtheid, een jaloerse moordenaar die van de duisternis van haar eigen bloed leefde. De gedachte dat dit slechte kind haar toekomstige kinderen zou doden, hen niet zou laten leven, of nog wreder, hen met smerige ziekten zou treffen, met mismaaktheid, met krankzinnigheid, viel voor Tamar samen met het gevoel dat zijzelf nu niet meer lang zou leven, en ze viel buiten het bereik van rede en liefde, even donker en eenzaam alsof ze in een bakstenen cel werd ingemetseld om een zekere maar kwellend langzame dood te sterven.

Tamar, die enige tijd stil op de sofa had gelegen, met haar gezicht afgewend, terwijl Lily patience speelde, of liever gezegd, probeerde te spelen, aan de tafel, begon weer zacht te kermen en steeds weer: 'O, o, o,' te zeggen. Toen verkrampte ze en begon hevig te jammeren, draaide haar gezicht omlaag, rukte aan de kussens en propte ze in haar mond. Lily was ontzet en verbijsterd door Tamars toestand, ze had nog nooit zulk verdriet meegemaakt en ze wist niet wat ze moest doen. Ze wenste van harte dat ze die vreselijke bekentenis nooit had aangehoord of zich zo argeloos en gedachteloos in dit drama had laten betrekken, dat nu op een nachtmerrie uitliep. Ze zag nu in dat ze Tamar niet had moeten overhaasten met het nemen van een besluit waarvan de consequenties, zoals ze zich had moeten realiseren, heel onzeker waren. Ze had gezegd wat ze dacht dat Tamar wilde horen en ze had gedaan wat ze dacht dat Tamar gedaan wilde hebben. Nu was het alsof zij ook medeplichtig was aan iets afschuwelijks, misschien wel rampzaligs. Natuurlijk mocht niemand het weten; ze had steeds weer sinds Tamars terugkeer gezegd dat ze geen woord zou zeggen, geen opmerking zou maken, Tamars geheim was veilig bij haar enzovoort. Maar Tamar zelf, haar toestand van bijna waanzinnigheid, van vreselijke en misschien wel dodelijke ziekte, dát kon niet verborgen blijven. Tamar toonde geen enkel teken van herstel en Lily had haar gast de meest vreselijke kreten ontlokt door te opperen dat er misschien een dokter moest worden gewaarschuwd. Het was al even moeilijk, zo niet moeilijker, om hén hulp te vragen. Er was niemand tot wie Lily zich kon wenden of wiens advies of hulp ze kon vragen. Zelfs Gull, die van Jenkin had gehoord dat Tamar bij Lily was en op had gebeld, moest met een vaag smoesje worden afgescheept. Lily was niet in staat geweest tegen Rose te liegen, hoewel ze nu wenste dat ze iets kalmer over alles had gedaan. Bovendien moest Violet toch weten dat Tamar 'in orde' was. En nu bleven ze allemaal tactvol op afstand! O God. Ik moet echt een dokter voor haar halen, dacht Lily, ik móet hulp halen, ik kan deze verantwoordelijkheid niet alleen op me nemen. O, ik neem het mezelf zo kwalijk, ik was alleen maar in mijn schik dat ze mij in vertrouwen nam, en niet hen. O, waarom heb ik me ooit met deze afschuwelijke toestand ingelaten en hoe moet dit alles aflopen?

Lily's berouw werd nog heviger door de gemene verwijten die Tamar tussen al het gejammer en gekreun door op haar hoofd deed neerkomen.

'Waarom heb je me daarheen gestuurd, waarom heb je me niet laten wachten, je zei steeds maar dat ik haast moest maken, je deed net alsof het allemaal heel gemakkelijk was, je zei dat ik me na afloop geweldig zou voelen, als ik maar had gewacht, zelfs al was het maar een paar dagen, dan zou ik het heel anders hebben ondergaan, dan had ik nagedacht over wat het betekende, maar jij moest me opjagen, jij zei dat het moest en nou heb ik mijn leven geruïneerd, ik heb alles verpest en dat is jouw schuld...'

'Ik kan niet slapen, ik kan niet slápen,' zei Crimond. Jean was aan het eind van haar latijn. Ze huilde bittere tranen, doodstranen, ze huilde om haar leven, om het geluk waarvan ze nu begreep dat ze het nooit zou kennen.

Crimond besteedde geen aandacht aan haar tranen, hij scheen nu in zichzelf te praten.

Eerder had hij geprobeerd haar poëzie voor te lezen, wat Griekse poëzie waarvan hij niet scheen te beseffen dat zij het niet begreep. Hij had haar wel eens eerder Grieks voorgelezen, maar steeds een klein beetje tegelijk en hij had het voor haar vertaald. Nu ging dat voorlezen anders, het ging maar door en door, als een liturgie of een exorcisme. Dat op zich was al een opluchting geweest.

Jean had niet verwacht dat het boek nu al klaar zou zijn, ze had verondersteld dat ze nog lang met dat boek zouden leven, misschien wel vele jaren. Ze was eraan gewend, ze had er alles voor over gehad en ze hield ervan als een onderdeel van Crimonds mysterie. Toen hij plotseling zei: 'Het is af,' was ze volledig verrast. Ze herinnerde zich nu Crimonds onheilspellende opmerkingen die ze in die tijd niet al te serieus had genomen. Ze was bang; hoe kon Crimond zonder het boek leven, wat zou hij doen, hoe zou hij zijn, was het een compléte verandering? Ze veronderstelde dat hij natuurlijk allerlei nabeschouwingen en aanvullingen wilde schrijven, er volgde waarschijnlijk een lange overgangsperiode. Zijn euforische gemoedstoestand stelde haar tijdelijk gerust. Hij vertelde haar, als grote grap, hoe hij Gerard en zijn vrienden met open monden van verbazing had laten zitten door zijn plotselinge aankondiging. Hij had het hén zelfs eerder verteld dan haar, al scheelde dat maar weinig. Dat vond zij geen punt. Toen zijn opgewekte bui enkele dagen duurde onstond er een rustig en nieuw 'vakantiegevoel', en Jean veroorloofde zich allerlei gewone gelukkige gedachten, die ze zorgvuldig en plichtsgetrouw had verstopt en die nu weer uit hun bergplaats mochten komen om vrolijk door haar hoofd te buitelen. Ze dacht, ze zéi zelfs, en hij sprak het niet tegen: 'Laten we nu weggaan, er eens even helemaal uit zijn. We gaan naar Rome of naar Venetië, we gaan samen mooie steden bekijken, hè lieverd, we knijpen er samen tussenuit en zijn heel gelukkig, dat doen we!'

Crimond zei geen nee, hij zei niets, maar het scheen haar later toe dat hij haar gewoon niet had gehoord, niet had geluisterd, volledig opging in zijn eigen gedachten, eerst in die vage, verbaasde, ietwat vreemde opgewektheid, en nu in een rusteloze wanhoop.

Het boek was weg. Crimonds grote trui, zijn pen en inkt, zijn bril, de omslagdoek die hij bij het werken altijd over zijn knieën legde, lagen keurig op hun plaats op zijn bureau en zijn stoel. Maar de lamp was uit, de stapels gekleurde blocnotes waren verdwenen, weggebracht naar Crimonds typebureau dat nu het hele werk fotocopieerde en daarna uittikte. Crimond hield wel toezicht op deze activiteiten maar verried geen enkele onrust toen de talloze dozen naar boven werden gebracht en in de bestelwagen werden gezet. Sindsdien had hij niet meer achter het bureau gezeten, maar aan een tafeltje in de voorkomer boven, waar hij wat las of correspondentie afhandelde. Hij had de kasten in de speelkamer opgeruimd, resten manuscript verscheurd en ook drie wapens, twee revolvers en een pistool, te voorschijn gehaald en schoongemaakt. Hij zei tegen Jean dat hij de rest van zijn verzameling had verkocht en nu deze exemplaren ook ging verkopen. Dat was in ieder geval een goed teken, als hij het meende, en Jean beschouwde het aanvankelijk als een teken van het begin van hun 'nieuwe wereld'. Ze hield hem de eerste dagen ongerust in de gaten, was blij als hij rustig zat te lezen, rustig zat te praten. Ze vroeg naar het boek, had hij verwacht dat het nu al af zou zijn, moest er in het typewerk nog veel worden veranderd? Hij gaf vage, glimlachende antwoorden. Soms verlangde hij naar haar aandacht en liep zelfs met haar mee naar de winkels. Ze opperde dat ze hem ergens heen zou rijden, waar dan ook, de auto moest nodig wat rijden en hij zei: 'Ja, waarom niet?' Daarna kwam de wanhoopsstemming over hem en begon hij over de dood te praten.

's Nachts lag hij slapeloos in bed en hield haar ook uit haar slaap, drukte haar tegen zich aan zonder de liefde te bedrijven, drukte haar stijf tegen zich aan alsof zijn hele lichaam zich voedde aan het hare. Jean was uitgeput, bang, vermoeid en versleten door de intense hoeveelheid liefde, zijn liefde, haar liefde, die soms zo definitiéf leek dat ze onwillekeurig dacht: op de een of andere manier zijn we er geweest. Hoe moet dit alles aflopen? Hun toestand scheen af te koersen op een ramp. Maar op andere momenten, wanneer Crimond opeens door een soort uitgelatenheid werd gegrepen, dacht ze dat die wanhoop slechts een begrijpelijke fase was, die nu al voorbijging.

De afgelopen nacht hadden ze, ineengestrengeld, een beetje geslapen.

'Je hébt toch geslapen, hè?'

'O ja...'

De ochtendzon scheen in het kleine keukentje waar ze hun maaltijden gebruikten. Jean zorgde altijd dat het er heel schoon en heel netjes was, dat gaf haar het gevoel dat een normaal leven toch mogelijk was. Als ze nu maar Crimond kon laten ophouden met het zeggen van die rare dingen waarmee hij haar gemoedsrust zo ondermijnde.

'Wil je geen toost?'

'Nee, alleen koffie.'

'Je gaat steeds minder eten.'

Crimond zei nu niets maar staarde haar even aan, met een beheerst gezicht, maar zijn blauwe ogen waren extreem groot.

'Lieverd, ik weet zeker dat je vannacht nog beter zult slapen, we móeten slapen, jij gaat kapot aan je gebrek aan slaap, ik zal je vannacht omhelzen, ik zal voor je zorgen, ik geef mijn leven voor jou...'

'Er schuilt geen logica in de angst voor de dood,' zei Crimond, 'ik wil alleen geen vreselijke fout maken.'

'Hou alsjeblieft op met zulke praatjes.'

'Het is helemaal niet zo gemakkelijk jezelf dood te schieten, je loopt de kans dat je leeft maar blind bent, of gestoord. Het is een vreselijk risico. Ik weet zeker dat ik jou goed zou doden, maar ik weet niet zeker of ik het bij mezelf goed zou doen. Je hand kan beven, de kogel kan een vreemde weg afleggen, waardoor je verlamd raakt, en nog steeds leeft. O, dat moet afschuwelijk zijn...' Hij sprak heel kalm en peinzend.

'Maar gelukkig hoef je jezelf of mij niet dood te schieten! Hier is je koffie.'

'Ik wil je niet dood zien, Jeanie, we moeten samen gaan.'

'Laten we naar Frankrijk gaan, ergens van hier vandaan. Laat mij je een poosje mee mogen nemen. Je komt hier wel weer overheen, deze bui gaat echt over.'

'Dat lijkt me niet echt mogelijk,' zei Crimond, op een redelijke toon alsof er een heel normaal plan werd besproken.

'En hoe moet het dan met je vader...?'

'Die is dood.'

'Daar heb je me niets van verteld.'

'Hij is eind oktober gestorven. Ik ben blij dat hij is heengegaan. Hij was zichzelf niet meer. Zijn hele bestaan was een kwelling voor mij. Nu heeft hij vrede.'

'Wat verdrietig.'

'Dat is niet verdrietig.'

'O, lieverd... je zult nog een boek schrijven.'

'Volgens mij is mijn levenswerk voltooid.'

'Wil je dan niet meemaken dat dit verschijnt, horen wat de mensen ervan zeggen?'

'Nee. Ze zullen het niet begrijpen.'

'Maar moet je er dan niet juist zijn, om het hen uit te leggen?'

'Het uitleggen? Die gedachte is walgelijk.'

'Probeer nou alsjeblieft die vreselijke stemming van je eens kwijt te raken. We moeten vérdergaan, we zullen verdergaan, we houden van elkaar, je moet gewoon dapper zijn... ik zal alles doen wat je wilt. Ik zal geluk voor je maken, ik zal het uítvinden, ik ga nu boodschappen doen en dan koop ik een honingraat voor je, ik weet hoe lekker je dat vindt...

'O, lieve schat van me! Je koopt een honingraat voor me! Als het nu toch eens zó simpel was...!'

'Maar Crimond, dat ís het ook.' Jean leunde over de tafel heen, probeerde zijn hand te pakken, maar hij trok hem terug en staarde haar nog steeds aan met een onbewogen gezicht.

'Jean, je wilt terug naar je man, terug naar Duncan, je houdt van hem, hè?'

'O, mijn God... je denkt dat ik op zekere dag terugga naar Duncan en jij wilt me vermoorden voordat dat gebeurt! Doe niet zo gek en maak mij niet gek! Je wéét dat ik niet van hem houd, ik houd van jóú! Kijk me aan, ik ben evenwichtig, ik ben zo kalm als een rotsblok, ik houd van je en ik zal voor eeuwig voor je zorgen.'

'Je kunt naar hem teruggaan en blijven leven.'

'En jou jezelf dood laten schieten. Hou eens op met dat romantische gedoe, je doet het alleen om mij te kwellen, om te kunnen zeggen dat het allemaal mijn schuld is. Als ik hier niet was geweest zou je dan ook over de dood praten?'

'Nee, maar dat is jouw geschenk aan mij... jij bent het motief, de zegen, het geschenk uit de hemel, het beste dat de goden me ooit hebben gezonden. Jij maakt de dood mogelijk.'

'Ik begrijp je niet. Je bent vandaag echt vreselijk!'

'Jij bent mijn zwakheid. Nu het boek hier weg is, rest ons niets anders dan onze liefde, onze kwetsbaarheid jegens elkaar, als we doorgaan zullen we elkaar op een onwaardige manier te gronde richten... ik wil dat het iets glorieus wordt, onze liefde waardig, dat is moed, dat is het eeuwige leven.'

'Dit is walgelijk romantische kletskoek,' zei ze, 'en je gelooft er geen woord van! Als je me gewoon kwijt wilt, dan moet je dat eerlijk zeggen. Is dit een soort proef, als ik deze test haal zal ik sterven, als ik hem niet doorsta laat je me in de steek? Er zijn toch zeker eenvoudiger oplossingen mogelijk!'

'Waarom moeten we slaven van de tijd zijn? Jeanie, het leven is maar heel kort. Waarom hechten de mensen er zoveel waarde aan? Wij hebben onze grote liefde, dat is iets tijdloos, laten we samen in onze liefde sterven, er middenin, samen, alsof we naar bed gaan...'

'Hou op, lieveling,' zei Jean die de tranen in haar ogen voelde komen. 'Je put me uit. Ik heb heel lang mijn best gedaan sterk en evenwichtig te zijn... voor jou...'

'Het is het beste om zelf je einde te kiezen.'

'Ik ben niet in een geschikte stemming om te beslissen dat ik wil sterven, en dat ben jij ook niet!'

'Jeanie ik wil dat we samen sterven.'

'O, mooi... maar hoe...?'

'Op de Romeinse weg.'

'Wát?'

'Je weet wel, daar bij Boyars. O Jeanie, mijn liefste, laat me nu niet in de steek...'

'Wat bedoel je?'

'Het is een lange, rechte weg... met hoge snelheid... kunnen twee auto's op elkaar af rijden...'

Gerard verliet tegen lunchtijd het British Museum en belde Jenkin op, van wie hij hoorde dat Tamar erg van streek was over iets en dat ze momenteel bij Lily was en 'in orde' heette te zijn. Jenkin, net terug van zijn bezoek aan Violet, zag er het nut niet van in, aangezien de hele situatie zo duister was, Gerard te alarmeren. Gerard, die andere dingen aan zijn hoofd had, was niet gealarmeerd. Hij sprak af dat hij die avond rond half negen naar Jenkin zou komen om een glaasje te drinken. Hij lunchte in een pub, ging toen naar St.James's Park en ging daar op een bankje bij het meer zitten om na te denken. Hij voelde zich vreemd, opgewonden, bang. Hij merkte dat hij beefde. Hij wist niet zeker of hij blij was met deze gemoedstoestand, of hij deze wel of niet moest goedkeuren. De twee scènes met Crimond, zijn eigen privé confrontatie en Crimonds tegenaanval op het *Gesellschaft*, veroorzaakten nog steeds wat naschokken en hij merkte dat zijn gedachten bleven hangen bij allerlei details in beide scènes, waardoor hij een verontrustende mengeling van emoties ondervond. Hij zat rechtop op de bank in het park en hij glimlachte, fronste toen zijn voorhoofd, beet vervolgens op zijn lip, schudde zijn hoofd en huiverde. Er kwam een kennis voorbij, de zuster van Peter Manson, en ze herkende hem maar groette hem niet omdat – zoals ze vertelde toen haar broer uit Athene opbelde – 'hij er zo merkwaardig uitzag'. De zon scheen. Het had streng gevroren en op de beschaduwde plekken lag nog steeds een dikke, kristalsuikerachtige laag rijp op de bladeren en het gras. De zitting was nat en Gerard zat op zijn exemplaar van *The Times*. De lucht was ijskoud. De zon begon te dalen en de lampen waren aangestoken in de van pinnakels en torentjes voorziene kantoorgebouwen van Whitehall, die er met dit stralende licht als sprookjespaleizen uitzagen. Alle opwinding, zowel aangenaam als onaangenaam als interessant, die door Crimonds fratsen bij Gerard was ontstaan, vermengde zich nu op merkwaardige wijze met zijn gedachten, of nog duidelijker, met zijn gevoelens jegens Jenkin. Hij moest van alles ophelderen, hij moest vervelende vragen stellen, hij wilde het nu eindelijk allemaal weten; en nogmaals kwam de ietwat onrustbarende gedachte in hem op dat, hoewel hij Jenkin heel lang had gekend en hem goed kende, hij hem eigenlijk helemaal niet goed kende.

Terwijl Gerard zo over het water uit zat te kijken waren een paar kinderen bezig de eendjes te voeren. Er waren wat grote Canadese ganzen neergestreken die nu moeizaam uit het water waggelden en hun grote, sterke snavels opensperden voor wat stukjes brood. De voeten van de kinderen en de poten van de vogels lieten sporen na in de dunne laag rijp die op het geasfalteerde voetpad lag. Er werd regen verwacht maar het was heel rustig weer en het was nog steeds koud alsof het nooit anders zou worden. Gerard was bang. Hij was bang dat hij te veel zou zeggen als hij Jenkin zag. In zo'n situatie konden enkele slecht gekozen woorden een eigen leven gaan leiden en gedurende lange tijd worden herinnerd. Ik moet kalm en nuchter blijven, dacht Gerard, ik moet proberen me te concentreren op een centraal punt dat niet voor misverstanden vatbaar is. De gedachte aan een soort geruststelling. Gewoon dat hij nooit weg zou gaan. Maar als je het goed bekeek... wat was er meer tweeslachtig en werkelijk belachelijk? Jenkin zou verbaasd zijn en zich generen, zoals hij dat altijd was bij iets wat ook maar in de verste verte op een uiting van liefde leek; en later voelde hij zich misschien geïrriteerd, vol afschuw, vervreemd. Het kon allemaal heel vreemd, zelfs griezelig, en bepaald ongewenst lijken. Dan zou Gerard wel op zijn tong willen bijten van spijt, terwijl Jenkin dapper probeerde te doen alsof er 'niets was gebeurd'. Het risico was groot... maar dat was het op elke manier. Misschien maakte hij zich later wel vreselijke verwijten als hij niets deed. Over een lange tijd van liefde-en-vriendschap kan de liefde zoiets vanzelfsprekends zijn dat ze onzichtbaar wordt. De substantie ervan vervluchtigt en moet vernieuwd worden, de liefde moet af en toe opnieuw worden verklaard. Stel dat Jenkin eens weg zou gaan – en, vreselijke gedachte, iemand anders vond, een vrouw, of een man – gedeeltelijk omdat hij nooit echt had begrepen hoezeer Gerard hem waardeerde? Ik wou dat ik vroeger iets had gezegd, dacht Gerard, iets spontaans en intuïtiefs. Nu is het allemaal zo verdraaid abstract en formeel en plechtig... ik jaag hem vierkant de stuipen op het lijf als ik begin te stamelen.

Het was negen uur. De beloofde regen was gekomen. Gerard was hier niet op voorbereid geweest en had nat haar gekregen, waar hij een hekel aan had. Hij was precies op tijd gearriveerd. Jenkin had de gaskachel al eerder aangestoken en het raam in de zitkamer dichtgedaan, de gordijnen dichtgeschoven en de schemerlamp aangedaan en hij had eraan gedacht het grote licht uit te doen. Hij had van de vensterbank in de keuken een bruine mok meegenomen met een klein takje sneeuwbal dat mevrouw Marchment hem uit haar voortuin had gegeven, toen hij bij Marchment op bezoek was geweest om een brief naar *The Guardian* te bespreken en over Crimond te roddelen. Hij had een schaal koekjes van pijlwortelmeel op het tafeltje gezet waarop Gerard nu zijn glas neerzette. Jenkin dronk thee. Hij streefde ernaar, vertelde hij Gerard – wat deze laatste achteraf verontrustte – 'minder te drinken'. Gerard dronk van de wijn die hij zoals gewoonlijk zelf had meegebracht. Ze hadden over Crimonds boek gepraat.

'Het wordt nu uitgetikt, volgens Marchment. Hij spreekt Crimond nog regelmatig. Dat doet verder bijna niemand.'

'Jij hebt Crimond niet meer gezien?'

'Nee. Ga toch zitten, Gerard.'

'Ik vraag me af wie het uit zal geven.'

'Ik weet 't niet. Misschien kunnen we een drukproef te pakken krijgen. Ik stérf van nieuwsgierigheid.'

'Wat is dat voor plant? Hij geurt zo.'

'Viburnum dit of dat.'

'Het slaat toch zeker nergens op, in deze tijd van het jaar in bloei te staan.'

'Dat doet-ie altijd, is me verteld. Moet ik 'm weghalen?'

'Nee. Waar heb je die steen vandaan?'

'Dat heb ik toch gezegd, die heb ik van Rose gekregen.'

'O ja.' Gerard legde de steen, die hij in zijn hand had gehouden, weer op de schoorsteenmantel. De steen was vreemd koud. Hij ging zitten. Hij zei tegen Jenkin: 'ik heb over jou na zitten denken.'

'O... leuk zeg...'

'Ga je weg?'

'Ja, ik ga met Kerstmis naar Spanje, op een georganiseerde reis, dat heb ik je op Boyars verteld.'

'Ik dacht dat je bij ons zou zijn. Het is nu voor het eerst mogelijk, nu mijn vader is overleden.'

'Het spijt me...'

'Maar ik bedoel... ga je echt weg, ver weg, voor een lange tijd? Je leek de laatste tijd zo rusteloos, alsof je niet meer jezelf was.' Gerard dacht: wat zeg ik toch allemaal, ik ben juist degene die rusteloos is en niet zichzelf. Hij vervolgde: 'Niet dat ik redenen heb aan te nemen... waarom zou je tenslotte...'

'O, maar ik dénk er wel over,' zei Jenkin alsof dit duidelijk was.

'Waarheen?'

'Ik weet het eigenlijk niet... Afrika, Zuid-Amerika... ik speel een beetje met de gedachte... uiteindelijk... wil ik uit Engeland weg en iets heel anders gaan doen.'

'De gedachten waar jij mee speelt klinken meer alsof je op de loop gaat voor iets,' zei Gerard. 'Het is sentimenteel, het is romantisch. Je hebt gewoon een beetje tabak van je bestaan als schoolmeester. Het is nu te laat voor je om je nog met Afrikaanse of Zuid-Amerikaanse toestanden in te laten, daar moet je je hele leven mee bezig zijn. Je kunt dit niet menen!'

'Ik zie mezelf ook niet als een expert of een leider of wat dan ook...'

'Natuurlijk niet, jij ziet jezelf als een dienaar, de minste van alle minsten! Maar een onervaren dienaar die niet meer in zijn jeugd is, zal waarschijnlijk weinig nuttig zijn. Jij vindt het alleen maar leuk jezelf in een omgeving met een vreselijk lijden voor te stellen! Heb ik dat goed?'

'Waarom doe je zo akelig?' zei Jenkin minzaam. 'Ik mag toch zeker wel ergens van dromen? Maar ik meen het serieus... min of meer... maar niet omdat ik denk dat ik er zo geweldig goed in zal zijn...'

'Waarom dan wel?'

'Gewoon omdat ik het wil. Natuurlijk zit er wel iets waars in jouw idee van mezelf in zo'n omgeving voor te stellen, maar dat is slechts bijkomstig, ik kan me niet druk maken over motieven.'

'Ik begrijp het, je wil gewoon in het brandpunt van de dingen staan, je wilt buiten Europa in een soort hel leven.'

'Ja.'

'En je denkt dat dat geen romantische onzin is?'

'Precies. Ik bedoel, ik denk dat het geen romantische onzin is!'

'Ik vraag je om niet te gaan.'

'Waarom? Ik zei net dat ik gewoon maar wat met de gedachte speelde!'

'We hebben je nodig. Ik heb je nodig.'

'O, nou... jullie kunnen je allemaal best staande houden zonder mij, zou ik zo denken... bovendien is het zomaar een idee van me... het wordt tijd voor een verandering... ik kan altijd weer terugkomen, denk ik. Ik geloof dat ik toch ook maar iets anders ga drinken!' Jenkin verdween in de keuken, nerveus in zichzelf neuriënd.

Toen Gerard zijn rug zag, en de bouw van zijn schouders, de eigen manier waarop de achterflap van zijn jasje altijd zo hopeloos verkreukeld was, voelde hij een golf van emotie die hem bijna een kreet deed slaken. Hij dacht: dit heeft geen zin, ik bereik niets. Ik heb hem nu al geïrriteerd en dat vind ik vreselijk. Hij zal nu weigeren om nog maar ergens serieus over na te denken, wat ik ook zeg, hij zal het gewoon van zich afschudden.

Jenkin kwam terug met een glas en een blikje bier. Gerard zei: 'Laten we samen met vakantie gaan, alleen jij en ik, het is eeuwen geleden sinds we dat hebben gedaan.' En waarom is het eeuwen geleden, vroeg hij zich af, ik had het hem elk moment kunnen vragen, ik had aan moeten dringen.

'Je bedoelt een trektocht door het Lake District, samen in een tentje in de regen?'

'Nee. Ik dacht eerder aan een goed hotel in Florence.' Maar het idee van een tent was niet onaantrekkelijk.

'Oké, als ik in het voorjaar nog in de buurt ben. Maar op de een of andere manier heb ik het gevoel dat ik dat niet zal zijn. Ik heb zo'n nu-of-nooit gevoel over me!'

'We kunnen samen op reis gaan. Naar Australië. Naar Afrika of, als je dat wilt, naar Brazilië. Ik zag je op Boyars met die Portugese grammatica. Als je vastbesloten bent om te gaan, ga ik misschien wel mee.'

'Heel aardig van je, maar jij zou het vreselijk vinden, dat weet ik zeker! Ik bedoel, als we dáárheen gingen waar ík wil! Bovendien moet ik alleen gaan, dat hoort erbij.'

'Waarbij?'

'O, gewoon bij de afspraak die ik met mezelf heb gemaakt... of met het lot, zo je wilt... of met God, alleen bestaat hij niet.'

'Dus het is een soort bedevaartstocht. Dat is toch zeker pure sentimentaliteit, je doet maar alsof!'

'Jij laat me allerlei dwaze dingen zeggen. Ik wil gewoon niet grof worden!'

'O, je mag zo grof zijn als je zelf wilt!'

Wat gebeurt er toch, dacht Gerard, gaan we echt rúzie maken, of heb ik me maar verbeeld dat hij me graag mocht, heb ik het gewoon bij het verkeerde eind gehad? Ik kan nu niet meer zeggen wat ik van plan was te zeggen, dat is nu allemaal bedorven, verknoeid. Hij moet nu wel het slechtste van me denken, en dat kan ik niet verdragen, nog even en ik ga zielig doen! Of om niet zielig te doen zal ik wrokkig lijken. Wat is het ergste?'

'Volgens mij hebben jullie me helemaal niet zo hard nodig,' zei Jenkin aarzelend. 'Ik heb me altijd een buitenbeentje gevoeld.' Zulke dingen had hij nog nooit gezegd.

'Wat een volmaakte onzin!' zei Gerard, die weer wat zelfvertrouwen begon te krijgen. 'Jij bent centraal, je bent essentieel, zelfs Crimond zag dat. Hij zei dat jij de beste was!'

'O... Crimond...' Ze schoten allebei wat zenuwachtig in de lach.

'Het is niet waar dat ik essentieel ben,' zei Jenkin, 'Duncan heeft me eigenlijk nooit gemogen, Robin deed altijd heel ongeduldig tegen me, net als Gull, Rose lacht me uit, Crimond vindt me een onnozele hals. Val me niet in de rede, Gerard. Natuurlijk is dit een idiote manier van praten, maar je dwingt me ertoe. Dit gezwam over nodig zijn is deel van een illusie die we al die jaren hebben gekoesterd. Ik weet dat ik onzin uitsla en dat ik je

boos maak, want natuurlijk is er iets hechts, iets unieks, en misschien bestaan zulke dingen altijd gedeeltelijk uit een illusie en gedeeltelijk uit iets
echts. Het is alleen dat ik de illusie de laatste tijd sterker heb gevoeld, dat
is een van de redenen waarom ik weg wil. Ik ben niet genoeg alléén geweest,
en dat komt doordat ik moest spelen... ik moest dat spelletje spelen...
dat natuurlijk geen spelletje was, maar... Weet je, ik móet echt eens alleen
zijn zoals je alleen kunt zijn in wat jij de hel noemde.'
    'Je hebt het mis wat betreft die anderen, ze waarderen je allemaal bijzon-
der.'
    'Als een mascotte.'
    'Rose aanbidt je... maar laten we daar nu niet over kibbelen... het kan
me zelfs niets schelen en misschien heb je gelijk dat zulke dingen hopeloos
verward raken tussen illusie en werkelijkheid, misschien zijn alle dingen...'
    'Wat kan jou niets schelen?'
    'Zij, de anderen... nou ja, ik geef wel om ze, hoor... en ik ben het he-
lemaal niet eens met wat jij net zei over dat je een buitenbeentje was...
maar ik zou zonder die anderen kunnen leven.'
    'Weet je, Gerard,' zei Jenkin, die hem nu eindelijk aankeek, 'ik denk
niet dat je zonder hen kunt! Je hebt je hele leven op hun bijval kunnen rekenen. Je vond het plezierig om onze leider te zijn, waarom niet, jij was de
knapste, de intelligentste, de meest succesvolle, het meest geliefd... dat
was allemaal waar, dat geldt nog steeds... maar jij kunt rekenen op deze
dingen en ik niet. Begrijp me alsjeblieft niet verkeerd. Ik speel niet met de
gedachte weg te gaan omdat ik ontdekt heb dat niemand van me houdt!
Ik haal alleen je argument onderuit dat ik niet weg moet gaan omdat ze me
nodig hebben. Ik ben niet nodig. Ze kijken allemaal naar jou, ze rekenen
allemaal op jou, en dus...'
    'Ze...?'
    'Nou ja, we, ik heb ook altijd op jou gerekend, zoals je weet. Dat is ook
iets wat ik wil ontvluchten. Sorry, dat wilde ik niet zeggen. Alles wat ik nu
zeg kan verkeerd worden uitgelegd, ik wou dat je hier niet over begonnen
was, ik háát dit soort gesprekken.'
    'Wil je van me weg?'
    'Ja, maar het is niets persoonlijks, Gerard! Het maakt gewoon deel uit van
mijn wens eens helemaal op mezelf aangewezen te zijn. Ik begin het gevoel
te krijgen dat ik in de wieg al was gekidnapt, gekidnapt door een groepje
van de allerliefste mensen van deze wereld, maar...'
    'Het is niets persoonlijks? Neem me niet kwalijk! Is het niet... sorry dat
ik dit zeg, maar we nemen deze keer geen blad voor de mond... is het niet
zo, dat jij jaloers bent op de anderen, of je verbeeldt dat ik een sterkere
band heb met de anderen dan met jou, want als dat het geval is sla je de
plank volledig mis...'

'Néé, dat is het niet! Echt niet, Gerard!'

'Sorry. Ik geloof dat ik een puinhoop maak van de dingen die ik jou wilde zeggen.'

'Nou, volgens mij heb je ze al gezegd en er is geen kwaad geschied, dus laten we het hierbij laten.'

'Ik heb ze nog níet gezegd! Ik heb een verkeerde indruk gewekt...'

'Laten we over iets anders beginnen.'

'Wil je dat ik ga?'

'Nee, tenzij je dat zelf wilt. Doe wat je niet laten kunt.'

'Jenkin!'

'Ik begrijp echt niet wat dit allemaal te betekenen heeft, en ik stel voor dat we het hierbij laten! Er zijn nog zat andere dingen waarover we kunnen praten, serieuze dingen en leuke dingen... ik wilde je niet de mond snoeren... het spijt me...'

'Het spijt mij ook. Mag ik opnieuw beginnen?'

'O, God... als je echt moet...'

'Ik wíl niet dat je weggaat en ik smeek je niet weg te gaan. Ik heb je nodig, jóu en niemand anders. Ik houd van je, ik heb je nodig...'

'Nou, ik houd ook van jou, ouwe jongen, als dat het punt is, maar...'

'Hoor eens, Jenkin, dit is serieus, het is het meest serieuze ding in deze wereld, in mijn wereld. Ik wil je beter leren kennen, veel beter, ik wil een hechtere band met je, ik wil samen met jou in één huis wonen, ik wil dat we samen door het leven gaan, samen reizen, bij elkaar zijn, ik wil je de hele tijd kunnen zien, bij je kunnen zijn... ik wil dat je thuiskomt... je hebt nooit een thuis gehad... ik wil dat je bij mij je thuis vindt. Ik zeg niet dat dit alles mogelijk is, ik zeg alleen wat ik wil, wat ik heel erg graag wil... en als je nadenkt over wat ik zeg en je begrijpt het, dan zul je inzien waarom ik niet wil dat je weggaat.'

Het bleef even stil, Jenkin staarde naar Gerard, niet direct met verbazing, maar met een vrolijk, zelfs stralend gezicht, met open mond en een en al aandacht. 'Gerard... is dit een huwelijksaanzoek?'

'Het is een liefdesverklaring,' zei Gerard op geprikkelde toon, 'en... nou ja, als je wilt ook een huwelijksaanzoek. Je zult het allemaal wel raar vinden, maar als jij die uitdrukking gebruikt...'

Jenkin begon te lachen. Hij schudde van het lachen. Hij zette zijn glas op de tegels voor de haard en boog voorover, met een hand op zijn ribben en de andere aan de boord van zijn overhemd, hij snikte van de lach tot zijn mond en zijn ogen nat waren, diverse keren probeerde hij zich te beheersen en iets te zeggen, maar de woorden werden steeds weer gesmoord in een volgende lachaanval.

Gerard sloeg hem ernstig, ontzet, gade maar was toch blij dat hij erin was geslaagd iets over te brengen van de duidelijke, samenhangende toespraak die hij van plan was geweest af te steken. Zodra hij had gezegd wat hij op zijn hart had, voelde hij een geweldige opluchting, een vrijheid, een band met Jenkin die hij eerder niet had gevoeld. Het uiten van deze woorden gaf hem, naast zijn toenemende verwarring bij het aanschouwen van het effect van zijn woorden, een warm gevoel.

Tenslotte werd Jenkin weer rustiger, hij veegde zijn ogen af, en zijn lippen en zijn voorhoofd, met een grote, gescheurde zakdoek die royaal met inkt was bevlekt. 'O lieve help... o lieve help...' bleef hij maar zeggen en toen: 'O, Gerard... het spijt me echt... zul je 't me ooit vergeven... ik ben een monster... hoe kan ik nou zó lachen... het is schandelijk...'

'Heb je eigenlijk gehoord wat ik zei?'

'Ja... alles... ik heb elk woord gehoord en begrepen... "kom bij me wonen en wees mijn geliefde"... en ik ben echt heel dankbaar, heel geroerd... echt waar... ik voel me nederig en bevoorrecht... je overvalt me gewoon een beetje.'

'Laat dat maar zitten.'

'Een aanzoek... en ook seks? O, Heer.' Hij begon weer hulpeloos te lachen.

'Waarom niet,' zei Gerard koud, met gefronste wenkbrauwen, 'maar daar gaat het niet om. Dat is niet van belang. Ik heb gezegd wat ik meende. Ik ken je niet erg goed, Jenkin, ik wil je beter leren kennen, ik wil dat onze vriendschap hechter wordt...'

'Om op te bloeien als een oude doornstruik?'

'Maar aangezien jij dit zo zeldzaam grappig schijnt te vinden kan ik dat maar beter als een antwoord beschouwen en maken dat ik wegkom. Het spijt me dat ik je heb lastig gevallen en het zal me later nog meer spijten, wanneer jij nadenkt over alles wat ik heb gezegd en daar aanstoot aan neemt. Je zult het wel heel lachwekkend vinden. Ik hoop dat deze merkwaardige episode geen effect zal hebben op de vriendschap die wij reeds zo lang voor elkaar voelen en die jij zojuist hebt beschreven als een oude, verdroogde meidoorn.' Toen hij dit zei stond Gerard op en pakte zijn vochtige winterjas die hij over een stoel had gehangen.

Jenkin sprong overeind. 'O, maar dat zal ik echt niet doen, ik vind 't echt niet beledigend of lachwekkend of... of... of wat dan ook... ik voel me uiteraard zéér vereerd...'

'Dat zal wel,' zei Gerard en trok zijn jas aan.

'Maar... en... weet je... natuurlijk heeft het wel een effect op onze vriendschap, een duidelijk effect, die vriendschap zal nooit meer dezelfde zijn.'

'Het spijt me dat te horen.'

'Het moet je niet spijten, begrijp het alsjeblieft, als je wilde dat we dichter bij elkaar kwamen, dan is dit nu toch gebeurd? Zulke situaties geven een schokeffect, waardoor barrières worden geslecht, nieuwe perspectieven worden geopend... het spijt me heel erg dat ik opeens moest lachen...'

'Ik vond het leuk dat je lachte,' zei Gerard, 'maar ik weet niet wat het betekende en ik betwijfel of het een goed voorteken voor me is!'

'Ga niet weg,' zei Jenkin, die bij zijn stoel was blijven staan, met zijn stralende, aandachtige gezicht waarop de rimpels en de tranen van het lachen nog te zien waren. 'O lieve help... hoe moet ik het toch zeggen... maar er is hier iets héél góed... Waarom is een mens altijd zo bang om het woord ''liefde'' te gebruiken?'

'Ik ben dat niet. Misschien ga je wel niet weg... laat je ons... laat je mij niet in de steek?'

'Ik weet het niet. Ik denk dat we een andere keer eens verder moeten praten over allerlei dingen, over die serieuze en aardige dingen die jij eerder hebt genoemd.'

'O ja... maar ook over deze dingen... en alsjeblieft... wees niet... voel je niet... Hoor eens, Gerard, blijf hier nog even, wil je? Laten we gewoon rustig zitten en elkaar aankijken en tot rust komen, nog iets drinken en naar de regen luisteren. Mijn God, ik geloof dat ik nu aan een glas whisky toe ben!'

Op dat moment, toen ze elkaar aan stonden te kijken, klonk er een vreemd bonzend geluid. Iemand, die in het donker de bel niet kon vinden, stond met een vuist op de deur te bonzen en produceerde een luid dreunend geluid. Jenkin sprong de kamer door, naar de hal. Gerard volgde hem en draaide instinctief het grote licht aan. Hij zag, achter Jenkin, in de deuropening een vreemde gestalte die hij zich later herinnerde als een lange, magere, volledig doorweekte merel.

Het was Tamar, zonder iets op haar hoofd, haar drijfnatte en verwaaide haren plakten in een donker netwerk over haar voorhoofd en wangen, haar lange donkere regenjas glom van het water, haar armen hingen slap langs haar lijf als een stel gebroken vleugels. Toen ze naar binnen stapte, of struikelde, greep Jenkin haar beet en hield haar vast. Gerard stapte langs hem heen om de deur dicht te doen tegen de hoosbui.

Tamar werd losgelaten door Jenkin en ze liet haar jas van zich af glijden, zodat hij op de grond viel. Ze begon langzaam, alsof elke beweging haar uitputte, haar drijfnatte haar uit haar gezicht te vegen. Jenkin raapte haar jas op en toverde toen een handdoek tevoorschijn. Tamar begon mechanisch haar gezicht en haar af te drogen.

Gerard zei: 'Tamar, Tamar! Wat is er gebeurd? Zocht je mij?'

Tamar keek geen van beiden aan en zei: 'Nee, ik wil met Jenkin praten.'

Tamars rok, nat van de regen, plakte aan haar benen vast. Ze keek Jenkin aan en leek zich toen stijf in zijn armen te laten vallen. Hij ondersteunde haar en begon haar toen langzaam naar de zitkamer te duwen. Gerard zei:

'Ik ga maar.' Hij wachtte even.

Jenkin zei vanuit de deuropening van de zitkamer: Goeienavond dan, mijn beste, we praten er nog wel over, maak je alsjeblieft geen zorgen...'

Gerard stapte naar buiten in de regen, en deed de deur achter zich dicht. Hij had geen paraplu en geen hoed bij zich. Hij was zeldzaam nijdig dat hij zo stom was geweest te denken dat Tamar naar hem had gezocht. Hij liep verder terwijl de regen zijn haar doorweekte en in zijn nek liep. Hij was hevig van slag door zijn gesprek met Jenkin en het speet hem bijzonder dat hij niet langer had kunnen blijven om, zoals Jenkin wijselijk had voorgesteld, gewoon nog wat rustig bij elkaar te zitten. Hij begreep niet goed wat er tussen hem en Jenkin had plaatsgevonden en of dit een verandering ten goede was, of een ramp. Hij voelde een eenzame en scherpe pijn, gewoon omdat hij Jenkins gezelschap moest missen. Dit was nieuw. Hij voelde een vreemde angst. Hij probeerde, terwijl hij over de trottoirs liep waarop het licht van de lantaarns werd weerspiegeld in de stromen water, zijn vreemde angstige voorgevoelens te verdrijven en zich vast te klampen aan Jenkins gelach, als aan iets goeds.

Tamar zat naast de kleine gaskachel en tuurde in de vlammen. Ze had het water uit haar natte rok gewrongen. Ze had eten, thee, koffie afgeslagen maar had wel een glas whisky met water geaccepteerd, dat ze zonder ervan te drinken had vastgehouden en nu op de vloer had gezet. Jenkin vroeg ongerust: 'Tamar, lieve kind, wat is er aan de hand, vertel het me alsjeblieft.'

Ze tilde tenslotte haar hoofd op en keek Jenkin niet aan, maar staarde door de kamer en zei: 'Ja, ja, ik zal het je vertellen. Ik werd zwanger van Duncans kind en nu heb ik het gedood.'

Jenkin, die was blijven staan, bedwong zijn schok en stapte naar achteren alsof er een groot voorwerp tegen hem aan was geworpen. Hij verschoot van kleur en hapte naar adem. Hij ging tegenover haar zitten, schoof zijn stoel wat dichterbij en boog zich naar voren. 'Tamar, liefje, kalm aan. Vertel me eens precies wat je bedoelt.'

Tamar slaakte een diepe, beverige zucht en vervolgde op matte, lusteloze toon: 'O, ik bedoel niet dat ik het kind heb gebaard en het daarna heb verdronken, of zo. Het is nooit geboren. Ik heb een abortus gehad.'

'Wat een vreselijke ervaring,' zei Jenkin verpletterd door medelijden en ontzetting. 'Maar... maar je zegt dat het... Duncans kind was?'

'Ja, ik ben een keer met Duncan naar bed geweest... ik bedoel één keer. Ik dacht dat ik van hem hield, ik wilde hem troosten. Hij zei dat hij geen kinderen kon krijgen. Dus misschien was het een soort wonder. Maar ik heb het kind gedood.'

'Weet je zeker dat het van Duncan was?'

'Ja. Ja. Ja.'

'Weet hij het?'

'Nee, natuurlijk niet. Het moet een geheim blijven. Je zei dat hij een kind wilde, en er was een kind, maar nu leeft het niet meer.'

'Waarom heb je niet... waarom wilde je het hem niet vertellen, of...?'

'Nee!' jammerde Tamar, maar haar gezicht bleef strak en ze staarde langs Jenkin heen naar de hoek van de kamer. 'Hoe kon ik dat doen? Je zei dat Jean weer bij hem terugkwam. Ik wilde dat niet onmogelijk maken door te komen vertellen dat ik een kind van hem had. Het leek me het beste het weg te laten halen. Maar ik besefte niet wat ik deed. Ik wist niet hoe ik me na afloop zou voelen, dat ik door een hel zou gaan en het liefst wilde sterven.'

'Tamar, je moet niet zo kijken, ik laat je niet door de hel gaan.'

'Het is moord, het is een onherroepelijke misdaad waarvoor ik altijd moet lijden. Ik kan nooit meer een ander kind krijgen want dit kind zal elk ander kind doden. Het wilde leven, het wilde leven, en ik stond dat niet toe! Ik kan het aan niemand vertellen... maar het geheim verteert mijn binnenste...'

'Maar je hebt het mij nu toch verteld, en ik zal je helpen.'

'Je kunt me niet helpen. Ik ben alleen hierheen gekomen om te zeggen dat het allemaal jouw schuld is...'

'Waarom...?'

'Die dag bij de rivier zei jij dat Jean weer terug zou komen en dat zij dan weer gelukkig zouden worden, en je gaf me de raad...'

'Tamar ik heb je geen enkele raad gegeven...'

'Je kon helemaal niet weten of Jean wel of niet terug zou komen, ze is nog steeds niet terug, misschien komt ze wel nooit terug en dan heb ik het voor niets gedaan. Toen het kind leefde wilde ik het aan Duncan vertellen, ik wilde naar hem toe hollen om het hem te vertellen en te zeggen dat ik van hem hield, maar nu haat ik hem en ik kan hem nooit meer zien want ik heb zijn wonderkind in een vlaag van verstandsverbijstering gedood. En een paar dagen geleden leefde het nog, en was het van mij...' Tamar begon eindelijk te huilen, nog steeds verstard, met open mond nu, met ogen waaruit tranen vielen, van haar kin op haar schoot.

Jenkin had geprobeerd haar hand te grijpen, maar ze had hem weggetrokken, ze was naar achteren gedeinsd. Hij was ontzet over wat hij had gehoord. In de luttele minuten die ze bij hem was geweest had Jenkin in de hel gekeken waarvan zij hem had verteld, en hoewel hij zei dat hij haar wilde helpen zag hij geen enkele manier waarop dat mogelijk was. Hij wenste dat hij haar bewustzijn kon wegnemen zodat al dit verdriet even ophield. 'Tamar, probeer je flink te houden, ik ga je helpen, maar zét je schrap! Heb je dit nog aan iemand anders verteld?'

'Ik heb Lily verteld dat ik zwanger was, zij heeft me het geld gegeven, ik heb niet gezegd van wie het was, ze zegt dat iedereen zoiets kan overkomen. En ik heb het die dominee op het land verteld, ik heb alleen gezegd dat ik zwanger was en hij zei dat ik het moest houden. Ik wou dat ik naar jou toe was gekomen, zelfs vorige week nog, jij had vast gezegd dat ik het moest houden en dan had ik het gehouden, ik wou dat ik het je toen had verteld, die dag bij de rivier, als je me maar had gevraagd wat er aan de hand was had ik het je verteld en dan was alles in orde geweest, maar je vroeg het niet, je praatte maar door over Jean en Duncan en dat het met hén goed zou gaan, het ging allemaal over hén, en ik wilde je over míj vertellen... En nu haat ik jou ook, ik haat iedereen en als je iedereen haat ga je dood. Ik haat mezelf zo verschrikkelijk, ik zou mezelf dood kunnen martelen, ik wou dat ik vannacht kon sterven, ik wou dat jij me kon vermoorden en verbranden.'

'Hou op, Tamar, je zit gewoon diep in de put, drink een beetje whisky. Hou op met dat gejammer, wees stil, drink nou een slokje.'

Tamar nam met bevende handen een slokje en morste op haar jurk. Ze hield op met huilen.

'Laten we alles eens goed op een rijtje zetten. Ik begrijp dat het iets vreselijks, iets afschuwelijks voor je is, maar je haalt nu alles door elkaar en geeft jezelf overal de schuld van... we moeten in staat zijn erover ná te denken, ik zal je helpen, je haat me niet want je bent naar mij toegekomen, je moet bij me blijven en me vertrouwen, je hebt andere mensen nodig, je hebt liefde nodig...' Jenkin merkte dat hij maar door kletste, gewoon om het gesprek gaande te houden, nauwelijks wetend wat hij zei, losse woorden stamelend in een poging de enorme wond te stelpen, die zo onverwacht aan hem was onthuld.

'Niemand houdt van me,' zei Tamar, nu op zakelijke toon, 'niemand kán van me houden. Dat is onmogelijk. Ik ben iemand die búiten de liefde staat, en dat is altijd al zo geweest.'

'Dat is niet waar. Maar, hoor eens, ik moet je nu wat vragen stellen. Het spijt me als je dat vervelend vindt, maar ik móet proberen het te begrijpen, je weet dat ik het niemand zal vertellen. Dit ene, die gebeurtenis met Duncan, ging daar iets aan vooraf of kwam er iets na, had je je gerealiseerd dat hij verliefd op je was?'

'Nee, dat was hij niet, en er was niets. Ik ging twee keer bij hem op bezoek omdat Gerard me dat had gevraagd.'

'Had Gerard het gevraagd?'

'Hij dacht dat ik misschien iets goeds voor Duncan kon doen omdat ik zo onschuldig en ongevaarlijk was. Die tweede keer had hij net een brief van de advocaat gehad, over een echtscheiding, en ik had zo'n medelijden met hem, ik zei dat ik van hem hield, en ik hield ook van hem.'

'Houd je nog steeds van hem?'

'Nee. Daarna sloeg hij zijn armen om me heen en gingen we naar bed.'
'En daarna?'

'Daarna niets. Misschien heeft hij besloten dat Jean toch weer terugkomt, of dat ik toch maar lastig was, een vervelend incident, iets waarvan hij wenste dat het niet was gebeurd. Hij liet me op Boyars volmaakt links liggen. Ik begreep het.'

'En dat weekend wist je dat je zwanger was?'

'Ja. Maar ik ben niet naar hem toegegaan om met hem te praten, ik ben er gewoon heengegaan om hem te vergeten en in te zien dat hij niet van me hield en dat het allemaal voorbij was.'

'Je dacht niet dat het verder kon gaan?'

'Nee. Ik begreep dat het niet kon... en ik heb alles bedorven wat Gerard had bedacht... en dat alles was voor eeuwig voorbij. Ik wist het zelfs al voor ik besefte dat ik zwanger was. De dingen die ik jou daar aan de rivier vroeg, ik wist echt hoe het was, hoewel ik er niet aan had gedacht dat Duncan zo vreselijk graag een kind had gewild.'

'Ik praatte maar wat,' zei Jenkin. 'Ik weet niet of Duncan echt een kind wil. Hij heeft me een keer verteld dat hij het wilde...'

'Hij zou dit kind trouwens toch nooit willen hebben. Maar ík wilde het wel.' De tranen begonnen weer te stromen. Ze zei: 'O, ik ben zo moe... ik wil slapen.'

'Je moet hiermee leren leven zoals mensen met grote verliezen leren leven. Het is mogelijk, je zult ontdekken hoe.' Hij dacht: er is hier zoveel dat onherroepelijk is, dat slechts door een wonder kan worden genezen. Ik wou dat ik deze last met iemand anders kon delen, maar ik zie niet hoe. 'Is er niemand anders met wie je wil praten? Wat dacht je van die dominee, father McAlister? Je hebt het hem al verteld...'

'Hij dwong me het te vertellen. Hij praatte over Jezus en hoe oprechte liefde je boetvaardig maakte en hoe je zonden werden weggewassen enzovoort. Maar hij wist helemaal niet hoe de vork verder in de steel zat, naar hem kan ik niet terug.'

'Zeg, wie weten dat je hier bent, behalve Gerard? Weet Lily het?'

'Nee, ik holde naar buiten toen zij boodschappen ging doen en daarna heb ik in de regen gelopen.'

'Dan moet ik Lily opbellen, en je moeder moet het ook weten...'
'Nee!'

'De mensen moeten gewoon weten waar je bent. Ik zal ze niets anders vertellen. Ik denk dat ik Gerard bel en dan kan hij het doorgeven. Tamar, wil je alsjeblieft niet iets eten? Nee? Dan moet je naar bed, zo gauw als ik je kamer klaar heb. Morgen kunnen we verder praten.'

Jenkin had het bed in de logeerkamer opgemaakt, er een kruik in gelegd en een pyjama van zichzelf uitgespreid. Ze kroop in bed in een staat van volledige uitputting. Jenkin stond op het punt haar hand te pakken en haar te kussen, maar ze was al in slaap gevallen. Hij keek nog even naar haar en maakte toen een teken, een privéteken van hemzelf, voor haar bescherming.

Toen hij naar de telefoon liep herinnerde hij zich plotseling, wat hij even helemaal had vergeten, de merkwaardige scène met zijn vriend, die door Tamar was afgebroken. Hij bleef even met zijn hand op de telefoon staan. Hij kon zich niet precies herinneren wat hij had gezegd, hij had de indruk dat hij in het begin van het gesprek vrij grof tegen Gerard had gedaan, en dat hij had gelachen om wat Gerard later had gezegd. Nou, dáár waren geen wonderen nodig om de zaak recht te trekken. Toch moest hij er eens goed over nadenken... Hij lichtte de hoorn snel van de haak en draaide Gerards nummer.

'Hallo.'
'Gerard.'
'Ik hoopte dat je zou bellen. Wat is er met Tamar aan de hand?'
'Dat komt wel goed. Ze slaapt nu, ik moet haar niet wakker maken. Ik dacht alleen, zou je het erg vinden om Lily even te bellen om te zeggen dat ze hier is? En als Lily Violet heeft gealarmeerd...'
'Ja, ja, dat zal ik wel regelen.'
Het bleef even stil.
'Gerard...'
'Maak je geen zorgen.'
'Dat doe ik niet.'

Jenkin ging bij de kachel zitten en schonk zich nog wat whisky in. Hij voelde zich hevig ontdaan, een en al medelijden, ontzetting, maar ook opwinding. Temidden van alle verontrustende gebeurtenissen was er een diepe vreugde dat er in dit huis een gewond schepsel bescherming was komen zoeken, een schepsel dat nu veilig lag te slapen. Het was een vreemd gevoel dat hij niet alleen in huis was.

Hij probeerde kalm en rustig te zijn. Zijn gelach was gedeeltelijk gelach van schrik geweest, een bescherming tegen een meer directe reactie. Maar toch was het ook grappig geweest, absurd grappig. 'Kom bij mij in huis'. Was dat aanlokkelijk? Jazeker. Door alle jaren heen was Jenkin zich bewust geweest, meer bewust dan Gerard, van de afstand tussen hen beiden, ondanks al hun gehechtheid. Hij had over deze afstand nagedacht, over deze voortdurende veilige afstand, en hij had zich afgevraagd of er een hand over moest worden uitgestoken. Zijn hand? Terwijl hij dit bij de haard zat te overdenken maakte hij een embryotisch gebaar. Hij had dit mogelijke gebaar altijd tegengehouden uit een soort verlegenheid of preutse schaamte, een naar het nu leek, levenslang gevoel van Gerards superioriteit. Was hij bang geweest voor een, uiteraard zo vriendelijk mogelijke, misschien nauwelijks waarneembare afwijzing? Hij had zich evenmin voor durven stellen hoe die stap dichterbij zou zijn, wat hij kon inhouden, hoe zijn leven zou zijn zonder die heldere leegte – hij stelde zich die voor als een soort dal van de hemel, lichtblauw en vol licht – waarover hij naar Gerard keek. Soms leek het belachelijk, veel te plechtig, een voorstelling van het onvoorstelbare, op deze manier over zijn relatie met Gerard te denken. Als ze waren voorbestemd dichter tot elkaar te komen, meer intiem te worden, elkaar vaker te ontmoeten, of hoe je het ook wilde omschrijven, zou dit dan niet spontaan gebeuren, en als dat niet gebeurde was het dan niet juist omdat er goede redenen voor waren, onzichtbare misschien maar wel goede, waarom het toch niet gebeurde? Waarom al die toestanden? Nou ja, er waren geen toestanden, maar alleen dit gevoel, dat zich soms als jaloezie manifesteerde, waartoe Jenkin, die dit zorgvuldig voor Gerard verborgen hield, zeer zeker in staat was. En nu, heel onverwachts, was die belangrijke structurele ruimte plotseling teniet gedaan. De koning was naar hem toe gekomen, met de pet in de hand... en Jenkin had hem uitgelachen. Bij hem thuiskomen? Ik denk niet dat ik ergens thuishoor, dacht Jenkin, het is niet mijn aard om thuis te komen of dat soort thuis te hebben. Zelfs dit huis is een schelp die moet worden opengebroken. Goed, dus dit is romantiek, dit is sentimentaliteit. Maar ik moet snel weg, eerder dan ik van plan was, als ik niet naar Gerard wil hollen.

Er was nog een ander stukje van de puzzel, weliswaar oud en verbleekt, maar nog steeds aanwezig, en dat door Gerards verrassende verklaring weer boven was gekomen. Dat was het punt van Rose. Jenkin was er zo aan gewend een klein beetje verliefd te zijn op Rose, dat het nauwelijks meer zo genoemd kon worden, hij dacht zelf ook niet meer in zulke termen. Jenkin had van vrouwen gehouden en had, als was het niet van de laatste tijd, meer avontuurtjes beleefd dan zijn vrienden, of anderen die dachten dat hij hopeloos aseksueel was, konden vermoeden. Maar Rose was een speciaal geval. Hij had niemand ooit iets verteld over dit vreemde, niet bepaald vervelende gevoel, behalve eens aan een oudere vriend uit Oxford, Marcus Field, die eveneens van Rose hield. Jenkin, die toen ook al heel wijsgerig was, had zijn gevoelens voor zich gehouden. De liefde van Rose voor Gerard ging terug tot ver in de schaduwen van de geschiedenis, bijna net zo ver als Gerards liefde voor Sinclair. Gerard had zich door haar laten liefhebben, wat kon hij anders doen? Maar toch – veroorloofde Jenkin zich af en toe te denken – was hij misschien wel een beetje erg egoïstisch wat dit betrof; had hij niet beter kunnen zeggen dat ze weg moest gaan om iemand anders te vinden? Maar hoe het ook zij, een element, niet direct een motief, in Jenkins besluit om weg te vluchten was zijn wens om weg te komen, niet alleen van Gerard maar ook van Rose.

Maar toch. . . hoeveel van dat wankele beeld van motieven en besluiten, dat hij gedurende zo'n lange tijd had geconstrueerd en dat nu was voltooid, was veranderd of zelfs ernstig beschadigd door Gerards ongewone zet? Jenkin had nimmer een homoseksuele relatie gehad of gedroomd zijn hechte vriendschap met Gerard in dat licht te bezien. . . hij wilde zich evenmin afvragen wat er precies nu wel bestond dat er eerder niet was geweest. Wat hij wel voelde was een plotselinge toename van zijn wereld. Gerard had hem geróepen, en de echo hiervan beroerde dingen op diepe plaatsen. Kom bij me wonen en wees mijn beminde. Misschien werd hierdoor toch alles anders?

Gerard had Lily gebeld, en Rose, die door Lily was gealarmeerd, en daarna was hij naar Violet gereden om haar te vertellen dat Tamar bij Jenkin was. Hij bleef nog even bij Violet. Ze vertelde hem, en scheen blij te zijn dit te kunnen doen, over Tamars huilbuien en krijspartijen die aan haar vlucht vooraf waren gegaan. Violet wist niet waarom Tamar in zo'n toestand verkeerde. Violet was erg geschokt, boos, bang, misschien zelfs door de schok gedreven tot een oprechte, liefhebbende bezorgdheid voor haar dochter. Gerard nam deze gelegenheid te baat Violet met een air van autoriteit te vertellen dat ze Tamar écht de kans moest geven haar opleiding af te maken. Waarschijnlijk was Tamars verdriet over dit punt de oorzaak van haar inzinking. Sommige jonge mensen wilden zó dolgraag verdergaan met leren en studeren; en de echt moeilijke dingen, die een bezit voor eeuwig vormden, moesten worden bestudeerd wanneer een mens nog jong was. Als Tamar nu werd gefrustreerd – zo schilderde Gerard het af – werd ze misschien depressief en raakte ze haar baan kwijt, terwijl ze als ze terug kon gaan naar Oxford later een veel beter betaalde baan kon krijgen. Gerard wilde met alle plezier in die tussentijd financieel bijspringen enzovoort, enzovoort. Violet herstelde zich snel van haar weekhartige bui en trok een cynisch gezicht, zoals Gerard dat maar al te goed kende. Hij vertrok in de hoop dat hij desalniettemin indruk had gemaakt.

Toen hij weer thuis was ging de telefoon. Het was Rose. Hij vertelde haar van zijn bezoek aan Violet. Rose had hier belangstelling voor, maar had hem met een andere bedoeling gebeld. Ze wilde gewoon zijn stem even horen en hem horen zeggen, zoals hij vaker zei: 'Welterusten lieverd, slaap lekker.'

Gerard ging, in pyjama en ochtendjas, op zijn bed zitten. Hij zat net zo rechtop als toen hij de kinderen bezig had gezien de eendjes te voeren, zonder ze echt te zien. Lang nadat Rose in bed lag en sliep zat hij daar roerloos na te denken over de gebeurtenissen van die avond. Hij wachtte tot alle woeste golven van zijn onrustige gemoed weer tot bedaren waren gekomen. Hij haalde diep adem. Hij wenste hevig dat hij in staat was geweest gehoor te geven aan Jenkins uitnodiging rustig te blijven zitten en nog iets te drinken en naar de regen te luisteren. En ze hadden elkaar aan kunnen kijken en, zonder iets te zeggen, een wederzijds begrip op kunnen bouwen. Nou, er zouden zich nog andere gelegenheden voordoen; en misschien was Tamars komst, die weliswaar zo'n rustige voortzetting van hun gesprek onmogelijk had gemaakt, toch een soort teken geweest. Ze waren bezig geweest na te denken over zichzelf en over elkaar, toen plotseling de dringende behoeften van iemand voor wie ze allebei veel zorg en genegenheid koesterden, hun aandacht had opgeëist. Met deze gedachte kon Gerard zich zelfs neerleggen, door het als een soort vernedering te beschouwen, bij zijn ergernis dat Tamar in haar nood naar Jenkin was gekomen in plaats van naar hem!

Gerard dacht, zich tot kalmte manend: in ieder geval heb ik mijn verhaal afgestoken, ik heb precies gedaan wat ik van plan was, het was voldoende en eenvoudig... en wat er ook mag gebeuren, en ik moet erop voorbereid zijn dat er niets gebeurt, toch zal ik blij zijn dat ik hem heb verteld wat ik voelde. Na zoiets gaat hij vast niet meer weg... hij zal niet willen en hij zal begrijpen dat hij het niet kan.

Maar later, toen Gerard was gaan liggen om te slapen, en had geslapen en in het donker wakker was geworden, had hij zo'n vreemd gevoel omdat hij, voor het eerst in zijn leven, zich tegenover Jenkin de zwakkere had gevoeld. Hij was naar hem toe gekomen als een bedelaar, hij had tegenover hem gestaan zonder enige geloofwaardigheid. Hij had zijn macht ingewisseld voor een onbegrensde kwetsbaarheid, en had Jenkin gedwóngen zijn beul te zijn. En als hij nu aan Jenkin dacht, en aan zijn behoefte aan Jenkin kwamen er allerlei tot nu toe onvoorstelbare beelden bij hem op, en hij dacht: ik moet geen dingen gaan wensen die ik toch niet kan krijgen. Waarom heb ik dit eerder als zoiets eenvoudigs beschouwd? Ik was zo gespitst op het afsteken van mijn eigen verhaal, alsof dat op zich een klein stukje van mijn verlangen veilig kon stellen, zodat ik in ieder geval íets had bereikt. Ik dacht dat ik mezelf misschien belachelijk maakte, maar wat heb ik nu aangericht? Ik had nooit gedacht dat alles zo slecht zou verlopen, en dat we tussen zijn goede wil en die van mij in de hel konden belanden. Misschien heb ik wel iets vreselijks teweeggebracht, voor hem, en voor mij.

'Doe je grote licht eens aan,' zei Crimond.

Jean deed ze aan.

'Dim ze nu en zet ze daarna nog eens een paar keer op groot licht.'

'Dat deed ze. Ze zat in haar auto met het portier geopend, Crimond stond naast haar in het donker. Zijn auto stond, met brandende koplampen, pal tegenover die van haar. Het was drie uur in de nacht en ze stonden op de Romeinse weg.

De regen was weggetrokken, het koudere, stillere weer was teruggekeerd, de maan was opgekomen, de sterren waren zichtbaar. Jean beefde hevig.

'Je kunt toch wel rijden?' zei Crimond.

'Ja natuurlijk.'

Ze stonden op de top van een heuvel waarvandaan bij daglicht de rechtlijnige, op en neer gaande weg over grote afstand zichtbaar was. Vanaf het punt waar zij waren gestopt volgde eerst een klein dal, vervolgens een stijging, en daarna een lichte daling gevolgd door een gestage stijging tot een volgende heuveltop, zo'n drie kilometer verderop.

'Wanneer ik daar ben aangekomen geef ik een teken door mijn koplampen langzaam drie keer op groot licht te zetten, en jij antwoordt dan direct. Als er iets tussen mocht komen, ik kan niet bedenken wat, want we hebben vanaf de hoofdweg geen enkele auto gezien, maar als er iets is zal ik een paar keer met mijn lichten knipperen ten teken dat je moet wachten. En jij doet uiteraard hetzelfde. En na die eerste signalen, ten teken dat ik er ben en dat jij me hebt gezien, een pauze, vervolgens opnieuw hetzelfde, allebei tegelijk, drie keer de koplampen op groot licht. Je herinnert je dit alles, we hebben het al vaak genoeg herhaald.'

'Natuurlijk herinner ik het me.'

'Na die tweede serie van drie keer langzaam, moet je direct vertrekken. Rijd uiteraard met gedimde koplampen, we willen elkaar niet verblinden. Het enige waar je verder op moet letten is dat je links blijft rijden, de weg is niet erg breed dus ik denk niet dat er iets mis kan gaan. Laat de rest aan mij over. Vergeet niet je veiligheidsriem vast te maken, anders kunen er rare dingen gebeuren, je moet ín de auto zijn. Verknoei het niet, nou ja, dat zul je ook niet doen, we willen niet in een stelletje rolstoelen terechtkomen, er mag hier niets misgaan. Bedenk wel dat we elkaar uit het oog verliezen als jij in het dal zit, wanneer je over die bult bent is het nog een eindje omlaag en daarna de lange helling omhoog. Als ik er aan had gedacht hadden we het andersom kunnen doen, maar dat is nu niet meer van belang, bovendien is jouw auto krachtiger dan die van mij... het zal heel eenvoudig zijn, heel gemakkelijk, maar houd in hemelsnaam je voet goed op het gaspedaal, we willen minstens honderdtwintig rijden als we elkaar ontmoeten. Je denkt niet dat je de macht over het stuur zult verliezen?'

'Nee, natuurlijk niet.'

'Riskeer dat niet... maar dat zal je niet gebeuren. Je kunt goed rijden... zet flink vaart, je hoeft niet op de snelheidsmeter te kijken, laat de snelheid verder aan mij over, zorg gewoon dat je vaart houdt en línks blijft rijden! Dat is alles, dacht ik. Nu stap ik in mijn auto. We waren het erover eens dat we afscheid hebben genomen... alleen is het geen afscheid, we blijven nu bij elkaar, voor altijd.'

Toen hij zich snel omdraaide en weg wilde lopen stapte Jean uit de auto, deed een paar stappen achter hem aan en legde haar hand op zijn schouder. Ze voelde hem huiveren en terugdeinzen en toen hij wegliep raakten hun handen elkaar even. Ze bleef roerloos staan, zag hoe hij in zijn auto stapte en het portier dichtsloeg, ze hoorde hem de motor starten en zag toen de achterlichten van de auto en de zwiepende koplampen het dal in schieten, over de helling omhoog gaan, even onzichtbaar worden, en daarna weer tevoorschijn komen op de lange helling naar de verre heuveltop. Ze stapte weer in de auto, deed het portier dicht en maakte haar veiligheidsriem vast.

Jeans auto was een Rover, de krachtigste van de twee, Crimonds auto was een Fiat. Jean merkte dat ze over de auto's nadacht. Ze hield van haar auto, en nu zou ze hem laten verongelukken, laten verbrijzelen. Ze dacht even aan Duncan, alsof ze zich afvroeg of hij het jammer zou vinden van de auto. Ze leunde achterover op haar stoel en voelde zich bijna slaperig, terwijl ze zich afvroeg: droom ik? Is dit een droom? Het moet wel. Ik heb steeds aan dit alles moeten denken vanaf het moment dat Crimond erover begon te praten en nu droom ik het. Haar hoofd schokte en het was alsof ze wakker werd. Het was geen droom, ze was op de plek waarover ze hadden gepraat, op het tijdstip waarover ze hadden gepraat, de tijd was aangebroken en Crimond was weg! Ze werd eerst overvallen door een gevoel van eenzaamheid. Toen dacht ze na over alles wat er ging gebeuren en ze voelde zich koud en zwart worden van ontzetting. Ze begon weer te beven en haar kaken bibberden. Ze voelde zich erg misselijk, alsof ze nodig moest overgeven en dit toch niet kon. Automatisch startte ze de motor. Toen ze dat deed dacht ze: er is nog tijd. Ik zou het bos in kunnen hollen om over te geven, ik zou gek kunnen worden en tussen de bomen gaan zwerven en ergens gaan zitten. Wat heb ik hier nog verder mee te maken? Hebben we het niet al gedaan door er alleen maar over te praten? Waarom moet ik nog iets dóen, is het niet al gebéurd? Ze had niet gemerkt hoe koud de nachtlucht was. Nu draaide ze het raampje omhoog en dacht: het is warmer in de auto. Ze droeg een kort jasje. Haar handtas lag op de zitting naast haar. Waarom had ze die eigenlijk meegenomen? Het intens misselijke gevoel leek een besef van tijd te zijn. De samengebalde massa van al haar recente gedachten en gevoelens explodeerde binnen in haar hoofd. Ze was alle logica te boven en tegenstrijdige dingen konden waar zijn.

Ze had in de afgelopen dagen voortdurend geprobeerd zich in te leven in de gedachtenwereld van haar geliefde, om te proberen, zoals ze altijd probeerde, erachter te komen wat hij echt wilde en te zijn zoals hij wilde dat ze was. Ze had zelfs enige tijd, of misschien wel nu, geloofd dat het een soort test op moed was. Het was het soort dingen dat Crimond wel vaker deed, het was opnieuw Russisch roulette, met een pistool waarvan hij deed of het geladen was terwijl hij dat niet was. Hij had, zei hij, haar moed willen zíen. Ze zei: mijn liefde zien? Ja, je liefde, dat is hetzelfde. Dat was het nu ook, hij had net als een drug behoefte aan het regelmatige bewijs, hij moest zíen dat ze van hem was; en ze wás van hem, ze was naar de Romeinse weg gekomen, naar deze afschuwelijke vertoning, naar deze martelplaats, omdat ze hem niet tegen wilde spreken, omdat ze hem moest gehoorzamen. Ze mocht niet falen. . . toen niet. . . en nu niet. Als ze faalde zou hij haar in de steek laten. Maar. . . als ze slaagde zou ze sterven? Ze dacht: hij zal ons op het laatste moment redden, dat is echt iets voor hem. Ik blijf steeds links en dan rijdt hij gewoon aan de andere kant langs me heen, of hij komt recht op me af en wijkt op het laatste moment uit. Hij zei: laat de rest aan mij over. Nou, dat is alles wat ik kan doen, dat is nu mijn hele leven. Na afloop zien we elkaar terug en dan omhelzen we elkaar, huilen we en dansen we. Zo zal het zijn; en dan is onze liefde nog sterker, duizend-voudig toegenomen, vergoddelijkt. Dit is de beleving van de dood, waarna je onsterfelijk wordt. Maar, dacht ze, stel dat het echt dood is, dat hij echt de dood zoekt, en dat we in de dood in elkaar opgaan en een legende worden? Nou, als hij dat verkiest, als de uiteindelijke vervulling van onze lief-de, dan wil ik dat ook. Ze slaakte een kreetje als van een vogel en haar li-chaam raakte bezeten door een soort extase van angst, waardoor het leek als-of het licht uitstraalde. Ik heb mijn leven in zijn handen gelegd en als hij het neemt, dat moet het zo zijn, en als hij het spaart, dan moet het ook zo zijn. Dit is de climax waarvoor mijn leven was bedoeld, de tijd die al het andere waard is, die de rest van de tijd in het niet doet verzinken. Ik kan niet anders en daar moet ik vrede mee hebben. Maar toch dacht ze nog steeds: het is ónmogelijk dat we elkaar niet meer ontmoeten, het is ónmoge-lijk dat we hier niet meer samen over kunnen praten. Als de goden ons belo-nen moeten we hier zijn om te worden beloond. . . tenzij dit nu onze belo-ning is, om de laatste momenten van onze levens op deze manier door te maken.

Ze beefde van opwinding en angst. Haar hoofd voelde groot aan, vol elektrische puntjes, kleine schokken van intense pijn. En al die tijd bleef ze roerloos stil zitten, met draaiende motor, uitkijkend over de weg vóór haar, die scheen te beven en te schudden en te kolken in nevels van duisternis. Ze was zich bewust van de maan, zelfs van de sterren, van het berijpte, maanverlichte asfalt vlak voor haar, en van de lichten van Crimonds auto, de bleke gloed van de koplampen, de achterlichten, die even uit het zicht waren verdwenen en nu op de verste helling langzaam omhoog kropen over de golven van duisternis. Ze zag de lichten kleiner worden, de rode lichten verdwijnen, er leek een stilte te zijn, een kloof waarin ze kon vallen; toen verschenen de koplampen langzaam uit het donker, eerst gedimd en toen als groot licht, drie keer achter elkaar. Met open mond nu, hijgend, merkte ze dat haar hand op de hendel lag en ze liet haar eigen koplampen drie keer oplichten bij wijze van antwoord. Het verre signaal werd herhaald en bijna tegelijkertijd herhaalde zij haar eigen antwoord. De lichten in de verte werden gedimd en zij dimde die van haar. Ze gaf gas en liet de koppeling opkomen. De auto begon omlaag te rijden en even later verdwenen de koplampen aan de overkant uit het zicht. Toen ze begon op te trekken voelde Jean opeens een golf van energie door zich heengaan, iets heel intens, misschien angst, misschien vreugde, misschien, in de diepten van haar lichaam, een langdurige seksuele opwinding. Ze drukte haar voet omlaag. Sneller, sneller. Tegelijkertijd ontdekte ze dat ze dacht: hierna rijden we samen door Frankrijk. Ik zal wel rijden, hij heeft eigenlijk een hekel aan rijden. Ze had zich zo vaak dat weggaan met Crimond voorgesteld, dat zou komen als het boek af was. Als het boek af was zouden ze rondtrekken, zoals ze dat in Ierland hadden gedaan, en volmaakt gelukkig zijn. Maar het boek was af, en waren ze niet nu al volmaakt gelukkig, was dit, wat ze nu deed als een instrument van Crimonds wil, niet het volmaakte geluk?

Toen ze uit het eerste kleine dal omhoog was gekomen zag ze de koplampen van Crimonds auto weer, maar nu veel dichterbij. De weg ging iets omlaag en begon toen aan de lange, zeer geleidelijke stijging. Jean hield haar blik gericht op de lichte, blinkende ogen voor haar, de ogen die zo snel groter en feller leken te worden. De Rover snelde soepel, moeiteloos, voort, als een vogel. Jean wierp een snelle blik op de snelheidsmeter, maar om de een of andere reden kon ze hem niet zien. De lichte, groter wordende ogen schenen haar verblind te hebben voor alle andere dingen in de wereld. In de wereld. Zal het snel zijn? dacht ze. Hoe sneller hoe beter. Vreemd genoeg had Jean, in al die lange, angstaanjagende, opwindende en op de een of andere manier onwerkelijke discussies die ze over de Romeinse weg hadden gevoerd, nimmer geprobeerd zich enig detail voor te stellen. Er was zoveel beeldspraak geweest, zoveel mythe, zoveel louter seksuele opwinding, als een langdurig orgasme, in die uitzonderlijke periode, die zo kort en zo overvol was geweest van samenzijn, nadat ze had beseft dat Crimond het werkelijk meende, dat ze er echt toe over zouden gaan. Die tijd leek nu in de herinnering als een zonovergoten slagveld, een tournooi, met wapperende vaandels en naakte, dodelijke lansen, die nog niet met bloed waren bevlekt. Uit die schermutselingen had Jean kunnen vluchten in eindeloze, wisselende speculaties over wat Crimond werkelijk van plan was. Haar voorstellingsvermogen was afwisselend op allerlei oppervlakkige beelden blijven rusten: de twee auto's zouden één auto worden, er was niets anders meer op de weg dan een compacte kist van metaal. Maar wat zat er in die kist? Dat was zij, met Crimond, binnen in die doos, verenigd in een eeuwige duisternis. Er zou bloed zijn, een vermenging van bloed, een vermenging van vlees, maar zíj waren verdwenen, in één donderslag, voor eeuwig verenigd. Ze begon te hijgen en te kreunen, nog niet te gillen, hoewel ze de kreet al kon horen, die ze op het punt stond te slaken.

Zit hij aan de linkerkant van de weg of aan de rechter, vroeg ze zich af. Dat viel nu nog moeilijk te zeggen. Hij had haar gezegd links te blijven rijden en de rest aan hem over te laten. In jouw wil ligt mijn zielerust. Ze was nu echter alleen. Maar daar moest ze niet aan denken. Sneller, sneller, dichterbij, dichterbij. Jeans ogen gleden weer even opzij, deze keer naar de dichtstbijzijnde kant van de weg. Er was een lange, lage, stenen muur, een stapelmuur met een patroon van goudgele stenen dat zich snel en hypnotiserend afwikkelde in het schijnsel van de koplampen van de Rover. Een muur. De andere kant van de weg leek onzichtbaar te zijn, als bedekt met een zwarte doek. Toen zag ze die rolstoelen. Crimond had de rolstoelen slechts terloops genoemd, maar Jeans geest had reeds een beeld gevormd, alsof ze er jaren over had nagedacht, van zichzelf en Crimond die langzaam in een grote kamer bewogen, elkaar passeerden als zielloze insecten terwijl ze moeizaam hun stoelen voortbewogen door de wielen met hun handen rond te draaien. De oude dag, was het een beeld van hun oude dag? We willen niet oud worden, we willen ook geen invaliden zijn, ik moet het niet verknallen. Crimonds auto, nu misschien anderhalve kilometer weg, of minder, reed vast en zeker aan de rechterkant van de weg, zijn rechterkant, haar linker, ze werden verenigd door een rechte lijn, het zou neus tegen neus worden. Haar voet duwde het gaspedaal op de plank, er klonk gebulder in haar oren, het geluid van de motor dat eerst niet tot haar was doorgedrongen, het stuur leek vast te zitten in haar handen, in een onwrikbare positie. Ze had nooit eerder in haar leven zo hard gereden, toch voelde ze dat ze de wagen perfect onder controle had. Als ik op het laatste moment zijn pad zou kruisen, dacht ze, zou hij de zijkant van de auto raken, dan zou er een ongeluk gebeuren. De stenen muur was nog steeds naast haar. De lichte, blinkende ogen voor haar uit, die een tijdlang slechts groter leken te worden zonder te bewegen, kwamen nu duidelijk dichterbij, snelden dichterbij, dichterbij, snel, heel snel. Jean begon te bidden; Crimond, o Crimond, Crimond. Hoe kon ze haar geliefde doden? Als zij nu maar kon sterven en hij een god werd. Hij had gezegd: blijf links rijden en laat de rest aan mij over. De lichte ogen waren dichtbij, hypnotiserend, verblindend fel, ze vulden haar blik, vlak vóór haar, ze kwamen woest op haar af. Ze dacht: hij wijkt niet opzij, het is geen test, het is echt, dit is het einde. Jean begon te gillen tegen het geloei van de motor. Ze kon nu niet alleen de ogen zien maar ook de auto, die nu verlicht werd door haar eigen koplampen, een zwarte auto, met een gestalte erin, die dichterbij kwam, steeds dichterbij. De kist, de kist, de kist! O mijn liefste.

De stenen muur hield plotseling op en Jeans blik, die nog steeds gericht was op wat er ging gebeuren, viel op een hek met vijf spijlen. Ze haalde het stuur om. Ze miste het hek maar de auto daverde door een dikke haag en kantelde in het gras. De lichten gingen uit. Er klonk een ver gepiep en geknars, toen stilte, een verbazingwekkende stilte. Duisternis en stilte.

Jean haalde even adem. Ze kon ademhalen. Ze dacht aan haar lichaam en bewoog er enkele onderdelen even van. De auto lag op zijn linkerkant. Haar veiligheidsriem hield haar nog steeds op haar plaats. Ze kon, in de inktzwarte duisternis, niet zien waar ze was. Ze prutste aan de gesp van de veiligheidsriem. Hij scheen los te springen en ze rolde tegen de zijkant van de passagiersplaats die naar voren was geschoten. Ze trok haar knieën op en bleef zo even zitten, met het stuurwiel in één hand. Haar hoofd deed pijn, en haar rechtervoet deed pijn, misschien had ze, zelfs toen ze door de heg daverde, het gaspedaal ingedrukt gehouden. Haar hele lichaam leek geradbraakt. Ze concentreerde zich op haar ademhaling.

Er verscheen een licht, een bewegend licht. Het portier boven haar, achter het stuurwiel, begon te rammelen. Iemand probeerde het open te maken. Het ging open. Het is nu toch net een kist, dacht ze, en iemand heeft het deksel opengedaan. Het licht van de zaklantaarn scheen in de auto en onthulde haar knieën, de voorover gevallen stoel, de verbrijzelde voorruit, een soort sneeuw die overal lag en waarvan ze zich nu realiseerde dat het glassplinters waren. Toen ze naar haar knieën keek zag ze haar kousen, donkerbruine kousen die ze had uitgezocht, had uitgekózen om te dragen, toen ze om middernacht was opgestaan. Eerder op de avond had Crimond haar verteld dat ze moest slapen en ze had werkelijk geslapen, hoewel dat onmogelijk had geleken. Ze bedacht nu dat ze had vergeten Crimond te vragen of hij eigenlijk had geslapen. Ze maakte een diep geluid in haar keel, om tot de ontdekking te komen dat ze nog steeds kon praten, en zei toen met een vreemde stem: 'Met mij is alles goed... geloof ik.'

'Kom er eens uit,' zei een andere stem.

Kan ik dat? vroeg ze zich af. Haar lichaam voelde heel slap, gebroken, het was alsof ze roerloos in het interieur bungelde, als een dode slang. Ze zette één voet schrap tegen het dashboard en trok aan het stuurwiel om zichzelf omhoog te duwen. Ze kroop naar boven, hield het stuurwiel met één hand vast en zette de andere op de zijkant van de open deur. Maar haar armen waren krachteloos en ze was niet in staat zichzelf omhoog te trekken. Haar hoofd, haar hoofd dat zo pijnlijk en zo vreemd voelde, ze moest het op de opening richten en niet aan de pijn in haar voet denken. Het probleem was dat ze langs het stuurwiel moest zien te komen. Op een gegeven moment merkte ze dat ze knielde, toen vond ze ergens houvast, misschien aan de passagiersplaats, en slaagde ze erin haar linkerbeen uit te strekken en ze schoof omhoog, waarbij ze tegen de stoel van de bestuurder duwde, die plotseling bezweek en achterover viel. Haar hoofd en vervolgens haar armen verschenen uit het gehavende gat van het openstaande portier, dat ze nu in het licht van de zaklantaarn kon zien. Haar armen namen haar gewicht even over terwijl haar linkervoet snel een ander houvast vond, waarschijnlijk op het stuurwiel, en ze bereikte een zittende positie op de rand van de opening en heel langzaam hees ze, met haar handen, eerst haar ene been en toen haar andere uit de auto.

Crimond hielp haar niet en bleef op enige afstand staan, met het licht van zijn zaklantaarn op haar gericht. Hij zei: 'Kun je lopen?'

Jean viel op de grond en zocht steun tegen de auto, waarbij ze met haar hand over het verwrongen rode metaal gleed, dat zo helder door het licht werd beschenen. Ze dacht: ik móet lopen. Ze deed een paar stappen. Haar rechtervoet deed pijn maar was bruikbaar. De pijn in haar hoofd, die was verdwenen toen ze bezig was naar buiten te kruipen, was teruggekeerd. Ze zei: 'Ja.'

'Loop dan maar.' De lichtbundel van de zaklantaarn zwiepte naar de weg en Crimonds gestalte verdween.

Jean, die volledig was opgegaan in haar pogingen terug te keren tot dit leven, riep uit: 'O wacht, wacht op me, help me alsjeblieft.' Ze hinkte achter hem aan. Ze kon nu, in het licht van de zaklantaarn, de bruine, bladloze doornhaag zien, het gat dat in de haag was gemaakt, het asfalt erachter en, toen ze nog een paar stappen deed, de lichten van Crimonds auto die het hek en het einde van de stapelmuur onthulden.

Crimond was door het gat gesprongen en stond op de weg. Hij zei: 'Ik ga nu. Jij doet maar wat je wilt. Ik zal je niet meer terugzien.'

Jean slaakte een kreet. Ze riep: 'Nee, nee... Crimond, laat me niet alleen... neem me mee, vergeef me... ik kon je niet doden, ik houd van je, ik zou voor je willen sterven, maar ik kon je niet doden... o, neem me mee haar huis, neem me mee naar huis, je kunt niet weggaan zonder mij...'

'Ik meen wat ik zeg. Je betekent nu niets meer voor mij. Ga weg, loop naar de hel, het is afgelopen.'

'Het was niet je bedoeling dat we dood zouden gaan, dat kón je niet menen. Ik weet dat je het niet meende, het was maar een test, ik heb gedaan wat ik dacht dat jij wilde!'

Crimond begon naar zijn auto te lopen, hij was nu zichtbaar in het licht van de koplampen.

Jean bereikte de heg maar was niet in staat erdoorheen te kruipen. Ze hinkte naar het hek, maar kreeg dat niet open.

Crimond deed het portier van zijn auto open.

'Wacht op me, liefste, wacht, wacht, laat me niet in de steek!'

'Jij hebt mij in de steek gelaten. Ik heb je niet meer nodig. Kruip niet achter me aan, want dan ben ik gedwongen je een trap te geven. Het is afgelopen, het is voorbij. Begrijp je dan niet dat ik meen wat ik zeg?'

'Crimond, ik houd van je, jij houdt van mij, we zeiden dat onze liefde voor eeuwig was!'

'Het had voor eeuwig kunnen zijn. Dat kan het nu niet zijn. Ben ik soms niet de dupe geworden? Je hebt me het enige ontnomen dat ik begeerde en dat alleen jij me had kunnen geven. Deze mislukking betekent het einde van onze overeenkomst.'

'Ik ga met je mee, ik kom morgen naar je toe, voor mij bestaat er niets anders op deze wereld dan jij!'

'Kom niet meer bij me in de buurt, niet nu, niet morgen of wanneer dan ook. Je betekent niets voor me, niets. Ga weg, grijp je vrijheid, grijp je kans! We hebben al afscheid genomen, weet je niet meer? Het is afgelopen en jij hebt jouw manier gekozen om er een einde aan te maken. We hadden elkaar kunnen doden, maar je bent er zojuist in geslaagd onze liefde te doden. Díe is nu gestorven. Ga van me weg, ga waarheen je maar wilt, maar kom niet meer bij mij in de buurt. We zijn voor eeuwig vreemdelingen, ik wil je nooit meer zien.'

Crimond stapte in de auto en startte de motor.

Jean riep: 'Nee! Nee!' en probeerde het hek open te krijgen.

De auto reed snel achteruit de heuvel op, remde toen en begon te draaien. Jean stond jammerend met een ketting en een ring te prutsen.

De auto reed terug naar beneden, verhoogde zijn snelheid en verdween in het dal. Ze zag de achterlichten nog even op de top van de heuvel en toen niets meer. De duisternis en de stilte keerden terug en de maan en de sterren waren weer te zien.

Jean had het hek opengedaan en stond op de weg. Ze bleef even staan, met wijdopen mond, gooide haar hoofd achterover en begon te huilen en te gillen, aan haar kleren en haar haren te rukken en kreten te slaken als een wild dier. Toen begon ze te lopen. Ze moest in Londen zien te komen, een auto zou haar oppikken, Crimond zou terugkomen. Ze werd zich bewust van haar pijn en intense koude. Het lopen ging moeilijk, steeds moeilijker. Ze huilde nu, liet haar hoofd hangen, klaar om elk moment op haar knieën te vallen. Ze bleef, nog steeds snikkend, staan en keek om zich heen. De hele omgeving was donker. Nee, het was niet overal donker, er was een lichtje, het raam van een huis, op een kleine afstand van de weg. Er was een pad. Ze begon over het pad te hinken. Pas toen ze er heel dichtbij was besefte ze dat het huis Boyars was.

Rose Curtland lag te slapen. Ze droomde dat Sinclair en zij in het Vaticaan met de paus driehandig bridge zaten te spelen. De paus was wat nerveus omdat een vierde persoon, die werd verwacht, niet op was komen dagen. Ten slotte begon er een bel te rinkelen en ze renden allemaal naar de deur, maar daar hing een zwaar tapijt overheen. Ze worstelden, bijna stikkend, met het tapijt en kropen er toen onder. Ze bleken beland te zijn in een grote, volledig witte zaal, waarin aan de andere kant, in een witte toga en met een witte pruik als van een rechter, Jenkin Riderhood op een troon zat. Toen Sinclair en zij langzaam en plechtig naar hem toe liepen werd Rose erg bang.

Het gerinkel duurde voort. Rose werd wakker en begreep dat de telefoon rinkelde. Ze dacht aan haar droom en aan haar angst en voelde nu een nieuwe angst door die telefoon. Ze deed haar lamp aan. Het was bijna zes uur. Ze stapte uit bed en rende naar de telefoon in de gang, pakte in het donker de hoorn van de haak.

'Hallo?'

'Juffrouw Rose... u spreekt met Anoesjka... mevrouw Cambus is hier.'

'Wát?'

'Het spijt me erg dat ik u moet storen. Mevrouw Cambus is hier en ze wil u graag spreken.'

'Wat is er gebeurd?'

Even later kon Rose Jean horen spreken, of liever gezegd, ze hoorde hoe Jean huilde en probeerde te spreken.

'Jean, lieverd, lieve, lieve Jean, wat is er aan de hand... o huil toch niet zo... wat is er, liefje... wat is er gebeurd?'

Ten slotte zei Jean: 'Ik wil dat je gaat... gaat kijken of Crimond... of alles goed is met Crimond...'

'Natuurlijk zal ik dat doen. Maar jij... is alles goed met jou? Lieve Jean, toe, huil niet zo, ik kan het niet verdragen.'

Jean zei, terwijl ze probeerde haar stem onder controle te houden: 'Met mij is alles goed. Ik ben hier... Anoesjka is heel lief voor me geweest... en de dokter...'

'De dókter?'

'Nu is alles echt uitstekend... maar ik ben bang... dat Crimond zich van het leven heeft beroofd...'

'Ben je bij hem weggegaan?' zei Rose.

'Hij is bij mij weggegaan. Maar hij is in staat zelfmoord te plegen. Hij kan zichzelf doodschieten. Zou jij naar hem toe willen gaan...'

'Ja natuurlijk, ik zal het direct doen. Hij heeft vast geen zelfmoord gepleegd, daar is hij het type niet voor... maar ik ga wel even en dan bel ik je daarna weer op. Maar Jean, je bent gewond, de dokter...'

'Ik heb mijn voet bezeerd, het is niets.'

'Blijf dáár alsjeblieft! Beweeg je niet, Anoesjka zal wel voor je zorgen, en als ik bij Crimond ben geweest rijd ik regelrecht naar jou toe. Jij blijft daar en je houdt je rustig, ik kom zo gauw mogelijk naar je toe.'

'Ja... als je het niet erg vindt... dan denk ik dat ik maar hier blijf... voor het moment...'

'Mag ik Anoesjka nog even...?'

Maar Anoesjka was al aan de lijn. Anoesjka sprak langzaam en duidelijk, zoals ze dat altijd deed. Mevrouw Cambus had een auto-ongeluk gehad. Ja, hier vlakbij, ze was op weg geweest naar Boyars. Ze was niet ernstig gewond, op een zwaar verstuikte enkel na, en een lichte hersenschudding. Ze had het licht op de overloop gezien, dat Anoesjka altijd liet branden als ze alleen in huis was, en ze had dat hele eind met haar zere enkel gelopen. Ja, dokter Tallcott was geweest, hij was direct gekomen. Ja, hij zei dat het een hersenschudding was en dat ze alleen maar rust hoefde te houden, hij had haar enkel gezwachteld en haar wat pillen gegeven. Hij zou weer terugkomen. Ze lag op de bank in de zitkamer omdat ze de trap niet op kon. Ze hadden Rose niet meteen gebeld omdat...'

'Zorg dat ze daar blíjft,' zei Rose, 'laat haar onder geen enkele voorwaarde weggaan, ik bel nog terug en ik kom zo snel mogelijk naar jullie toe.'

Gejaagd deed ze alle lichten aan, schoot onhandig in haar kleren, kon haar tas en de autosleutels niet vinden, vergat haar winterjas. Ten slotte had ze alles weer bij elkaar, zelfs haar handschoenen, en had ze zich gehuld in haar dikste jas en wollen muts en sjaal. Ze liet de lichten aan en holde naar beneden, de koude, lege, door lantaarns verlichte straat in. Het was zes uur. Er viel nog niets van een ochtendschemering te bespeuren.

In de auto liet ze haar angst de vrije loop. Er gebeurden vreselijke dingen en er zouden er nog meer gebeuren. Ze mocht zich nog niet verheugen omdat Jean bij Crimond weg was gegaan. Dit alles, wat het ook mocht zijn, kon deel uitmaken van een enorme catastrofe. Stel dat ze daar arriveerde en Crimond zou aantreffen in een plas bloed, met een kapotgeschoten hoofd? Ze had gelogen tegen Jean, natuurlijk dacht ze dat Crimond iemand was die in staat was zelfmoord te plegen... als ze inderdaad uit elkaar waren gegaan was dat zelfs zeer wel mogelijk. Hij was klaar met het boek, hij was ook klaar met Jean. Maar dat was misschien ook weer niet zo, misschien zouden ze morgen weer bij elkaar zijn. O, laat hem niet dood zijn, bad Rose. Ze wenste bijna dat Jean morgen weer bij hem terug zou zijn, al het andere was zo vreselijk geváárlijk. Jean kon krankzinnig worden, Duncan kon krankzinnig worden, er konden mensen doodgaan, het kon allemaal eindigen in een vreselijke chaos, het einde van alle orde, het einde van de wereld.

De straten waren bijna zonder enig verkeer, de straatlantaars verlichtten lege, verlaten trottoirs. Toen ze de Thames overstak zag ze de lantaarns weerspiegeld in het trillende water. Het was opkomend tij. Wat er ook gebeurde, ze mocht níet verdwalen! In het donker zag alles er zo anders, zo vreselijk uit. Ze wist zich de weg niet goed te herinneren en bleef uitkijken naar herkenningspunten. Ze begon te jammeren van ergernis en angst.

Eindelijk was ze er en had ze de auto tot op de stoep voor Crimonds huis gereden. De deur stond open en er brandde licht in de hal. Toen Rose uit de auto stapte waren haar benen slap van angst. De plotselinge koude beet in haar gezicht. Ze sloeg haar sjaal om, die ze in de auto af had gedaan. Ze trok haar handschoenen uit en legde haar blote hand op de ijzeren leuning naast de trap. De leuning was berijpt en ijzig koud en haar handen kleefden vast aan het metaal. Ze liep struikelend naar boven, de hal in.

De kamers hier waren donker, ze liep elke kamer in en deed het licht aan, hier was niemand. Ze rende naar de trap die naar het souterrain voerde. De trap was verlicht en beneden stond een deur open waaruit licht scheen. Ze holde naar beneden, steunend op de trapleuningen, en snelde naar de grote benedenkamer.

Crimond stond aan het andere einde van de kamer. Het grote licht in het midden brandde, evenals een lamp op het bureau aan de andere kant. Hij stond zo roerloos stil dat Rose, met haar hand op de deur, plotseling de illusie kreeg dat hij dood was maar nog wel rechtop stond. Hij had haar blijkbaar niet opgemerkt, hoewel ze toch enig lawaai moest hebben gemaakt toen ze de trap afging. Toen bewoog hij zijn hoofd even, keek haar duidelijk verbaasd aan, zijn hand ging naar zijn keel. Rose dacht: hij denkt dat ik Jean ben. Ze trok haar muts en sjaal af en deed haar jas los.

'Rose!'

De manier waarop hij haar naam uitsprak bezorgde haar een onplezierige schok. Ze liep de kamer door. Ze voelde een hevige behoefte te gaan zitten. Op een stoel naast het bureau lag een wollen omslagdoek. Ze pakte de doek eraf, liet hem op de grond vallen en ging zitten. Crimond stapte opzij en keek haar over het bureau aan.

'Dus alles is goed met je...'

'Heb je Jean gezien?'

'Ik heb haar gesproken. Ze dacht dat jij je misschien dood had geschoten.'

'Zoals je ziet heb ik dat niet gedaan.'

'En je gaat het ook niet doen?'

'Niet in de nabije toekomst. Waarschijnlijk helemaal niet.'

'Zijn jullie... zijn jullie echt uit elkaar?' vroeg Rose. Het was erg koud in de kamer en bij het praten kwamen er wolkjes uit haar mond.

'Ja.'

'Je laat haar nu met rust, hè, je gaat niet meer achter haar aan?'

Crimond zei niets. Hij staarde Rose slechts aan. Hij droeg een zwart jasje en een zwarte trui waar de hoge kraag van een wit overhemd bovenuit kwam, en met zijn bleke, magere gezicht en dunne lippen leek hij een priester, een wrede, al te kritische, gevaarlijke priester.

Rose stond op en legde de doek weer op de stoel. Ze voelde dat ze iets belangrijks moest doen, iets wat alleen nu kon worden gedaan, in deze minuut, er was een bepaalde informatie, of een belofte, die ze nu uit Crimond los moest zien te krijgen, of iets wat ze hem nu moest vertellen. Ze zei: 'Ik hoop echt... ik wil dat met Jean alles goed komt. Je moet haar verder niet meer lastig vallen. Nu jullie erin zijn geslaagd uit elkaar te gaan, moet je nooit meer achter haar aan komen, laat het absoluut afgelopen zijn.'

Crimond bleef haar aanstaren en zei niets.

Rose draaide zich om en liep de trap weer op. Ze sloeg haar sjaal om, zette haar muts op, knoopte haar jas dicht en liep de bitter koude straat in, de grijze ochtendschemering tegemoet. Ze stapte in de auto en reed weg. Ze stopte even bij een telefooncel in de buurt van Vauxhall Bridge om Anoesjka te bellen en te vragen of ze tegen Jean wilde zeggen dat Crimond veilig en wel thuis was. Daarna vertrok ze naar Boyars. Toen ze verder reed begon ze te huilen.

'Maar wat deed je in die buurt, waarom reed je over die weg, wilde je naar Boyars?'

'Ja, ik zei toch...'

'Waarom had je de weg door het dorp niet genomen?'

'Ik was verdwaald!'

'Waarom dacht je dat ik hier was, ik ben hier bijna nooit.'

'Ik dacht dat je er misschien was, ik wilde meteen uit Londen weg, ik wilde heel hard rijden, meteen, ergens heen, waar dan ook, ik reed als een bezetene, veel te hard, toen schoot ik door die haag...'

'Je zei dat er een vos over de weg liep en dat je uitweek.'

'Ja, ja, die vos...'

'Je had ruzie gehad met Crimond...'

'Het was geen ruzie! We waren allebei ijskoud. We waren het erover eens dat we uit elkaar gingen.'

'Je zei dat hij bij je was weggegaan.'

'We zijn bij elkaar weggegaan. Het is afgelopen. Dat hebben we afgesproken.'

'Maar desondanks was jij bang dat hij zelfmoord zou plegen.'

'Ik verkeerde in een toestand van shock, het spijt me dat ik je daarmee heb lastiggevallen. Natuurlijk zal hij niet de hand aan zichzelf slaan. Het is een koude kikker.'

'Je hebt hem niet verteld dat je hierheen ging?'

'Natuurlijk niet.'

'Heeft hij een ander op het oog?'

'Nééé!'

'Maar waarom... O Jean, vergeef me dat ik zulke dingen vraag, ik ben zo blij dat je hier bent en dat je bij die man weg bent! Maar het is nog zo vreemd, het lijkt wel te mooi om waar te zijn! Hij heeft zoveel moeite gedaan om je weg te halen, ik dacht dat hij je voor eeuwig vast zou houden! Weet je zeker dat het wederzijds was, dat niet alleen jij degene was die weg wilde?'

'Dat wil jij zeker geloven!' zei Jean.

'Wat ik wil geloven is dat we hem nooit meer terugzien!'

Het was middag, Jean had, verdoofd door dokter Tallcott, tot twaalf uur geslapen. Ze lag in het grote eiken hemelbed in de slaapkamer die Jean en Duncan meestal op Boyars hadden gebruikt. De politie was geweest. Rose had voor alle zekerheid contact opgenomen met de plaatselijke politie, die ze kende. Jeans auto was al opgemerkt. De politie sprak met Jean toen ze wakker was geworden. Ze brachten haar haar handtas. Er was niets geheimzinnigs aan het ongeluk. De vriendin van juffrouw Curtland had de macht over het stuur verloren toen ze een vos wilde ontwijken. De politie las haar de les over het niet ontwijken van vossen. Dokter Tallcott was nogmaals gekomen. Hij wilde dat ze zich in het ziekenhuis liet nakijken, maar Jean zei dat ze van plan was naar haar eigen dokter in Londen te gaan. Dokter Tallcott was een man vol nieuwsgierigheid, één en al belangstelling voor de menselijke natuur, die eens van plan was geweest psychiater te worden. Rose had de grootste moeite hem ervan te weerhouden zijn patiënte te ondervragen. Had ze gedronken? Gebruikte ze drugs? Wat, zelfs geen kalmerende middelen. Had ze aan spanningen geleden? Was er niets wat ze aan een meelevende medicus kwijt wilde? Rose richtte zijn aandacht op Jeans enkel, en informeerde naar de hersenschudding, die gelukkig slechts licht was. Onder vier ogen zei dokter Tallcott tegen Rose dat hij dacht dat mevrouw Cambus mentaal duidelijk van slag was. Woonde ze samen met haar man? Hij was benieuwd naar haar seksuele leven. Rose liet hem benieuwd zijn. Hij waagde het te twijfelen aan de waarheid van haar verslag over wat er was gebeurd. Rose twijfelde eveneens. Jean had, bijvoorbeeld, die vos pas ten tonele gevoerd nadat ze het verhaal al twee keer zonder had verteld, en hoe kon ze zijn 'verdwaald' in een heldere nacht, op een weg die ze honderden keren had gereden?

Jean zat rechtop in het grote bed en droeg een van de mooiste nachthemden van Rose. Ze zag er anders en vreemd uit, bijna angstaanjagend, als een grote demonische vogel met felle ogen en een scherpe snavel. Haar doorschijnende, nerveuze handen leken klauwen. Ze leek zelfs magerder dan toen Rose haar voor het laatst had gezien, de huid van haar gezicht, een geelachtig ivoorwit, zat strak over haar beenderen gespannen. Ze zat rechtop in een stapel kussens; ze weigerde Rose aan te kijken, maar liet haar blik snel en gespannen door de kamer glijden. Haar lippen waren geopend en ze hijgde enigszins.

Het was laat in de middag, de zon was in een schuimende masse roze wolken ondergegaan, de lampen in de slaapkamer waren aan, de gordijnen waren nog niet dicht. Er knetterde een houtvuur in de haard. De kamer had, voor Rose, al het stille, werkloze, statische gevoel van een invalidenkamer aangenomen, alsof het vreselijke tumult van Jeans leven, het verleden en de toekomst ervan, voor dit moment waren weggetrokken. O, als ik haar nu maar hier kon hóuden, dacht Rose.

'Zal ik de gordijnen dichtdoen?'

'Ja, graag.'

Ze schoof de gordijnen dicht, oude, bruine, velours gordijnen waarvan de voering, elke keer dat ze ze dichtschoof, een eindje verder scheurde. Toen ze in de rode schemering naar buiten keek zag ze de lichtjes van de laatste dorpshuizen tussen twee glooiende akkers, en dichter bij Mousebrook, die haastig langskwam met in zijn bek iets wat op een vogel leek.

'Lieverd, wil je niet iets eten? Een beetje soep soms, wat je maar wilt?'

'Nee, nu nog niet, ga niet weg.'

'Of wil je iets drinken, whisky, cognac?'

'Nee, nee. Ik heb last van dat schilderij, het blijft steeds bewegen.'

'Ik haal het wel weg.'

Rose haalde twee porseleinen katten van de schoorsteenmantel, die daar minstens vijftig jaar hadden gelegen, waarschijnlijk nog langer, en klom op een stoel, zodat haar benen door het vuur werden geroosterd, haalde voorzichtig het grote rood met oranje en zwarte schilderij van de muur, en stapte ermee omlaag. Ze zette het schilderij met de voorkant tegen de muur, haalde de stoel weg en zette de katten terug. Het schilderij liet boven de haard een vierkante plek achter van iets nadrukkelijker blauw met wit gestreept behang.

'Die strepen blijven ook bewegen.'

'Het behang? Wil je een andere kamer hebben? Je kunt elke kamer krijgen die je maar wilt hebben?'

'Nee. Ga niet weg.'

'Ik ga niet weg, lieverd, ik zal nooit weggaan!' Rose ging op het bed zitten en raakte een magere, bleke vogelhand aan, zonder deze vast te houden. 'Ik wil dat je hier heel lang blijft. Ik zal voor je zorgen. Rust maar goed uit.'

'Jij alleen.'

'Ja, ik alleen. Niemand anders zal je lastig vallen.'

'Ik ga binnenkort dood. Ik denk dat ik eigenlijk al dood ben.'

'Nee, dat ben je niet, je bent alleen heel erg moe, je hebt schipbreuk geleden, maar nu ben je veilig aan land gekomen, je bent warm en veilig en goed verzorgd, wat jij nodig hebt is rust en slaap zodat je weer krachten kunt verzamelen om een nieuw leven te beginnen.'

'Een aardig idee maar het heeft niets met mij te maken. O Rose... je hebt geen idee... wat ik nu ben...'

'Jij blíjft toch wel, hè?'

'Wat moet ik anders? Als je nog een prettig plekje over hebt mag je me inmetselen. Het lijkt me heerlijk de bakstenen te horen stapelen en het licht te zien verdwijnen.'

'Jean!'

Het was later op de avond. Jean had wat soep en wat brood gegeten. Ze lag wat te suffen, misschien sliep ze. Ze had Rose gevraagd haar even alleen te laten en Rose, die uitgeput was en zich heel graag even terug wilde trekken, zat bij de haard in de zitkamer met Mousebrook spinnend op haar schoot. Rose, die ook in een soort shocktoestand verkeerde, was ten prooi aan een zonderlinge mengeling van emoties. Maar toch overheerste een gevoel van grote blijdschap. Ze wist dat ze nu met alle plezier maanden lang op Boyars zou kunnen wonen, gewoon om voor Jean te zorgen, ze stelde zich zelfs voor hoe ze hun dagen door zouden brengen met wandelen en lezen en praten. Het zou een ideale herleving zijn van de tijden van vroeger. Echter, eens zou het moment aanbreken – hoe spoedig? – waarop Rose Jean moest vragen of ze prijs stelde op contact met Duncan. Het punt van het op zijn minst aan Duncan vertellen moest aan de orde komen voor hij uit andere bron vernam dat Jean Crimond had verlaten en was verdwenen. Rose wilde zelf het nieuws van Jeans vlucht vertellen, haar vlucht uit eigen beweging uiteraard, zou ze hem vertellen. Jean had zich vrijgemaakt en was bereid terug te komen: kon dat de boodschap zijn? Hier werd het beeld, wanneer je het van dichtbij bekeek, donkerder. Stel dat Jean niet terug wilde naar Duncan? Stel dat ze weg wilde, naar haar vader in Amerika, of naar een onbekend oord wilde vluchten om voor eeuwig uit het zicht te verdwijnen? Dat afschuwelijke beeld van ingemetseld te zijn kwam weer bij Rose boven. Hoe moest ze weten wat Jean in haar wanhoop en ellende nodig had? Stel, aan de andere kant, dat Jean weer naar Duncan terug wilde, maar dat Duncan niet kon vergeven? Moesten er onderhandelingen worden gevoerd, moest Rose dat doen? Rose voelde zich zo bezitterig over Jean dat ze het liefst niemand bij haar in de buurt had gelaten! De gedachte aan 'volgende stappen' maakte haar heel bang. Er mocht natuurlijk niets gebeuren tot Jean ervoor klaar was. Maar aan de andere kant kon Rose de aanwezigheid van haar vriendin niet als een duister geheim bewaren.

Nog later, toen Jean wakker was geworden, een slaappil had geaccepteerd, en weer in slaap was gevallen, belde Rose Gerard op. Ze had besloten dat ze het probleem met iemand moest en hoorde te delen, en als ze het aan Gerard vertelde betekende dit nog niet dat de hele wereld het wist. Het was bijna middernacht, maar ze wist dat Gerard nog op was om te lezen.

'Hallo.'

'Hallo, Rose, liefje. Wat is er?'

'Hoor eens. Ik zit op Boyars. Jean is hier.'

'Wát!'

'Ze is weg bij Crimond, ze is hier.'

Na een korte stilte zei Gerard: 'Is ze écht bij hem weg?'

'Ja.'

'Wie heeft wie verlaten?'

'Ze waren het erover eens dat ze uit elkaar wilden.'

'O. En ze gaat niet terug, hij komt haar niet halen?'

'Ik denk het niet.'

'Dat is geweldig nieuws. Maar wat is er gebeurd... kwam ze in Londen naar je toe en ben jij toen met haar naar Boyars gegaan? Geen slecht idee.'

'Het is een lang verhaal, ik vertel het je later nog wel eens. Ze is vandaag voor het eerst bij me. Vertel het nog aan niemand.'

'Ook niet aan Duncan?'

'Nee... wacht nog een paar dagen... Jean is nogal over haar toeren.'

'Dat kan ik me voorstellen. Ze zal zeker moeten weten dat ze niet meer van mening verandert. Maar het nieuws kan natuurlijk wel de ronde gaan doen. Misschien strooit Crimond het wel rond. Weet hij waar ze is?'

'Nee. Het is misschien beter als niemand weet waar ze is. Ik bedoel, ze wil Duncan misschien niet ontmoeten en als hij erachter komt zal hij misschien naar haar toe willen gaan. We weten niet wat elk van hen wil. Misschien besluit ze wel naar New York te gaan, of...'

'Ja, dat weet ik. Heb je er bezwaar tegen als ik dit aan Jenkin vertel? Dat is een verstandige kerel, en...'

'Ja, goed, maar aan niemand anders.'

'We bedenken nog wel wat we moeten doen. Jij blijft bij Jean, wij nemen Duncan voor onze rekening. Hoor eens, lieverd, het is laat, je hebt waarschijnlijk een enerverende dag gehad, je kunt het me later allemaal vertellen... ga nu maar naar bed, dat doe ik ook, en dan praten we er morgenochtend verder over. Goed?'

'Goed... welterusten dan.'

'Welterusten, Rose, en maak je geen zorgen, wij zullen wel bedenken wat er het beste kan gebeuren.'

Rose legde de hoorn op de haak. Ze had het initiatief uit handen gegeven. Nu zou zij uiteindelijk niet, zoals ze graag had gewild, degene kunnen zijn die Duncan het nieuws vertelde! Nou, het was onvermijdelijk, ze moest het wel aan Gerard vertellen en zijn voorstel het werk te verdelen was verstandig en juist. Maar stel... stel dat in die afschuwelijke Crimond-episode Jean Duncan was gaan haten, of Duncan Jean?

331

'Wat aardig van jullie om eens langs te komen,' zei Duncan. 'Wat wil je drinken, sherry, whisky, gin? Ik zie tegenwoordig weinig mensen, deze flessen houden me gezelschap.'

'Sherry, graag,' zei Gerard.

'Ik nu nog niets,' zei Jenkin, 'maar ik geef wel een piep.'

'Doe dat. Weet je, ik denk erover om ontslag te nemen uit die goeie ouwe dienst. Oké, Gerard, jij denkt natuurlijk dat ik een boek ga schrijven, mijn memoires of hoe het land moet worden bestuurd, of zo.'

'Ik zou echt niet weten wat ik van jou moest verwachten,' zei Gerard, 'een veelzijdige vent als jij is tot alles in staat.'

'Misschien ga ik wel olieverfschilderijen maken. Of drink ik mezelf dood, dat is altijd een waardige tijdsbesteding. Maar wat ís er met jullie? Zijn jullie mijn vrienden, of vormen jullie een delegatie?'

Gerard en Jenkin, die op de sofa zaten terwijl Duncan bij de flessen stond, keken elkaar aan.

'Kom op, voor de draad ermee... niet van die Rosencrantz- en Guilden-stern-blikken!'

'We vormen een soort delegatie,' zei Gerard. 'Namens onszelf en Rose,' zei Jenkin.

'Nou, wat ís het, jullie maken me zenuwachtig.'

'Jean is weg bij Crimond,' zei Gerard.

Duncan gaf Gerard het glas sherry dat hij vast had gehouden. Hij schonk zichzelf een pure whisky in en zei: 'O.'

'Ze zit op Boyars, met Rose.'

Duncan dronk wat whisky en ging in een stoel tegenover hen zitten. Zijn grote, norse, gerimpelde gezicht, zijn stierehoofd met zwart haar, was naar Gerard gericht, maar zijn oogleden hingen slap omlaag.

'We vonden,' zei Gerard, 'dat we dit jou moesten komen zeggen, het jou gewoon vertellen, voor het geval je verhalen of geruchten mocht horen... en we wilden dat jij wist waar Jean was en dat alles goed met haar was.'

'Wat is "het mij gewoon vertellen"?' Je bedoelt dat je niet van plan bent advies te geven?'

'Natuurlijk doen we dat niet,' zei Jenkin, 'we beseffen...'

'Heeft hij haar de bons gegeven?'

'Ik denk dat Jean bij hem is weggegaan,' zei Gerard, 'ze heeft in ieder geval besloten weg te gaan, ze werd er niet toe gedwongen.'

Het bleef even stil.

'Nou,' zei Duncan, weer overeind komend, 'ik zeg de delegatie dank en vraag haar te vertrekken.'

Gerard zette zijn glas neer. Jenkin en hij stonden op. Jenkin zei: 'Dit is allemaal net gebeurd. Voor je besluit wat je gaat doen...'

'Ik ga helemaal niks doen!' zei Duncan. 'Waarom zou ik? Ik heb zelfs geen enkele belangstelling voor jullie vriendelijke nieuws. Goede avond.'

'Hij spijt me, ik was niet erg tactvol,' zei Jenkin tegen Gerard toen ze buiten liepen.

'Hij liet geen enkele ruimte voor tact,' zei Gerard. 'We hebben onze plicht gedaan.'

'Het is mijn schuld, ik had me er niet mee moeten bemoeien. Ik heb altijd al het gevoel gehad dat Duncan me niet mocht.'

'Doe niet zo mal. Natuurlijk meende hij het niet zo. Maar ik weet niet wat hij wel meende. Loop nog even mee naar mijn huis, dan bellen we Rose.'

Eenmaal alleen, bleef Duncan een poosje zitten en dronk whisky. Hij zat stil en haalde diep adem, dronk de whisky als was het een medicijn dat verlichting kon bieden tegen een dreigende verstikking. Toen stond hij plotseling op en gooide zijn glas in de haard. Hij stapte naar de boekenplanken en begon de boeken eruit te rukken en smeet ze in alle richtingen, hij rende naar de keuken en maaide een stapel borden op de vloer. Hij kreunde en timmerde met zijn vuisten op het roestvrij stalen aanrecht, waarbij hij een donderend metalen gedreun produceerde. Hij bonkte op het metaal, liet zijn hoofd zakken en jammerde.

Rose deed de deur open. Ze had het geluid gehoord waarop ze wachtte, van Duncans auto die op het grind van de oprijlaan stopte. Duncan stapte uit de auto en sloot hem zonder te haasten af. Hij liep naar de deur, stapte naar binnen en veegde zijn voeten zorgvuldig op de mat. Het regende. Rose deed de deur dicht en stak haar hand uit. Duncan pakte haar hand en kuste hem, iets wat hij nooit eerder had gedaan. Er werd geen woord gewisseld. Rose ging hem voor naar de zitkamer.

'Hoe is het met haar?' zei Duncan.

'Goed. Ze ziet eruit als een geest...'

'Weet ze dat ik kom?'

'Ja. Ik heb geen tijd genoemd.'

'Ze wil me nog steeds ontmoeten?'

'Ja, ja. En jij wilt haar spreken... je komt niet alleen uit...?'

'Uit wat?'

'Uit een soort plichtsbesef, met de gedachte dat het haar misschien goed zal doen...'

'Ik vind dat het mijn plicht is en ik denk dat het haar goed zal doen. Aan de andere kant doet het haar misschien ook geen goed. Ik moet me door jou laten leiden.'

'O, Dúncan!' zei Rose, 'je weet best wat ik bedoel!' Ze was uitgeput en het huilen stond haar nader dan het lachen.

'Ja. Ik wil haar graag spreken,' zei Duncan.

'En je hoopt...'

'Ik hoop, maar ik ben op het ergste voorbereid.'

'Wat kan dat zijn?'

'O, van alles... dat ze naar hem terug wil en mij alleen maar wil spreken om me dat uit te leggen, dat ze merkt dat ze de aanwezigheid van mij niet kan verdragen, dat ik merk dat ik de aanwezigheid van haar niet kan verdragen. Zoals we over de telefoon zeiden, het blijft een gok.'

'Dat zei jíj.'

'Maar volgens mij waren we het er wel over eens dat we het beter niet uit konden stellen.'

'Je bedoelt dat híj misschien weer op komt dagen?'

'Niet speciaal. Híj is in staat elk moment weer ten tonele te verschijnen, wat er ook mag gebeuren, tussen nu en het einde van de wereld.'

Rose huiverde. 'Wil je koffie, of iets anders te drinken?'

'Nee, dank je.'

'Nou, als je zover bent ga ik naar boven om haar te vertellen dat jij er bent.'

Ze ging naar boven en liep de slaapkamer in. Jean, die nu enkele dagen op Boyars was geweest, was op en aangekleed en zat op de groene sofa die dichter bij de haard was geschoven. Ze droeg een tweed jurk die van Rose was geweest. De jurk was te wijd voor haar, maar werd in de taille door een riem bij elkaar gehouden. Haar enkel was stevig ingezwachteld met een elastisch verband. Ze ging staan toen Rose verscheen.

Ze leek nu in de ogen van Rose een vreemde, knokige, oudere vrouw met een scherp getekend gezicht, in een slechtzittende jurk. Haar donkere haar dat Rose, na enig aandringen, haar had helpen wassen, zat verward en slordig. Haar magere handen waren steeds rusteloos, de ene streek telkens weer haar jurk glad, de andere plukte aan haar hals. Ze had in die dagen op Boyars veel gehuild en haar oogleden waren rood en gezwollen en staken scherp af tegen haar witte gezicht. Ze was nu echter zonder tranen. Toen Rose naar haar toeliep haalde ze de hand van haar jurk weg en maakte een vreemd gebaar in de lucht, alsof ze een onzichtbaar spinneweb of gordijn opzij wilde vegen. Rose wenste onwillekeurig dat Jean er net zo mooi als vroeger had uitgezien om Duncan te ontvangen.

'Ik hoorde de auto.'

'Ja, hij is er,' zei Rose. 'Wil je hem spreken? Het hoeft niet meteen, als je het liever later doet.'

'Wil hij me spreken?'

'Ja natuurlijk, daarom is hij gekomen!'

Gerard, die alles met Rose via de telefoon had geregeld, had bange twijfels die hij wijselijk voor zich had gehouden. Hij had gewoon geen hoogte kunnen krijgen van Duncan. Gerard had, net als Rose, een soort bevredigende scène verwacht, waarin Duncan zijn opluchting zou laten blijken, zijn liefde voor zijn vrouw, voldoening over het feit dat ze weg was bij 'die man', een roerende dankbaarheid jegens hen die hem hadden bijgestaan en zijn geloof en hoop hadden ondersteund. Gerard dacht dat Duncan, na de eerste begrijpelijke schok, zijn hart zou uitstorten als nooit tevoren, hem deelachtig zou maken van alle hoop en vrees die hij in deze afschuwelijke periode had moeten doorstaan, en op zijn minst een voorzichtig vertrouwen zou uitspreken in een toekomst waarin 'alles weer goed zou worden'. Duncan had een verdere ontmoeting met Gerard afgeslagen maar ze hadden wel telefonisch contact gehad. Gerard had twee dingen benadrukt: dat Jean zelf had besloten bij Crimond weg te gaan, het uiteengaan was haar initiatief en haar wens, en dat Crimond haar besluit had geaccepteerd, zodat ze in feite bij overeenstemming uit elkaar waren gegaan. Hij voegde er uiteraard aan toe dat Jean nu Duncan graag wilde spreken. Hij noemde vaag iets van een auto-ongeluk en een verstuikte enkel. Duncan hoorde dit alles aan zonder commentaar te geven, en ten slotte belde hij Rose op om te zeggen dat als Jean het wenste, hij zou komen. Rose had zorgvuldig het verhaal opgesteld dat Gerard aan Duncan moest overbrengen, maar ze wist eigenlijk helemaal niet zeker of ze Jeans gemoedstoestand wel goed had beoordeeld. Ze was in haar gesprekken met Jean niet in staat geweest zich een samenhangend beeld te vormen van wat er was gebeurd. Jean was radeloos geweest van verdriet: verdriet, kon Rose slechts veronderstellen, over het verlies van Crimond. Want Rose herinnerde zich Jeans eerste kreet van: 'Hij heeft me in de steek gelaten!' en ze geloofde niet in de 'nuchtere wederzijdse overeenstemming' waar Jean het later over had. Gerard had echter haast gehad met die ontmoeting met Duncan. Rose dacht dat het nog te vroeg was. Maar Jean had zelf, in antwoord op herhaalde vragen van Rose, gezegd dat ze Duncan inderdaad wilde spreken en Rose had dit verder zonder nadere toelichting aan Gerard doorgegeven. Gerard was bepaald niet zeker van Duncans gemoedstoestand, zelfs nadat hij had ingezien hoe absurd zijn eerdere verwachtingen waren. Duncans laconieke ongeïnteresseerdheid aan de telefoon leek te wijzen op een volharding in zijn houding van 'wat kan het me allemaal schelen'?, hoewel hij, kennelijk na enige overweging, tegen Rose – niet Gerard – had gezegd dat hij Jean wilde ontmoeten. Maar wilde hij haar ontmoeten om haar alleen maar te beschimpen? Kon hij misschien zelfs geweld gebruiken? Duncan was een oude vriend van Gerard, maar hij was ook een zeer emotioneel wezen, een groot, onberekenbaar, slechtgehumeurd wild dier. Het sprak vanzelf, zoals Gerard later bij zichzelf zei, dat Duncan grote twijfels moest hebben bij het verhaal dat Jean had besloten weg te gaan en Crimond het daarmee eens zou zijn, en hij had uitstekende redenen te geloven dat Crimond Jean nóóit zou laten gaan.

'Laat hem dan maar boven komen,' zei Jean.

De deur ging achter Rose dicht. Jean liep naar het midden van de kamer. Ze streek haar slordige haar met haar vingers glad en keek omhoog naar het donkerder blauwgestreepte vierkant waar het schilderij had gehangen en waar de kleuren nog steeds 'heen en weer sprongen', soms de blauwe het meest, soms de witte. Haar bleke gezicht bloosde nu, haar wangen waren rood alsof er rouge op was aangebracht. Ze deed een paar stappen terug, draaide zich om en keek naar de deur.

De deur ging open en Duncan kwam alleen binnen. Hij draaide zich om, deed de deur rustig dicht en draaide toen weer terug naar Jean. Hij was goed gekleed in een donker pak, één van zijn beste, met een blauw met wit gestreept overhemd en een donkere das. Hij had zich zorgvuldig geschoren en zijn golvende bos donkere, nu tamelijk lange lokken netjes gekamd. Hij leek enorm in die kamer, dikker misschien, zwaar en breed. Ze staarden elkaar aan. Jean beefde en greep weer naar haar hals. Toen Duncan naar haar toe liep voelde ze angst maar ze verroerde zich niet. Ze kon niets uitbrengen.

Ze zag een vreemde, angstaanjagende blik in zijn ogen. Toen zei hij: 'Zullen we gaan zitten? Zullen we dáár maar gaan zitten?' Hij wees naar de groene sofa.

Jean liep moeizaam achteruit en ging toen zitten. De sofa kreunde onder

Duncans gewicht toen hij naast haar ging zitten. Hij draaide zijn grote hoofd naar haar toe. Ze deinsde iets naar achteren en keek hem aan.

'Wil je weer bij me terugkomen, Jean?'

'Ja.'

'Weet je het zeker?'

'Ja, ja...'

'Dat is dan afgesproken.'

Hij sloeg zijn armen om haar heen, omhulde haar en ze deden allebei hun ogen dicht. Die vreemde blik was het gevolg geweest van zijn poging tot het bedwingen van een kwellend gevoel van tederheid en medelijden, dat nu zijn gezicht verkrampte terwijl hij over haar schouder staarde.

Rose, die nu weer terug was in Londen, ontving enkele dagen later tot haar verbazing de volgende brief.

Lieve Rose,

Kan ik misschien bij je langskomen om iets belangrijks te bespreken? Ik dacht aan volgende week donderdag om tien uur. Kun je me per brief laten weten of dat schikt, en zo niet, andere mogelijke tijdstippen voorstellen? Probeer me niet te bellen, aangezien ik mijn telefoon af heb laten sluiten.

Met vriendelijke groet,

David Crimond

De brief deed Rose schrikken, joeg haar angst aan, maakte alles bij elkaar een onplezierige indruk. Ze veronderstelde dat dat 'belangrijks' iets met Jean te maken had, en dat Crimond wilde dat zij iets voor hem zou doen of regelen of bemiddelen. Wat een onbeschaamdheid! Rose begon direct een antwoord te schrijven, zeggend dat Jean gelukkig was herenigd met haar man en Rose het nut van een ontmoeting niet inzag. Terwijl ze dit zat te schrijven bedacht ze dat Jean misschien toch een waarheidsgetrouw verslag had gegeven toen ze zei dat het uiteengaan wederzijds was geweest, en in die zin door Jean was gewild. Na de komst van Duncan was de gedachte dat Jean Crimond had verlaten uiteraard door haar benadrukt, en ook door Rose. Crimonds verzoek, als het dat was, was in ieder geval waardevol als bewijs voor deze kijk op de zaak. Na verdere overwegingen, en voordat ze haar verontwaardigde brief had voltooid, begon Rose zich af te vragen of het niet iets volledig anders kon zijn waarover Crimond haar wilde spreken. Crimonds motief om te komen, een motief in ieder geval, was misschien zijn behoefte blijk te geven van zijn onverschilligheid over Jeans vertrek. Rose vroeg zich ongemakkelijk af of die andere reden misschien betrekking had op Gerard. Misschien werd er op dat punt om haar mening gevraagd? Misschien had Gerard om de een of andere reden geweigerd om Crimond te ontmoeten, en wilde Crimond dat Rose een misverstand uit de weg ruimde? Het kon iets met het boek te maken hebben; en het wilde idee kwam zelfs in Rose op dat Crimond wilde dat zij Gerard zou overhalen een voorwoord te schrijven! Alles wat Crimond te maken had met Gerard maakte dat Rose een ongemakkelijk gevoel kreeg. Bij nader inzien dacht ze dat het waarschijnlijker was dat het iets met Jean en Duncan te maken had, hoewel niet noodzakelijkerwijs wat ze eerst had verondersteld. Misschien wilde Crimond gewoon de bevestiging dat Jean en Duncan weer bij elkaar waren. Rose had bijzonder weinig zin met Crimond over haar vrienden te praten, zo'n gesprek, hoe voorzichtig ook, kon misleidend zijn en niet loyaal lijken. Ze kon het echter kort houden en het was een kans om de hele zaak duidelijk af te handelen. Tot slot kwam ze ook nog op de gedachte, en die leek heel waarschijnlijk, dat Crimond Rose formeel kwam bedanken, en via haar het hele *Gesellschaft*, voor hun financiële steun in al die jaren! Hij had hierbij aan haar de voorkeur gegeven boven Gerard, aangezien Gerard vragen zou willen stellen over het boek. Ze besloot Crimond te ontmoeten. Haar eerste opwelling was Gerard direct op de hoogte te stellen, maar ze bedacht zich. Ze kon die ontmoeting beter voor zich houden, tot later, tot ze wist waarover het ging en ze een gepast kalm en rationeel verslag voor algemeen gebruik kon geven. Als ze het nu aan Gerard vertelde zou hij moeilijk doen en veronderstellingen uiten, waarmee hij haar alleen maar nog zenuwachtiger maakte. Dus schreef Rose hem terug om eenvoudig te zeggen dat ze hem op de voorgestelde tijd in haar flat verwachtte.

Duncan en Jean zaten nog steeds op Boyars, goed verzorgd door Anoesjka. Rose en de anderen waren na zoveel angstige speculaties dolblij over wat er gebeurd leek te zijn. Op die regenachtige morgen, toen Duncan naar boven was gegaan, was Rose in de salon gaan zitten, met de deur open en niet in staat iets anders te doen dan wachten en luisteren en beven. Anoesjka bracht haar een kopje koffie. Moest ze mevrouw en meneer Cambus ook koffie brengen? Nee! Anoesjka zat al net zo in spanning als Rose, maar ze repten met geen woord over dit onderwerp, zelfs met geen blik. De tijd verstreek. Rose begon door de kamer te ijsberen, zwierf naar de eetkamer, naar de bibliotheek, de studeerkamer, naar de torenkamer, de biljartkamer, ze ging op de stoep voor het huis staan en keek naar de regen, luisterde naar geluiden van boven. Wat vreesde ze? Geroep, geschreeuw, gehuil? Er viel totaal niets te horen. Toen, op een moment dat ze weer in de zitkamer was, kwam Duncan de trap af. Hij zag er gesloten en ondoorgrondelijk uit. Hij zei niet direct iets, maar stapte naar de haard, op de hielen gevolgd door Rose die naar hem toe was gehold.

Duncan antwoordde, ernstig: 'Ik denk dat het goed is.' Maar inmiddels had iets in zijn gezicht, een soort beheerste tevredenheid, Rose verteld dat alles niet slecht was, misschien zelfs goed.

'Je bedoelt,' zei Rose, die dolgraag een toelichting wilde horen die nu wat onhandig kon worden verkregen maar later misschien veel moeilijker te achterhalen zou zijn. 'Je bedoelt dat jullie weer bij elkaar zijn, echt en helemaal?' Ze vroeg wijselijk niet: heb je haar vergeven? Dat leek niet de beste manier om het te stellen.

'Dat hopen we.' – Rose was blij om dat 'we' – 'Het ziet ernaar uit dat we, in weerwil van recente gebeurtenissen, geen hekel aan elkaar hebben gekregen. Integendeel zelfs.'

Deze woorden vormden, heel karakteristiek, de reikwijdte van Duncans verslag.

'O, wat ben ik blij!' zei Rose, 'wat ben ik blij!' en ze kuste hem.

Daarna holde ze, met zijn toestemming, naar boven naar Jean. Jean huilde, Rose huilde. Jean had nauwelijks meer te zeggen, behalve dat ze mompelde dat ze opgelucht en blij was en het gevoel had dat ze uit een nachtmerrie weer in het gewone leven terecht was gekomen.

Toen kwam Jean naar beneden, Rose ging het spoorslags aan Anoesjka vertellen, die het uiteraard al wist en liep de zitkamer in om daar door Jean en Duncan te worden gekust. Rose maakte een fles champagne open, Jean en zij huilden nog wat, ze lunchten.

Na de lunch rustte Jean, Duncan ging in de bibliotheek Gibbon zitten lezen, Rose belde Gerard op. Daarna rustte Rose. Ze viel in een heerlijke slaap en droomde over een schitterende tuin waarin Rose en Jean en Tamar met enkele kinderen ronddansten. Daarna dronken ze met zijn allen thee en praatten over koetjes en kalfjes. Rose stelde voor, en ze stemden in, dat Rose naar Londen terug zou gaan om hen op Boyars een poosje alleen te laten, zodat Jeans enkel kon herstellen: de verstuikte enkel had een speciale betekenis gekregen, een symbool misschien van diepere en pijnlijkere ontwrichtingen. Rose bleef die nacht nog en vertrok toen. Natuurlijk waren Gerard en zij, in de gesprekken die op slag volgden, het erover eens dat er nog zoveel goed te maken viel, zoveel moest worden gezegd, zoveel gebaren moesten worden gemaakt en geaccepteerd, dat het nog lang zou duren eer die twee met elkaar in het reine waren. Het was te vroeg voor blijdschap, het moest nog blijken wat er werkelijk was gebeurd. Ze verheugden zich echter toch, ze waren blij bij de gedachte dat Jean en Duncan op Boyars bij elkaar waren en even rust hadden vóór alle spanningen over hun terugkeer naar Londen en hun pogingen zich te voegen naar iets dat op hun vroegere leven leek. Ze waren het erover eens dat het nooit meer als vroeger zou worden, na de wittebroodstijd op Boyars moesten de verwijten komen, er was veel wrok en verdriet dat op de een of andere manier moest worden verwerkt, het zou heel lang duren eer hun hereniging als zeker kon worden aangemerkt. Bovendien, wat had er zich werkelijk afgespeeld tussen Jean en Crimond, en welke invloed zouden die gebeurtenissen op Jean en Duncan hebben? Kon Crimond opeens weer als boze geest verschijnen? Langs deze lijnen bleven Rose en Gerard en Jenkin enige tijd speculeren, en Gulliver en Lily en Patricia en Gideon en iedereen op Duncans kantoor en grote aantallen andere mensen die minder nauwe contacten met hen hadden, smaakten de genoegens van dergelijke, vaak minder barmhartige, speculaties.

Rose had in deze dagen gelukkig kunnen zijn, want zij geloofde, hen samen gezien hebbende, dat het met Jean en Duncan 'wel goed zou komen', ware het niet dat ze zich ongerust bleef maken over Tamar. Jenkin had vanzelfsprekend aan niemand onthult wat Tamar hem had verteld. Gerard vermeed, na een voorzichtige vraag, dit onderwerp dat duidelijk geheim was en hij zei niets tegen Rose over Tamars ongewone binnenkomst bij Jenkin. Rose wist dat Tamar 'overstuur' was geweest, van huis was weggelopen om bij Lily te logeren en dat ze nu weer terug was bij Violet. Rose had Tamar geschreven om haar voor de lunch uit te nodigen, maar ze had geen antwoord gekregen. Gerard en Jenkin schenen niets op te merken te hebben over het punt van Tamars problemen. Evenmin als Lily, naar wie Rose had opgebeld. De flat van Violet had geen telefoon. Rose was van plan geweest Violet te schrijven of anders onverwachts op een avond bij haar langs te gaan, toen het drama van Jeans ongeluk haar naar Boyars riep. Bij haar terugkeer naar Londen was er nog steeds geen brief van Tamar. Rose had Violet geschreven maar ze had geen antwoord gehad. Nu was het dinsdag en om tien uur precies was er bij Rose aangebeld. Crimond was de trap opgekomen en zat nu in de zitkamer.

Rose was verbaasd over het uitzonderlijke effect van Crimonds aanwezigheid in de kamer. Het leek wel een vergissing van de natuur. Hoe kon híj híer zijn? Ze had hem natuurlijk kort geleden nog bij Gerard thuis ontmoet en was zelfs, nog later, alleen bij hem thuis geweest. Maar om hem hier in haar eigen kamer te zien staan, wachtend tot zij hem een stoel aanbood, was werkelijk heel vreemd. Ze voelde een elektrisch veld om hem heen en dat maakte haar nerveus.

Hij had zijn overjas in de hal achtergelaten, de deur was dicht, de elektrische kachel brandde. Buiten scheen de zon op de witte gepleisterde voorgevels van de huizen aan de overkant. Crimond droeg een zwart jasje, misschien wel hetzelfde als waar ze hem laatst in had gezien, en een schoon wit overhemd met een das. Het jasje was zichtbaar gerafeld en versleten, maar hij zag er voor zijn doen heel netjes uit. De vorige keer had hij een priester geleken. Deze keer leek hij meer een armoedige jonge schrijver, vermoeid, ontworteld, intelligent en broos. Hij staarde haar treurig aan en keek toen de kamer rond. Tenslotte zei hij: 'Ik ben hier nooit eerder geweest.'

'Rose zei: 'Ja' op deze waarheid als een koe. Ze merkte nu duidelijk zijn accent op, dat wat gemaakt klonk, Schots bedekt met een laagje Oxford. Ze voelde zich wat opgelaten, had niet bedacht waar ze moesten gaan zitten, ze had zich op de een of andere manier voorgesteld dat hun kortstondige onderhoud staande plaats zou vinden. Ze besloot dat het zakelijker, minder als een gezellig onderonsje was om aan de tafel bij het raam te gaan zitten. Ze wees hem een stoel en ze gingen allebei zitten.

Rose zei snel en abrupt: 'Wat wil je? Gaat het om Jean?'

Crimond had zijn jasje uitgetrokken en zijn onderarmen op de tafel gelegd, hij strekte zijn lange handen uit, die met fijn rood haar waren bedekt. Zijn nagels waren zorgvuldig geknipt maar niet helemaal schoon, en de manchetten van zijn overhemd waren niet dichtgeknoopt. Hij overwoog de woorden van Rose en zei, alsof hij op een theoretische of academische vraag moest reageren: 'Het antwoord is nee.'

'Wat is het dan wel?'

Crimond maakte zijn dunne mond nog dunner, keek eerst naar de tafel en toen naar Rose. 'Dat kan ik niet zo een, twee, drie uitleggen.'

'Ik heb niet veel tijd,' zei Rose. Dat was niet waar. Toen Crimond bleef zwijgen, fronsen, zijn lichtblauwe ogen naar haar liet schitteren, zei ze: 'Ik denk dat ik je moet zeggen dat Jean naar haar man terug is gegaan.'

Crimond knikte en wendde toen zijn blik af, haalde vervolgens langzaam diep adem.

Wil hij soms dat ik medelijden met hem heb! dacht Rose. Ze zei: 'Is het om Gerard?'

'Is wat om Gerard?'

'Dat je hier bent! Je schreef dat je iets belangrijks wilde bespreken! Ik wacht nog stees om te horen wat het is!'

'Nee, het gaat niet over Gerard.' Hij keek haar weer aan en vervolgde, vaag glimlachend: 'Heb een beetje geduld met me!'

Ik moet wel beleefd blijven, dacht Rose, misschien is het toch een bezoek om te bedanken. Ze zei op een meer verzoenende toon: 'Dus het boek is af.'

'Ja. Het spijt me dat ik niet eerder heb gezegd dat het bijna af was. Het was niet mijn bedoeling jullie te misleiden. Het was alleen psychologisch heel moeilijk dat te zeggen. Misschien was ik wel bijgelovig, ja, ik was bijgelovig, over het boek. Ik dacht dat ik misschien wel nooit mee zou maken dat het af was.'

'Het heeft inderdaad lang geduurd, je moet je wel wat ontreddered voelen nu je zonder zit.' Rose en Gerard hadden uiteraard besproken hoe, en of, de breuk met Jean verband hield met het voltooien van het boek, maar ze waren niet tot een conclusie gekomen. Misschien had het beëindigen van deze langdurige taak Crimonds verstandelijke vermogens aangetast. Zijn uiterlijk en zijn manier van doen troffen Rose als buitengewoon vreemd, en ze vroeg zich opnieuw af of hij soms echt krankzinnig was.

'Ja, het is net als de dood.' Hij sprak plechtig en staarde haar opmerkzaam aan. 'Het is... een groot gemis.'

Rose wendde haar blik af en keek op haar horloge. 'Misschien ga je nu met vakantie?'

'Ik vrees dat ik niet in staat ben vakantie te nemen.' Er viel een korte stilte waarin Rose naar een passende gemeenplaats zocht. Hij ging verder: 'Ik vind je jurk mooi, het is hetzelfde groen als je op het bal aan had.'

Rose antwoordde, geïrriteerd door deze opmerking: 'Ik heb je niet op het bal gezien.'

'Maar ik jou wel.'

Dat belooft niet veel goeds, dacht ze, als de wolf jou het eerst ziet! Misschien wil hij toch over Jean praten? Ik ben echt niet van plan hier voor de gezelligheid een beetje over koetjes en kalfjes te blijven converseren! 'Je zei dat je over iets speciaals wilde praten. Misschien kun je me nu zeggen wat het is?'

Crimond, die haar aan had zitten kijken, wendde zijn blik af en haalde opnieuw diep adem. Hij keek om zich heen door de kamer en scheen even niet te weten wat hij moest zeggen. 'Het is iets persoonlijks.'

'Over jou...'

'Over mij. En ook over jou.'

'Ik begrijp niet wat ik ermee te maken kan hebben,' zei Rose koud. Ze voelde een huivering van angst, en alle soorten vreselijke, idiote mogelijkheden kwamen opeens bij haar boven. Ze dacht: hij gaat me chanteren... maar hoe zou hij dat moeten doen... om Jean terug te krijgen... of is het iets tegen Gerard... of... ze hoopte dat ze geen emoties vertoonde. 'Heeft het ook betrekking op Gerard?'

'Nee,' zei Crimond op een scherpe, gemelijke toon, 'Gerard heeft er niets mee te maken, waarom sleep je hem er toch steeds bij?'

'Ik ''sleep'' hem er niet bij!' zei Rose, die nijdig begon te worden. 'Je doet zo geheimzinnig en onheilspellend. Misschien heb ik het mis maar je geeft me het gevoel dat je tegen ons niet veel goeds van plan bent.'

'Je hebt het helemaal mis,' zei Crimond en hij keek haar aandachtig aan. Hij leek nu beheerst en erg gespannen.

'Je hoort ons dankbaar te zijn.'

'Ik ben ook dankbaar. Maar...'

'Maar wat?'

'Dat waarvoor ik gekomen ben.'

'Nou, wat is dat dan wel?'

'Ik wil je beter leren kennen.'

Rose was verbaasd. 'Je wilt dat wij weer allemaal goede vrienden met je worden na alles wat er is gebeurd, na...?'

'Nee, niet allemaal. Alleen jij.'

'Waarom alleen ik?'

'Misschien moet ik me iets duidelijker uitspreken.'

'Dat is misschien wel beter, ja.'

'Ik ben hier gekomen om te vragen of jij wilt overwegen met mij te trouwen.'

Rose bloosde hevig en schoof haar stoel naar achteren. Ze bezwijmde bijna door een mengeling van woede en verbazing. Ze kon haar oren niet geloven. Ze zei: 'Wil je dat nog eens zeggen?'

'Rose, ik wil met je trouwen. Uiteraard moet dit je nu wat voorbarig lijken...'

'Voorbárig...!'

'Ik had het natuurlijk wat meer indirect aan kunnen pakken, jou voor de lunch uit kunnen nodigen enzovoort, maar zulke... tactische zetten... zouden drogredenen zijn geweest. Het leek me beter mijn... mijn wensen direct kenbaar te maken, en die andere dingen daaruit voort te laten vloeien.'

Rose greep naar de kraag van haar jurk en deinsde in haar stoel naar achteren. Ze was erg bang. 'Meneer Crimond, ik denk dat u gek bent.'

'Noem me alsjeblieft niet ''meneer Crimond''. Ik zou het leuk vinden als je me ''David'' noemde, maar als je dat op dit moment niet kunt, heb ik liever dat je me gewoon ''Crimond'' noemt, net als andere mensen. Ik weet dat ik soms als gek word beschouwd, maar jij moet toch inzien, en zeker nú inzien, dat ik dat niet ben.'

'Dit is zeker een heel vervelend grapje,' zei Rose, 'of anders een gemene, opzettelijke belédiging.' Ze was boos, ze voelde zich in het nauw gedreven. Het elektrische veld, dat voor het eerst waarneembaar was geweest toen hij de kamer binnenkwam, werd intenser, omringde haar, deed haar beven, bijna schudden.

Crimond, nu iets meer ontspannen, zei op verklarende toon: 'Je weet dat ik geen grapjes maak of probeer je te beledigen. Een huwelijksaanzoek wordt meestal niet als een belediging beschouwd!'

'Maar... jij hebt kennelijk geen enkel besef van de realiteit! Ik begrijp werkelijk niet hoe je dit opeens zo kunt zeggen! Het heeft vast en zeker niets met míj te maken! Je doet dit zeker uit een soort krankzinnige wraak, tegen Gerard, of tegen Jean, om hen te kwetsen... maar dat kun je niet... het is iets vreselijks...'

'Rose,' zei Crimond, 'het is niet vreselijk, en het is niet wat jij zegt...'

'Je denkt toch zeker niet dat ik zo'n ''aanzoek'' serieus overweeg! Ben je echt zo onbeschaamd... of zo naïef? Ik ken je niet, ik mag je niet. Je hebt willens en wetens het leven beschadigd en het geluk vernield van mijn beste vriendin, van wie je zo krankzinnig veel leek te houden! En nu kom je bij mij met deze beledigende onzin aanzetten!'

'Ik kan me voorstellen,' zei Crimond, 'dat je aanstoot neemt aan de recente datum van mijn relatie met je vriendin...'

'Ik neem geen "aanstoot aan de recente datum"... echt, je doet belachelijk! Ik kan je niet anders dan vals en slecht vinden... er is geen enkele... geen enkele cóntext... die een ander licht kan werpen op wat jij zegt!'

'Je kunt goed argumenteren...!'

'Ik argumentéér niet!'

'Wat jij zegt, en waar je op doelt verdient een antwoord. En dat wil ik je geven. Uiteraard hield ik van Jean. Maar mijn relatie met haar was een onmogelijkheid... we hebben er twee keer mee proberen te leven, en het bleek tot twee keer toe een onmogelijkheid te zijn.'

'Omdat ze getrouwd was...'

'Nee, dat had niets te betekenen. Het was vanwege de bijzondere, opmerkelijke intensiteit van onze relatie. Ik kan dit nog wel uitvoeriger toelichten...'

'Alsjeblieft niet!'

'We hadden het hoogste punt bereikt... daarna konden we elkaar slechts vernietigen. Dat beseften we allebei. Ik slokte haar wezen op en maakte haar minder. En na enige tijd zou ze me zijn gaan haten. Het was beter het achter te laten als iets volmaakts, en ermee te stoppen. Het was gedoemd.'

'Dus jullie zijn bij overeenstemming uit elkaar gegaan... het is niet zo dat jij haar gewoon in de steek hebt gelaten?' Rose kon die vraag niet bedwingen. Temidden van haar angst en woede voelde ze onwillekeurig enige nieuwsgierigheid. Het was allemaal zo zeldzaam onverwacht.

Crimond zei na enige tijd bedachtzaam: 'In wezen was het wederzijds. Ik dacht dat er een bepaalde oplossing was. Ik neem aan dat ze je dat heeft verteld.'

'Ze heeft me niets verteld.'

'Ik vertel het je later nog wel.'

'Meneer Crimond,' zei Rose, 'er is geen later. Ik wil dat u weggaat en ik wil u nooit meer zien.'

Crimond negeerde dit. 'Mijn gevoelens, mijn liefde voor Jean hebben niets te maken met wat ik met jou wil bespreken. Dit is natuurlijk een overrompelingstactiek... het moet worden besproken, worden begrepen...'

'Ik weet niet wat ik van je moet denken,' zei Rose. 'Ik ben opnieuw geneigd te denken dat je krankzinnig bent, of in ieder geval onevenwichtig. Er bestaat zoiets als wat in de volksmond "de kluts kwijt" heet. Ik denk dat jij in een toestand van shock verkeert door het beëindigen... als het een einde is... van je langdurige verhouding met Jean. Dit, misschien in combinatie met het voltooien van je boek, heeft je tijdelijk uit je evenwicht gebracht... dit is de meest barmhartige verklaring voor jouw vermoeiende en enerverende benadering van mij.'

'Het was niet mijn bedoeling je van streek te maken... of misschien ook wel... maar niet op een vervelende manier. Ik heb altijd unieke gevoelens voor je gekoesterd, een uniek begrip voor jouw wezen. Slechts twee vrouwen hebben ooit mijn belangstelling op weten te wekken. Jean was de ene, jij bent de andere. Ik zag jou voordat ik Jean zag. Ik hield van jou voordat ik van Jean hield... Nee, laat me uitspreken. Uiteraard was dit een stille, heimelijke liefde, iets innerlijks en abstracts. Ik nam voetstoots aan dat jij onbereikbaar was. Misschien had ik het mis...'

'Nou zeg...'

'Ik had de indruk dat je me wel mocht. Maar ik bezat niet de moed om tegen je te spreken. Ik heb nimmer op enige manier uitdrukking gegeven aan mijn liefde. Dit betreurde ik later. Ik betreur het nu. Veel later hield ik van Jean, ik verbeeldde me dat dat de enige liefde was waartoe ik in staat was. Opnieuw had ik het mis. Mijn liefde voor jou is niet in gevangenschap gestorven. Maar ik had nooit gedacht dat ik hem vrij zou kunnen laten... tot vandaag... nu ik voldoende moed bezit om bij jou te verschijnen en je te vragen me te geloven. Zoiets kun je toch wel begrijpen?'

'Bespaar me alsjeblieft al je verklaringen,' zei Rose. 'Je bent half buiten zinnen omdat Jean weg is, en je wilt dat ik je troost omdat je denkt dat je je iets herinnert van wat je hebt gevoeld toen je twintig was! Een huwelijksaanzoek is in deze situatie echt onzinnig.'

'Ik dacht,' zei Crimond, haar gespannen aankijkend, 'dat je toen geheel onverschillig tegenover me was en dat je dat nu niet bent.'

'Ik was het en ik ben het!'

'Ik dacht dit bij onze vorige ontmoeting.'

'Onze vorige ontmoeting? Je bedoelt toen ik naar je huis kwam om te kijken of...?'

'Om te kijken of ik nog in leven was. Je was toen opgelucht.'

'Ja, maar dat was ik om Jean, niet om jou! En natuurlijk wilde ik je niet dood op de vloer aantreffen. Ik heb je nooit gemogen, ik vind je ideeën weerzinwekkend...'

'O, mijn ideeën... maar mijn persoon...'

Het woord 'persoon' klonk plotseling zo archaïsch dat Rose bijna in de lach schoot. 'Jouw persóón... wil je zeggen...?'

'Ik bedoel mijn hele wezen. Hoor eens, Rose, wees niet boos op me, en vergeef me alsjeblieft mijn plotselinge manier van doen, de schok... ik kan het niet anders doen. We zijn geen van beiden getrouwd geweest, niets weerhoudt ons ervan in deze termen te denken. Liefde moet worden gewekt. Ik wil die van jou wekken. Ik denk dat jij in staat bent van mij te houden.'

Het bleef even stil. Rose zei: 'Ik geloof niets van die flauwekul over vroeger, het is allemaal fantasie, je hebt het gewoon een paar dagen geleden bedacht, het komt door die shock-toestand en ik weet zeker, of je dat nu toegeeft of niet, dat dit bezoek eigenlijk een wraakneming is op Jean, en een aanval op Gerard.'

Ze zwegen en staarden elkaar over de tafel aan. Rose zag dat haar handen beefden en ze verstopte ze onder de tafel, op haar knieën.

Crimond mompelde: 'Dat is niet waar, dat is niet waar . . .' Hij ging verder: 'Ik vond het nodig te zeggen wat ik heb gezegd. Ik hoop dat jij, wanneer je erover nadenkt, zult inzien hoe hevig serieus dit is, en moest zijn. Natuurlijk verwacht ik nu geen duidelijk antwoord van je. Laten we het even laten rusten en er later nog eens over praten. Ik zei in het begin gewoon dat ik je beter wilde leren kennen. En ik vond in alle oprechtheid dat ik dat niet kon zeggen zonder ook de rest te zeggen. Maar nu de rest is gezegd, en ik wil en ik zal zeker niet terugnemen wat ik heb gezegd, kunnen we misschien terugkeren tot het eerste idee. Laten we elkaar alsjeblieft beter leren kennen. Dát kan toch zeker geen aanstootgevend idee zijn. Ik stel voor dat we elkaar over een week of zo terugzien . . .'

'Je weigert me te begrijpen, en je luistert kennelijk niet naar me!'

'Misschien vind je me wat . . . provinciaal . . . maar . . .'

'O, sleep dat er niet ook nog eens bij! Als je denkt dat stánd een rol speelt . . .! Het is gewoon heel simpel: ik mag je niet!'

'Dat geloof ik niet,' zei Crimond, en hij bloosde en trok zijn dunne lippen naar binnen zodat zijn tanden te zien waren. 'Wat Gerard betreft, wat heeft hij je ooit teruggegeven voor al jouw liefhebbende zorg . . .?'

Rose stond op en Crimond stond direct ook op. Ze was opgelucht dat ze nu op meer welsprekende wijze uiting kon geven aan haar woede. 'Hoe durf je zo over Gerard te spreken! Je bent jaloers op hem, je bent gemeen jegens hem en beledigend tegenover mij. Je schijnt te denken dat ik vriendelijke, zelfs hartelijke gevoelens jegens je koester . . . maar dat doe ik niet! En dat belachelijke ''aanzoek'' van jou betekent slechts dat je, na eerst krankzinnig verliefd te zijn op Jean en haar huwelijk te ruïneren, haar plotseling laat vallen en naar mij holt om je op iedereen te wreken, en . . . en te koop te lopen met het een of andere idiote gevoel dat je hebt . . . dat beslist geen liefde is . . . en dat bestaat uit wrok en ijdelheid en sentimentele nostalgie en een minderwaardigheidscomplex . . . om mensen die denken dat je ''provinciaal'' bent . . . en dan verwacht je van mij dat ik je troost en . . . en je rechtváárdig . . . ó, wat een hoogmoed te denken dat ik ooit om je heb gegeven en dit nog zou doen . . .'

'Het ís liefde,' zei Crimond. 'Jij begrijpt míj verkeerd.'

'Wanneer heb je dit alles bedacht, drie dagen geleden? Hoe kan ik je serieus nemen?'

'Natuurlijk moet je wel verbaasd zijn, en misschien maak je bezwaar tegen mijn directe benaderig, maar...' Toen riep hij plotseling luid: 'O God, ik kan je dit allemaal úitleggen!' Daarna zei hij, weer rustig: 'Wanneer kunnen we elkaar ontmoeten... alsjeblieft...'

'Ik maak er geen "bezwaar" tegen,' riep Rose, 'ik heb er niet eens voldoende belangstelling voor om ergens bezwaar tegen te maken! Ik heb niet de minste behoefte je gevoelens te bespreken. Je bent een vijand van de mensen van wie ik houd, je bent een persoon die ik volledig verwerp. Ik wil je niet ontmoeten, ik verzoek je nu te vertrekken en me niet meer lastig te vallen met deze onzin. Ga nu alsjeblieft weg, en begrijp dat ik je niet meer wil zien!'

Ze liep weg van de tafel en wilde de deur opendoen. Toen ze naar hem omkeek zag ze zijn gezicht even vertrokken van emotie. Het volgende moment had hij, nog steeds blozend, zijn onbewogen uitdrukking terug. Hij liep tot het midden van de kamer waar hij bleef staan, zijn hielen samentrok en even boog. Daarna liep hij langs haar heen door de deuropening, raapte in de hal zijn jas op, en verliet de flat met de deur rustig achter zich dicht te trekken.

Rose bleef roerloos staan. Zijn plotselinge vertrek, zijn áfwezigheid betekende opeens een vreemde schok voor haar. Hij was er niet meer... en zij stond daar alleen in de meest verschrikkelijke storm van haar eigen emoties. Hoe kón hij zoiets hebben willen zeggen, om haar zó boos te maken, haar zó te kwetsen! Ze voelde zich op dat moment vreselijk gekwetst, gewond, alsof hij haar had afgewezen en zij niet hem. Hoe kon hij zo gevoelloos, zo grof zijn geweest om haar in een situatie te brengen waarin ze werd gedwongen zich te gedragen zoals ze zojuist had gedaan. Ik had niet zo'n toon tegen hem aan moeten slaan, dacht ze, ik verloor mijn zelfbeheersing, ik had koel en beheerst en beleefd moeten zijn, en hem niet zo lang laten blijven en zoveel laten zeggen. Ik had hem direct aan het begin moeten vragen weg te gaan. Ik had hem uiteraard helemaal niet moeten laten komen. Ik was te onvriendelijk, en het was ook niet precies wat ik voelde. Ik mocht hem wel, in Oxford, ik bewonderde hem, dat deden we allemaal. O, ik zal hier veel spijt van krijgen, het zal me later veel verdriet bezorgen, dat ik me zo stom, zo slecht heb gedragen.

Toen dacht ze: ik moet hem achterna. Daarna dacht ze: maar dat is zo onwaardig en dat kan een verkeerde indruk wekken. Toen merkte ze dat ze de deur van de flat openrukte en de trap afholde.

De buitenlucht spoelde als een koude vloedgolf over haar heen. Ze bleef op het berijpte, gladde trottoir staan en keek van links naar rechts. Was hij met de auto gekomen? Was hij al weggereden? Hij was niet te zien. Ze rende naar de hoek en keek in de volgende straat van de ene naar de andere kant. In de verte reed juist een auto weg en verdween uit het zicht. Ze holde terug, langs haar huis, gleed uit op het trottoir en greep het hek beet om niet te vallen. Ze tuurde de volgende straat af maar kon hem niet zien. Langzaam liep ze terug en ging weer door de wijd openstaande deur naar binnen, de trap op. Ze deed de deur van haar flat achter zich dicht en leunde achterover tegen de deur. Ze hijgde hevig. Wat mankeerde haar toch? Waarom leek het nu opeens de belangrijkste zaak van de wereld Crimond te vinden en hem terug te brengen, met hem te praten en met hem te blijven praten? Waarom had ze hem toch laten gaan? Waarom had ze op zo'n grove, wrede manier tegen hem gesproken? Wat moest hij nu wel van haar denken, hij die zo'n trotse man was, die haar zo'n verbazingwekkende bekentenis had toevertrouwd? Hij had gezegd dat zij zoiets vast wel zou begrijpen. Ja, ja, dat zou ze, dat deed ze. Ze was diep geroerd door die stille liefde die nooit was verdwenen. Ze geloofde hem. Ze had hem moeten bedanken dat hij haar met zoveel liefde had liefgehad.

Rose begon door haar kamer te lopen, heen en weer, heen en weer. De zon was verdwenen en ze deed de lampen aan. Was het mogelijk dat ze, op de een of andere manier, binnen enkele minuten verlíefd was geworden op Crimond? Waarom was ik zo agressief, zo definitief, dacht ze. Hij heeft me eigenlijk een grote eer bewezen... zelfs al beschouwde hij me slechts als reddingslijn. Ik was heel hooghartig, vreselijk, zeldzaam verwaand met mijn verhaal dat hij me beledigde door te zeggen dat hij van me hield. Ik had dankbaar moeten zijn. Ik had hem niet zo af hoeven te wijzen, hem zo weg moeten jagen, zo grof moeten zijn. Ik had kunnen zeggen dat ik hem weer wilde ontmoeten. Waarom kon ik zelfs geen medelijden voor hem opbrengen, dat was toch niet zo moeilijk geweest. Hij zag er zo moe en zo treurig uit. Ik kan het nog tegen hem zeggen, ik kan die verklaring aanhoren, die hij zei dat hij kon geven. Maar hij zal me vast niet vergeven wat ik heb gezegd, hij zal denken dat ik niet oprecht ben. O, wat overkomt me toch allemaal en wat heb ik gedaan!

Rose besefte nu dat ze zich bijzonder vereerd voelde door Crimonds eerbewijs. Hij die zo kieskeurig was, zo afstandelijk was, was als een smekeling naar haar gekomen. Hij zei dat hij van haar hield en altijd van haar had gehouden. Hij is natuurlijk gek, dacht ze, ik heb altijd al gedacht dat hij gek was. Maar hoe anders leek deze krankzinnigheid nu deze werd uitgedrukt als liefde voor haar. Ik moet hem weer spreken, dacht ze, ik moet hem vandáág nog spreken. Ik kan niet verder als ik hem eerst niet heb gesproken. Ik bel hem op, misschien is hij inmiddels thuisgekomen. Ze begon in het telefoonboek te zoeken en bedacht toen dat hij had gezegd dat hij geen telefoon had. Ze dacht: ik rijd naar zijn huis. Maar wat moest ze zeggen als ze daar was, welke reden moest ze geven, haar verschijning zou slechts een volledige overgave lijken, en stel dat hij haar afwees. Dan zou ik ook krankzinnig worden, dacht ze, ik bén krankzinnig... maar het is zo moeilijk, ik móet dit probleem oplossen, o, waarom heb ik hem hier tenminste niet even laten blijven terwijl ik erover nadacht! Ik zal hem een brief schrijven en dan naar buiten hollen om hem op de post te doen. Ik moet iets doen anders springt mijn hart nog uit elkaar. Ik zal een voorzichtige brief schrijven om voor te stellen dat we elkaar spoedig weer spreken, ik zal zeggen dat het me spijt dat ik zo grof was, en dat ik het niet zo had bedoeld, ik zal zeggen...

Met een gevoel van opluchting pakte ze pen en papier en ging aan de tafel zitten. Ze begon haastig te schrijven.

Mijn beste David,

Het spijt me dat ik vandaag zo onvriendelijk tegen je heb gedaan. Wat jij te zeggen had verraste mij volledig, het maakte me bang en ik schoof het instinctief van me af. Ik wil je nu oprecht bedanken voor de eer die je me hebt bewezen. Ik geloof dat je oprecht bent en ik waardeer je gevoelens. Ik moet bekennen dat je me nogal hebt laten schrikken. Ik zou je graag terug willen zien teneinde de vervelende indruk, die ik moet hebben gemaakt, weg te wissen. Ik hoop dat je me zult vergeven. Het zou, denk ik, voor ons beiden goed zijn als we nog eens kalm en rustig konden praten. Ik zal, als je dat goedvindt, je binnenkort nogmaals schrijven om een volgende afspraak te maken. Met hartelijke groeten,

Rose

Rose las dit zorgvuldig door, streepte toen de zinnen over het laten schrikken en het hopen dat ze werd vergeven door en schreef de brief over. Dit schrijven verlichtte haar verdriet. Ze zat de brief nog door te lezen toen de telefoon ging. Haar eerste gedachte was: daar heb je hém, hij denkt er net zo over als ik, hij vindt ook dat we elkaar weer moeten spreken. Ze rende naar de telefoon en rukte hem onhandig van de haak.

'Hallo, Rose, ik ben het,' zei Gerards stem.

Gerard. Ze was het bestaan van Gerard zo volledig vergeten dat ze even een kreet van verbazing slaakte, en daarna zwijgend het instrument op enige afstand hield. Ze kon Gerard horen zeggen: 'Hallo Rose, ben je daar?'

Ze zei: 'Kun je even aan de lijn blijven, ik moet in de keuken iets laagdraaien.'

Ze liep naar de keuken en keek naar een rij bij elkaar passende rode steelpannen die in volgorde van grootte stonden. Ze liep terug naar de telefoon.

'Ja?'

'Rose, wat is er aan de hand?'

'Er is niets aan de hand.'

'Je klinkt zo vreemd.'

'Waar belde je voor?'

' "Waar belde ik voor?" Wat is dat nou voor vraag? Ik belde je gewoon op! Ben je ziek?'

'Nee, nee, het spijt me...'

'Ik had eigenlijk een vraag: weet jij wanneer Jean en Duncan terugkomen?'

Gerard? Jean en Duncan? Wie waren dat? Rose probeerde zich te concentreren. 'Een dezer dagen, ik geloof dinsdag of woensdag, dat zei Jean toen ik haar gisteravond opbelde.'

'Daar ben ik blij om, ik dacht dat ze misschien bang waren zich weer in Londen te vertonen. Zeg, zullen we vandaag samen eten, bij jou thuis, of ga je met mij mee uit?'

'Het spijt me, ik kan niet.'

'Met de lunch dan.'

'Nee, ik moet naar iemand toe...'

'Nou ja... het is ook wel op erg korte termijn, ik probeer het nog wel een andere keer. Lieverd, is echt alles goed met je?'

'Ja, natuurlijk. Bedankt voor je telefoontje. Ik bel je gauw terug.'

Rose, die die dag geen verplichtingen had, liep terug naar de tafel. Ze dacht: ik lijk wel niet wijs. Het is onmogelijk voor mij vanwege Gerard, vanwege Jean, om een relatie, van welke aard dan ook, met Crimond te hebben. Als ik nu naar zijn huis zou gaan, iets wat ik liever zou willen doen dan al het andere op deze wereld, ben ik in staat in zijn armen te vallen, of aan zijn voeten. Ik hoor opgesloten te worden, ik moet mezelf opsluiten. Dit is een gevaarlijke krankzinnigheid en die moet ik te boven komen. Misschien moet ik hem toch maar die brief sturen... gewoon die brief om die slechte indruk weg te nemen, om min of meer vrede te sluiten, anders blijf ik er voor eeuwig mee in mijn maag zitten, me afvragend wat hij wel van me moet denken. Ik kan dat stukje over hem weer ontmoeten eruit laten. Maar hij kan die brief natuurlijk ook als aanmoediging zien, misschien komt hij dan terug, komt hij gewoon langs. O, ik wou dat hij dat deed! Ze liep terug naar de tafel en pakte een envelop. Daarna las ze de brief nog eens over en propte hem in elkaar. Er kwamen tranen in haar ogen.

'Ik vind hem zielig, dacht ze, dat moet ik mezelf steeds voor ogen blijven houden. Ik houd van hem, ik houd van hem maar het heeft geen zin. Hoe moet ik dit rijmen, hoe kan zoiets als dit zo snel gebeuren? Maar het is gebeurd... en het is onmogelijk, het is dodelijk, ik moet het tegenhouden en om zeep brengen, ik moet deze gedachten direct smoren. De geringste zwakheid kan een catastrofe, een ellende ontketenen. Niemand mag het weten. Hoe zou ik Gerard nog onder ogen durven komen? Als er iets gebeurde... dan kan dat alleen maar misgaan... en dat zou me breken, het zou mijn integriteit, mijn waardigheid, mijn trots breken, alles waar ik voor leef. Ik kan mijn leven hiervoor niet op het spel zetten. Maar, o, dat verdriet, dat heimelijke verdriet zal me eeuwig bijblijven. Ik moet mijn echte wereld trouw blijven, mijn lieve, vermoeide, oude wereld. Er is geen nieuwe wereld. De nieuwe wereld is een illusie, het is vergif. God, ik word krankzinnig.

Ze liep naar haar slaapkamer. Ze dacht: en hij wilde met me trouwen. Ze liet zich op het bed vallen en weende bitter.

In de korte tijd dat Rose bij hen op Boyars was hadden Jean en Duncan min of meer gedaan alsof alles meteen weer als vanouds was geweest. Rose had zich verbaasd over hun kalmte. Die avond bij het diner was het bijna net als vroeger geweest. Dit was geen 'afgesproken werk', het was een instinctieve façade die ze hadden opgetrokken om de ietwat pijnlijke aanwezigheid van Rose te kunnen verdragen, haar status als getuige die gretig zou rapporteren wat zij elders had gezien. Het was nodig een 'goede indruk' te maken op Rose vóór ze haar kwijt konden. Rose was op gepaste wijze onder de indruk en beschreef hun prestatie aan Gerard; Gerard en zij gingen echter direct aan de slag om correcties aan te brengen op iedere misleidende rooskleurige indruk die er kon zijn gewekt. Ze waren het erover eens dat die 'kalmte' op zich een gevolg van de schok was, dat de 'joligheid' kon worden vergeleken met de nerveuze opgewektheid van verdrietige mensen bij begrafenissen, die daarna naar huis gaan om te huilen. Ze brachten allerlei beproevingen en problemen in kaart en vroegen zich af of die hereniging ooit echt zou werken. Misschien zou alles direct weer stuklopen op Duncans onbedwingbare wrok, of Jeans verlangen weer terug te gaan naar Crimond. Rose en Gerard probeerden zich echter niet tot in details voor te stellen hoe hun vrienden het nu maakten en ze speculeerden slechts in algemene zin; ze moesten verder gewoon afwachten. Zo'n zelfbeheersing was typerend voor dit tweetal.

Rose had overwogen direct Boyars te verlaten, op de avond van Duncans komst, maar het leek haar verstandiger tot de volgende ochtend te wachten, gewoon om enigszins te zien hoe alles liep. Ze dacht dat haar aanwezigheid, in het begin, misschien nuttig was doordat ze een zekere kalmerende formaliteit uitstraalde. Ze had Anoesjka gevraagd een bed op te maken in de kamer aan de achterkant van het huis, die Duncan in het schaatsweekend had gebruikt. Ze zei hier niets over en deed geen pogingen te ontdekken waar hij de nacht had doorgebracht. Duncan had die nacht inderdaad alleen in die kamer doorgebracht. Na de eerste ontdekking dat ze 'elkaar niet haatten', vervielen Jean en Duncan in een verbluffende verlegenheid, een soort zwijgende angst, een tijd van niet ongemakkelijke stiltes, waarin het samen in dezelfde kamer zitten voldoende was. Ze beseften weldra, en als mogelijkheid op korte termijn betekende dit een opluchting – dus Rose had gelijk –, dat ze gewoon zaten te wachten tot Rose vertrok. Bij de lunch, zelfs bij de thee, hing er een ietwat dwaze vrolijkheid, maar bij het diner speelden ze een rol. Ze bleven na het eten nog even bij Rose zitten en verdwenen toen, met de verklaring, naar waarheid, dat ze 'volledig uitgeput' waren. Zodra ze uit het zicht waren verdwenen rende Rose over de achtertrap naar haar eigen slaapkamer, om niet langs Jeans kamer te hoeven gaan, deed luidruchtig de deur achter zich dicht en omdat zij ook bekaf was ging ze vroeg naar bed en viel in slaap. Het tafereel in Jeans slaapkamer was eveneens van korte duur. Jean en Duncan wilden even rust van elkaar. Ze waren zich ook bewust van de nabijheid van Rose. Ze hadden er nauwelijks woorden voor nodig om af te spreken dat ze die nacht apart zouden slapen. Duncan, die eveneens over de achtertrap ging om niet langs de kamer van Rose te hoeven gaan, die in het midden lag, liep op zijn tenen naar zijn vroegere slaapkamer en was niet verbaasd het bed opgemaakt en de kamer verwarmd aan te treffen. Jean nam een slaappil van dokter Tallcott en viel direct in slaap. Maar Duncan bleef lange tijd in het donker bij het raam staan. Eerst deed hij het licht niet aan omdat hij wachtte tot Rose dat van haar uitdeed. Hij kon het vage schijnsel van haar licht op het grasveld zien en op de ronde muur van het torentje. Maar toen het uitging bleef hij daar in het donker staan. Hij deed het raam open en liet de kille maar vochtige lucht binnen, die zelfs een vage geur van natte aarde meevoerde. Het regende niet meer en er waren enkele sterren te zien. Hij stond bij het raam diepe zuchten te slaken, alsof hij geluidloos huilde. Hij onderging de geëxalteerde smart van een man in een geestelijke crisis die door een plotselinge beproeving wordt getroffen; hij onderging een mengeling van geschoktheid, onderwerping, angst en een vreemde pijnlijke vreugde. Hij was blij dat hij alleen was en om dit alles kon huiveren en hijgen. Zijn geïrriteerde koelheid jegens Gerard en Jenkin was niet volledig gesimuleerd geweest. Hij moest koel blijven, kóel blijven, om niet te veel te verwachten, niets te verwachten, zich geen beeld te vormen van de toekomst, en hij was, en dat hielp, nijdig over de blije gezichten van zijn vrienden die hem het goede nieuws kwamen brengen en die verwachtten dat hij opgetogen en dankbaar zou zijn. Hij had al zijn hoop in de kiem gesmoord, opzettelijk het ergste gevreesd, zelfs zijn oude wrokgevoelens opgepoetst, en wist niet tot hij werkelijk in Jeans aanwezigheid was, dat hij haar nog steeds volledig liefhad, en dat zij in ieder geval voldoende van hem scheen te houden. Dat wonder was groot genoeg om in ieder geval voor één nacht rust te bieden.

Rose ontbeet de volgende morgen vroeg, en nam afscheid van haar gasten die op een gepast tijdstip beneden kwamen en gezond en wel leken te zijn, en voor wie Anoesjka's meer uitvoerige ontbijtvoorzieningen nu klaar stonden. De zon scheen op de natte tuin. Ze zwaaiden Rose uit; maar nog voor het geluid van haar auto was weggestorven stortte Jean in. Ze rende naar boven en sloot zich op in haar slaapkamer. Duncan, die op de gang stond, kon haar hysterisch horen huilen. Zo nu en dan klopte hij op haar deur en riep haar. Hij werd niet ongeduldig. Hij ging op de vloer in de gang zitten en wachtte. Anoesjka bracht hem een stoel en een kop koffie. Toen Duncan daar naar Jeans gehuil zat te luisteren daalde er een soort berustende kalmte over hem neer. Hij was liever op de grond blijven zitten, maar moest uit beleefdheid jegens Anoesjka op de stoel zitten.

Ten slotte werd de deur geopend. Jean draaide hem van het slot, holde toen weer naar het bed en ging daar, iets rustiger, weer liggen huilen. Duncan keek om zich heen in de vertrouwde kamer, waar het houtvuur vrolijk knetterde. Hij zag nu, wat hij gisteren nauwelijks had opgemerkt, het schilderij dat van de muur was gehaald en de rechthoek van blauw behang. Hij pakte de achthoekige tafel op, liet de boeken die erop lagen op de grond glijden, zette hem naast een raam en schoof er twee stoelen naast. Toen liep hij naar het bed, greep Jeans handen, hees haar overeind en voerde haar naar de tafel. Ze gingen zitten, half met hun gezicht naar elkaar, half met hun gezicht naar het zonovergoten uitzicht over de kleine, groene heuvels, enkele dorpshuisjes in de verte en de kerktoren. Zodra Duncan haar beetpakte hield Jean op met huilen. Met haar handen met de palm omlaag op de tafel, haar lippen geopend, haar gezicht nat, haar haar verward, staarde ze door het raam naar buiten. Ze droeg nog steeds de tweedjurk van Rose, maar had de riem weggelaten. Duncan keek haar even zwijgend aan. Toen haalde hij een zakdoek te voorschijn en boog zich voorover om haar gezicht af te drogen. Hij schoof zijn stoel dichterbij en begon haar handen te strelen, en haar armen, waarbij hij de wijde mouwen van de jurk omhoog schoof, daarna begon hij haar haar te strelen en kamde het uit met zijn vingers. Jean begon stil te zuchten en boog haar hoofd onder de ritmische bewegingen van zijn grote zware hand.

Na een poosje schoof hij wat bij haar vandaan en zei: 'Dus de Rover is total-loss?'

'Ja.'

'Wat is er gebeurd?'

'Ik wilde weglopen en dat deed ik te snel.'

'Wil je weer net zo hard teruglopen?'

'Nee. Dat is... ook kapot.'

'Houd je niet meer van hem?'

'Jean staarde uit het raam en zei: 'Dat is over.'

'Ik ben niet zo snel te overtuigen.'

'Ik zal je overtuigen.'

'Het zal lang duren, weet je, voor wij weer een geheel vormen. Het zal veel tranen kosten. We moeten elkaar al onze wonden tonen, elkaar de waarheid vertellen, ons onthouden en vasten. Er moet veel tijd overheen gaan. We weten niet wat we zullen zijn of wat we zullen willen.'

'Maar we zullen bij elkaar zijn.'

'Ik hoop het.'

'Je hebt medelijden met me.'

'Ik heb veel medelijden met je, dat is iets dat je eveneens zult moeten accepteren.'

'Ik ben bang voor je.'

'O best. . . maar o, liefste, laten we alsjeblieft eindelijk gelukkig worden.'

'Juist wanneer alles goed gaat, moet jij het weer bederven!' riep Lily.

'De seks gaat goed,' zei Gulliver. 'Maar verder gaat er niets goed. En begin niet weer van ''wat doet de rest er nog toe''. Ik ben je wijsneuzige gedoe zat!'

'Ik ben helemaal niet wijs. Ik probeer het alleen te zijn. Je doet me opzettelijk pijn. Je bent gemeen en wreed geworden. Wat mankeert je toch?'

'Ik heb je al verteld wat mij mankeert, ik ben waardeloos.'

'Dat zeg ik ook altijd van mezelf! Dan zijn we allebei waardeloos! Laten we dus maar bij elkaar blijven!'

'Nee, jij bent echt, jij bent iets. Ik ben niets. Jij hebt geld, dat is iets.'

'Laten we dan iets leuks doen, laten we naar Parijs gaan.'

'Nee. En jij hebt iets van jezelf, je hebt lef, je bent naïef, dat is ook iets, je hebt pit, je hebt geen opleiding en je bent stom, maar je wilt echt iets ondernemen, jij hebt *joie de vivre*.'

'Ik wou dat jij dat had. Je bent de laatste dagen knap chagrijnig. Het enige wat jij nodig hebt is een baan.'

'Het enige wat ik nodig heb is een baan! Waar haal je het lef vandaan! Je kijkt op me neer!'

'Nietes. Je bent lang en donker en knap.'

'Ik zal nooit meer een baan krijgen, nooit meer. Besef wel wat dat voor een vooruitzicht is. Het kan jou niets schelen, jij vindt het zelfs leuk om niets te doen. Ik niet.'

'Maar je kunt toch schrijven? Je was begonnen een nieuw toneelstuk te schrijven.'

'Het heeft geen zin. Ik kan niet schrijven.'

'Kunnen we niet samen iets gaan doen, een bedrijfje opzetten, met geld kun je dat doen.'

'Wat voor bedrijf dan wel? Om kogellagers of gezichtscrème te produceren? We kunnen helemaal niets. We zouden ons geld alleen maar kwijtraken. Bovendien moet ik je geld niet meer.'

'O, hou toch op, man! Kan Gerard je geen baan bezorgen? Dat heeft hij toch al eens eerder gedaan, niet?'

'Ja, en hij heeft het net nog eens geprobeerd, hij stuurde me, o zo vriendelijk, naar een vent met een literair agentschap en die zei dat ik moest opsodemieteren! Het kan Gerard niets schelen. Hij doet alleen voor de vorm wat goede werken om zich door iedereen te laten bewonderen.'

'Dat is niet waar. Je zei dat hij je had aangemoedigd om je vervolgens te laten vallen! Daarom heb je natuurlijk een hekel aan hem!'

'Hij heeft me zelfs niet aangemoedigd!'

'Gull, doe niet zo afschuwelijk nu juist alles beter gaat. Het gaat echt beter met iedereen, Tamar is weer aan het werk, Jean is terug bij Duncan, het is bijna Kerstmis...'

'Tamar is ook al zo'n arme stumper die zichzelf nog eens de dood in jaagt met drugs of kanker. En Duncan zal Jean vermoorden, hij kan haar geen twee keer vergeven, hij doet maar alsof. Eens op een avond, als ze in bed ligt, zal ze hem haar aan zien staren als Othello, en dan wurgt hij haar.'

'Je moet eens naar de dokter om je na te laten kijken!'

'Waarom praat je over hén alsof zij iets om óns geven? Je bent een snob. Je wil graag bij dat afschuwelijke clubje horen, maar ze zullen jou, of mij, nooit als één van hen beschouwen, in geen honderd jaar, dus sloof je alsjeblieft niet zo uit!'

'O, hou je mond toch! Meld jij je maar aan bij het Vreemdelingenlegioen!'

'Ik ga ook weg, ik meen het. Ik geef m'n flat op, ik heb het meubilair aan de volgende huurder verkocht, ik heb mijn boeken verkocht...'

'Nee!'

'Nou, de meeste in ieder geval, wat dacht jij dat er in die kisten zit die jij voor me hebt opgeslagen? Ik kan niet meer zo blijven leven en ik wil niet op jou vegeteren. Ik ga naar het noorden.'

'Naar het nóórden?'

'Ik wil daar zijn waar de mensen werkelijk lijden en niet alleen maar doen alsof. Ik wil me bij het uitschot van de maatschappij voegen, bij het laagste volk, ik wil echt arm zijn. Ik moet ophouden te denken dat ik een bourgeois intelectueel ben. Als ik kan ophouden te denken dat ik een baan kan krijgen. Maar niet hier, niet bij dit stelletje, niet met die bazige Gerard en flikflooiende Jenkin en aristocratische Rose...'

'Ik ga met je mee.'

'Doe niet zo dwaas. Jij bent ook iets waar ik bij weg moet, je bent een slecht symbool, je bent een nutteloze vrouw.'

'Volgens mij haat jij vrouwen, dat dacht ik al toen ik je voor het eerst ontmoette. Ik wou dat je me je horoscoop liet trekken.'

'En jij bent bijgelovig, en je grootmoeder was een heks, en...'

'Gull, je maakt me bang, hou op, je bent jezelf niet.'

'Ik heb geen zelf.'

'Nu wil je weer handig praten. Je meent niets van al die vreselijke dingen
die je hebt gezegd over...'

'Over hén, nee, goed, dat meende ik niet. Maar zie je dan niet dat ik gewoon wanhópig ben?'

'Nou, ik ben ook wanhopig, alleen maak ik er niet zo'n heisa over. Goed,
ik heb een beetje geld, maar ik kan er niets mee doen, ik kan niets voor mezelf doen... en toen verscheen jij op het toneel en dacht ik dat het leven
eindelijk zin kreeg, en nu val jij me lastig met die verdomde wanhoop van je!'

'Er komt een moment dat een mens alléén wil zijn, écht alleen.'

'Gull, alsjeblieft, ga er eens met iemand over praten, met Jenkin, ik bel
hem wel op...'

'Als je 't maar uit je hoofd laat. Bovendien pakt hij z'n biezen ook en
ik kan hem geen ongelijk geven, hij gaat naar Zuid-Amerika.'

'Hoe wist je dat, heeft hij je dat verteld?'

'Ik hoorde het van Marchment, die leraar, ik ben zelfs bij hem om een
baan wezen bedelen. Jenkin is een prima kerel, maar hij zou het weer door-
kletsen aan Gerard, en ik wil bovendien niet naar Zuid-Amerika.'

'Dat zou ik zo denken! Je bent echt belachelijk. Waarom blijf je niet in
Londen en kom je bij mij wonen? Als je wilt werken met het laagste soort
mensen dan zijn er hier in de stad zat van, ik kon dan met je samenwerken...'

'Lily, ik wil niet met mensen moeten werken, zoals een sociaal werker,
ik wil met die mensen samenleven! Het heeft geen zin, ik heb m'n buik
vol van compromissen.'

'Gulliver, laat me niet in de steek. Je bent de enige mens die me ooit
heeft laten bestáán. We houden van elkaar, daar waren we het eergistera-
vond nog over eens. Laten we met elkaar trouwen, laten we alsjeblíeft met
elkaar trouwen.'

'Nee, ik ga weg.'

'Waar denk je dan heen te gaan?'

'Leeds, Sheffield, Newcastle, ik weet niet. Daar is iedereen werkloos.'

'Je bent gek... ik zal tegen Gerard zeggen dat hij je tegen moet
houden...'

'Als je dat doet zal ik je dat nooit vergeven.'

'Maar je laat me weten waar je zit?'

'Ik zal je waarschijnlijk wel schrijven, maar niet meteen. Maak alsjeblief
nu geen scène.'

Lily sprong overeind en begon te huilen. 'Je zult me nooit schrijven, je verdwijnt gewoon, je trouwt met een meisje uit Leeds en dan krijg je een baantje op een fabriek en dan zie ik je nooit meer terug!'

Jean en Duncan, die terug waren in Londen, schenen in de ogen van hun bezorgde vrienden gemakkelijker met elkaar tot overeenstemming te komen dan iedereen had voorspeld. Ze waren allebei érg móe. Ze hadden een zware last gedragen en waren blij die nu, samen, uitgeput, neer te leggen. Er was een wederzijdse afspraak om goed voor zichzelf en elkaar te zorgen. Ze werden hierbij geholpen door een diepgeworteld en vastberaden hedonisme, dat een oude band tussen hen vormde. Weer terug bij Duncan ontdekte Jean weldra opnieuw de grondbeginselen van het genot. Ze maakten hier grapjes over. Ze sloofden zich voortdurend uit bij hun pogingen elkaar te troosten, te behagen, te verwennen. Ze vonden dat ze, na gigantische moeilijkheden te hebben overwonnen om weer bij elkaar te zijn, het verdienden om beloond te worden. Zodra het bekend was dat ze terug waren werden ze overstelpt met uitnodigingen.

Ze werden verenigd door het doel gelukkig te zijn. De genezing van diepe, zware verwondingen was een andere zaak. De vraag 'kan ik haar vergeven?' had, voor Duncan, het idee van vergeving zo troebel en complex gemaakt dat hij het niet langer kon hanteren. Er waren andere manieren om deze situatie aan te kunnen. Ze zinspeelden beiden op een precedent; ze hadden het de vorige keer verwerkt, en hadden ze het niet tamelijk gemakkelijk kunnen verwerken? Zo leek het wel, maar ze konden het zich niet meer zo duidelijk voor de geest halen. Aanvankelijk hadden ze gedacht dat ze gewoon aan hun verzoening moesten wérken, door lange gesprekken over het verleden, door de waarheid te vertellen, elk litteken te tonen, elk misverstand te onderzoeken. Maar dit uitvoerige programma van wederzijdse onthullingen bleek moeilijk te zijn, ze kregen allebei, ieder voor zich, het gevoel dat ze zich dan op glad ijs begaven. Toch praatten ze wel veel, en ze zeiden tegen elkaar dat dit heel waardevol was. Ze praatten, selectief, over wat er in Ierland was gebeurd. Dat eerste drama leek soms dichterbij, echter, rijker aan beelden dan wat er korter geleden was gebeurd, waarover nu zoveel wolken hingen. Duncan vertelde Jean, bijvoorbeeld, wat hij nooit eerder had verteld, hoe hij, toen hij in Wicklow was, daar tussen allerlei zuiplappen in een pub had gezeten. Deze evocatie van Duncans gemoedstoestand scheen voor beiden betekenis te hebben. Hij had Jean nimmer verteld, en was zeker niet van plan haar dat nu te vertellen, hoe hij Crimonds haar op de vloer van hun slaapkamer had gevonden. Dit voor Duncan zo weerzinwekkende detail, was in de loop der jaren voor hem het symbool van allerlei vuiligheid geworden, en hij was niet van plan het nog meer macht en vorm te laten krijgen door het in Jeans gedachten te brengen. Hij vertelde haar natuurlijk evenmin iets over Crimonds klap en de lange, vreselijke nasleep ervan, de schade aan zijn oog, de schade aan zijn ziel; voor deze vreselijke dingen schaamde hij zich diep. Hoewel ze veel praatten en herinneringen ophaalden, en voorzichtig met allerlei interessante gegevens kwamen, had feitelijk geen van hen veel te zeggen over Crimond. Het was alsof er, op die belangrijke centrale plek, een vreemde lacune heerste. Ze praatten voortdurend om hem heen, maar niet over hem. Ach, was het écht zo belangrijk om over hem te praten? Duncan had overtuigd willen worden, en Jean had zich voorgenomen hem ervan te overtuigen, dat haar relatie met Crimond voorgoed was afgelopen. Maar het werd duidelijk dat dit niet op een directe of eenvoudige manier kon gebeuren. Uiteraard zou de tijd het leren. Maar hoeveel tijd zou daarvoor nodig zijn, misschien de rest van hun leven? Wanneer Duncan naar haar keek, over haar nadacht, kon hij zich niet anders voorstellen dan dat ze nog steeds van Crimond hield. Zo'n hartstocht kon niet plotseling verdwijnen, maar kon slechts doodgaan door langdurig honger lijden. Hij moest het weg laten kwijnen. Maar hij vond het moeilijk rechtstreekse vragen te stellen over dit mysterie. 'Elkaar alles vertellen' had een lang en gedetailleerd verslag moeten worden van haar hele relatie met Crimond, met inbegrip van de details hoe ze precies uit elkaar waren gegaan, teneinde hun beider voldoening vast te stellen over het feit dat er nu een eind aan was gekomen. Maar daar kwam niets van terecht. Jeans gezicht kreeg zo'n wanhopige trek wanneer hij bepaalde vragen stelde, dat Duncan het niet over zijn hart kon verkrijgen door te vragen. Hij wilde weten wat ze precies tegen elkaar hadden gezegd, waaruit hun 'overeenkomst' bestond; maar Jean bleef vaag, gaf tegenstrijdige antwoorden, veranderde van onderwerp. Evenmin kon hij, in zijn gesprekken met haar, een touw vastknopen aan het verhaal over het auto-ongeluk, waar bij nader inzien toch iets vreemds mee aan de hand was. Het ene onderwerp na het andere kwam onhandig aan bod om vervolgens op de lange baan te worden geschoven. Misschien was dat de enige manier en zouden ze daarmee eens voortgang boeken. In feite boekten ze ook voortgang, maar niet via ophelderingen en waarheden. Het 'vasten en onthouden' dat Duncan in gedachten had gehad, sloeg op seks, of hield dit erbij inbegrepen. Hij had, op Boyars, geen idee gehad hoe, wanneer, of ze in staat zouden zijn weer iets van hun vroegere seksuele relatie te herstellen. Hij vroeg zich wel eens af of het dénkbaar was dat zij van Crimonds bed naar het zijne kon overstappen, of dat hij haar kon accepteren met het aura van Crimond nog om haar heen. Maar een grotere en meer onpersoonlijke kracht, waaraan ze zich beiden zwijgend en gewillig onderwierpen, maakte dat ze na verloop van tijd weer bij elkaar in bed belandden. Deze veelbetekenende hereniging werd gezegend en bespoedigd door een soort vriendelijke tederheid jegens elkaar, een verlangen te behagen, dat misschien op gepaste wijze de plaats innam van het laten zien van wonden en het vertellen van de waarheid. Ze vroegen niet: 'Houd je nog van me?' Maar de liefde was aanwezig, druk aan het werk in wat soms, nog steeds, de vreselijke puinhoop van hun vernielde huwelijk leek.

Het belangrijkste dat Duncan Jean niet vertelde, en waarvan hij dacht dat ze het niet vermoedde, was de kracht en de heftigheid van zijn haat voor Crimond. Hij sprak hierover met niemand. Er werd natuurlijk bij voorbaat aangenomen dat Duncan zijn rivaal haatte. Maar naarmate Jean en hij elkaar weer beter leerden 'kennen' begreep hij dat zij, worstelend met haar eigen herinneringen, veronderstelde dat als Crimond bij haar op de achtergrond raakte, hij dat ook bij Duncan zou doen. Dat was niet het geval. Uiteraard bleef Duncan zich afvragen of Jean werkelijk vrijwillig bij Crimond was weggegaan, en of ze niet ooit, wanneer hij maar floot, weer terug zou hollen. Dit waren twijfels en speculaties die hem voortdurend pijnigden, maar waarmee hij zou moeten leven. Zijn haat voor Crimond was iets anders, het was een obsessie die ongerept, giftig, diep in hem voortleefde als een groeiend beest dat leefde van zijn leven, ademde van zijn adem. Hij herbeleefde voortdurend de nederlaag in de torenkamer, en zijn laatste beeld van Crimond in de beschamende ontmoeting in het donker bij de rivier. De val van de trap, de val in de rivier, vreselijke beelden van zijn laffe zwakheid en zijn onzinnige, banale verdriet. Deze dingen eisten hun tol. Natuurlijk wilde hij weer samen met Jean door het leven, en zijn 'Laten we gelukkig zijn' was diep uit zijn hart gekomen. Soms leek die toekomst echt, en hij verheugde zich in haar vreugde wanneer ze samen leuke plannetjes maakten en elkaar verwenden. Maar tegelijkertijd was er een andere gebeurtenis in de toekomst waarop hij broedde als op een drakeëi, een droom die op een gruwelijke manier een voornemen dreigde te worden, over het moment waarop hij naar Crimond zou gaan om hem te vermoorden.

Ondertussen begon, in de gewone wereld, het streven naar genoegens de vorm van plannen aan te nemen. Duncan ging nog steeds naar het kantoor en zou naar een hogere positie worden bevorderd, hoewel niet zo hoog als die waarvoor Gerard had bedankt, sommigen zeiden voor was gevlucht. Maar Duncan had onlangs besloten deze 'moordbaan' af te slaan, Whitehall te verlaten om met Jean in Frankrijk te gaan wonen, zoals ze altijd al hadden willen doen. Ze zochten vaak hun toevlucht tot het bespreken van vrienden en ze waren het erover eens dat Gerard een dwaas was geweest zo'n machtspositie af te slaan, aangezien hij niets wist te doen met zijn vrije tijd en nutteloos en ontevreden was. Zíj waren anders, zíj zouden hún vrijheid gebruiken om geluk te bewerkstelligen. Er werd veel tijd besteed aan het bestuderen van landkaarten en brochures van makelaars. Ze praatten over oude boerderijen en zwembaden en de nabijheid van de zee. Ondertussen gingen ze veel uit, naar theaters en feestjes en restaurants. Ze aten en dronken goed. Jean kocht juwelen, jurken. Ze zagen Rose en Gerard redelijk veel, en gingen een avond naar een etentje in Gerards huis, dat werd georganiseerd door Pat en Gideon, waarbij Rose en Jenkin aanwezig waren, en iemand van Duncans kantoor met zijn vrouw. Gerard verklaarde dat hij zelf geen gasten meer uitnodigde sinds Pat de touwtjes in handen had genomen. Gulliver en Lily waren ook uitgenodigd, maar Lily bedankte en Gulliver liet niets van zich horen. Rose vroeg Jean en Duncan op de lunch, maar alleen Jean kwam en praatte over hun recente weekend in Parijs. Uiteraard gedroegen Duncans oude vrienden zich bijzonder tactvol en voorzichtig, maar toch bleven ze nieuwsgierige waarnemers lijken. Bij het diner had Jenkin het over Tamar en hij vertelde dat ze ziek was geweest, zonder verdere details te geven. Deze opmerking bezorgde Duncan een ongemakkelijk gevoel. Natuurlijk was hij die episode niet vergeten, maar hij herinnerde het zich slechts op de manier waarop je je iets herinnert dat je 'van je af hebt gezet'. Hij dacht er even over na en liet het daarbij. Hij had Jean er niets over verteld. Het bleef diep weggestopt als iets wat hij haar eens zou vertellen, in hun nieuwe leven, in Frankrijk, waarbij hij het heel terloops zou brengen, teruggebracht tot het bijna niets, dat het in wezen was.

Gulliver had het tot station King's Cross weten te brengen. Het was negen uur in de moren en hij was naar de dienstregeling komen kijken. Hij had zijn vertrek op de volgende dag bepaald. Hij had de morgen na zijn 'wanhoop'-sessie met Lily haastig zijn flat verlaten omdat hij bang was dat ze misschien zou opdagen om hem af te brengen van zijn voornemens. Lily arriveerde inderdaad, vlak nadat hij was vertrokken. Hij had nu enkele dagen in een goedkoop pension gelogeerd, het kon nauwelijks een hotel genoemd worden, vlakbij het station. Het was bemoedigend hoe gemakkelijk hij zich tot dusver kon schikken in deze nieuwe toestand van niemand te zijn en niets te bezitten. Hij was natuurlijk ook bang. Hij had zijn vertrek uitgesteld omdat hij nog enkele zaken met zijn huisbaas moest regelen, met de nieuwe huurder die wat meubilair van hem had overgenomen, met de man die het overgebleven meubilair en wat boeken van hem had gekocht. Deze laatste transacties brachten meer geld op dan hij had verwacht, zodat hij samen met zijn resterende spaargeld zijn nieuwe leven in ieder geval kon beginnen zonder volledig platzak te zijn.

Hij probeerde niet aan Lily te denken. Hij dacht dat hij niets kon veranderen aan het 'probleem Lily' en dat was gedeeltelijk de reden van zijn vlucht. Hij had oprecht verklaard dat hij van haar hield, hij was bijzonder geroerd dat ze zei dat zij van hem hield. Maar hij was ontzet over het gepraat over een huwelijk. Hoe kon hij ooit trouwen met iemand als Lily, die door iederen als wat belachelijk werd beschouwd, een 'rijke slet'? Hij kon het niet verdragen financieel afhankelijk van haar te zijn, hij wilde niet dat iedereen dit zou weten. Hij kon het niet verdragen dat hij geen baan had, vooral niet wanneer hij bij Lily 'rondhing' en in de nabijheid was van Gerard, wiens pogingen werk voor hem te vinden voortdurend faalden en die

Gull misschien de schuld gaf voor zijn gebrek aan succes. Hij kreeg opnieuw dat oude, kinderachtige gevoel van de buitenstaander te zijn, de mislukkeling, de nul. Hij was waarlijk 'de wanhoop nabij', 'aan het eind van zijn Latijn', en hij móest weg uit Londen, naar een volledig andere plek waar zijn geluk misschien zou keren. Gulliver meende het ernstig met zijn besluit de rol van mislukkeling te aanvaarden en 'niemand' te zijn, hoewel hij zichzelf onwillekeurig in de toekomst als 'iemand' zag, hoe arm en duister ook, die zijn talenten gebruikte en een romantisch huwelijk sloot. Misschien sloten deze beelden van zichzelf, als een late Dick Wittington, niet het 'meisje uit Leeds' uit, waar Lily op had gezinspeeld. Het noemen van Leeds had het probleem naar voren gebracht, dat hij nog niet had opgelost, van waar hij nu eigenlijk precies heen zou gaan. Met naar King's Cross te gaan had hij al een daad gesteld. – In de tussentijd had hij Frankrijk, Spanje, India, Afrika, Amerika en Australië overwogen. – Hij had besloten naar Newcastle te gaan, beïnvloed door de gedachte dat hij dan, wat hij altijd al had gewild, in de buurt van de zee zat. Zijn plannen waren niet zo onzelfzuchtig leeg als ze eerst waren geweest, hij probeerde zijn vertrek niet langer voor te stellen alsof het zijn dood was. Wat moest hij doen als hij uit het station naar buiten stapte in Newcastle, in een stad waar hij nooit eerder was geweest? Hij moest natuurlijk een goedkope kast vinden om zijn koffers neer te zetten. Hij had schoorvoetend veel kleren achtergelaten, niet bij Lily, maar in een boekwinkel waar hij altijd veel kwam. Het was een ware kwelling geweest uit te kiezen wat hij achterliet. Nou, daarna zou hij naar het plaatselijke arbeidsbureau gaan, en dan, of misschien eerst, uitpluizen waar de kleine theaters waren, de theater-workshops, de pubs die 'protest'-shows vertoonden. Zijn Equity-kaart zat in zijn zak. Mensen die zich tevreden stellen met heel weinig loon kunnen soms bij theaters terecht voor een baantje. Als hij ook maar voor enkele uren zo'n baantje kon vinden kon hij misschien ook als ober of schoonmaker wat geld verdienen. Al deze extreme situaties, die hij zeer zeker had overwogen, waren psychologisch veel moeilijker onder ogen te zien wanneer hij in Londen bleef, waar hij graag zijn stand op wilde houden en zijn toevlucht kon zoeken bij Lily. In het noorden kon hij zijn wat hij eigenlijk was geworden: een arme man die werk zocht, een werkloze temidden van lotgenoten, een man in een rij wachtenden. En als hij bereid was alles aan te pakken zou hij vast wel iets vinden.

Het was zeldzaam koud in het station, maar Gulliver droeg zijn beste dikke winterjas, een duur kledingstuk dat op de eeuwigheid was berekend en dat hij nu als het beste stuk van zijn uitrusting beschouwde. Toen hij in de verte staarde, voorbij de hoge overkapping, naar waar de rails in het grijze, vroege daglicht kwamen, zag hij dat het begon te sneeuwen. Hij liep een eindje over het perron om de sneeuw te inspecteren en werd herinnerd aan Boyars en aan het schaatsen en 'één-nul voor onze club'. Als die prachtige, triomfantelijke Lily nu eens de héle Lily had kunnen zijn! Maar hij wist dat het in de liefde anders zat. Er schoof een enorme diesellocomotief langs hem heen en hij zag de reeks wagons, mensen aan het raam, mensen, mensen, op weg naar het noorden, op weg naar het noorden. Er zwaaide een kind opgewonden naar hem en hij zwaaide terug. Het station met zijn sombere gele baksteen en zijn vage lampen onder de hoge overkapping was als één kathedraal. Het was ook, bedacht hij, een enorme stal waar de locomotieven, met hun grote gele neuzen en hun droevige donkergroene ogen, net grote, goedmoedige beesten leken. Toch waren het ook dodelijke beesten die een mens een plotselinge en zekere dood konden garanderen. Gull liep haastig terug naar het bord met de dienstregeling. Er was veel keuze in treinen en hij noteerde enkele vroege vertrektijden. Grantham, Peterborough, York, Darlington, Durham, Newcastle. Newcastle, Dundee, Arbroath, Montrose, Stonehaven, Aberdeen... Waar zou die verre trein hem uiteindelijk niet kunnen brengen? In ieder geval was het geregeld dat morgen één speciale trein hem uit zijn oude leven weg zou voeren, misschien wel voor altijd. Maar ik zit nu nog in mijn oude leven, dacht hij, ik kan me nog steeds niet voorstellen dat al deze mooie plannen, die dappere gebaren als het opgeven van mijn flat, echte keuzes zijn. Het is nog niet te laat, ik kan nog steeds terug, ik kan Lily opbellen, we kunnen samen gaan lunchen. Is het mijn geloof dat me in staat stelt naar een lijst met treinen te kijken en er een uit te kiezen? Het doet nog geen pijn, zoals een echt besluit dat doet. Ik voel nog steeds de last van mijn oude Londense leven. Ik veronderstel dat er een moment komt waarop de balans naar de andere kant begint door te slaan, en een andere omgeving en andere mensen werkelijkheid zullen worden, en Londen en Gerard en Lily een droom zullen zijn. Wanneer zal dat moment aanbreken? Als ik in de trein stap, als de trein wegrijdt, als hij daar aankomt, als ik in Newcastle op het station sta en naar de uitgang zoek, wanneer ik de straat op loop en me afvraag waar ik naar toe zal gaan? Of later, wanneer ik met iemand praat die naar me luistert, zelfs al is het maar een man in een kantoor? Of wanneer ik een vriend vind? Ach, een vriend... Misschien duurt het wel heel lang voor de balans van zuid naar noord doorslaat... of misschien gebeurt het wel heel snel. Misschien ontmoet ik in de trein iemand die mijn hele leven zal veranderen.

Onder het sissende gezoem van de treinen en de luide aankondigingen van vertrektijden en geratel van bagagewagentjes en het gekwetter van menselijke stemmen en het doelbewuste geloop van veel mensen heerste een soort stilte als een helderheid onder een nevel. Gulliver vond een bankje en na een poos roerloos te hebben gezeten begon hij zich een beetje suf, bijna slaperig te voelen. Hij dacht: ja, deze plek is als een kerk, een plek voor meditatie, of misschien is het als een Grieks-orthodoxe kerk waar je ook rond kunt lopen om kaarsjes aan te steken. Ik vraag me af wanneer de bar opengaat. Hij mediteerde nog wat verder, zag hoe zijn gedachten eerst haastig heen en weer schoten en toen ronddreven. Hij dacht: misschien ontdek ik alleen maar hoe het werkelijk is om werkloos te zijn, wanneer je moe bent van het proberen en je geeft het op en blijft gewoon zitten zonder enige wil nog iets te ondernemen of ergens heen te gaan. Ik denk dat je dan televisie gaat zitten kijken, als je het kunt betalen. Gull merkte dat er iemand naast hem op de bank zat, een man. Gulliver en de man namen elkaar even op. De man, die geen jas aan had, droeg een oude spijkerbroek en een armoedig versleten jasje over een vieze trui. Zijn gezicht was mager, zijn haar was dun maar nog bruinachtig, de stoppels op zijn gezicht en in zijn nek waren grijs. Hij omklemde iets wat een ciderfles bleek te zijn en waaruit hij af en toe een slok nam. Hij hoestte. Zijn handen, die uit te korte mouwen staken, waren rood en kapotgekrabd en opgezet, ze beefden. Zijn ogen, blauw zoals Gulliver zag toen ze in zijn richting werden gedraaid, waren waterig en roodomrand, alsof zijn oogleden binnenstebuiten waren gedraaid. Gulliver schoof instinctief bij de man vandaan. Hij wilde iets tegen hem zeggen maar kon niets bedenken. Hij voelde zich nijdig en geschrokken en geïrriteerd.

Ten slotte begon de man. 'Koud, nietwaar?'

'Ja.'

'Dat komt door de wind.'

'Ja, dat komt door de wind.'

'Sneeuwt ook, hè?'

'Ja.'

Er viel een stilte.

'Geloof je in God?'

'Nee,' zei Gulliver, 'en jij?'

'Ja, maar niet in logica.'

'Waarom niet in logica?'

'Als er een God bestaat zou alles oké moeten zijn, toch? Maar het is een klerezooi. We zijn een stel klootzakken. Jij en ik, zoals we hier zitten, wij zijn een stelletje slechte klootzakken.'

'Ik geloof niet dat we slecht zijn,' zei Gulliver. 'We hebben pech.'

'Pech, moet je hém horen. Nee ik heb geen pech, ik ben gewoon een zeldzame rotzak. Daarom geloof ik in God.'

'Waarom?'

'Wat anders? Het moet wel. Door alle zonde moet je wel. Dáár weet ik alles van. Als ik niet in God geloofde zou ik me voor de trein gooien. Waar moet jij eigenlijk naartoe?'

'Ik ga naar Newcastle om werk te zoeken.'

'Newcastle? Ben je gek? Daar is geen werk te vinden, alleen een zooi van die klere noorderlingen, en die slaan je direct verrot.'

'Ik neem aan dat jij ook geen werk hebt,' zei Gull. Rare vraag natuurlijk, maar de toon van die man beviel hem niet, en hij had ook aan die noorderlingen gedacht.

'Werk? Wat is dat? Het enige werk dat ik doe is me af te vragen waar ik 's nachts ga maffen.'

'Waar woon je?'

'Wonen, doe ik dat? Dat doe ik nu hier.'

'Je bedoelt...?'

'Hier op dit klere station. Ik moest steeds verkassen, weet je, want ze krijgen je in de gaten. Paddington, Victoria, Waterloo, het is één pot nat, ze schoppen je d'r uit en je moet rond blijven zwalken tot er iets opengaat. Zelfs de pubs laten je niet meer binnen als je zo smerig bent als ik. En dan heet het hier Engeland!'

'Heb je geen familie?' vroeg Gulliver wanhopig.

'Familie? Die zeiden ''hoepel op'', en ik hoepelde op! Als je eenmaal aan lager wal raakt gaat 't hard hoor, dan kun je nooit meer terug. En als je op de bodem bent beland... nou, daar is het donker hoor. O God. Ik krepeer nog es van de kou en dan ben ik er geweest. Geloof jij in de hel?'

'Ja. Die is hier.'

'Je hebt helemaal gelijk, maat.'

Er daalde een dodelijke somberheid over Gulliver neer. Waarom moest hij deze vreselijke deerniswekkende man treffen? Dan kun je nooit meer terug. Misschien word ik later ook zo, dacht hij, misschien wel sneller dan ik denk, dit moet mijn *alter ego* zijn, iets afschuwelijks en profetisch dat uit mijn onderbewuste is gekropen en nu naast me zit! Waarom moet hij zich zo aan mij vastklampen? Hij maakt niet alleen dat ik me ellendig ga voelen, maar slecht, een zeldzame rotzak zoals hij zei. De balans die moest doorslaan naar iets goeds, in ieder geval naar een fatsoenlijk middelmatig leven, slaat misschien in díe richtig door, waarbij je jezelf niet alleen in jezelf haat maar ook in de andere mensen! Misschien is hij wel net zo onschuldig als Christus, maar hij maakt al het slechte in me los. Waarom heb ik geen medelijden met die gozer? Dat lukt me gewoon niet, en natuurlijk is hij niet zo onschuldig, hij heeft de pest aan mij en ik aan hem. Ik ben in staat hem onder een trein te duwen.

Toen kwam er een vreselijke gedachte bij Gulliver op. Hij hoorde die man zijn dikke winterjas te geven! Die gedachte, die heel plotseling opkwam, leek als door een vreemde kracht ingegeven. Misschien had hij hier met een demonische kracht te maken. Want die vreemde gedachte had niets te maken met goedheid, het was een obsessie, een bijgelovigheid, een soort chantage. Tenzij hij zijn jas wegschonk zou hij alle soorten tegenslagen krijgen te verwerken, hij zou nimmer een baan vinden, hij zou aan de drank raken, hij zou uiteindelijk net zo aan lager wal raken als het spookbeeld naast zich.

Terwijl, als hij zijn jas weggaf aan deze onheilsprofeet alles goed zou komen en hij zorgeloos verder kon leven. Het beslissende moment was aangebroken. Ik geef 'm niet, dacht hij, het kan me geen steek schelen wat er gebeurt! Ik zou natuurlijk een andere jas kunnen kopen maar zo eentje als deze is me nu veel te duur, zoveel kan ik niet meer betalen, bovendien hóud ik van deze jas, het is míjn jas, waarom moet hij die hebben, hij zou 'm toch maar verkopen om geld voor drank te hebben! Maar aan de andere kant, stel dat hij geen demon is, of *alter ego*, stel dat hij Christus zelf is, die mij op de proef komt stellen, of verdomme, stel dat hij gewoon is wat hij lijkt, een zielige arme zuiplap zoals ik misschien ook nog eens word, dat hij gewoon zichzelf is, gewoon een zielige, toevallige vreemdeling? Ik wou dat ik nooit aan die jas had gedacht, ik wou dat ik 'm nooit had gezien, maar nu ik er toch aan heb gedacht, moet ik 't dan niet doen?

Gulliver stond op en knoopte zijn jas los. Hij stak zijn hand in zijn zak en haalde zijn portefeuille te voorschijn. Hij deed de portefeuille open en haalde er een biljet van vijf pond uit. Hij gaf het aan de man die dit scheen te verwachten, en zei: 'Hier, da's voor jou, het beste met je.' Daarna stopte hij de portefeuille weer weg, maakte zijn jas dicht en stapte nijdig weg. Hij werd verteerd door ellende en woede en angst. Toen hij een eindje had gelopen draaide hij zich om. De man was verdwenen, waarschijnlijk om elders drank te halen en zijn leven nog iets meer te bekorten. Gulliver wenste dat hij de man zijn jas had gegeven, of liever gezegd, hij wenste dat in een ander, ideaal leven een andere Gulliver, die hij beslist niet zelf was, in staat was geweest spontaan een goede daad te verrichten zonder zich te vernederen tot bijgelovigheid. Hij ging op een andere bank zitten, deed zijn ogen dicht en begroef zijn hoofd in zijn handen.

Na een poosje deed hij, nog steeds krampachtig en wanhopig, zijn ogen en keek ongelukkig tussen zijn vingers door naar het kleine stukje smerig beton onder zich, dat bezaaid was met sigarettepeuken en snoeppapiertjes. Hij bleef er enige tijd naar staren. Toen haalde hij zijn handen weg en ging iets meer rechtop zitten. Er lag iets vreemds, ter grootte van een pingpongballetje, onder zijn bank. Gulliver vroeg zich af wat het was. Nog steeds zittend stak hij zijn hand onder de bank maar hij kon het kleine ding slechts met zijn vingertoppen aanraken. Het rolde weg. Hij dacht: ik ben vandaag behekst, ik moet dat ding te pakken krijgen, wat kan het in hemelsnaam zijn? Hij stond op en tuurde onder de bank. Het ding had weer bewogen, was waarschijnlijk per ongeluk opzij geschopt door voorbijgangers. Gulliver knielde neer en probeerde het weer te pakken te krijgen, maar het lag nu verder weg, in de open ruimte, waar er elk moment op kon worden getrapt. Hij schoot er angstig achteraan, dook omlaag en greep het, en bleef ermee in zijn hand staan. Toen hij zag wat het was bleef hij er onthutst en verbaasd naar kijken.

Duncan bekeek een hamer. Het was een oude, vertrouwde hamer met een zware kop en een korte, dikke, veel gebruikte houten steel. De gevlamde steel was glad door het vele gebruik en aan het einde een beetje afgesplinterd. Hij had een goede balans. Duncan kon zich herinneren hoe zijn vader de hamer had gebruikt in een kleine werkplaats in de tuin, waar hij als hobby meubels opknapte. De hamer was met Duncan meegereisd, naar zijn vrijgezellenflat, later in zijn huwelijk, een vriendelijke, bruikbare, oude hamer, die altijd zijn bescheiden plaatsje vond in een passende lade, altijd bij de hand, klaar om vloerbedekking vast te spijkeren of een schilderij op te hangen. De kop, met de stevige, glimmende neus, was aangenaam rond, alsof hij was glad gesleten, alsof hij duizenden jaren in de zee had gelegen; hij leek op een donkere, glanzende, oude steen. Duncan liet de kop in zijn hand rusten, voelde hoe stevig hij was, streelde hem met zijn palm, gleed vervolgens met zijn vingers over de warme, gladde, houten steel. Het was goed, oud stuk gereedschap met een vriendelijk gezicht, nederig, trouw. Hij had het uiteinde van de steel voorzichtig afgeschuurd met schuurpapier. Hij legde hem op de keukentafel en keek ernaar. Het was nooit eerder een voorwerp van overpeinzingen geweest. Hij zag er primitief uit, onschuldig, een rustig symbool van een bescheiden, ijverig werktuig. Hij legde het in de la. Hij haalde uit zijn zak een brief te voorschijn die hij twee dagen geleden had gekregen en vele malen had gelezen. Het was een korte brief en hij luidde als volgt.

Er is een onafgedane kwestie tussen ons.
Als je die wilt afhandelen moet je volgende week vrijdagmorgen naar dit
adres komen, om elf uur.

D.C.

Deze brief was twee dagen geleden aangekomen. Duncan had direct geantwoord dat hij de uitnodiging accepteerde. Hij had er tegen niemand iets over gezegd. Het was nu woensdag.

Jean was erbij geweest toen hij, aan het ontbijt, niets vermoedend de getypte envelop had geopend. Hij had zijn emoties weten te beheersen en de brief snel in zijn zak gestopt. Zijn eerste sensatie was angst geweest, de tweede vervoering. Hij leefde nu in staat van extreme, angstige opwinding. Hij had uiteraard alle mogelijke verklaringen overwogen, met inbegrip van de meest onwaarschijnlijke, zoals dat Crimond een soort verzoening wilde bewerkstelligen. Zo'n opzet was strijdig met elke logica, maar Crimonds briljante, waanzinnige geest trok zich niets aan van logica. Uiteindelijk waren Crimond en hij eens vrienden geweest, zelfs, binnen het geheel van de groep, heel goede vrienden, in de ver verwijderde maar eeuwig van betekenis blijvende dagen in Oxford. Misschien was Crimond hem blijven mogen, had hij het zelfs, als van man tot man, jammer gevonden dat ze gescheiden waren door een vrouw. Mannen die dezelfde vrouw lief hebben gehad kunnen in de loop der jaren een band gaan voelen. Zo'n band kan diverse grondslagen hebben, waarvan minachting voor de vrouw in kwestie er één kan zijn. Er is een relatie denkbaar, die aan de ene kant uit ridderlijke overgave bestaat en dankbaar bezit aan de andere. Er kan ook een gedeeld verlies en romantische nostalgie zijn, die wederzijds wordt beleefd. Langs deze weg verder redenerend, want hij had vanzelfsprekend in die tussentijd aan niets anders gedacht, kon Duncan zich zelfs voorstellen dat wat Crimond wilde een gezellig babbeltje was, een gesprek van mannen onder elkaar, waarin ze beiden hun relatie met Jean de revue lieten passeren en uiteindelijk tot de conclusie kwamen dat ze allebei tevreden waren met de situatie zoals die nu was en ze elkaar niet langer als vijanden hoefden te beschouwen. Ze konden zelfs afspreken elkaar zo nu en dan te treffen, samen iets te drinken, misschien te biljarten of te schaken. Maar hoe radeloos hij ook in die tussenliggende dagen mocht zijn geworden, toch was Duncan nog niet zo gek dat hij dit beeld serieus overwoog. Het was al moeilijk voor te stellen dat Crimond in zo'n stemming verkeerde en het was nog veel moeilijker te geloven dat hij dacht dat Duncan er in mee zou gaan.

Nee. Deze invitatie betekende oorlog, hij stuurde aan op een confrontatie. Maar wat voor een? Kon Crimond een soort agressieve zelfrechtvaardiging overwegen? Was het mogelijk dat hij in Duncans beeld van hem geen al te slecht figuur wilde slaan? Hij zou niet willen dat Duncan hem beschouwde als een gemene, verachtelijke rat, hij wilde misschien uitleggen hoe onvermijdelijk het allemaal had geleken, hoe welsprekend Jean haar huwelijk als mislukt, onbelangrijk, in ieder geval als nagenoeg afgelopen had afgeschilderd. Dit was eveneens moeilijk voor te stellen en zou een soort zwartmakerij van Jean inhouden, haar opofferen in het belang van een goede verstandhouding met Duncan, wat totaal niet in overeenstemming leek met Crimonds karakter. Het was even onwaarschijnlijk te veronderstellen dat hij Duncan wilde demonstreren hoe weinig het hem kon schelen dat Jean was vertrokken, hoe opgelucht hij was, misschien te verklaren dat hij haar vierkant de deur uit had gezet, om aldus elk beeld van zichzelf als verslagen man uit te wissen. Crimond was veel te arrogant, misschien ook te veel heer, om zich te verlagen tot zo'n rechtvaardiging, hoe uitdagend deze ook mocht klinken. Duncan kon zich eigenlijk geen enkel gesprek tussen hen voorstellen. Hij was in elk geval vastbesloten zo'n gesprek niet te laten beginnen, en hij wist zeker dat Crimond dit evenmin van plan was. Dit buitensluiten liet slechts de mogelijkheid open voor een soort gevecht... maar opnieuw: wat voor gevecht?

Het was zeer wel mogelijk dat Crimond zijn moed op de proef stelde. Als Duncan weigerde te komen zou Crimond hem verachten en Duncan zou weten dat hij werd veracht. Indien Duncan accepteerde zou Crimond er in kunnen slagen hem te vernederen of angst aan te jagen. Uiteraard overwoog Duncan het onwaardige, werkelijk verachtelijke idee er met een lijfwacht heen te gaan. Dit was man tegen man en hij kon er veilig van uitgaan dat Crimond hem net zoveel haatte als hij Crimond. De geminachte, en lachwekkende echtgenoot. Duncan herinnerde zich Jeans verhalen over Russisch roulette, die ze had beschreven als zowel manieren om iemands moed op de proef te stellen als uitvoerige vertoningen. Jean had niet gedacht dat de pistolen waren geladen, maar het was ook duidelijk geweest dat haar gevraagd werd het risico te nemen. Uit iets wat Jean had gezegd, natuurlijk niet in antwoord op enige vraag van Duncan, bleek dat Crimond nog steeds met pistolen speelde, of ze in ieder geval bezat. Stel dat in dit geval de pistolen geladen waren, stel dat Crimond domweg van plan was Duncan te vermoorden om vervolgens voor te wenden dat het een ongeluk was? Liep Duncan niet regelrecht in een val, bood hij zich niet nodeloos aan als doelwit voor een man die hem haatte? Het was in ieder geval duidelijk dat wat voor grimmige drama's hij zich nu ook mocht voorstellen, hij onmogelijk kon weigeren in te gaan op deze uitdaging. Stel dat Jean, later, op de een of andere manier zou ontdekken dat hij het niet had aangedurfd?

Duncans opgehitste geest ging verder met allerlei uitzonderlijke en ingenieuze manieren te bedenken waarop Crimond van plan kon zijn hem in de val te laten lopen en hem te kwellen. Het meest verschrikkelijke vooruitzicht was dat van vernedering, vastgebonden te zijn, misschien met handboeien, en gemarteld te worden tot hij om genade smeekte. Die kamer kon allerlei valstrikken bevatten. Nou, hij zou zich verstandig gedragen, hij zou niet tegenstribbelen, hij wilde geen ernstige verwondingen of extreme pijn riskeren, hij zou capituleren en zeggen en doen wat er van hem werd gevraagd. Toen Duncan zich zulke beelden voor de geest haalde kromp hij ineen van woede en ellende. Na zoiets zou het voor Duncan onmogelijk zijn verder te leven zonder Crimond te vermoorden. Hier zocht hij zijn toevlucht tot oude bekende, nu bijna afgezaagde fantasieën over hoe hij op zekere dag zijn rivaal te gronde zou richten.

Duncan besefte terdege dat Crimond een staalharde eigenschap bezat, een soort krankzinnige roekeloosheid, waaraan het Duncan, hoe heftig zijn emoties ook waren, hoe hevig zijn haat, eenvoudig ontbrak. Maar welk spel het ook mocht zijn, Crimond zou het waarschijnlijk winnen; en Duncan besefte dat hij zelfs, hoe verachtelijk, vertrouwde op Crimonds redelijkheid, of op het een of andere hypothetische gevoel voor fatsoen dat een te grove behandeling van de gehate echtgenoot moest voorkomen. En hier aangekomen verviel hij weer in versleten hypothesen over onvoorstelbare gesprekken. Eén ding dat Duncan zich stellig voornam was te proberen het initiatief niet uit handen te geven. Hier was het beeld niet erg duidelijk of veel goeds voorspellend. Een heel kort gesprek moest duidelijk maken waar het om ging. Daarna zou Duncan zich op zijn tegenstander werpen, zoals hij in de toren had gedaan, vertrouwend op zijn gewicht en een snelle houdgreep om te voorkomen dat Crimond welk duivels voorwerp dan ook in de strijd mocht willen brengen. Dus zou hij vechten, maar niet volgens Crimonds regels. Als onderdeel van dit scenario had Duncan de vorige dag een mes gekocht. Hij had zich uitgegeven voor een boekbinder die een lang, scherp mes zocht, met een smal lemmet dat in de rug van een groot boek paste, een niet al te flexibel mes met een scherpe punt, dat met een veer opensprong. Hij had overwogen zich met een revolver te wapenen maar had die mogelijkheid weer van zich afgezet. Het was niet eenvoudig er op zo'n korte termijn een te pakken te krijgen en het leek hem als wapen onhandig. Een mes zou onverwacht zijn en van dichtbij effectiever. Naarmate dit treffen naderde merkte Duncan dat zijn gedachten niet zozeer op moord bleven rusten als wel op ernstig lichamelijk letsel. Het was in dit verband dat hij toen aan de hamer dacht. De verbrijzelde knieschijf, de verpletterde rechterhand, het oog tot pulp geslagen, Crimond in een rolstoel, Crimond blind. Wanneer zo'n Crimond nog in leven was zou Duncan uiteraard nooit meer rustig kunnen slapen. Aan de andere kant kon hij een aanklacht wegens doodslag verwachten, met alle daaraan verbonden consequenties die hij in zijn radeloze toestand nauwelijks meetelde. De leverancier van het mes kon zich herinneren dat hij het mes had verkocht. Enkele welgemikte hamerslagen die uit volle kracht werden toegediend konden blijvend letsel toebrengen, maar konden later, wanneer Crimond, bloedend en alleen, werd gevonden, toch doorgaan voor een soort ongeluk; maar ook hier, onder volledig andere omstandigheden, bleek Duncan opnieuw afhankelijk van Crimonds edelmoedigheid! Hij moest ook rekening houden met Crimonds trots, zijn ijdelheid, zijn onwil om zo publiekelijk het slachtoffer te worden van de man die hij onrecht had aangedaan. Terwijl Duncan in zijn kantoor aan het werk was en thuis met Jean een zich rustig herstellend leven leefde, werd zijn geest bevolkt door deze bloedige spookbeelden en kreeg hij af en toe het gevoel dat hij zijn verstand aan het verliezen was.

Na een korte tijd begon het Duncan voor te komen dat Crimonds brief een teken bevatte. Hij was, door het noodlot, op het juiste moment gearriveerd. Dit gevoel hield op duistere wijze verband met wat er nog steeds scheef zat, soms dacht hij wel onherroepelijk scheef zat, tussen Jean en hem. Het leek niet duidelijk wat er nu precies scheef zat. Met wat wel duidelijk was konden ze leren leven. Te zeggen dat hij Jean 'vergaf' was wat oppervlakkig uitgedrukt. Nou ja, hij vergaf haar natuurlijk wel, maar dat vormde slechts een onderdeel of een aspect van een enorme ballast, zo groot als de wereld, die hij, door met haar te leven, aanvaardde. Hij aanvaardde de pijn, de schipbreuk van hun levens, de eenzaamheid en de puinhopen in hun hart, zelfs de mogelijkheid dat ze misschien weer weg zou lopen. Hij accepteerde alle dingen die hij niet wist en nooit te weten zou komen over haar relatie met Crimond. Het was als God te vragen de zonden te vergeven die je had vergeten naast die welke je je nog herinnert. Hij gaf weldra het probleem op over de vraag of zij Crimond had verlaten of dat Crimond haar had verlaten, het werd meer wat quasi-diepzinnig gefilosofeer dat uiteindelijk leeg bleek te zijn. Misschien wist Jean het niet, misschien wist God het niet. Hij probeerde niet langer uit te vissen wat er nu precies die nacht was gebeurd toen Jean op Boyars was gearriveerd, na haar auto op de verkeerde rijbaan total-loss te hebben gereden. Hij luisterde naar het weinige dat ze zei, en stelde een paar vragen. Jean was opgelucht en dankbaar, haar liefde werd nieuw leven ingeblazen door opluchting en dankbaarheid en door hun vernieuwde wereld samen. Ze was niet gelukkig maar ze dachten allebei dat ze bijna gelukkig was. Ze zou gelukkig worden. Hij speculeerde niet te veel over haar gedachten. Hij was niet gelukkig, maar zou gelukkig worden. Al hun gepraat over wonen in Frankrijk, de boeken die ze opensloegen en de kaarten die ze bestudeerden vormden het symbool, niet de substantie van hun toekomstige geluk. Soms vroeg hij zich af of ze er verkeerd aan deden gelukkig te willen worden of te verwachten het te zullen zijn, zoals ze dat eens waren geweest; maar wáren ze het wel geweest, misschien misleidde hun herinnering hen, of was het dát niet? Misschien hadden ze het verkeerde concept te pakken. Misschien waren al deze gedachten, al deze analyses waar ze zich allebei aan overgaven, niet meer dan een misvatting, een substituut voor een wezenlijk bestaan in het heden? Hun huidige bestaan – en hier waren ze het eveneens stilzwijgend over eens – leek dikwijls een *ad hoc* hedonisme dat de werkelijke problemen naar elders verschoof. Dit vervelende dualisme scheen, na de eerste opwinding, zelfs door te dringen tot hun hernieuwde seksuele relatie die, hoewel ogenschijnlijk verbluffend bevredigend, plaats vond in een nevel van angst en spanningen. Ze zeiden hierover niets, uit vriendelijkheid jegens elkaar. Ze dachten dat de tijd hen zou genezen, dat de liefde hen zou genezen, dat de liefde zichzelf zou genezen, dat juist hier plaats was voor geloof en hoop. Tegelijkertijd besefte hij dat er iets mis was, iets waarmee ze geen rekening hadden gehouden, een ontbrekend gegeven dat het probleem niet alleen onoplosbaar maar ook ongrijpbaar maakte. Pas na de komst van Crimonds brief besefte Duncan dat het ontbrekende gegeven gewoon het feit was dat Crimond nog in leven was.

Dit was beslist geen eenvoudige zaak. Het had niet zoveel te maken met veronderstellingen over Crimonds mogelijke verschijning op hun stoep, of Jeans mogelijke terugkeer naar hem. Het had meer te maken met de val van de trap in de toren, zelfs met de val in de rivier. Maar nogmaals, het was niet alleen maar een simpele behoefte aan wraak. De hele wereld was uit haar verband gerukt en er was een radicale verandering nodig. Rationeel gesproken kon Duncan zich niet voorstellen dat 'alles beter zou worden' als hij Crimond vermoordde. Als hij werkelijk deze moord beging, of deze mishandeling, kwam hij in de gevangenis terecht, en als hij niet werd gegrepen zou hij worden verteerd door gevoelens van schuld en angst. Hij had niet het idee dat hij Jeans zoiets verschuldigd was; hij besefte zelfs dat Jean hem, juist hierover, misschien eeuwig zou haten, en het was typerend voor de mate van zijn obsessie dat hij weinig aandacht besteedde aan deze mogelijkheid. Deze behoefte deed zich voor als een zeer dringende taak of als het verlichten van een kwellende fysieke aandrang: er móest iets aan Crimond worden gedaan! Toen Crimonds brief kwam vond Duncan de bewoordingen direct heel passend. 'Onafgedane kwesties' was precies dat wat er tussen hen bestond; dat vond híj ook.

Zo kwam het dat hij uitkeek naar hun ontmoeting als naar iets onontkoombaars en noodzakelijks, zonder enig idee te hebben hoe het zou zijn. De hamer, het mes, waren misschien slechts blinde symbolen. Hij moest nu nog de tijd zien door te komen tot het vrijdag werd.

Op donderdagmorgen kreeg Jean onverwacht bezoek.

Jean voelde zich dikwijls erg, erg moe. Onder de dingen die ze haar man niet volledig had onthuld waren ook de voortdurende fysieke gevolgen van het auto-ongeluk. Ze was na haar terugkeer naar haar dokter en naar het ziekenhuis geweest. Het is natuurlijk wel zo, kreeg ze te horen, dat je niet moet verwachten dat je met je auto over de kop kunt slaan om er slechts met een verstuikte enkel van af te komen! Er was in haar ruggegraat iets verschoven, haar schouder was wat stijf, niets ernstigs, maar ze moest wel direct fysiotherapie ondergaan. Had ze geen pijn? Nee, haar mentale leed had haar voor enige tijd uit haar lichaam gehaald, waarin ze nu terugkeerde. Ze ging naar het ziekenhuis voor warmtebehandelingen en om te zwemmen, als in een rare droom, in het warme water van het zwembad van het ziekenhuis. Het is een poel van tranen, zei ze tegen zichzelf, maar niet tegen Duncan. Ze deed oefeningen. De enkel genas, haar schouder voelde beter, maar nu had ze overal pijn en voelde ze allerlei steken door haar hele lichaam. Ze was te trots om Duncan lastig te vallen met deze laag-bij-de-grondse zaken, ze maakte er hoogstens grapjes over, omdat hij nu eenmaal wist dat ze naar het ziekenhuis ging. Ze praatten lachend over een reis naar Baden-Baden, zelfs naar Karslbad, wanneer het voorjaar aanbrak.

Ondertussen ondervond Jean, op dat andere vlak, eveneens de tegenstrijdigheid, maar ook het noodzakelijke verband, tussen analyse en hedonisme. Ze vond verlichting in beide, maar toch kon niets haar verlichting bieden van haar diepere, geestelijke ziekte, haar liefde voor Crimond, waarvan ze moest proberen, en hopen, dag na dag, uur na uur, te herstellen. Ze probeerde zich soms te herinneren hoe het de vorige keer was geweest. Had ze het toen echt geprobéérd... of had ze het ding gewoon intact gehouden, ver weggestopt als een virus of een embryo, levend bewaard in een mysterieus potje in een verborgen kast? Zou het nu ook zo gaan, of moest het ding eindelijk zijn ondergang tegemoet zien, moest het sterven, zou het sterven? Net als Duncan – want ze was als hij, was misschien geworden als hij, haar gedachten als zijn gedachten, haar manier van spreken en redeneren als zijn manier van spreken en redeneren – vroeg ze zich soms af of ze het probleem niet goed onder ogen had gezien, of ze het wezen ervan had verduisterd door een verkeerd concept. Maar waarom die vraag eigenlijk gesteld? Wat er nu toe deed was dat ze van Duncan moest houden en gelukkig moest zijn. In dit licht kon het verlies van Crimond bijna iets mechanisch lijken, een onvermijdelijke gebeurtenis die nu voorbij was en die de loop van haar leven niet radicaal had veranderd. In deze stemming klampte ze zich vast aan bepaalde herinneringen, teneinde daar kracht uit te putten: Crimonds herhaalde uitspraak dat hun liefde 'onmogelijk' was, en, wat haar heel veelzeggend leek, zijn kreet, op de Romeinse weg, van 'grijp je kans!' Nou, haar kans was ook zijn kans geweest, en ze geloofde wat hij zei. Zijn brute manier van vertrek moest opzettelijk zijn geweest, een bezegeling van hun uiteengaan. Ze werd geholpen door haar geloof in zijn oprechtheid. Het was afgelopen en het moest afgelopen zijn. Er was nu geen herleving mogelijk. Hij had zijn vrijheid nodig en zij moest leren die van haar nodig te hebben. Maar de ziekte was ernstig en het genezingsproces verliep langzaam.

Duncan was naar kantoor gegaan. Hij had zijn ontslag nog niet ingediend, maar dat zou binnenkort gebeuren. Dit was een interimperiode, een adempauze. Zelfs de flat, die ze van plan waren te verlaten, begreep dit, hoewel Jean schoonmaakte en opruimde zodat alles bijna als vanouds leek. Er was iets voorlopigs aan hun huidige manier van leven, ze zagen dit in en overtuigden elkaar ervan dat een verhuizing naar elders hen beiden goed zou doen en nieuwe levenslust zou schenken. Jean had een verhaal over de Provence zitten lezen, over hoe ze het skelet van een olifant hadden gevonden, die een van Hannibals olifanten moest zijn geweest, toen de bel van de voordeur ging. Ze liep naar de deur om open te doen. De persoon die buiten stond was Tamar.

Jean had sinds haar terugkeer naar Duncan Tamar niet meer gezien, zelfs niet aan haar gedacht, hoewel ze zich nu herinnerde dat iemand haar had verteld dat Tamar ziek was. Ze was blij haar te zien.

'Tamar! Kom binnen, wat ben ik blij je te zien! Ben je weer beter? Ik had gehoord dat je ziek was. Het spijt me dat ik je nog niet had uitgenodigd. Duncan en ik hebben het erg druk gehad. Kom binnen, kom binnen, ga zitten. Is het erg koud buiten? Laat me je jas nemen. Gelukkig is die sneeuw weer verdwenen. Wil je een kopje koffie, of iets anders te drinken? Je kunt hier lunchen als je zin hebt om te blijven.'

'Nee, dank je,' zei Tamar en ze gaf haar jas af. Ze liet haar handtas op de vloer ploffen.

Jean zag meteen dat Tamar was veranderd. Ze was magerder en zag er bleker en ouder uit, ze leek zelfs langer. Haar teint, die meestal zo verfijnd transparant was, leek nu dikker en grauwer. Er zaten donkere kringen onder haar grote, bruingroene ogen. Ze droeg haar gebruikelijke jasje en ook een versleten coltrui, waar haar verwarde haar slordig overheen viel. Ze keek op een onrustige, geprikkelde manier om zich heen.

'Waar is Duncan?'

'Die is naar kantoor,' zei Jean. 'Hij zal het jammer vinden dat hij je is misgelopen. Je moet gauw eens een avondje langskomen als hij ook thuis is. Ga alsjeblieft zitten en vertel me hoe het met je gaat.'

Tamar ging op de sofa bij de haard zitten en Jean ging tegenover haar zitten, min of meer opgelucht dat ze door de problemen van een ander die van zichzelf even kon vergeten.

'Zijn de colleges in Oxford al afgelopen? O sorry, ik vergat even dat je uit Oxford weg bent. Je bent ziek geweest?'

'Ja.'

'Maar je bent nu weer beter? Hoe gaat het met je baan? Ben je weer aan het werk?'

'Ja. Het gaat goed met mijn baan.'

'Laat me je iets aanbieden, wil je koffie, sherry, koekjes?'

'Nee, dank je. Heeft Duncan je over mij verteld?'

'Over je ziekte? Nee. Maar vertel jij me dat eens.'

'Heeft hij het je niet verteld?'

'Nou... eh... nee... wat bedoel je?'

'Dan kan ik het je maar beter zeggen want hij moet het later toch ook vertellen.'

'Waar heb je het in vredesnaam over?' vroeg Jean.

'Duncan en ik... we hebben een verhouding gehad.'

'Wát?'

'Nou ja, geen echte verhouding, maar we hebben een nacht... niet een nacht, maar een avond... één avond... en toen werd ik zwanger... tja, hij weet dat niet, tenminste ik denk dat hij het niet weet tenzij het bekend is geworden... ik heb natuurlijk niemand iets verteld, maar Lily Boyne weet ervan en ik denk dat zij het toch verder kletst, ze is het soort vrouw dat dat zou doen...' Tamar bracht dit verhaal op een wat zangerige, nuchtere, ietwat geïrriteerde toon terwijl ze voortdurend om zich heen bleef kijken. Af en toe vertrok haar gezicht en kneep ze haar ogen dicht alsof er een pijnlijke kramp door haar heen schoot.

'Wacht eens even,' zei Jean. Jean had vrijwel meteen haar zelfbeheersing terug. Ze streek haar jurk glad en vouwde haar handen. Ze voelde zich koelbloedig en ijzig kalm. 'Tamar, is dit waar? Je verbeeldt je niets? Je bent ziek geweest, weet je.' Jean dacht niet dat Tamar aan waanvoorstellingen leed, maar ze wilde haar even afremmen en zich duidelijker uit laten drukken.

'O, het is echt waar,' zei Tamar, nog steeds op haar nerveuze en wat dromerige manier. 'Ik wou dat het niet waar was. Alleen die ene nacht... avond. En ik werd zwanger. Is dat niet vreemd?'

'Maar dat kan toch niet... Duncan kan geen...'

'O ja, dat kan hij wel, geloof me!' Dit werd opeens agressief, bijna rauw gezegd.

'Je moet je vergissen... bén je zwanger?'

'Nee, het is weg, het is weg, ik heb het weg laten halen.'

'Tamar, liefje, alsjeblieft, ik ben heus niet boos op je...'

'Het kan me niks schelen als je het wél bent,' zei Tamar, 'Dat zal me een zorg zijn.'

'Je zei dat je het kind weg hebt laten halen?'

'Ik heb een abortus gehad... als de gesmeerde bliksem... het is weg... maak je maar geen zorgen.'

'Wil je me dit verhaal alsjeblieft nog eens van voren af aan vertellen? Wanneer is het begonnen? Je zei dat jullie een verhouding hadden?'

'Nee, dat heb ik niet gezegd... nou ja, ik zei het, maar het is geen goede omschrijving... het gebeurde allemaal op een moment, gewoon die ene keer... ik probeerde hem te helpen, te hélpen... ik wilde aardig voor hem zijn... en toen dacht ik dat ik van hem hield... en hij was zo verdrietig dat hij met me naar bed ging... het was misschien maar een uurtje of zo... hij had er later spijt van.'

'Hoe weet je dat?'

'Hij vermeed me, hij heeft nooit meer iets tegen me gezegd.'

'Je hebt hem nooit verteld dat je zwanger was?'

'Nee.'

'Waarom niet?'

'Omdat het mijn zaak was,' zei Tamar agressief.

'Weet je zeker dat het kind van hem was?'

Tamar zweeg even en wierp toen een woedende blik op Jean, die ze nog niet had aangekeken sinds ze de kamer was binnengekomen. 'Dus jij denkt dat ik met allerlei mannen naar bed ga, dat ik het altijd doe, misschien wel elke nacht?'

'Het spijt me. Ik ben gewoon erg verbaasd over dit alles. Ik moet het even duidelijk voor me zien.'

'Ik vertel het je toch duidelijk. Dacht je dat ik zou liegen over het meest belangrijke dat me ooit is overkomen? Hééft Duncan het verteld?'

'Néé. Maar Tamar, het kind...'

'Het is weg, het is dood.'

'We hadden het kunnen adopteren.'

Tamar sprong overeind. Ze bleef even staan met haar mond open en haar hoofd vreemd opzij, met één opgetrokken schouder. Toen gilde ze het uit. Het was een luide gil, als een roep. Ze pakte haar jas en bleef ermee in haar handen staan. Ze zei, met een vreemd hoge stem: 'Wat reuze aardig van je. Maar het was míjn kind, mijn kind waarmee ik kon doen wat ík wilde. Ik was niet van plan het aan jou te geven, zodat jíj ervan kon houden. Het had net zo goed geen vader kunnen hebben. Het was van míj. Ik had jouw toestemming niet nodig! Alles moest voor jóu geregeld worden, zodat Duncan en jij weer bij elkaar konden komen, dat wilde iedereen, daarom wilden ze dat ik naar Duncan ging, alsof ik jouw dienstmeid was, of zo. Ik werd verondersteld te hélpen, en toen gebeurde er dat, en ik kon het aan niemand vertellen want dan zou ik het voor jou bederven, maar nu je terug was móest ik naar je toe gaan omdat ik je vroeger zo graag mocht en ik dacht dat je het wist, en het is allemaal zo vréselijk voor me geweest...'

'Alsjeblieft,' zei Jean. 'Ga alsjeblieft zitten... wees kalm...' Tamars hysterische bibberstem en wat zo zojuist had verteld maakten Jean erg bang. Het rare was, bedacht Jean later, dat toen Tamar haar onthulling deed, Jean de situatie onmiddellijk had overzien en, temidden van alle schrik en ontzetting, een soort ongenoegen had gevoeld bij de gedachte dat Duncan ook iets te verwijten viel, dat zijn leven ook niet volmaakt was, dat hij haar had bedrogen en nog niet wist dat zij het wist. De dodelijke pijn voelde ze pas later, haar jaloezie, het besef van Tamars verdriet en, erger nog, het besef van Tamars macht haar te kwetsen. En dan het verloren kind met zijn langdurige vergelding.

De tranen stroomden nu over Tamars gezicht. Ze bleef staan met haar jas en haar tas in de hand. Ze veegde haar gezicht af met de bungelende mouw van haar jas. Ze produceerde een laag, kreunend geluid terwijl ze huilde.

Jean, die zelf bijna in tranen was, maar zich nog steeds volmaakt wist te beheersen, zei: 'Luister, Tamar, vertel niemand hier iets over. Je kunt het beter vóór je houden. Ik zal het aan niemand vertellen.' Behalve aan Duncan, dacht ze. Of zal ik het Duncan níet vertellen, zal ik het Duncan nóóit vertellen?

'Het kan me niet schelen wie het te weten komen,' jammerde Tamar, 'het kan me allemaal niets meer schelen. O, het was stom van me om hierheen te komen, ik wilde erachter zien te komen of jij het wist, en nu heb ik het je verteld en je wist het niet eens...'

'Het was heel goed dat je het mij hebt verteld.' Jean probeerde niet Tamar tegen te houden toen ze naar de deur liep. 'Liefje... je moet gauw weer terugkomen. . . dan praten we verder.'

'Nee, dat doen we niet. Ik haat je. Ik hield van Duncan, ik híeld van hem. . . jij had 'm in de steek gelaten en heel erg ongelukkig gemaakt. . . en nu is dit allemaal gebeurd en ben ik verloren, mijn leven is verknoeid en ik heb mijn kind vermoord en dat is allemaal jóuw schuld!'

'Tamar!'

'Ik haat je!'

Ze had de deur opengedaan en rende weg, met haar jas en haar tas in haar hand. De deur sloeg pal voor Jeans neus dicht. Jean probeerde niet achter haar aan te gaan. Ze ging zitten en begon te huilen om de vreselijke schade die er was aangericht en waarvan de omvang nog niet vast te stellen was.

Het was vrijdagmorgen. Tamar was bij Jenkin.

Jenkin was donderdagavond laat opgebleven. Hij was in opgewonden toestand naar het huis van Marchment gehold omdat Marchment had gezegd dat iemand hem een gedeelte van de uitgetypte versie van Crimonds boek zou lenen. Deze belofte werd niet nagekomen, maar Jenkin bleef vervolgens de halve nacht met Marchment en diens vrienden praten. Al enige tijd, sinds wat Gerard berouwvol de 'uitbrander' noemde, toen Crimond had aangekondigd dat het boek af was, was Jenkins verlangen het boek te zien steeds heviger geworden, tot het wel leek of hij verliefd was op het ding. Hij droomde erover. De gedachte het in zijn handen te houden deed hem beven. Hij durfde Crimond niet te vragen hoe het met het boek ging, uit angst onvriendelijk bejegend te worden.

Jenkins huidige rusteloosheid hield eveneens verband met wat hij, glimlachend doch ernstig, als 'Gerards aanzoek' betitelde. Hij was, sinds dat gesprek, diverse keren met Gerard alleen geweest, maar geen van hen had enige directe toespeling gemaakt op wat er toen was gezegd. Deze terughoudendheid was, op verschillende manieren, karakteristiek voor beiden. Gerard, die zich niet verwaardigde iets twee keer te zeggen, was kennelijk bereid eindeloos te wachten op Jenkins antwoord of zelfs genoegen te nemen met geen andere reactie dan die welke hij inmiddels had ontvangen. Jenkin, die bang was bij iemand die zo precies was, zo veeleisend op het punt van exactheid en waarheid, een verkeerde indruk te wekken, leek het beter geen domme dingen uit te kramen voordat hij iets duidelijks te zeggen had. Maar wat zou dat dan zijn? Jenkin was diep onder de indruk geweest, meer zelfs dan hij zich op dat moment had gerealiseerd, door Gerards verklaring. Jenkin beschouwde het liever als een verklaring dan als een voorstel. Die verklaring had feitelijk de wereld al veranderd, en was op ondefinieerbare wijze al beantwoord. Hun ontmoetingen waren nu anders, zonder dat er ook maar met één woord over dit punt werd gerept, er was iets vriendelijks, iets verlokkends, iets van gehechtheid ontstaan. Ze keken elkaar met een nieuwe kalmte in de ogen. Dit was geen 'veelbetekende' of 'vragende' blik. Ze keken elkaar gewoon aan met een nieuw begrip voor de ander. Ze lachten ook veel, soms misschien door het gevoel van iets onschuldig komisch in deze situatie. Dit wederzijdse contact maakte Jenkin uitzonderlijk gelukkig. Het was alsof hij verliefd was – misschien wás het ook wel zo... en misschien was het juist dát waar naar was gestreefd en wat was bereikt met de verklaring op zich, zodat er niets meer gedaan hoefde te worden. Ze hadden, bedacht Jenkin, eigenlijk nooit eerder zoveel naar elkaar gekéken.

Er waren wel vraagtekens in zijn leven verrezen door Gerards vooruitziende manoeuvre. Moest hij nu toch gaan, of blijven? Jenkin had moeizaam allerlei compromissen overwogen en vervolgens verworpen. Als hij deed wat hij van plan was te doen zou hij direct weggaan van Gerard en van zijn huidige 'wereld'. Hij ging ergens anders wonen, in een ander land met andere mensen, nieuwe dingen doen en, zoals hij het zag, zeer inspannende en veeleisende en tijdverslindende dingen doen. Even een vliegtuig pakken om zo nu en dan met Gerard in Londen te lunchen paste niet in dit beeld; en zulke korte momenten zouden eerder verdriet dan vreugde geven. De troost, de voldoening die bij zijn blijven hoorde, was volledig onmogelijk bij zijn gaan. Als hij vertrok zou hij de vrede verliezen, die hij later nimmer kon ontwikkelen of herkrijgen, de vrede die hij nu af en toe onderging en waarvan hij wist dat Gerard die ook onderging, in hun wederzijdse aanwezigheid, een gevoel van op de meest volmaakte plaats tot rust zijn gekomen. Zijn vertrek zou dat voor eeuwig vernietigen. Het was helemaal niet zo dat hij dacht dat Gerard bezwaar zou maken tegen zijn besluit en hem op de een of andere manier tegenhield, het was meer dan een bijna voortdurende afwezigheid hen tot vreemden zou maken. Ze konden proberen deze vervreemding te voorkomen maar tijd en afstand bleven een grote rol spelen. Wat er ook mocht gebeuren, Jenkin wist dat Gerards houding tegenover hem perfect zou zijn. Maar zo'n afwezigheid zou de liefde beroven van verwachtingen en vreugden en zou hun oude vriendschap tot iets kleiners en anders degraderen. Die gedachte was een kwelling. Uiteraard had Jenkin dit vooruitzicht eerder overdacht, en het verdriet ervan gevoeld, maar nu was datgene wat hij moest verliezen aanzienlijk toegenomen in volume. De gedachten aan een thuis en aan vrede, die Gerard hem zo verleidelijk onder ogen had gehouden, trokken hem hevig aan en verbaasden hem ook als dingen die hij nooit had gedacht te zullen bereiken. Hij had ze, zonder verder nadenken of spijt, van zich afgezet als voor hem onmogelijk, en dus geen zaken die hij begeerde. Hij had natuurlijk zijn eigen gemoedsrust gekend die op zijn eenzaamheid berustte. Hij had nooit gedacht dat hij Gerard ooit beter zou leren kennen of hem meer nabij kon komen dan in wat al zoveel jaren lang hun fantastische maar wel statische vriendschap was geweest. Maar nu, als Gerard zich werkelijk voorstelde – en dat verbaasde Jenkin nog steeds – dat ze samen in één huis gingen wonen, zou dit inhouden wat hij nooit in verband met Gerard had kunnen dromen, een werkelijk gezámenlijk leven. Jenkin had de mogelijkheid met iemand anders door het leven te gaan altijd beschouwd als iets waar geen sprake van kon zijn, wat totaal niets voor hem was; hij had het zelfs niet, behalve op heel vage wijze toen hij nog heel jong was, ooit begeerd. Zijn relaties met vrouwen waarover hij met succes zwijgzaam was geweest hadden hem nimmer tot gedachten aan een huwelijk gedreven; en hij was al vrij vroeg in zijn leven een opgewekt celibatair en alleenstaand bestaan gaan voeren, waarbij zijn enige duurzame en belangrijke relatie die was met Gerard en het clubje dat heel lang geleden om hem heen was uitgekristalliseerd. Nu leek de mogelijkheid aan een gezamenlijk leven met zijn oudste, meest hechte vriend ontzettend aantrekkelijk, en niet alleen aantrekkelijk maar als vooruitzicht ook gemakkelijk, natuurlijk, passend, gepast, voorbestemd. In dit vooruitzicht werd Jenkin totaal niet gehinderd door problemen betreffende seks. Hij had al vanaf zijn achttiende jaar, toen hij Gerard had ontmoet, een grote bewondering voor hem gehad. De gedachte samen met hem in één bed te liggen was nooit in hem opgekomen en zou hem zelfs komisch hebben geleken, zoals nu het geval was. Jenkin voelde zich eigenlijk zeer veréérd dat Gerard zijn oude vriend niet onaantrekkelijk vond, hoewel dit eveneens buitengewoon grappig was. Gerards minnaars waren allemaal erg mooi geweest, Sinclair en Robin bijvoorbeeld, of zeer indrukwekkend, als Duncan. Maar mogelijk 'drama' op dat front baarde hem geen zorgen. Ook op dit punt zou Gerard zich perfect gedragen, wat er ook zou gebeuren of, meer waarschijnlijk, niet zou gebeuren. Wanneer Jenkin zo nadacht over hoe Gerard bij hun recente vredige ontmoetingen was geweest had hij zelfs bedacht dat een oude hond nog nieuwe kunstjes kon leren; en dit idee maakte hem aan het lachen. Toch botsten al deze verleidelijke en mooie gedachten, deze diepe tedere verlangens heftig met Jenkins even ferme mening over de noodzaak van een absoluut vertrek; en hij voelde op ongemakkelijke wijze dat de stem van de plicht hem daar ook riep. Jenkin wilde nu dat vervelende gesprek met zijn plicht nog niet hoeven voeren. Hij schoof het als het ware voor zich uit en was dronken door de honingdauw van Gerards liefde.

Zulke gedachten gingen door zijn hoofd toen Tamar rond tien uur bij hem op de stoep verscheen. Hij had haar niet verwacht.

'Tamar, wat een geluk dat je me nog te pakken kreeg, ik wilde net boodschappen gaan doen. Kom erin, kom erin!'

Hij voerde Tamar naar zijn zitkamer, deed de lampen aan en stak de gaskachel aan. Het was buiten koud en mistig. Hij liep naar de keuken en haalde een beker met een hulsttakje erin en zette dit op de schoorsteenmantel. Hij dacht: als ik met Kerstmis in Spanje zit zal ik een teken krijgen. Tamar wilde geen koffie, warme soep of toost. Ze hield haar jas aan. Ze ging in de koude kamer zitten, ineengedoken bij de kachel.

'Ben je niet naar kantoor?'

'Ik heb me weer ziek gemeld.'

'Ach, hoe is het nu met je, liefje, en hoe gaat alles?'

'Ik denk dat het met mij gedaan is,' zei Tamar. Ze sprak kalm en haar gezicht, dat nog steeds opgezwollen en dof was zoals Jean het de vorige dag had gezien, vertrok nu niet krampachtig en haar ogen dwaalden ook niet rond. Ze bleef haar geopende lippen bevochtigen en keek strak omlaag naar de groene tegels voor de kleine pruttelende haard. Ze haalde diep adem.

'Wat is er gebeurd?'

'Ik heb 't aan Jean verteld.'

'Je bedoelt van Duncan en het kind?'

'Alles.'

Jenkin was ontzet toen hij dit hoorde. 'Hoe kon dat nu gebeuren?'

'Ik kon het gewoon niet verdragen dat ik niet wist of Duncan het haar had verteld. Hij had het niet verteld. Maar ik ben naar haar toe gegaan en ik heb er alles uitgegooid, zomaar, vanzelf. En nu zal zij hem wel vertellen dat ik hem heb verraden en dat hij me zwanger heeft gemaakt en dat het kind weg is enzovoort.' Ze sprak langzaam.

Jenkins gedachten gingen razendsnel. 'Jean en Duncan komen dit wel te boven. Daar komen ze echt niet weer door in de problemen. Daar ben je toch niet bang voor, hè?'

'Nee, daar ben ik niet bang voor.' Tamar bleef vreselijk kalm en staarde maar naar die groene tegels. 'Ik maak me geen zorgen over hen. Ik maak me zorgen over mezelf.'

'Wat zei Jean?'

'Ze zei dat Duncan en zij het kind zouden hebben geadopteerd.'

'O...'

'En daar werd ik wóedend om. Het was alsof ze mij opzij zouden hebben geduwd en me in de goot achter hadden gelaten en samen verder waren gelopen, het zonlicht tegemoet, met mijn kind in hun armen.'

'Ik begrijp het.'

'Ik zei tegen Jean dat ze heel wreed was geweest tegen Duncan, en dat ik van Duncan hield, en dat ik haar haatte.'

'Maar je haat haar niet echt.'

'Dat doet er niet toe. Ik zal hen nooit meer terugzien. We zullen elkaars nabijheid niet kunnen verdragen. En Duncan zal me verachten. Ja, Duncan zal me verachten. Maar misschien doet zelfs dat er niet meer toe. Ik denk dat ik het nu maar aan iedereen ga vertellen.'

'Je kunt beter nog even wachten,' zei Jenkin. 'Volmaakte oprechtheid klinkt goed, maar het is niet altijd de beste handelwijze.'

'Ik denk dat Lily Boyne het al overal heeft rondgekletst.'

'Ik weet wel zeker dat ze dat niet heeft gedaan.'

'Jean zal er tegen iemand wel een andere versie van geven. Ik vertel dan liever direct mijn eigen versie.'

'Tamar, wácht,' zei Jenkin. 'We moeten afwachten wat er gebeurt. Ik ben een beetje confuus door dit alles en jouw hoofd is ook niet helemaal helder. Wil je dat ik naar Lily ga om met haar te praten. . . en misschien ook met Jean. . . zou dat helpen? Ik weet het niet zeker. . .'

'Het kan me niets schelen. Misschien vertel ik het wel aan niemand. Laat ze maar horen wat ze willen. Het is met me gedaan.'

'Dat is niet waar en je moet het ook niet zeggen. Er zijn mensen die denken dat ze uit de problemen kunnen komen door het op te geven, waarna ze met problemen te maken krijgen die ze niet op kunnen geven. Maar je moet dit doorstáán en wéten dat het voorbijgaat en dan zul je het weer een heel eind te boven komen. Er zijn allerlei dingen, verstandige en onverstandige dingen, die je nu kunt doen en je moet daar goed over nadenken. . . en je kunt daarmee ook andere mensen treffen.'

'O. . . andere mensen! Er is eigenlijk iets wat ik kan doen, maar misschien is het wel vreselijk. . . slécht. . .'

'Tamar. . .'

'Ik heb gewoon hulp nodig, zeer veel hulp. . .'

'Wat. . .?'

'Ik heb besloten een christen te worden.'

Jenkin was hevig verbaasd. 'Allemachtig. . . denk je echt. . .?'

'Jij, zelfs jij,' zei Tamar op haar rustige verklarende toon, 'begrijpt totaal niet hoe zwart en hoe gebroken mijn geest nu is. Dat bedoelde ik toen ik zei dat ik me geen zorgen maakte om Jean of Duncan of wie dan ook, alleen over mezelf. Ik moet worden gered van de ondergang. . . ik kan zelfs niet zeggen dat ik dat wil, maar het zal wel moeten, en ik kan het niet zelf doen, en jij kunt het ook niet doen. Ik heb bovennatuurlijke hulp nodig. . . Niet dat ik echt geloof dat het bovennatuurlijk is of dat er iets bovennatuurlijks bestaat. Maar misschien bestaat er ergens hulp, een kracht, een macht. . .'

'Maar, geloof je. . .?'

'O, jij en je geloof en je oprechtheid en zo, ik wist wel dat je daarover zou beginnen, jullie denken allemaal dat dat zo belangrijk is! Ik niet. Wanneer je dreigt te verdrinken kan het je niets schelen waar je je aan vastklampt. Het kan me niets schelen of God bestaat of wie Christus is. Misschien geloof ik gewoon in wonderen. Wat hebben anderen daarmee te maken? Ik moet het zelf beslissen, het is mijn zieleheil.'

Maar Tamar, wie heeft je al die. . .?'

'Al die onzin wijsgemaakt? Father McAlister. Ik heb hem een paar keer ontmoet. Hij wil dat ik me laat dopen en belijdenis doe.'

De telefoon begon te rinkelen en Jenkin liep erheen om op te nemen.

Jean had Duncan de vorige avond niets verteld over het bezoek van Tamar of haar onthullingen. De avond verliep als anders, behalve dat Jean opgewekter was, en geestig en goedlachs. Duncan leek eveneens in een vrolijke bui te zijn. Ze kibbelden speels over de Provence versus de Dordogne, en of het eigenlijk geen beter idee was om naar Noord-Italië te verhuizen. De volgende morgen, vrijdag, ging Duncan op zijn gewone tijd van huis.

Toen hij weg was keerde Jean weer terug tot de afschuwelijke taak van het nadenken over alles wat Tamar haar had onthuld. Jean kon zichzelf niet troosten met te denken dat Tamar wat bazelde of loog, dat het kind niet van Duncan was of dat het kind nog steeds leefde. Ze was er zeker van dat Tamar de waarheid had verteld. Hoe moest ze haar houding bepalen tegenover zoiets ongehoords, hoe moest ze dit verwerken, wat zouden de gevolgen ervan zijn? Was er iets wat op enige wijze kon worden goedgemaakt? Jean geloofde niet dat deze nieuwe verschrikking haar nieuwe relatie met Duncan te gronde zou richten, hoe duister deze nog mocht zijn. Maar die relatie zou er wel door geraakt worden, misschien veranderen op een manier die moeilijk was te voorzien. Er was ook oprechte verbazing, het gevoel van een wonder, dat Duncan toch een kind kon verwekken; en er was verdriet dat het niet haar kind was. En het afzonderlijke en vreemde verdriet dat het kind dood was. Ze voelde ook een schok over de ontdekking dat Duncan naar bed kon gaan – maar waarom ook niet – in haar afwezigheid en dit zo terloops had gedaan, met zo'n jong en kwetsbaar wezen. Jean werd ook gekweld door allerlei bijkomende overwegingen. Toen hun al vroeg was verteld dat er geen kinderen konden komen hadden Jean en Duncan elkaar niet lastig gevallen met voortdurend gejammer over dit feit. Jean had haar eigen verlangen naar een kind als een stil verdriet voor zich gehouden. Misschien had Duncan hetzelfde gedaan. Samen waren ze er filosofisch over, bekenden ze elkaar zelfs hun opluchting dat hun de verschrikkingen van het ouderschap werden bespaard. Maar nu het was gebleken dat Duncan het wél kon, was het misschien mogelijk een vrouw te vinden, welke vrouw dan ook, die bereid was zijn kind te dragen om het vervolgens af te staan? Kon Jean van zo'n kind houden? Verder stond ze nog voor de vreselijke vraag of ze het Duncan eigenlijk wel moest vertellen. Was het waar dat erover 'gekletst' zou worden? De vreemde opwinding die ze eerst had gevoeld omdat ze 'erachter was gekomen', en 'wist wat hij niet wist' leek nu een vreemde psychologische kronkel.

Jean liep gekweld door de kamer heen en weer en voelde een stijgende behoefte iets te dóen, het kon niet schelen wat, om verlichting te vinden van deze pijnlijke overwegingen. Een ander punt van onrust kwam haar hierbij te hulp, een nieuwe pijnlijke hypothese: misschien had Duncan tijdens haar afwezigheid veel liefdesrelaties gehad. Waarom moest dat slippertje met Tamar het enige zijn geweest? En misschien was het helemaal niet zo kort, en van zijn kant slechts zinnelijk geweest als ze had voorgesteld? Duncan had tegen Jean gezegd dat hij in haar afwezigheid bij geen enkele vrouw in de buurt was geweest en zij had hem geloofd. Kennelijk was ze te naïef geweest.

Jean besloot plotseling dat er maar één ding was dat ze kon doen, zelfs al was het maar om de tijd door te komen, en dat was Duncans bureau doorzoeken. Ze ging naar zijn studeerkamer en begon voorzichtig alle laatjes open te schuiven en de papieren te bekijken. Bijna meteen kwam ze Crimonds briefje tegen. *'Er zijn onafgedane kwesties tussen ons.'* Ze keek naar de datum op het briefje en naar het tijdstip van de ontmoeting. Vandáág! Ze keek op haar horloge. Het was half elf.

Ze legde het briefje terug in het bureau en holde naar de telefoon om Duncans kantoor te bellen. Hij was er niet. Was hij naar een vergadering? Niemand wist het. Toen dacht ze na. Er was geen twijfel mogelijk over de betekenis van het briefje, het betekende een confrontatie, geen verzoening of discussie. Ze dacht meteen aan de spelletjes Russisch roulette die zij altijd als schertsvertoningen had beschouwd. Kon dit zo'n schertsvertoning zijn, weer zo'n angstaanjagende of vernederende poppenkast... of was het echt? Zoals op de Romeinse weg... Het kon gewoon een dodelijke valstrik zijn. Wat het ook mocht zijn, ze twijfelde er niet aan dat Duncan zou gáán! Hij zou Crimond niet de kans willen geven te kunnen snoeven, al was het heimelijk, dat Duncan bang was.

Jean greep weer de telefoon en draaide Crimonds nummer. Dit was natuurlijk krankzinnig. Op déze ochtend zou Crimond vast geen antwoord geven. Wat moest ze trouwens tegen hem zeggen? Het nummer was niet te bereiken. Als ze de auto nu eens pakte om er snel heen te rijden? Zou haar aanwezigheid de beide mannen niet verder ophitsen, waardoor een aanvankelijk onschuldige krachtmeting in een bloeddorstig gevecht kon ontaarden? Jean draaide Gerards nummer. Geen gehoor. Toen belde ze Jenkin.

'Hallo.'

'Hallo, Jenkin, met Jean. Zeg, het klinkt misschien krankzinnig, maar ik ben bang dat Duncan naar het huis van Crimond is gegaan om daar een soort duel uit te vechten...'

'O... nee...'

'In ieder geval, nou ja, misschien ook niet, ik weet 't niet zeker, maar het kan zijn en het lijkt me beter als ik niet zelf ga...'

'Ik ga er wel heen... wanneer is het...?'

'Crimond vroeg hem om elf uur daar te zijn, ik heb het briefje zojuist gevonden... als je nu meteen gaat ben je er misschien het eerst... o help, jij hebt geen auto... en die van ons... ik heb juist bedacht dat hij naar de garage is, anders zou ik je er even heen kunnen brengen, o lieve hemel...'

'Maak je maar geen zorgen, ik neem wel een taxi, ik kan er meestal wel een op Goldhawk Road vinden en er is een taxistandplaats op de Green. Heb je het Gerard verteld?'

'Die is niet thuis. O, Jenkin, het spijt me vreselijk dat ik je lastig moet vallen, misschien heeft het wel allemaal niets te betekenen, als ik er zo over nadenk lijkt het me heel waarschijnlijk dat Duncan niet eens is gegaan... misschien heeft hij gewoon het briefje beantwoord en... maar ga alsjeblieft direct, ik heb het gevoel dat als jíj er bent, er niets ergs kan gebeuren. Je weet waar Crimond woont? En in de kamer beneden...'

'Ja, ja. Ik ga direct, maak je maar niet ongerust...'

'En je belt me op.'

'Ja... ik ga er nu als een haas vandoor.'

Jenkin smeet de telefoon neer en snelde naar zijn winterjas. Hij zei tegen Tamar: 'Het spijt me, liefje, er is een spoedgeval en ik moet je even alleen laten. Blijf jij hier tot ik terugkom?'

'Ja... ja, graag... ik wil graag blijven.'

'Ik weet niet precies hoe lang het duurt, zorg dat je goed warm blijft en doe alsof je thuis bent. Er staat in de kast van alles om te eten en je kunt op mijn bed gaan liggen... zet de elektrische kachel aan... het spijt me dat ik het andere bed niet heb opgemaakt.'

'Ik red me wel, Jenkin, lieve Jenkin.' Ze was opgestaan en sloeg haar armen om zijn hals.

Hij kuste haar. 'Blijf hier tot ik terugkom.'

Jenkin liep haastig naar Shepherds Bush Green. Er waren geen taxi's. Hij wachtte bij de taxistandplaats.

Zodra Jean de telefoon neer had gelegd dacht ze: misschien moet ik de politie waarschuwen? Waarom heb ik daar niet meteen aan gedacht? Toen aarzelde ze. Misschien had Duncan besloten niet te gaan, misschien had hij een andere ontmoetingsplaats voorgesteld. Dit leek heel goed mogelijk, zelfs waarschijnlijk. Ze belde opnieuw naar Duncans kantoor. Hij was er niet. Ze belde Gerard, en toen Rose... geen antwoord. Moest ze de politie waarschuwen? Als ze dat deed moest ze alles vertellen, wat er ook mocht gebeuren, en zou alles in de krant komen. Zelfs als het allemaal onzin was kon Duncan nog in ernstige problemen komen en zou hij woedend op haar zijn omdat ze zich ermee had bemoeid. En de politie was misschien blij een excuus te hebben om Crimond op te pakken, en zij moest misschien getuigen en hierdoor kreeg ze weer vreselijk met Crimond te maken terwijl ze juist zo haar best deed te denken dat hij niet bestond. Op dat moment kwam de gedachte in haar op dat dit soort angstaanjagende chantage een onderdeel moest vormen, misschien pas het begin was, van Crimonds wraak op haar. Niet in staat te besluiten wat ze moest doen ging ze zitten en begon te huilen.

Duncan had Crimonds brief uiteraard met opzet thuis laten liggen. Als er iets 'gebeurde', als Crimond hem bijvoorbeeld iets zou aandoen, wilde hij op een veilige plek, zonder dat zijn belager het uit zijn jaszak kon halen, het bewijs bewaren dat Crimond hem, op agressieve wijze, had gevraagd te komen. Dit kon van belang zijn als Crimond mocht aanvoeren dat hij uit zelfverdediging jegens een vijandige binnendringer had gehandeld. Als Crimond dit deed, moest Crimond boeten. Het was eveneens nuttig, als Duncan Crimond mocht verwonden, te kunnen aantonen dat Crimond zelf om problemen had gevraagd. De gedachte dat Jean de 'uitdaging' zou vinden kwam geen moment in hem op. Jean was niet iemand die snuffelde in andermans spullen, en hij wist dat ze hem had geloofd toen hij had gezegd dat er in haar afwezigheid 'geen ander in het spel' was geweest. Dit was inderdaad waar, afgezien van het kleine incident met Tamar, waar hij Jean misschien nog eens iets over zou vertellen.

Aangezien hun auto een grote beurt kreeg, nam Duncan een taxi die hem dicht bij zijn bestemming afzette. Zijn onrust maakte dat hij te vroeg was en enige tijd blokjes om moest blijven lopen om warm te blijven. Er daalde een gevoel van ellende en ontzetting over Duncan neer. Waarom moest hij in 's hemelsnaam hier in deze grauwe, armoedige straten, met een hamer in de zak van zijn jas, rondlopen? De hamer was zwaar en botste tegen zijn dijbeen. Zijn handen bevroren in zijn handschoenen. De kou maakte dat hij zich zwak en hulpeloos voelde. Hij kon zich niet voorstellen dat hij een wapen vasthield, laat staan het gebruikte. Waarom had hij het onmogelijk gevonden om niet te gaan, terwijl het de eenvoudigste zaak van de wereld was geweest Crimonds belachelijke brief naast zich neer te leggen? Het zou beter zijn geweest, het zou góed zijn geweest. Nu hij had gezegd dat hij zou komen moest hij natuurlijk wel gaan. Maar waarom eigenlijk, wat weerhield hem ervan regelrecht naar zijn kantoor te gaan, waar hij hóórde te zijn, waar belangrijke zaken zijn aandacht vroegen en fatsoenlijk, normaal werk moest worden gedaan? Waarom liep hij hier rondjes terwijl hij zo ongeveer van plan was iemand te vermoorden, als dat zo was... of met opzet het risico te lopen zelf te worden gedood of verminkt? En Jean... zou ze hem ooit vergeven als hij zich door Crimond liet verwonden? Of... stel dat hij Crimond iets zou doen, iets ergs zou doen? Zou dit niet Jeans medeleven wekken, misschien zelfs haar liefde doen herleven? Hij zat in een situatie waarin hij niet kon winnen, en hij was er willens en wetens in terechtgekomen. Was er nog een uitweg? Hij dacht: ik moet mijn hoofd koel houden, ik stel me allerlei onmogelijke verschrikkingen voor. Ik zal openhartig praten met die klootzak van een Crimond, ik zal zeggen dat ik ben gekomen om hem te vertellen dat ik totaal geen trek heb in deze stomme flauwekul, en dat hij naar de hel kan lopen, dat ik geen zin heb mee te doen aan die vertoning en dat hij bij me uit de buurt moet blijven en ik niets meer van hem wil merken. Er was toch zeker niets dat hem kon weerhouden dit te zeggen en dan weer op te stappen, zonder Crimond de kans te geven aan welk welkom dan ook te beginnen zoals hij had bedacht. Dit idee, met een oefening van de woedende, autoritaire toon, vrolijkte Duncan een beetje op.

Om elf uur precies klom Duncan de stoep op naar de deur van Crimonds huis. Hij drukte op een bel die niet rinkelde. Hij wachtte even. Toen deed Crimond, die kennelijk in de hal had staan wachten, de deur open.

Pas op dat moment besefte Duncan dat, afgezien van wat hij op het zomerbal had gezien, hij niet meer oog in oog met Crimond had gestaan sinds het treffen in de toren, nu zoveel jaren geleden. Maar vreemd genoeg voelde hij zich, toen hij Crimond voor zich zag staan, geschokt dat hij er zo jong uitzag, en hoeveel hij nog leek op de totaal andere, veel verder verwijderde persoon die hij in Oxford had gekend; en Duncan dacht even: we kúnnen niet vechten... hoe ben ik in hemelsnaam op de gedachte aan een gevecht gekomen! Ik lijk wel gek. We moeten práten, daar is deze ontmoeting voor bedoeld. Misschien eindigt het toch wel met een verzoening. En er ging een warme gloed van zelfvertrouwen en sterkte door hem heen. Praten, overleg, diplomatie, dat was zíjn terrein. Hij zou Crimond wel vast kletsen.

Crimond was gekleed in een oud zwart corduroy jasje en een broek en hij had een donkergroene sjaal om zijn nek geknoopt. Hij zag er op het eerste gezicht wat dandy-achtig uit, bijna losbandig. Zijn haar was heel lang, langer dan op het bal en wat warrig, alsof hij het misschien net had gewassen. Hij was erg mager en zijn lichte ogen staarden uit een gezicht dat uitzonderlijk lang leek, als in een karikatuur. Zijn teint, die 's zomers met sproeten was bezaaid, was grauw en de huid lag strak over de beenderen. De enige kleur op zijn gezicht werd gevormd door de extreem rode, vochtige randen rond zijn ogen, en een rood gedeelte aan het eind van zijn lange neus. Zijn ogen in het starende gezicht waren vreemd, droog, als verbleekte stenen. Duncans tweede indruk was dat hij tegenover een kranzinnige stond. De jeugdige indruk had Crimond gemaakt door zijn slanke figuur, het corduroy pak, de sjaal, het haar. Nu leek hij meer een geestverschijning.

Crimond zei niets, maar gebaarde met zijn hoofd dat Duncan hem moest volgen. Duncan volgde hem, deed de deur achter zich dicht, liep de ijzig koude hal door en een donkere trap af, naar de grote kamer in het souterrain. Deze kamer was iets warmer en rook vaag naar de oliekachel die ergens aan de andere kant van de kamer stond te pruttelen. Het was er donker doordat er erg weinig licht van buiten kwam en er slechts één lamp brandde, die aan het andere einde op de vloer was gezet. Het midden van de kamer werd in beslag genomen door twee lange tafels die in de lengte tegenover elkaar, elk aan een kant van de kamer, waren geplaatst. Er stond een bed naast de deur, er stonden stapels boeken langs de muren, twee stoelen, een open kast, een bureau dat in een hoek naast de lamp was geschoven, zonder enig teken van activiteit erop, met een schoongeveegd bovenblad. Verder was de kamer kaal. Toen Duncans ogen aan het vage licht waren gewend zag hij de schietschijf hangen. Werd het zo'n soort wedstrijd? De verlichting wees niet op schietoefeningen van welke aard dan ook.

Duncan vatte moed en was klaar zijn besluit uit te voeren deze scène te domineren. Crimond deed de deur dicht. Duncan liep achter hem aan door de kamer. Crimond pakte de lamp en zette hem op het bureau. Het licht viel op Crimonds hand die beefde. Duncan voelde zich nog kalmer worden. Hij begon te spreken.

'Welnu, Crimond, zoals je ziet ben ik gekomen in antwoord op je merkwaardige briefje, maar laat me direct dit zeggen. Ik denk dat ik begrip heb voor je wens, misschien wel je verlangen, mij te spreken. Misschien moeten we er allebei van worden overtuigd dat we samen in dezelfde kamer kunnen verkeren zonder dat de wereld vergaat. Je hebt weerzinwekkend veel schade aangericht in mijn leven en in dat van Jean, en het zou belachelijk zijn als we hier over vergeving of verzoening van welke soort dan ook gingen praten, iets wat misschien, ik zeg misschien, door jouw hoofd kan hebben gespeeld toen je die brief schreef. Misschien is het, zowel voor jouw als voor mijn gemoedsrust, de moeite waard als we kunnen bewijzen dat we elkaar aan kunnen kijken, en dat is ons alvast gelukt. Misschien stond je ook een soort discussie voor ogen. Dit, moet ik je zeggen, is volslagen onmogelijk. Een misdaad van de orde zoals jij tot twee keer toe hebt begaan laat geen enkele ruimte of mogelijkheid open voor een ontmoeting der geesten. Dacht je echt dat we een discussie van mannen onder elkaar over Jean konden voeren, of elkaar bekennen dat we allebei zondaars zijn? Je ziet dat ik in staat ben in jouw bijzijn haar naam te noemen en dat is op zich reeds opmerkelijk, maar het is tot zover en niet verder. Ik neem aan dat je het daarmee eens bent. Je impertinente brief heeft mijn woede gewekt. Nu ik tijd heb gehad erover na te denken bezie ik hem in een ander licht. Ik vermoed dat jij zelf, toen je hem schreef, geen duidelijke bedoeling voor ogen had. Ik vermoed ook dat jij in de tussentijd tot dezelfde conclusie bent gekomen als ik. De ontmoeting op zich, wat er in deze afgelopen minuten is gebeurd, is het punt waar het om gaat. Natuurlijk blijft mijn haat, mijn weerzin voor jou. Je kunt zo'n diepe en terechte emotie niet zomaar wegtoveren. Maar met zulke dingen moet een mens leren leven. Soms moet je voor je eigen bestwil gelouterd worden en je gevoelens bedwingen. Als ik de rest van mijn leven in een staat van waanzinnige obsessie moest doorbrengen zou dat nóg een wond zijn waarover jij kan pochen dat je hem mij hebt toegebracht. Ik wil niet elke dag over je na moeten denken en me af moeten vragen wat er gebeurt als we elkaar tegen het lijf lopen. We hebben elkaar nu ontmoet en er is niets gebeurd. Op deze manier hebben we de spanning wat verminderd, en dat heeft niets te maken met wederzijds begrip, het is gewoon iets automatisch, bijna als een natuurwet. Ik weet zeker dat je dit zult begrijpen. Ik stel voor dat we de zaak verder laten zoals hij nu is, en dat betekent dat we elkaar hebben aangekeken. Welke dreigementen ik verder nog tegen je zou willen uiten laat ik aan je fantasie over. Ik ben ervan overtuigd dat je niet uit eigen vrije wil mijn pad weer zult kruisen. Dat is alles wat ik te zeggen heb.'

Deze buitengewone toespraak, geheel onvoorbereid, verbaasde Duncan hevig. Hij had nog nooit, zelfs niet toen hij naar beneden was gelopen, zulke gedachten gekoesterd. Maar zelfs toen hij sprak zag hij zowel het zinnige als het efficiënte ervan in. Misschien sproot dit ook voort uit het bijzondere zelfvertrouwen dat hij ontleende aan het zien beven van Crimonds handen. Het betekende inderdaad een hele opluchting voor hem, te merken dat hij met Crimond in dezelfde kamer kon zijn zonder ineen te storten of te exploderen. Hij was van plan geweest, bij wijze van 'hem op zijn nummer te zetten', wat vage, boze retoriek uit te slaan. Maar wat hij nu had gezegd was werkelijk heel zinnig, en deed een beroep op Crimonds intelligentie. Hij had zelfs het gevoel dat hij indruk had gemaakt op Crimond. Bij zijn laatste woorden draaide hij zich om, maar niet te haastig, teneinde te vertrekken. Crimond zou zeker nog iets willen zeggen en een kort slotbetoog zou de gebeurtenis fraai afronden.

Duncans toespraak, die hij niet had geprobeerd te onderbreken, had zeker Crimonds aandacht gehad. Hij wachtte zelfs nadrukkelijk aan het eind ervan, voor het geval Duncan er iets aan toe mocht willen voegen. Hij nam Duncan aandachtig op, terwijl hij zijn rossige wenkbrauwen optrok, waarvan de lange, dunne haren ongewoon oplichtten in het schijnsel van de lamp. Zijn gezicht ontspande zich en hij opende en sloot zijn handen alsof hij zijn lichaam tot rust wilde manen. Hij zei op kalme, belangstellende toon: 'O, maar het was helemaal niet mijn bedoeling iets met je te bespréken, of, de hemel behoede me, over Jean te praten. Kijk, nou heb ik haar naam ook genoemd.'

Het was op dit moment dat Duncan, met een soort afwijzend gebaar, zich om had moeten draaien en weg had moeten lopen op een manier van: het kan me niet schelen wat jíj in je hoofd had, ik heb mijn mening gegeven en ik ga. Als hij dat had gedaan zou Crimond hem waarschijnlijk niet tegen hebben gehouden. Maar Duncan voelde zich op dat moment zo machtig en sterk dat hij in de verleiding kwam toe te geven aan zijn nieuwsgierigheid. Hij beging de fout te vragen: 'En, wat wilde jij dat we zouden doen?'

'Vechten natuurlijk,' zei Crimond met een vreemde gepijnigde glimlach.

'O, doe niet zo zot,' zei Duncan, nog niet geschrokken maar reeds gevangen in de zijden draden van Crimonds wil. 'Ik houd niet van poppenkast.' 'Waarom ben je gekomen?'

'Ik kwam om te zeggen wat ik zojuist heb gezegd.'

'Ik geloof je niet,' zei Crimond. 'Dat gewauwel dat je daarnet afstak was iets wat je gewoon op dat moment bedacht, niks dan holle frasen. Maar wat je over haat en woede zei was wel waar. Je kwam omdat je móest komen. Anders had je mijn brief net zo goed naast je neer kunnen leggen, hij was inderdaad grof. Je had 'm naast je neer kunnen leggen. Ik verwachtte dat je hem naast je neer zou leggen. Het verbaast me dat je hier bent. Maar nu je hier tóch bent...'

'Ik ga,' zei Duncan, zich nu vastberaden omdraaiend.

'O nee, je gaat niet.' Crimond liep snel om Duncan heen en stond nu tussen hem en de verre deur. Hij zei: 'Die deur is op slot, ik heb 'm achter me op slot gedaan.'

Duncan bleef staan waar hij was. Crimond vertegenwoordigde nu hoe dan ook een ernstige hindernis. Als hij probeerde langs hem heen te gaan kon Crimond hem aanraken, hem beetgrijpen. De gedachte om zelfs maar áángeraakt te worden door Crimond vervulde Duncan met een verlammende afkeer. Nu hij in deze grote, koude, donkere kamer met deze man van aangezicht tot aangezicht stond verdwenen al Duncans oude, vage, woedende plannen om zich op zijn vijand te storten. Geen enkele levendige impuls schoot hem te hulp. Zijn zorg gold nu slechts de vraag hoe snel hij met goed fatsoen kon vertrekken. Hij begreep dat hij, gedurende enige tijd, in staat was geweest Crimond te overheersen, hem in ieder geval het zwijgen op te leggen, en dat hij moest proberen dit weer te doen. Maar hij verkeerde nu in een zwakke positie. Hij zei op resolute toon: 'Ik ga niet met je vechten. Hoe kun je zoiets voor mogelijk houden? Ik ben hier niet een beetje gekomen om jouw fantasieën te bevredigen.'

'Doe je jas uit,' zei Crimond. 'Je blijft nog even hier. Ik zie je niet graag in die jas. Trek 'm uit.'

Duncan trok zijn jas uit, die hij vanaf zijn binnenkomst aan had gehouden. Hij deed dit omdat hij nu vreesde dat Crimond zich op hem zou storten en hij niet gehinderd wilde worden door zijn jas. Hij deed het ook omdat hij bang begon te worden voor Crimond. Hij dacht: hij is gek, hij is tot alles in staat. Hij gooide de zware jas op het bureau, waardoor de lamp omviel. Crimond liep bij de deur vandaan en zette de lamp weer overeind.

Duncan werd boos om zijn angst te verdrijven en zei: 'Dit is een flauwe komedie. Je bent gewoon gek van jaloezie omdat Jean je heeft verlaten. Ze vond je gemeen en wreed, ze vond je stomvervelend. Je kunt het gewoon niet hebben.'

Bij deze verwijzing naar Jean begon Crimond te blozen, zijn bleke gezicht werd plotseling vuurrood. Maar zijn gelaatsuitdrukking veranderde niet. Hij zei met een lage stem: 'Hoe dúrf je! Nee, dat is het niet, dat is het niet!'

'Maak die deur open,' zei Duncan.

'Nee, nu nog niet,' zei Crimond, die plotseling buiten adem leek. Hij trok aan zijn nek en rukte de groene sjaal af en liet deze op de grond vallen. Hij zei op de toon van iemand die geduldig iets uitlegt: 'Toen ik zei ''vechten'' bedoelde ik niet dát, ik bedoelde zoals we het vroeger deden. Ik wil gewoon dat je... dat spel... speelt. Het leek me... passend... en ik dacht dat jij dat ook zou vinden.'

'Spel...?'

'Ja. Dít spel.' Crimond stapte naar voren. Duncan schoof haastig opzij. Maar Crimond greep naar de schakelaar van het licht. Hij draaide de schakelaar om en plotseling was de kamer in een koud, helder licht gehuld. Aan het plafond flikkerden twee TL-buizen en gingen toen weer aan. Crimond opende een lade van het bureau en haalde twee revolvers tevoorschijn.

Toen hij de pistolen zag begreep Duncan alles, hij begreep de betekenis van de twee lange tafels die met de uiteinden tegen elkaar waren geschoven. Hij voelde een snelle, koude, dodelijke ontzetting, een zware pijn die zich meester maakte van zijn lichaam. Daarna een griezelige opwinding als een seksuele prikkeling. Hij stapte, bijna nieuwsgierig, naar voren. Crimond had de pistolen naast elkaar op de tafel gelegd. Hij was weer bleek en bracht zijn hand naar zijn keel om nog een knoopje van zijn overhemd los te maken.

'Smith and Wesson,' zei Duncan. 'Ik neem aan dat je deze dingen uit Amerika hebt meegenomen?'

'Ja.'

'Enkelvoudig mechanisme.'

'Ja.'

'Verzamel je ook nog automatische pistolen?'

'Ik... verzamel... ze niet...' Crimond liep naar de kast om de deur dicht te doen.

Tijdens dit gesprek moest Duncan aan de hamer denken, die in de zak van zijn jas op het bureau lag. Dit leek nu een droomwapen, iets doorzichtigs wat in vertraagde bewegingen werd gehanteerd. Wat voor fantasieën over wraak hadden hem ertoe gebracht dat ding mee te nemen, wat had hij gedacht ermee te kunnen doen, Crimond op een onbewaakt moment te overvallen, bijvoorbeeld toen hij de kastdeur dichtdeed, en hem tussen de schouders te slaan? Hij kon het niet doen. In de toren had hij zich door zijn woede mee kunnen laten slepen. Nu was hij ouder, veel ouder, en Crimond leek nog net zo jong als altijd. Er kon geen sprake zijn van stompen en worstelen. Maar was die hamer onwerkelijker dan wat er nu leek te gebeuren? Hij dacht bij zichzelf: hij doet maar alsof, dat kan niet anders. Jean zei dat ze het voor de grap met ongeladen geweren deden. Hij wilde haar natuurlijk ook bang maken. Het is nu net zo. Bovendien wordt de kamer die geladen is altijd door het gewicht van de patroon omlaag gedraaid, dus er is geen enkel gevaar bij, dat heb ik altijd al geweten. Maar toch doe ik het niet. Die man is natuurlijk krankzinnig, waarschijnlijk helemaal radeloos.

'Weet je,' zei Crimond, op een gedempte samenzweerderstoon, 'wat jij aan het begin zei was nog niet zo gek. Er moet... tussen ons... iets gebeuren... iets worden afgehandeld... willen we niet de rest van ons leven een obsessie voor elkaar blijven, en ik denk dat je het met me eens bent dat dat een zinloze verspilling van tijd en energie zou zijn. We willen van elkaar bevrijd zijn, nietwaar? Dat was in vroeger tijden de psychologische achtergrond van het duelleren. Noem deze noodzaak, zo je wilt, een exorcisme, een symbolische verlossing. Ik heb hier behoefte aan, ik wil het en ik denk dat jij, als je eerlijk bent, er eveneens behoefte aan hebt en het wilt.'

'Ik zou je best willen doden, als je dat bedoelt,' zei Duncan. 'Maar ik ben niet geïnteresseerd in je symboliek. Als het symbolisch is, is het niet serieus, en als het serieus is dan wil ik het ook niet. En ik wil zeker niet dat jij mij doodt! Waarom moet ik jouw spelletjes meespelen? Ik doe het niet!'

'Toch wel,' zei Crimond.

Duncan aarzelde, vroeg zich zelfs af of hij nu de kracht bezat om naar de deur te lopen en aan de kruk te rammelen tot Crimond zich verwaardigde hem open te doen. Zou dat gebeuren? Kon Crimond hem dwingen dit 'spel' te spelen door een afschuwelijke vernedering als alternatief te bieden? Kon zoiets een dérde keer gebeuren? Stel dat hij Crimond moest sméken hem te laten gaan? Duncan, die zich allerlei ingewikkelde valstrikken had voorgesteld, had zich wel heel snel beet laten nemen. Aan de andere kant echter, en deze gedachte versterkte zijn aarzeling, zag hij wat Crimonds gedachte was, en die lag dicht in de buurt van zijn gedachte. Er moest iets gebeuren, er moest iets worden afgehandeld, hij moest voor eeuwig van Crimond af zijn! Kon dit op een andere manier dan door hem te vermoorden? Dit was een vraag die Duncan zich vaak had gesteld, maar uitsluitend bij wijze van retorische vraag die immer het antwoord nee opriep. Geen enkele nuchtere gedachte, plotseling door een verrassende opening dit krankzinnige gesprek binnenvallend, deed Duncan beseffen dat hij als hij werkelijk, ooit, Crimond mocht doden, voor eeuwig nog meer aan hem gebonden zou zijn dan hij nu was. Duncan had in zijn 'toespraak' een symbolische oplossing voorgesteld, hij had zelfs gedaan alsof het probleem al opgelost was. Hij had voor de vuist weg onder een bijzondere emotionele druk gesproken, met een onmiddellijk doel voor ogen, namelijk zo snel mogelijk te ontsnappen uit een situatie waarin hij nooit terecht had mogen komen. Of hij oprecht geloofde dat díe oplossing had kunnen werken leek een academische vraag nu Crimond een veel radicaler, dus misschien veel doeltreffender, remedie had voorgesteld. Zou een symbolische dood, voor de prijs van zichzelf bloot te stellen aan Crimonds woede, hem de begeerde vrijheid brengen? Duncan voelde zich aangetrokken, zoals Crimond ongetwijfeld had verwacht, door Crimonds formulering. Ze waren, zoals het er nu voor stond, aan elkaar gebonden als twee mannen, die samen in een gevecht zijn verwikkeld om elkaar te verdrinken, en allebei ten onder gaan.

Crimond veegde de revolvers opzij en ging op de tafel zitten om Duncan aan te kijken. Hij zei: 'Ja?' Het klonk bijna als een seksuele invitatie.

'Zeg maar hoe het spel is,' zei Duncan.

Crimond slaakte een diepe zucht.

Duncan, die zich verstrikt voelde, die zichzelf verstrikt had, dacht, als om zijn eigen beslissing achteraf goed te praten, dat Crimond, die volgens dezelfde lijnen moest denken als Duncan juist had gedaan, hem natuurlijk niet echt zou willen doden. Zo'n extreme oplossing zou geen oplossing zijn. Wat zij nodig hadden was een extreme symboliek. Dat is de reden waarom al die Griekse tragedies zijn geschreven, dacht Duncan onwillekeurig. Ik moet dat eens aan Gerard vertellen. Hij bedacht nu eveneens dat als hij nu wegging, zelfs als hij dit met behoud van waardigheid kon doen, hij zijn leven lang spijt zou hebben dat hij deze kans niet met beide handen had aangegrepen. Tja, dat was ook net als met seks.

'Het is heel eenvoudig,' zei Crimond, 'en traditioneel. Elke revolver heeft zes kamers, waarvan er één is geladen. We kijken elkaar aan, elk vanaf het andere einde van de kamer, we draaien ons om en vuren.'

'We vuren op elkaar.'

'Natuurlijk, het is geen zelfmoordpact. En we moeten uiteraard richten om te doden. Het is helemaal niet zo eenvoudig iemand met zekerheid te doden, zelfs op deze afstand, tenzij je veel ervaring hebt met vuurwapens, en die heb je. Je kent dit type revolver natuurlijk wel. Bedenk vooral dat hij aan de trekker erg licht is.'

'Ja, ja. Hoeveel keren vuren we?'

'Ik had gedacht twee keer, dat wil zeggen in de veronderstelling... Maar net zo vaak als je wilt.'

'Twee keer, goed.'

'Een schot dat niet goed is gericht, telt niet.'

'Afgesproken.' Hij dacht: we zijn allebei gek! Wat is dit voor een manier van praten?

'En dan nog iets, waarvan ik hoop dat jij het ermee eens bent. Om het absoluut eerlijk te laten verlopen moeten alle kamers even zwaar zijn, anders, zoals iedereen weet, draait de geladen kamer omlaag. Ik heb daarom wat lege hulzen met lood gevuld, zodat ze even zwaar zijn als echte patronen, en die heb ik in de vijf andere kamers gestopt. Kijk maar.'

Crimond brak een revolver open en stak hem naar Duncan uit.

'Ja, het is wel goed,' zei Duncan en gebaarde met zijn hand.

'Wil je de revolvers nog onderzoeken?'

'Nee. Laten we maar verder gaan.' Het zou grof zijn om die revolvers te inspecteren, vooral wanneer ze, zoals hij vermoedde, geen van beiden geladen waren!

Crimond legde de revolvers op de tafels, één aan elke kant van de kamer. Hij zei: 'Laten we tossen om onze positie, hoewel er geen verschil in lichtval is, en we tossen natuurlijk ook wie het eerst zal vuren.'

Duncan haalde een munt uit zijn zak en gaf die aan Crimond. Crimond zei: 'Wie wint gaat aan de kant van de schietschijf staan.' Duncan zei: 'Kruis.' Crimond wierp de munt op, die met de kop naar boven viel. Crimond gaf de munt weer aan Duncan. Duncan zei: 'Wie wint vuurt als eerste.' Crimond zei 'Munt.' Duncan wierp de munt op, die met munt boven bleef liggen.

Daarna bleven ze elkaar stil aan staan kijken. Duncan voelde zijn hart bonzen en zijn handen waren klam. Hij kon zijn eigen ademhaling horen, en die van Crimond. Was dit misschien het moment waarop ze...?

Crimond zei, met dezelfde zachte, zijdeachtige, bijna vleiende stem die hij in het laatste deel van hun gesprek had gebruikt: 'Als we secondanten hadden gehad, die we niet hebben, zou het natuurlijk op dit moment hun plicht zijn geweest ons beiden te vragen of dit gevecht echt nodig was, of we niet, zelfs in dit late stadium, konden overeenkomen niet te vechten. Moeten we, teneinde deze gebeurtenis glashelder te maken, nu niet als onze eigen secondanten optreden?'

Duncan vroeg zich even af: is dit echt de bedoeling van alles? Heeft hij die hele vertoning in elkaar gezet om het op deze wijze te besluiten? Hij werd boos en ook ontzet over deze mogelijkheid op de valreep, wanneer hij dacht dat hij alle beslissingen achter zich had liggen. 'Dat zou neerkomen op een verzoening. Nee. Zeker niet. Je weet dat dat onmogelijk is.'

'Zoals je wilt,' zei Crimond, zijn hoofd even buigend.

'Nou ja, waarschijnlijk ook zoals jij wilt?'

'Ja.'

'Dan hoeven we niet langer te wachten.'

Crimond staarde Duncan met een nieuwe opmerkzaamheid aan. Hij zei: 'Dat linkeroog van je, dat ziet er vreemd uit. Kun je goed zien?'

'Met deze bril, perfect.' Duncan, die niet aan zijn bril had gedacht, zette hem plotseling af. Hij staarde Crimond aan met zijn kwetsbare, hulpeloze ogen en dacht: we hebben elkaar áángekeken en dat hebben we sinds die ene keer niet meer gedaan.

Duncan zette zijn bril weer op. Hij deed zijn das af, trok zijn jasje uit en wierp alles bovenop zijn jas op het bureau, en maakte toen de bovenste knopen van zijn overhemd los. Crimond trok zijn jasje uit en liet het op de vloer vallen. Hij maakte nog een knoop van zijn overhemd los en voelde aan zijn hals. We kleden ons uit, dacht Duncan, alsof we met elkaar naar bed gaan. Het is allemaal krankzínnig, kranzínnig. O, ik wou dat het voorbij was.

Hij wendde zich af van Crimond en liep naar het andere eind van de kamer en ging onder de schietschijf staan. Crimond legde een revolver voor hem op de tafel neer. Duncan dacht: als een van ons een echte patroon treft zal het een hels lawaai veroorzaken. Je kunt zo'n revolver trouwens niet goed met een demper gebruiken. We hebben niet besproken wat we zullen doen als er iets gebeurt. Stel dat een van ons zwaar gewond raakt. Maar zoiets zal niet gebeuren. Dus was er geen behoefte aan die discussie.

Crimond had de andere kant van de kamer bereikt. Duncan zei: 'Je kunt de deur nu weer van het slot doen.'

Crimond draaide het slot open.

Duncan bleef staan zonder zijn revolver aan te raken. Hij rolde de mouwen van zijn overhemd op. Hij zag Crimond tegen de deur afsteken. Wat zal ik doen? Ik moet een besluit nemen.

'Zullen we dan maar beginnen?' zei Crimond.

'Ja. Jij eerst, dacht ik.'

'Ja.'

Er klonk een vaag geluid. Duncan besefte dat Crimond direct zijn revolver had geheven en de cilinder had gedraaid en de trekker over had gehaald. Er gebeurde niets.

Duncan voelde, met opluchting, een geweldige gelukzaligheid, en een zekerheid dat alles goed zou aflopen, dat het echt maar een spelletje was, een ritueel, een uitbanning. Het was heel verstandig geweest om Crimonds uitnodiging niet te negeren, de ontmoeting niet te bederven, deze ritus niet te ontlopen. Hij tilde zijn revolver op, brak hem en draaide de cilinder rond, deed hem weer dicht. Zodra zijn hand de handgreep aanraakte ging er een oude sensatie door hem heen, iets wat hij in geen jaren had gevoeld: een sensatie van macht en een behoefte aan accuratesse. Hij hield de revolver voorzichtig in één hand en richtte op het midden van Crimonds voorhoofd. Het exacte midden, het doel. Toen hij daar stond kon hij ook, rechts van Crimonds hoofd, een soort wit merkteken op de deur zien. De deur was blauw, een kleur die fel oplichtte in het heldere TL-licht. Crimond bleef roerloos staan tegen de achtergrond van de blauwe deur. Dit is mijn eerste schot, dacht Duncan, Crimond kan ook nog een keer schieten. Zelfs als we elkaar wilden doden zou het heel moeilijk zijn. Er bestaan vreselijke wonden die erger zijn dan de dood. Maar had ik niet daarom juist die hamer meegenomen? Als ik nu eens op zijn rechterschouder richtte? Gedurende een seconde hield hij de revolver stil, met het vizier op Crimonds voorhoofd gericht. Met deze revolver en zelfs op deze afstand bestond er niet zoiets als accuratesse. Duncan voelde een fysieke kramp en een gewaarwording van duisternis, alsof hij flauw zou vallen. Gewoon het feit dat hij in deze seconde Crimond volledig in zijn macht had was voor hem de vervulling van het ritueel. Dit was alles wat hij nodig had. Met een minieme beweging verschoof hij de revolver en richtte op de witte plek op de deur, spande zijn vingers om de trekker.

Toen, ver weg, als in een droom, hoorde Duncan het merkwaardige, het verbazingwekkende geluid van voetstappen op de trap. Het geluid van naderende voeten en toen een stem die riep: 'David! David!' De deur vloog open en in plaats van de blauwe rechthoek stond Jenkin Riderhood daar, opgedoken uit de duisternis van de trap. Precies op het moment dat hij vuurde richtte Duncan op iets anders. De knal, die in de besloten ruimte weergalmde, was oorverdovend. Bijna op slag klonk er nog een geluid, een zwaar bonzend geluid. Duncan liet de revolver vallen en sloeg zijn hand aan zijn hoofd. Jenkin was er niet, er was slechts een openstaande deur. Duncan liep langzaam de kamer door. Jenkin lag op zijn rug op de vloer. Er zat een keurig rood gaatje in het midden van zijn voorhoofd, precies op de plek waarop Duncan had gericht toen hij op Crimond richtte. Jenkin was duidelijk dood. Zijn ogen waren open en zijn gezicht drukte verbazing uit. Duncan deed de deur dicht.

Wanneer hij later terugkeek op wat er daarna was gebeurd, verbaasde Duncan zich over zijn eigen koelbloedigheid. Het was hem onmiddellijk duidelijk dat uit deze onvoorstelbare, vreselijke, afschuwelijke catastrofe in ieder geval nog iets kon worden gered wanneer er snel en slim werd gehandeld. Een vreemd, raar, griezelig aspect van de hele situatie – en Duncan bleef het zich herinneren dat hij dat had gevoeld op een moment dat er zoveel dingen tegelijk te voelen waren – was dat Crimond dadelijk, zwijgend, begon te huilen, en stromen tranen bleef plengen gedurende de scène die volgde.

Duncan dacht, hij dacht diep na. Hij zei tegen Crimond: 'We moeten verklaren dat dit een ongeluk is. Het ís natuurlijk ook een ongeluk. Maar hoe? Wat is het beste verhaal? Laten we zeggen dat we op de schietschijf oefenden en dat hij opeens in de weg stond. Dat is het beste dat ik nu kan bedenken, het is in ieder geval eenvoudig. Hoor eens, help me, dan slepen we hem naar het andere einde, vlakbij de schietschijf. Het is maar goed dat er zo weinig bloed is.'

Duncan begon Jenkins lichaam bij de benen te verslepen. Crimond hielp niet, maar liep huilend naast hem terwijl Duncan verder sleepte tot bij de schietschijf. Daarna liep Crimond naar het bed, ging erop zitten en gaf zich over aan zijn gehuil, met zijn handen voor zijn gezicht.

Duncan schoof de twee tafels tegen de muur. Hij raapte zelfs wat boeken op en legde die op de tafels.

Hij zei tegen Crimond: 'Zal ik de politie bellen of doe jij dat?'

Crimond gaf geen antwoord en bleef maar huilen. Duncan zag de tranen van zijn gebogen hoofd op de grond vallen.

Pas op dat moment besefte Duncan dat hij hier niet hoefde te blijven! Hij kon gewoon verdwíjnen!

Duncan raapte zijn jasje en das op en kleedde zich verder aan. Hij trok zijn winterjas aan, stopte de handschoenen diep in de zakken. Het duurde even eer hij besefte wat de hamer was, toen hij die aanraakte. Hij zei tegen Crimond: 'Jij moet de politie bellen. Ik hoef er niet bij betrokken te worden. Begrijp je dat? Ik ben hier níet geweest! Jij bent degene die alles uit moet leggen. Houd je gewoon bij het verhaal, het was een ongeluk, hij liep in de weg. Hoor je me, begríjp je me? Ik ga nu, ik ben hier helemaal niet geweest.'

Crimond reageerde niet. Duncan bleef roerloos staan en probeerde na te denken. Wat moest hij verder nog doen? Iets aan revolvers, vingerafdrukken. Hij haalde de handschoenen uit zijn jaszak en trok ze aan, raapte toen de revolver op die hij had afgevuurd, brak hem en liet de inhoud van de cilinder op de tafel glijden. Eén verbruikte patroon en vijf valse. Hij stopte de verbruikte patroon weer in de zwart aangeslagen kamer en poetste toen de handgreep van de revolver zorgvuldig schoon met zijn zakdoek. Hij bracht de revolver naar Crimond en stak hem naar hem uit, terwijl hij hem bij de loop vasthield. Crimond pakte de revolver automatisch aan en legde hem op de vloer. Duncan herhaalde dit proces. Crimond pakte de revolver, hield hem even in zijn hand en legde hem toen weer neer. Hij besteedde geen aandacht aan Duncan, keek niet naar hem op. Duncan besloot de revolver naast Crimonds voeten op de grond te laten liggen. Hij richtte zijn aandacht nu op de andere revolver, klapte hem open en hield de cilinder ondersteboven. Hij schudde ermee. Er kwam niets uit. Hij bekeek het wapen. Alle kamers waren leeg. Hij zei tegen zichzelf: daar moet ik later over nadenken. Hij legde de revolver in de kast, waarin ook nog een automatisch pistool lag. Hij dacht: is dat alles? Nee. De vijf neppatronen lagen nog op de tafel. Crimond had ze heel zorgvuldig gemaakt, hij had het lood gesneden en erin geduwd, zodat de wedstrijd éérlijk zou zijn. Duncan dacht: voor die dingen kan hij geen verklaring geven, ik kan ze maar beter meenemen. Hij stopte ze in zijn zak.

Hij liep naar Crimond en schudde hem heen en weer, greep hem bij de schouders en rammelde hem woest door elkaar. Crimond keek op en probeerde zwakjes Duncan opzij te duwen. Duncan schreeuwde tegen hem: 'Ik moet nu gaan. Ik ben hier niet geweest. je hebt hem per ongeluk geraakt, hij liep in de weg. Denk goed na wat er is gebeurd, probeer het je voor te stellen. Bel dan de politie op, bel ze snel op. Begrijp je me?'

Crimond knikte zonder Duncan aan te kijken, hij probeerde nog steeds zwakjes hem weg te duwen, met een hand die nat was van de tranen.

Duncan ging weg, hij deed de deur van de speelkamer achter zich dicht, liep de trap op en stapte toen zachtjes de voordeur uit, de ijzig koude straat in. Er reden auto's langs, er liepen mensen voorbij. Niemand had kennelijk enige aandacht besteed aan een revolverschot. Duncan begon naar het station van de ondergrondse te lopen, een taxi was te riskant en het was trouwens niet waarschijnlijk dat hij er hier een kon vinden. Hij sloeg de kraag van zijn jas omhoog en dook er met zijn hoofd in, hij liep snel maar niet té snel. Toen hij bij het station was hoorde hij in de verte het geluid van een politieauto. Misschien had Crimond zich vermand en zijn verhaal rond gekregen en toen de politie gebeld.

Duncan ging zo snel mogelijk terug naar kantoor, waar hij tot zijn verbazing merkte dat hij nog voor lunchtijd arriveerde. Niemand scheen zijn afwezigheid te hebben opgemerkt. Duncan belde Jean op met een vaag voorwendsel. Ze leek blij te zijn zijn stem te horen. Ze zei dat ze eerder had opgebeld, hij zei dat hij een bespreking had gehad. Duncan lunchte in de kantine van het kantoor en maakte opvallend een praatje met diverse mensen. Hij nuttigde zijn lunch. Op weg naar huis kocht hij zoals gewoonlijk een avondkrant. Er stond een klein verward artikel in, over een ongeluk met een revolver. De verslaggever had zelfs niet begrepen wie Crimond was. Zo kort is sterfelijke roem nou, bedacht Duncan toen hij in de trein naar huis zat.

DEEL DRIE
VOORJAAR

Rose stond voor het raam van haar slaapkamer naar buiten te kijken, naar de zon die op het grote, brede gazon scheen en op de Italiaanse fontein en de enorme, prachtige kastanjebomen en enkele weilanden vol zwart-witte koeien en wat glooiende bossen en een horizon die achter de heuvels verdween. De begrafenis was voorbij, de begrafenisgangers waren vertrokken. Dit was niet de begrafenis van Jenkin Riderhood, die reeds enige tijd geleden had plaatsgevonden, maar de begrafenis van Reeves vrouw, Laura Curtland. Rose was niet op Boyars maar in het huis in Yorkshire. Op Boyars waren de sneeuwklokjes al uitgebloeid, maar hier in het noorden stonden er nog wat in beschutte hoekjes onder nog bladerloze bomen en struiken. In het berkenbosje achter het gazon begonnen de vroege dubbele narcissen al in bloei te komen.

Laura Curtland, die zo lang een *maladie imaginaire* was geweest, had haar status gerechtvaardigd door plotseling dood te gaan. Na vele jaren te hebben beweerd dat ze kanker had toen ze het niet had, ontwikkelde ze een snelle, inoperable tumor en stierf. Misschien, zei iedereen, had ze in zekere zin de hele tijd gelijk gehad. Laura's plotselinge overlijden veroorzaakte veel verbazing, enige ontreddering en zeker een hoeveelheid groot verdriet. Op Fettison – dat was de naam van het huis – overheerste het verdriet, dat door de bedienden werd gedeeld. Enkele dorpsbewoners hadden eveneens tranen geplengd. De familieleden, met uitzondering van Laura's man en kinderen, waren kalm. Rose, die nooit erg goed met Laura op had kunnen schieten, merkte dat ze wenste dat ze wat meer haar best had gedaan om iemand te leren kennen van wier goede eigenschappen ze zich nu plotseling bewust was. Rose had gedacht dat Laura vijandig was en Rose op een afstand wilde houden. Misschien, peinsde Rose nu, had Laura, met reden, gedacht dat Rose hen verwaarloosde, hen saai vond, zo weinig mogelijk naar Yorkshire kwam, voor zichzelf een eigen 'familie' in Londen had gezocht. Rose was geroerd en diep ontroerd door het duidelijke, zelfs radeloze verdriet van Reeve en Neville en Gillian. De stromende tranen van de kokkin en de dienstmeisjes, de gebogen hoofden van bedroefde tuinlieden, vormden eveneens een bewijs. Vanaf haar *chaise longue* had Laura vermoedelijk niet alleen dat grote huis en die tuin bestierd, maar ook genegenheid gewekt in hen die ze dirigeerde en had ze de onvoorwaardelijke liefde genoten van haar geliefden om zich heen. Rose had beseft dat Laura niet gek was, maar op de een of andere manier had ze haar nooit serieus genomen, en Laura had dit beslist gevoeld. Maar al deze overpeinzingen kwamen nu te laat.

Rose, die was gekomen voor de begrafenis en op verzoek van Reeve en de kinderen was gebleven, was nu meer dan twee weken op Fettison geweest. Ze had zich achteraf verbaasd, hoewel het in die tijd slechts natuurlijk en vanzelfsprekend had geleken, over de snelheid waarmee zíj degene was geweest die, in de directe leiding van de huishouding, Laura's plaats had ingenomen. Reeve en Neville en Gillian hadden, hulpeloos overmand door verdriet, Rose gesmeekt de leiding te nemen en zonder hier opdracht toe te hebben gekregen liepen alle bedienden met hun problemen naar haar. De dominee overlegde met Rose hoe de begrafenis moest verlopen en Rose probeerde de wensen van Reeve te weten te komen. Rose organiseerde de 'ontvangst' na afloop van de begrafenis en wees slaapkamers toe aan familieleden die bleven overnachten. Ze besloot eveneens wat ze in alle drukte aan mevrouw Keithley, de uiterst capabele kokkin, over moest laten. Natuurlijk was Rose blij dat ze van dienst kon zijn; en meer dan dat, ze voelde een vage voldoening dat ze plotseling zo belangrijk was in een huis waar ze vaak het idee had gehad dat ze niet voor vol werd aangezien. Fettison was groter en veel mooier dan Boyars. Het was een ongerept, onbedorven huis uit de achttiende eeuw, dat was gebouwd met een steen uit die omgeving, in kleur variërend van helderbruin tot zachtrose. Een voorouder die in Vicenza was geweest had de balustraden van het dak voorzien van beelden, die door de overgrootvader van Reeve en Rose naar discrete plekjes in de tuin waren verhuisd. Het huis rustte op een breed terras, dat vanaf het gazon via een mooie, smalle, stenen trap kon worden bereikt. Op het gazon stond de fontein, een iets meer geslaagde toevoeging van dezelfde voorouder. Erachter lag een uitzicht over het Engelse landschap en verder weg tekende het Penninisch Gebergte zich vaag af tegen de blauwe hemel. Rose had nooit sterke gevoelens gehad voor 'familiebezit' of zelfs maar familie, buiten haar ouders en Sinclair. Na hun dood had ze zich neergelegd bij de gedachte wel vrienden te hebben maar, behalve in officiële of letterlijke zin, geen familie. Ze voelde geen verwantschap met 'de Curtlands', geen band met 'de oude Yorkshire familie', hoewel het 'oude huis' in Yorkshire had gestaan en al haar voorouders er hadden gewoond. – Het was een plaatselijk grapje dat als de Curtlands het over 'de oorlogen' hadden, ze de Rozenoorlog bedoelden – Rose was erg op Boyars gesteld, maar ze zou het geen groot probleem vinden als ze het moest verkopen. Nu ze het huis in Yorkshire wat meer van nabij meemaakte bedacht ze hoe vreemd het voor Neville en Gillian moest zijn, hoewel zij het misschien heel gewoon vonden, te weten dat deze plek hún plek was, dat het huis aan hen en hun kinderen en hun kleinkinderen zou worden toevertrouwd, terwijl het vervuld was van de verbleekte aanwezigheid van hun voorouders, wier portretten, helaas door slechte kunstenaars geschilderd, vooral in de grotere kamers hingen, hoewel sommige ervan naar de slaapkamers waren verbannen. Aan de muur van de slaapkamer van Rose hing een klein, slecht, zeventiende-eeuws portret van een ontroerende dame, die had geleefd voor Fettison werd gebouwd of was ontworpen, en die opmerkelijk op Gillian leek.

Het drama, want dat kon het wel genoemd worden, van Laura's dood had een plotselinge onderbreking gevormd in de rouwperiode die Rose na Jenkins dood doormaakte. Op een droevige maar begrijpelijke manier was het een bijna welkome onderbreking geweest. Het had Rose weggehaald uit de donkere, obsessieve, bijna kranzinnig makende atmosfeer in Londen, naar een plaats waar haar emoties minder hevig bij waren betrokken en waar veel praktische dingen waren die ze kon doen. Haar gebruikelijke Kerstmisbezoek aan Yorkshire, zo kort na de dood van Jenkin en voordat Laura's diagnose was gesteld, was een nachtmerrie geweest. Kerstmis op Fettison werd, zoals gewoonlijk, uitvoerig gevierd met veel uitgelatenheid, knetterende houtvuren, kerstbomen, bergen hulst en klimop en mistletoe uit de tuin, kerstliedjes, spelletjes, overmatig eten en drinken, en veelvoudige uitwisselingen van prachtig ingepakte cadeaus. Er werd ook gehoopt op tochtjes met de arreslee, skieën of schaatsen, maar een perverse periode van warm weer maakte deze zaken onmogelijk. Rose, die alles vreselijk vond, maakte dat ze zo snel mogelijk wegkwam. Ze had niets verteld over de vreselijke gebeurtenis, en zij vroegen slechts voor de vorm hoe het leven elders was. Gerard had, voorzover hij de kerstdagen 'vierde' of zelfs maar 'opmerkte', deze met Gideon en Patricia doorgebracht. Het was een bijzondere gebeurtenis geweest omdat Tamar en Violet, die kennelijk door Gideon waren overgehaald, ook waren gekomen. Jean en Duncan zaten als gewoonlijk in Frankrijk. Lily ging bij haar vriendin Angela Parke logeren. Gulliver zat naar verluidt 'in het noorden', in Leeds of Newcastle. Rose was eerst van plan geweest bij Gerard in Londen te blijven, maar hij had haar overgehaald naar Yorkshire te gaan. Zowel Rose als Gerard voelden een zekere opluchting enige tijd van elkaar gescheiden te zijn. Ze hadden zo lang samen verdriet gehad en elkaar nog wanhopiger gemaakt. Het was misschien wel 'goed' voor ze weer eens onder mensen te zijn met wie ze een minder sterke band hadden, bij wie ze zich gewoon moesten gedragen. Rose was, na de vreselijke schok over zijn dood, in gaan zien hoeveel, hoeveel meer dan ze ooit had beseft, ze van Jenkin had gehouden en aan hem gehecht was. Er had misschien voor haar een kleine schaduw over hem gehangen doordat ze altijd een beetje jaloers was geweest op Gerards genegenheid voor hem, een gevoel alsof Jenkin op zekere dag Gerard volledig van haar af kon nemen. Nu besefte ze hoeveel de aanwezigheid van Jenkin in haar leven had betekend, hij had werkelijk 'een ziel aan alle dingen gegeven'; en als ze terugdacht aan zijn wijsheid, zijn bijzondere zachtmoedigheid, zijn vriendelijkheid jegens haar, de unieke charme van zijn fysieke bestaan, kwam het haar voor dat hij haar misschien ook op een speciale manier had liefgehad. Deze gedachte maakte haar bijzonder droevig, vermengde haar verdriet met wroeging. Een leven zonder Jenkin leek onmogelijk, er was te veel uit weggenomen. Haar eigen smart had zich natuurlijk gemengd met het veel grotere verdriet van Gerard. Gerards verdriet had Rose onthutst en haar des te meer geraakt omdat ze niets voor hem kon doen. Dit sterfgeval bracht hem onvermijdelijk op Sinclair en deed hun oude verdriet herleven. Rose was vergeten dat Gerard kon huilen, heel heftig kon huilen, met veel gesnik en grote hoeveelheden tranen, zoals bij vrouwen.

Wat ze, naarmate de tijd verderging, steeds meer besproken en zichzelf daardoor steeds meer van streek maakten, was de uitzonderlijke manier waarop hij was gestorven, de omstandigheden, het ongeluk. Hier aangekomen merkten ze dat ze, na een poosje, steeds dezelfde vragen stelden en dezelfde dingen zeiden. Tja, het wás toch een ongeluk, nietwaar, en ongelukken zijn altijd bizar. Aan de politie en bij het gerechtelijke onderzoek had Crimond tot in details uitgelegd wat er was gebeurd, hoe Jenkin en hij over Crimonds scherpschutterskunst hadden gepraat en een weddenschap hadden afgesloten over zijn kwaliteiten, hoe Jenkin naar de schietschijf was gelopen, hoe Crimond hem had verteld uit de buurt te blijven, en terwijl hij zich op het richten concentreerde, had gevuurd, juist toen Jenkin zich omdraaide en opzij liep om iets tegen hem te zeggen, zonder te beseffen dat hij in de vuurlijn liep. Het was een eenvoudig, vreselijk ongeluk. De uitspraak was dood door ongeluk. Crimonds overduidelijke verdriet maakte indruk op de politie en op de rechter. Veel betrouwbare mensen waren bereid te getuigen dat Crimond en Jenkin vrienden waren, niemand suggereerde dat ze gevaarlijk hechte vrienden waren. Jenkins gouden karakter werd door iedereen bevestigd. Er was niets dat kon wijzen op een smoezelige, homoseksuele vete, niets dat op jaloezie wees, of op geld, er was geen zweem van enig motief te vinden voor vals spel. Als er sprake was geweest van onzorgvuldigheid, dan was dat van beide kanten geweest. Crimond kreeg wel wat problemen door het in bezit hebben van vuurwapens zonder de vereiste vergunning en kreeg hiervoor een zware boete. De politie doorzocht zijn flat maar vond geen bezwarend materiaal. Hij was nooit, zelfs niet in zijn dagen van beroemdheid, verdacht geweest van terroristische activiteiten. Hij vormde nu, zo lang had hij als kluizenaar geleefd, nauwelijks enig nieuws. Er werd geen enkele jonge verslaggever, belust op het vinden van verborgen schanddaden, op hem afgestuurd. Het scheen in niemand op te komen dat ze misschien ruzie hadden gemaakt over politiek. er was op dat moment veel 'nieuws' in de pers, waarbij sprake was van veel ergere schandalen en geweld en walgelijke toestanden, waarbij veel beroemder en belangrijker mensen waren betrokken. Dit vreemde ongeluk trok weinig aandacht. Gerard verwachtte na deze gebeurtenis geen berichten van Crimond, en kreeg die ook niet, en Jean en Duncan hadden natuurlijk ook niets gehoord. De enige persoon met wie Crimond contact scheen te hebben gehad was Jenkins oude vriend uit het onderwijs, Marchment, die tijdens zijn getuigenverklaring vertelde dat Crimond hem vanuit een telefooncel had opgebeld, vlak na Jenkins dood en direct nadat hij de politie had gebeld, om hem in het kort te vertellen wat er was gebeurd, en dat Crimond hem later het verhaal tot in alle details had verteld. Gerard belde Marchment op, ging toen naar hem toe en kreeg hetzelfde verhaal te horen. Dus het was een ongeluk. Het was echt niet mogelijk dat Crimond Jenkin had vermoord? Nee, dat was echt niet mogelijk. Er was ook geen enkel motief voor te vinden. Dan was het toch zeker niet mogelijk?

Aan al deze gesprekken nam Rose deel met de grootst mogelijke gereserveerdheid. Ze had nu haar eigen speciale mening over Crimond, 'haar Crimond', die voor altijd haar donkerste geheim moest blijven. Rose had zich, zelfs al voor Jenkins dood, hersteld van wat nu een verbazingwekkende, unieke, onverklaarbare aanval van waanzin leek, waarin ze zich had verbeeld krankzinnig verliefd te zijn op Grimond, waarin Crimond van niets opeens alles voor haar was geworden. Rose, die meteen bij zichzelf had gezegd dat ze weer 'met beide benen op de grond moest staan', was hierin, enkele dagen na haar 'aanval' redelijk goed geslaagd. De felle gloed verbleekte langzaam, haar gewone verplichtingen eisten haar aandacht weer op en bovenal begon het kwellende, martelende gevoel van een mogelijkheid, een mogelijke zet, haar te verlaten; en was nu in staat dankbaar te zijn dat ze Crimond níet op straat had getroffen toen ze achter hem aan was gehold, géén compromitterende brief had geschreven waar ze later voor eeuwig spijt van zou hebben gehad. Natuurlijk kon ze niet van Crimond houden! Ze hield van Gerard en ze kon, om duizenden redenen, niet beiden liefhebben. Bovendien wilde ze, om Jean, niets met Crimond te maken hebben. Crimond was iemand die haar goedkeuring niet weg kon dragen, misschien was hij zelfs krankzinnig... wat had er krankzinniger kunnen zijn dan dat plotselinge aanzoek? Hij was niet iemand van wie ze zich voor kon stellen dat ze de tijd met hem doorbracht, laat staan een intieme relatie ontwikkelen. Eén van de beste manieren om zich te troosten, in die eerste dagen van herstel, was te denken dat Crimond een beetje geschift was en heel snel spijt zou hebben gekregen van zijn overhaaste idee wanneer Rose er enige belangstelling voor had getoond! Desondanks, en ze besefte dit zodra ze in staat was bij zichzelf te zeggen dat het voorbij was, bleef er iets hangen en misschien, bedacht Rose met een vreemde mengeling van droefheid en vreugde, zou dit wel altijd zo blijven. Er bestond een soort band tussen die man en haar, die zou blijven zelfs als, wat waarschijnlijk was, hij zijn gebaar nu betreurde en het als een misstap beschouwde, en zelfs als hij zich nu troostte door haar te haten om de grove manier waarop zij had gereageerd. Rose kon niet goed doorgronden wat dit overblijfsel was. Het was ongetwijfeld iets wat in de loop der tijd zou slijten en veranderen. Het was gedeelte-lijk dat zij zich, achteraf, vereerd en ontroerd had gevoeld door zijn voor-stel. Het is moeilijk voor een vrouw niet enige vriendelijkheid te voelen je-gens een man die haar aanbidt. Hij, die vreemde Crimond, die door veel mensen werd gevreesd en gehaat, had voor één moment aan haar voeten ge-legen. Wat zou iedereen opkijken... maar niemand kwam het natuurlijk ooit te weten. Maar er was nog een andere, betere, vond ze, component. Gedurende een korte tijd had ze Crimond liefgehad, waarbij haar liefde, als een laserstraal, tot in zijn binnenste had gereikt, daarbij, hoe blindelings ook, de ware Crimond treffend, de aantrekkelijke Crimond, die deswege ook moest bestaan. Ze stond zich niet toe zich voor te stellen dat ze Cri-mond ooit zou vertellen dat ze hem lief had gehad, en ze kon zich, zelfs veel later, moeilijk op passende wijze verontschuldigen voor haar grove hou-ding zonder op enige wijze op die sterk verschillende gevoelens te doelen. In die richting waren geen mogelijkheden. Maar haar wens dat hij het op de een of andere manier te weten kon komen, bleef haar bij als een pijnlijk punt en ze bewaarde haar vreemde kennis over hem als het embleem van een verboden religie.

Dit was de toestand waarin ze verkeerde voor het nieuws over de dood van Jenkin en de vreemde omstandigheden waaronder deze had plaatsgevon-den, haar bereikte. De schok van deze vreselijke, regelrechte, onverklaarba-re ramp bracht Rose terug naar haar mening over Crimond als iets wat zwart en dodelijk was. Rose en Gerard waren het erover eens dat ze niet konden en mochten denken dat hun vriend was vermoord. Het was een beschuldi-ging die te onwaarschijnlijk en te vreselijk was om zonder enige vorm van bewijs te kunnen worden geuit. 'We mogen deze veronderstelling niet on-der woorden brengen, zelfs niet tegenover onszelf,' zei Gerard. Maar ze hadden hem wel onder woorden gebracht, en tot hun schrik en ontzetting bleken anderen deze mening vrijelijk te uiten, gebaseerd op niet meer dan kwaadaardige veronderstellingen. Hier werd Rose opnieuw gekweld door haar eigen gedachten: was het mogelijk dat Crimond inderdaad Jenkin had vermoord, bij wijze van wraakoefening jegens haar, en jegens Gerard die hij misschien de schuld gaf van het feit dat Rose hem had afgewezen. Toen dit idee plotseling in haar opkwam veroorzaakte het bij haar zo'n onrust dat ze dacht dat ze krankzinnig werd, dat ze zelfs krankzinnig genoeg zou zijn om haar hart bij Gerard uit te storten, louter om hem te laten delen in haar misère. Ze dacht: dan ben ík dus werkelijk verantwoordelijk voor Jenkins dood, als ik nu maar vriendelijker was geweest tegen Crimond, als ik maar niet zo wreed en minachtend was geweest... Hier kreeg het diepgewortelde gezonde verstand van Rose echter de overhand en voegde haar sterke morele besef zich bij haar gevoel voor zelfbehoud, en oordeelde ze dat dit beeld van de zaak een krankzinnige en ook een kwaadaardige fantasie was.

Binnen korte tijd had Rose twee rouwdiensten meegemaakt, beide Anglicaans. Gerard, die het direct op zich had genomen Jenkins begrafenis te regelen, had besloten dat, aangezien Jenkin de laatste tijd scheen te sympathi-
seren met het christelijke geloof, de plechtige woorden uit het gebedenboek, zo sober en mooi, hem vaarwel moesten zeggen. Jenkin had geen familie; maar bij de begrafenisdienst verschenen verbluffend veel mensen die
Rose en Gerard nog nooit hadden gezien, om hun bedroefdheid te tonen.
Gerard besloot tot een crematie, omdat hij zich vaag herinnerde dat Jenkin
er voor was, maar hoofdzakelijk omdat hij de gedachte niet kon verdragen
dat het lichaam van zijn vriend voort bleef bestaan, om weg te rotten in de
aarde. Dat wilde hij niet. Laura werd uiteraard begraven op het kerkhof van
de dorpskerk, op een plaats die voor de Curtlands was gereserveerd. Er werd
al gekibbeld over haar grafsteen. De twee diensten leken veel op elkaar, behalve dat het ene lichaam 'aan de aarde' werd toevertrouwd en het andere
'aan het vuur', waarbij elk op eigen wijze tot stof kon wederkeren.

Later die morgen zat Rose in de bibliotheek, waar Reeve Curtland brieven
had zitten schrijven om te reageren op de talrijke uitingen van deelneming
bij Laura's overlijden. De jongelui waren vertrokken, Neville naar St. An-
drews waar hij in het laatste jaar zat van zijn geschiedenisstudie, Gillian naar
Leeds waar ze eerstejaars-student psychologie was. Beiden waren er niet in
geslaagd in Oxford te komen, maar bewezen dat het ook mogelijk was elders
te gedijen. Reeve, die eveneens niet in Oxford had kunnen komen, had, zoals hij dikwijls klaagde, een sombere en nutteloze tijd doorgebracht op een
onbeduidend Londens college. Het was pas de laatste tijd in Rose opgekomen dat Reeve, die ongeveer van haar leeftijd was, misschien heel jaloers
was geweest op de gouden tijden die Sinclair en de anderen klaarblijkelijk
op die oude universiteit hadden. Reeve was echt aanzienlijk opgevrolijkt,
zoals onbarmhartige omstanders opmerkten, toen zijn vader de titel had
geërfd. De Curtlands waren Anglicaans, geen nonconformisten of Quakers,
maar ze bezaten een puriteins trekje dat nu en dan bovenkwam. Er was een
Curtland officier geweest in het leger van Cromwell. De Anglo-Ierse moeder
van Rose had Sinclairs homoseksualiteit opgewekt aanvaard, maar haar
zachtmoedige vader was inwendig geschokt geweest. Rose had vanzelfsprekend deze zaken nooit met Reeve besproken, evenmin trouwens als andere
zaken van enig belang. Altijd op zoek naar gelijkenissen had ze in Nevilles
knappe blonde uiterlijk iets van Sinclair teruggevonden. Het was in ieder
geval duidelijk dat Neville, die altijd bijna verloofd was met allerlei meisjes,
de meerduidige geneigdheid van zijn neef niet deelde. Reeve vertoonde
geen opvallende gelijkenis met enig familielid of voorouder, hij miste
beslist het zwierige uiterlijk dat de meeste Curtland-mannen schenen te
hebben gehad, naar de familieportretten te oordelen, een uiterlijk dat zowel
Sinclair als Neville zeer duidelijk wel bezaten. Hij was niet lang zoals zij.

Hij had vaalbruin haar, niet grijs maar wel een beetje kalend, donkerbruine, ietwat verbaasd en gretig kijkende ogen, een blozend gezicht en een sterk gerimpeld voorhoofd waar de bobbelige huid in kleine heuveltjes overheen lag. Zijn lippen waren ook gretig. Zijn wenkbrauwen dik en borstelig. Op de een of andere manier slaagde hij erin er jong uit te zien. Hij was vaak verlegen en zelfs onbeholpen in gezelschap, in tegenstelling tot zijn zoon. Hij bleef het liefst steeds thuis om aan talloze klussen te werken. Hij droeg altijd een stropdas, zelfs als hij op de tractor reed. Ondanks zijn onhandige en soms zeldzaam irritante, aarzelende manier van doen jegens de buitenwereld, ontbrak het hem niet aan charme, misschien wel de charme van een timide, ontroerend dier. Maar de mensen merkten ook op dat hij, ondanks zijn onhandige voorkomen, zijn landgoed en zijn financiën redelijk goed beheerde. Hij kon eveneens verdienstelijk pianospelen en aquarelleren.

'Reeve, ik moet weer terug naar Londen,' zei Rose, de woorden uitsprekend die ze al enige tijd uit had willen spreken.

'O nee! Waarom? De kinderen zijn weer vertrokken, maar ik ben er ook nog! En hoe moet alles hier in huis zonder jou? Je hebt dáár niets te doen! Ik heb me vaak afgevraagd waarom je niet vaker bij ons kwam. Je hoort dit als je tweede thuis te beschouwen.'

'O, maar dat doe ik ook,' zei Rose vaag.

'Dat doe je kennelijk niet, als je zo krenterig bent met je tijd! Je weet hoezeer de kinderen aan je gehecht zijn, hoezeer ze je goede raad nodig hebben.'

Rose kon zich niet herinneren ooit 'goede raad' te hebben gegeven aan Neville en Gillian, die levenslustige, onafhankelijke jongelui waren, hoewel het waar was dat ze enkele 'goede gesprekken' met hen had gehad tijdens dit, uitzonderlijk lange, verblijf op Fettison.

'Hoezeer ze je nodig hebben,' ging Reeve verder, 'en zullen hebben... zelfs nog meer... in de toekomst...'

Rose hoorde ongemakkelijk hoe hij enige nadruk legde op deze laatste woorden. Ze zei, ietwat resoluut, omdat ze nu duidelijk wilde zijn: 'Ik moet terug. Gerard is tegenwoordig erg ongelukkig omdat een goede vriend van hem bij een ongeluk is omgekomen.'

'Jenkin Riderhood.'

'Ja. Ik wist niet dat je hem kende...' zei Rose verbaasd.

'Francis Reckitt vertelde het me, je weet wel, de zoon van Tony. Hij had het kort geleden van iemand uit Londen gehoord en hij herinnerde zich de naam van die kerel. Ik heb hem één keer bij jou ontmoet, jaren geleden.'

'Natuurlijk, je hebt Jenkin ontmoet, dat was ik vergeten.'

'Een raar gedoe... met die Crimond, is het niet... die communist of wat was het...'

'Ja.'

'Het spijt me. Ik had er niets over tegen je gezegd. Maar ik had zelf ook zoveel aan m'n hoofd.'

'Dat begrijp ik. Maar hoe dan ook... ik vind dat ik echt weer naar huis moet... ik neem aan dat je er begrip voor hebt.'

'Volgens mij is dit je thuis, maar ik zal er geen ruzie over maken! Er zijn er nu niet veel meer van over, hè...?'

'Hoe bedoel je?'

'Van Gerard en zijn vrienden. Hij woont nu bij zijn zuster, is het niet?'

'Ja.'

'Nou, kom weer gauw terug. We hebben je erg nodig. Alles gaat nu anders worden... en... Rose... het hemd is nader dan de rok!'

'Er is veel gebeurd in de tijd dat jij weg was,' zei Gerard.

Rose had hem opgebeld zodra ze terug was en hij was direct langs gekomen.

'Dus je woont in Jenkins huis?'

'Ja. Hij heeft alles aan mij nagelaten. Ik denk dat ik daar blijf wonen.'

'Dus Patricia en Gideon hebben je er toch uit weten te krijgen!'

'Ja. Maar ik wilde ook gaan. Ik heb er genoeg van omringd te zijn door bezittingen. Het is tijd voor een radicale verandering.'

'Je bedoelt dat je net zo als Jenkin wilt worden?'

'Doe niet zo mal!'

'Sorry, ik doe wat stompzinnig. Ik voel me op het ogenblik vreselijk stompzinnig.'

Het was laat in de avond. Rose beweerde dat ze had gegeten, hoewel ze slechts een sandwich had gehad. Gerard zei ook dat hij al had gegeten. Ze zaten koffie te drinken. Hij had bedankt voor whisky. De aanloop tot hun gesprek, waar Rose zo naar had uitgekeken, was moeizaam, bijna geprikkeld verlopen alsof ze allebei waren vergeten hoe ze een gesprek moesten voeren. Ze dacht: hij is boos op me omdat ik zo lang weg ben gebleven. Ik hoop maar dat het dat is.

Gerard zag er anders uit. Zijn krullende haar was dof en verward, stond naar alle kanten uit, als de vacht van een ziek of bang dier. Zijn scherp getekende gezicht, waarvan de trekken meestal zo harmonieus combineerden, zag er nu vreemd en hoekig uit, zelfs vervormd. Zijn mond stond scheef en werd in rusttoestand vertrokken door een steek van verdriet of ergernis. Zijn anders zo kalme ogen waren nu rusteloos en ontwijkend, en hij bleef zijn hoofd van Rose afwenden op een gemelijke manier. Soms werd hij stil en afwezig, fronste zijn voorhoofd, alsof hij luisterde. O, hij is ziek, hij is zichzelf niet, dacht Rose wanhopig, maar het leek wel of ze hem nu alleen maar irriteerde, ze kon niets doen.

'Je weet dat Duncan zijn baan eraan heeft gegeven?'

'Nee.'

'Maar dat is natuurlijk gebeurd toen jij al weg was, je bent ook eeuwen weggebleven. Hij bleef maar zeggen dat hij met pensioen wilde gaan, en nu is hij weg. Ze zijn nu in Frakrijk, op zoek naar een huis.'

'Waar in Frankrijk?' zei Rose.

'Ik zou het echt niet weten!'

'Ik heb hun nummer gedraaid, ik wilde Jean spreken. Dus ze zijn weg. Hoe is het met ze?'

'Heel opgewekt, geen vuiltje aan de lucht.'

'Hoe is het met Gull en Lily? Ik hoop dat het met hén goed gaat.'

'Niet bepaald,' zei Gerard met iets van voldoening. 'Je weet dat Gulliver 'm is gesmeerd naar Newcastle? Ja, natuurlijk wist je dat. Lily heeft al die tijd niets meer van hem gehoord.'

'Ik vermoed dat zij denkt dat hij daar een meisje heeft! Volgens mij moet ze hem achterna gaan. Dus je hebt Lily gesproken?'

'Nee, natuurlijk niet!'

'Misschien wil hij verdwijnen tot hij in triomf terug kan komen.'

'In dat geval zal hij alleen maar verdwijnen.'

'Maar je hebt Tamar wel gesproken?'

'Jij denkt dat ik iedereen heb gesproken! Ik heb Tamar om precies te zijn wel gezien maar niet gesproken. Maar ze ziet er welvarend uit, je zou haar gewoon niet herkennen.'

'Wat bedoel je met "welvarend"?'

'Nou, fit, in een uitstekende conditie.'

'Echt waar… wat geweldig!'

'Ik weet niet of het zo geweldig is,' zei Gerard, 'het lijkt net niet echt. Volgens mij is ze gestoord of aan drugs verslaafd of zo.'

'Ik ben er nooit achter gekomen wat er met haar aan de hand was… maar Violet misschien wel.'

'Weet je, volgens mij kon het Tamar allemaal niks schelen… met Jenkin…'

Rose zei haastig, om zijn emoties te bedaren: 'Ik weet zeker dat ze het zich wel heeft aangetrokken. Ze is nu eenmaal een merkwaardig meisje, ze houdt veel dingen verborgen.'

'Ze is bij die priester, bij die dominee van je geweest.'

'Bij father McAlister?'

'Ze is gedoopt en heeft belijdenis gedaan.'

'Grote hemel! Nou ja, als dat haar goed heeft gedaan…'

'Ze is volgestopt met allerlei opbeurende leugens. Gideon heeft ook wat aan haar gedaan.'

'Gideon?'

'Het schijnt zo. Ik heb haar de laatste tijd twee keer in mijn… zijn…

408

huis aangetroffen. Ik probeerde haar natuurlijk wel te ontmoeten, maar ze wilde me niet zien.'

Rose dacht: hij is woedend omdat Gideon succes heeft waar hij heeft gefaald. Ik moet veranderen van onderwerp. 'Kun je goed werken in Jenkins huis? Ben je iets aan het schrijven?'

'Nee. Ik ga niet schrijven... niets. Ik heb besloten niets te schrijven.'

'Gerard!'

'Ik heb niets te zeggen. Waarom zou ik allerlei halfgare rommel op schrijven, louter omwille van het schrijven?'

'Maar je...'

'Crimonds boek wordt uitgegeven door de Oxford University Press. Ik kan misschien een drukproef te pakken krijgen van iemand die daar werkt.'

Zodra Crimonds naam was gevallen leek het alsof het gesprek slechts die kant was uitgestuurd. Gerard, die steeds zijn blik had afgewend, keek Rose nu recht aan, hij bloosde en zijn lippen weken uiteen, zijn gezicht drukte een soort verbazing uit.

'Heb je Crimond gesproken?'

'Natuurlijk niet.'

Terwijl Rose probeerde een passende opmerking te bedenken, stond Gerard op. 'Ik moet gaan. Ik heb mijn auto verkocht, dat is ook iets wat is gebeurd. Ik moet een taxi zoeken. Maar eigenlijk kan ik net zo goed lopen. Bedankt voor de koffie.'

'Wil je geen whisky, of cognac?' Rose stond ook op.

'Nee, dank je, Rose, het spijt me dat ik zo... zo... afgríjselijk ben.'

Rose wilde hem omhelzen, maar hij zwaaide en liep weg, zonder haar te kussen. De klank van dat woord 'afgrijselijk' bleef in de kamer hangen. Rose kon het op haar lippen proeven. Ze dacht: hij is ziek, hij is ziek, hij is vergíftigd door die gedachten, door die vreselijke gedachten.

Toen Gerard thuis, in Jenkins zitkamer zat, voelde hij zich ellendig omdat hij niet in staat was geweest met Rose te communiceren. Hij betreurde het wat hij tegen haar had gezegd. Bij het overbrengen van zijn nieuws had hij een chagrijnige, cynische toon aangeslagen, hij had misprijzend gedaan bij alles wat hij noemde. Hij had zich slecht gedragen, hij had zijn weloverwogen terughoudendheid laten varen, hij had opzettelijk vijandig en kwetsend gedaan tegen Rose. Hij dacht: ik ben mezelf niet, mijn ziel is ziek, ik lijd onder een vloek.

Crimond was de naam van de vloek waar Gerard onder leed. Hij kon aan niets anders en aan niemand anders denken en hij zag niet hoe hij verandering moest brengen in deze vernederende en kwellende toestand. Hij overwoog elke dag met Crimond te gaan praten en elke dag zag hij hoe onmogelijk dit was. Hij wilde het boek zien in het geval dat het heel goed was, en hij was even bang dat het niet goed was. Natuurlijk dacht hij voortdurend aan Jenkin, maar deze rouw werd min of meer overheerst door Crimond, alles wat met Jenkin te maken had werd onder een nevel bedekt en besmet door Crimond; wat was dit toch allemaal vreselijk en hoe minderwaardig en walgelijk was Gerard geworden dat hij dit had laten gebeuren. Gerard wist nu zelfs niet meer zeker of hij het denkbaar achtte dat Crimond Jenkin kon hebben vermoord. Het kon niet waar zijn. En toch... Waarom was Jenkin daar geweest? Hij zei dat hij nooit naar Crimonds huis ging. Crimond moest hem hebben uitgenodigd of gelokt. Misschien was het een ongeluk, maar had Crimond niet op de een of andere manier een ongeluk mogelijk gemaakt, onbewust als het ware? Kon dit ergens op slaan? Er deed nog een ander gerucht de ronde, dat Gerard door een kwaadwillende kennis werd verteld, die eraan toevoegde dat hij er natuurlijk niets van geloofde, en dat was dat Jenkin en Crimond minnaars waren geweest en dat het een moord uit jaloezie was. Dit kón gewoon niet waar zijn. Jenkin had nimmer een hechte band met Crimond gehad en zou zoiets belangrijks zeker niet voor Gerard verborgen hebben gehouden. Hij kon zoiets beslist niet geloven. En toch, misschien, waren Jenkin en Crimond, waarschijnlijk heel lang geleden, eens hechte vrienden of minnaars geweest, en zou Jenkin zich dan niet verplicht hebben gevoeld dit geheim te houden? Misschien was er iets gewéést... en zulke dingen kunnen tijdloos zijn. Had Gerards 'aanzoek' aan Jenkin op de een of andere manier – natuurlijk niet doordat Jenkin het aan Crimond had verteld – maar door een waarneembare verandering in Jenkins houding en plannen, aan Crimond overgebracht dat 'er iets was gebeurd', zelfs dat Jenkin overwoog zijn celibataire levenswijze op te geven? Was Jenkin plotseling, op geheimzinnige wijze, sinds kort aantrekkelijk geworden? Als dat zo was dan was Gerard in zekere zin verantwoordelijk voor Jenkins dood. Maar dit idee, hoe vreselijk het ook was, bleef vaag en kwelde hem minder dan enkele bepaalde beelden van de hypothetische relatie, hoe lang geleden ook, tussen Jenkin en Crimond. En toen hoorde hij Jenkins stem, lachend, zeggend: 'Kom bij me wonen en wees mijn geliefde!'

Op die dag, toen Jenkin Tamar zo haastig had verlaten 'voor een spoedgeval' en had gezegd: 'Blijf hier en zorg dat je warm wordt, ik wil dat je hier blijft; blijf hier tot ik terugkom,' had Tamar gewacht, waarbij ze zich aanvankelijk beschermd en op haar gemak voelde, maar gaandeweg weer eenzaam en verdrietig werd en naar zijn terugkeer verlangde. Ze liep naar de keuken en keek in de koelkast naar brood, boter, kaas, ze keek naar de blikken bonen in de voorraadkast en de appels op een schaal. Het was alsof in haar ogen het voedsel was besmet, of dat ze het in een toekomstige toestand zag rotten. Ze kon geen hap door haar keel krijgen. Ze ging op Jenkins bed liggen, maar hoewel ze de elektrische kachel aanzette bleef de kamer koud. Ze lag huiverend onder een deken en miste de wilskracht zich dieper in het bed te nestelen. Het oneindig kleine sprankje hoop dat ze louter door Jenkins aanwezigheid had gekregen, was nu weer uitgedoofd. Het werd weer duister om haar heen, een verwoestende, verpletterende, kapotgeslagen, verpulverde duisternis, als de nacht na een aardbeving, alleen zweeg deze duisternis, klonken er geen stemmen, was er niemand, alleen zijzelf, haar enorme, verpletterde zelf. Tamar had, door naar Jenkin te hollen, eenvoudig gered willen worden van een dreigende, krijsende krankzinnigheid. De toespraak die ze tegen hem had afgestoken over een christen worden en over wonderen enzovoort was geheel onvoorbereid geweest, iets wilds, zelfs cynisch dat ze gezegd had om Jenkin en misschien zichzelf aan het schrikken te maken. De woorden waren hol, een andere stem sprak via haar. Natuurlijk had ze geluisterd, maar met niet aflatende wanhoop, zelfs met een soort minachtende woede naar het betoog van father McAlister over het 'aanvaarden van Christus als haar verlosser', wat haar in de oren klonk als het geraaskal van een medicijnman. Terwijl ze nu lag te wachten tot Jenkin terugkwam gaf ze zich over aan haar oude, zich herhalende verdriet en ze werd steeds ongeduldiger en toen ongeruster. Na enige tijd begon ze allerlei uitstekende redenen te bedenken waarom hij niet terug was gekomen, hij had gezegd dat het een spoedgeval was, er was iemand ernstig ziek, of nog wanhopiger dan zij, of had een poging tot zelfmoord gedaan, hij hield iemands hand vast, hij was dringend nodig, hij werd opgehouden. In al die tijd had Tamar helemaal niets te doen! Ze overwoog vaag het huis schoon te maken, maar het huis was al schoon. Ze zette een kop thee voor zichzelf en waste haar kop en schoteltje af, samen met een beker die naast de gootsteen stond. Na enige tijd, toen er uren voorbij waren gegaan, begon ze erg ongerust te worden, toen erg bang, omdat Jenkin niet terugkwam. Ze ging op bed liggen en viel in een bodemloze slaap, ze stond rillerig weer op en huilde een poosje. Om vijf uur besloot ze te gaan en ze begon een brief aan Jenkin te schrijven, die ze daarna verscheurde. Ze trok haar jas aan maar kon zich er niet toe zetten terug te gaan naar Acton, naar haar moeder. Tenslotte belde ze Gerard op en vroeg of hij wist waar Jenkin was. Gerard vertelde haar dat hij dood was.

Gerard was een van de eerste mensen geweest die deze gebeurtenis vernam, en wel om een vreemde reden. De politie had Crimond gevraagd of hij Jenkins naaste familie of kennissenkring kende, en Crimond had Gerards naam en adres gegeven. Gerard kwam terug uit de bibliotheek om de politie op zijn stoep aan te treffen. Hij werd meegenomen naar een politiebureau in Zuid-Londen waar hij over Jenkin werd ondervraagd, over Crimond, over de situatie, over hun relatie. Gedeeltelijk, of misschien wel voornamelijk, dankzij Gerards getuigenis werd Crimond een behandeling als 'verdachte' bespaard. Het werd Gerard bespaard zijn vriend te moeten identificeren, dank zij het feit dat Marchment op slag, na Crimonds telefoontje, contact had opgenomen met de plaatselijke politie en op het toneel was verschenen in de rol van beste vriend. De hele zaak bleef die dag in een staat van verwarring, met veel komen en gaan, waarbij Gerard zeer wel oog in oog kon hebben gestaan met Crimond, maar dit gebeurde niet. Hij kwam precies op tijd thuis om Tamars telefoontje te kunnen beantwoorden. Gerard vroeg haar waar ze was. Tamar zei dat ze in een telefooncel stond. Gerard zei dat ze daar moest wachten en dat hij haar met de auto op zou halen. Tamar zei nee, dank je, ze ging naar huis, haar moeder zat te wachten en ze hing vervolgens op, waarna Gerard zich verwijten maakte dat hij haar, in zijn geschokte toestand, het nieuws zo plompverloren had verteld. Ze ging terug naar Acton, zei níets tegen Violet, ze hoorde Violets geklaag aan, treuzelde met haar eten en ging vroeg naar bed. Haar toestand op dat moment, zoals ze het later bekeek, was min of meer die van uitgestelde shock, waardoor een soldaat wiens arm is afgerukt, in staat is weg te lopen, samenhangend te spreken, zelfs grapjes te maken voordat hij plotseling doodvalt. Tamar heeft niemand ooit verteld, met uitzondering van father McAlister, dat ze die dag bij Jenkin was geweest. De gedachte erover te worden ondervraagd leek haar onverdraaglijk. Bovendien was die ontmoeting een geheim tussen Jenkin en haar. Tamar had niet gewacht om van Gerard te horen hoe Jenkin was gestorven, het was voldoende te weten dat hij dood was. Maar toen ze die avond naar bed was gegaan, en in het donker bijna stikte van verdriet, kwam opeens de gedachte in haar op dat, wat hem ook was overkomen, hij door het gestorven kind was gedood, en dat van nu af aan en voor altijd iedereen die bij haar in de buurt kwam zou worden vervloekt en ten onder zou gaan. Dus zij was verantwoordelijk voor de dood van Jenkin.

De volgende dag had Tamar een afspraak met de priester; ze had die afspraak af willen zeggen maar was vergeten dit te doen. Dus ging ze erheen en bleef hem daarna met regelmatige tussenpozen ontmoeten. Father McAlister was gespecialiseerd in hopeloze gevallen. Wat Tamar betrof viel werkelijk te zeggen dat hij zich in de handen wreef. Zijn ogen glinsterden maar hij onderschatte de problemen niet. Zijn vader was een Anglicaanse geestelijke, zijn moeder een trouwe methodiste. Father McAlister kon bidden zodra hij kon praten en de spirituele retoriek van de bijbel en Cranmers gebedenboek was hem meer vertrouwd dan kinderliedjes. Zijn God was die van zijn vader, maar zijn Christus die van zijn moeder. Hij sprak de verheven en mooie taal van een gereserveerde vroomheid, maar hij spuwde het vuur van de krachtdadige bekering. Achter dit vernuftige mengsel school het geheim van father McAlister: hij was inmiddels opgehouden te geloven in God of in de goddelijkheid van Christus, maar hij geloofde wel in gebeden, in Christus als mystieke Verlosser, en in de magische kracht die hem was toevertrouwd toen hij tot priester was gewijd, een kracht om zielen te redden en de gevallenen te verheffen. Hierin zat hij, haar behoeften en intelligentie voorzichtig peilend, op één lijn met Tamar. Hij zocht in haar wanhoop ijverig naar het kleine vonkje hoop dat tot een vlam kon worden aangewakkerd. Toen ze zichzelf slecht noemde deed hij een beroep op haar gezonde verstand, toen ze verklaarde ongelovig te zijn legde hij haar het geloof uit, toen ze zei dat ze God haatte sprak hij over Christus, toen zij de goddelijkheid van Christus verwierp predikte hij Christus' macht tot reddden. Hij zong hoog en hij zong laag. Hij beloofde kracht door boetedoening, en vreugde door een nieuw leven. Hij spoorde haar aan zich in dienst te stellen van anderen. Hij gebruikte het oudste argument in het boek – soms het ontologisch godsbewijs genoemd – dat in de versie van father McAlister zei dat als je God oprecht liefhad, God dan bestond, omdat Hij wel moest! Tenslotte was het zo dat wat je beste ik, wat je meest oprechte innerlijk wenst wel echt moest zijn, en verder moest je je maar niet te veel zorgen maken over wat voor naam je eraan wilde geven. Aan deze discussies, aan deze strijd, als het ware aan deze dans die ze met de priester uitvoerde, begon Tamar verslaafd te raken. Ze gaf zichzelf aan hem over als aan een opslorpende taak. Het leek wel, en zo beleefde ze het ook in haar dromen, alsof ze door een groot paleis liep waar deuren opengingen, deuren dichtgingen, kamers en uitzichten te zien waren en weer verdwenen, en ze wist de weg niet, maar er was wel een weg en het enige dat ze moest doen was voorwaarts blijven gaan. Er moesten veel dingen in elkaar worden gepast, dat móest, voor haar, voor Tamar, voor haar redding uit de wanhoop en de vernedering en de dood. Dit inspannende, moeizame, vaak emotionele, langdurige en ingenieuze 'in elkaar passen' was misschien het knapste dat Tamar ooit had gedaan. Ze móest leven, ze móest genezen. Deze hoop, die eerst een verstandig voornemen leek, kon gelijktijdig bestaan naast haar oude wanhoop, die nu een soort gemakzucht begon te lijken, het gevoel dat ze geen geluk of genezing verdiende en gedoemd was. In deze eerste periode herinnerde ze zich met bittere tranen de tijd dat ze zich onschuldig had gewaand en trots en blij was een engel genoemd te worden, en een 'lief meisje' dat altijd 'aardig voor anderen' was. Dat ze van dit voetstuk was gevallen maakte haar extra schuw voor Gerard, die zoveel had gedaan om deze illusie op te bouwen. Dit vermijden van Gerard, bijna deze wrok jegens hem, bood Gideon een kans aangezien hij de enige persoon bleek met wie father McAlister op discrete wijze kon samenwerken. Hier vond de priester een gretige, bijna té enthousiaste bondgenoot; en vandaar de verbazingwekkende aanwezigheid van Tamar en zelfs Violet bij de kerstfestiviteiten.

Op een zeker punt leek overgave slechts een kwestie van logica. Wanneer er zoveel met haar was gebeurd, zoveel voor haar en aan haar, moest ze dan niet de realiteit van de bron erkennen? Deze formaliteiten waren belangrijk als symbolen en bevestigingen en beloften. Dit horen bij zou uitdrukking

geven aan een echte band en echte vrijheid. Het werd tijd voor betrokken-
heid, voor de inwijding in het mysterie. Tamar werd gedreven door dankbaarheid, door de liefhebbende ijver van haar mentor, en door een onbe-
vooroordeelde zorgeloosheid die, dacht ze soms, een nieuwe, misschien wel
betere, vorm was van haar wanhoop. Waarom niet? Was ze niet in wonderen gaan geloven? Ze wilde zichzelf ook brandmerken als iemand die afstand had gedaan van hen wier meningen ze vroeger zo belangrijk had gevonden; ze was nu een ander huis binnengegaan, een andere wereld, die zij
zouden veroordelen in een terminologie die haar nu oppervlakkig en banaal
voorkwam. Er was een weg en ze moest voorwaarts blijven gaan, ze was nog
niet veilig. De plechtigheden van doop en belijdenis vonden op dezelfde
dag plaats. Er waren peetouders bij nodig. Tamar vond een peetmoeder,
een zekere juffrouw Luckhurst, een voormalige lerares van haar die nu met
pensioen was. Father McAlister verschafte een haastig ten tonele gevoerde
peetvader in de persoon van een bijna sprakeloze jonge hulppriester. Onmiddellijk na de plechtigheid ontving ze het avondmaal. Het wonder, waarvoor ze nu klaar was, begon te werken. Tamar kwam tot rust, haar ademhaling werk kalm, haar ogen sereen. Ze kreeg het 'welvarende' uiterlijk waar
Gerard het over had gehad en de rustige houding die hem ertoe dreef te
zeggen dat ze zich niets aantrok van de dood van Jenkin. Ze was in staat
te bidden. De priester had vaak met haar over gebeden gesproken, hoe het
gewoon een bepaalde rust was, een aandachtig afwachten, een ruimte die
werd geschapen voor de aanwezigheid van God. Tamar voelde dat ze ruimte
maakte en dat er iets was wat die ruimte vulde.

Tamar was zich terdege bewust van haar eigen pienterheid, ze was zelfs
bereid zichzelf te beschuldigen van 'valsspelen'. Ze liet dit woord een keer
bij haar mentor vallen maar hij antwoordde: 'Kindlief, je kúnt niet valsspelen... hier, en hier alleen kun je niet valsspelen. Wat je zuiver en van ganser harte wenst is van dezelfde substantie als je wens.' Hij zei dat dit een
waarheid was waar ze 'naartoe moest groeien'. Tamar deed haar best er
naartoe te groeien, aanvankelijk gewoon door aan de hel te ontsnappen, later door in de praktijk te brengen wat een geheel nieuw soort rust bleek te
zijn. Father McAlister was zo stoutmoedig om te spreken over een onherroepelijke verandering. Tamar was daar nog niet zo zeker van. Was dit een religieus wonder of slechts een psychologisch wonder? De priester ontkende deze bijna onzinnige twijfel. Tamar kon niet in de oude God en de oude
Christus geloven. Gelóófde ze echt in de nieuwe God en de nieuwe
Christus? Was ze inderdaad een van de 'jongeren' die bij de 'nieuwe openbaring' hoorden, nieuw, aangezien de openbaring zich in elke leeftijd vernieuwde? Waren er veel mensen zoals zijzelf of was ze alleen met een krankzinnige priester? Ze was 'toegetreden' omdat haar leraar wilde dat ze 'erbij
hoorde'. In een lege kerk in Islington was haar gezicht aangeraakt met wa-

ter, in een volle kerk in Primrose Hill was haar hoofd aangeraakt door de hand van een bisschop. Ze ging nu 'ter kerke', maar wel min of meer heimelijk, alleen met God. Ze wilde niet deelnemen aan een studiegroepje om de christelijke levenshouding te bespreken. Ze was zich zeer wel bewust van de onmetelijke tact van haar leraar, en hoe hij zijn vakantie had besteed aan zijn gesprekken met haar en hoe hij er zelf van had genoten. Het leek soms wel of ze samen met vakantie waren. Ze was bij hem volledig in zichzelf opgegaan, had voor zichzelf gezorgd, en een religieuze mythologie leren kennen terwijl ze tot nog toe onbekende regionen van haar eigen ziel ontdekte. Ze was bezig, om zijn woorden te gebruiken, met het 'leren kennen van haar Christus'. Als Christus redt, bestaat Christus, vertelde hij haar. Dát is de wederopstanding en het leven. Tamars bespiegelingen over dit mysterie schrokken haar niet af, ze wilde er zelfs verder op ingaan. Kennelijk berustte religie op iets reëels; ze besloot daar nog eens een nachtje over te slapen. Ze maakte lange wandelingen door Londen en zat in kerken. Gehoorzaam las ze de bijbel, Kierkegaard, Johannes van het Kruis, Julian van Norwich. Ze voelde zich licht en gewichtloos en leeg, alsof ze werkelijk op ouwels en slokjes zoete, rode wijn leefde. Ze werd, voorlopig, waarschuwde haar mentor haar, voortgeblazen door een spirituele stormwind die eens zou gaan liggen, net als, eens, haar ontmoetingen met de priester minder frequent moesten worden, en veel minder intensief. Dan, begreep Tamar, werd ze gedwongen het 'in elkaar passen' op de proef te stellen, evenals haar 'nieuwe leven' waardoor ze van de dood en de hel was gered.

Al die tijd droeg Tamar de verschrikkingen met zich mee die, om met father McAlister te spreken, 'haar in de armen van de Almachtige hadden gedreven': het dode kind, haar trouweloosheid jegens Duncan, haar wreedheid jegens Jean, de schok over Jenkins dood waarbij ze zich zo geheimzinnig betrokken voelde, haar slechte relatie met haar moeder. Tamar was vanuit haar oude, verbitterde, goddeloze kracht, in staat geweest op die avond niets tegen Violet te zeggen over de dood van Jenkin. Ze was eveneens in staat geweest, in de meedogenloze terughoudendheid die noodzakelijk was voor haar 'herstel', niets aan Violet te vertellen over wat er met haar gebeurde en hoe ze haar tijd doorbracht. De verhouding tussen Tamar en haar moeder brokkelde gaandeweg steeds verder af. Violet bleef Tamar vragen wanneer ze weer aan het werk ging. Tamar bleef zeggen dat ze ziekteverlof had. Violet zei dat Tamar haar baan zou verliezen, Tamar zei dat haar dat niets kon schelen. Tamar probeerde 'vriendelijk' te doen tegen haar moeder, maar het leek wel of ze de taal van de vriendelijkheid niet kende. Alles wat ze zei prikkelde Violet tot venijnige antwoorden. Later hielden ze gewoon op met elkaar aan te spreken en woonden ze als vreemden in hetzelfde huis. Tamar was de hele dag van huis, ze zat in kerken, in bibliotheken, of in het kerkgebouw in Islington, waar haar gesprekken met haar leraar plaatsvonden. Father McAlister, aan wie ze alles vertelde, bleef zeggen dat dát probleem later zou worden opgelost; Tamar verdacht hem ervan dat hij op dit moment nog geen idee had hoe. Wat betreft de andere dingen was ze zich geleidelijk, als onderdeel van andere veranderingen in haar oplevende hart, beter gaan voelen al ging het nog niet voortdurend van een leien dakje. Op sommige momenten leken de oude verschrikkingen nog steeds onverteerbaar, als zware stenen, pijlen, als vergiftigde punten van gebroken speren. Ze was in staat geweest het onzinnige, bijgelovige, ja verdorven idee kwijt te raken dat zij Jenkins dood had 'veroorzaakt'. Ze was in staat een normaal verdriet te voelen. Veel pijnlijke gevoelens werden minder en een berouwvolle smart, als een soort inzicht, begon gaandeweg haar zelfvernietigende, zelfhatende wroeging en wanhoop te vervangen. Er waren verschillen en ze begreep die verschillen. Ze bleef zichzelf kwellen over Jean en Duncan, had Duncan Jean over Tamar verteld, had Jean Duncan over het kind verteld? Ik heb zijn geheim verraden, ik heb haar vervloekt. Ik moet worden gehaat en geminacht. Father McAlister zei wijze dingen over je geen zorgen maken over de gedachten van anderen. Wanneer je geen kans zag iets goed te maken moest je het gewoon in gedachten houden en omringen met goede overwegingen. De wens iets goed te maken was vaak een nerveuze, egoïstische neiging tot zelfrechtvaardiging, en geen visie op hoe iets beter kon worden gemaakt. Hij zei haar geduldig af te wachten, het afzien van acties als een boetedoening te beschouwen, er niet in te roeren, het aan God over te laten. Maar Tamar twijfelde aan haar geduld en wilde heel graag een lange, emotionele brief aan Jean schrijven.

Wat betreft het dode kind kon father McAlister, tot zijn grote genoegen, in ieder geval iets definitiefs doen. Hij had van alles tegen Tamar gezegd, hij had haar verteld dat ze het kind bij zich moest houden, zonder het aan te raken, zonder zich ermee te kwellen, als een droevige aanwezigheid, waarmee ze moest leren leven, zonder het te haten, te vrezen of er radeloos naar te verlangen. Hij zei haar dat ze het kind moest beschouwen als het Christuskind. Tamar vond dit moeilijk, de priester zei dat het een spirituele oefening was. Toen voerde father McAlister ten slotte, alleen met Tamar in een kerk in het noorden van Londen, een plechtigheid uit die hij nooit eerder had uitgevoerd, en die hij grotendeels zelf had bedacht, een soort begrafenis of zegening van het dode kind, een officiële erkenning van liefde en afscheid, waarin een schuldbelijdenis lag opgesloten. Hij zei dit niet tegen Tamar, maar hij beschouwde deze vertoning ook als een exorcisme, een uitbanning van een potentieel gevaarlijke geest: want hij was niet vrij van bijgelovigheid en hij had, in zijn tijd, vreselijke demonen te voorschijn zien komen uit de onbewuste geesten van zijn kudde, of vanuit welke plaatsen de demonen ook mogen komen.

Tamar stamelde dat ze haar schulden beleed en dat haar zonden voor eeuwig voor haar lagen, dat ze was uitgegoten als water en al haar beenderen ontwricht waren, dat ze gewassen wilde worden om witter dan sneeuw te zijn, dat een gebroken en berouwvolle geest misschien niet verloren ging, dat gebroken beenderen misschien weer tot een geheel werden samengevoegd en zij haar boetekleed kon afleggen en zich mocht kleden met vreugde. Daarna zegende father McAlister het arme, naamloze, verdwenen embryo, wenste dat het in vrede mocht rusten om door God opgenomen te worden in die hemelse woonplaatsen waar de zielen van hen die slapen in de Heer Jezus eeuwige rust en gelukzaligheid vinden, en dat God zou neerzien op Tamars berouw, haar tranen zou aanvaarden en haar verdriet zou wegnemen. Mocht Hij daarna haar zegenen en behoeden, Zijn aangezicht over haar doen lichten en haar genadig zijn, Zijn aangezicht over haar verheffen en haar vrede geven. Deze ritus, een mengeling van oude vertrouwde woorden en zijn eigen allegaartje, dat door de priester als een zeer heilig ratjetoe werd beschouwd, bezorgde hem intense vreugde; en hij werd ook beloond door de aanblik van Tamars betraande en stralende gezicht.

Weet je wat voor dag het vandaag is?' zei Rose.

'Ja natuurlijk,' zei Gerard.

Ze zeiden verder niets. Het was Sinclairs verjaardag. Hij zou drieënvijftig zijn geworden.

Twee dagen geleden was Rose midden in de nacht wakker geworden doordat ze een hond aan de deur van haar flat hoorde snuffelen. Ze was wakker geworden en had direct gedacht: Het is Regent! Hij is teruggekomen! Ze deed de lamp naast haar bed aan. Het was stil in huis. Natuurlijk was het Regent niet, het was maar een droom. Desondanks stond ze op en draaide alle lichten in de flat aan, deed de deur open en deed de lampen op de trap aan. Ze liep zelfs naar beneden en opende de buitendeur voor het geval er, ergens, een arme hond was geweest, een echte hond. Maar er was niets te zien. Daarna kon ze niet meer slapen.

Ze herinnerde zich dit nu, terwijl ze in de kleine zitkamer van Jenkins huis met Gerard thee zat te drinken. Dit samen theedrinken was een gewoonte die ze met tussenpozen in stand hielden, hoewel het 'maal' steeds kleiner en minder overvloedig was geworden aangezien de voorbije jaren veel hadden weggenomen van de gedachte 'theetijd'. Op Boyars bleef het nog iets van zijn oude glorie behouden, dankzij Anoesjka. Maar vandaag, bij Gerard, waren er geen bolletjes, geen sandwiches, geen brood, boter of jam, alleen wat tamelijk oude koekjes en een vruchtencake. Geen van beiden had veel gegeten. Dit was gedeeltelijk omdat Reeve Rose zou ophalen om met haar in zijn hotel te dineren. Dit ophalen was Reeves idee geweest, hij zei dat hij Gerard wilde ontmoeten, ze hadden elkaar zo lang niet gezien; Rose belde Gerard, ze kon er niet goed onderuit.

Gerard was boos dat Rose het denkbaar had gevonden dat Reeve haar bij hem op kwam halen. Uiteraard had hij gezegd dat hij het reuze leuk vond Reeve weer eens te zien en had hij zijn ergernis voor Rose verborgen gehouden, of geprobeerd dit te doen, maar hij kon haar treurige blik zien en hij verwenste zichzelf dat hij niet direct dit stomme idee had verboden, of op zijn minst zich er nu niet voldoende overheen kon zetten om aangenaam gezelschap te vormen.

Dit wonen in Jenkins huis pakte niet goed uit, het was een slecht plan geweest, gebaseerd op een illusie. Wat had ik eigenlijk verwacht, vroeg Gerard zich af, dat ik hier een beter leven kon leiden als een ascetische heremiet, dat ik op de een of andere manier Jenkin kon wórden? Dacht ik dat echt? Of probeerde ik alleen maar weg te komen van Gideon en Pat? Het huis werkte hem tegen. Eerst had hij geprobeerd er niets aan te veranderen, en toen dat niet goed leek had hij enkele veranderingen aangebracht, een nieuw aanrecht in de keuken, een grotere koelkast, hij had enkele aquarellen uit zijn huis in Notting Hill over laten komen. Een gedeelte van zijn meubilair stond nog daar, verwezen naar de flat op de bovenverdieping, een gedeelte was opgeslagen en Gideon had een gedeelte van hem gekocht. Zijn boeken waren overal, in Notting Hill, bij Rose, of hier, niet uitgepakt, aangezien hij zich er niet toe kon brengen Jenkins boeken aan te raken, die nog steeds de planken in beslag namen. Het huis voelde doods aan, het was gevoelloos, het werd stoffig en rommelig. Rose had gezegd dat ze het wilde komen schoonmaken, maar hij had haar gezegd geen moeite te doen en zij was er verder niet op doorgegaan.

De theespullen, Jenkins theepot, Jenkins melkkannetje, de cake op een te klein bordje, de koekjes op een te groot, waren op een klein, opklapbaar tafeltje gepropt, waarover Gerard een gebloemde linnen theedoek had uitgespreid, doend alsof het een tafelkleed was. De cake was onhandig gesneden en had grote, vochtige kruimels op de theedoek laten vallen, de koekjes, die toch al gebroken waren, hadden hun kleinere, drogere kruimels laten vallen en de kruimelige rommel op het vloerkleed werd nu afwezig door Gerards voet op de groene tegels voor de gaskachel geveegd. Gerard droeg pantoffels. Rose vond dat hij er moe en oud geworden uitzag.

Gerard was zich op irritante wijze bewust van de meelevende blik van Rose. Hij voelde zich moe en oud geworden. Hij had die morgen, bij het scheren, in de spiegel gezocht naar zijn vertrouwde, knappe gezicht, zo humoristisch, zo ironisch, zo scherp gesneden en stralend van intelligentie, en het was er niet. Wat hij zag was een zwaar, vlezig, pruilend, ongelukkig gezicht, met ogen met donkere kringen en kraaiepootjes, een doffe, uitgebluste huid, slap, vettig haar. Rose had zoals gewoonlijk de vervelende vraag gesteld of hij schreef. Dat deed hij niet. Hij las ook niet, hoewel hij soms enkele pagina's van Jenkins boeken bekeek. Hij dacht voortdurend aan Jenkin, en Jenkins dood, aan Crimond. Hij bleef zich scènes voorstellen waarin Crimond Jenkin door het voorhoofd schoot. Door het voorhoofd was wat Marchment had gezegd. Gerard had dat beeld liever niet gekregen. Had Crimond Jenkin daarheen gelokt om hem te vermoorden? Waarom? Als substituut voor het vermoorden van Gerard, als wraak op Gerard voor een misdaad, voor de een of andere vage, minachtende opmerking die Gerard ooit tegen hem had gemaakt en prompt had vergeten, dertig of meer jaren geleden? Dus het is mijn schuld dat Jenkin dood is, dacht Gerard. Mijn schuld, mijn zonde, heeft het veroorzaakt. Ik kan hier niet mee leven, ik word vergiftigd, ik word te gronde gericht, en Crimond had dát ook bedoeld. Hij overwoog dagelijks met Crimond te gaan praten, maar hij besloot dagelijks dat dit onmogelijk was. Wanneer hij het hevig te kwaad had zocht hij zijn toevlucht bij zijn herinneringen aan Jenkin, hoe die tegen hem kon lachen, en soms werkte dat, hoewel het hem zo dodelijk treurig maakte, en hem meestal weer terugbracht naar zijn gemis en naar de hel waarin hij met Crimond woonde. Ze zaten samen in de hel, hij en Crimond, en vroeger of later moesten ze elkaar te gronde richten.

Uiteraard onthulde Gerard deze gedachten aan niemand, zeker niet aan Rose die nog steeds soms probeerde hem in allerlei speculaties te betrekken. In gesprekken met haar wees hij nu elke mogelijkheid, dat Jenkins dood iets anders kon zijn geweest dan een eenvoudig ongeluk, met grote stelligheid van de hand. Hij vertelde haar evenmin iets over een andere obsessie die hem niet met rust liet en zijn huidige leven tot een vruchteloze tussentijd degradeerde. Zijn kennis bij de Oxford Press had gezegd dat hij hoopte dat hij binnenkort in staat zou zijn de hand te leggen op een drukproef van Crimonds boek, en dit per speciale koerier naar Gerard zou sturen. Gerard vreesde de komst van dat ding. Hij wilde dat hatelijke boek niet lezen, hij wilde het net zo lief verscheuren, maar hij was ertoe veróórdeeld, hij zou het móeten lezen. Als het slecht was zou hij een walgelijke, minderwaardige voldoening voelen, als het goed was zou hij haat voelen.

Rose zag er ook ouder uit, of misschien was het meer dat hij, omdat hij zich nijdig en geïrriteerd voelde, haar eindelijk eens goed aankeek, in plaats van haar te beschouwen als een nevelige voortzetting van zichzelf, een mistige aanwezigheid, een wolkige kameraad. Hij was plotseling in staat de onderdelen te zien en niet het geheel. Ze had haar haar te kort laten knippen, zodat haar wangen, haar oorlelletjes te zien waren; haar gezicht zag er onbeschermd en gespannen uit, haar doffe haar was niet grijs maar miste gloed, als een plant die te lang in het donker had gestaan. Haar lippen leken droog en schraal, met allerlei kleine rimpeltjes, en ze had te veel poeder op haar mooie neus gedaan. Alleen haar donkerblauwe ogen, die zoveel op die van haar broer leken, haar moedige ogen, zoals iemand ze eens had genoemd, waren onverflauwd, keken hem nu aan met een zwijgende smeekbede waarvan hij zich afwendde. Ze droeg een groene, zijdeachtige jurk, heel eenvoudig, heel mooi, met een amethisten ketting. De jurk deed hem denken aan de jurk die ze op het midzomerbal had gedragen, toen ze samen hadden gewalst, hij herinnerde zich plotseling zelfs de muziek en zijn arm om haar middel en de sterren boven de hertenkamp. Toen dacht hij: ze heeft zich zo opgetut voor Reeve.

'Gerard, veeg die kruimels niet in het kleed.'

'Sorry.'

Rose trok het vloerkleed recht. 'Het is zo'n mooi kleed.'

'Heb ik hem gegeven.'

'Ik zal deze dingen wegzetten. Reeve kan elk moment hier zijn.'

Dus ze maakte de boel netjes voor Reeve. 'Ik denk dat hij wel iets wil drinken. Ik zal de sherry pakken.'

'Reeve heeft liever een gin-tonic.'

'Dan pak ik de gin en de tonic. Laat die theespullen maar staan.'

'Daar is geen ruimte voor. Het is zó gedaan.' Rose vond een dienblad dat tegen de muur stond en begon het vol te laden.

420

'Ik was nog niet klaar!'

De deurbel rinkelde.

'Ik laat hem wel binnen,' zei Rose. Ze liep de hal in en liet het dienblad op de tafel staan. Gerard stond in de deuropening van de zitkamer met zijn theekop in de hand. Reeve kwam binnen, werd begroet, deed zijn jas uit, zei dat er een oostenwind stond, dat het begon te regenen en of het goed was als hij zijn auto pal voor het huis liet staan. Gerard liep terug met zijn kopje, pakte het dienblad op, glipte langs Reeve die de kamer binnenkwam en toen hij in de keuken naar gin zocht hoorde hij Rose aan haar neef vragen hoe het met de kinderen ging.

Met hun drankjes in de hand, gin-tonic voor Reeve en Gerard, sherry voor Rose, stonden ze onhandig bij de haard, als mensen op een feestje.

'Reeve zegt dat we niet lang kunnen blijven, vanwege onze tafel.'

Reeve, in een dun, donker pak, zag er fors uit, hij had brede schouders, een verweerd, blozend gezicht met een ruwe huid. De grote, brede nagels op zijn grote, praktische, nerveuze handen waren schoon maar gehavend. Hij had een trouwring om. Zijn bruine haar was zorgvuldig gekamd. Hij had het waarschijnlijk in de auto gekamd, of zelfs voor hij op de stoep stond, voor hij binnenkwam. Hij tuurde vanonder zijn licht gerimpelde voorhoofd en zijn uitspringende wenkbrauwen op naar Gerard en drukte een soort vastberaden achterdocht uit. Natuurlijk hadden ze elkaar in de loop der jaren vaak ontmoet, ze kenden elkaar redelijk goed, ze mochten elkaar redelijk graag. Rose merkte dat ze voor het eerst ongerust was dat Gerard misschien wat uit de hoogte, wat minachtend tegen Reeve zou doen. Deed hij dat soms vaker en was haar dat nooit opgevallen?

Reeve keek om zich heen naar de kleine kamer, het verschoten, gescheurde behang, de zichtbare stukken gele muur. Hij kon een lichte verbazing niet verbergen. 'Is dit het huis van Riderhood?'

'Ja.'

'Rose zegt dat jij hier nu woont.'

'Ja, dat klopt.'

'Een droevige zaak.'

'Ja. Heel droevig.'

Reeve leunde tegen de kleine schoorsteenmantel en pakte een paarsgrijs gestreepte steen op, die Rose jaren geleden aan Jenkin had gegeven. 'Ik wed dat deze steen uit Yorkshire komt.'

'O ja... ja!' zei Rose. 'Hij kwam van dat strand...'

'Ja, ik weet waar.' Ze glimlachten naar elkaar. Reeve bleef de steen in zijn hand houden.

'Hoe staat het met de landbouw?' vroeg Gerard.

'Slecht.'

'Ik heb me laten vertellen dat boeren dat altijd zeggen.'

'Rose vertelde me dat de familie Cambus een huis in Frankrijk zoekt. Iedereen schijnt te willen verhuizen.'

'Reeve is op zoek naar een huis in Londen,' zei Rose.

'O ja?' zei Gerard, minzaam glimlachend.

'Nou ja, of een flat,' zei Reeve verontschuldigend. 'De kinderen lopen daar al eeuwen om te zeuren.' Hij wisselde een blik met Rose.

De bel van de voordeur ging.

Gerard liep naar de deur en deed deze open voor de oostenwind, de regen, de donkere straat met verre, gele lampen die op het natte plaveisel werden weerspiegeld, Reeves Rolls-Royce die in het licht van de deuropening glansde. Buiten stond een jongeman met een pakket in zijn armen.

'Meneer Hernshaw? Ik heb dit voor u, uit Oxford.'

'O, dank je wel... wil je niet even binnenkomen? Is dat jouw motorfiets? Ben je daarop de hele weg hierheen gekomen...?'

'O, prima... graag. Ik zal die motor even op slot doen, ik denk dat ik hem wel hier tegen de muur kan zetten.'

Gerard nam het pak aan, het was groot en zwaar. Hij legde het op de stoel in de hal. Toen de jongen binnen was trok hij zijn regenjas uit. Hij zette zijn valhelm af en onthulde een massa blond haar.

'Kom binnen... wil je iets drinken? Mag ik even voorstellen: Rose Curtland, Reeve Curtland. Ik vrees dat ik jouw naam niet ken.'

'Derek Wallace. Nee, dank u, geen sherry. Maar ik zeg geen nee tegen iets fris.'

'Hij is helemaal uit Oxford gekomen, op zijn motorfiets door de regen,' zei Gerard.

'Ach, het is pas net gaan regenen.'

'Je moet wel de hele weg de wind in je gezicht hebben gehad,' zei Reeve, die altijd aan de wind dacht.

'Ik neem aan dat je ook wel iets wilt eten,' zei Rose. 'Of wil je een beetje warme soep?'

'Nee, echt niet, dank u... alleen wat limonade of cola of zo. Ik kan niet lang blijven, ik moet weer terug.'

'Studeer je?' zei Gerard.

'Ja.'

'Welk college? Wat studeer je?'

Rose pakte in de keuken sinaasappelsap, een blik soep, brood, boter, kaas. Ze had het pak in de hal gezien en begreep wat erin moest zitten, want Gerard had haar verteld dat hij het verwachtte. Ze voelde zich misselijk en onwerkelijk. De lange, blonde jongen vertoonde een opmerkelijke gelijkenis met Sinclair. Ze dacht: eerst Regent die aan de deur staat te krabbelen en nu dit. O God. Maar het heeft niets met Sinclair te maken. We zijn omringd door demonen.

'Deed die knul jou ook aan iemand denken?' zei Reeve terwijl hij zijn Rolls door de Londense avondspits stuurde.

'Ja.'

'Neville is natuurlijk niet zo mager, en de neus en de mond... nee, niet echt als...'

'Niet echt.'

Natuurlijk, dacht Rose, ze herinneren zich Sinclair niet meer, ze weten niet eens meer hoe hij eigenlijk was. Zouden ze ooit naar foto's van hem kijken? Nee, natuurlijk niet. Ze hebben hem *teniet* gedaan. Eerst moesten ze wel. Nu is hij gewoon vergeten. Ze moeten zich ongemakkelijk hebben gevoeld over die erfenis, niet echt schuldig, maar het moet toch een vervelende overgangsperiode zijn geweest, die ze zo snel mogelijk achter zich wilden laten, om eraan te wennen dat alles nu anders was. Ze hadden niet gehuild bij Sinclairs begrafenis, bij de teraardebestelling van zijn gebroken lichaam. Ze hadden Sinclar niet goed gekend, ze hadden hem nooit gemogen. Misschien was dat niet helemaal onbegrijpelijk. Hij had hen altijd als plattelandsfamilie behandeld. Ze hoefden niet lang op de titel te wachten, aangezien de vader zijn zoon snel volgde in het hiernamaals. Ook zo'n bof. Ze moesten wel blij zijn geweest toen dat ongeluk gebeurde. Bij de begrafenis moesten ze hun vreugde hebben verborgen over zo'n opmerkelijke, onverwachte speling van het lot. Het was natuurlijk allemaal heel droevig, maar voor hen heel gelukkig, geweldig, voor hen en voor hun kinderen en hun kindskinderen.

Terwijl Reeve, die niet gewend was in Londen te rijden, zweeg omdat hij zijn aandacht moest richten op de rotonde bij Shepherd's Bush, waar een onoplettende chauffeur gemakkelijk plotseling op de snelweg terecht kon komen, werd Rose overvallen door nieuwe angsten. Die jongen, die 'uit de dood teruggekeerde', wat deed hij nu, alleen met Gerard, wat gebeurde er nu? Had Gerard die griezelige gelijkenis ook opgemerkt? Hoe had hij het niet kunnen zien? Stel dat Gerard verliefd werd op die jongen, op die plotselinge, sinistere indringer, die uit de regenachtige duisternis op was gedoken en zo'n belangrijke last droeg? Mensen die zoveel op overledenen lijken zijn misschien demonen, stel dat die demonische jongen Gerard zou vermoorden, stel dat hij op geheimzinnige wijze dood werd aangetroffen, net als Jenkin? Misschien was het mysterie van Jenkins dood slechts een voorbode, ging zijn dood vooraf aan die van Gerard? Toen drong het afschuwelijke idee zich aan haar op dat die profetische figuur misschien Sinclair zélf was, Sinclair die na een voorbestemde tijd terugkeerde als jaloerse geest of wraakzuchtige verschijning, om via Gerard wraak te nemen op hen allen. Want waren ze niet allemaal schuldig aan zijn dood, omdat ze hem niet hadden weerhouden die fatale sport te gaan beoefenen, of hem, op die dag, een ander plan hadden voorgesteld? Hebben we niet allemaal zijn dood teweeggebracht, dacht ze, wij die zoveel van hem hielden, door onze nonchalante houding, onze zorgeloze manier van doen... en zij, die andere, de winnaars, door hun misschien onbewuste hoop? Rose wist dat dit vreselijke en sléchte overwegingen waren, ontstaan uit alle ongelukken van de laatste tijd, uit het verdriet zelf, oud verdriet en uit de martelkamer van het noodlot. Toch kon ze het snelle wentelen van haar zieke gedachten niet tegenhouden, evenmin als het opduiken van allerlei vreselijke beelden. Die jongen had 'dat boek' gebracht, dat nu zelfs bij Gerard was, zo gevaarlijk dicht bij hem aanwezig, een vibrerende, tikkende, helse machine. Misschien zou Gerard, als hij het boek zat te lezen, vannacht op mysterieuze wijze sterven?

Reeve, die zich veilig op Bayswater Road bevond, met Marble Arch als volgende hindernis, zei: 'Natuurlijk kan niemand de plaats van hun moeder innemen, maar ze zijn altijd erg aan jou gehecht geweest, al vanaf dat jij hun tante Rose was, toen ze nog heel klein waren. En, weet je, deze verandering is voor ons allemaal heel moeilijk geweest... we moeten inzien dat we aan een nieuw tijdperk beginnen, echt, een nieuw begin. Ons leven moet een ander patroon krijgen... dat moet het natuurlijk toch al, nu de kinderen bijna volwassen zijn... nou ja, sommige mensen zouden, denk ik, volwassen zeggen, maar in veel opzichten zijn het nog kinderen, ze zijn in een gevaarlijke en kwetsbare leeftijd, ze hebben liefde en zorg nodig, ze hebben een huis met een middelpunt nodig. En dat brengt me op jou. We móeten je echt vaker zien... en mijn voorstel is dit, en ik hoop dat je erover na wilt denken, dat jij bij ons op Fettison komt wonen. Mevrouw Keithley kan de huishouding doen, dat doet ze nu feitelijk ook al, en we krijgen er nog een vrouw uit het dorp bij, een stevige, potige tante. Je hoeft niet voor huishoudster te spelen. Wat wij willen is dat jij er bent, en dat je je op de een of andere manier over ons ontfermt. Je weet dat we een hoge dunk van je hebben. En natuurlijk zullen wij ook voor jou zorgen. Het is nu nog te vroeg om over geluk te spreken, de kinderen kunnen zich niet voorstellen dat ze ooit weer gelukkig zullen zijn, maar dat worden ze natuurlijk wel weer... en ik zal er ook overheen komen, ik zal wel moeten, de meeste mensen doen dat. En, lieve Rose, ik zie jouw aanwezigheid bij ons op die manier als iets gelukkigs en goeds, voor ons allemaal. We zoeken een onderkomen in Londen, een flat of een huis, en we hopen dat je dan ook bij ons zult willen wonen, of we zouden je huidige flat ook aan kunnen houden, we zouden je niet monopoliseren! Maar onwillekeurig heb ik het gevoel dat het voor jou ook goed zou zijn als je wat meer bij ons hoorde. We hebben vaak gedacht dat... eh... je wat eenzaam moest zijn, zo alleen. Ik weet dat je oude vrienden hebt, als Gerard en Patricia, maar zij hebben onvermijdelijk ook andere interesses, en er gaat niets boven je eigen familie. Denk er in ieder geval eens over. Het spijt me dat ik je hier zo plompverloren mee opzadel, het was niet mijn bedoeling dit in de auto te zeggen! De kinderen hebben me al een poos geleden gevraagd deze toespraak tegen je af te steken! Ik weet zeker dat we je over zullen halen... wanneer je beseft hoezeer we je nodig hebben wil je vast wel komen!'

Rose dacht: tante Rose, de eenzame ouwe vrijster, we hebben haar nodig, ze moet voor ons zorgen, wij moeten voor haar zorgen. Misschien hadden ze zelfs al besproken wat ze met haar op haar oude dag moesten doen. En waarom niet, dit kon er ook nog wel bij; waarom niet? Het was niet alleen de stem van het gezonde verstand, het was ook de stem van de liefde. Ze dacht: misschien zijn na Jenkins dood alle oude patronen verbroken. Ik moet ophouden met treuren en smachten. Ze had de kinderjaren van Neville en Gillian gemist. Binnen afzienbare tijd moest ze misschien voor hen babysitten, hun kinderen liefhebben, ze op de knie nemen. – Maar ik hóud helemaal niet van kinderen, dacht Rose! – Nieuwe taken vormden nu eenmaal een bron van leven. Iemand had haar nodig, op een nieuwe manier. En Gerard... misschien had ze hem zelfs nu al verloren, of had ze, beter gezegd, haar illusie verloren dat het iets méér kon worden, iets hechters en meer kostbaars dat hij haar nog zou moeten geven.

'Om over iets frivolers te praten!' ging Reeve verder, 'we hebben plannen om in de paasvakantie een cruise te maken, vier hele weken lang, en we willen dat jij onze gast bent... alsjeblief, alsjeblieft! Het klinkt geweldig, de Griekse eilanden, daarna Zuid-Rusland. Ik heb altijd nog eens op het strand van Odessa willen staan! Je gaat toch mee hè, lieve Rose?'

'Ik heb in die tijd wat afspraken,' zei Rose, 'een oude schoolvriendin die uit Amerika overkomt...'

'Ik zal je alle gegevens opsturen... probeer het in te passen, het zou voor ons fantastisch zijn als je meeging... en laat het ons snel weten, in verband met de reservering.'

Rose was geschokt over de snelheid waarmee ze die oude schoolvriendin had bedacht. Nou, in ieder geval wist ze hoe ze moest liegen. En al die oude illusies, waren dat niet ook leugens? Ze wilde geen ja tegen de cruise zeggen, maar ze besefte dat ze ook geen nee wilde zeggen. Wilde ze niet uiteindelijk... was het zo ver gekomen... gewoon daarheen gaan waar ze nodig was?

Reeve zweeg nu, hij manoeuvreerde rond Marble Arch en vond de juiste straat om in te rijden, waarbij hij de aanwijzingen van Rose opvolgde. Toen rees de vraag waar hij de auto moest parkeren. Moest je je op deze tijd van de avond nog iets aantrekken van een gele streep langs de stoep? De straat stond al propvol geparkeerde auto's. Was het niet beter als hij Rose afzette om hun tafeltje niet kwijt te raken? Hij hoopte snel terug te zijn! Rose stapte uit de auto, zwaaide naar haar bezorgde neef en zag de Rolls langzaam en aarzelend wegrijden. In ieder geval regende het nu niet meer. Ze liep haastig het hotel in en liet haar jas achter. Daarna liep ze, in plaats van naar de eetzaal te gaan, naar de telefoon en draaide Gerards nummer. De telefoon ging diverse keren over, en in gedachten zag Rose zich al, met doodsangst in haar hart, met een taxi naar zijn huis terugracen.

'Hallo.'

'Gerard... ik ben het.'

'O... ja...'

'Ik zit in het hotel. Reeve parkeert de auto.'

'Wat is er?' Hij klonk afstandelijk en koel.

'Is alles goed met je?'

'Ja, natuurlijk.'

'Is die jongen nog bij je?'

'Nee, hij moest weer terug.'

'Zit je het boek te lezen?'

'Crimonds boek? Nee, ik wilde net de deur uit gaan.'

'O... waarheen?'

'Om ergens iets te eten.'

'Ga je het boek vanavond lezen?'

'Ik denk het niet. Ik ga dan naar bed.'

'Gerard...'

'Ja.'

'Ik zie je gauw weer, hè?'

'Ja, ja. Maar ik moet nu echt gaan.'

'Het regent niet meer.'

'Mooi. Hoor eens, ik moet nu echt gaan.'

'Welterusten, Gerard.'

Hij hing op. De telefoon irriteerde hem natuurlijk altijd. Als hij alleen maar: 'Welterusten, Rose' had gezegd. Ze had daar weer even op kunnen teren, als op een nachtkus.

Gerard, die zijn jas al aanhad, keek neer op het grote pakket dat nog steeds op de stoel in de hal lag. Natuurlijk had Gerard de gelijkenis opgemerkt die Rose zo angstaanjagend had gevonden. Gerard had onwillekeurig ook, op een andere manier, een betekenis gezien in het feit dat uitgerekend déze boodschapper juist dít voorwerp moest komen brengen. Toen hij even dicht naast de jongen stond, bij het inschenken van een glas sinaasappelsap, was er even een snelle herinnering door hem heengegaan, de geur van jong haar. Of misschien was het gewoon de kleur van het haar, zo'n pijnlijk duidelijke herinnering, met dat opvallend blonde, de levendigheid en de gloed, die hij waarnam en meende te ruiken.

Nu, alleen met dat pakket, zag hij het onwillekeurig als een fataal pakket... fataal voor hem, misschien wel fataal voor de wereld. Heel even bedacht hij, dat als dit de enige kopie was, hij het als zijn plicht zou beschouwen haar te vernietigen.

O, laat er geen haat zijn, maar liefde, geen medelijden, maar liefde, geen macht, o geen macht, geen andere macht dan de geest van Christus, bad father McAlister met ineengeslagen handen. Na de rok van zijn soutane recht te hebben getrokken en zijn voeten netjes naast elkaar te hebben gezet bleef hij zitten kijken hoe de strijd heen en weer golfde.

Ze waren Violets flat binnengedrongen en Violet wist zich geen raad. Tamar had Gideon en Patricia en father McAlister op de thee gevraagd! Niemand had iets tegen Rose of Gerard gezegd. Het besluit dit tweetal uit te sluiten was zwijgend overeengekomen.

Patricia was bezig de keuken schoon te maken. Ze was al in Violets slaapkamer geweest en had de massa door muizen aangeknaagde plastic zakken in een vuilniszak gestopt, klaar om weg te gooien. De theevisite vond plaats in Tamars slaapkamer, waar op deze donkere middag de lampen aan waren gedaan. Tamar had een mooi kleed over de klaptafel gelegd waar ze altijd aan had zitten studeren. De meeste theespullen waren afgeruimd en zelfs, door Pat, afgewassen. De sandwiches met ham hadden de priester aangelokt, niemand had de cakejes aangeraakt. Gideon had de leiding.

'Violet,' zei hij, 'je moet toegeven, je moet ons alles laten regelen, je moet míj alles laten regelen. We hebben alles nu lang genoeg met fluwelen handschoenen aangepakt, het wordt nu tijd voor drastische maatregelen. Zie je niet dat er van alles is veranderd, dat er een nieuw tijdperk aanbreekt? Hoe moeten wij dan toe blijven zien hoe jij wegzinkt?'

'Ik zink niet weg,' zei Violet, 'Dank je! En er is niets veranderd, behalve dat Tamar heel gemeen is geworden en zelfs niet eens meer beleefd tegen me kan doen. Maar dat is ónze zaak. Jij en Patricia en die geestelijke zijn me zomaar op m'n dak komen vallen...'

'Tamar had ons uitgenodigd.'

'Dit is míjn flat, niet die van haar. Mij werd niets gezegd of gevraagd...'

'Je zou toch nee hebben gezegd!' zei Tamar.

'Kennelijk is mijn mening niet meer van belang. Ik wil niet met jullie praten... ik heb jullie gevraagd te gaan... ik vraag jullie nogmaals, ga alsjeblieft weg!'

'Dit zijn mijn gasten,' zei Tamar, 'En ze willen een plan voorstellen, het is een góed plan, dus luister er alsjeblieft eens naar... jij wilde ook dat we met Kerstmis naar Notting Hill gingen...'

'Ik werd gedwongen te gaan en ik vond het niet leuk.'

'Begrijpt u alstublieft, mevrouw Hernshaw,' zei de priester, 'dat we het beste met u voor hebben, we bedoelen het goed, zoals Tamar al zei, we komen in vrede...'

'Wat een weerzinwekkende flauwekul,' zei Violet, 'en dat je deze sentimentele dominee mee moet nemen is wel de druppel die de emmer doet over lopen. Jullie zijn allemaal gemene indringers, dieven, ruzieschoppers, jullie doen een inbreuk op mijn privacy...' Violet bleef beheerst, welsprekend, slechts haar stem klonk af en toe wat hysterisch.

'Er zijn, zoals ik het zie,' zei Gideon, 'twee hoofdpunten. Het eerste is dat Tamar weer terug moet naar Oxford. Ik zou het op prijs stellen als we dit als afgesproken kunnen beschouwen.'

Ik zal Tamar nooit toestaan terug te gaan naar Oxford.'

'Toch,' zei Tamar, 'zul je me echt niet tegen kunnen houden.'

Tamar zat op haar divanbed, de anderen op stoelen rond het tafeltje waarop nu slecht het bord met suikercakejes resteerde. Father McAlister, die graag een cakeje had willen nemen maar hiervan werd weerhouden toen er aan de farce van 'theedrinken' een einde werd gemaakt door de venijnige discussie, vroeg zich af of hij er nu een kon nemen, maar hij besloot het niet te doen.

Tamar, gekleed in een zwarte rok en zwarte kousen en een grijze trui, was opvallend kalm. Gideon had haar met verbazing gadegeslagen. Ze had haar rok over haar knieën opgetrokken en haar lange, slanke benen uitgestrekt op een manier die hem niet geheel onbewust leek. Ze had haar fijne, zijdeachtige, houtbruine, groenbruine haar door elkaar gewoeld tot een warrige bos. Ze kleedde zich net zo eenvoudig als vroeger, waarschijnlijk in dezelfde kleren, maar ze zag er anders, koeler, ouder uit, en zelfs bij deze scène wat achteloos en bepaald afstandelijk. Er was iets met haar gebeurd, dacht Gideon, ze heeft iets doorgemaakt. Ze is sterk, ze denkt dat het nu of nooit is en het kan haar niets schelen op welke tenen ze trapt. Ze is die depressie of wat het was volledig te boven gekomen. Het kan niet alleen door deze onnozele priester komen. Misschien heeft ze eindelijk eens een echt goeie vrijer.

'Ik heb je al eerder verteld,' ging Violet verder, haar dochter venijnig aankijkend, 'dat ik er het geld niet voor heb. Ik zit tot over mijn oren in de schulden. Deze flat kost geld. Je beurs reikt niet verder dan de helft van de kosten om jou daar een luxe leventje te laten leiden. Ik heb je salaris nodig, wíj hebben je salaris nodig. Als Gideon je iets anders heeft wijsgemaakt is hij een doortrapte leugenaar. Je hebt geen enkel besef van de realiteit, je hebt je door deze mensen allerlei bla-bla op de mouw laten spelden...'

'Ik ga in het najaar weer naar Oxford,' zei Tamar en ze veegde haar haar omhoog terwijl ze Violet aankeek met een kalm, droevig gezicht. 'Ik heb met het college gesproken...'

'Ik ben totaal niet van plan íets voor je te betalen!'

'Gideon zal het betalen,' zei Tamar, 'nietwaar, Gideon?'

'Ik wíl geen aalmoezen...'

'Toch zal ik betalen,' zei Gideon, 'hoor eens, Violet, begin alsjeblieft niet te schreeuwen. Tamar is namelijk zo zuinig dat haar beurs voldoende is voor bijna al haar uitgaven, ik betaal de rest en ik zal jouw schulden ook

428

betalen. Ik heb... wacht even... nog een voorstel te doen en dat is dat jij deze flat verkoopt...'

'Volgens mij valt er in dit huis niets meer te redden,' zei Patricia vanuit de deuropening. 'Je kunt het beter gelijk in brand steken.'

'En dat Tamar en jij bij ons in huis komen wonen,' zei Gideon, 'in de flat die wij eerst hadden...'

'Het is een prachtige flat,' zei Patricia.

'We hebben graag iemand in huis om een oogje in het zeil te houden als wij op reis zijn, we zouden je nergens mee belasten... wacht, wacht... dit zou, als je dat wilt, een tijdelijke oplossing kunnen zijn terwijl we dan verder kijken wat we gaan doen... maar terwijl Tamar in Oxford zit...'

'Kun jij hierheen komen om voor te stellen mijn flat in brand te steken,' zei Violet, 'nou, dan kun je mij erbij verbranden. Ik zit nog liever in de hel dan in jouw huis.'

'Misschien leef je nu wel in de hel,' zei father McAlister.

'Als dat zo is gaat het jou geen steek aan, schijnheilige bemoeial, ik ken jouw soort wel, altijd zitten zeuren over het leven van andere mensen en daar de baas willen spelen, gezinnen de vernieling injagen en dingen verzieken waar je niets van begrijpt! Jullie willen me allemaal mijn dochter afpakken.'

'Nee!' zei Gideon.

'Ze is het enige dat ik heb en dat willen jullie me ook nog afpakken...'

'Nee, nee,' zei father McAlister.

'Nou, van mij mag je d'r hebben! Ik vráág haar, ik sméék haar hier bij me te blijven en te doen wat ik wil... maar als ze dat niet wil dan hoepelt ze maar op en dan hoeft ze me nooit meer onder ogen te komen! Ik meen het! Heb je nou je zin met al je gezanik! En, Tamar, wat zal het worden?'

'Natuurlijk moet ik gaan,' zei Tamar nuchter, 'maar wat jij zegt slaat werkelijk nergens op.'

'O ja, zeker wel. Ga dan, verdwijn... en pak je spullen!'

'Die zijn al gepakt,' zei Tamar. 'Je verandert nog wel van gedachten.'

'Zie je wel, het is afgesproken werk. Jullie hebben achter m'n rug zitten smoezen. Het was gewoon onzin dat jullie mij wilden helpen!'

'Nee.'

'Jullie laten me gewoon aan m'n lot over, ik kan verder stikken... dat zal jullie een zorg zijn. In godsnaam, Tamar, laat me niet in de steek, blijf bij me, zeg tegen die slechte, slechte mensen dat ze op moeten hoepelen! Waar bemoeien ze zich mee? Jij bent het enige dat ik heb... ik heb je mijn leven gegeven!' De hysterische stem schoot snel en hoog uit, waardoor alles in de kamer trilde. Patricia wendde zich af van de deur en verborg haar gezicht.

Tamar gaf geen krimp. Ze wierp haar moeder een droevige, zachtmoedige blik toe, die bijna nieuwsgierig was, en zei op een zachte, beheerste toon: 'O... toe, stel je niet zo aan... ik ga naar Pat en Gideon... jij komt later wel... het spijt me dat het zo moest gaan. Maar ik ben bang dat het de enige manier was, er zat niets anders op.'

De oorspronkelijke scenarioschrijver van dit geheel, dat, zoals Gideon later bedacht een merkwaardig theatraal effect had gehad, was father McAlister. Toen hij Tamars situatie en toekomst had overdacht, had hij de uitstekende inval gekregen niet een beroep te doen op Gerard, maar op Gideon. De priester zag, terecht, in Gideon een mengeling van zelfvertrouwen, vastberadenheid, gevoel voor theater en een schaamteloze hoeveelheid geld die nodig was om te bereiken wat, uiteindelijk, bijna tot een ontvoering kon leiden. Hij had zich echter voorgesteld dat het plan zich langzamer, en onder zijn hoede, zou ontvouwen. Hij had Tamar zonder veel moeite over kunnen halen haar rol te spelen, waarbij hij benadrukte dat deze grote verandering, uiteindelijk, ook de redding, misschien wel de verlossing van haar moeder zou betekenen. De korte ontmoetingen van father McAlister met Violet hadden hem tot een prognose gebracht die zo mogelijk nog grimmiger was dan die van Tamar zelf.

Gideon verwachtte dat Violet ging gillen en even zag het ernaar uit dat ze dit inderdaad ging doen, toen ze woest ademde als een dolle hond. Ze balde haar vuisten en ontblootte zelfs haar tanden. Ze zei op een lage toon: 'Dus je doet niets meer voor mij?'

'Ik doe wel wat voor je,' zei Tamar, 'zoals je later wel zult merken. Maar als je wilt dat ik alles doe wat jij maar verlangt, nee. Dat kan ik niet doen... en op dit moment kan ik waarschijnlijk helemaal niets voor je doen.' Daarna wendde Tamar haar hoofd af en keek naar het raam waar de netgordijnen, grijs van het vuil, in flarden omlaag hingen. Vervolgens draaide ze zich om en keek Gideon aan met een dringende blik, alsof ze wilde zeggen: kunnen we nu geen punt achter deze scène zetten?

Tamar had zo ijskoud tegen haar moeder gesproken en zag er nu, terwijl ze haar moeder negeerde en Gideon aankeek, zo meedogenloos uit, dat father McAlister opeens een vreemde gedachte kreeg. Stel dat het allemaal onecht was geweest, het emotionele drama, het hartstochtelijke spel van verlossing waar hij en Tamar deel aan hadden genomen? Niet dat hij dacht dat Tamar had gelogen of gedaan alsof. Haar wanhoop was oprecht geweest, haar obsessie vreselijk. Maar had ze hem in haar radeloosheid niet gebruikt toen hij haar te hulp schoot, en gewoon zijn instructies opgevolgd, zoals een wilde die van de medicijnman opvolgt, of zoals een zieke patiënt een dokter gehoorzaamt? Of waarom niet als een analyse, neurose, overbrenging, bevrijding naar een normaal leven, een normaal leven waarin de bevrijde patiënt lak had aan zijn therapeut en gewoon zijn eigen zin deed, in de overtuiging dat wat hij aanzag voor morele waarden of categorische imperatieven ten aanzien van zelfs de 'duivel' en 'het eeuwige vuur' gewoon grillige mentale afwijkingen waren, waar we allemaal weleens last van hebben, als gevolg van een moeilijke jeugd waarvan je je nu opgewekt en meedogenloos kunt afwenden. Tamar had de duivel en het eeuwige vuur onder ogen gezien; hij had haar gezicht van doodsangst zien vertrekken, en later, toen hij de geest van het kwaadwillende kind had uitgebannen, had hij er een hemelse kalmte op gelezen terwijl het baadde in boetvaardige tranen. Nu leek Tamar begiftigd te zijn met een buitengewone autoriteit. Zelfs Gideon, kon hij zien, was ervan geschrokken. Ze deed heel gebiedend en afstandelijk en was in staat, in deze crisis met haar moeder, haar gevoelens te bevriezen. Ze had haar vrijheid gewild, misschien de hele tijd al, en nu ze de nabijheid ervan kon ruiken was ze in staat iedereen onder de voet te lopen. In dit ritueel van afwijzing en bevrijding dat hij hier had moeten sanctioneren, was het alsof ze haar moeder had vervloekt. Het 'plan' van de priester had wel rekening gehouden met een ruzie, zeker, maar ook met een uiting van Tamars oprechte liefde voor haar moeder, die hij diep in haar binnenste had gemeend te ontwaren. Hij had zijn biechtelinge niet van de ene demon willen bevrijden om haar gegrepen te zien worden door een andere. Tamars voormalige gehoorzaamheid, het allesoverheersende belang dat ze had toegekend aan haar moeders stemmingen en wensen, had iets slechts in zich gehad. Hij bleef Tamar voorhouden dat er een ware en vrije liefde voor haar bestond, een liefde in Christus, die Violet kon genezen zoals zij, Tamar, was genezen. De priester had, in zijn korte ontmoetingen met Violet, haar als een monster gezien. Hij kon, dacht hij, zien hoe vreselijk ongelukkig ze was, een manier van ongelukkig zijn die zijn meelevende sentimentele – dat woord had ze gebruikt – ziel ineen deed krimpen, een zwart verdriet, dieper en donkerder en harder dan dat van haar dochter, en hij had ook gezien hoe haar lijden haar monsterlijk maakte. Hij was niet van plan Tamar nog langer het slachtoffer te laten zijn van dit monster. Maar moest dit arme monster niet ook geholpen worden, en wel door hen beiden? Wanneer hij nu zo naar Tamar keek, die de kruimels van haar rok veegde en de rusteloze schouderophalende gebaren maakte van iemand die op het punt staat op te staan en te vertrekken, vroeg hij zich af: is dit nieuwe magie, deze afstandelijkheid, deze gezaghebbende manier van doen, en niet misschien gewoon een metamorfose van een oude, diepgewortelde haat, die zoveel jaren gehoorzaam in bedwang is gehouden? Heb ik haar niet bevrijd in Christus, maar in een egoïstische, gevoelloze macht? Heb ik misschien gewoon een ander monster geschapen? – Maar bij het ontrollen van deze vreselijke gedachten gaf father McAlister, met een gebaar dat hem bekend was, de hele zaak over aan zijn Meester, wetend dat het hem later in een meer begrijpelijke toestand weer terug zou worden gegeven. –

Violet, die Tamar woedend en met open mond had aangestaard, waarbij

431

haar ogen plotseling vuurspuwende, rechthoekige gaten leken, kwam plotseling overeind, stootte tegen de tafel en deed Gideon haastig zijn stoel verschuiven. Ze rommelde in de zak van haar rok om haar bril te zoeken. Ze was volledig verrast geweest door deze invasie en Gideon zag nu dat ze er deerniswekkend slonzig uitzag, haar blouse was verkreukeld, haar vest zat vol gaten waar de kleuren van haar blouse en rok beschuldigend door te zien waren. Ze droeg pantoffels met afgetrapte hielen en één pantoffel was uitgeglipt. Ze keek omlaag en viste er woedend met haar voet naar. Gideon verschoof de tafel. Violet liep naar de deur. Terwijl ze dit deed trok ze haar gezicht weer in de plooi. Patricia, die in de hal stond, ging haastig opzij. Violet liep haar slaapkamer in, smeet de deur dicht en deed hem luidruchtig op slot.

Zodra Violet haar de rug had toegekeerd stond Tamar ook op en zei: 'Laten we gaan,' terwijl ze naar de kast schoot om haar koffers eruit te slepen.

Gideon zei: 'O lieve help!' en kwam overeind. Father McAlister pakte automatisch een suikercakeje, een roze, en stopte het in één keer in zijn mond. Ze liepen de hal in.

'Tja,' zei Patricia, 'waar gehakt wordt vallen spaanders. Kom op, laten we maken dat we wegkomen, zorg dat Tamar weg is voordat zij van mening verandert.'

'Die verandert niet van mening,' zei Gideon.

'Ik wou dat ik zo snugger was geweest die vuilniszak in de hal te zetten,' zei Patricia, 'we hadden hem dan mee kunnen nemen. Ik heb zo'n onbeschrijfelijke smeerboel in Violets kamer gevonden, er lagen alerlei harige dingen onder haar bed te rotten, ik kon zelfs niet meer zien wat het was.'

Patricia trok haar jas aan. De priester raapte de zijne op. Tamar haalde drie grote koffers te voorschijn en zette ze bij de deur. Toen ze dit deed keek ze father McAlister aan en ze wisselden een vreemde blik. De priester dacht: ze heeft me doorzien. En toen: wie heeft wie bedrogen?

'Ik vrees dat de auto hier kilometers vandaan staat,' zei Patricia. 'Lopen we er allemaal heen of zal ik 'm ophalen? We kunnen die koffers tussen ons in dragen. Ik wil hier weg.' Ze zei tegen de priester: 'Kan ik u een lift geven?'

'Nee, dank u, ik moet nog iemand bezoeken die hier vlakbij woont.'

Gideon zei: 'Tamar en jij gaan de auto halen. Het heeft geen zin met die koffers te gaan slepen. We zullen ze op de overloop zetten. Ik wacht wel hier. Misschien komt Violet zelfs wel even te voorschijn.'

'Dat doet ze vast niet. Oké. Kom mee, Tamar.'

Gideon en de priester keken elkaar aan. De priester trok zijn wenkbrauw iets op en gebaarde met zijn hoofd naar de gesloten slaapkamerdeur. Gideon bleef, met een onbewogen gezicht, de deur naar het trappenhuis openhouden. Hij zei: 'Ik dank u hartelijk. We spreken elkaar nog wel.'

'Ja.' Father McAlister zuchtte, wuifde toen even met zijn hand en begon de trap af te lopen, de straat in.

Gideon wachtte tot hij de buitendeur dicht hoorde vallen. Toen deed hij de deur van de flat zorgvuldig dicht en liep naar Violets slaapkamer en klopte op de deur.

'Violet! Ze zijn weg. Kom maar weer te voorschijn.'

Na een poosje kwam Violet naar buiten. Ze had zich verkleed, haar haar gekamd, haar neus gepoederd, haar bril afgezet. Ze had kennelijk gehuild en alle poeder die ze rond haar ogen had aangebracht maakte de gerimpelde huid bleek, droog en stoffig. Ze keek turend, gefronst, naar Gideon en hij zag over haar schouder de chaotische kamer waar Pad niet terug van had gehad. Ze liep naar Tamars nette kamer, verschoof de tafel een beetje, pakte toen het bord met cake en presenteerde het aan Gideon. Hij nam een cakeje. Ze gingen beiden op het bed zitten. Gideon voelde, voor het eerst sinds vele jaren, een plotselinge fysieke genegenheid voor zijn oude vriendin, een verlangen, waar hij niet aan toe gaf, haar te knuffelen en te láchen. Hij dacht: hier is iemand, een echte, sterke persoonlijkheid, een lieve, bewonderenswaardige persoon verloren gegaan, te gronde gericht.

Violets haar moest, net als dat van haar dochter, nodig geknipt worden, maar ze had het nu netjes gekamd en in model geduwd. Het was nog steeds bruin, al was het hier en daar verfraaid door enkele haren die stralend lichtgrijs waren. Haar neus was bij de neusgaten wat rood, hetzij door een verkoudheid hetzij door een recente huilbui. Haar kleine mond, nu aangezet met lipstick, stond heel streng. Ze streek haar pony over haar voorhoofd omlaag, over haar onuitwisbare frons, vouwde hem met een bekend gebaar in model. Ze had, bedacht Gideon, nu weer haar blik als van een hoge ambtenaar. Ze zag er in geen geval uit als een verslagen vrouw. Toen Gideon had besloten mee te doen aan het waagstuk van father McAlister had hij gevreesd, of misschien wel gewild, dat ze zwakker en inschikkelijker zou zijn. Het was voor Violet een moment om zich neer te leggen bij het lot, maar nu leek het niet waarschijnlijk dat ze zich ooit bij iets neer zou leggen.

Ze hadden allebei nagedacht en ze gaven elk de ander de kans als eerste te spreken.

'Ze komen nog terug,' zei Gideon, 'of liever gezegd, Pat zal aanbellen en dan breng ik de koffers naar beneden. De auto staat een eind hier vandaan. We hebben tien minuten. Maar morgen kom ik natuurlijk ook langs.'

Violet zei: 'Waarom moest je me zo nodig opzadelen met deze walgelijke poppenkast? Die griezel van een McAlister was wel de druppel die de emmer deed overlopen.'

'Het was zijn idee,' zei Gideon, niet geheel naar waarheid. De strategie was van de priester geweest, de tactiek zeer zeker van Gideon. 'Het was een list, weet je.'

'Om Tamar weg te krijgen.'

'Ja.'

'Maar ze had toch elk moment weg kunnen gaan, ik hield haar niet gevangen!'

'Weet je, in zekere zin deed je dat wel. Je had haar van haar eigen wil beroofd. Ze moest er morele steun bij hebben...'

'Moréle steun?'

'Om er op een duidelijke, overzichtelijke manier uit te komen, met een redelijke verklaring.'

'Je bedoelt door bij jou haar hand op te houden?'

'Ze kon er niet zomaar vandoor gaan. Er moest een inval worden gedaan door een persoonlijke reddingsbrigade.'

'Dat toont aan dat jullie geen enkele dunk van me hebben, jullie denken dat ik geen mens ben. De manier waarop die meute hier even binnen komt vallen, zonder enige waarschuwing! Dat zou je niemand anders aan hebben gedaan. Jullie voelen alleen maar minachting voor me.'

'Nee, Violet...'

'Jullie spelen alleen maar toneel.'

'Jij speelt ook toneel.'

'Dacht je dat? Het was jullie bedoeling mij te vernederen. Goed, het was heel handig. Mijn reacties waren voorspelbaar, alles wat ik zei had van tevoren geschreven kunnen zijn. Het was als... het was... een aanslag op m'n leven.'

'Het spijt me,' zei Gideon, 'maar hoor eens, je hebt er echt geen bezwaar tegen als ik voor Tamar in Oxford een beetje betaal?'

'Het kan me geen moer schelen...'

'Goed, dat is dan ook geregeld...'

'Zolang ik haar maar nooit meer hoef te zien.'

'En dat brengt me op jou.'

'Ik besta niet.'

'Ach, hou toch op, Violet, dénk eens na, je kúnt toch denken. Volgens McAlister houdt Tamar echt heel veel van je en...'

'Ze haat me. Ze is altijd ijskoud tegen me geweest, als klein kind al. Gehoorzaam, maar ijskoud. Ik neem het haar niet kwalijk. Ik haat haar, als puntje bij paaltje komt.'

'Ik weet niet hoe het met Tamar zit, ik werk alleen met zekerheden. Laten we zeggen dat ik iemand ben, misschien wel de enige, die jou niet alleen kent, maar ook nog van je houdt. Oké?'

Violet gaf deze keer geen cynisch antwoord, maar zei: 'O Gideon, bedankt dat je van me houdt... niet dat ik dat echt geloof, hoor... maar het heeft geen zin... het is verzuurde melk... je kunt het alleen maar weggooien.'

'Ik gooi nooit iets weg, daarom verandert alles wat ik aanraak in goud. Laat me je helpen. Ik kan alles voor je doen. Met louter wilskracht heb ik Gerard uit dat huis in Notting Hill gekregen. Luister, laten we deze flat verkopen, Pat heeft gelijk, het is hier vreselijk, het spookt hier. Kom bij ons in huis wonen.'

'Met Tamar? En dan jullie dienstmeid worden? Nee, dank je feestelijk.'

'Tamar en jij moeten vrede sluiten, jullie hebben allebei behoefte aan rust en vrede... Laat alle details even voor wat ze zijn... jullie moeten leven, jullie moeten gelúkkig zijn... daar dient geld immers voor?'

'Het wordt allemaal niks. Jij bent een gelukkig mens. Iemand als jij kan niet zomaar opeens een portie geluk voor iemand als mij bakken. Het is afgelopen met mij, ik ben er geweest. Zorg jij maar voor Tamar. Dat is het enige waar het om gaat.'

De bel van de voordeur ging.

'Ik kom morgen terug.'

'Dan ben ik er niet.'

'Maak me niet bang, Violet. Je weet hoeveel ik om je geef...'

'Ik word ziek van je.' Ze liep de hal in, deed de huisdeur open en verdween toen weer in haar slaapkamer en deed de deur achter zich op slot.

Toen Gideon Pat beneden hoorde roepen zette hij de koffers naar buiten, in het portaal. Hij trok de deur van de flat dicht. Hij zei tegen zichzelf: ze zal heus geen zelfmoord plegen. Ik ben blij dat ik die dingen tegen haar heb gezegd. Ze zal erover nadenken.

In feite, al zou ze die avond geen zelfmoord plegen, was Violet de wanhoop meer nabij dan Gideon vermoedde. Ze was geschrokken van Tamars geheimzinnige ziekte, niet zozeer uit ongerustheid om haar dochter als wel om zichzelf. Ze had in Tamars doodsbleke gezicht, dat door wanhoop was vertrokken, haar eigen lot weerspiegeld gezien... haar dood, aangezien zij nimmer zou herstellen terwijl Tamar dit wel zou doen, om te dansen op haar graf. Ze was geschokt door de nieuwe, wrede, eigenzinnige Tamar, die zo heel verschillend was van het koele maar gedweeë kind dat ze altijd was geweest, en ze was nu ontzet door Tamars vertrek, iets wat ze helemaal niet had verwacht. Tenslotte had ze Tamars aanwezigheid hard nodig, had ze er altijd op gerekend. Ze voelde zich afgrijselijk eenzaam. Het besef hoe waardeloos ze eigenlijk was, samen met haar chronische wrokgevoelens, maakte elk contact met de menselijke samenleving steeds moeilijker. Binnenkort zou het helemaal onmogelijk zijn. Er was geen enkele vreugde. Ze haatte alle dikke, glimmende, giechelende mensen die ze op de televisie zag. Zelfs het stille drinken, dat nu meer van haar tijd in beslag nam, bood geen verlichting, was meer een manier om zelfmoord te plegen. Een gevoel van onwerkelijkheid, de loutere kunstmatigheid van het individuele bestaan, begon bezit van haar te nemen. Wat betekende het eigenlijk 'een persoon' te zijn, te kunnen spreken, te kunnen denken, doelen voor ogen te hebben, kreten in te slikken? Wat was dit vreemde, smerige, altijd aanwezige lichaam, waarvan ze altijd gedeelten zag? Waarom hield haar 'persoonlijkheid' niet gewoon op te bestaan, om ineen te vallen in een wolk van geesten die werden weggeblazen door de wind?

Later, boven de ginfles, dacht ze: misschien ga ik toch maar naar hun huis, naar die flat. Tamar zal er weer weggaan. Maar ze zullen míj er nooit meer uit krijgen! Ik blijf daar om ze het leven zuur te maken.

Father McAlister, die natuurlijk niemand in de buurt had waar hij zo nodig op bezoek moest, hield zich nu bezig met de terugreis naar zijn gemeente. Hij zat, in een neerslachtige stemming, in de ondergrondse. Het was gemakkelijker mensen te bevrijden, zoals iedereen weet, dan hen te leren lief te hebben. Hij sprak het woord 'liefde' dikwijls uit, hij had het vaak tegen Tamar genoemd. In de dichte, emotionele atmosfeer die was ontstaan door de frequente ontmoetingen tussen priester en boetelinge, had Tamar verklaard dat ze 'echt' heel veel van haar moeder hield en dat haar moeder 'echt' van haar hield. Dit was wat hij verwachtte dat ze zou zeggen en daar had hij op aangestuurd. Was hij echter zo beïnvloed, zo omringd, door beelden van de macht van de liefde dat hij geen oog had gehad voor de duidelijke aanwezigheid van ordinaire, duidelijke haat? Zag hij zichzelf te kritiekloos als wonderdoener, die ten strijde trok tegen een oneindige variëteit demonische krachten, waardoor de kracht die hij moest aanroepen onoverwinnelijk moest zijn? Tamars geval had hem geprikkeld, omdat er zoveel op het spel stond. Hij was zich op treurige wijze bewust dat veel van zijn werk bij het biechthoren – en hij was een populaire biechtvader – bestond uit het verlichten van de geesten van verstokte zondaren die opgewekt vertrokken om opnieuw te zondigen. Ze kwamen in ieder geval weer terug. Maar bij Tamar had het een zaak op leven en dood geleken; als hij haar kon bevrijden zou ze echt vrij zijn. Dat hij na zoveel ervaring nog zo naïef kon zijn. O, ze was dapper geweest, maar wat had haar dapper gemaakt? Had al dat moeizame gezwoeg haar slechts de kracht gegeven die ze nodig had om bij haar moeder weg te gaan? Was er uiteindelijk niets meer dan een breuk, het bevrijd zijn van een obsessie en niets duurzaams van de geest?

De priester herinnerde zich, als een gewijde bekoring, de onschuld van de kinderen die onder zijn leiding het kerstspel hadden gespeeld dat in de kersttijd altijd in de dorpskerk werd opgevoerd, de vreugde van de kleine kinderen die waren verkleed als Jozef en Maria en de drie koningen, en de os en de ezel – altijd geliefde rollen – , de trots van hun ouders, de tranen van vreugde die door hun moeders werden geplengd als ze hun kleintjes, met zo'n natuurlijke tederheid en eerbied, het kerstverhaal zagen opvoeren. De kribbe met het kind, de redder van de wereld, van het heelal, van alles wat er is, werd in dat kleine, koude kerkje een stralend lichtend voorwerp dat zo heilig was dat op een zeker moment alle toeschouwers spontaan op hun knieeën vielen. Was dit nu een hol ritueel, een bijgeloof? Nee, het was ook iets wat hij niet waard was, waar hij buiten stond, omdat hij een leugenaar was, omdat hij een valse trek bezat die alles besmeurde wat hij deed. Hij zei tegen zichzelf: ik geloof niet in God of in de goddelijkheid van Christus of in een eeuwig leven, maar ik zeg voortdurend dat het wel zo is, ik moet wel. Waarom? Om het leven te kunnen blijven leiden zoals ik het heb gekozen en waarvan ik houd. De kracht die ik aan Christus ontleen is bezoedeld door mijn aanwezigheid. Hij komt als liefde tot mij en verlaat me als tovenarij. Daarom maak ik zulke ernstige fouten. Maar ondanks deze zelfkwelling, een ritueel waar hij zich zo nu en dan aan overgaf, voelde de priester, in een nog dieper binnenste van zichzelf, iets van geborgenheid en vrede. Achter die twijfel lag een waarheid en achter de twijfel die twijfelde of de waarheid die daar lag wel waarheid was. . . Hij was een zondaar, maar hij wíst dat zijn Heiland leefde.

Het was een lange, koude reis naar huis. De verwarming in de trein had het begeven, maar hij slaagde erin bij het plaatselijke station een taxi naar Foxpath te vinden, in plaats van het hele eind te moeten lopen. Toen hij in zijn kleine huisje was deed hij de luiken dicht en stak een houtvuur aan. Toen knielde hij neer en bad enige tijd. Daarna voelde hij zich een stuk beter en hij warmde een steelpannetje met stamppot op, die hij in de koelkast had bewaard. Zijn Meester had hem het probleem weer teruggegeven en hem verteld dat zijn volgende opdracht Violet Hernshaw was.

Op een volledig andere plaats zaten Jean en Duncan Cambus in de vroege voorjaarszon voor een café-restaurant in een klein havenstadje in het zuiden van Frankrijk. Ze zagen er allebei heel gezond uit. Hun gezicht stond ontspannen; Duncan was wat afgevallen. Ze hadden, een eindje verder landinwaarts van waar ze nu waren, precies het oude, pittoreske, stenen boerenhuis gevonden waar ze naar hadden gezocht, en ze hadden het gekocht. Er moest natuurlijk nog wel veel aan worden gedaan, de renovatie zou heel opwindend worden. Op dit moment logeerden ze in een hotel.

De zon was warm maar er stond een kille bries vanuit zee en ze droegen warme kleren, Duncan een oud jasje van Ierse tweed, Jean een grote, pluizige trui. Ze zaten buiten, onder uitbottende druiveranken, op het terras en dronken de plaatselijke witte wijn. Straks zouden ze naar binnen gaan om een lange, uitstekende lunch te genieten, met daarbij de plaatselijke rode wijn, en cognac na afloop. Vanwaar ze zaten konden ze het kleine haventje zien met de korte, zware pieren en brede kaden, die van enorme blokken lichtgrijze steen waren gemaakt, en brede sierlijke vissersboten vol verwarde bruine netten en de zachtwiegende masten van ranke jachten.

Jean en Duncan keken elkaar zwijgend aan, zoals nu wel vaker deden, met een ernstige, serene stilte, die werd benadrukt door zuchten en kleine, trekkende bewegingen als die van dieren die vol genot liggen te rusten en af en toe behagelijk hun ledematen strekken. Ze waren ontsnapt. Ze waren, nu ze afstand hadden genomen, in staat zich superieur te voelen aan hen die misschien over hen hadden geoordeeld of schaamteloos nieuwsgierig waren geweest naar hun welzijn. Hun liefde voor elkaar had hen overleefd. Dit, wat als het belangrijkste onderdeel, misschien wel de essentie, van hun overleving moest worden beschouwd, was iets waaraan ze beiden onophoudelijk dachten, maar waaraan ze slechts zwijgend uitdrukking gaven, in zwijgende blikken, in verlegen seksuele omhelzingen, en in hun voldoening, over hun nieuwe huis, over het in Frankrijk wonen, over eten en drinken, over rondwandelen, over bij elkaar zijn. Ze wezen elkaar voortdurend op iets wat interessant, aardig, mooi of grotesk was, in wat ze dagelijks zagen; ze maakten veel grapjes en lachten veel.

Een aspect van hun zwijgen was dat geen van beiden de ander alles had verteld. Er waren dingen die te vreselijk waren om te vertellen; en voor ieder veroorzaakte het bezit van zulke vreselijke geheimen, naast nu en dan angst en afschuw, ook een soort diepe opwinding en energie, een onverwoordbare band. Jean had Duncan niet verteld waarom haar auto op de Romeinse weg was verongelukt, en evenmin iets over Tamars onthullingen betreffende haar avond met Duncan, en het bestaan, vervolgens niet-bestaan, van het kind, evenmin als hoe ze Crimonds briefje over het duel had gevonden en Jenkin had gebeld. Dus Jean wist wat Dunca niet wist. Duncan had Jean niet verteld wat er die avond met Tamar was voorgevallen, wat ze wel wist, en hij had haar evenmin iets verteld over de omstandigheden van Jenkins dood, waarvan ze niets wist. Het kwam niet in Jean op dat Duncan misschien toch naar Crimond was gegaan en het kwam niet in Duncan op dat Jean het briefje van Crimond kon hebben ontdekt. Het leek Jean heel onwaarschijnlijk dat Tamar ooit zou besluiten Duncan alsnog iets over het kind te vertellen. Ze vermoedde dat Tamar deze vreselijke ervaring het liefst achter zich wilde laten en zo fatsoenlijk zou zijn om Duncan dat onnodige verdriet te besparen. Ze was er eveneens zeker van dat Crimond nooit een mond open zou doen over wat er op de Romeinse weg was gebeurd. Het leek Duncan al even onwaarschijnlijk dat Crimond ooit zou onthullen hoe Jenkin was gestorven. Crimond was iemand die vóór alles zou zwijgen en die het als een erezaak zou beschouwen om Duncan niet te beschuldigen van iets waar hijzelf veel meer schuld aan had. Crimond had een dodelijke scene opgesteld, Duncan erin gelokt en aldus Jenkins dood veroorzaakt. Zowel voor zijn eigen bestwil als uit fatsoen jegens Duncan zou hij zijn mond dichthouden. Het feit dat slechts één revolver geladen was geweest vormde voor Duncan vaak een punt van overpeinzingen; van overpeinzingen en niet zozeer van speculaties. Duncan beschouwde dit curieuze feit als een eindpunt. Crimond was niet van plan geweest Duncan te doden, hij was van plan geweest Duncan een kans te geven hem te doden. Crimond had de revolvers neergelegd, nadat de posities waren gekozen. Duncan zette de mogelijkheid, dat die plaatsing aan het toeval was overgelaten, van zich af. Hij herinnerde zich Crimonds opmerking: 'Je moet veel ervaring met vuurwapens hebben om zeker te weten dat je iemand kunt doden, zelfs op een korte afstand.' Crimond was er klaar voor geweest en hij wilde dat het goed werd gedaan. Misschien dacht hij dat hij op elke manier beter af was. Als hij stierf was hij zijn leven kwijt, dat voor hem misschien van weinig waarde was nu het boek af was, en zadelde hij Duncan met het probleem op hoe deze een verklaring moest geven voor iets wat op een zeer gemotiveerde moord leek. Als hij bleef leven zou hij, volgens een griezelige redenering die hij in zijn griezelige gedachten had gevolgd, Duncan kwijt zijn, door voor eeuwig quitte met hem te staan en aldus voortaan vreemden voor elkaar te zijn. Duncan kon deze redenatie wel volgen; hij dacht dat het voor hem ook effectief was geweest. De onafgedane kwesties waren afgedaan. Op zekere dag merkte hij zelfs dat hij Crimond niet langer haatte.

In weerwil van al hun motieven om dit onderwerp niet aan te roeren praatten Jean en Duncan vaak over Crimond, op een bijna formele manier, alsof het een spel was dat ze niet tegen elkaar maar met elkaar moesten spelen. Dit, begrepen ze stilzwijgend, was een fase waar ze doorheen moesten. Later zou zijn naam niet meer worden genoemd. Ze dachten veel aan Jenkin maar spraken nooit over hem. Het vreemde feit wilde dat ze beiden zichzelf de schuld gaven van Jenkins dood. Jeans telefoontje had hem naar de speelkamer gestuurd, Duncans vinger had de trekker overgehaald. Dit was een ironie die ze nimmer konden delen.

'Het probleem met Crimond was dat hij geen enkel gevoel voor humor had,' zei Jean. Ze spraken altijd in de verleden tijd als ze het over hem hadden.

'Zeg dat wel,' zei Duncan. 'In Oxford was hij ook vreselijk gespannen en plechtig. Levquist en hij konden uitstekend met elkaar opschieten, Levquist had ook geen gevoel voor humor. Ik denk dat hij volledig is verdronken in de Griekse mythologie en dat nooit meer te boven is gekomen. Hij leefde de hele tijd in een soort Griekse mythe en zag zichzelf als held.'

'Misschien hadden de Grieken ook geen gevoel voor humor...'

'Bitter weinig. Aristophanes is ook niet echt grappig, er is in de hele Griekse literatuur niets te vinden dat grappig is op de manier waarop Shakespeare dat is. Op de een of andere manier was het licht dat op hen scheen te fel en waren hun noodlotsgevoelens te sterk.'

'Ze hadden het veel te goed met zichzelf getroffen.'

'Ja. En ze waren veel te bang voor de goden.'

'Geloofden ze echt in die goden?'

'Ze geloofden in ieder geval in bovennatuurlijke wezens. Ze waren op een statige manier vreselijk bijgelovig.'

'Dat klinkt als Crimond. Die kon ook heel statig en heel bijgelovig doen.'

'Het eerste artikel dat hij publiceerde ging over mythologie.'

Ze zwegen een poosje. Wanneer ze het over Crimond hadden spraken ze nooit over 'het boek'.

'Als Joel overkomt kunnen we misschien naar Griekenland gaan,' zei Jean.

Joel Kowitz had op discrete wijze bij zijn reizen, en hij was dol op reizen, Londen vermeden tijdens Jeans tweede 'Crimond-periode'. Niet dat Joel er bepaalde meningen op nahield over de blijvende of tijdelijke aard van Jeans nieuwe situatie. Hij wist wanneer hij gewenst was en wanneer niet; hij bestudeerde Jeans brieven – want ze had hem in die tijd regelmatig geschreven – en wachtte op een oproep waarvan hij wist dat ze die zou sturen zodra ze hem weer wilde zien. Jeans brieven vormden, in zijn liefhebbende ogen, akelige leesstof. Ze schreef, bijna plichtmatig, dat zij het goed maakte, dat Crimond het goed maakte, dat hij hard aan het werk was, dat het vreselijk weer was, dat ze hem veel liefs en de hartelijke groeten stuurde. Het waren, vond hij, net brieven uit een gevangenis, gecensureerde brieven. Hij antwoordde tactvol, beschreef wat hij deed, op zijn gebruikelijke geestige manier – hij was een goed brievenchrijver – zonder verder vragen te stellen. Eigenlijk wilde hij heel graag eens langskomen, niet alleen voor Jean maar ook voor Crimond, die hij als een heel opmerkelijk en bijzonder wezen beschouwde, veel interessanter en meer van belang dat Jeans man. Er volgde een aanzienlijk hiaat in de communicatie. Toen arriveerde er een totaal andere brief. Jean was weer terug bij Duncan, ze gingen in Frankrijk wonen, ze hoopte dat hij snel over zou komen. Joel, die voortdurend aan zijn dochter dacht en zich zorgen over haar maakte, slaakte even een zucht om Crimond – was het maar wat geworden met die knaap in Cambridge – , en verheugde zich over het nieuwe leven, de nieuwe hoop, de directe manier van spreken en de nieuwe stijl van haar brieven.

'We moeten ervoor zorgen dat de werklui precies weten wat ze moeten doen als wij weggaan.'

'Ik heb de tegels voor de keuken nog niet uitgezocht,' zei Jean. 'Joel moet niet hierheen komen, ik wil niet dat hij het huis ziet voor het klaar is. We kunnen elkaar in Athene ontmoeten, gewoon voor een weekje of zo, en dan verdergaan naar Delphi.'

'Het lijkt me heerlijk om weer eens in Athene te zijn.' Duncan wist niet zeker of hij wel naar Delphi wilde. Die gevaarlijke god kon er nog steeds in de buurt rondhangen. Duncan bezat nog een restje Schotse bijgelovigheid. Hij wilde geen enkele vreemde invloed meer op hun leven, hij wilde niet dat Jean nog door iets van slag kon worden gebracht. Hij was bezorgd voor haar gezondheid als betrof het iemand die herstellende was van een vlaag van krankzinnigheid.

'Je hebt Rose nog even afgescheept, neem ik aan?' zei Duncan.

'Ja.' Jean en Duncan hadden korte tijd in Parijs gelogeerd, bij oude vrienden uit hun diplomatieke tijd, en daarvandaan had Jean in een plotselinge opwelling een hartelijke brief naar Rose geschreven. Het was een heel korte, weinig uitvoerige brief geweest die gewoon als teken diende, als symbool of geheim embleem, een ring of talisman of wachtwoord, om aan te geven dat hun liefde en vriendschap eeuwig bleven bestaan. Rose antwoordde natuurlijk per kerende post en vroeg of ze langs mocht komen. Jean en Duncan waren inmiddels vertrokken en Rose' brief, die al even kort en even veelbetekenend was, volgde hen naar het zuiden. Jean antwoordde dat ze beter niet kon komen. Natuurlijk was hun vrienschap voor eeuwig. Maar ze wist niet wanneer, of en waar ze Rose terug wilde zien. Ze hadden Ierland overleefd en ze zouden dit waarschijnlijk ook overleven. Maar Jean had niet de minste behoefte aan liefdevolle blikken en intieme gesprekken. Later, natuurlijk, later als het mooie huis klaar was, zouden er mensen langskomen. Rose en Gerard, hun oude vrienden... zo weinig als het er waren... hun nieuwe vrienden, zo ze die al hadden, hun intelligente en amusante kennissen.

Kunnen wij, met onze gepijnigde zielen, nu vrede vinden, vroeg ze zich af, is dit alles echt, ons huis, Duncan die hier zo kalm en mooi zit, net als een leeuw, net zoals hij vroeger was. Goddank drinkt hij nu minder, het Franse eten doet hem goed. Als het zomer wordt gaan we elke dag zwemmen. Zal het zo zijn? Houd ik echt niet langer van Crimond? Ze stelde zich dikwijls deze vraag, niet echt twijfelend, maar eerder om de werkelijkheid van haar vlucht nog eens goed tot zich door te laten dringen. Het was ook treurig, heel treurig. Jenkins dood had een schakel verbroken, een laatste illusie gedood... of een van haar laatste illusies. Natuurlijk had Crimond hem niet vermoord. Maar hij had zijn dood wel veroorzaakt. Jean wilde niet lang stilstaan bij die uiterst ondoorgrondelijke, geheimzinnige scène, iets wat, hoewel ze Crimonds verslag van het ongeluk geloofde, toch een mysterie bleef. Het was alsof Crimond zichzelf had gedood. Dus in zekere zin had Jenkin iets bewerkstelligd met zijn dood, hij is voor mij gestorven, dacht ze. Het is natuurlijk krankzinnig om dit te zeggen, maar alles wat met Crimond te maken heeft is krankzinnig. En eigenlijk heb ik hem ook gedood, niet alleen door hem op te bellen, maar ook omdat ik Crimond niet had gedood op de Romeinse weg. Wat vreemd om te bedenken dat ik hier bijna niet was geweest. Wat was zijn bedoeling? Zou hij op het laatste moment hebben uitgeweken, dacht hij dat ik dat zou doen? Wilde hij zichzelf op de proef stellen en zou hij worden bevrijd als hij het overleefde? Was het alleen maar een symbolisch zelfmoordpact omdat hij wist dat zij het toch niet zou durven en daardoor een einde zou maken aan hun relatie, door het tekortschieten van haar liefde, om op een nette manier van haar af te zijn, een symbolische moord? Als ik die test doorsta ga ik dood, als ik hem niet doorsta laat hij me in de steek. Maar hij had dood kunnen gaan, misschien had hij dood willen gaan, hij bood me zichzelf als slachtoffer aan en ik heb het niet aanvaard. Hij gokte echt, voor hem was gokken een religieus ritueel, een uitbanning, hij wilde een eind maken aan onze liefde, of aan onze levens, en hij liet het aan de goden over te besluiten hoe. Hij had vaak genoeg gezegd dat hun liefde onmogelijk was... maar toch had hij haar liefgehad in en door die onmogelijkheid. Soms droomde ze over hem en droomde dat ze weer bij elkaar waren... en wanneer ze dan wakker werd en besefte dat het niet waar was, vulden haar ogen zich met tranen. Toen hij daar, op die akker, had gezegd: ga, grijp je kans, ik zal je niet meer zien, had zijn liefde gesproken, zijn vurige liefde die in staat was hun beider dood teweeg te brengen. Kon er een einde komen aan zo'n liefde? Moest het niet overgaan in iets rustigs en slaperigs en donkers, als een soort roerloze levensvorm, die in de aarde kon liggen zonder dat anderen wisten of hij levend of dood was. Het is voorbij, dacht ze, terwijl ze deze treurige beelden van zich afzette, het is afgelopen. Ik heb een nieuw leven nu, dat in het teken van geluk staat. Ik ben altijd van Duncan blijven houden... en hier komt ons huis en ik zal mijn vader weer zien. O, laat onze gekwelde zielen nu rust vinden.

Duncan dacht, we zijn nu samen zo rustig, zo vredig... maar komt dat doordat we allebei dood zijn? Duncan kon er niet achter komen of hij alles verwonderlijk goed had overleefd, misschien zelfs beter dan alle andere betrokkenen, of dat hij gewoon was uitgewist. Hij had vaak het gevoel alsof hij volledig gebroken was, verpletterd, verpulverd, als een grote Chinese vaas waarvan de stukken, overduidelijk, nooit meer in elkaar konden worden gezet. Vaker nog had hij het gevoel dat er slechts een stronk van hem was overgebleven, een knoestige, ironische stronk. Wat er nog van hem over was hoefde nu niet meer te lijden! Ongevoeligheid zou nu zijn belangrijkste eigenschap worden. Hij had omwille van Jean zoveel geleden, hij was niet van plan nog meer lijden op zich te nemen. Misschien was de wereld al ten einde, misschien was er een einde aan gekomen bij Crimond, in die kamer in het souterrain, of op die midzomeravond toen hij Jean met Crimond had zien dansen. Misschien was dit zijn hiernamaals. Grote stukken van zijn ziel bestonden niet langer, zijn ziel was verwoest en braak gelegd, hij functioneerde met een halve ziel, met een fractie van een ziel, als een mens met één long. Wat overbleef was verduisterd, geslonken, weggeschrompeld tot de grootte van een duim. En toch kon hij nog steeds plannen maken en vastbesloten zijn gelukkig te worden en, noodzakelijkerwijs, Jean ook gelukkig te maken. Misschien had hij altijd een gemeen, harteloos trekje in zich gehad, dat in slaap was gesust door zijn liefde voor Jean, zijn absolute liefde die de wereld had lijken te veranderen, en zijn succes door te trouwen met de rijke, knappe, intelligente Jean Kowitz die door zoveel mannen werd begeerd. Misschien moest hij nu boeten voor dat kleine beetje ijdelheid dat in zijn grote liefde zat? Hij hield van Jean, hij 'vergaf' haar, maar zijn gekwetste ijdelheid smeekte om troost. Zou hij, uiteindelijk, een losgeslagen demon worden? Vreemd genoeg had hij soms het gevoel dat Jean hierop reageerde, op deze demonische vrijheid, onbewust erdoor opgewonden, alsof ze was aangestoken door zijn nieuwe slechte ik.

Op andere momenten was ze verbaasd over zijn kalmte, zijn zachtmoedigheid, zijn efficiënte manier van doen, zelfs over zijn opgewektheid. Hij hield van zijn vrouw en hij was gelukkig doordat hij van haar hield. Hij was moe, maar op een ontspannen manier, het was geen waanzinnige vermoeidheid. Hij was blij met het nieuwe huis en hij was in staat zich te concentreren op de locatie van het zwembad, hij was zelfs in staat eraan te denken als hij 's nachts wakker werd. Hij was zich nog steeds bewust van spoken en verschrikkingen, zwarte gestalten die naast hem stonden en naast wie hij zich klein en nietig voelde. Misschien zouden ze de rest van zijn leven zo naast hem blijven staan, zonder hem verder kwaad te doen... of zou hun nabijheid hem gek maken? Kon hij verder leven in de wetenschap dat elk moment... Welke drama's had de toekomst voor hem nog in petto? Zou Crimond weer in zijn leven opduiken, nimmer aflatend terugkeren, onvermijdelijk, na een aantal jaren? Jean had zelfs tegen hem gezegd... maar ze had het gezegd, zoals ze hem ook had verteld, omdat ze vond dat ze in staat moest zijn álles te zeggen: 'Stel dat ik er weer met Crimond vandoor zou gaan, zou je me dan vergeven, zou je me wéér terugnemen?' 'Ja,' had Duncan gezegd, 'ik zou je vergeven, ik zou je terugnemen.' 'Zeven keer?' 'Tot zeventig keer zeven keer.' Jean zei toen: 'Ik moest deze vraag stellen. Maar mijn liefde voor Crimond is dood, is volledig voorbij.' Was het waar, kon ze weten wat ze zou doen als Crimond haar floot, vroeg Duncan zich af, met een soort berusting. Zeventig keer zeven keer was een heleboel keer. Als ze met rust werden gelaten zou hij dan genoeg krijgen van het zich zorgen maken over Jean en Crimond? Hij had zijn huis om aan te denken, waar hij zijn memoires zou zitten schrijven en Jean haar tuin ging aanleggen en het kookboek ging schrijven waarover ze al zo lang had gepraat, en misschien zouden ze samen die streek verkennen en een gidsboek schrijven, of reizen en reisboeken schrijven. Hij dacht nog steeds veel, maar niet geobsedeerd, bijna koud, over wat alleen Crimond en hijzelf over Jenkins dood wisten. Hij voelde niet de minste behoefte of verplichting iemand te vertellen wat er werkelijk was gebeurd. Als de mensen wilden geloven dat Crimond Jenkin vermoord had, dan was dat hun zaak, en niet eens ver bezijden de waarheid. Hij had pas kort geleden een merkwaardige rituele handeling verricht. Toen hij Crimond had achtergelaten om alle toestanden met het lijk en de politie af te handelen, had hij in zijn zak de vijf nep-patronen meegenomen, die hij uit de revolver had gehaald waarmee hij Jenkin had gedood. Hij kon niet besluiten wat hij ermee moest doen. Als ze ooit met hem in verband werd gebracht zouden die kleine, vreemde dingen weleens heel lastige en vervelende bewijsstukken kunnen zijn. Hij moest ze kwijt zien te raken, maar in Londen bleek het absurd moeilijk te zijn een echt veilige methode te bedenken. Hij had ze meegenomen naar Frankrijk en tenslotte, toen hij de auto had stilgezet op een verwilderd plekje, ver van hun nieuwe huis, terwijl Jean de picknicklunch uitpakte, was hij wat gaan wandelen en had ze in een diepe plas van een rivier laten vallen. De aanraking van die gladde, zware voorwerpen in zijn hand hadden hem doen denken aan Jenkins lichaam. Het was als een begrafenis op zee.

Ja, hij begreep waarom Crimond hem had laten komen, om toe te geven aan een nerveuze aandrang, een onbedwingbare behoefte, als het verlangen van de toreador om de stier aan te raken. De vrouw was vertrokken, het drama bleef bestaan tussen Duncan en hem. Crimond had het altijd vervelend gevonden om schulden te hebben, hij betaalde alles nauwgezet, hij was een gokker, hij vreesde de goden. Het gebaar waarmee hij zijn borst ontblootte was voor hem heel natuurlijk... het was een zuiveringsritueel, een uitbanning van iets wat, als een Griekse schuld, formeel en onontkoombaar was, slechts genezen kon worden door volledige onderwerping aan een god. Maar waarom moest Jenkin sterven? Crimond had zichzelf als slachtoffer aan Duncan aangeboden, maar Duncan had Jenkin gedood. Dus stierf Jenkin als een plaatsvervanger, hij moest sterven opdat Crimond verder kon leven?

Had iets ondoorgrondelijks in Crimond gemaakt dat Duncan Crimond kon doden zonder Crimond te doden? Door Crimond niet te doden had hij Jenkins dood veroorzaakt. Had hij het zelfs in zekere zin met opzet gedaan? Duncan zag nog dagelijks het kleine, donkerrode gaatje in Jenkins voorhoofd voor zich, evenals het geluid van zijn lichaam dat op de vloer plofte. Hij herinnerde zich hoe warm Jenkins enkels en sokken hadden aangevoeld, toen Duncan het lichaam door de kamer sleepte, en hoe hij er later heen en weer overheen was gestapt in zijn koortsachtige haast het toneel netjes te maken. Hij herinnerde zich Crimonds tranen. Hij vroeg zich bij deze beelden ook af, terwijl hij diep in zijn geheugen terug moest gaan, of hij niet altijd bij zijn gespeel met vuurwapens had bedacht hoe het zou zijn om iemand zo door het midden van zijn voorhoofd te schieten. Misschien had hij zich over laten halen door een oude, sadistische fantasie, die hij vele jaren had geduld, en waar hij klaar voor was geweest door allerlei andere zaken uit het verleden, zoals een oude jaloezie jegens Jenkin, die nog dateerde uit zijn jaren in Oxford. Na Sinclairs dood had Gerard zich door Jenkin laten troosten, niet door Duncan. Die microseconden voordat hij de trekker overhaalde: kon hij daarin echt een beslúit hebben genomen? Duncan had Crimond willen doden... maar hij had gemerkt dat hij het niet kon... omdat hij bang was... omdat hij het niet écht wilde... maar hij had zich toch willen wreken op iemand, er moest iemand sterven. Het leek wel of, omdat hij niet sterk genoeg was om de man te doden die hij haatte, hij zijn hond had gedood.

'Dat rare oog van je ziet er een stuk beter uit,' zei Jean, die hem aan had zitten kijken. 'Nou ja, ik denk dat het niet echt anders is. Kun je er nu beter mee zien?'

'Ik denk het... of ik verbeeld het me... de menselijke hersenen schijnen van alles recht te kunnen trekken.'

'Ze zullen voor ons ook veel rechttrekken,' zei Jean.

Ze glimlachten naar elkaar met een vermoeide, medeplichtige glimlach.

Ze ging verder: 'Ik kan me niet herinneren wanneer je voor het eerst problemen met dat oog had. Je hebt 't niet altijd gehad.'

'O, jaren geleden, ik had er al last van toen we naar Ierland gingen.' Iets in dit gesprek gaf Duncan opeens het gevoel dat dit een goed moment was om Jean over zijn slippertje met Tamar te vertellen. Het betekende een opluchting voor hem als hij het kwijt was. 'Ik moet je nog iets bekennen... het gaat over Tamar... ik heb op een avond kortstondig half en half een seks episode met haar gehad toen jij weg was en zij me kwam troosten.'

'Met Tamar!' zei Jean. 'Met dat lieve kind! Hoe kon je dat nu doen!' Ze voelde een onverwachte opluchting over deze plotselinge bekentenis van Duncan, alsof zelfs een gedeeltelijk, armzalig vertellen van de waarheid 'hem goed zou doen'. 'Ik hoop dat je haar niet hebt laten schrikken?'

'O nee, helemaal niet. Er is niet echt wat gebeurd. Ze sloeg gewoon haar armen om me heen om me op te vrolijken. Ik voelde me belabberd en ik knuffelde haar wat. Ik was geroerd door haar hartelijkheid. Er is geen kwaad geschied. Het had verder níets te betekenen.'

Wat een lieve, oude leugenaar is hij toch, dacht Jean. Maar ik zal hem echt niet uithoren. 'Ik neem aan dat ze zich vereerd voelde.'

'Misschien was ik dat wel! Zij heeft waarschijnlijk niet gedacht dat het iets te betekenen had. Ben je niet boos op me?'

'Nee. Natuurlijk niet. Ik zal nooit boos op je zijn. Ik houd van je.'

Jean dacht bij zichzelf: als Tamar niets over Duncan en het kind had verteld zou ik nooit op de gedachte zijn gekomen in Duncans bureau te snuffelen en Jenkin op te bellen om hem naar Crimond te sturen. Als Duncan Tamar niet had verleid zou Jenkin nu nog in leven zijn geweest. Als ik Duncan niet in de steek had gelaten zou hij Tamar niet hebben verleid. Is het allemaal mijn fout of zijn fout of Tamars fout, of is dit het noodlot, wat dat ook mag zijn? O, wat ben ik af en toe moe. Het lijkt wel of Crimond een deel van me heeft verteerd, dat nooit meer aan zal groeien. Misschien is dat mijn straf omdat ik Duncan in de steek heb gelaten. Zou er ooit een einde komen aan de gevolgen van deze dingen? En arme Tamar, en dat kind. Soms lag Jean 's nachts te denken aan het kind, Duncans kind, dat ze hadden kunnen adopteren. Dus als Duncan toch kinderen kon verwekken, zou er nog een ander kind kunnen komen, niet haar kind, maar van hem, om samen lief te hebben... Maar haar gedachten mochten niet die kant uitgaan, daat was het nu te laat voor, het was te gecompliceerd, de tijd voor wonderen en nieuwe mogelijkheden en ongewisse avonturen was voorbij, ze hadden nu slechts de opdracht elkaar gelukkig te maken.

De wind was iets gaan liggen, de zee die eerst wat woelig was geweest, en bedekt met witte schuimkopjes, was nu kalmer geworden. De masten van de jachten in de haven deinden niet langer heen en weer. Er voer een vissersboot uit, met een scheepsmotor die ritmisch ploffende geluiden maakte. Het bescheiden, lome, holle geluid klonk Jean en Duncan heel plezierig in de oren, alsof het op de een of andere manier een geheel vormde van de omgeving die met de haven en de zee zo mooi, zo vol veilige beloften was. De zijdeachtige, lichtblauwe, eindeloze zee ging aan de horizon over in een bleke hemel die in het wolkeloze zenith overvloeide in het stralende blauw van het zuiden.

'Het is tijd voor de lunch,' zei Duncan. 'Er zijn nog meer geneugten!' Jean beweerde altijd dat de meest volmaakte tijd die van het aperitief was. Hij kwam overeind terwijl Jean bleef zitten luisteren naar het vertrekkende bootje en uitkeek over de zee.

Toen hij opstond stak Duncan zijn hand in de zak van zijn oude tweedjasje en voelde er iets in zitten, iets ronds en heel lichts, en weinig substan-

tieels. Hij haalde het eruit. Het was een kleine, rossige bal van iets wat in-
eengestrengelde zijde of garen leek. Duncan merkte plotseling dat hij hevig
bloosde. Het was natuurlijk dat balletje van Crimonds haar dat hij, zo eindeloos lang geleden, van de vloer in hun slaapkamer in de toren in Ierland
had opgeraapt. Hij deed zijn hand open en liet het ding op de grond vallen,
waar het even aan zijn voeten op de straatstenen bleef liggen. De lichte bries
blies het langzaam naar een ijzeren poot van een tafeltje. Hij kreeg de neiging het weer op te rapen. Mocht zoiets noodlottigs zomaar in het afval van
de wereld verdwijnen? Het werd nu verder geblazen naar de weg, waar het
werd meegezogen in het spoor van een passerende auto. Toen de auto voorbij was dacht hij dat hij het nog op de weg kon zien liggen.

Jean stond op. 'Laten we na de lunch nog even naar die tegels kijken.'

Ze liepen het restaurant in. Duncan had medelijden met zichzelf en
vroeg zich af of hij binnenkort dood zou gaan aan kanker of door het een
of andere vreemde ongeluk. Hij voelde zich niet echt ongelukkig, misschien
was de dood, hoewel niet onmiddellijk, toch dichtbij; maar het leek wel of
de dood en hij nu goede vrienden waren geworden.

'We hebben die Steen in het bos niet kunnen vinden,' zei Lily.

'Welke steen?' zei Rose.

'Die oude, rechtopstaande steen, die historische steen. Ik wéét dat hij er
moet zijn.'

'Er is wel iets uit de achttiende eeuw, met een Latijnse inscriptie erop,
maar die is heel klein. Ik geloof niet dat er iets prehistorisch is, als je dat
bedoelt.'

'Langs de Romeinse weg lopen aardstralen.'

'Dacht je dat?'

'Daarom heeft Jean daar een ongeluk gekregen.'

'Waarom?'

'Aardstralen zitten vol menselijke energie, net als telepathie, en daarom
trekken ze geesten aan. Je weet wat geesten zijn, ze zijn afkomstig van mensen uit het verleden, wat die hebben gevoeld en gezien. Jean zag een
geest... waarschijnlijk een Romeinse soldaat.'

'Ze zei dat het een vos was,' zei Rose.

'Mensen geven niet graag toe dat ze geesten hebben gezien. Ze denken
dat ze dan worden uitgelachen... en ze zijn ook bang... geesten willen
niet dat er over hen wordt gepraat en als je er eentje ziet dan weet je dat
gewoon.'

'Heb je er wel eens een gezien?'

'Nee, was het maar waar. Er móeten geesten zijn op Boyars.'

'Ik hoop het niet,' zei Rose, 'ik heb nooit iets gezien.' Dit gepraat over
geesten en spoken beviel haar niets.

'Ik heb altijd gedacht dat ik nog wel eens de geest van James zou zien, maar dat is niet gebeurd.'

'James?'

'Mijn man... je weet wel, hij ging dood en liet mij het geld na.'

'O ja, je bent getrouwd geweest... neem me niet kwalijk...'

'Ik voel me niet alsof ik getrouwd ben geweest. Het was allemaal zo snel voorbij. En die arme James was al net een geest toen hij nog leefde.'

'Moet je nog vaak aan hem denken?'

'Nee. Nu niet.'

Rose begreep dat ze hier niet verder op door moest gaan. Ze zei: 'Dus er is geen nieuws van Gulliver?'

'Nee,' zei Lily, 'geen woord. Hij zit in Newcastle. Hij zei tenminste dat hij daar heen ging. Hij kan inmiddels overal zitten, in Leeds, Sheffield, Manchester, Edinburgh, Aberdeen, Ierland, Amerika. Hij heeft zijn flat opgegeven, hij is wég. Hij is er voor eeuwig vandoor, dat wilde hij, hij heeft het vaak gezegd, hij wilde gewoon verdwijnen zonder één spoor na te laten.'

'Maar hij zal toch wel gauw een keertje schrijven.'

'Nee, dat doet hij niet. Als hij dat zou doen had hij het al gedaan. Hij zei dat het een avontuur moest zijn. Hij heeft waarschijnlijk nu al een ander. Ik ben hem kwijt. Maar ik hoef hem ook echt niet meer, hij kan de pot op! Ik zal een wassen beeld van hem maken en dat in het vuur gooien... als... als die pop die ik op Guy Fawkes-dag heb gezien, het leek net een echt mens, hij stak zijn armen in de lucht, o, het was vreselijk...' Er kwamen tranen in Lily's ogen en haar stem stokte.

Rose en Lily liepen door de tuin op Boyars. Het was avond, een vochtige, geurige avond, bijna een voorjaarsavond, hoewel het weer nog fris was. Er trokken laaghangende regenwolken, dik, bol, donker en geelachtig, met helderwitte, gekantelde randen, in oostelijke richting weg om een heldere, roodachtige zonsondergang achter te laten. Het had bijna de hele dag geregend, maar nu was het droog. Rose en Lily droegen dikke jassen en rubberlaarzen. Lily had Rose opgebeld om te vragen of iemand iets van Gull had gehoord — wat niet het geval was — en ze had nogal huilerig gedaan door de telefoon. Rose was heel meelevend geweest en had haar op Boyars uitgenodigd. Het was eigenlijk niet zo'n gelegen tijdstip. Anoesjka lag voor onderzoek in het ziekenhuis, omdat ze last had van aanvallen van duizeligheid. Mousebrook leek ook ziek te zijn, of misschien liep hij alleen maar te kniezen; hij was tenslotte eigenlijk Anoesjka's kat. Boyars maakte een verlaten indruk, alsof de ziel van het huis, vol sombere voorgevoelens, reeds was gevlucht. Misschien begreep die ziel dat Boyars binnenkort leeg zou staan, zou vervallen, of veranderen in een totaal ander huis, met een andere ziel, Rose was, toen ze erin rond had gelopen, zich gaan afvragen of ze hier ooit echt had geleefd.

De narcissen stonden in bloei, als een lichte vlek aan de rand van het struikgewas. De kraaien, die de hele dag oorlog hadden gevoerd met de eksters, zaten te krassen op de hoogste tak van een nog bladloze beuke-boom, die scherp afstak tegen de felle, rode hemel. Rose en Lily liepen over het natte gras naast een border waarin vroeger viooltjes onder uitbottende struiken de aarde kleurden.

'Het schijnt nu met Tamar een stuk beter te gaan,' zei Rose, in een po-ging Lily af te brengen van onderwerpen als Gull en het bovennatuurlijke.

De verwijzing naar Tamar scheen Lily niet op te vrolijken. Lily had wat last gehad van een schuldig geweten, bij het bericht over Tamars 'depressie' of wat het ook mocht zijn, omdat ze het gevoel had dat zij Tamar had over-gehaald die onherroepelijke stap te doen. Ze had het leuk gevonden zich over Tamar te ontfermen, haar wereldse wijsheid, haar gespecialiseerde ken-nis, haar geld ter beschikking te stellen van dit hooggeprezen schatje. Pas la-ter had ze beseft hoe ernstig de beslissing was die zij zo opgewekt had gefor-ceerd. En daarna begon ze, wat ze nooit had gedaan, verdriet te krijgen over haar eigen abortus, die indertijd zo'n grote opluchting had betekend. Ze rekende zelfs uit hoe oud het kind nu was geweest als het was blijven leven. Ze had onlangs een briefje van Tamar gekregen met daarin een cheque voor het bedrag dat Lily haar had geleend. Het begeleidende briefje was kort, kortaf, zonder vriendelijke groeten, beste wensen of een bedankje. Mis-schien haatte Tamar Lily nu, omdat ze haar had omgepraat. Als ze naar het koele briefje keek begon Lily Tamar bijna te haten omdat zij haar zoveel spijt en wroeging had bezorgd.

'Ik geloof geen klap van al die religieuze prietpraat waar zij zich nu mee inlaat,' zei Lily. 'Het is gewoon een psychologische truc, het beklijft niet.'

Rose, die dit ook dacht, zei vaag: 'O, met haar komt het wel goed... ze staat heel stevig op haar benen... ze is dapper.'

'Ik wou dat ik sterk en dapper was en dat alles goed met me kwam,' zei Lily.

'Pas op dat je niet op de slakken trapt,' zei Rose. 'Na al die regen gaan de slakken dansen.'

Het gras, dat door de ondergaande zon werd verlicht, was bedekt met glimmende wormen en kruipende slakken.

'Ik ben dol op slakken,' zei Lily, 'mijn grootmoeder trok ze ook aan, ze kwamen het huis in. Slakken komen natuurlijk overal, ik vond er laatst een in m'n flat. Mijn grootmoeder kon wilde dieren temmen, ze kwamen naar haar toe. Ze gebruikte de slakken voor telepathie.

'Hoe deed ze dat?' zei Rose, die zo langzamerhand wel genoeg had ge-hoord over Lily's vreselijke grootmoeder die het kwade oog bezat en wier naam niemand uit durfde te spreken.

'Om iemand op afstand een boodschap te sturen, elk mens heeft een slak, en je zegt tegen jouw slak wat je wilt doorgeven en de persoon met die andere slak krijgt de boodschap. Je moet natuurlijk wel een toverformule over die slak uitspreken.'

Rose vroeg zich af hoeveel Lily echt geloofde van deze onzin. Ze liepen het huis in.

Ze aten in de keuken aan de grote keukentafel die Anoesjka zo vaak had geboend en geschuurd dat het generfde hout licht wasachtig geel was geworden. Rose liet Lily koken. Ze aten een omelet en wat kruidige kool die Lily vernuftig had geïmproviseerd, daarna Cheddar kaas, en Cox's Orange Pippins, waarvan de gerimpelde schil nu geler was dan de tafel. In de twee dagen die Lily op Boyars logeerde hadden ze weinig gegeten, maar wel veel wijn gedronken. Mousebrook, die zich tot een zeldzaam lange kat had uitgestrekt op de warme tegels achter het fornuis, sloeg hen gade met zijn onheilspellende gouden blik. Rose plukte hem achter het fornuis vandaan en zette hem op haar knie terwijl ze hem resoluut streelde, maar hij weigerde te spinnen en spartelde zich snel los om weer naar zijn warme heiligdom te vluchten. Zijn vacht, die anders zo elektrisch glad was, had droog en stug aangevoeld. Na het eten zaten ze met een glas whisky bij de open haard in de zitkamer. Ze voelden zich bij elkaar op hun gemak. Rose raakte steeds meer op Lily gesteld, hoewel ze haar rusteloosheid vermoeiend vond en ze wat kriegel werd van Lily's voortdurende pogingen confidenties te ontlokken. Lily had Rose veel verteld van haar jeugd en over Gulliver. Rose had dit niet beantwoord met ontboezemingen over haar eigen verleden. Maar ze was blij met Lily's gezelschap en geroerd door haar hartelijkheid. Ze gingen vroeg naar bed, of in ieder geval naar hun slaapkamers.

Alleen in haar kamer bleef Rose bij het raam staan. Temidden van de voortjagende wolken was een sikkelvormige maan opgekomen. Er reed een auto over de Romeinse weg, met koplampen die snelle, vluchtige beelden van manen en bomen lieten zien. Toen was de auto weer weg en werd de maan door wolken bedekt en was het landschap weer aardedonker en stil. Rose zette de elektrische kachel aan. 's Winters maakte de centrale verwarming, die in het grootste gedeelte van het huis werd afgezet als er geen gasten waren, weinig indruk op de tochtige ruimten. Rose kon de aanwezigheid van lege, onverwarmde kamers voelen. Ze was in staat geweest met Lily te babbelen, maar ze had nu, terwijl ze heen en weer liep, het gevoel alsof haar spraakvermogen haar had verlaten; het was een terugkerend gevoel alsof haar mond met stenen was gevuld. Ze was afgesneden, stom, alleen. Het beeld van die door stenen verstopte mond en zware tong herinnerde haar eraan dat ze die morgen, toen ze naar de stal ging om appels te halen, een steen van Sinclair had gepakt. Hij lag op de toilettafel, een platte, zwarte steen met witte strepen en een lange barst aan de ene kant, alsof hij elk moment kon openbreken en een schitterende binnenkant, als van een edelsteen, zou laten zien. Ze hield de steen in haar hand en bekeek hem zorgvuldig. Er zat zoveel samengebalde persoonlijkheid, er was zoveel te zien, in dit kleine voorwerp. Sinclair had eens, op een dag heel lang geleden, deze steen uit duizend en miljoenen andere stenen gekozen, op een strand in Yorkshire, Norfolk, Dorset, Schotland, Ierland. De steen maakte haar intens treurig, alsof hij haar bescherming en medelijden vroeg. Was hij blij te zijn gekozen? Hoe toevallig was alles, en hoe was alles overal bezield, zo mooi en zo vreselijk. Ze legde de steen neer en sloeg haar handen voor haar gezicht, plotseling bang voor de duisternis buiten en de stilte in huis. Stel dat Anoesjka zou sterven? Stel dat ze al dood is en dat het huis dat weet? Het huis kraakte in de wind als een oud schip. Er waren geesten, voetstappen.

Ik begin mijn zelfbeheersing te verliezen, dacht Rose, ik raak de moed kwijt. Ik raak mijn mensen kwijt, Jean houdt niet meer van me. Hoe weet ik dat? Kon het waar zijn? Zal ik ooit nog met Jean praten, in alle openheid en liefde, terwijl we elkaar in de ogen kijken? Ze zei dat ik in een droomwereld leefde waarin iedereen aardig en goed was en elk jaar hetzelfde patroon had. Ik ben nooit met liefde aanbeden. Ik had met Gerard kunnen trouwen als ik echt mijn best had gedaan. Toen, alsof het hardop in de kamer was gezegd, hoorde ze Crimonds stem: 'Rose!', net zoals hij het had gezegd en haar zo aan het schrikken had gemaakt toen ze voor Jean naar hem toe was gegaan om zeker te weten dat hij zich niet dood had geschoten. We zijn geen van beiden getrouwd geweest, liefde moet groeien. Stel dat ik Gerard verlies, dacht Rose, stel dat ik hem eigenlijk al heb verloren? Kán ik hem verliezen, is dat mogelijk na zoveel jaren? Dat is nu precies wat dit allemaal te betekenen heeft, dat gedoe van die geesten.

In de afgelopen weken, vooral in de afgelopen dagen, leek het wel of haar relaties met Gerard volledig waren verbroken. Reeve, die nu weer terug was in Yorkshire, bleef haar opbellen en vragen een beslissing te nemen over die cruise. Rose bleef ontwijkende antwoorden geven. Maar waarom zou ze eigenlijk, waarom vond ze dat ze eerst moest vragen of het Gerard wel uitkwam, waarom zou het hem iets uitmaken als zij vier weken met haar familie op stap was? Het hemd was nader dan de rok. Maar de gedachte dat het Gerard niets uitmaakte wat ze deed of waar ze was, trof haar opeens met een ijzige koude, alsof zo'n geest van Lily haar had aangeraakt. Rose had Gerard niet meer gezien sinds de avond dat het boek was afgeleverd. Ze had de gebruikelijke praatjes via de telefoon verwacht, voorstellen voor een afspraak. Hij moest toch weten hoe belangstellend, hoe nieuwsgierig ze was naar zijn reacties op het boek. Maar Gerard had niet gebeld, en toen zij hem belde was hij koel en kortaf geweest, had geen tijd gehad haar te ontmoeten. Ze had hem niets durven vragen, over de cruise, over het boek. Later werd zijn telefoon niet opgenomen en ze stelde zich voor hoe hij fronste, de telefoon liet rinkelen, wetend dat zij het was. Stel... o, stel je toch eens zoiets voor... stel dat hij verliefd was geworden op die jongen die zo op Sinclair leek, stel dat hij al zijn tijd bij Crimond doorbracht, om over het boek te praten... stel...? Ik ben hem kwijt, dacht Rose. Ja, misschien, had ik met hem kunnen trouwen als ik meer moed had gehad, als ik meer geluk had gehad, als ik iets speciaals van seks had geweten − ik weet niet wat − , als ik een godin was geweest. Maar ik houd zoveel van hem, ik heb altijd van hem gehouden en ik zal altijd van hem blijven houden.

'Rose, ga je alsjeblieft mee op die cruise, dat doe je toch wel, hé?'
'Rose, je moet echt meegaan, dat maakt voor ons alles anders.'
'We zullen zoveel plezier hebben, alsjeblieft!'
'Goed,' zei Rose, 'ik ga mee.'
Ze kon niet langer weerstand bieden aan de smeekbeden van Reeve en Neville en Gillian en ze was uitermate geroerd door hun dringende wens dat zij hen gezelschap moest houden. Ze was uitermate dánkbaar.
Het was bijna twee weken na Lily's bezoek aan Boyars en gedurende deze tijd was het voorjaar aarzelend gekomen, om Londen tot in de meest armoedige uithoeken te verfraaien met geuren van aarde en bloemen en uitbottend blad en zonneschijn. Gideon Fairfax gaf een feestje in het huis op Notting Hill, Leonard Fairfax was over uit Amerika en had zijn vriend Conrad Lomas meegebracht. Gideon had Reeve en de kinderen uitgenodigd, toen hij van Rose hoorde dat ze in de stad waren, en Neville had Francis Reckitt meegebracht, de zoon van hun Yorkshire buurman, die met hen mee was gekomen. Gideons favoriete kunsthandelaar in New York, Albert Labowsky, van wie hij zojuist de felbegeerde tekeningen van Beckmann had aangekocht, was eveneens aanwezig. Rose vond dat de Amerikaanse stemmen schel klonken, als de kreten van exotische vogels. Tamar was er, en Violet, en wat voor Rose onbekende vrienden van Pat en Gideon. Tamar had een zekere juffrouw Luckhurst op sleeptouw, een gepensioneerde lerares die detectiveverhalen schreef. Ze had eveneens een uiterst magere, uiterst jonge man bij zich, die niet alleen predikant scheen te zijn maar ook Tamars peetvader. Rose was verbaasd father McAlister in de menigte aan te treffen, heel opvallend in zijn zwarte soutane. Pat serveerde Gideons speciale mandarijnencocktail. Uiteraard was Gerard uitgenodigd maar hoewel sommige mensen alweer vertrokken, was hij nog steeds niet verschenen.
'Wat doe je hierna?' zei Reeve, 'je gaat toch zeker wel met ons dineren, hè?'
'Sorry, ik kan niet. Ik ben vanavond bezet.'
'Dan moet je morgen echt wel komen, om de flat te bewonderen!' zei Neville.
'We kunnen je daar geen lunch aanbieden,' zei Gillian, 'er staat, ligt of

hangt nog niets behalve een meetlint en papa's pet die hij heeft vergeten! Maar er is wel een fantastisch Italiaans restaurant om de hoek.'

Reeve had juist een flat in Hampstead gekocht.

'Dank je, dat lijkt me erg leuk,' zei Rose. Ze had last van kiespijn.

Rose had die avond geen afspraak, maar ze hoopte dat Gerard zou komen, om met haar te dineren. Ze had nog steeds, sinds haar verblijf op Boyars, helemaal niets van hem gehoord. Ze draaide zijn nummer steeds minder vaak. Ze schreef een brief en verscheurde hem weer. Ze durfde niet naar zijn huis te gaan. Deze beschroomdheid was maatgevend voor hoe, na al die jaren, ver verwijderd hij plotseling was geworden: een goede vriend, niet een hechte vriend, geen vertrouweling. Ze had op dit moment geen idee waar Gerard was of wat hij deed of dacht en ze durfde niemand naar nieuws over hem te vragen, omdat ze aldus toegaf dat zij niet wist wat anderen misschien wel wisten. Gerard kon het land uit zijn, hij kon met iemand in bed liggen, hij kon in het ziekenhuis of dood zijn. Hij had niets bij zich dat háár als naaste familie noemde.

Gideon stond, als oppertovenaar, te kijken hoe goed zijn feestje liep en hij zag er tevreden en knap uit op een manier waar Gerard zo'n hekel aan had. Hij had Gerard het huis uitgewerkt door op zijn zwakheden te spelen, zijn halfbewuste schuldgevoelens, zijn ongelukkige houding die hem zo naïef maakte, de louter nerveuze geïrriteerdheid die plotseling maakte dat hij ten koste van alles bij zijn zuster en zwager vandaan wilde. Gideon had het huis op laten knappen, waarbij hij precies zijn eigen zin had doorgedreven en zich van Pat niets had aangetrokken. Pats bezwaren waren minimaal geweest dus daar viel niet veel over op te scheppen. De zitkamer die onder Gerards regime wat onnozel roze met bruin was geweest, bezaaid met kleine Engelse aquarellen en volgepropt met saaie donkere stoelen, was nu stralend zeegroen geverfd en getooid met een enorm scharlakenrood abstract schilderij van de Kooning boven de haard en twee kleurige genrestukken van Kokoschka en Motesiczky. Het tapijt was heel donkerblauw met lichtblauwe en witte *art deco* kleden. Er stonden twee enorme, witte banken en verder geen ander meubilair. Gerards hopeloze keuken was natuurlijk wel volledig verbouwd. Alleen de eetkamer behield haar oorspronkelijke vorm en kleur, met aan de nu donkerbruine muren de aardige Longhis en de mooie Watteau. Waar Gideon nog meer vreugde in schepte was de terugkeer uit Amerika, voor goed naar hij hoopte, van zijn geliefde en veelbelovende zoon Leonard, om aan het Courtauld-instituut te studeren. Wat zullen we een goed team vormen, dacht Gideon, die zichzelf nooit een kunsthistoricus durfde te noemen, en wat zullen we een pret hebben! Gideon kon eveneens met enige voldoening terugblikken op zijn succes – tot dusver – met Tamar en Violet. Na de 'ontvoering' was alles heel snel gegaan. Tamar had haar intrek genomen in de flat op de bovenverdieping. Violet had – tot verba-

453

zing van Pat maar niet van Gideon – ook plotseling haar intrek genomen in de flat. Tamar was weer weggegaan en had nu een klein flatje in Pimlico. Violets flat stond te koop. Violet was rustig en liet alles voor zich regelen. Hoe het verder moest zou de tijd wel leren, en ondertussen had hij weer een punt voor op Gerard.

Patricia dacht: Gideon heeft zich geweldig uitgesloofd om vat te krijgen op die twee, ik hoop dat hij er geen spijt van zal krijgen! Hij is veel te vriendelijk en hij is natuurlijk ook een machtswellusteling met grootheidswaanzin. Hij is bereid over lijken te gaan als hij ergens zijn zinnen op heeft gezet. Hoe werken we in hemelsnaam Violet weer weg? Ze zit daar maar als een kikvors de interessante, neurotische zielepiet te spelen, dit kan eeuwig duren, ik ben bang dat we haar nog eens uit moeten kopen! Maar allemensen, ze mag dan geestelijk niet oké zijn, ze heeft haar knappe gezicht en haar figuur wel weten te bewaren, het is niet eerlijk! Patricia was zich terdege bewust van Gideons gekke, bizarre genegenheid voor Violet en ze kon zich er niet over opwinden. Ze was trouwens op dit moment veel te gelukkig met Leonards thuiskomst en het huis om mee te spelen, om haar ongelukkige nicht een kwaad hart toe te dragen. Wat Tamar betrof leek het wel of ze haar uiteindelijk toch hadden geadopteerd. Misschien had Gideon dat altijd al gewild. Terwijl ze het toneel zo overzag constateerde Patricia iets anders dat haar ook veel plezier deed. Leonard scheen erg goed op te kunnen schieten met Gillian Curtland. Hmm, dacht Pat, een aardig, intelligent, knap meisje, en ze zal een stevige bom duiten erven. Wanneer ze in Hampstead komen wonen moeten we ze eens te eten vragen.

Violets capitulatie, die was geschied toen Gideon op de dag na de ontvoering terug was gekomen, was tot stand gekomen door twee soorten overwegingen, de ene van financiële aard, de andere van emotionele – father McAlister zou het woord 'spirituele' hebben gebruikt. Deze laatste was een speciale soort wanhoop die de vorm aannam van het míssen van Tamar! Violet was hevig en diep geschokt geweest door de meedogenloze wijze waarop Tamar haar had verworpen. Ze besefte dat het gehoorzame en lusteloze meisje, dat ze haar hele leven had gekend, voor eeuwig was verdwenen en dat ze dát meisje nooit meer terug zou zien. Nu Tamar zo volslagen was verdwenen leek de flat opeens verlaten, een kooi zonder zijn kleine gevangene. Het gevangen houden van Tamar was veel belangrijker voor Violet dan ze ooit had beseft. Of dit belang iets met liefde te maken had was een vraag die haar nu niet interesseerde; ze had hulp nodig, ze was klaar om er vandoor te gaan, Gideon verscheen. De financiële overweging kon duidelijker worden gesteld. Gideon kondigde aan, wat Violet had verwacht, dat Tamar haar baan al op had gegeven. Ze had tijd nodig om zich weer in te werken in haar studie. Er waren schulden en rekeningen en heel weinig geld. Gideon stak een logisch betoog af. Violet moest de feiten onder ogen zien en haar leven in orde brengen. Het was verstandig om de flat te verkopen, die een waardevol bezit vormde, haar schulden te betalen en naar Notting Hill te gaan om daar uit te rusten en bij te komen, daarna iets van werk te zoeken – oké, niet op zijn kantoor – waarbij ze haar verstand kon gebruiken, of in ieder geval een plan te maken voor een gelukkiger en verstandiger leven. Ze hoefte niet bij hem en Pat te blijven als ze dat niet wilde, het kon een tijdelijke oplossing zijn. Violet, die juist toen het gevoel had dat zelfmoord de enige andere oplossing was, zei ja met een gretigheid die Gideon verbaasde, hij was voorbereid geweest op een strijd, zelfs een ruzie, die uiteraard zou eindigen met een overwinning. Gideon had haar geld gegeven om kleren te kopen. Ze had het geld aangenomen en de kleren gekocht. – Gideon, die alles met Pat besprak, hechtte een grote symbolische waarde aan deze overgave. – Nu, op het feestje, voelde ze zich net een soort slechte Assepoester. Albert Labowsky praatte tegen haar alsof ze een normaal mens was. Ze zag Gideon bemoedigend haar kant uit kijken. Ze was in handen gevallen van de vijand, het andere ras, hoe konden ze dan denken dat ze dankbaar of zelfs gelukkig zou zijn! Natuurlijk hadden ze niet verwacht dat ze de flat zou delen met haar dochter, de nieuwe Tamar. Gideon had een flat voor Tamar gekocht nog voordat Violet in huis kwam! Wat moet ik daar in m'n eentje boven, dacht Violet. Zal ik binnen de kortste keren ziek worden, bedlegerig, mijn eten boven laten brengen door vriendelijke mensen die naast mijn bed komen zitten om een praatje te maken? Misschien komt Tamar zelfs af en toe bij me zitten, terwijl ze stiekum op haar horloge kijkt. Violet onderging een plotseling totaal verlies aan energie, wat een auto moet voelen wanneer de benzine op is. Ze had, eerder, niet echt geleefd op zuivere onvermengde wrok en wroeging en haat, ze had op Tamar geleefd, als een vaste aanwezigheid, als een voertuig, als iets wat ze altijd verwachtte en waarnaar ze altijd uitkeek. Via Tamar had ze contact gehad met de wereld. Kon ze nu leven op een haat voor Pat en Gideon, die ze nog niet voelde, maar die ze misschien móest ontwikkelen als krachtbron? Wat zou ze, naarmate de tijd verstreek, een hekel krijgen aan hun liefdadigheid, wat zou ze hun vriendelijkheid haten, hun tactvolle begrip, hun bloemen! Maar hoe kon ze nú ontsnappen? Elke vorm van relatie met het kind dat haar had verstoten leek nu voor eeuwig onmogelijk, in die richting kon ze slechts vloeken. Wéten ze dan niet, dacht Violet, dat ik geen normaal mens ben, dat ik gevaarlijk ben, dat ik het huis nog eens in brand zal steken? Nu ben ik nog een nieuwigheid. Straks worden ze nerveus. Dan begin ik te gillen. Ze zullen dit ook hebben voorzien. Dan word ik afgevoerd naar een luxeueuze inrichting waar ze me op Gideons kosten elektroshocks toedienen. Als ik nu verdwijn en naar boven ga zullen ze iemand achter me aan sturen om te zien of alles goed met me is. Straks beginnen ze ook bang voor me te worden. Dat is dan in ieder geval iets.

Father McAlister verheugde zich op Pasen. Hij wilde gedurende de Vasten geen alcohol drinken, maar de geur van de mandarijnencocktail maakte hem onrustig. Hij was natuurlijk ook bang voor Pasen. Ik weet niet, ik kan niet zeggen welke pijnen Hij heeft moeten dragen, ik weet alleen dat het voor mij was dat Hij daar hing en pijn leed. Deze afschuwelijke bijzonderheid, het empirische detail, van zijn geloof drukte zwaar op hem, als nooit tevoren. Hij moest het verdragen, hij moest dat hele verhaal opnieuw verkondigen, waar was hij anders voor? Zonder het eindeloos herhaalde drama van Christus, Zijn geboorte, Zijn verkondiging, Zijn dood, Zijn wederopstanding, was er helemaal niets, was hij, Angus McAlister, een verdwijnende schaduw evenals de planeten en de meest verre sterren en de hele kosmos. Anderen leven zonder Christus, dus waarom ik niet, moest een zinloze vraag zijn. Níets kan me scheiden van de liefde van Christus. Hoe wist Paulus dat? Hebben we het niet allemaal aan zijn kennis te danken? Zonder Paulus, om dit vreemde virus van land naar land te vervoeren, zouden de evangeliën voor eeuwig verloren zijn gegaan, of eeuwen later als plaatselijke bijzonderheden zijn herontdekt. Dus het was allemaal louter toeval? Dat was onmogelijk, want was het niet iets absoluuts, en wat absoluut is kan geen toeval zijn. Stel dat ons niets anders over Christus was overgeleverd dan zijn ethische gezegden, uitgesproken door een onbekeerde man met geen enkel stukje geschiedenis om hem te kleden? Kon je zo'n wezen liefhebben, kon je door hem worden gered? Kon hij je meer nabij zijn dan jij jezelf? Het christendom verwent zijn gelovigen zoals kleine kinderen worden verwend. De stralende meester, de martelaar, de prachtige held, de wedergeboren god, het meest bekende individu uit de geschiedenis, de meest beminde en de machtigste; dat is de figuur op wie het christendom heeft geleefd en door wie het mag sterven. Daar had father McAlister geen boodschap aan. Hij had zijn eigen zekerheden en paradoxen, hij durfde, nu Pasen naderde, dit niet zijn leugens te noemen. Het moest toch zeker voor hem mogelijk zijn om... in Christus... niet te liegen. Zo'n waarheid die een einde maakt aan elke twist, zo'n leven dat een einde maakt aan de dood. Christus aan het kruis gaf al het andere zin, maar alleen als hij echt was gestorven. Christus leeft, Christus redt, omdat hij stierf zoals wij sterven. Deze essentiële waarheid hing er steeds boven, niet als een spookverschijning, maar als een vreselijke waarheid. Father McAlister kon zijn geloof niet omschrijven als ketterij. Hij bad, hij aanbad, hij knielde neer, hij beschouwde zichzelf als het werktuig van een kracht en een genade die hem werd gegeven, die niet van hemzelf was. Maar deze vreselijke waarheid werd nooit goed opgehelderd en dat ontbreken van een doorslaggevende opheldering zat hem op Goede Vrijdag dwars als op geen andere dag. Dit mysterieuze Absolute was dat wat hij, in die drie afschuwelijke uren waarin hij de dood van zijn Heer verbeeldde, op de een of andere manier moest overbrengen op de geknielde mannen en vrouwen die zouden zien... niet wat hij zag, maar iets anders... wat hun zaak was, en Gods zaak... alleen was er geen God. Dat de priester deze taak gekweld verrichtte, met tranen, strekte hem niet tot eer. Integendeel zelfs.

Tamar had haar bruine en grijze uniform afgelegd en droeg een nacht-blauwe jurk met een gerimpelde jabot van witte zijde. Haar fijne boombruine, boomgroene haar was heel knap in laagjes geknipt, ze zag er jongensachtig en elfachtig en koel uit. Haar gezicht was iets minder smal, haar teint iets minder bleek, ze was haar 'schoolmeisjes'-uiterlijk kwijtgeraakt. Ze droeg geen make-up. Haar grote, lichtbruine ogen vertoonden een alerte, zelfbewuste, melancholieke blik die nieuw was. Conrad Lomas had, zoals hij Leonard toevertrouwde, haar enkele seconden bewonderd voordat hij haar herkende. Tamar had Gideon haar toekomst laten regelen, hij typte brieven voor haar en zij zette haar handtekening eronder. Wat altijd zo onmogelijk had geleken werd nu snel en eenvoudig geregeld, wat voor eeuwig verloren had geleken werd nu herwonnen, niemand scheen zich ergens over te verbazen, niemand maakte bezwaar, haar mentor, de leiding van het college, gaven uiting aan hun voldoening bij het vooruitzicht haar weer terug te mogen zien. Met een bestelwagen, die door Gideon te voorschijn was getoverd, werden haar resterende kleding, al haar bezittingen tot aan de kleinste snuisterijen, uit haar kamer overgebracht. Die vreselijke oude flat leek van de aardbodem verdwenen te zijn, alsof hij werkelijk was afgebrand, een beeld dat haar bleef achtervolgen. Ze kocht boeken, wist alle werken weer te bemachtigen die haar moeder haar had gedwongen te verkopen en waarvan ze met zoveel bittere tranen afstand had gedaan. Hoewel het haar niet aan uitnodigingen ontbrak, bleef ze op zichzelf, alsof ze, in een eenmalige tussenperiode van herstel die nooit herhaald zou worden, zich onthouden moest.

De gloed van haar godsdienstige bekering was, zoals de cynici hadden voorspeld, wat afgenomen. Het was verbazend wanneer ze bedacht hoe ze naar het sacrament had gesmacht. Had ze echt al die ouweltjes geslikt en al die teugen zoete wijn, die veel sneller naar het hoofd stegen dan Gideons cocktails? Op dit moment had ze geen behoefte aan dit voedsel. Maar de cynici − van wie ze zich zeer wel bewust was − begrepen er niet veel van. Tamar was inderdaad verbaasd over zichzelf. Father McAlister had het voortdurend over het 'nieuwe leven'. Nou, ze had nu een nieuw leven, ze was voor eeuwig veranderd. Maar wat was er gebeurd? Had ze zich alleen maar losgerukt van haar moeder, was dat waar haar sluwe geest, onder het mom van iets anders, steeds op uit was geweest? Ze had plotseling over bovennatuurlijke krachten beschikt. Als een dier dat in de val zit en eindelijk een laatste, reeds verdwijnende, ontsnappingsmogelijkheid ziet, opeens woest en sterk wordt, in staat alles te vernietigen dat hem de weg verspert.

In die beslissende scène was Tamar in staat geweest haar moeder de grond in te trappen en ze had met voldoening gemerkt hoe bang haar moeder was voor deze onomkeerbare verschuiving in de machtsverhouding tussen hen beiden. Mocht je, als christen, en als een nieuwe christen, zoveel tijd afnemen van het evangelie van de liefde? Te zeggen dat het nodig was, dat het voorbij was, dat alles beter zou worden, dat er een nieuw begin was, leek een goedkope manier om je ervan af te maken. Tamar had geen idee wat ze haar moeder had aangedaan. Tamar had deze recente problemen niet met haar biechtvader besproken. Ze vermeed hem min of meer, met zijn stilzwijgende instemming. Later zouden ze wel weer praten... hoewel misschien nooit meer zoals vroeger. Ze was overtuigd van zijn bezorgdheid, zelfs van zijn liefde. Alleen liefde, zijn liefde of die van Christus, zijn liefde én die van Christus, konden haar hebben gered uit die hel van wroeging en angst. Ze was zich eveneens bewust, met een mengeling van leedvermaak en ergernis, dat toen de dominee merkte hoe zij zich terugtrok, hij 'zijn genegenheid overplaatste' naar haar moeder. Tamar en father McAlister hadden natuurlijk veel over Violet gepraat, en hij was bij haar op bezoek gegaan, eerst met Gideon, later – zoals hij Tamar vertelde – alleen. Het waren korte en, naar ze begreep, vruchteloze bezoekjes geweest. Maar er was meer voor nodig dan wat onheuse opmerkingen en verwijzingen naar de deur om deze connaisseur van hopeloze gevallen van zijn stuk te brengen. Tamars leermeester had volgehouden tegenover zijn nu, op dit punt, sceptische leerling dat haar moeder afhankelijk was van haar, echt van haar hield en echt door haar werd liefgehad. Voor haar vlucht was Tamar niet in staat geweest na te denken over deze stellingen. Wanneer ze er nu over nadacht boekte ze weinig vooruitgang. Haar was verteld, ze had zelfs aan den lijve ondervonden, hoe groot de kracht van de liefde was, de enige kracht op deze aarde die wonderen kon verrichten. Was ze nu in staat van Violet te houden, of te ontdekken dat ze altijd van haar had gehouden? Tamars nieuwe staat had haar op grotere afstand van haar moeder geplaatst dan ooit tevoren, haar bevrijding was mogelijk gemaakt door een woede die haar vroegere onderworpenheid meer op zwakte deed lijken dan op liefde. Kon ze nu duidelijker zien of juist minder duidelijk? Had ze altijd aangenomen dat ze van haar moeder hield omdat kinderen dat hoorden te doen? De dominee, die deze zondige woede had gezien en had begrepen, had haar gezegd dat ze deze moest uitbannen door aan liefde te denken, liefde te schenken. Ga naar haar toe! Doe kleine dingen! Ze heeft je nodig! Tamar wist het nog niet zo zeker. Ze had een kleine poging in die richting gewaagd door haar bloemen te brengen, vergezeld door Pat, wat een vergissing was geweest. Violet had ze met een wrede grijns aangenomen. Zichtbare haat is heel angstaanjagend. Tamar besloot het binnenkort nog eens te proberen.

Tamar had zich hersteld van haar obsessieve wroeging over het verloren kind. Toverkracht tegenover toverkracht, ze was genezen, bevrijd van een slechte pijn, zoals haar tovenaar het uitdrukte, achtergebleven met een goede pijn. Ze maakte zich ook niet langer zorgen of Jean het aan Duncan had verteld, of Duncan het aan Jean had verteld. Het enige dat haar bijbleef was een vreemde huivering wanneer ze een theepot zag. Een vreemd aspect van alle recente wederwaardigheden, dat als ze het hadden geweten, op haar en nog meer op de dominee, indruk had gemaakt, was dat Tamar zich net als de anderen, als Rose, als Gerard, als Jean, en uiteraard ook als Duncan, verantwoordelijk had gevoeld voor de dood van Jenkin. Ieder van zijn vrienden kon zich verantwoordelijk achten. Tamar, die hem als laatste in leven had gezien, een feit dat alleen haar biechtvader bekend was, kon niet van zich afzetten dat Jenkin toen zij arriveerde, op het punt had gestaan weg te gaan. Als zij niet was gekomen had hij dat geheimzinnige telefoontje niet op kunnen nemen. Maar wat haar nog meer bezighield was de gedachte dat zij een soort onheil over Jenkin teweeg had gebracht. Ze herinnerde zich de afschuwelijke voldoening die het haar had gegeven Jean 'eens alles te vertellen' en haar met haar eigen narigheid en haat te bespotten, en daarna naar Jenkin te hollen om ook 'alles te vertellen'. Maar ze was niet voorbestemd de gehoopte absolutie te ontvangen. Het was alsof ze al die smerige ellende voor hem had uitgespreid en toen hij het had opgepakt, en op zich had geladen, hem kwetsbaar had gemaakt voor een bepaalde macht, misschien een kwaadaardige, misschien gewoon een vergeldende, die hem in plaats van haar had getroffen. Haar priester vond dit idee uiteraard interessant maar verwierp het als bijgelovig; en haar voortdurende verdriet om Jenkin begon haar langzaam maar zeker minder angstig te maken wanneer ze terugdacht aan die lange dag waarin ze had gewacht op zijn thuiskomst. Tamar geloofde niet in God of in een bovennatuurlijke wereld en father McAlister, die er evenmin in geloofde had haar niet lastiggevallen met deze verzinsels. Wat hij haar in zijn vurige enthousiasme, zijn strijd om haar ziel, bedoelde te geven, was een onuitwisbare indruk van Christus als Verlosser. In deze bevoorrechte tussentijd was Tamar bereid af te wachten wat deze stralende aanwezigheid voor haar kon doen. Ze bad, niet echt tot, maar wel in deze realiteit, die slecht lijden in goed lijden kon veranderen en haar na verloop van tijd misschien zelfs in staat stelde weer contact te krijgen met haar moeder.

Patricia schiep er behagen in Rose te kunnen vertellen hoe Gideon Violet en Tamar had gered.

'Wil je zeggen dat Violet hier is en Tamar weer teruggaat naar Oxford?'

'Ja! Gideon en father Angus hebben het samen voor elkaar weten te krijgen!'

Rose, die haar eigen dorpspriester nog nooit 'father Angus' had horen noemen, kreeg op slag het gevoel dat dit allemaal een samenzwering tegen

Gerard was! Maar het was natuurlijk wel prachtig. 'Het is prachtig!' zei ze. Haar zere kies, die steeds wat had gezeurd, liet plotseling een pijnlijke steek door haar onderkaak schieten. Rose hief instinctief haar hand, balde haar vuist vijf centimeter van haar kin, als om de pijn te vangen. 'Pat, ik denk dat ik moet gaan. Ik heb een afschuwelijke kiespijn.'

'Wil je misschien een aspirientje?'

Conrad Lomas vertelde Tamar hoe vreselijk jammer hij het vond dat hij haar op het bal kwijt was geraakt, hoe hij naar haar had lopen zoeken, dat ze hem nu nog een bal schuldig was, dat ze een feest moest zoeken om heen te gaan; hij zou tot het najaar in Londen blijven.

Tamar, die bijna schuilging onder de lange Amerikaan, deed een stapje achteruit en wierp een bijna flirtende blik in de richting van father McAlister. Ze hadden niet geprobeerd elkaar te bereiken. De priester keek ernstig en maakte een uiterst vage beweging met zijn hoofd en ogen in de richting van haar moeder, zoals hij dit in Violets flat naar Gideon had gedaan.

Francis Reckitt vertelde nu tegen Rose dat Neville, voor wie hij veel bewondering had, besloten had zitting te nemen in het parlement. 'Hij is een radicaal, weet je,' bleef Francis, die een beetje dronken was, herhalen.

Gideon zei tegen Reeve: 'Het is echt heel eenvoudig, je neemt wat droge, witte wijn en je mixt dat met een bitter en een scheut rum en wat witte port en je stopt er de schil van die mandarijntjes in.'

Violet, die heel wat van dat mandarijnenbrouwsel had gedronken, besloot dat het tijd werd om naar boven te gaan en zich te voegen bij de donkere gestalte die daar op haar wachtte: haar eigen ik. Ze stond wat alleen en leunde tegen een muur, terwijl ze met een gemaakte blik van geamuseerde minachtig om zich heenkeek. Leonard Fairfax, die natuurlijk 'alles had gehoord', voelde zich geroepen naar haar toe te gaan om een praatje met haar te maken. Father McAlister was hem echter te snel af. De priester schoot, met veel gefladder van zijn zwarte rok, naderbij alsof hij Violet nu pas had opgemerkt. Hij pakte haar hand beet en hield hem vast, terwijl hij een vloed van woorden over haar uitstortte. Tamar keek toe. Bij al hun ontmoetingen had de priester Tamar nooit aangeraakt, behalve bij hun eerste ontmoeting en bij de doopplechtigheid. Dit had indruk op haar gemaakt. Ze zag hoe hij haar moeders hand vasthield, en vroeg zich af hoe lang dit zou duren. Wat ziet hij er vandaag knap uit, dacht ze, misschien kan hij zijn knappe gezicht te voorschijn halen wanneer hij dat nodig vindt! Gideon keek over de schouder van Rose, met wie hij nu stond te praten, zag hen hand-in-hand staan en dacht na over aantrekkingskracht. Gideon kon niet echt hoogte krijgen van father McAlister... een cynische bedrieger, een charlatan, een krankzinnige heilige of wat nog meer? Hij is in ieder geval een tovenaar, dacht Gideon, ik moet hem achter de hand houden, hij kan nog nuttig zijn.

460

'Rose, ga nog niet weg, ik moet je mijn nieuwste plan nog vertellen, over een *Tamargesellschaft*!'

'Een wat?'

'Ik heb in New York Joel Kowitz ontmoet, we hadden het over Crimonds boek en ik dacht, ach, nu dat af is kunnen we misschien af en toe eens met de pet rondgaan voor Tamar, om haar door Oxford te helpen. Joel zei dat hij bij wilde dragen. Ze kan van zo'n beurs niet rondkomen, ze moet geld hebben om te reizen, ze moet naar Byzantium kunnen varen...'

'O ja, ik doe wel mee,' zei Rose. 'Ze moet... ja... kunnen varen...'

Gideon was gelukkig en zag er op zijn best uit met zijn donkerroze overhemd, zijn kortgeknipte zwarte krullen, met lichtere puntjes erin, zijn meisjesachtige teint die straalde van gezondheid en jeugd, zijn verfijnd gemanicuurde vingers die welgevallig over zijn lichtblozende wangen en exquis gladde kin gleden. Hij leek net zo jong als zijn lange, sportieve zoon.

Plotseling ontstond er beroering bij de deur, klonk er gelach en iets als gejuich. Lily was gearriveerd in gezelschap van Gulliver Ashe. Lily, gekleed in een blauwe, zijden broek en een gouden jasje, verklaarde tegen Conrad, en nu tegen Gideon, die zich een weg naar haar toe had gebaand, dat, ja, Gull terug was en dat hij een baan kreeg, hij had iemand ontmoet. 'O, Rose, Rose, lieverd, hij is terug, hij is terug, het komt allemaal helemaal goed, ik heb er zó over lopen zeuren, dat spijt me echt vreselijk, maar nu komt alles goed!'

Rose kuste haar en greep haar warme, gretige handen beet en kuste Gull. Dus Lily had haar man toch gekregen.

'Rose, we gaan trouwen.'

'O, wat heerlijk!'

'Ze gaan trouwen,' riep Gideon.

Er stonden tranen in Lily's ogen. Rose kreeg ook tranen in haar ogen. Anderen drongen naar voren en ze stapte opzij om verder naar de deur te glippen. Plotseling stonden Reeve en Neville en Gillian naast haar. 'Wat heeft dit te betekenen?' vroeg Gillian.

'We hebben nog niets voor morgen afgesproken,' zei Reeve. 'Wij stonden ook op het punt om weg te gaan, we brengen je wel even thuis.'

'Ze gaan trouwen,' zei Rose, 'dat heb ik altijd al gehoopt.' Ze zocht koortsachtig naar haar zakdoek en kon haar tranen niet langer bedwingen. Ze zei tegen Reeve: 'O, het is zo ontroerend, ik ben echt heel blij voor ze!' Toen ze aan hun vreugde dacht voelde ze opeens een grote lading verdriet op zich neerkomen, alsof ze van bovenaf door iemand was geslagen en ze wankelde en liet haar tas vallen. Ze had haar zakdoek gevonden en drukte hem tegen haar mond.

Reeve hield haar vast, Gillian raapte haar tas op en Neville klopte haar op de schouder. 'Hier is een kaart,' zei Reeve, 'ik heb het allemaal opgeschreven. We verwachten je om half een bij de flat en dan kunnen we daarna lunchen. Gillian, stop dit in de tas van Rose.'

Juist op dat moment kwam Gerard opdagen. De opgetogen menigte rondom Gull en Lily was verder de kamer ingegaan en liet Rose in de deuropening achter, omringd door haar familie. Gerard stond even tegenover de voltallige Curtland-schare.

Hij had zijn jas bij de voordeur achtergelaten en zag er keurig uit in zijn donkere pak, maar in de ogen van Rose zag hij er heel vreemd uit, heel moe, een beetje verwilderd. Zijn haar hing in slappe krulletjes omlaag, zijn mond stond pruilend, zijn gezicht zag er opgeblazen en week uit, zijn schitterende blauwe ogen keken bijna woest naar het groepje voor hem. Een seconde later was alles weer rechtgezet. Reeve haalde zijn hand van Rose' arm, Neville de zijne van haar schouder, Gillian gaf haar haar handtas waar ze de instructies voor morgen in had gestopt. Gerards gezicht was weer in de plooi, vertoonde de bekende uitdrukking van bedachtzame ironie en ontspande zich toen in zijn gebruikelijke, onnozele, verwarrende grijns. Ze liepen allemaal de hal in.

'Hallo Reeve,' zei Gerard. 'Wat een kabaal daarbinnen.'

Reeve zei, ietwat formeel: 'Wat leuk je weer eens te zien. Dit zijn mijn kinderen Neville en Gillian. Het is waarschijnlijk jaren geleden dat je ze voor 't laatst hebt gezien.'

'Wat zijn die groot geworden!' zei Gerard. 'Leuk jullie te zien.' Hij stak zijn hand uit naar Gillian en vervolgens naar Neville. De kinderen mompelden iets beleefds.

'Kom, we moeten nu gaan,' zei Reeve. Hij draaide zich om naar Rose. 'Kunnen we je ergens afzetten?'

'Nee, dank je, ik loop wel. Ik wilde nog even met Gerard praten.'

'Tot morgen dan.'

'Ja, tot morgen,' zei Rose.

Neville, die gedurende de hele ontmoeting subtiel had geglimlacht, zei: 'We nemen je mee naar Yorkshire,'

Ze vertrokken met veel gewuif en lieten Rose en Gerard achter, nu buiten de deur van de zitkamer. Het tweetal bleef zwijgend staan zonder elkaar aan te kijken, terwijl Reeve en zijn kinderen in de eetkamer verdwenen om hun jassen op te zoeken. Ze kwamen weer te voorschijn, keken om, zwaaiden nogmaals en verdwenen door de voordeur.

Gerard zei beleefd tegen Rose: 'Zal ik een taxi voor je laten komen, voor je volgende afspraak?'

'Ik heb geen afspraak,' zei Rose. Ze had het gevoel dat ze elk moment opnieuw in snikken uit kon barsten en ze liep langs hem heen naar de eetkamer, raapte haar jas op en begon hem aan te trekken. Gerard hielp haar verder in haar jas.

Rose zei, terwijl ze naar de voordeur liep: 'Tot ziens dan maar. Trouwens, Gull en Lily gaan trouwen. Ze zijn daarbinnen.'

Leonard Fairfax kwam in volle vaart de zitkamer uit, met een glas dat hij Gerard in de hand duwde. Hij had zijn hele leven al een grote bewondering voor Gerard gehad. 'Ik dacht al dat ik je stem hoorde, ik stond te popelen om je te zien.' Leonard leek veel op zijn vader, met hetzelfde stevig krullende haar en de mooie mond met rode lippen, maar hij was langer en magerder.

'Hallo, vleier,' zei Gerard. 'Dus jij gaat naar het Courtauld, dat vind ik erg leuk.'

'Wilde je juist vertrekken, Rose?' zei Leonard. 'Erg leuk dat je geweest bent. Violet zit boven met die dominee van je!'

'Dank je wel, het was heel gezellig,' zei Rose. Ze deed de deur open. De nieuwe Jugendstil lantaarn die Pat had aangebracht verlichtte de stoep.

Gerard gaf het glas terug aan Leonard. 'Ik moet Rose even alleen spreken.' Hij pakte zijn jas die hij in een hoek bij de deur had gesmeten.

'Kom snel terug!' riep Leonard hem na. 'Pap wil je spreken. Peter Manson komt, hij belde omdat hij jou zocht. En ik wil morgen met je lunchen!'

Rose en Gerard liepen verder over de weg. Er viel een miezerig regentje, dat opzij werd geblazen door de oostenwind. Rose begon weer zachtjes te huilen, stilletjes in haar zakdoek.

Gerard zei: 'O... verdomme...' Toen: 'Wat is er aan de hand?'

'O, niets. Ik heb kiespijn.'

'Wat akelig. Ga je naar de tandarts?'

'Ja. Hoor eens, ik wil je echt niet ophouden.' Ze bedwong haar tranen en begon sneller te lopen.

'Dus je vertrekt morgen weer naar Yorkshire.'

'Nee, dat doe ik niet.'

'Ik dacht dat Neville zoiets zei.'

'Nee. Ik ga morgen met hen lunchen. Ze hebben een flat in Hampstead gekocht.'

'Wat leuk. Dus het zijn nu Londenaars.'

'Je moet echt teruggaan, iedereen popelt om met je te praten. Ik kan vanaf hier wel lopen. En ik kan elk moment een taxi krijgen.'

'Waar ga je naartoe?'

'Naar huis. Kijk daar is een taxi. Tot ziens maar weer.'

'Goed, jij je zin.' Gerard hield de taxi aan en deed het portier open. Rose stapte in. 'Leuk je weer eens gezien te hebben. Ik bel je nog wel.'

'Wat mankeert je voor de donder?' zei Gerard. 'Ben je niet lekker?'

Rose begon weer te huilen. Gerard stapte in de taxi, smeet het portier dicht en gaf de chauffeur het adres van Rose. Hij klopte haar op de schouder maar sloeg zijn arm niet om haar heen. Ze reden zwijgend verder. Toen ze bij de flat van Rose waren en Gerard de taxi had betaald liepen ze zwijgend de trap op.

Ze lieten hun jas vallen, Rose trok de gordijnen dicht en zette de elektrische kachel aan. Ze zei: 'Wil je iets drinken?'

'Ja.'

'Sherry?'

'Ja.'

'Iets te eten?'

'Nee, dank je.'

Ze schonk twee glazen in.

'Wat ís er toch, Rose?'

'Er is niets, helemaal niets! Misschien kan ik jou beter vragen wat er is! Je laat je wekenlang niet zien. Als ik je bel zeg je dat je geen tijd voor me hebt, vervolgens neem je de telefoon niet eens op, of je zit ik-weet-niet-waar, het is niet in je opgekomen mij iets te laten weten. Maar ach, waarom zou je me ook iets laten weten. Ik bezit geen enkel recht, ik ben geen familie van je...'

'En ik ben ook geen familie van jou, als we zo beginnen. Je hebt kennelijk besloten in het noorden te gaan wonen en voor moeder te spelen van dat snuggere stel! Ach, waarom ook niet. Het hemd is nou eenmaal nader dan de rok.'

'Dat zei Reeve ook al.'

'Je maakt in ieder geval duidelijk dat je elders een thuis hebt gevonden!'

'Dat gaat jou toch niets aan. Ik heb hier nooit een thuis gehad.'

'Dat is niet waar. Het hangt er vanaf wat je een thuis noemt.'

'Ja, zeg dat wel! Ik had niet gedacht dat ik je ooit jaloers en rancuneus zou zien...'

'Ik had niet gedacht dat ik jou je ooit als een onnozele trut zou zien gedragen! Ik ben heus niet jaloers. Waarom zou ik?'

'Ja, waarom zou je. Ik besef dat jij over nog een heel ander leven beschikt waar ik niet kan binnenkomen en waarin jij verdwijnt wanneer het jou schikt. Hoe gaat het met Derek Wallace?'

'Met wíe?'

'Met Derek Wallace. Die jongen die... die drukproeven... uit Oxford... bracht.'

'Rose, je bent gek... of niet snik... of wat dan ook.'

'Wat verwacht je eigenlijk dat ik zal doen als jij verdwijnt... of mag ik soms niet aan je denken? Als je echt wilt dat ik niet meer aan je denk dan ben je wel op de goede weg dat te bereiken.'

'Rose, dacht je echt...'

'Natuurlijk is het niet jouw schuld, het is mijn schuld. Je hebt altijd maar automatisch aangenomen dat ik er zou zijn, dat ik altijd vriendelijk en nuttig voor je zou zijn. Ik had gewoon niet moeten blijven rondhangen. Er zijn genoeg mensen die me gewaarschuwd hebben.'

'Tja, waarom ben je rond blijven hangen?' zei Gerard. 'Ik heb er niet om gevraagd. Natuurlijk rekende ik erop dat je er was. Ik begrijp niet waarover je je beklaagt of waarom je plotseling zo boos op me bent.'

'En waarom zeg jij "verdomme" en "wat mankeert je voor de donder?" en kom je veel te laat op een feestje waarvan je had kunnen weten dat ik er zou zijn omdat ik jou wilde zien! O, wat ben ik een onnozele sukkel!'

'Je zei iets over dat Gull en Lily gingen trouwen.'

'Je verandert van onderwerp.'

'Het werd ook hoog tijd.'

'Ja, Gulliver is terug uit Newcastle... en hij heeft een baan... en ze gaan trouwen. En Gideon en Pat hebben Tamar geadopteerd.'

'Echt waar?'

'Nou, ze hebben in ieder geval de zorg voor haar op zich genomen, ze hebben alles voor elkaar gekregen, ze gaat weer terug naar Oxford, er komt een *Tamargesellschaft*, we zullen allemaal bijdragen om haar te helpen bij haar studie...'

'Mooi zo. Wie zegt dat?'

'Gideon, hij regelt nu alles. Tamar heeft haar eigen flat, Violet woont in Notting Hill, Tamar is gelukkig, Violet is gelukkig, alle dingen die jij voor elkaar had kunnen krijgen en niet hebt geprobeerd...'

'Ik betwijfel het of Violet gelukkig is... maar je hebt helemaal gelijk dat we het niet genoeg hebben geprobeerd...'

'Wie zijn "we"?'

'Rose, wees alsjeblieft voorzichtig met wat je zegt.'

'Is het al zover gekomen dat ik "voorzichtig moet zijn met wat ik zeg"? En hoe zit het dan met wat jij zegt? Je beschuldigt mij dat ik...'

'Waar heb ik je van beschuldigd, behalve van dat je dol ben op je familie?'

'Ik heb geen familie. Jij bent mijn familie. Dat betekent dat ik geen familie heb. Ik heb je mijn leven gegeven en je hebt het niet eens gemerkt.'

'Je slaat onzin uit, louter en alleen met de bedoeling mij te kwetsen. Natuurlijk heb je familie. Het komt me voor dat Reeve je gewoon overneemt, hij voert je weg als een klein gehoorzaam huisdier.'

'Je bedoelt dat hij misbruik van me maakt, dat hij een huishoudster wil?'

'Tja, waarom ook niet? Hij rekent op de traditionele familiebanden.'

'Waarom "traditioneel"? Die mensen hebben me nodig en ze willen me graag, en dat heb jij nooit gedaan.'

'Rose, je moet niet tegen me schreeuwen, je weet dat ik een hekel heb aan boze buien.'

'Ik schreeuw niet. Goed, misschien sla ik onzin uit. Het ligt allemaal een stuk eenvoudiger. Ik heb altijd van jou gehouden en jij kunt niet van mij houden, en dat kun jij ook niet helpen. Maar om de een of andere reden is het plotseling allemaal zo onverdrágelijk geworden.'

'Wat moet ik doen? Wil je dat ik wegga, nu?'

'Je bedoelt voorgoed?'

'Doe niet zo mal. Je schijnt me onverdragelijk te vinden, je bent in ieder geval boos op me, ik kan niet bedenken waarom. Het is geen goed moment, je bent overspannen, misschien door iets anders, en ik kan hier geen enkele zinnige bijdrage leveren... misschien is het maar beter als ik verdwijn.'

'Je bedoelt dat er iemand op je zit te wachten, je kijkt op je horloge.'

'Rose, ben je soms dronken?'

'Goed, gá dan!'

Het bleef stil. Rose had de bovenste knoop van haar bruine, ribfluwelen jurk losgemaakt en trok aan de witte kraag van de blouse eronder en plukte aan haar hals. Ze vroeg zich af: ben ik echt dronken? Waarom gebeuren deze vreselijke dingen? Ze had tijdens het praten lopen ijsberen van de rozehouten tafel waarop ze de onaangeroerde drankjes had neergezet en het bureau waarop ze plotseling een brief aan Gerard zag liggen, waar ze twee dagen geleden aan was begonnen en die ze niet had afgemaakt. Ze pakte hem op en propte hem woedend in elkaar. Ze dacht: is dit het einde van die lange weg, moet ik gillen, flauwvallen? Hij is vergeten dat we ooit minnaars zijn geweest. Tja, het is al lang geleden en het had zelfs toen niet veel te betekenen. Nu sta ik te wachten tot hij gaat, ik zal hem niet tegenhouden en als hij weggaat wordt alles anders, dan worden we onherroepelijk vreemden voor elkaar. Misschien zijn we al vreemden en begin ik het nu pas te merken. Ze gooide de verkreukelde brief op de grond.

Gerard keek naar haar. Hij stond bij de haard. Hij was boos en verbaasd door haar plotselinge behoefte hem pijn te doen. Even overwoog hij weg te gaan. Maar er gebeurde iets anders en dat was dat hij zich plotseling vreselijk moe voelde. Hij had meer dan genoeg dingen om moe van en moe over te zijn, het was hem de laatste tijd allemaal te veel geworden. Hij zei: 'O God, ik ben toch zo moe!' en liep naar de tafel en pakte een glas sherry. Toen hij dit deed morste hij per ongeluk iets van de goudkleurige vloeistof op de tafel. Hoewel de arme, oude tafel al onder de vlekken zat haalde Rose toch instinctief uit de zak van haar jurk haar zakdoek te voorschijn, die nog nat was van de tranen, om het plasje op te vegen. Gerard legde onmiddellijk zijn hand op haar hand en zo bleven ze even rustig staan, zonder elkaar aan te kijken. Toen het moment voorbij was en hij zijn hand terugtrok en zij haar hoofd naar hem ophief zei hij: 'We moeten geen ruzie maken, lieverd, we moeten echt geen ruzie maken.'

Rose, die heftig en zonder tranen was geweest, voelde die tranen nu weer bovenkomen, en tegelijkertijd een enorm gevoel van opluchting dat gepaard ging met een hernieuwd besef van haar kiespijn, die ze even helemaal was vergeten. Ze was intens blij, dankbaar, opgelucht dat Gerard niet weg was gegaan, dat hij haar had aangeraakt en haar 'lieverd' had genoemd, en dat ze niet verder hoefde te gaan met haar automatische aanval op hem die hen beiden zoveel verdriet had gedaan. Ze zei, terwijl de tranen in haar ogen opwelden: 'Ik moet even een schone zakdoek pakken, deze is drijfnat van de sherry.'

'Hier, neem de mijne maar.'

Ze begroef haar gezicht in zijn grote, witte zakdoek, die nog stijf in de vouw was gestreken maar toch al naar zijn jaszak rook, en ze verwarmde hem met haar adem en maakte hem nat met haar tranen. Ze was ontsnapt aan een vreselijk noodlot dat haar even had aangekeken.

'Blijf je eten?'

'Ja, natuurlijk,' zei Gerard, 'maar máák niets.'

Een tijdje later, nadat ze samen in de keuken waren geweest en Gerard een fles wijn had opengetrokken en Rose twee aspirines had genomen en een blik tong en een blik spinazie had opengedraaid en wat kaas en appels en een rozijnencake klaar had gezet, en ze wat over Gull en Lily, en Tamar en Violet hadden gepraat, en over Anoesjka die gelukkig niet ernstig ziek bleek te zijn, gingen ze aan de ronde tafel zitten die Rose met raffia placemats had gedekt, met het eten en drinken voor zich en ze keken elkaar over de tafel aan als voor een bespreking. Toch hadden ze allebei honger.

'Rose, je zei dat het ''om de een of andere reden'' allemaal onverdragelijk was. Kunnen we het over die reden hebben?'

'Vind je echt dat we het daarover moeten hebben? Ik wil over jou praten.'

'Het is waar dat je niet hebt gevraagd hoe het met mij gaat en wat ik heb gedaan, met uitzondering van die laatste onbeschaamde insinuatie.'

'Het spijt me. Hoe gaat het met jou en wat heb je gedaan?'

'Ik zal je alles vertellen, maar ik wacht liever nog even.'

'Gerard, het is toch niet iets akeligs?'

'Niet precies... akelig... maar... ik zal het je wel vertellen, maar laten we eerst die andere dingen uit de weg ruimen.'

'Je bedoelt de dingen die ik heb gezegd?'

'En de dingen die ik heb gezegd, en waarom we allebei... kennelijk... het gevoel hebben dat we in een soort crisis zijn beland. Er zijn natuurlijk enkele voor de hand liggende oorzaken.'

'Je bedoelt Jenkin...'

'Ja. Dat. Alsof er een eind is gekomen aan de wereld, en... voor ons allemaal is het het einde van het ene leven en het begin van het andere.'

'Voor ons allemaal,' zei Rose, 'je bedoelt voor ons beiden.'

'En toch heb ik het gevoel dat we nog steeds met een heleboel zijn. Tja neem nou Duncan, maar ik weet niet...'

'Ik denk dat we hem kwijt zijn,' zei Rose.

'Ik hoop van niet.'

'Maar wat is dit, dit begin van een ander leven... is het niet gewoon het besef van onze eigen sterfelijkheid, kan het iets anders zijn?'

Gerard mompelde: 'Er ligt werk te wachten...'

'Toen Sinclair stierf waren we nog jong... toen hadden we ook het gevoel dat we tekort waren geschoten.'

'Ja. We dachten dat we niet goed voor hem hadden gezorgd, voor beiden... maar dat is bijgeloof. Schuldgevoelens zijn een manier om de dood een zin te geven. We willen de zin ervan vinden, dat vermindert de pijn.'

'Je bedoelt door te zeggen dat het het noodlot is, of...'

'Door er een soort allegorie van te maken, jong sterven, de naijver van de goden... of sterven als offer, je leven geven voor anderen, op de een of andere manier hun schuld op je te nemen, een heel bekend idee eigenlijk.'

'O... hemel...,' zei Rose. 'Heb jij dat ook gedacht... een volmaakt offer en genoegdoening...'

'Ja, maar dat kan niet, dat is blasfemie, het is een corrupt soort troost... dat komt ervan, als je jezelf verwijten maakt... ik bedoel jezelf onredelijke verwijten maakt.'

'Dus dat is niet ons nieuwe begin.'

'Een verlossend wonder? Natuurlijk niet! We zullen moeten leren leven met het toeval. Ik weet trouwens niet goed wat ik eigenlijk met dat nieuwe begin bedoelde, misschien alleen maar dat we moeten proberen fatsoenlijk verder te leven zonder Jenkin.'

'Je zei dat er werk lag te wachten.'

'Ja.'

'Je denkt niet dat Crimond Jenkin heeft vermoord?'

'We moeten ophouden ons die vraag te stellen.'

'Zou je het... hem ooit kunnen vragen?'

'Het aan Crimond vragen? Nee.'

'Omdat je het denkbaar acht...'

'We moeten met dat raadsel leren leven. Maar o, Rose, het doet me zo'n verdriet... jij bent de enige mens tegen wie ik dit kan zeggen... het feit dat Jenkin dood is, is zo vreselijk, zijn afwezigheid... Ik hield van hem, ik bouwde op hem, volledig.'

Rose dacht: ik kan Gerard nooit vertellen waarom ik zo sterk het gevoel heb dat Jenkins dood mijn schuld was. Maar ik ben natuurlijk krankzinnig. Ik denk níet dat Crimond hem heeft vermoord. Dit is ook zo'n... wat Gerard een allegorie noemde. Verbeeld ik me dat het ongeluk is gekomen door iets onbewusts bij Crimond, door zijn wrok jegens mij? O, had ik me maar anders tegen hem gedragen, vriendelijker, dankbaarder. Gerard dacht: ik kan Rose nooit vertellen hoeveel ik wel van Jenkin hield en op welke manier ik van hem hield en hoe hij me heeft uitgelachen! Dat is een geheim dat ik niemand zal kunnen vertellen. Maar het is al een opluchting dat ik zijn naam bij haar kan noemen. Ik moet dat vaak doen.

Ze zwegen allebei een poosje, Gerard schilde aandachtig een appel, Rose sneed de kaas in steeds kleinere stukjes die ze niet van plan was op te eten. Ze begon op een treurige maar rustige manier het gevoel te krijgen dat de avond redelijk veilig was afgelopen. Ze wist dat ze zich later verwijten zou maken over dingen die ze had gezegd, geen onvergefelijke dingen, want ze wist dat ze haar al waren vergeven, maar het waren wel domme dingen die hen misschien lang konden heugen. Er had zich geen catastrofe voorgedaan. Maar vormden deze dingen en het gevoel waarbij ze niet van belang waren, niet het bewijs van een afstand tussen Gerard en haar, van een onmogelijkheid die altijd had bestaan en waarvan ze zich nu pas volledig bewust werd? Ze was beslist niet erg snel van begrip! Moest ze leren te berusten, was dát waar berusten op neerkwam, in de straat te staan schreeuwen en wuiven als de prins voorbijkomt, en te beseffen dat hij niet weet, en er niets om geeft, of je staat te schelden of te juichen... en dat hij zal glimlachen met zijn gebruikelijke glimlach en verder zal rijden. Wat een belachelijk idee, dacht Rose, ik ben zo moe, ik val zo ongeveer in slaap, dat was bijna een droom, Gerard in zijn rijtuig voorbij te zien gaan! Ging hij nu maar weg, ik weet dat ik zo in slaap kan vallen. Mijn kiespijn is een stuk minder. Ze staarde hem aan en haar blik scheen hem vast te houden, zijn scherp getekende gezicht was verdeeld in licht en schaduw, er glinsterden enkele lichtgrijze strepen in zijn krullende haar. Ze voelde haar eigen gezicht zwaar en plechtig worden, haar ogen zakten dicht.

'Rose, val niet in slaap! Je hebt me een belangrijke vraag nog niet gesteld!'

'Welke vraag?'

'Over het boek!'

'O, het boek.' Rose kreeg de neiging te zeggen: dat boek kan de pot op! Ze had geen zin in dat boek, ze had er tabak van. Misschien was dat ook wel berusting.

'Je hebt nog niet gevraagd wat ik ervan vond. Wat dacht je trouwens dat ik al die tijd heb gedaan?'

'Nou, wat vind je ervan? Dat het niet goed is, dat het onzin is? Gerard, het is nu niet meer van belang... daar hebben we toch zeker niets meer mee te maken?'

'O lieve help.' Hij zei het wat quasi-zielig, als een klein jongetje. 'Rose, laten we een glas whisky drinken. Nee, blijf maar zitten, ik pak het wel. Zeg, laten we eens dronken worden, ik heb je zoveel te vertellen, ik wil praten en praten. Hier, drink dit op, dan word je weer wakker!'

Toen Rose een slokje whisky had genomen voelde ze zich plotseling weer wat meer bij haar positieven.

'Jij bent de enige persoon met wie ik erover praat, de eerste persoon die ik heb gezien sinds ik het uit heb, daarom heb ik de telefoon ook niet opgenomen en ben ik nergens geweest, ik moest alleen zijn, ik moest het langzaam en zorgvuldig lezen, ik moest me gewoon opsluiten met dat boek.'

'Maar stelt het dan iets voor? Het is vast een krankzinnig boek met allerlei obsessies.'

'Ja, in zekere zin wel.'

'Ik wist het wel... al die tijd en al dat geld om de fantasie van een krankzinnige op schrift te stellen. Het zal wel heel saai zijn geweest, dat zijn de fantasieën van krankzinnigen altijd.'

'Sáái? Nee, het was bijna mijn dood. Het wórdt nog eens bijna mijn dood.'

'Wat bedoel je? Je maakt me bang. Ik dacht al dat het je op de een of andere manier kwaad zou doen...'

'Gevaarlijke toverij? Ja.'

'Wat bedoel je, já?'

'Rose, het boek is geweldig, echt gewéldig!'

'O nee! Wat vreselijk!'

'Waarom vreselijk? Bedoel je dat ik moet sterven van jaloezie? Weet je, misschien had dat in het begin kunnen gebeuren, toen ik begon te zien hoe goed het was, terwijl ik zo'n laaghartig, verachtelijk idee had dat ik teleurgesteld zou zijn!'

'Je hoopte dat je het kon afkeuren, het kon weggooien... ik wilde ook dat je dat deed.'

'Ja, ja, ik voelde me geweldig op mijn nummer gezet... je weet hoe we hem altijd als gek, onevenwichtig, hebben beschouwd, en natuurlijk als slecht, gewetenloos... wrééd, neem bijvoorbeeld de manier waarop hij Duncan op het bal heeft behandeld.'

'Je bedoelt door hem zijn vrouw af te pakken?'

'Nee, ik dacht hoe hij Duncan in de Cherwell had geduwd... dat was zo walgelijk en onnodig... niet dat we weten wat er gebeurd is, natuurlijk... Rose, herinner je je nog hoe Crimond die avond dánste?'

'Ik heb hem niet gezien.'

'Hij was net een demon, het was alsof je een god zag dansen, een vernietigend, scheppend, máchtig wezen! We hebben allemaal zoveel oog gehad voor het maken van één front om wat hij Duncan heeft aangedaan... sinds die toestand in Ierland hebben we Crimond voortdurend onderschat. We beschouwden hem als niet succesvol en armoedig, en knorrig, als een hond die buiten loopt te schooien... en aangezien onze politieke opvattingen zo ver uiteen liepen, en dat was echt erg belangrijk...'

'Dat is nog steeds belangrijk.'

'Ja, daar kom ik straks weer op terug, maar we begonnen elkaar aan te praten dat Crimond niet deugde, verkeerde ethiek, verkeerde politiek, onverantwoordelijk, wraakzuchtig, een beetje getikt... Hoe kon zo iemand een goed boek schrijven?'

'Maar volgens jou heeft hij dat wel gedaan.'

'Rose, het is een buitengewoon boek, ik ben er helemaal van onderstebo- ven... ik weet zeker dat ik me niet vergis.'

'En je bent niet jaloers?'

'Een beetje, maar dat doet er niets toe of af, mijn bewondering wint het van mijn afgunst. Je moet je geïnspireerd voelen door iets goeds zelfs als je het er niet mee eens bent.'

'Dus je bent het er niet mee eens?'

'Natuurlijk ben ik het er niet mee eens!'

Gerard rukte niet echt de haren uit zijn hoofd, maar hij trok zijn handen erdoorheen alsof hij de glanzende krullen lok voor lok wilde gladstrijken. Zijn gezicht dat Rose nu leek te stralen van licht, was als een mooi, komisch masker. Ze was ontroerd, maar inwendig ook ongerust en bang door zijn vervoering die ze niet kon begrijpen.

'Dus het is goed en je bent het er natuurlijk niet mee eens, maar het is in ieder geval áf. Je hebt het gelezen... en dat was het dan.'

'Nee, dat was het niet... niet wat jij denkt.'

'Ik denk helemaal niets, Gerard. Wees alsjeblieft kalm. Schrijf je er een recensie over?'

'Een recensie? Ik weet het niet, ik denk niet dat iemand me het zal vra- gen, dat is niet belangrijk...'

'Daar ben ik blij om. Heb je Crimond verteld dat je het goed vindt, heb je hem gesproken?'

'Nee, nee, ik heb geen contact met hem gehad. Maar dat is nu evenmin van belang.'

Rose voelde zich enigszins opgelucht. Ze was verontrust over zijn opge- wonden gepraat over dat gevaarlijke boek. Al haar oude angsten voor Cri- mond kwamen weer boven, dat hij Gerard op de een of andere manier kwaad zou doen, dat het boek zelf hem kwaad zou doen, of minstens dat hij ongelukkig zou worden door jaloerse spijt. Maar daarnaast voelde ze nu ook, als de eerste symptomen van een verwoestende ziekte, haar angst voor een mogelijke, verbazingwekkende, tóenadering waarbij Crimond zich op haar zou wreken door vriendschap te sluiten met zijn vijand en Gerard af te pakken. Ze wilde dat er een punt werd gezet achter die hele episode van het boek; dat Gerard, door zijn edelmoedigheid om van afgunst op bewon- dering over te gaan, het ding zou bespreken en loven en het vervolgens zou vergeten en dat alles weer net zo werd als vroeger, met Crimond, de valse hond, op een veilige afstand.

'Ik denk dat niet iedereen het boek op prijs zal stellen.'

'Nee, zeker niet, sommige mensen zullen het afschuwelijk vinden, anderen, vrees ik, geweldig.'

'Kennelijk vind jij het niet vreselijk, als ik zie hoe opgewonden je erover doet! Ik kan me niet voorstellen dat het zo interessant is, een boek over politieke ideeën. Daar bestaan er al honderden van.'

'Rose, het is briljant, het is alles wat we dachten dat het misschien zou worden, toen we besloten dat het het waard was om te financieren. Het is alles wat we hoopten... het is ook alles wat we vreesden, dat wil zeggen, later. Het zal heel veel worden gelezen, heel veel worden besproken, en ik denk dat het heel veel invloed zal hebben. Het is vreemd, maar ik kan me nu weer herinneren, wat ik op de een of andere manier was vergeten, wat we al die jaren geleden van Crimond vonden, toen we hem zo'n opmerkelijke man vonden, die namens ons allen kon spreken, namens óns. Uiteraard is het niet alles wat we toen verwachtten, het is meer dan dat, en het is niet wat we nu willen horen, hoewel we het móeten horen.'

'Ik wou dat je eens ophield met over ''we'' te praten... spreek alleen namens jezelf... je blijft maar denken dat er een soort broederschap is, maar we zijn uiteengevallen, we vormen geen groepje broeders, we zijn slechts eenzame, angstige individuen die zelfs niet meer jong zijn.'

'Ja, ja, lieve Rose, wat zeg je dat weer mooi...!'

'Je hebt belangstelling voor het boek omdat je ervan op de hoogte was, omdat je Crimond kent, omdat je de hele zaak hebt gefinancierd. Als het was geschreven door iemand van wie je nooit had gehoord zou je het hebben genegeerd. Wat is er dan zo goed aan dit afschuwelijke boek?'

'Waarom denk je dat het afschuwelijk is? Dat moet je niet doen... Het is niet zomaar een boek over politieke ideeën, het is een synthése, het is immens lang, het gaat over alles.'

'Dan móet het een knoeiboel zijn en een mislukking.'

'Maar dat is het niet. Mijn God, de geleerdheid van die man, wat een geduld, wat hij heeft gelezen, hoe hij heeft gedacht!'

'Jij hebt ook gelezen en gedacht.'

'Nee, dat heb ik niet. Crimond zei dat ik was opgehouden met denken, dat wat ik mijn hele leven had gedaan geen denken was. En in zekere zin had hij gelijk.'

'Dat is absurd, hij is absurd mens. Wat gaat hij doen nu het boek af is, zitten te verpieteren? Vertrekt hij naar Oost-Europa?'

'O, hij gaat niet naar Oost-Europa, hij hoort hier thuis. Misschien schrijft hij nog eens een even lang boek om dit te weerleggen! Hij is ertoe in staat! Maar dit werk geeft een hoop stof om te overdenken. Ik wist niet dat ze nu nog zulke boeken konden schrijven.'

'Wie zijn "ze"?'

'O, de marxisten, neo-marxisten, revisionisten, of hoe ze zich ook mogen noemen. Ik weet niet of Crimond een "echte" marxist is, of wat dat nu nog betekent, ze kennen zichzelf niet. Ik vermoed dat hij een soort afvallige marxist is, zoals hun beste denkers dat zijn. De enige goede marxist is een krankzinnige marxist. Het is niet voldoende als je een revisionist bent, je moet ook een beetje krankzinnig zijn, om de huidige wereld te kunnen zíen, je een beeld te vormen van de draagwijdte van alles wat er gebeurt.'

'Nou, ik heb altijd al gezegd dat hij krankzinnig was,' zei Rose, 'en als het boek helemaal onjuist is...'

'Ja, dat is het... maar je moet begrijpen...'

'Crimond gelooft in een één-partijregering... dan hoef je verder niets meer te zeggen.'

'Tja, aan de ene kant gelooft hij daar in, maar aan de andere kant ook weer niet... zijn redenering is veel uitvoeriger...'

'Ik zou zo denken,' zei Rose, 'dat er niets uitvoeriger kan zijn dan dat punt.'

'O, Rose, Rose!' Gerard greep plotseling met zijn hand over de tafel, naar haar hand. 'Wat een schitterend antwoord.' Ze hield zijn lieve, warme hand vast, die voor haar veel belangrijker was dan enig boek, veel belangrijker dan het lot van de democratie, veel belangrijker dan het lot van de mensheid. 'Maar, mijn lieve Rose, we moeten nadenken, we moeten vechten, we moeten in beweging blijven, we kunnen niet stilstaan, álles beweegt zo snel...'

'Je bedoelt de technologie? Gaat Crimonds boek over technologie?'

'Ja, maar zoals ik al zei gaat het over alles. Hij heeft eeuwen geleden tegen me gezegd dat hij het allemaal voor zichzélf deed, om zichzélf de hele filosofie te verklaren, alles. En dat heeft hij ook gedaan, van de presocraten, Plato, Aristoteles, Plotinus, tot aan het heden, en de oosterse filosofie ook... en dat betekent ethiek, godsdienst, kunst, het komt er allemaal bij kijken, er zit een uitstekend hoodstuk over Augustinus bij, en hij schrijft zo goed, heel grappig en geestig, allerlei soorten mensen zullen het lezen...'

'Maar als het allemaal niet deugt is het wel zonde van de moeite!'

'Ja. Het zal een hoop onterechte kritiek krijgen. Hij denkt dat het met de liberale democratie is gedaan. Hij is een soort pessimistische utopist. En natuurlijk hebben we gelijk, goed ík heb gelijk en hij heeft het mis... maar mijn gelijk... moet worden veranderd... door elkaar geschud, worden uitgegraven en herplant, worden opgehelderd...'

'Volgens mij is dat boek een eendagsvlinder,' zei Rose, 'en kunnen we ons daarna weer allemaal ontspannen! Misschien voel zelfs jij je morgen alweer een stuk normaler. Je bent dronken van de whisky en van Crimond!'

'Misschien is het wel alleen op míj gericht.'

'Je denkt toch zeker niet...?'

'Ik bedoel het niet letterlijk. Er is misschien een kleine groep mensen die het boek zullen begrijpen en er aan toe zijn, en zij zijn de mensen voor wie het is bedoeld... sommigen zullen het ermee eens zijn, sommigen ook niet, maar ze zullen een belangrijke boodschap hebben ontvangen. Het is misschien net als bij een signaal van een heliograaf... er is maar één punt waarop het wordt ontvangen, en daar is het verblindend.'

'Het heeft jou in ieder geval verblind. Maar als het allemaal over Plato en Augustinus en Boeddha gaat zal het toch niet als een politieke bom inslaan.'

'Daar gaat het niet allemaal over... het is een poging ons hele geciviliseerde verleden te bezien in relatie tot het heden én tot de toekomst, het werkt als het ware toe naar de revolutie.'

'O, dat weer! Nee toch!'

'Rose, ik bedoel niet de proletarische revolutie volgens het ouderwetse marxisme. Ik bedoel de hele menselijke wereldrevolutie.'

'Ik wist niet dat er een was. En jij ook niet. Je hebt het alleen maar uit Crimonds boek opgepikt!'

'Lieve help!' Gerard begon schaapachtig te lachen en schonk zich nog eens wat whisky in.

'Je bent écht dronken. Je zei dat ik het was, maar nu zijn we het allebei.'

'Mijn lieve kind, ja, ik ben dronken, en ik heb het niet uit Crimonds boek ''gepikt'', het was iets wat ik natuurlijk al eerder wist, maar nu bezie ik het in een heel ander licht.'

'Het is een illusie. Het is allemaal één grote bende. Dat komt door de liberale democratie.'

'Rose, weet je, je begríjpt het. Maar een populaire illusie bezit veel kracht... en zelfs de meest krankzinnige voorspelling kan dingen onthullen waarvan je het bestaan niet had kunnen vermoeden.'

'Wat bedoel je, de moderne technologie, Afrika, een kernoorlog...?'

'Veel, heel veel dingen die opzichzelf lijken te staan maar toch verband met elkaar houden of zullen krijgen. De fundamenten verschuiven, we staan op het punt de grootste, meest ingrijpende, snelste verandering te zien, de meest verpletterende revolutie in de geschiedenis van de beschaving.'

'Ik geloof niet dat die zaken verband met elkaar houden,' zei Rose, 'dat is een mythe. Ik ben echt verbaasd over je! We hebben een heleboel verschillende problemen met verschillende oplossingen. Maar in ieder geval, lieve Gerard, zullen wij dit opwindende cataclysme niet meer meemaken. Ik hoop en geloof dat ik, in de tijd die mij hier nog rest, in staat zal blijven

474

naar buiten te gaan om een pakje boter en de nieuwste editie van *The Times* te kopen.'

'Wie weet? Denk eens aan wat er in ons leven al is gebeurd.'

'Hitler?'

'Ja, onvoorspelbare, ondenkbare dingen. Ruimtereizen. We zijn omringd door een toekomst waar we geen idee van hebben. We zijn net als die inboorlingen van Nieuw-Zeeland die gewoon verder gingen met vissen omdat ze het schip van kapitein Cook niet konden zien... het lag in de baai, maar ze konden zich er geen beeld van vormen.'

'Een leuk verhaal. Maar wat je niet kent dat kun je niet kennen.'

'Rose, het leven is te kort, niet alleen dat het jammer is dat we er maar zo kort van kunnen genieten, maar het is ook te kort voor serieus nadenken... voor denken heb je veel training nodig, veel discipline, veel concentratie... zelfs genieën moeten het gevoel hebben gehad dat ze te vroeg moe werden, dat ze het op moesten geven wanneer ze het net begonnen te begrijpen... de filosofie, misschien wel de geschiedenis van de mensheid, zou er heel anders uit hebben gezien als we allemaal tweehonderd jaar konden worden.'

'Onze levens zijn lang genoeg om een beetje plezier te hebben, wat werk te doen, een paar mensen lief te hebben en te proberen goed te zijn.'

'Ja, ja, maar we moeten, sommige mensen moeten, proberen na te denken over wat er gaande is, en vechten...'

'Tegen wat?'

'Tegen... hoe moet ik het zeggen... tegen de geschiedenis. Goed dit klinkt idioot... Rose, het is zo moeilijk, ik kan het zelfs nog niet bevatten... ik voel me als een eerstejaarsstudent filosofie in Oxford, alsof ik over een gladde bol kruip en er maar niet in kan komen.'

'Waarom al die moeite om naar binnen te gaan? Het was misschien leuk om te proberen toen je nog student was, maar waarom nu nog al die moeite?'

'Je bedoelt... ach, ja, ik was er toen te jong voor... misschien ben ik nu wel te oud... die gedachte is heel pijnlijk.'

'Ik wilde je geen pijn doen.'

'Je giet er voortdurend koud water op, emmers en emmers vol, maar dat is goed, je moet koel zijn, je moet koel zijn...'

'Ik begrijp er niets van. Staat Crimond aan de kant van de geschiedenis?'

'Ja. De geschiedenis als slachthuis, de geschiedenis als een wolf die buiten in het donker zwerft, een opvatting van de geschiedenis als iets wat onvermijdelijk is, zelfs als het vreselijk is, zelfs als het dodelijk is.'

'Ik dacht dat marxisten optimisten waren die dachten dat de volmaakte maatschappij weldra overal op zou duiken, als de victorie van het socialisme.'

'Dat waren ze vroeger. Sommigen zijn het nog, anderen worden verscheurd door twijfels maar houden stug vol. Crimond denkt dat we onze ideeën moeten zuiveren met visioenen van utopia, tijdens een ineenstorting van de beschaving die volgens hem onvermijdelijk is.'

'En hij verheugt er zich zeker op! Hij is een determinist, dat zijn ze allemaal.'

'Hij is een zwartgallige determinist, dat is het meest gevaarlijke en aantrekkelijke soort. Marxisme als wanhoop, en als het enig mogelijke instrument van het denken, de enige filosofie die in staat is voorbij een periode van een onvermijdelijke autoritaire regering te kijken.'

'Om als de ark de nieuwe waarden mee te voeren. Alle oude burgerlijke idealen zullen worden afgeschaft.'

'Hij probeert het hele probleem te omvatten... Natuurlijk ben ik het er niet mee eens...'

'Ik denk niet dat er één op zichzelf staand probleem is, of dat we ons een voorstelling kunnen maken van de toekomst, dat is in het verleden ook niemand gelukt.'

'Ik weet niet goed hoe ik het duidelijk moet maken, het boek is één enorm samenhangend argument, en het is niet alleen maar pessimistisch... het is heel utilitaristisch, dat is altijd de leukste kant van het marxisme geweest! Het gaat over van alles... er staat veel in over ecologie en liefde voor dieren...'

'Dat zullen de vrouwen leuk vinden!'

'Rose, het is een heel hóógstaand boek, over gerechtigheid, over lijden...'

'Ik geloof er niets van. Hij wil het bourgeois individu liquideren, dat wil zeggen het individu, en de bourgeois waarden, dat is alle waarden! Hij gelooft in de onvermijdelijkheid van wreedheid.'

'Het is een uitvoerige aanval op Marx door een uiterst intelligente marxist, een poging het geheel door te denken... je zult zien...'

'Ik zal niets zien. Misschien zoek ik ecologie op in de inhoudsopgave, en dieren en lief zijn...'

'Rose, drijf er alsjeblieft niet de spot mee...'

'Je bent waarschijnlijk zo ondersteboven omdat het boek precies lijkt op ''waar deze tijd behoefte aan heeft'', een nieuwe synthese en zo, maar als het alleen maar marxisme is wat de klok slaat, en daarna utopia, dan is het niets nieuws, is het alleen maar de oude dictatuur van het proletariaat in een modern jasje... en dan is het alles waar jíj ook van walgt, dus waarom ben je zo onder de indruk? Ik geloof niet in die ark van Crimond, zijn boot die snel over de stroomversnellingen heen zal varen.'

'Nou, waar geloof jij dan wel in?'

'Ik vind dat we de goede dingen die we hebben moeten beschermen.'

'Maar... als je nu vooruitkijkt... wat zie je dan? Een catastrofe? *Après nous le déluge?*'

Rose zweeg. Gerard was opgestaan en boog zich over de rugleuning van zijn stoel, zijn gezicht verlicht door een gloed van opwinding die Rose wat komisch voorkwam, een versterking van zijn gebruikelijke, absurde glimlach. Niet bereid ja te zeggen knikte ze tenslotte.

Gerard draaide zich om en begon door de kamer te ijsberen. 'Rose, heb je nog van die chocoladebiscuits?'

'Met pure chocola, die droge? Ja, ik zal ze even halen.'

Op de tafel stonden nog hun borden die bedekt waren met allerlei resten, de kaas en de rozijnencake, de appels op een mooie schaal.

'Ik heb nog steeds honger. Ik neem ook nog wat cake. Heeft Anoesjka die gebakken?'

Toen Rose, in de keuken, het blik met chocoladebiscuits vond, bedacht ze dat wat haar in deze woordenwisseling met haar oude vriend deed opleven een fysiek verlangen was, het debat was voor haar als seks, haar hevige wens met hem naar bed te gaan werd getransformeerd tot snedige repliek, of zoals hij zei, tot spot: het was haar alleen dáár om te doen, en niet om de toekomst van de beschaving!

Gerard at de rozijnencake op, nu de biscuits, vervolgens stortte hij zich op de kaas, hij liep maar heen en weer en morste kruimels op het tapijt. Terwijl ze hem de kruimels in zag trappen zei Rose wanhopig: 'Je blijft dat boek maar prijzen, en toch zeg je dat het de plank helemaal misslaat! Als het marxisme is, dan moet dat wel zo zijn. Is dat dan niet het einde van de zaak?'

'Nee... nee... het is het begín. Wanneer je het leest...'

'Ik ben niet van plan het te lezen! Volgens mij is het een verwerpelijk boek, ik wou dat het niet bestond.'

'Je moet het écht lezen.'

'Waarom?'

'Om redenen die ik je zo uit zal leggen. In zekere zin wenste ik ook dat het niet bestond, het zal gekken en schurken aanmoedigen en veel slechte gevolgen hebben, maar ik ben ook blij dat het bestaat, het zal de tegenstanders dwingen tot nadenken, het laat zien dat mensen, juist op dit cruciale gebied, nieuwe ideeën kunnen hebben.'

'Boeken met nieuwe ideeën verschijnen er elke week.'

'Nee, toch niet, niet gericht op juist dit punt.'

'De revolutie, de grootste in de menselijke geschiedenis. Het is alleen maar behoefte aan sensatie, het zal alleen maar al onze oude ideeën weer bovenhalen.'

'Dan wordt het hoog tijd dat we eens een paar nieuwe krijgen.'

'Die krijgen we tóch niet. O, Gerard, ik ben zo móe.'

'Lieverd, het spijt me, word nu niet weer zo slaperig... ik wil je vertellen...'

'Ik ga op een cruise met Reeve en de kinderen, een lánge cruise, een wereldreis.'

'O.' Dit bracht Gerard tot staan. 'Wanneer?'

'Met Pasen. Nou ja, geen echte wereldreis, maar wel een lange, van enkele weken... ik weet het niet meer precies.'

'O. Dat zal wel heel leuk zijn.'

'Ik ga ze nu veel meer zien, ik ga mijn leven veranderen, ik verkoop deze flat en dan ga ik in Yorkshire wonen.'

'Rose! Dat doe je niet!'

'Waarom dan wel niet? Wat let me?'

'Ik. Hoor eens, ga dan mee op die verdomde cruise als je zo nodig moet, ontmoet je familie wanneer je dat wilt...'

'Dank je!'

'Maar luister alsjeblieft naar wat ik ga zeggen.'

'Goed, goed!'

'Word wákker!'

'Ik ben wakker. Het spijt me dat ik zo afwijzend doe over het boek, ik weet zeker dat het niet goed is, hoewel het jou kennelijk wel iets heeft gedaan, maar daar kom je wel overheen, dat heeft niets met ons te maken.'

'We hebben het gefinancierd.'

'Dat was een vergissing. Je zult het weer gauw vergeten. Het heeft je leven niet veranderd.'

'Dat heeft het wel... dat wilde ik je juist uitleggen. Dit boek verlangt een antwoord, en het kan worden beantwoord, punt voor punt.'

'Goed, schrijf dan een recensie... je zei alleen zelf dat je dat niet wilde doen.'

'Het verdient meer dan een recensie...'

'Wat dan?'

'Een even lang boek.'

'Wie zal dat schrijven?'

'Ik.'

Rose bukte zich en raapte wat kruimels van het tapijt en liet ze op de tafel vallen. Ze voelde vaag iets onbegrijpelijks en onheilspellends naderen, als een doodvonnis dat in een vreemde taal was geschreven. Ze zei mat: 'O nee... dat moet je echt niet doen.'

'Rose, ik moet wel. Het is mijn plicht.'

'Gerard, het is ijdelheid dat je dit wilt doen, het is gewóón ijdelheid! Je kunt niet nu nog eens aan een lang boek beginnen, je hebt er de tijd niet voor.'

'Ik moet wel... voor Jenkin... voor Sinclair... voor ons allemaal.'

'Doe niet zo romantisch... sentimenteel...'

'Crimonds boek gaat heel diep en het bruist van de ideeën... sommige daarvan zijn goed, andere echt vreselijk slecht.'

'Je gaat er een commentaar op schrijven.'

'Nee! Ik moet mijn éigen boek schrijven. Ik weet nu hoe ik het moet doen. Het zal betekenen dat ik enorm veel moet lezen, en moet denken tot ik er gék van word... maar ik vind nu dat verder niets meer van belang is... dat boek kan niet onbeantwoord blijven...'

'Grappig,' zei Rose terwijl ze de appelschillen en de in kleine stukjes gesneden kaas van haar bord op Gerards bord schoof en zijn bord bovenop het hare zette, 'ik heb altijd gedacht dat we eens, misschien als jij met pensioen was, samen min of meer gelukkig zouden worden, ik bedoel niet iets speciaals, maar gewoon samen naar Venetië gaan of zo. Ik dacht zelfs dat we misschien samen een beetje pret konden hebben. Arme Rose, ze wilde zo graag gelukkig zijn, maar helaas, dat was haar niet beschoren. Ja, het wordt tijd dat ik naar Yorkshire ga. Ik ga paardrijden in de heuvels, met Reeve en Neville en Gillian.'

'Hoor eens, ik heb een onderzoeksassistente nodig.'

'Probeer Tamar eens.'

'Ik had aan jou gedacht, we konden samenwerken...'

'Gerard...'

'Daarom moet je dat boek ook lezen, je moet het bestuderen... en daarom moet je niet uit Londen weggaan. We kunnen dan misschien vlakbij elkaar wonen, als buren, of in hetzelfde huis... waarom niet? Ik heb gedacht...'

Rose begon te lachen. 'Samen in één huis?'

'Waarom eigenlijk niet? Volgens mij is dat een goed idee. We hoeven niet op elkaars lip te zitten. Maar we kunnen elkaar elke dag ontmoeten...'

Rose bleef hulpeloos lachen. 'O Gerard... jij en ik... in één huis...'

'En...?'

'Nee, nee, daar kan geen sprake van zijn.'

'Goed,' zei Gerard en pakte zijn jas, 'en je voelt niets voor het idee van onderzoeksassistente?'

'Nee, echt niet!'

'Ach, misschien was het een dwaas idee. Ik zal wel iemand vinden. Je bent moe. Wat valt er hier in vredesnaam zo te lachen?'

Rose zat hysterisch bij de tafel te lachen, met Gerards mooie, witte zakdoek tegen haar natte mond en ogen gedrukt. 'O, gewoon... om jou... om de geschiedenis... of... iets!'

'Dan zeg ik nu maar welterusten,' zei Gerard stijfjes, en hij trok zijn jas aan. 'Dank je wel voor het eten. Het spijt me dat ik zulke, in jouw ogen kennelijk absurde voorstellen heb gedaan.'

'Wacht even!' Rose liet de zakdoek vallen en schoot naar hem toe, greep hem bij de mouwen van zijn jas die nog nat was van de regen en schudde hem door elkaar, waarbij ze hem even uit zijn evenwicht trok zodat ze bijna allebei op de grond vielen. 'Doe niet zo mál, begrijp je dan helemaal níets? Natuurlijk wil ik graag je assistente zijn en natuurlijk wil ik graag samen in één huis wonen of vlak naast elkaar of wat je maar wilt... maar als dit gebeurt moeten we een soort overeenkomst sluiten... alsof we gaan trouwen, ik bedoel alsof... ik ben het zat om níets te hebben, ik wil nu wel eens íets, we moeten echt bij elkaar zijn, ik moet iets van gebórgenheid hebben... ik zal het boek lezen, ik zal alles doen wat je vraagt, maar ik moet in ieder geval zeker weten... of is het hopeloos... o, dat boek... dat je niet met Crimond gaat trouwen.'

'Rose, ben je niet wijs?'

'Je zult bij hem willen zijn, om het boek te bespreken.'

'Ik wil hem nog niet zien, misschien wel in geen eeuwigheid, misschien wil hij mij ook wel niet zien, ik denk dat we elkaar nog eens zullen ontmoeten, maar we kunnen geen vrienden zijn... omdat...'

'Je mag niet weggaan... om met iemand anders te trouwen... we moeten bij elkaar blijven...'

'Ja, ja, en jij kunt op die cruise meegaan, maar je mag niet in Yorkshire gaan wonen.'

'Omdat je een assistente nodig hebt.'

'Omdat ik jóu nodig heb!'

'Ik dwing je deze dingen te zeggen.'

'Rose, doe niet zo vermoeiend, je weet dat ik van je houd.'

'Ik weet het niet, ik weet niets, ik leef op de rand van de duisternis... als jij dat plan van je boek wilt uitvoeren doe ik mee... maar ik moet een soort geborgenheid hebben.'

'Je hebt toch geborgenheid! Je bent Sinclairs zuster, je bent mijn beste vriend. Ik houd van je. Wat moet ik nog meer zeggen?'

Rose liet hem los. 'Inderdaad. Wat moet je nog meer zeggen. En je herinnert je... ach, waarom zou je je het herinneren. Dus we gaan samenwonen, of naast elkaar, of vlak bij elkaar, en we zien elkaar veel...'

'Ja, als je dat wilt.'

'Jij stelde het voor.'

'Omdat ik het wil.'

'Goed dan. Ga nu maar naar huis. Ik ben echt heel moe.'

'Rose, doe niet zo...'

'Ga nu. Met mij is alles goed. Ik zal je helpen met je boek.'

'Welterusten, lieverd. Wees alsjeblieft niet boos op me, lieve Rose. Ik houd echt heel veel van je. Ik zal zorgen dat je dat gaat geloven. Misschien gaan we zelfs naar Venetië.'

Toen hij weg was bleef Rose stilletjes zitten huilen, zodat de witte zakdoek doorweekt raakte en haar tranen op de gevlekte rozehouten tafel vielen. Ze schoof de borden opzij en schonk nog wat whisky in. O, hoeveel tranen had zij al niet voor die man vergoten, en dit waren vast de laatste nog niet.

Ze was volledig uitgeput, ze besefte dat er iets belangrijks was gebeurd, ze wist niet zeker wat het was, of het iets in haar voordeel was, of een vreselijke vergissing, het weggooien van haar laatste troef. Wat moest ze zich in al die jaren toch onberispelijk hebben gedragen als ze haar gedrag van vanavond al als een schandalig vertoon van emoties beschouwde! Ze was berouwvol en beschaamd, ze had tegen hem geschreeuwd, ze had gezegd wat ze van hem vond. Ze had gezegd dat ze van hem hield en dat ze er niets voor terug had gehad, wat niet alleen onwaar was, maar ook bepaald niet erg beschaafd. Ze had Gerard ineen zien krimpen om de toon die ze aansloeg en om haar botte formulering. Dit waren oude grieven die ze vaak bij zichzelf had herhaald, waarover ze nog nooit, dat ze zich kon herinneren, zo geroepen had tegenover hun nietswetende aanstichter. Wat ze echter het hevigst betreurde aan deze scène, en wat haar nu zo machteloos maakte van ongerustheid, was dat ze nu werkelijk aan Gerard had verteld wat ze zo vaak had gedacht, dat ze een belófte van hem wilde. Wat had hem nog meer kopschuw kunnen maken, nog voorzichtiger en afstandelijker, dan zo'n claim door een hysterische vrouw op hem gelegd? Uitgerekend dat waar hij de meeste hekel aan had, had zíj tegen hem gebruikt. O, wat onvoorzichtig, wat misschien fataal onverstandig.

Weliswaar was haar indiscrete manier van doen opgeroepen door Gerards eigen voorstel om samen in één huis te gaan wonen, dat waren precies de woorden waarop zij, op haar bescheiden wijze, altijd had gehoopt. Hij had, om precies te zijn, voorgesteld vlak bij elkaar te wonen, als buren of in één huis, ongetwijfeld met elk een eigen appartement, zonder op elkaars lip te zitten. Zij was degene geweest die toen voorwaarden had gesteld, om 'geborgenheid' had gevraagd, en wel op zo'n heftige manier dat hij zich waarschijnlijk het liefst tactvol terug had getrokken. Ze stelde zich nu voor hoe ze zijn voorstel koel en dankbaar had moeten aanvaarden. In elk geval was het idee van nabijheid naar voren gekomen als een punt van gemak, van altijd een assistente in de buurt te hebben! Hoe zou die samenwerking, als het daarvan kwam, eruitzien? Was ze berekend op zo'n veeleisende en langdurige taak? Was ze in staat dat moeilijke boek te bestuderen en het te begrijpen, het boek dat zo 'onjuist' was dat ze het zou haten en vrezen, en was ze bereid moeilijk en misschien onaangenaam werk te verrichten, te leven met de voortdurende mogelijkheid Gerard teleur te stellen en te ergeren? Stel dat ze het voor een half jaar probeerde om vervolgens te worden vervangen door een bekwame jongedame? O, al die valstrikken en problemen die het menselijk verlangen naar geluk kunnen bederven, je zou er bijna niet meer naar durven verlangen! Nu was Gerard nog opgewonden door het boek, het vervulde hem met nieuwe levenslust en kracht, maar later zou het hem misschien, verslagen en niet in staat zijn grote 'antwoord' te schrijven, tot vernedering en wanhoop brengen. Ze moest daar misschien getuige van zijn. De hele situatie was zwanger van mogelijkheden van nieuw en vreselijk verdriet, juist nu ze niet langer jong was en behoefte had aan rust en vrede. Deze behoefte aan vrede, besefte ze, was naar haar toegezwaaid door Reeve en zijn kinderen, was in Fettison tot haar doorgedrongen, was naar haar toegezweefd over de heidevelden, vanuit dat rustige, vertrouwde landschap. Ze besefte dat ze zich erg verheugde op die cruise! Nou, Gerard had haar toestemming gegeven te gaan. Maar als ze, indien ze, meer betrokken raakte bij zijn werk, meer nodig was, zou ze in toenemende mate haar nieuw ontdekte familieleden, die zo aardig waren haar nodig te hebben, moeten teleurstellen, zou ze hen moeten verwaarlozen en hun gevoelens kwetsen door zichtbaar bezit te zijn van Gerard. Maar had ze dat niet altijd al gewild, bezit te zijn van Gerard? Wat ben ik toch een stumper, dacht ze, ik heb meer geluk dan bijna wie ook ter wereld maar ik heb mezelf altijd ontevreden gemaakt met een obsessie die ik lang geleden had moeten bedwingen of verbannen.

Rose had nog meer whisky gedronken en wat van de machtige rozijnencake van Anoesjka gegeten. Ze begon het gevoel te krijgen dat ze de hele nacht op moest blijven om, in een staat van pijnlijke opwinding, deze beelden van het recente verleden en van de nabije toekomst steeds weer opnieuw te bekijken. Terwijl ze, om zichzelf aan te sporen eindelijk naar bed te gaan, haar schoenen uitschopte en haar kousen losmaakte, begon ze over Crimond na te denken. Ze had gewild dat het boek af was, dat het was afgelopen, als iets wat eindelijk wegdrijft, de auteur met zich meevoerend. Als Gerard gelijk had zouden er nu natuurlijk allerlei recensies volgen, discussies, beroeringen, met foto's van Crimond in de krant, zijn stem op de radio, zijn gezicht op de televisie – Crimond zou beroemd worden! Dit was iets wat ze niet hadden gedacht in die lange tijd dat ze hem hadden beschouwd als 'valse hond', die buiten in het donker liep te schooien. Als ze maar kon geloven dat het iets was wat voorbijging, wat vanzelf voorbijging, zoals de datum waarop het boek verscheen. Als ze nu maar kon geloven, zoals ze eerder had geloofd, zelfs enkele uren geleden nog, dat ze, Gerard en zij, echt van Crimond af waren, dat hij een naam zou worden van iemand die een boek had geschreven dat niemand las of opmerkte. Wat nu langzaam, als een donkere verf, tot haar beklemde gemoed doorsijpelde was dat Crimond op zo'n manier niet tot het verleden kon behoren. Hij zou, net als zij, waarschijnlijk een grote rol spelen in de toekomst. Gerard had gezegd dat hij geen plannen had met Crimond te gaan praten. Maar zoals het er nu voorstond, met zijn eigen voornemens, zou hij wel moeten. Ze zouden naar elkaar toe worden getrokken. Op een gegeven moment zou hij er ongetwijfeld naar verlangen te discussiëren met Crimond, hem te ondervragen, hem te overreden, zijn eigen ideeën uit te proberen op zo'n sterke tegenstander. Misschien maakte onbewust het vooruitzicht op deze strijd van aangezicht Gerard zo opgewonden en hartstochtelijk. Of kon ze geloven dat Gerard zou afkoelen, het boek als gewoon beschouwen en zijn eigen enthousiasme als een voorbijgaande gekte? Wílde ze wel geloven dat Gerard zou kalmeren en zijn belangstelling verliezen en al die heftigheid, die grootse plannen tot niets zouden leiden?

Rose merkte dat ze, terwijl ze zich langzaam verder uitkleedde, haar bruine ribfluwelen jurk en haar witte bloese uittrok, diep ademhaalde, bijna zuchtte. Ze gleed in haar lange nachthemd, trok het over haar geheven armen, als om troost te zoeken in dit vertrouwde gebaar. Dus er was in de toekomst ook een Crimond. Als Gerard zijn boek schreef, of er zelfs maar aan begon, als Rose hem hielp, zelfs als ze op welke manier dan ook, ook al was het net als vroeger, bij hem in de buurt was, dan zou ze Crimond ongetwijfeld weer ontmoeten. Toen ze dit bedacht begon ze, met de automatische vlugheid van het denken, in gedachten haar brief te herschrijven vol... wat waren het... verontschuldigingen, goedmakingen, verzoening, die ze Crimond had geschreven toen hij net het huis had verlaten op die verbazingwekkende dag na zijn huwelijksaanzoek. *Mijn beste David, vergeef me alsjeblieft mijn onvriendelijke woorden. Je onthulling heeft me volledig verrast. Laat me nu zeggen hoe dankbaar en hoe ontroerd ik ben. Ik ben je nog achterna gehold maar je was al weg. Je zei dat we elkaar nogmaals moesten ontmoeten. Laten we dat alsjeblieft doen, laten we elkaar beter leren kennen. Misschien kan ik je uiteindelijk toch liefhebben.* Ik lijk wel gek, dacht Rose. Weet ik dan niet meer hoe opgelucht ik was, al heel snel daarna, dat ik die roekeloze, compromitterende brief niet had verzonden, een brief die, hoe weinig er ook in stond, Crimond met allerlei verwachtingen naar me terug had gebracht? Ik had hem voor de tweede keer weg moeten sturen, en dat tweede afscheid zou heel pijnlijk en verstrekkend zijn geweest voor ons allebei. Zelfs het bestaan van die brief in Crimonds handen zou me aan hem hebben gebonden in een soort angstige onderdanigheid alsof hij me er elk moment mee kon chanteren. Wat zou ik bang zijn geweest dat Gerard erachter zou komen dat ik, hoe kortstondig ook, zulke gevoelens had gehad. Dus deze rechten over mij geef ik nu aan Gerard. Maar stel... *Ik nam aan dat je onbereikbaar was; misschien had ik het mis. Rose, wees niet boos op me, vergeef me alsjeblieft. Liefde moet worden gewekt, ik wil die van jou wekken. Ik denk dat je in staat bent van me te houden.* Als ik direct had geschreven, dacht ze, had ik hem terug kunnen hebben, had ik in ieder geval die slechte indruk weg kunnen wissen. Inmiddels heeft hij mijn arrogante woorden verwerkt en besloten dat hij me haat. Wat heb ik die trotse man schandalig behandeld en hoe zal hij me er misschien voor laten boeten.

Die gedachten, samengevat tot een complex visioen, schoten even door Roses gedachten als gold het een explosie. Ze zei hardop: 'Dit denk ik niet echt.' Ze begon de resten van de maaltijd naar de keuken te brengen, ze gooide de restjes op de borden weg, pakte de kaas in, stopte de cake in het ene blik en de biscuits in het andere. Ze herinnerde zich, en voelde toen ook, dat ze kiespijn had, maar het was niet meer zo hevig. Ze nam nog eens twee aspirines. Ze was doodmoe, haar behoefte de hele nacht na te zitten denken was verdwenen, ze voelde nu slechts de noodzaak bewusteloos te worden, en was daar dankboor voor. Ze zei tegen zichzelf: keer terug tot de realiteit. Ik heb het enige juiste gedaan, hoewel ik het heel onhandig en slecht heb gedaan. Het enige dat gekrenkt is, is mijn ijdelheid. We zullen over Jenkin blijven denken, en of het onmogelijke mogelijk was. Gerard zei dat ze nooit vrienden zouden worden... maar ze moeten elkaar toch ontmoeten, en op zekere dag zal ik Crimond ook weer ontmoeten, en dan zullen we beven van de schok en daarna altijd koel en gewoon doen; en hij zal er nooit en te nimmer iets over zeggen, zelfs niet als hij wordt gemarteld, niet alleen om zichzelf, maar om mij. En zo bestaat er een vreemde, treurige band tussen ons die ons beiden altijd pijn blijft doen.

Ze dacht: ik vraag me af of Gerard het echt meende, samen in één huis te gaan wonen, en of dat ooit zal gebeuren. Misschien bestaat er echt een huis waarin Gerard en ik nog lang en gelukkig zullen leven, als broer en zuster. Toen ze daarna in bed stapte begon ze zich af te vragen waar dat huis zou zijn. Misschien wel aan de rivier. Ze had altijd al aan de rivier willen wonen. Ze deed het licht uit en viel in slaap en droomde dat ze met Marcus Field in Italië was.

Gerard, die zich ongewoon dronken voelde, had besloten de hele weg van de flat van Rose naar Goldhawk Road te lopen. Het motregende niet meer en er stond een vage, verwarde maan aan de hemel. De oostenwind blies nog steeds door Londen. Hij had geen handschoenen bij zich en bleef zijn handen in zijn zakken stoppen, om dit vervolgens onhandig te vinden en ze er weer uit te halen. De wind rukte aan zijn haar en gleed met ijzige vingers over zijn schedel.

Wat was Rose van streek geweest, heel ongewoon, wat had ze een taal gebruikt, met woorden als 'ondraaglijk'. Hadden ze dat later wel goed uitgepraat, hadden ze eigenlijk iets uitgepraat, of hadden ze alleen maar een soort onnodige, onbegrijpelijke verwarring geschapen? Natuurlijk waren ze vrienden, hun vriendschap, hun band, was volmaakt, en dat moest zij net zo goed weten als hij. Had hij iets misdaan, niet voldoende rekening met haar gehouden, had ze echt wat aanmoediging nodig? Misschien wel, ze had minder dingen aan haar hoofd dan hij, meer tijd om te piekeren. Hij begreep nu dat hij Rose minder had gegeven dan ze wilde, minder had gezegd dan hij had willen zeggen, dat hij egoïstisch en voorzichtig was geweest. Misschien was ze getroffen door een verschil tussen de hardnekkige attenties van de Curtland-kliek en de manier waarop hij, Gerard, 'haar als vanzelfsprekend beschouwde'? 'Ik heb je mijn leven gegeven en je hebt het niet eens gemerkt.' Dat was iets heel extreems om te zeggen. Maar dat wees toch zeker op een stemming en niet op enig diep ressentiment? Hoe had hij haar niet als vanzelfsprekend kunnen beschouwen, was dat op zich niet een bewijs van iets absoluuts? Wat vreemd, bijna gênant, dat ze echt had gezegd dat ze behoefte had aan een 'overeenkomst', zoiets als een belofte. Het drong toen past tot hem door dat Rose precies hetzelfde van hem had gevraagd als hij van Jenkin! Arme menselijke wezens, dacht hij, altijd op zoek naar geborgenheid, maar niet bereid die te verschaffen! Jenkin had gelachen. Rose had ook gelachen maar wel op het verkeerde moment. Waarom had ze zo gelachen toen hij voorstelde samen te gaan wonen, om later te zeggen dat dit precies was wat ze wilde? Rose was anders altijd zo rationeel en kalm. Natuurlijk was ze wat nijdig over het boek, zelfs jaloers, maar dat was iets anders. Waren die stomme Curtlands bezig geweest? Gerard herinnerde zich de sluwe blik op Nevilles gezicht toen hij had gezegd dat ze haar mee zouden nemen naar Yorkshire. Was dat een slimme zet, een voorbereiding tot de strijd? Er mocht geen strijd zijn. Rose was van hem, dat was ze altijd al geweest. Hij was haar verantwoording schuldig en hij was verantwoordelijk voor haar. Natuurlijk mocht ze die Curtlands wel helpen. Maar Gerard was haar echte familie, daar was geen twijfel over mogelijk! Hij dacht: ik zal haar geruststellen, ik zal voor haar zorgen, misschien heb ik niet genoeg geprobeerd haar gelukkig te maken, maar dat zal ik nu wel doen.

Toen hij dicht bij Jenkins huis was gekomen begon hij zich heel nat en koud te voelen. Hij had, met in dit huisje te gaan wonen, iets bedoeld, misschien iets symbolisch, maar ook als teken van een diepgaande verandering in zijn manier van bestaan, iets van het opgeven van wereldse bezittingen, een soort bevrijdend streven naar eenvoud. Hij had daadwerkelijk veel bezittingen verkocht, terwijl hij ironisch bedacht dat je het niet bepaald ascetisch kon noemen je spullen te verkopen om het geld op de bank te zetten. Hij begon zich de laatste tijd heel onecht te voelen in Jenkins huis, alsof hij een rol speelde. De buren begrepen het, misschien begreep het huis het ook wel. Het maakte zelfs geen deel uit van zijn rouw, leek deze soms zelfs te ontwijden. Er ging een onverwerkbaar verdriet uit van het wonen te midden van Jenkins dingen terwijl Jenkin dood was. Hij was niet van plan geweest tegen Rose over een huis te beginnen, hoewel hij al een tijdje met die gedachte had gespeeld. Hij begon nu weer belangstelling voor wonen te krijgen, niet waar hij eerst had gewoond, maar ook niet hier. Hij moest een volledig nieuwe omgeving creëren, en hij hoefde zich geen beperkingen op te leggen nu hij plotseling zo'n ontzagwekkend, veeleisend doel in dit leven had. Hij dacht niet dat hij Crimonds boek had overschat, maar hoe het ook zij, hij moest nu zijn eigen boek schrijven. Hij kon nu, dank zij Crimond, het boek zíen dat hij moest schrijven. Hij dacht: misschien heb ik me inderdaad mee laten slepen, maar ik moet mijn uiterste best doen het allemaal duidelijk te krijgen. Toen hij dit dacht moest hij opeens aan Levquist denken, aan hoe het was geweest om een afgrijselijk moeilijk stuk Grieks verhelderen, en hij herinnerde zich, en voelde zelfs nu nog in zijn binnenste, die bijna seksuele huivering waarmee hij, toen hij in Oxford arriveerde, zich geconfronteerd had gezien met een bijna onmogelijk hoge standaard. Hij herinnerde zich ook enkele woorden van Valéry, die Levquist vaak citeerde: een probleem is een licht, een onoverkomelijk probleem is een zon. Nou, vaak genoeg bleek een onoverkomelijk probleem een onoverkomelijk probleem te zijn. Bij zijn pogingen Crimond te 'antwoorden' moest hij erop voorbereid zijn dat wat hij schreef misschien slechts een commentaar op het boek van een ander zou lijken, of dit zelfs zou zijn. Misschien was inderdaad alles wat hem te wachten stond één grote mislukking, een treurig, vruchteloos geploeter, waarbij hij zijn energie en de hem resterende tijd verspilde om iets te produceren dat volslagen waardeloos was. De waarden van Augustinus die father McAlister had geciteerd kwamen weer bij hem boven: voor het aangezicht van God verschrompelt mijn ziel als een nachtvlinder. Misschien hield hij er uiteindelijk niets anders aan over dan een gebroken hart, dat zelfs niet berouwvol was.

Toen hij het huisje bereikte was het weer beginnen te regenen en toen hij de sleutel in het slot stak voelde hij zich als een ongewenste indringer. Het was zeldzaam koud in huis. Jenkin had nooit overwogen centrale verwarming aan te leggen. Gerard deed de lampen aan, trok de groene velours gordijnen dicht en stak de gaskachel in de zitkamer aan. Hij besloot dat hij nog steeds honger had, hij was te opgewonden geweest om bij Rose goed te eten, hij had haar zo graag iets groots willen vertellen. Hij was er natuurlijk helemaal niet in geslaagd over te brengen hoe het boek was, hoe goed het was, hoe fout het was. Hij dacht: het is goed omdat het over lijden gaat, het is fout omdat het gaat over trouw zijn aan een toekomstig goede maatschappij. Dat is de belangrijkste gedachte, waarop het boek werkelijk berust... maar die vlieger gaat niet op. De waarheid kan niet op die manier vooruitgrijpen in de toekomst, zoals Rose al zei, we kunnen ons geen beeld vormen van de toekomst... en een volmaakte maatschappij bestaat niet... er kan slechts een beschaafde maatschappij bestaan, en die berust op vrijheid en orde en omstandigheden en een eindeloos gepruts dat niet van een afstand kan worden geprogrammeerd. Het berust allemaal op toeval, maar de waarden zijn absoluut. Dat is het simpele punt van het menselijk bestaan met de lange uitleg. Stel dat die 'koude douche' van Rose slechts het begin was van een algemene verguizing van Crimonds boek? Uiteraard had iets wat er met dát boek gebeurde geen invloed op zíjn boek. Maar Gerard besefte dat hij zich weliswaar zou ergeren als Crimond slechts goede recensies kreeg, maar dat hij het vreselijk zou vinden als het uitsluitend slechte waren! Hij liep naar de keuken en keerde een blik soep om in een steelpan. Hij pakte wat boterhammen en smeerde er boter op terwijl de soep warm werd, vervolgens liep hij met soep en brood terug naar de zitkamer waar Crimonds drukproeven hoog op het buffet gestapeld lagen, bewaakt door de Staffordshire honden. Hij zette het bord en de beker soep op de groene tegels bij de haard en toen hij zich omdraaide om de deur dicht te doen zag hij een paar brieven op de mat in de hal liggen. Hij herkende Duncans handschrift. Hij nam die brief mee naar binnen en scheurde de envelop open.

Mijn beste Gerard

Je zult het overlijdensbericht van Levquist wel in The Times *hebben gelezen. Wie dat ook heeft geschreven heeft hem niet genoeg geprezen. Dat soort grootsheid kom je vandaag niet vaak meer tegen! Ik voelde me buitengewoon droevig en ik wilde je meteen schrijven. Ik weet dat jij hem vorige zomer op dat vreselijke bal nog hebt gesproken en misschien heb je hem daarna ook nog ontmoet. Hij was een soort heilige in de wetenschap, een heel bijzonder voorbeeld. Misschien heeft het einde van zijn leven me doen afvragen wat ik van het mijne heb gemaakt. Wat een geweldige puinhoop is het geweest, en wat is het eigenlijk kort, een punt dat ik jou ook heb horen noemen. Ik kom tot de conclusie dat het enige dat er echt toe doet vriendschap is, en niet die overgewaardeerde liefdestoestanden, maar gewoon je hechte vrienden, de mensen die je werkelijk nabij zijn en die je troosten en beoordelen. Jij bent altijd beide voor me geweest. Mag ik de hoop uitspreken dat we, in alle recente verwikkelingen, elkaar niet kwijt zijn geraakt. Het lijkt hier oneindig ver van Londen. We hebben een huis gekocht, maar ons adres is nu nog dit hotel. Ik hoop dat je bezig bent iets te schrijven. Ik heb het denken opgegeven.*

Hartelijke groeten,

Duncan

Gerard had het overlijdensbericht in *The Times* niet gelezen. Dus Levquist was overleden. Hij haalde zich die lage kamer voor de geest, het grote bureau bedekt met boeken, het raam open naar de zomernacht, Levquist, die zei: 'Kom nog eens terug, kom praten met deze oude man.' Hij was niet terug geweest. Hij had Levquists handen niet gekust en niet kunnen zeggen dat hij van hem hield. Levquist, die zei: 'Ik heb de jonge Riderhood gesproken. Hij was volslagen overdonderd door dat stuk Thucydides!' 'O God, o Gód,' zei Gerard hardop en ging op een van de ongemakkelijke stoelen bij de kachel zitten en verborg zijn gezicht in zijn handen. Er daalde opeens een wolk, een geest, van donker verdriet naast hem neer. Dat was de avond geweest dat zijn vader was gestorven. Levquist, die ook zijn vader was geweest, was nu ook dood. En Jenkin was dood, en de geest in de kamer was die van Jenkin, een treurige Jenkin, Jenkin als treurigheid, Jenkin als een ongeneeslijk, martelend verdriet. Waarom moest je doodgaan terwijl ik zoveel van je hield? zei Gerard tegen Jenkin. En het was vreselijk, vreselijk voor hem, alsof de schaduw van Jenkin huilde en zijn krachteloze handen uitstrekte. Het was niet mijn schuld, zei Gerard tegen de schaduw, vergeef me, vergeef me, ik ben zwaar getroffen, ik ben gestraft, ik ben vergiftigd. Waarom pleng je al die tranen? Omdat jij bent vermoord en ik bevriend ben geraakt met je moordenaar? O Jenkin, hoe kunnen we elkaar zo hebben verloren, hoe kunnen we zo zijn veranderd, jij die mij beschuldigt en ik verlamd door een verderfelijke drug!

Gerard stond op en keek om zich heen, zoekend naar iets, naar iets kléins, want dat was wat die afschuwelijke, beschuldigende schaduw nu was geworden, iets als een klein doosje of een zwart opwindspeelgoedje. Er was niets anders dan de kamer zelf, ongezellig en smakeloos en toevallig en leeg. Met een plotseling gebaar raakte Gerard de netjes opgestapelde drukproeven zodat ze op de grond vielen. In hun val sleepten ze een Staffordshire hond met zich mee. De hond was gebroken. Gerard raapte de scherven op en legde ze op het buffet.

Hij dacht: ik ben echt vergiftigd, ik ben geobsedeerd, ik ben vervloekt, ik ben gek. De kapotte hond had hem eindelijk in tranen gebracht. Hoe kan ik ooit dit boek schrijven dacht hij, als ik steeds weer moet denken dat Jenkin is vermoord? Wat doen Crimonds ideeën er ook toe. Waarom heb ik met Rose over een huis of samenwonen gesproken? Laat haar naar Yorkshire gaan. Ik ben vervloekt, ik ben veroordeeld tot een gekwelde eenzaamheid. Crimonds boek gaf me het gevoel dat ik nog wat ideeën had, maar het is een illusie. Levquist zei dat ik geen harde kern bezat, Crimond zei dat alles wat ik schreef opgepoetst en onwaar zou zijn, Rose zei dat het ijdelheid was. Ik heb de energie niet om een dik boek te schrijven. Ik zie nu in dat het niet belangrijk is. Maar ik moet hier wel weg. Ik heb geen enkele behoefte meer aan gezelschap, of het nu mensen of spoken zijn. O God, ik word oud. Zó heb ik me nog nooit gevoeld. Ik ben oud.

Hij pakte het bord en de beker van de tegels naast de haard en bracht ze weer naar de keuken. Hij zette een ketel water op voor een warme kruik. Hij was vergeten de elektrische kachel in de slaapkamer aan te zetten en het was er ijskoud. Hij deed de kachel nu aan en trok de gordijnen dicht. De wind deed de regen tegen de ruiten kletteren, die rammelden en tochtten waardoor de gordijnen heen en weer gingen. Hij zei tegen zichzelf: ik ben natuurlijk dronken, maar zo is het wel. De vloek waaronder ik gebukt ga rust op ons allemaal. Alle colleges in Oxford en de Big Ben kunnen ons nu niet meer afkopen. De tijd dat we op deze planeet konden praten over het zelf bepalen van ons lot is voorgoed voorbij... de tijd gaat snel. Rose heeft gelijk, het heeft geen zin nog te proberen te dénken. Het feest is afgelopen. *Après nous le déluge.*

Het water kookte en hij vulde de kruik en legde die in het bed waarin voortdurend een soort klamme schimmel aanwezig scheen te zijn. Hij pakte zijn pyjama en liep terug naar de zitkamer om zich voor de kachel uit te kleden. Crimonds drukproeven lagen overal over de vloer verspreid en hij veegde ze met zijn voet bij elkaar. Hij deed de das af die hij enkele uren geleden had omgedaan voor hij naar het feestje van Fairfax ging, waar hij wist dat hij Rose zou zien, en waar hij te laat was gekomen omdat hij niet bij machte was geweest zich los te rukken van dat vermaledijde boek.

Toen hij zijn overhemd losknoopte zag hij Duncans brief op de stoel liggen. Hij zou uiteraard terugschrijven maar hij voelde geen dringende behoefte Duncan te ontmoeten. Later misschien. Ik voel me zo wáárdeloos, dacht hij, deze sterfgevallen zijn me niet in m'n koude kleren gaan zitten. Ik zou me schamen tegenover Duncan. Het is leuk voor hem dat hij een vrouw en een huis heeft. Duncan wist hoe hij zijn leven moest inrichten, zelfs als alles tegenzat, hij was nooit 'hoogstaand' zoals Jenkin, zoals Gerard, zoals Crimond. Gerard bedacht dat hij tegenover Rose die term had gebruikt om Crimonds boek te beschrijven. Maar Jenkins hoogstaande opvattingen waren anders dan die van Gerard of Crimond. Gerard herinnerde zich hoe Levquist hem op zijn nummer had gezet toen hij had beweerd dat Jenkin 'niets had bereikt'. 'Riderhood hoeft niets te bereiken. Hij bewandelt de weg, hij bestaat waar hij is. Maar jij...' Ja, dacht Gerard, Jenkin heeft altijd de weg bewandeld, samen met anderen, hij ging volledig op in zijn omgeving, hij bestond volledig, hij was op elk moment helemaal echt, hij keek om zich heen met een vriendelijke nieuwsgierigheid. Terwijl ik altijd heb gedacht dat de werkelijkheid elders was, geëxalteerd en neutraal en alleen, op een nevelige bergtop die ik, als een van de weinigen, werkelijk kon zien, maar uiteraard nooit bereiken en waarvan de aantrekkingskracht me tot diep in mijn binnenste beroerde – dat was een frase van Levquist. Ik genoot van mijn superieure uitzicht, mijn besef van hoogte en afstand, het water in de diepte, de hoogte daarboven, en van een gevoel van aangename nietigheid dat slechts werd gedeeld met de uitverkorenen... zelfvoldaan platonisme, augustiniaans masochisme noemde Levquist het. Waarom ben ik niet teruggegaan om met hem over al die dingen te praten, ik had elk moment kunnen gaan. Nu voel ik, vóel ik me eindelijk alleen... en de berg en de bergtop, dat volhouden, dat naar boven kijken, was dat allemaal een illusie? Kan ik leven zonder aan mezelf te denken, en dááraan, gewoon op die manier. Misschien was het het gemis van dát wat ik zojuist voelde toen ik besefte hoe vergiftigd ik ben door die moordende twijfel, toen ik dacht dat het te hoog, te ver was. Juist nu ik dat onoverkomelijke probleem tref waarnaar ik zo heb verlangd, merk ik dat ik geen kracht meer bezit. Ik zal steeds verder krimpen en in een spleet wegkruipen. Wat ik beschouwde als de top van de berg was uiteindelijk een valse top... de top ligt veel hoger en gaat schuil in de wolken en wat mij betreft kan hij net zo goed niet bestaan, mijn uithoudingsvermogen stelt niets meer voor.

Hij dacht: ik ga meteen weg om me ergens te verstoppen. Ik koop een flat en doe die op slot en vertrék. Ik zeg tegen niemand waar ik heen ga. Wie kan het ook wat schelen buiten Rose, en zij heeft nu haar eigen familie. Wat heb ik vanavond een hoop onzin tegen haar uitgeslagen, dat kwam zeker door alle drank, ik ben dat niet gewend. Ik zal tegen haar zeggen dat ze niemand mag vertellen dat ik dat idiote plan heb gehad. Maar ach, ze zal het heus niet aan iemand vertellen, ze wil dat het niet doorgaat, ze begrijpt waarschijnlijk dat het er dik in zit. Ik wou dat ik met Jenkin kon praten. Misschien doet de volle draagwijdte van deze ramp me pas goed beseffen dat Jenkin dood is en nérgens meer is! Hij schoof Duncans brief weer in de envelop, legde hem op de schoorsteenmantel en begon naar de andere brieven te kijken, die hij op de vloer had laten vallen. Er waren twee brieven voor Jenkin. In het begin waren er veel brieven gekomen, nu werd het minder. Er waren twee reclamefolders en hij stopte ze in de prullenbak. Er was een gasrekening die hij in zijn zak stopte. Toen voelde hij opeens iets als een enorme elektrische schok, een stoot, waarvan hij even niet begreep wat de oorzaak was en hij dacht dat hij werkelijk een losliggende draad had aangeraakt, die een stroom door hem heen had laten gaan. Of misschien was hij ziek, was er in zijn hersenen iets geknapt. Hij merkte dat hij omlaag keek naar de laatste brief die aan zijn voeten op de vloer lag. Het was het handschrift op de envelop dat die vreemde schok teweeg had gebracht toen de boodschap ervan tot in zijn onderbewuste doordrong, en zelfs nu, nadat Gerard zich had gerealiseerd dat dit schrijven onheilspellend, misschien vreselijk was, herkende hij het handschrift van de afzender niet direct. Een handschrift kan een boodschap van vreugde of angst reeds overbrengen voordat het met een naam in verband wordt gebracht. Het was Crimonds handschrift. Het was lang geleden dat Gerard een brief van Crimond had ontvangen, maar het handschrift voerde hem, als een duistere hiëroglief die in het licht van een lantaarn in een graftombe wordt onthuld, vele jaren terug, naar Oxford, naar iets, een gebeurtenis, een gevoel, dat nu te diep lag om nog te voorschijn te komen, ver weg in donkere diepten van zijn geest, en waaraan dit angstaanjagende voorteken zijn oorspronkelijke kracht ontleende. Zelfs toen Gerard naar zijn huidige ik terug werd gevoerd voelde hij een misselijkmakende angst bij de aanblik, een walgende afkeer, en kwam hij in de verleiding de ongeopende brief in stukken te scheuren. Hij keerde het ding zelfs de rug toe en liep de kamer uit om de keuken op te ruimen, zijn beker en bord onder de hete kraan af te spoelen en het licht uit te doen. Daarna ging hij terug naar de zitkamer, pakte de brief en maakte hem open. Het was in ieder geval geen lange brief. Hij bevatte slechts één regel. *Het was een ongeluk. D.*

Gerard nam nu weer een pauze. Hij liep de hal in, hij deed zelfs de voordeur open en merkte dat de regen minder was geworden maar de wind nog even woest was als eerst. Hij deed de voordeur weer dicht en schoof instinctief de grendel erop, hoewel hij dit niet altijd deed. Daarna liep hij terug naar de zitkamer, ging bij de kachel zitten en las het briefje nog een paar keer. Hij bleef heel stil zitten terwijl er een storm van gemengde emoties zijn hoofd vulde, toen rond zijn hoofd vloog en daarna de kamer vulde als met een massa donkere, stille, snelle vogels. Het menselijk denken doorbreekt met veel gemak alle regels van logica en fysica en op dat moment was Gerard in staat een heel groot aantal levendige en zelfs heldere dingen tegelijkertijd te denken en te voelen. Hij dacht voornamelijk aan Jenkin, Jenkins dood en het ongeluk dat die dood had veroorzaakt, en dit deed zich voor als een onderwerp dat hij nu met Jenkin kon bespreken. In ieder geval kon Jenkin nu, zoals hij het bij zichzelf zei, omdat hij geen geest hoefde te zijn, gewoon zichzelf zijn, maar dan in het verleden. Zijn bestaan blijft absoluut. Hij heeft niet geleden, dacht Gerard, dit kan ik nu echt wel zeggen, het was plotseling, hij heeft het niet geweten. Gerard was niet in staat geweest de korte berichten in de krant te lezen, die het over een zonderling ongeluk hadden, maar hij had wel een indruk gekregen door de verhalen van anderen. Hij voelde niet de behoefte verder te gaan dan die indruk. Ik zal het hem zelfs niet vragen, dacht hij – doelend op Crimond – ik wil niet precies weten wat er is gebeurd, want het doet er nu niet meer toe. Het kwam geen enkel moment in Gerard op te twijfelen of Crimonds briefje de waarheid sprak. Wanneer hij eraan twijfelde zou hij zich overgeven aan een vernietigende krankzinnigheid, het geheel van de logische wereld hing samen met het spreken van de waarheid door Crimond. Hij kon zo'n brief niet hebben geschreven als het niet waar was. Toen Gerard dit alles tot zich door liet dringen voelde hij niet alleen de energie die hem schijnbaar had verlaten weer in grote, rustige, milde golven terugstromen, maar was het ook alsof, op een manier die hij nog niet helemaal kon doorgronden, de hele wereld om hem heen had gedraaid, steeds hetzelfde was geweest maar hem tegelijkertijd allerlei verschillende uitzichten en gezichtspunten had geboden. Toen hij over deze dingen begon na te denken stond Gerard op en raapte de verspreid liggende vellen van Crimonds boek op en legde ze weer netjes op een stapel op het buffet. Hij liep door de kamer te ijsberen en het was alsof de donkere, vogelachtige gedachten die als zwaluwen om hem heen waren geschoten nu rustig op het meubilair gingen zitten om hem met hun heldere oogjes op te nemen.

Hij ging weer zitten en keek naar het briefje. Het was duidelijk dat Crimond ongerust, misschien wel gekweld, was geweest door de vraag wat Gerard dacht over de dood van zijn vriend. Hij had dat vreselijke beeld uit Gerards gedachten móeten verwijderen. Hij had er, eveneens, niet aan getwijfeld dat Gerard hem zou geloven. Het had hem kennelijk echter veel tijd gekost te besluiten hem te schrijven. Misschien had hij het gevoel gehad dat hij beter even kon wachten, misschien had hij niet goed geweten wat hij precies moest zeggen. Hij heeft het goed gedaan, vond Gerard. De ondertekening was ook veelzeggend. Niet C. of D.C., maar D. Gerard was hierdoor geroerd en besloot er later nog eens over na te denken. Hij was nu, voor het eerst, in staat medelijden te hebben met Crimond, om deze vreselijk daad die hij onbedoeld had gepleegd en die hem zijn hele leven bij moest blijven. In ieder geval had Crimond, door hem te schrijven, zichzelf bevrijd van een extra verschrikking en daarmee, en veel meer, Gerard bevrijd. Die bevrijding was iets enorms, maar ook iets pijnlijks, en bracht zijn verdriet en verlies heviger en droeviger bij hem terug. Op dit punt kwam de gedachte weer bij hem boven die hem zozeer had gekweld, dat, misschien in een ver verleden, Crimond en Jenkin elkaar beter hadden gekend dan hij ooit had vermoed. Maar deze speculatie leek hem nu leeg en zinloos, de verderfelijke kracht ervan was ontleend aan dat andere vergif, dat nu eindelijk volledig uit hem was verdwenen.

Gerard trok zijn overhemd en zijn broek uit en hulde zich geleidelijk in zijn pyjama. Dan bleef nog de vraag hoe hij op dit epistel moest reageren. Daar moest hij nog eens diep over nadenken. Crimond zou zijn nood hebben verlicht door het versturen ervan. Maar hij zou ook een bevestiging verwachten. Een kleine pauze leek noodzakelijk, en dan een even kort briefje. Daar zal ik morgen over nadenken, dacht Gerard. En hij zei tegen zichzelf: natuurlijk ga ik dat boek schrijven, ik maakte mezelf maar wat wijs toen ik dacht dat ik dat niet kon doen, ik was toen ziek, ik móet het schrijven. Ik zal uiteraard moeten vechten, niet alleen tegen die onoverkomelijke moeilijkheden, maar ook tegen de tijd. Zelfs het eraan begínnen zal een moeizame strijd zijn. Maar ik zal het doen, ik bedoel dat ik het van ganser harte zal proberen. Ik zal het voor Jenkin doen, nu alles tussen ons is opgeklaard, dat kan ik ook zeggen. Jezus, wat zal ik hem missen als ik nu alleen die weg moet gaan. Ik zal morgen Crimonds boek nog eens gaan lezen en ik zal alles in gedachten houden wat Rose heeft gezegd over dat ik me 'door hem van m'n stuk liet brengen' en liet 'meeslepen' en hoe ik, als ik de auteur niet had gekend, het boek niet eens had opgemerkt. Volgens mij heeft ze ongelijk, maar zelfs als ze een beetje gelijk heeft doet dat er nu niet meer toe, omdat ik nu zie wat ik moet doen, wat míjn werk is. En dat heb ik zeker aan Crimond te danken.

Toen hij op zijn bed ging zitten dacht hij ook, en die gedachte was verontrustend: op zekere dag zal ik Crimond weer ontmoeten. Maar zeker niet binnenkort. Er moet een strikt decorum tussen ons worden gehandhaafd. Zo is er Jenkins dood, waarover we niet zullen spreken, en dan het boek. Natuurlijk zal ik met Crimond over het boek willen praten, en wat ik heb te zeggen zal hem ook interesseren. Of zal hij het boek hebben vergeten, het zelfs hebben verworpen? Mensen die lange, geleerde, opmerkelijke boeken schrijven willen daar soms niets meer mee te maken hebben, ze willen er niet over praten en ze willen ze zelfs niet meer genoemd horen, niet altijd omdat ze ze nu niet goed meer vinden, maar gewoon omdat ze zich nu weer op andere zaken hebben gericht. Crimond is er zeer wel toe in staat, zoals ik al tegen Rose heb gezegd, een ander lang boek te schrijven om dit te weerleggen, of een hevig hartstochtelijk, even wetenschappelijk onderlegd boek te schrijven over een totaal ander onderwerp! Toch zal ik hem weer ontmoeten, eens... en wanneer die tijd is aangebroken zal hij me verwachten.

Hij dacht: ik zal ook voor Rose zorgen, ik zal haar niet af laten dwalen naar Curtland-land, ik zal haar gelukkig maken. Rose betekent geluk... alleen heeft het nooit op die manier gewerkt. Ik kan niet zonder haar. Hij stapte in bed en deed het licht uit. Hij schoof zijn voeten en de warme kruik omlaag naar de ijzige onderste regionen van het bed. De wind blies in vlagen en wierp druppels regen als kleine kiezelsteentjes tegen het glas. In het donker werd hij weer overspoeld door een grote droefheid en hij begon aan zijn vader te denken, en wat een zachtmoedige, aardige, geduldige, goede man hij was geweest, en hoe hij uit liefde voor zijn vrouw haar altijd haar zin had gegeven, waarbij hij niet alleen zijn eigen wensen had opgeofferd maar soms zelfs zijn principes. Dat moest hem allemaal veel pijn hebben gedaan, en zijn kinderen, die hem nooit echt goed hadden begrepen, moesten hem in de loop der jaren ook verdriet hebben gedaan. Ik heb het niet genoeg geprobeerd, dacht Gerard, ik ben niet vaak genoeg naar hem toegegaan, ik heb hem niet vaak genoeg te logeren gevraagd, ik scheen nooit tijd voor hem te hebben. Ik had hem een deel van mijn leven moeten laten zijn. En mijn moeder... maar hij kon zijn moeder niet zien, die droevige schaduw wenkte hem tevergeefs. Hij dacht: ze zijn dood, mijn vader, mijn Sinclair, mijn Jenkin, mijn Levquist, allemaal dood. En toen vroeg hij zich voor het eerst opeens oprecht af of Grey ook dood was. Papegaaien leven langer dan wij en Grey was toen nog een jonge vogel. Maar een papegaai in een kooi is hulpeloos, hij is afhankelijk van de vriendelijkheid van de mensen en er zijn andere redenen waardoor ze dood kunnen gaan voordat ze oud zijn, door verwaarlozing, door ziekte, ze kunnen achterblijven in een leeg huis, ze kunnen omkomen van de honger. De gedachte dat Grey misschien was omgekomen van de honger deed Gerard van schrik rechtop zitten, en plotseling werd hij vervuld van een intens medelijden voor het verdriet en het hulpeloze lijden van alle levende wezens. Hij voelde de planeet draaien en hij voelde het leed, op de planeet, op de arme, arme planeet. Hij ging achterover liggen, draaide op zijn zij en begroef zijn gezicht in het kussen. Hij liet het moment voorbijgaan. Hij dacht: ik moet verder, of liever gezegd, als ik dat kan, omhóóg, want ik ben niet van plan mijn levensbeeld op te geven, niet voor Levquist, zelfs niet voor Jenkin. Het ís daarboven, plechtig en onveranderlijk en alleen, neutraal en zuiver, en, ja, ik voel de aantrekkingskracht ervan op dit moment veel sterker, misschien zelfs sterker dan ooit tevoren, en, ja, er schuilt een vreselijk genot in dat gevoel van afstand, van hoe hoog en onbereikbaar het is, hoe vreemd, hoe anders dan mijn corrupte wezen. Ik schrompel ervoor ineen, niet als voor het aangezicht van een persoon, maar als in een onverschillige vlam. Ik heb de valse top gezien, en naarmate het terrein verandert zie ik nu meer vreselijke rotsen en pieken er ver, ver boven. Ja, ik zal proberen het boek te schrijven, maar het is een veroordeling tot levenslang, en misschien wordt het niet alleen niet goed, maar kom ik ooit nooit te weten of het goed is of niet. Gemoedsrust, vredige gedachten: konden gedachten ooit weer rustig en vredig worden? Dit was het moment vóór het begin. Morgen, dacht hij, moest hij beginnen, zou hij zijn pelgrimstocht aanvangen naar waar Jenkin eens had gezegd te willen zijn, aan de rand van de dingen. Ja, achter die dichterbijzijnde richel was geen pad meer, alleen een steile rots die omhoog voerde, en toen hij naar de verticale klim keek verbleekte Gerard alsof hij voor een schavot stond.

Hij dacht bij zichzelf: ik kan nu echt de slaap niet meer vatten. Ik kan beter opstaan en iets gaan doen. Ik vraag me af of ik die Staffordshire hond nog kan lijmen. Hij is niet lelijk gebroken. Maar hij werd al doezelig en begon te dromen. Hij viel in slaap en droomde dat hij op die berghelling stond met in zijn handen een opengeslagen boek en op de bladzijden was geschreven: *Dominus Illuminatio Mea...* en van heel hoog daalde er een engel neer in de gestalte van een grijze papegaai met liefhebbende, intelligente ogen en de papegaai streek neer op het boek en spreidde zijn grijs met rode vleugels uit en de papegaai was het boek.

Lily Boyne liep, met langzame haast, door een armoedige, vervallen straat in het zuiden van Londen. Haar haast was langzaam want haar hart bonsde hevig en haar mond stond open en ze hijgde van emotie en ze voelde zich alsof ze elk moment flauw kon vallen of op zijn minst moest gaan zitten. Alleen kon ze nergens gaan zitten behalve op de stoeprand. Ze had haast om er te komen maar ze zag er ook tegenop. Als ze weer naar huis ging zou ze dan ongedeerd zijn of helemaal gebroken? Was ze nu normaal en zou ze later gek zijn, of was ze nu gek en later normaal? Of was ze volslagen krankzinnig geworden?

Lily was op weg naar Crimond. Ze had hem niet meer gezien en geen enkel contact met hem gehad sinds die afschuwelijke keer van het midzomerbal. De slechte herinnering aan die avond achtervolgde haar, kwelde haar soms, hoewel ze zich niet echt kon voorstellen dat het, voor haar, anders had kunnen lopen. Nou ja, misschien dacht ze af en toe nog een klein beetje aan die pijnlijke, mooie fantasieën over hoe Crimond die avond ten slotte 'zichzelf had gevonden' door te beseffen hoeveel hij om haar gaf. Ze had met enige trots en enige angst bedacht, en soms dacht ze dat nog steeds een beetje, dat het 'allemaal haar schuld' was, omdat zij degene was geweest die Jean en Crimond bij elkaar had gebracht. Als zij hem niets van dat bal had verteld zou hij zich niet hebben vertoond in die kilt, stralend van goddelijke macht. Hoewel ze niemand iets had verteld over haar doorslaggevende rol in dat drama, had ze toch onwillekeurig het gevoel dat iemand of iets haar ervoor zou straffen... misschien het noodlot, misschien Crimond. Maar het vormde ook een band, ze had de rol van liefdesboodschapper gespeeld en het had niet aan haar gelegen dat de liefde zo geheimzinnig te gronde was gegaan. Haar grootste angst op dit moment, terwijl ze door de haveloze straat liep, was dat Crimond zou denken dat ze uit medelijden naar hem toe kwam! Dit idee bracht haar in vertwijfeling. Ze wist feitelijk niets, en het leek alsof niemand iets wist, over de redenen waarom Jean en Crimond voor de tweede keer uit elkaar waren gegaan. Het was in ieder geval zo dat Crimond opnieuw alleen was, en geen enkele vrouw hem tot nog toe in staat had gesteld 'zichzelf te vinden'. Daar was Lily van overtuigd. Ze ging naar hem toe omdat ze niet anders kon.

Toen ze het huis naderde en haar knieën slap werden begon ze zichzelf opnieuw af te vragen – want ze had dit in de afgelopen weken tot in detail overwogen – of ze het ondanks haar intuïtie misschien toch helemaal mis had waar het Crimond betrof, en het altijd al mis had gehad. Haar indruk van hem als een eenling kon volledig toevallig en misleidend zijn. Misschien was dat 'gedoe met Jean', waarover Gerard en de hele club zo moeilijk deden, slechts één uit een eindeloze reeks avontuurtjes? Stel dat er zelfs nu een vrouw haar intrek had genomen, klaar om de deur open te doen en Lily af te blaffen? Ze leek wel gek zo'n ongemotiveerde, onaangekondigde tocht

te maken, die slechts kon uitlopen op een nieuwe en nog vreselijker vernedering, die haar voor eeuwig bij zou blijven. Maar er was een nog heviger
en meer dwingende reden, die uit het diepst van haar vooruitziende en bange onderbewuste opsteeg. Ze zou het misschien betreuren dat ze was gegaan, maar ze zou het zeker nog meer betreuren wanneer ze niet was gegaan.

De zon scheen en zelfs in deze rommelige en armoedige wijk van Londen
hing een voorjaarsstemming. De ramen, die zo lang dicht waren geweest,
stonden nu open en de mensen liepen zonder hoed en handschoenen en
droegen lichtere en vrolijke kleren. In de voortuintjes liepen de struiken uit
en begon het gras te groeien. Hier en daar lag er een groen waas over de
bomen, die een sfeer en zelfs een geur van nieuw leven verspreidden. Het
frisse, koude, zonnige licht kondigde het begin aan van de lange Engelse
lente. Uiteraard had Lily veel aandacht besteed aan wat ze aan moest doen.
Ze had diverse mooie, maar eenvoudige jurken overwogen en verworpen,
zelfs de zwart-witte jurk met het fluwelen kraagje dat haar zo subtiel flatteerde. Ze besloot tot een donkerbruine, erg strakke, broek van onopvallende dure tweed, met een lichtbruin leren jasje en een blauwe katoenen
blouse en een zijden sjaal met een blauw met roze abstract motief. Ondanks
haar pogingen iets aan te komen was ze magerder dan ooit; toen ze die morgen wat onopvallende make-up had aangebracht had ze er bijna ingevallen
uitgezien, de pezen van haar lange hals kwamen krachtig naar voren, haar
sleutelbeenderen staken uit onder de zachte katoen van haar blouse. Haar
ogen als van gesmolten suiker waren helder en stralend, maar het groeiende
aantal rimpels eromheen hield de poeder opvallend vast langs de randjes.
Haar smalle lippen, zonder lippenstift, waren bijna onzichtbaar, haar mond
een spleet. Ze was zo onverstandig geweest haar dunne, weinig indrukwekkende haar de vorige avond te wassen en het bleef nu piekerig overeind
staan, hoe vaak ze het ook omlaag kamde en achter haar oren stopte. Ze had
de hevig aanbevolen haarolie opgegeven. Ze had de zijden sjaal zorgvuldig
om haar hals geslagen en die bleef tenminste op zijn plaats zitten. Over deze uitrusting had ze haar lange, groene jas aangetrokken, en haar broekspijpen had ze in zwarte laarzen gestopt.

Eindelijk was ze dicht bij Crimonds huis, zag ze het, en Lily stapte haastig
door als om elke mogelijkheid tot aarzelen op de valreep uit te sluiten. Ze
liep de stenen stoep op. De grote deur, die eruitzag als een modern schilderij, vol gekleurde vlekken en gekrabbelde opmerkingen, was dicht. Lily
duwde ertegen. Hij was niet op slot en ze stapte de bekende armoedige gang
in, die donker was en naar oud vuil en verwaarlozing rook. Ze bleef in het
donker staan, als verblind na het felle, heldere zonlicht, en ademde de atmosfeer van stilte en verwachting en angst in, die ze nog maar al te goed
kende. Ze luisterde. Ze dacht: hij is weg, hij is verhuisd. Ze stapte naar vo-

ren en struikelde over de fiets en bleef na dit geluid weer staan. Ze deed de deur naar het souterrain open en liep op haar tenen de trap af. Hier luisterde ze weer. Stilte. Ze draaide de kruk geluidloos om, deed de deur langzaam een eindje open en keek door die opening de speelkamer in.

Ze zag, als in een vertrouwd schilderij, het vertrouwde beeld, de sombere kamer, de brandende lamp, de gestalte die aan het bureau zat te schrijven. Het was als in een droom, ze had dit inderdaad al vaak gedroomd. Het raam naar het lichtgat, waar nooit zonnestralen kwamen, gaf bij de deur wat doods licht, maar de andere kant van de kamer was donker, op de lamp na. Crimond bleef met gebogen hoofd verder schrijven, zonder iets van zijn bezoekster te merken, en Lily schoof zachtjes de kamer in en ging in een stoel bij de deur zitten. Ze haalde diep adem, hopend dat ze wat bijkwam en niet nog zenuwachtiger werd. Even heerste er een trance-achtige rust, alsof ze een tijdloos visioen had gekregen, een scène die werd veranderd door een lichtstraal van elders, die er toevallig op viel, als de schaduw van een vliegtuig op een landschap.

Plotseling tilde Crimond zijn hoofd op en keek de kamer in. Hij zei op scherpe toon: 'Wie is dat?'

Lily dacht: hij denkt dat het Jean is. Ze zei: 'Ik ben het, Lily.'

Crimond keek haar even aan en liet vervolgens zijn hoofd weer zakken om verder te schrijven.

Lily liep langzaam met haar stoel naar voren. Ze zette hem neer, niet tegen het bureau, maar op een kleine afstand er tegenover, alsof ze kwam solliciteren. Ze deed haar jas uit en ging zitten. Ze zag dat de schietschijf, die achter Crimond aan de muur had gehangen, nu was verdwenen. Ze wachtte.

Na een minuut of twee keek Crimond op. Hij droeg nu een bril met dikkere, rondere glazen en een zwaar montuur, waardoor zijn gezicht heel anders leek. Hij zette de bril af en keek Lily aan. 'En?'

'Neem me niet kwalijk,' zei Lily. 'Ik wilde je graag even spreken.'

'Waarover?'

Lily had deze vraag verwacht. 'Ik vroeg me af of ik misschien iets voor je kon typen. Ik had gehoord dat je boek bijna klaar was.' In werkelijkheid wist Lily heel goed dat het boek al af was, aangezien Gulliver haar dat enige tijd geleden had verteld.

'Dank je wel,' zei Crimond, 'maar het boek is al uitgetikt. Ik heb geen behoefte aan hulp.' Hij scheen echter niet te verwachten dat ze nu opstapte en hij bleef haar aankijken. Hij wachtte tot zij weer iets zei.

'Dus het is af?' zei Lily

'Ja.'

'En wat ben je nu aan het schrijven?'

'Een ander boek.'

'Is het net zoiets als het eerste, een vervolg?'

'Nee. Het is iets heel anders.'

'Waar gaat het over?'

Crimond gaf geen antwoord op deze vraag. Hij wreef over zijn lange neus waarop de nieuwe bril een rode streep had achtergelaten. Toen begon hij, zonder haar aan te kijken, zijn bril met een zakdoek schoon te poetsen, vulde vervolgens zijn vulpen in de inktpot en veegde hem af aan een stukje vloeipapier. Ze bedacht, toen ze zich nu wat rustiger voelde, dat hij er ouder uitzag, zijn bleke gezicht was wat opgeblazen, zijn fletse rode haar een beetje dunner.

Lily zei: 'Wat doe je verder nog?'

'Ik leer Arabisch.'

'Waarom Arabisch?'

'Waarom niet?'

'Dus dát is het. Ik dacht dat 't steno was.' Haar oog was gevallen op een handschrift dat aan de rand van het bureau lag. Ze schoof haar stoel naar voren.

Crimond, die haar even aandacht had geschonken, keek nu weer omlaag naar het losbladige boek waarin hij had zitten schrijven toen ze binnenkwam. Het Arabisch stond in een opengeslagen schrift. Lily tuurde ernaar. 'Heb jij dit geschreven?'

'Ja.'

'Is het moeilijk?'

'Ja.'

Het bleef even stil. Toen zei Crimond: 'Aangezien we verder niets te bespreken hebben en ik erg druk bezig ben, is het misschien beter als je weer vertrekt.'

Lily bloosde plotseling hevig. Ze voelde haar blos langs haar lange hals en over haar wangen naar haar voorhoofd lopen. Ze begreep dat ze nu een rake opmerking moest plaatsen of voor eeuwig haar biezen kon pakken. Het was net als in een sprookje wanneer je een oplossing moest geven voor een raadsel of zou sterven. Helaas wist Lily geen rake opmerking te bedenken. Ze zei onhandig: 'Ik wil je heel graag helpen.'

'Ik heb geen hulp nodig, dank je.'

'Ik zou je bij je politieke werk kunnen helpen . . .'

'Nee.'

'Ik kan typen, boodschappen doen, boeken ophalen, net wat je maar wilt.'

'Nee.'

'Ik weet dat jij een leeuw bent en ik een muis, maar een muis kan een leeuw soms helpen. Er bestaat een verhaal over een leeuw die aardig doet tegen een muis, en de muis zegt: eens zal ik jou helpen, en de leeuw lacht en dan raakt de leeuw gevangen in een val en de muis knaagt alle touwen door en bevrijdt hem.'

Deze kleine toespraak leek Crimond eindelijk te amuseren en zijn aandacht te trekken. Maar hij zei met een uitgestreken gezicht: 'Ik heb een hekel aan muizen.'

'Dan ben ik wat je maar wilt,' zei Lily. 'Dat wilde ik je komen vertellen. Ik houd van je. Ik heb altijd van je gehouden. Ik weet dat ik een nietswaardig persoon ben, maar ik wil in je leven zijn. Voor mijn part heb je honderden Lily's, kleine meisjes die je willen dienen, mij best, maar ik ben ik, en ik leef voor jou en ik weet dat ik dat doe. Ik heb je vorig jaar verteld van dat bal. Wat er ook gebeurd mag zijn, je weet dat ik het goed heb bedoeld. Ik beschouw me als een soort boodschapper in jouw leven. Tenslotte ken ik je al heel lang. Ik zou alles doen wat je wilde, ik zou je slavin zijn, ik wil me als een volledig geschenk aan je geven, het kan me niets schelen wat er van komt, het enige dat ik wil is weten dat jij me aanvaardt als iemand op wie je voor eeuwig kunt rekenen en op elke manier kunt gebruiken zoals je maar wilt. Ik beschouw dit als een roeping, alsof het me door God is opgedragen, voor mij ben jij volmaakt, ik kan niet anders dan me aan jou schenken. Als jij me maar accepteert zal ik stil zijn, zal ik me onzichtbaar maken, zal ik zo stil als een muis zijn... sorry, je houdt niet van muizen... maar ik wil er gewoon zíjn, als iets in de hoek van een kamer, wachtend op iets waar jij me voor nodig hebt...'

Crimond, die dit eniszins fronsend had aangehoord, met zijn bril tegen zijn lippen aangedrukt, zei: 'Ik houd niet van die verhalen over kleine mensen en dat jij een nietswaardig iemand zou zijn. Je bent een persoon, je bent niet klein. Ik houd niet van die terminologie.'

Crimond leek een algemeen standpunt te verkondigen, dat niets met haar persoonlijk te maken had, maar ze zei gretig: 'Ik ben blij dat je me niet nietswaardig vindt... ik zou studeren, je kunt me veel leren...'

'O, Lily, laten we alsjeblieft met beide benen op de grond blijven staan.'

'Jij bent mijn vaste grond.'

'Je weet best dat je gewoon onzin uitkraamt, je wilt gewoon je hart luchten, zelfs al slaat het nergens op. Nu je dat hebt gedaan wil je misschien zo vriendelijk zijn om weg te gaan.'

'Ik kan niet weggaan,' zei Lily. Ze had snel en gretig gesproken, maar wel kalm. Nu klonk haar stem haar in de oren alsof ze lichtelijk hysterisch werd. 'Ik ga niet weg. Ik weet zeker dat je iets bijzonders voor me voelt. Je moet aardig voor me zijn. Kun je zelfs niet aardig zijn wanneer ik zoveel van je houd? Hoe kan er zoveel liefde bestaan die gewoon verspild wordt? Ik moet iets van je hebben, als een overeenkomst, een soort status, iets, ook al is het nog zo klein, dat voor altijd een band tussen ons vormt.'

Crimond liet zijn blik van haar afdwalen alsof hij er genoeg van begon te krijgen en slaakte een zucht. 'Lily, ik kan er geen touw aan vastknopen. Je doet alsof ik jou met het grootste gemak iets heel waardevols kan geven...'

'Ja, ja, met gemak, echt waar!'

'Maar ik bezit het niet, dat speciale gevoel, ik heb geen behoefte aan jou als mijn slavin...'

'Dat word ik toch niet...'

'Of als een onzichtbaar voorwerp in de hoek van de kamer, of als een muis, ik moet niets van zulke situaties hebben, ik zou zo iemand niet om me heen kunnen velen, en ik kan je geen enkele ''status'' geven zoals jij het noemt. Ik koester gewoon geen enkel gevoel voor je en ik heb ook geen enkele taak voor je... het spijt me.'

Lily probeerde haar tranen te bedwingen, raapte haar jas van de vloer op en trok hem over haar knieën. 'Goed. Ik begrijp het. Het spijt me. Ik móest je spreken en móest je zeggen wat ik op m'n hart had.'

'Keer nu alsjeblieft terug tot het normale leven. Wat doe je in de normale wereld?'

'Ik ga trouwen. Met Gulliver Ashe. Morgen.'

Op dat moment moest Crimond glimlachen, hij lachte zelfs. 'O, Lily, Lily... dus je was zelfs bereid weg te lopen van onder de bruidskroon?'

'Ja.'

'Of had ik opgescheept gezeten met een getrouwde slavin?'

'Nee, nee... als jij me had gewild was dat alles niet gebeurd, zou er niets van zijn gekomen.'

'O jij dwaas... dwaas... meisje.'

Lily glimlachte door haar tranen heen en veegde toen haar tranen weg en trok haar jas aan. Ze zei: 'Maar ik mag nog wel eens met je komen praten? Ik mag in de toekomst nog een keer langskomen, je zegt niet nooit?'

'Nee, niet nooit, maar ik heb je niets te bieden.'

'Dan kom ik voor niets.'

'Allejezus, Lily,' viel Crimond uit, 'wil je nu alsjeblieft maken dat je wegkomt! Zorg dat je gelukkig wordt en maak iemand anders gelukkig en vergeet al deze flauwe kul. Vooruit, hoepel op, maak dat je wegkomt en wees gelukkig!'

'Rose en Gerard hebben ons te eten gevraagd, voor wanneer ze weer terug zijn uit Venetië,' zei Lily.

'In hun nieuwe huis?' vroeg Gulliver.

'Nee, suffie, dat hebben ze nog maar pas gekocht, bij Rose thuis.' Rose en Gerard hadden een huis gekocht in Hammersmith, vlak bij de rivier.

'Ik dacht al dat Gerard het niet uit zou houden in dat hol van Jenkin,' zei Gull, 'dat is echt geen omgeving voor hem.'

'Wat dacht je van onze omgeving?' zei Lily. 'Ik vind dat we binnenkort ook een huis moeten kopen, een leuk klein huisje in Putney of zo, met een tuin. Dat is leuk voor de kinderen.'

'Voor de kínderen?'

'Nu jij een baan hebt en ik ook iets te doen heb kunnen we ons dat best veroorloven. Als het goed is moet ik ergens ook nog wat geld over hebben, God mag weten wat er met de rest is gebeurd.'

'Laten we het niet overhaasten,' zei Gulliver. 'Het bevalt me hier wel. En we zijn nog niet eens getrouwd!'

'Maar morgen om deze tijd wel!' Het was avond, laat in de avond, op de dag van Lily's bezoek aan Crimond, en Gull en Lily zaten nog steeds aan de tafel na een uitvoerig feestmaal met inbegrip van talloze toosts met wodka, wijn en later cherry brandy, waarbij ze elkaar en zichzelf veel geluk en succes in de toekomst hadden gewenst. Ze waren allebei dronken maar voelden zich heel wakker, helder, spraakzaam en geestig.

'Reken maar,' verklaarde Gull, 'tenzij een van ons beiden ertussenuit knijpt... of allebei!'

'Weglopen van onder de bruidskroon.'

'Dat is een zin van Dostojevski,' zei Gull, 'ik wist niet dat je iets van hem had gelezen.'

'O. Ik dacht dat het een staande uitdrukking was. Ik hoorde hem laatst ergens.'

'Nou, ík loop heus niet weg!' zei Gulliver. 'Kijk eens, hier is de ring!' Hij liet Lily de gouden ring zien die in zijn kleine, donzige, fluwen doosje lag. De vreselijke toestanden uit die roman van Dostojevski stonden hem opeens ook voor de geest. Het was toch een heel gedoe met die vrouwen. Maar dat risico moest je maar op de koop toe nemen.

'Heb je Leonard verteld wat hij moet doen?' Leonard Fairfax was getuige voor de bruidegom en Angela Parke, Lily's oude schoolvriendin van de kunstacademie zou bruidsmeisje zijn.

'Bij de burgerlijke stand stelt het allemaal niets voor!' zei Gull. 'Ik zal de ring aan Leonard geven zodat hij hem op het juiste moment weer aan mij kan geven. Ik wed dat de meeste mensen zelfs die moeite niet eens nemen. Jij hebt het trouwens al eens eerder gedaan!'

'Ja, maar... er was geen ring... voor zover ik me herinner...' Lily had geweigerd een trouwring te dragen. Het leek nu ongelofelijk dat ze ooit getrouwd was geweest. Gulliver wilde niets horen over die wazige echtgenoot, en ze kon zich zijn gezicht nu niet goed meer voor de geest halen... arme James, o, arme James. 'Ik vind een beetje ritueel wel leuk.'

'Het is in vier minuten gebeurd.'

'Mijn God. En dan zitten we voor de rest van ons leven aan elkaar vast!'

'Ik hoop het echt! Misschien kunnen we Leonard en Angela koppelen?'

'Ik betwijfel het,' zei Lily. 'Angela is ouder dan ik en ze wordt dik. Bovendien schijnt Leonard een oogje te hebben op Gillian Curtland. En dat is een zeer begerenswaardige partij!'

'Ze is heel mooi,' beaamde Gulliver en zette snel de gedachte aan dat begerenswaardige meisje van negentien uit zijn hoofd.

'Ik weet nog steeds niet wat ik aan moet trekken.'

'Ik doe mijn lichtgrijs geruite pak aan met dat vage roze streepje erin. Jij trekt toch zeker geen lange broek aan, hè?'

'Natuurlijk niet. Ik denk dat ik die zwartwitte jurk met de fluwelen kraag aandoe.'

'Dus we nodigen na afloop alleen Angela en Leonard hier uit? Het is bijna alsof we in het geheim trouwen! Ik vergat je nog te vertellen dat ik Tamar bij Leonard thuis heb ontmoet. Conrad Lomas was er ook, en die blitse priester uit Boyars.'

'Het enige dat het geloof voor haar heeft gedaan is dat ze van d'r moeder is verlost.'

'Ik weet het niet,' zei Gull, 'ik denk dat het toch dieper ging. In ieder geval hadden die priester en zij een hoop lol samen! En als je de geruchten moet geloven is Violet gelukkig.'

'Dat is onmogelijk, die kán niet eens gelukkig zijn.'

'Nou, in ieder geval opgewekt of vrolijk of zo. Pat en Gideon weten niet wat ze met haar moeten beginnen, Leonard zegt dat ze geweldig met haar in hun maag zitten!'

'Díe laten zich zo gauw niet in de hoek drijven,' zei Lily, 'ze zijn niet zo gedwee als Tamar. Gideon weet haar wel weg te werken.'

'Moet je ons nou horen, we zitten over onze vrienden te roddelen alsof we niks beters te doen hebben.'

'Zijn het onze vrienden, hebben we vrienden?'

'Ja, en we zullen een heleboel nieuwe vrienden krijgen, en dan vragen we die te eten, net zoals echte, gewone mensen dat doen!'

'Maar willen we gewone, echte mensen zijn?'

'Zijn we daartoe in staat?'

Ze keken elkaar weifelend aan.

'Ik vraag me af of Gideon wil investeren in onze "Box Shop",' zei Lily.

Lily en Angela Parke hadden besloten een winkel te beginnen, nou ja, om te beginnen een stalletje, waarin ze lucifersdoosjes zouden verkopen. Het was Angela's idee geweest, hoewel Lily voor het organisatorisch enthousiasme en de financiële basis had gezorgd. Volgens Lily kon het niet anders of het werd een groot succes. Elke toerist koopt wel een lucifersdoosje, het goedkoopste en meest pittoresk 'typische' van alle souvenirs. Van lucifersdoosjes breidde het plan zich verder uit naar andere doosjes en dozen, handbeschilderde houten doosje in Russische stijl, bewerkte doosjes met Keltische motieven, dozen met leuke plaatjes en ontwerpen die uit musea en kunstgalerieën in heel Londen waren gepikt, leuk kunstzinnig spul dat niet pretentieus of kitscherig was. Angela was ervan overtuigd dat ze veel werkeloos talent kon verzamelen. 'Academiestudenten zijn heus niet zo hoog verheven,' zei ze, 'ze vinden het echt niet beneden hun waardigheid iets leuks te maken!'

'Ik hoop het!' zei Gulliver in antwoord op Lily's vraag. Hij had die geweldige Angela Parke nog niet ontmoet en hij vreesde dat 'het project' alleen maar het laatste beetje geld van Lily zou opslokken. Zodra ze getrouwd waren ging hij met Lily's accountant praten, hij zou 'de zaak eens bekijken' en zo nodig 'ergens een stokje voor steken'. Hij moest tenslotte de rol van echtgenoot spelen! 'Ik vind het leuk Angela nu eens te ontmoeten!'

'Ja, en dan zal ik die wonderbaarlijke vriend uit Newcastle eens ontmoeten, die Justin Byng!'

Dit was een jonge Amerikaanse toneelbouwer die Gulliver een baan had beloofd in een ontwerpstudio die hij in Londen wilde opzetten en waar Gulliver zijn secretaris moest zijn en zijn gids voor de Londense theaterwereld. 'Je hebt me nog steeds niet verteld hoe je hem hebt ontmoet,' zei Lily, 'of wat er eigenlijk in Newcastle is gebeurd. We hebben het zo druk gehad sinds je terug bent.'

Dit was het moment dat Gulliver steeds had uitgesteld. Hij had plotseling het gevoel dat hij zou barsten, hij stikte bijna door alle angsten, die door de opwinding over zijn nieuwe relatie met Lily, waarvan een groot gedeelte in bed had plaatsgevonden, tijdelijk naar de achtergrond waren verdreven. Lily kon haar geld verliezen, Gulliver kon zijn baan kwijtraken, hij moest zich morgen binden aan een vrouw voor wie hij moest zorgen; en nu zat hij met het meer acute probleem hoe Lily zou reageren op wat hij haar ging vertellen.

'Lily, ik moet je iets vertellen. Ik ben nooit naar Newcastle gegaan.'

'Wát?'

'Ik ben niet verder gekomen dan het station King's Cross.'

'Maar waar heb je dan al die tijd gezeten?'

'Om te beginnen in een goedkoop hotelletje in de buurt van King's Cross, en later... heb ik bij Justin Byng gelogeerd.'

'O God!' zei Lily, 'daar heb je 't al!' Ze stond op van de tafel en stapte naar de schoorsteenmantel waar ze een jade schildpad pakte, even overwoog hem door de kamer te gooien, maar dit toen toch maar niet deed. Gull zag er vanavond zo knap uit, de gebeurtenissen van de laatste tijd hadden hem goed gedaan, hem zelfs nog knapper gemaakt. Hij droeg zijn lichtbruine corduroy broek, die weer schitterend schoon was geworden na de ramp met het schaatsen, met daarop een nieuwe zeegroene sweater van Simpson en nieuwe donkerbruine leren laarzen.

'Doe niet zo stom,' zei Gull, 'er begint niks! Justin woont samen met een beeldschone meid uit Michigan, die met hem getrouwd is! Hij heeft me uit louter goedheid onderdak geboden en omdat hij met me wil samenwerken. En ik heb het je niet eerder verteld omdat ik er zeker van wilde zijn dat ik die baan echt kreeg.'

'Goed, ga verder, vertel maar op, en vertel me dan ook álles!'

'Er is me iets heel vreemds... nou ja, iets raars... overkomen op King's Cross. Ik weet dat het misschien bezopen klinkt, maar het is niet anders. Ik heb er een slak gevonden.'

'Een slák?'

'Ja. Vind je dat niet eigenaardig? Tja, ik denk dat slakken overal voorkomen maar je verwacht ze nou niet direct in een groot station midden in Londen.'

'Hemelse goedheid! Ga verder.'

'Ik keek alleen even hoe laat er een trein naar Newcastle vertrok en toen zag ik dit ding op de grond, het rolde voort, waarschijnlijk had iemand ertegen geschopt, ik wist niet wat het was, ik dacht dat het iets bijzonders was, ik raapte het op. Die schooier had zich natuurlijk ver in zijn huis teruggetrokken, maar ik vermoedde dat hij nog leefde en ik ging met hem op een bankje zitten en waarempel, toen ik 'm een poosje in mijn hand had gehouden kwam hij zomaar naar buiten en rolde zijn ogen uit en begon met zijn voorkant heen en weer te wiebelen en ik zette hem op de rug van m'n hand en hij begon te kruipen en... weet je... hij keek me áán!'

'O Heer!' zei Lily.

'Wat is er? Maar hoe dan ook, ik wist niet goed wat ik met hem moest doen. Ik kon hem daar niet zomaar achterlaten, of meenemen naar m'n hotelkamer en dan naar Newcastle, en omdat ik een soort band met hem begon te voelen vond ik dat ik goed voor hem moest zorgen. Maar, echt, in de buurt van King's Cross...'

'Dat kan ik me voorstellen.'

'Ik ben straat in straat uit gelopen, op zoek naar een fatsoenlijk park of een tuin, maar ik kon niets vinden. Dus ging ik maar weer terug naar het station en nam de ondergrondse naar Hyde Park Corner.'

'Goed zo.'

'Ik stopte de slak in mijn zakdoek in mijn broekzak en hield m'n hand er de hele tijd op. Gelukkig was het niet druk in de trein. Goed, ik liep dus naar het park... maar weet je, zelfs daar, aan die kant van het park heb je allemaal grote lanen met bomen en gras en ik kon hem niet zomaar op een open stuk neerzetten waar de eerste de beste merel hem op kon vreten, dus... ik was helemaal bezeten... en ik liep verder tot Kensington Gardens. Ik begreep dat die bloemperken ook niet goed waren want tuinlui hebben nou eenmaal de pest aan slakken. Ik dacht aan de buurt van Peter

Pan, maar daar komen natuurlijk veel mensen de eendjes voeren en daar zitten ook al veel vogels. Toen zocht ik een plekje bij de Serpentine, vlak bij de brug, weet je wel, waar de brugleuning zo laag is en toen ben ik over die leuning geklommen om een goed plekje in het struikgewas te zoeken. Nou, toen ik daar tussen de struiken liep te dalven, met die goeie ouwe slak nog steeds in m'n hand, bleef er een lange vent op het pad naar me staan kijken. Hij kon met de beste wil van de wereld niet bedenken wat ik daar uitspookte. Toen klom hij over de leuning omlaag om het te vragen. En toen heb ik hem het hele verhaal maar verteld, er zat niets anders op. En zal ik je eens wat zeggen, hij was heel aardig, hij vond het heel leuk, enig, hij zei dat hij ook veel om kleine dieren gaf. Toen hielp hij me de meest ideale plek te vinden en hebben we de slak daar met onze beste wensen achtergelaten en zijn we teruggegaan naar het pad en naar de brug.'

'Dat was Justin Byng.'

'Ja. Ik heb hem verteld dat ik op het punt stond naar Newcastle te gaan om daar werk te zoeken en toen vroeg hij wat voor werk en of ik daar iemand kende en waar ik nu woonde en nog een heleboel andere dingen en toen gingen we iets drinken in het Serpentine restaurant en daarna hebben we geluncht en heeft hij me over zijn leven verteld en ik nog een heleboel over dat van mij en toen zei hij dat ik dat noorden beter gelijk kon vergeten en uit dat muffe pension weg moest en bij hem en Martha in huis moest komen om daar over mijn werk te praten...'

'En op zekere dag kom je hier weer opdagen en zegt dat je in Newcastle bent geweest!'

'Ik heb nooit gezegd dat ik naar Newcastle ben geweest,' zei Gull, 'ik liet je dat maar denken. Het spijt me. Het was een soort leugen. Maar ik was echt de kluts kwijt en ik wilde eerst echt zéker zijn van die baan voordat ik... en toen we...'

'Ja, ja.'

'Het spijt me. Ik hoop niet dat je nu een slechte indruk van me hebt gekregen... je deed zo romantisch over het feit dat ik helemaal naar Newcastle ging om terug te komen met een baan.'

'Wat je me nu hebt verteld,' zei Lily, die weer naar de tafel liep, 'is veel romantischer en veel meer relevant. Maar die Byng klinkt me gewoon te goed om waar te zijn.'

'Nou, weet je, hij is een baptist.'

'Een wat?'

'Een baptist. Je weet wel. En Martha ook. Het is een doodgoeie vent, één van de aardigste mensen die ik ooit heb ontmoet, hij is heel hoogstaand.'

'We schijnen aantrekkingskracht te hebben voor hoogstaande mensen, ik hoop dat hij ook geld weet te verdienen. Is hij op de hoogte van mijn bestaan?'

'Natuurlijk, ik heb hem alles over je verteld.'

'O. Wat heb je gezegd?'

'Ik zei dat er een meisje was dat ik ten huwelijk wilde vragen zodra ik een baan had.'

'O, Gull... Gull toch...' Lily veegde verward de tranen uit haar ogen, tranen van de lach, van vreugde, en van een diepere, mystieke emotie. 'Ik kan me voorstellen dat Justin geroerd was. Je zei dat natuurlijk met opzet.'

'Nee, echt niet... maar hij was natuurlijk een en al belangstelling, evenals Martha. Ze heeft het steeds over jou als over mijn bruid.'

'Wat zullen ze dan teleurgesteld zijn,' zei Lily. 'Ze denken waarschijnlijk dat ik nog een fris jong ding ben!'

'Ik heb ze verteld dat je wat excentriek bent.'

'O, dank je!'

'Echt, Lily, het zijn reuze aardige mensen. Ze zijn helemaal niet angstaanjagend! Ze zullen je heel aardig vinden en jij hen ook. En is het niet vreemd zoals het allemaal te danken was aan een zonderlinge reeks toevalligheden, als die slak er niet was geweest, als ik hem niet had gezien, als ik hem ergens anders neer had willen zetten, als ik niet precies naar die plek in Kensington Gardens was gegaan, als Justin niet toevallig op precies hetzelfde moment langs was gekomen... Het lot is verbazingwekkend!'

Als het het lot wás, dacht Lily bij zichzelf. 'Op die manier,' zei ze hardop, 'hebben we in ieder geval een paar nieuwe vrienden waarmee we bij onze oude vrienden voor de dag kunnen komen... wanneer we getrouwd zijn... nadat we getrouwd zijn... morgen.'

Gulliver dacht: het is allemaal geweldig goed verlopen. Maar toch wilde ik dat ik wél naar Newcastle was geweest, zoals ik Lily heb laten denken. Het was zo'n dapper, opwindend idee en daar was álles mogelijk geweest, van vreselijke rampen tot schitterende dingen, zelfs beter dan Justin, als je in de toekomst kon kijken. Mijn God, er is ook nog een toekomst! Ik vraag me af of ik ooit spijt zal krijgen van die goeie ouwe slak. Dat idee van ertussenuit gaan, weggaan, betekende veel voor me, het was een soort ideaal, een krachtproef, een test op moed zoals ik nu nooit meer kan krijgen... in ieder geval niet op die manier... en ik was er klaar voor. Natuurlijk was ik niet laf, het liep toevallig allemaal anders, daarom ben ik niet gegaan en daarom zal ik het nooit te weten komen. Ik had daar zelfs een meisje kunnen ontmoeten... Maar Gulliver bedwong snel deze verraderlijke en verontrustende reeks van gedachten. Toen dacht hij: ach, ik ben niet in Newcastle gekomen en die arme Jenkin niet in Zuid-Amerika. Waren dat goede dromen van ons, of slechte? En die man in station King's Cross, waar is die nu, en moet ik hem gaan zoeken?

Lily bedacht dat Gulliver haar misschien alles had verteld maar dat zij hem niet alles had verteld! Ze had hem niet onthuld dat diezelfde morgen nog, toen ze zei dat ze boodschappen ging doen, ze naar een andere man was gehold om hem haar lichaam en ziel aan te bieden. Ze had hem, of wie dan ook, in ieder geval nooit onthuld dat ze van Crimond hield. Hij kan hebben vermoed, dacht ze, dat ik er trots op was dat ik Crimond kende, maar ik weet zeker dat het nooit bij hem is opgekomen dat ik helemaal stapel op hem was. En ik was in het begin ook stapel op hem en toen ben ik wat bekoeld en hij was gewoon de belangrijkste persoon in de wereld, en daarna ben ik, juist nu, weer stapel op hem geworden, ik ben weer verliefd op hem geworden door... door Gull en door die trouwerij en dat huwelijk en dat gevoel van een onherroepelijke verandering. Zodra ik dát voor me zag, zodra ik had besloten van Gull te houden, besefte ik hoeveel en hoe anders ik iemand anders liefhad. Misschien gebeurt dat bij andere mensen ook wel. Ik moest naar hem toe, ik moest het proberen. Als ik niet naar hem toe was gegaan, op mijn laatste dag van vrijheid, zou ik er eeuwig spijt van hebben gehad. Het zou me altijd dwars hebben gezeten dat hij me misschien nodig had gehad en me had begeerd, en dat ik te bang was geweest om het te proberen. Andere mensen zijn soms raadselachtig, en wie weet? Zoals het nu is...

Zoals het nu was had ze het gevoel alsof er een grote last van haar schouders was genomen, en dat ze was ontsnapt naar een nieuwe ruimte van vrede en vrijheid, die ook een serene overgave aan het lot inhield. Nu mocht komen wat er komen zou, en ze hoopte het dapper en zonder wroeging onder ogen te zien. Natuurlijk zou Crimond voor haar iets absoluuts blijven, en om hem zou ze misschien een klein amulet van verdriet met zich meedragen. Maar ze begreep, zelfs nu, dat het een onschuldig droomobject was dat in de loop der jaren zou verbleken, en dat ze een vrijheid had ontvangen die slechts hij haar kon schenken. Nu werd het tijd om met beide benen op de grond te staan en gelukkig te worden. Ik denk dat ik gelukkig ben, dacht ze, maar ben ik ook echt? In ieder geval is Gull echt en houd ik echt van hem, ik neem aan dat dat een goed begin is.

En wat dat opmerkelijke verhaal over die slak betrof: kon dat slechts een reeks van toevalligheden zijn? Waarom niet, waren alle menselijke levens niet slechts een reeks van toevalligheden? Maar het was wel heel vreemd. Lily had ook, zoals ze Rose op die avond met die slakken op Boyars had verteld, een slak op een ongewone plek aangetroffen, in haar flat, zomaar op haar toilettafel. Toen ze die naar buiten in de tuin had gebracht, terwijl ze zich ongerust maakte over Gull, had ze er wat woorden tegen gemompeld van een oude toverformule voor slakken die haar grootmoeder altijd gebruikte. Telepathie was uiteraard iets wat echt bestond, maar hoe kon de ene slak iets doorgeven aan de andere...? Ik zou toch zweren dat er iets in zit, dacht ze, er is iets vreemds gebeurd en dat heb ik teweeggebracht! Wat zit de wereld toch geheimzinnig in elkaar! Ze stond op het punt haar gedachten aan Gull te vertellen maar besloot dit niet te doen. Het klonk allemaal zo krankzinnig. Bovendien kon, in de wisselvalligheden van het gezinsleven, een klein, extra, geheim wapen soms goed van pas komen; en zoals haar grootmoeder haar had verteld berustte die kracht op zwijgen. Ik ben een heks, ik ben een heks! dacht Lily... Grootmoeder zei dat het erfelijk was! Maar op de een of andere manier weet ik dat als dit een truc was, het door liefde heeft gewerkt, en als ik ooit enige toverkracht bezit zal die slechts door liefde kunnen werken, en zó'n soort heks wil ik zijn. O, wat leven we toch in een wonderbaarlijke wereld!

'Gull, lieverd, kijk eens naar de klok, het is onze trouwdag! Laten we op ons geluk drinken... en op de slakken!'

'Op ons geluk... en op de slakken, God zegene hen!'

INHOUD

DEEL EEN
MIDZOMER 7

DEEL TWEE
MIDWINTER 103

DEEL DRIE
VOORJAAR 399

IRIS MURDOCH
DE LEERTIJD

Stuart Cuno wil zijn leven beteren. Aangezien hij niet in God gelooft en van religieuze instellingen niets wil weten, zal hij dat op zijn eigen manier moeten doen. Hij besluit zijn veelbelovende academische carrière op te geven om zich aan sociaal werk te wijden. Een sober, celibatair leven staat hem voor ogen. Zijn ontstelde familieleden en vrienden twijfelen aan zijn verstand.

Edward Baltram, Stuarts stiefbroer, heeft de dood van zijn beste vriend veroorzaakt. Overmand door wroeging en schuldgevoel geraakt hij in een diepe depressie. In zijn wanhoop besluit hij zijn vader op te zoeken, die hij sinds zijn kindertijd niet meer heeft gezien. Deze woont met vrouw en twee dochters in Zeevang, een huis in een onherbergzame streek aan de kust. Edward treft daar echter slechts de drie vrouwen aan die er, in kloosterachtige afzondering, een ogenschijnlijk sereen en werkzaam leven leiden. De sfeer is mysterieus en Edward verkeert er in een soort roes. Wanneer hij uiteindelijk zijn vader ontmoet − een ontmoeting die heel anders verloopt dan Edward zich had voorgesteld − begint de schijn van vrede en rust af te brokkelen. Als Stuart opdaagt om Edward te 'redden' stort de wereld van Zeevang in en is het uur van de waarheid aangebroken.

Over *De leertijd* schreef de Engelse pers:

'. . .een van haar beste romans.'
TIMES LITERARY SUPPLEMENT

'Iris Murdoch is hier absoluut op haar best: inventief, humoristisch, ontroerend.'
THE TIMES